海外中国研究丛书
刘东 主编
[德]瓦格纳 著
杨立华 译
王弼《老子注》研究
ON WANG BI'S COMMENTARY OF LAO ZI
江苏人民出版社

图书在版编目(CIP)数据

王弼《老子注》研究 / [德]瓦格纳著;杨立华译.
—南京:江苏人民出版社,2009(2021.4 重印)
(海外中国研究丛书/刘东主编)
ISBN 978-7-214-05717-4

Ⅰ.王… Ⅱ.①瓦… ②杨… Ⅲ.道德经-研究
Ⅳ.B223.15

中国版本图书馆 CIP 数据核字(2009)第 048728 号

书　　名　王弼《老子注》研究
著　　者　[德]瓦格纳
译　　者　杨立华
责任编辑　张晓薇
装帧设计　陈　婕
责任监制　王　娟
出版发行　江苏人民出版社
地　　址　南京市湖南路 1 号 A 楼,邮编:210009
网　　址　http://www.jspph.com
照　　排　江苏凤凰制版有限公司
印　　刷　江苏凤凰通达印刷有限公司
开　　本　652 毫米×960 毫米　1/16
印　　张　60　插页 4
字　　数　785 千字
版　　次　2009 年 5 月第 1 版
印　　次　2021 年 4 月第 2 次印刷
标准书号　ISBN 978-7-214-05717-4
定　　价　176.00 元

序“海外中国研究丛书”

中国曾经遗忘过世界，但世界却并未因此而遗忘中国。令人嗟讶的是，20世纪60年代以后，就在中国越来越闭锁的同时，世界各国的中国研究却得到了越来越富于成果的发展。而到了中国门户重开的今天，这种发展就把国内学界逼到了如此的窘境：我们不仅必须放眼海外去认识世界，还必须放眼海外来重新认识中国；不仅必须向国内读者逐译海外的西学，还必须向他们系统地介绍海外的中学。

这个系列不可避免地会加深我们150年以来一直怀有的危机感和失落感，因为单是它的学术水准也足以提醒我们，中国文明在现时代所面对的绝不再是某个粗蛮不文的、很快就将被自己同化的、马背上的战胜者，而是一个高度发展了的、必将对自己的根本价值取向大大触动的文明。可正因为这样，借别人的眼光去获得自知之明，又正是摆在我们面前的紧迫历史使命，因为只要不跳出自家的文化圈子去透过强烈的反差反观自身，中华文明就找不到进入其现代形态的入口。

当然，既是本着这样的目的，我们就不能只从各家学说中筛选那些我们可以或者乐于接受的东西，否则我们的“筛子”本身就可能使读者失去选择、挑剔和批判的广阔天地。我们的译介毕竟还只是初步的尝试，而我们所努力去做的，毕竟也只是和读者一起去反复思索这些奉献给大家的东西。

刘　东

目　录

译者的话

人文研究的诠释学性格意味着:思想和学术的创造几乎总是在特定的诠释学境域中展开的。在中国古代的学术和思想中,这一点尤为突出。上个世纪体系化地重构中国哲学史的努力,使得王弼思想的诠释学基调被从整体上忽视了。在这样的氛围下,王弼《老子注》不是首先被当做注释,而是被当做王弼本人的哲学构造来研究和引用的。王弼本人则被当成了某一类不受文本约束的“自由”的解释者。

瓦格纳(Rudolf G. Wagner)教授的《王弼〈老子注〉研究》在这样的整体氛围当中是一个辉煌的例外。作者首先致力于揭示王弼的注释技艺。他向读者呈现出了这样一个王弼的形象:在自觉地接受文本的内在约束的前提下,在致力于消除文本的多义性的同时,将《老子》本文中所蕴涵的哲学可能性发阐到了一个空前的高度。进而,作者将自己的精力投入到既艰辛又充满“危险”的工作当中:重构王弼的《老子》本和《老子注》,并给出结构性的转写和翻译。在翻译《老子》本文和王弼的注释时,作者插入了大量推论性的成分,以尽可能地降低文本的多义性。与那种语焉不详的翻译相比,这样的做法至少提供了一种可以“证伪”的译本。而减少多义性这一根本指向，则充分体现了王弼《老子注》的基本精神。在上述文本研究的基础上，作者对王弼政治哲学、语言哲学以及本体论的考察，向我们完整地展现了哲学素养和品味对于思想史研究的重要性。毫不夸张地说，瓦格纳教授的这部著作在强调文本研究的思想史传统中，是具有典范意义的。

中文版序

中国学研究发生在一个多语言的世界。除了中文以外，学者们还在用日语、英语、法语、德语以及其他语言撰写重要的著作；而相当的历史资料则在另一宽泛的语言跨度里传布，从梵文到吐火罗文，从拉丁文到葡萄牙文，更不用说日文和韩文中对古汉语的运用了。几乎没有学者敢于声称自己在用所有这些语言中的哪怕一小半来从事研究，而与此同时，这样的学术原则却依然有效：关于一个课题的所有重要的资料和研究均需要顾及，不管它们传布在哪种语言中。

在过去的25年中，我们可以看到中国学研究在中国大陆经历了实质性的复兴，在海外出版的以及以其他语言撰写的学术著作得到了应有的重视。某些影响广泛的著作得到了译介，以便于致力于中国学研究的学生和其他领域中那些关注比较视野的学者阅读，比如裘锡圭的《文字学概要》。然而，这中间仍然存在着令人痛心的不对称。当以汉语、英语、日语和法语等三或四种语言从事研究在海外中国学研究者中已经相当普及之时，在中国大陆，即使对于年轻一代学者，这也仍属罕见。其结果是，他们的大多数讨论被割离于国际学术的主流之外，这一事实受到了图书馆采选政策的强化——甚至在中国大陆最好的大学的图书馆里，人们也能发现那些最重要的中国学研究的外文刊物付之阙如。

将外国的学术著作译为汉语，至少能部分地弥补这一状况。我很高兴我关于王弼《老子注》的研究受到了关注，并被翻译为中文出版。作为“海外中国研究丛书”的主编，刘东教授不仅是翻译此书的建议者，而且也是此项翻译计划的每一步骤的积极推动者。我无法想象没有他的努力，此书的翻译能够完成。

翻译是真正多语际的工作。一个以德语为母语的学者，用中国学研究中应用最广泛的学术语言——英语，分析和翻译一部以3世纪的汉语写成的，从语法、修辞和字义等方面解释某个六百年前的文本的注释。这一三卷本的研究包括对王弼在其注释中所用的解释学方法的分析，王弼《老子》本及注释的批判性版本及“推论性翻译”（即通过王弼的注释解读《老子》的文本），以及对作为王弼《老子注》核心的哲学问题的分析。北京大学哲学系的杨立华教授慨然承担了这一译介工作。为了形成一个翻译规范，我们两人有近两个月的时间，每天在柏林的国际科学中心逐字校阅部分译文，剩下的部分则通过信件交流和讨论。这相当有趣，但也非常艰难——尽管杨立华的译文草稿已经有了相当高的水准。

20世纪60年代初，我在德国和法国学习期间，我关注的是古代汉语。那个时候很多研究古希腊的学者在学习古典的希腊文，但连在现代希腊的雅典餐馆叫来一杯水这样的事情也压根儿无法做到。我那时既没有学习现代的白话文，也没有看到这样做有什么必要。那时候，社会主义阵营外的世界，与中国大陆没有任何实质的学术交流，而少数在台湾从事中国学研究的学者讲的都是英语。直到1979年，我年近40的时候，我才学会了第一个普通话的单词。对于充分发展我用现代汉语表达和写作的能力来说，这实在太迟了。当然，我知道我的每一句话在说什么，也能看出译文是否准确地翻译出了我的意图，而杨立华则不得不一次次给出一个可用的现代汉语词汇或句子。我非常感谢他容忍我无休止的细碎“唠叨”的耐心。至于结果，则留待读者的裁决。

这一研究并非凭空而来。它在与中国学研究领域中的学术倾向和实践进行着或明或暗的争辩。在现代的海外中国学研究开始的时候，人们可以期待它们会从欧洲古希腊和罗马的经典研究的那些给人深刻印象的文本批判或文字学的方法论中汲取方法论的指引。在相邻的领域——梵语研究中，情况正是如此。然而，西方学者在中国发现了有众多学者参与其中的清代考据学传统，其中的许多领域(如音韵学)，达到了极为精深的水准。这一中国学的传统迅速吸收了某些西方的文本批判方法，尤其是与辨伪问题相关的那些。其中最为突出的例子就是顾颉刚等人编辑的七卷本《古史辨》。而其他一些重要的西方文字学的要素，如批判性文本，则没有成为中国学学术实践的部分。除极少数例外，日本或西方的外国学者并没有进入这一在质、量和历史等方面都拥有如此优势的领域的意图。这一可悲的结果，致使时至今日，甚至那些最为基本的中国经典文本也没有值得信赖的批判性版本。连可以和 Oxford、Teubner 或 Loeb 的西方经典著作系列相匹敌的东西都没有，就更不用说有关《旧约》、《新约》的研究了。

带有王弼注的《老子》本的通行本就是一个例证。它直接回到了带有印在王弼注之上的《老子》文本的一个明代单行本，而这一《老子》文本显然不是王弼手中的本子，因为王弼在注释中引用的《老子》本文一再偏离它。而且，这一文本已经被广泛地用作“王弼《老子》本”，甚至在那些将不同抄本并置起来的版本中也是如此。这一状况在许多年前已经在实质上被岛邦男教授的杰作改变了。他的《老子校正》是最早为《老子》传承的不同世系建立批判性版本的。在他的著作之后发表的抄本，如马王堆帛书本，在许多例证中证实了他对这些文本族中的两个文本族的读法。对马王堆帛书本的盲目追随，使得他的著作被绝大多数学者当做过时的东西而忽视。岛邦男也是第一个将注释中的引文用作这些注释者手中的《老子》文本的资料的人。通过从他的著作中汲取重要的方法论暗示并将其推展为更系统的方法，我开始着手建构王弼手中的《老子》本和王弼注释本身的批判性版本，对于后者，明以前的资料尚存，而且在质量上也要好些。

我自己的方法论背景内在于解释学传统。1961 年读了伽达默尔(Gadamer)的《真理与方法》以后，为了学到更多的解释学方法，我决定前往他当时任教的海德堡大学。尽管我尽力带入这一视角来丰富我自己对中国学的研究和教学，我还是没能说服伽达默尔把中国哲学作为哲学课程的常规部分。如果没有在海德堡那些年的刺激，对王弼用于其注释中、并使他的注释为原本不同意其哲学宗旨和分析的学者信服的复杂方法和程序的分析，是无法想象的。这些分析构成了原本三卷系列的第一卷，亦即本书的第一编。这一分析的出现，包含了对忽视中国学研究中的注释传统的含蓄批评。一直以来，注释者常常被学者们当做方便的参考书，用来检索某个东西的意义，某个地方的古地名和位置以及某个汉字的罕见语义。如果注释者被纳入思想史或哲学史，他们就会被分配到这个或那个学派；他们的著作将被当做独立的哲学论文，而几乎完全忽略了这一事实：它们是作为另一有更高权威的文本的注释来展开其论辩的。其结果是，它们与本文的互动关系、它们的注释策略并没有得到研究。这一部分力图呈示这些策略及其暗示的研究的实质性哲学旨趣和一般性思想趣味。其中的一个结果是上面提到过的对文本的现代翻译的深层策略。针对某种颇为时兴的假设(它假设《老子》和王弼注都具有多种可能的意义，读者可以自由发挥)，我指出：王弼注的诉求是去除《老子》本文的所有可能的多义性。在王弼提供某种“翻译”或以 3 世纪的语言详尽阐发本文的内容和语法功能的地方，这一对多义性的去除是相当明确的。但在文本本身只有唯一一种合理选项的场合下，仍然存在着含蓄性。如果在某个句子中，不知名的主角的行动对“百姓”具有普遍的影响，那么，这意味着这个不知名的主角是统治者或整个政府，而非尊敬的读者或我本人。对于现代的读者，这些暗示不再是自明的了。因此，我把它们补充进括号里。其结果是，带有明确性和可证伪性这两种相互关联的品质的一种现代汉语翻译。对于学术探讨而言,这样做带来的优点是:把我的翻译开放给任何尖锐的批评性阅读,容许发现和校正错误,而非隐藏在文本假定的多义性背后。

关于哲学的第三部分承担了也许不可避免、但也令人遗憾的部分工作。例如,致力于研究新发现的竹简或帛书抄本上的文字的学者,倾向于关注这一方面,而只对文本的修辞、叙事结构或它的政治、哲学意涵做极少量的评注。很明显,此种专门化是有其理由的,而且他们指派给技巧和纯形式解决的特权位置避免了让某个人对内容的解读呈报出文本中的某个字得以辨识的方式的危险。与此同时,书写符号与修辞和内容的分离,是纯然表面性的。我的梦想是涵盖从文本的版本到翻译、从注释策略的分析到哲学和政治意涵的研究的整个过程。我试图保持三个部分的特质,并把它们设计在一种使之独立停下的方式中。我也试图整合它们。依据玄学家中的文字学和哲学实践,我相信它是王弼力图将文字学与哲学的迫切性结合起来的关键点。

研究王弼,整整用去了我 23 年的时间,这与他活过的年头正好相当。不过,我要高兴地说,我对此没有丝毫遗憾。我非常期待看到中文读者对我就这一年轻而骄傲的天才所做分析的反应。

2006 年 6 月 5 日

于海德堡

第一编

注释的技艺

导　言

在撰写博士论文(关于早期佛教思想家、特别是释道安和释慧远)期间,我发现佛教的论辩常常被理解和表达为创始于3世纪的玄学语言。① 尽管玄学在中国哲学中的重要性已经被认识到,尽管它的一般纲要已经得到了勾画,而且也有了关于它可能的社会政治起源和目的的论断,但并没有对具体文本和问题的细节性研究。由此,着手从事王弼(无疑是最深刻同时也最有影响的玄学家)的研究就显得十分自然了。

汉语文本缺少批判性版本,也缺少对单个的哲学著作的细节性研究。在西方经典的研究中,分工是相当明确的:一部分学者从事文本的汇纂、编辑、注释和翻译,另外一部分学者则致力于分析由第一部分工作而变得可读的著作。然而,也有一些学者,如研究《新约》的 Rudolf Bultman,试图跨越整个事业的广度——从艰辛的文字学研究,经由宗教、社会和政治思想的广博分析,直至哲学文本和宗教信仰的内在逻辑的解释学探索。在海德堡大学数年追随伽达默尔学习解释学这一经历的帮助

① 参见 R. Wagner, *Die Fragen Hui-yuan's an Kumarajiva*,页156—216。

下,我着手仿效这一模式。

我的研究包括:

● 王弼《老子》本、《老子注》及《老子微旨略例》的批判性文本;三者的翻译以及对文本传承和这些著作的训诂学研究;

● 讨论王弼作为《老子》的注释者的技艺,以及他的立场依据和针对的思想潮流;

● 研究作为其经典注释基础的王弼的语言哲学、标志着中国哲学史的一个分水岭的本体论以及他的本体论为之提供模式和逻辑的政治哲学。

这是一个相当谨慎的工作,尽管卷帙颇巨。这一篇幅仅仅反映了中国研究相对于它们的文字学基础的相对滞后。我的研究甚至没有包括王弼作品的全部,他关于《周易》的著述基本上被搁在了一边。

中国哲学注释的研究受到欧洲的宗教改革和文艺复兴对"经院哲学"(一直被视为二手的思想)的黑暗时代的蔑弃的极大影响。原文本、本来意义以及作者的本来意图一直被赞美为学术研究唯一止确的关注所在,而"前科学的"注释和注释者一直被斥责为主观主义和非学术性的,它们倾向于阐发自己的观点而非解释文本的"真正"意义。这一批评态度将杰出的能量导入对这一"科学"立场的强化。这些文艺复兴的偏见未经批判地输入中国(以及大多数中国学术共同体对它们的接受)的缺点在于,产生了大量荒芜的领域,这些领域被一概斥为不值得杰出学者投入精力的二手思想。

我们知道,至少从公元前2世纪起,在中国,经典文本一般都是通过注释而被阅读的。而且,从先秦以来,最杰出的中国心智的极大部分以经典的阐释为唯一可以获得的古代圣人的遗产。如果我们检讨5或10世纪《春秋》或《老子》的引文的意义,回到一种假想的关注原文本以及本来意图的解读将显然是不可理解的;引用文本的人以及读者已经通过某种注释读过它了,这种注释可能在一种跟原文完全不同的语境下得到定位。

可悲的是，直至今日，甚至一部早期中国注释史的概略也没有出现，尽管注释无疑是绝大多数中国思想家和哲学家发挥其天赋的惯常风格。早在孔子的时代，某些口头或书面的陈述的可理解性已经成为被讨论的问题。孔子的道说和姿态在他的弟子们看来蕴涵并隐藏着深意，《论语》记录他们怎样向他问及并在彼此间讨论这些深意。《老子》在很多段落中意图为"圣人"或"古之人"的言行提供解释，有时甚至以"……何谓"这样的句子插入关于他自己的论述的注释。《管子》"四篇"通过广泛的"内注"进一步发展了这一结构。① 这些内注不只是以其他的语词复述原句。它们使用了一种不同的论辩记录，两者的互动创造了一种既复杂又稳定的意义结构。

随着某些文本获得了一种更高的地位——它们直接与据信领会了世界的秘密从而以天为则的古代圣人关联起来，对它们编码的内容的阐释成了通达真理的权威路径。孟子已经通过将他自己的论辩归结进一则出自《诗经》的引文，结构了这些论辩。以这种方式，它们成了注释，解释和展开被理解为凝缩和编码在这一文本的诗中内容；尽管它们并没有注释的形式。《诗经》在孔子的时代已经达到了作为注释题材的地位，但注释的余地并不受语境或历史意义的限制。孔子最终自己选择并编辑了《诗经》这一传说，使得至少对儒家来说，它成为一部圣人智慧的经典。随着其他文本被插入同一经典名录，它们也成了注释的对象。这种注释可以采用一种直接附于文本的注释形式，最终被视为它的不可分割的部分，如《周易》的"十翼"；或者采用直接的、分离的注释形式，如《春秋公羊传》和《春秋穀梁传》——最早的单立的注释著作；或者采用轶闻集或间接说明其意义的论辩集的形式。在公元前

① 这四篇是《心术》上、下，《白心》和《内业》。参见 Rollicke，"*Selbst-Erweisung*"，Der Ursprung des ziran Gedankens，页 164。另见 Rollicke，"Hidden commentary in precanonical Chinese literature"，页 15—24。Rollicke 博士是海德堡"汉语文本与注释"研究小组的成员之一。

4 世纪和前 3 世纪，这一发展没有受到后来汉代造出的所谓儒家经典的制约。所有存在的文本共享一系列共同的主题、立场和实践，给它们强加后省性的“家”的区分是没有意义的。《老子》、《管子》或最近发现的《五行》[1]在注释中得到讨论。例如老子本人的论述在《庄子》等许多先秦文本中得到讨论，《老子》的文本在诸如《文子》[2]、《韩非子》这样的著作中被引用、解释和注释。

从孔子的时代开始，对这些权威文本的解读成为学校教育的部分，而对它们的注释成为学术、通常也是政治性论争的部分。以这种方式，解读和理解成为一种公共行为，必须向同一经典的其他注释者的群体证明自己的合理性。他们的共同预设是：这些文本是圣人权威的但凝缩的、经过编码的陈述，没有任何努力可以将其完全转译为普通人的固定的语汇。这一预设造成了三重约束：权威的论述只能从对这些古代权威文本的某种解读中衍生出来；对于其他可能会从这些经典文本中得出别的结论的读者，这种解读必须是合理和有说服力的；由于这些文本原则上的不可穷尽，任何解读都是向着挑战开放的。结果发展出了一套解读和解码这些文本的极为复杂的、在开放的讨论中辩护的策略。

《公羊传》和《穀梁传》在它们说教性的问题和回答中都保留了它们实际上起源于关于《春秋》的注释教学的痕迹。为了方便学生，它们明确

① 《五行》的简文载于《郭店楚墓竹简》，页 29—36，它的释文载于该书页 147—154。在《马王堆汉墓帛书：〈老子〉甲本及卷后古逸书》中，有一个非常近似的文本，但其中有一则插入的注释。

② 河北省文物研究所定州汉简整理小组发表的“定州西汉中山怀王墓竹简《文子》释文”，页 27—34；它提供了与通行本《文子》“道德篇”相同的竹简的释文。通行本这一章中文子与老子的讨论在竹简中转成了楚平王与文子之间的讨论。这一章的通行本通常以《老子》的逐字为结尾，但在绝大多数竹简中却不是。其中有一个重要的例外，即此书第 29 页 0870 号竹简上出自《老子》第 29 章的引文，参见李定生、徐慧君编《文子要诠》，页 106。这一引文与大量取自《老子》的语汇表明，《文子》以《老子》的材料为权威，并在其上展开。然而，竹简中没有提到老子的名字。关于竹简与通行本的比较，参见同一整理小组编写的“定州西汉中山怀王墓竹简《文子》校勘记”，页 35—37 和页 40。

了注释所使用的原则。它们假定《春秋》包含有关于鲁国执政者的重要事件的记载。而且，对于每一记载类型，它都是规范其形式和内容的标准表述。由这些表述构成的母体不是一本真正存在的手本，而是一套由记载的全部以及某些其他关于礼的资料（存在于《周礼》、《仪礼》和《礼记》中）推论出来的实践。[①] 具体的记载与这一母体对比，任何偏离都需要解释。在这两种注释中，偏离是以“何以书”或“何以不书”这样的标准句式来标明的。《春秋》最早的一条记载只标明了鲁国的一个新的统治期的开始，而没有记录任何事件。《公羊传》以建立一种注释规则——“无事不书”开始。接下来的问题是“何以书”。与其他鲁公的第一条记载对比，将表明它们包含有事件，即“即位”的信息。由于只有事件才被记录，此处记录的就是没发生的行为——隐公的不即位。在某个表述中某类预料中的特定信息的缺失，给出了隐秘信息的线索，即鲁隐公不是正式地即位，而是作为他弟弟（因太小而无法即位）的暂代者。这进一步反映了鲁隐公的完美人格，也预示了他弟弟的邪恶——因害怕隐公会与自己争夺王位而杀害了他。

在证明对于整个《春秋》（而非某个偶然的句子）的一套逻辑一贯、合乎情理的注释策略的努力中，《公羊传》和《穀梁传》表明了源自一个为竞争经典文本解读的控制权的注经群体的压力。这些注释极高的分析品质和学术成就表明了这一压力的强度。注释者不能要求教师对学生、以及某个固持其特殊解读的学派的特权。通过凝结入书写媒介，注释成为一个公开的注经事件，必须在可能的挑战中生存下来。我们在《周易》“十翼”以及《诗》的序说和《尚书》的注释中的学术性的系统化上看到了类似的努力。在经典文本的隐含意义必然影响帝王或官员的社会实践以及通过褒贬提供一般原则这一假设下，解码基本上也就意味着细绎出

① 关于《公羊传》的注释策略的细节研究参见海德堡大学 Joachim Gentz，“Das Gongyang Zhuan：Huslegung und Kanonisierung der Fruhlings und Herbstanmen（*Chunqiu*）”（《公羊传》：《春秋》的注释和经典化）。Gentz 是海德堡大学“文本与注释”研究小组的成员之一。

这些判断,表达出可以肯定的行为的一般原则。尽管《老子》也吸引了大量注释和解说,但先秦及汉代对这一文本的解读似乎既不是要致力于找到某种统一的、可证实的、合理的和学术性的解码策略,也不是要细绎出某种道德指南。

对这些保存圣人隐秘洞见的遗产的某些领会和把它们改变为现成可用的做法的努力,成为西汉时期蔓衍开来的一种持续增长的绝望的叙事的部分。在很多人看来,圣人的时代一去不复返了,近乎自然的败坏将最终导致对他们的遗产的全无领会。班固写道,孔子的弟子没能理解夫子,在他们死后,甚至孔子教说的“大义”已被遗忘了。对于班固来说,秦对典籍的物质上的毁灭以及西汉复原的抄本的蠹蚀,只是这一败坏的物性显现而已;它的思想的显现则是,尽管国家力图通过经学博士的制度统一理解,还是有许多不同的经典注释流派同时出现。[①] 圣人们留下的“微言”是“精微”的,因为其中藏有真理。这也就意味着对表面文本的寻常解读无法找出这一真理。表面文本只是一种不可靠的但又不可避免的表达媒介。表面文本的不可靠性召唤细绎出精微真理的学术性、交互性的方式,同时也使得这些提炼在任何时刻都面临着挑战。

为降低这一不可靠性和封固真理,在西汉后期有两套注释手段被发展出来。第一种是构成解秘关键的两种因素,即阴阳和五行被并入同一个结构中。由于这一结构反映了宇宙的结构,因此,它是圣人们用来编码其遗产的自然钥匙。由这一结构提供的不同领域之间的关联的自觉应用,将容许从看似琐碎的经典文本中提炼出意义来。第二种是对文本的表面语言的完全字典化的解释,特别是涉及制度、礼法和物质文化的因素。在实用的意义上,后一类型的注释可以由经典文本与读者之间的

① Wagner,“Twice Removed from the Truth: Fragment Collection in 18th and 19th Century China”,页 48。

时间间隔(以及随之而来的,有待跨越的语法、术语系统以及社会现实的变化)来论证。

尽管有朝廷和经学博士的种种努力,这一固定经典化了的文本及其解秘策略的尝试并非全无障碍。其他文本,诸如《老子》和《楚辞》,为进入广为接受的核心经典打开了道路,而且其他的注释策略也得到了发展。东汉时期,上面提到的两套注释手法被凝结在"章句"这一注释类别中。正如后面将会详尽谈及的那样,文士数量的迅速增长表达了他们对"章句"过度依附表面文本以及忽忘圣人遗产的终极意义的不满。

汉王朝的崩溃消解了国家对这些章句的襄赞,造成了一段数十年的间隙期:在一个开放的、相对友善的竞争环境中,出自世族的缺乏虔敬的年轻人可以追寻圣人的哲学的而非道德的遗产、"微言"而非表面文本的字句。这些年轻人不是谦逊的完人;他们是杰出的,而且知道这一点。他们觉得自己有通过共同的努力创造"微言"的前提,在深度和历史重要性上,他们可以媲美孔子及其弟子。他们绽放的正始时期(240—249年)是一种新的指向意义的注释的黄金时代,而王弼无疑是其中最杰出的一员。他的注释类型的起点是严格的哲学性问题;他拒绝将各"家"分离的观念学传统,追求超越各学派以及它们据有的文本的真理;他的注释包括哲学上相关的文本的核心经典,即《周易》、《老子》和《论语》(《庄子》是在后来才加入的),通过将阴阳/五行的解经结构看作没有原料依据的幻想,他为自身设置了学术性注释的最高标准。在本编的第三和第四章将分析这一注释的技艺,在其文本分析的纯粹思想品质上,他在很多方面都是迄今未能超越的。以此种对注释的学术技艺及其规则的关注,本书的主要部分旨在成为中国的文本和文化理解过程的历史(这一历史迄今还未有人写出)的一部分。对文本的研究以及哲学的分析将留待此书的另外两编:在文本的研究中,我将给出由王弼注中推论出的《老子》以及王弼注的译文;而在哲学分析中,则将概述出自对《老子》的分析的王弼哲学的展开。

王弼的著述表现了中国最好的注释家超凡的分析精审性和哲学深度。它是一个值得研究的对象。王弼的注释的精审粉碎了众多现代读者的看法：他们将自己的翻译的含糊不清归罪于他所研究的中国作者，而非他们自己的解释能力。

第一章　王弼传略

王弼的生平

据说海德格尔在回应学生们要求他介绍亚里士多德的生平时，在随后一次讲授中以这样的话开头："亚里士多德生活、工作，然后死了"。接着便继续讲授这位哲学家的哲学。

海德格尔的态度是在回应将思想化约为社会史，将哲学追求化约为特定的经济、政治或个人利益的上层表述的风尚。这一风尚对应的是某些关于人性的共同假设，但它还必须证明社会利益转译为特定的哲学或宗教构造的特定方式；同时它也必须解释这一事实：这些构造通常在它们一度维护的社会群体消亡后好像仍然存在，并对后世有着完全不同的"社会利益"和程式的群体发挥深刻的影响。在我此前发表的一些关于王弼的研究中，我基本没有受到此种化约主义的干扰。但最终，这一关联既不可证实也无法证伪，尽管事实上王弼在以后的数百年间（在发生了实质变化的环境里）始终是一种有效的思想力量。海德格尔的隐含论述——在一个哲学家那里只有他的哲学值得一提，是有其指向的。它反对的是一种古老的、影响广泛的倾向：通过将某个哲学家的思想化约为

“学派”教条、政治偏向或他所属阶层的社会经济利益的合法化，来回避思想本身的挑战。

另一方面，许多中国哲学家卷入了他们时代的政治和宗派论争，这已是众所周知的了。然而，他们的著作在后世的流传和声誉却并不能归因于他们在这些论争中的政治姿态。而且问题仍是，他们有什么样的哲学贡献，使得对于一个现代读者来说，研读他们的著作是值得的。

按照海德格尔的方式，那么，王弼（226—249 年）也同样活过，工作过，而且很年轻就死去了。① 他死的时候还不满 24 岁，而已经撰写了《老子注》和《周易注》、两篇分析这两部著作的结构的论文（《老子微旨略例》和《周易略例》）、一部对何晏编撰的《论语集解》的批评性补充（《论语释疑》）以及一些其他的哲学论文。两种注释和结构分析在对文本赞助的激烈争夺中存留了下来，而且被一致描述为中国哲学史上的分水岭。他的《周易注》在孔颖达的《五经正义》中成为标准的注释，他的《老子注》的主导地位只在唐代一度失去。

王弼生活于其中的历史和社会环境当然促进了他的哲学的发展。他出生在汉王朝刚刚灭亡、一个漫长的分裂时期才刚刚开始的时代里，成长于有数个正试图建立新的制度和正统的国家的战后世界里，其中，思想和社会力量变动极大。那是一个突然间没有了严厉的、权威的教师的世界，因为在公元 2 世纪曾如此显要的国家和私人学院的系统（其中有官方的“经学博士”和马融或郑玄这样的私家教师）已经崩溃了。尽管现在有人抱怨那时的教育极为糟糕，但它无疑是一个有良好背景的个体天才有机会享有盛名的罕见时刻，而且王弼那一代人中少年天才的数量受到了此后数个世纪的企羡。在一个他们的祖先还没来得及记住某一

① 王弼在官职等级中没有达到足以进入正史的官位。何劭为王弼写了一个《别传》。《三国志·钟会传》的裴注中收入了《别传》的摘要。在《世说新语》中有几则轶闻。相关的资料被收集在楼宇烈《王弼集校释》的附录中。迄今为止最系统的传记研究是王晓毅的《王弼评传》。

经典的第一种注释的年纪,他们已经撰写出了经久的著作。它是一个原创性的甚至是无法无天的思想、言说和行为能带来声名的时代;一个王弼这样的年轻学者不仅为中国哲学做出杰出贡献,而且自信地认为他们正在这样做的时代;一个以特有的浮夸来行为的时代。王弼这一代人的成员并不怀疑他们的原创性,而是珍视和发扬它,并使之风格化。

王弼无疑是既有天分又有良好的家世背景的。尽管生于洛阳,但他出自今山东省山阳县内的高平王氏。① 这一家族属于东汉的豪族,这些豪族在此后数个世纪将构成统治上层集团的"贵族"的核心。②范晔明确称高平王氏为"豪族"。③ 这一家族随着王龚(卒于140年)成为三公之一而声名显赫,王龚与当时对抗阉宦对朝廷的把持的清流有密切的关系。他的儿子王畅(卒于169年)又受到王龚门徒的提拔,并继续与清流关系密切。他是"八俊"之一。"八俊"与"三君"和"八顾"(其中包括以"清谈"的创始者闻名的郭泰)类似,都是一种对人的性格和品质的极具典故色彩、同时也极为简化的刻画,这些群体的成员以此相互描画,或者说相互奉承(在某些当代人看来)。④ 尽管"八俊"中有五人在169年的党锢之祸中被杀,王畅却没有受到影响,这也许是由于他的家族地位的保护。

正是王畅建立了家族的思想声望。他最出色的学生是同样出自高平的刘表(卒于208年),一个后来成了领荆州牧的皇族成员。在汉王朝覆亡期间,刘表吸引了许多名士来到荆州,并在那儿建立了一个学院。在王氏家族的政治权势和思想声望的基础上,王谦曾拒绝与皇后的兄长

① 参见 R. Miao, *Early Medieval Chinese Poetry*: *The Life and Verse of Wang Ts'an*(*AD177—217*),此书对王粲的家世谱系做了些研究,但没有考察这个家族的社会地位。王晓毅的"王弼故里新探"对东汉时期山阳的作用和地位做了详尽的研究,参见《孔孟学报》75,1998年。

② 参见关于这一主题的研究,如中村圭尔,《六朝貴族制研究》(东京,1982);D. Johnson, *The Medieval Chinese Oligarchy*;P. Ebrey, *The Aristocratic Families of Early Imperial China*: *A Case Study of the Poling Ts'ui Family*。

③《后汉书》,46.1819.13。

④ 参见贺昌群,《魏晋清谈思想初论》;何启民,《魏晋思想与谈风》。葛洪的《抱朴子外篇·正郭》中给出了关于郭泰的重要材料。

大将军何进的女儿通婚。何进兄妹的家世出身为屠户。出身于高平王氏的人不可能接受这样的联姻。王谦的儿子王粲(177—217年)得益于这一家世。在190年董卓将都城移至长安,尚且年幼的王粲作为随员同往。在未满15岁时,王粲与著名诗人蔡邕(132—192年)有一次值得纪念的、命运性的见面;蔡邕对于会见高平王氏的子孙极其兴奋,倒屣出迎。

> 献帝西迁,粲徙长安,左中郎将蔡邕见而奇之。时邕才学显著,贵重朝廷,常车骑填巷,宾客盈坐。闻粲在门,倒屣迎之。粲至,年既幼弱,容状短小,一坐尽惊。邕曰:"此王公孙也,有异才,吾不如也。吾家书籍文章,尽当与之。"①

这批藏书中一定包含了大量的汉代经学文献,而且也一定反映了蔡邕的先祖蔡勋对黄老思想的兴趣以及蔡邕本人对音乐和诗歌的兴趣。②当蔡邕最终在192年作为董卓的同党而被杀时,这一约10 000余卷的无价收藏被载以"数车",赴荆州转交给王粲。这是我们清楚知道的唯一一批在汉末的内战和洛阳190年的焚毁中完整无损地保存下来的藏书。它对于刘表在襄阳的荆州书院一定是一笔重要的财产。王粲到襄阳后,他的家庭地位几乎使他为刘表选为女婿,但由于他其貌不扬,他的表弟王凯最终被选中了。在曹操的军事优势日益明显的时候,王粲劝刘表停止抵抗。作为回报,曹操授予他一个荣衔。他成为一种宫廷诗人,并且是曹丕的朋友。这一非常私人性的关系在建立于220年的曹魏宫廷成员中间的盛行,可以通过一则轶闻突显出来:

> 王仲宣好驴鸣,既葬,文帝临其丧,顾语同游曰:"王好驴鸣,可

---

①《三国志·魏志》,21.597.10。

② 范晔,《后汉书》,60B.1979。黄老思想指的是汉初流行的哲学和政治学说,它强调社会的自治力量,反对过度的中央集权。它宣称自己出自黄帝和老子的学说。

各作一声以送之。”赴客皆一作驴鸣。[1]

看起来，王粲在荆州期间结了婚。他的两个儿子——藏书的继承者，被卷入了魏讽之乱，在219年被杀。[2] 然而，曹操为了避免整个王氏家族的殄灭，让王凯的儿子作为这一显赫家族（Miyazaki 将其分入贵族的第二等级）的嗣子。[3] 对于藏书的继承者——王业，只有如下一些记载：中等的职位，与裴徽（另一豪族的后裔，这一家族对于265年西晋的建立有定鼎之功）的友谊，有二子——王宏和王弼。

王弼的教育可能很类似于同为豪族的钟氏或颍川荀氏（自称是荀子的后人）的后人的教育——在钟会为母亲撰写的传记中曾有动人的描述。[4] 到王弼成年的时候，曹魏知识分子的立场和风格是由夏侯玄（209—249年）、何晏（190—249年）等人决定的。夏侯玄和何晏的著作留传下来的极少，但足以让我们理解他们为同代及后世设立的新的经典——它们是由《老子》、《周易》和《论语》组成的，这一选择拒绝了汉代流行的学派倾向。因此，王弼他们将在母亲的引导下学习这些经典，对于自己的天分和对于年轻人成为无比辉煌的思想家的特权有着坚定的信念，他们没有太多知识的负担。仅仅十几岁的时候，王弼就开始以这一新经典的老到的阐释者而闻名。他不必成为一个独来独往的人，有许多相同家世和兴趣的年轻人，更重要的是有许多上一代人乐于同他讨论。他受到了他父亲的同僚裴徽的接纳，并与他讨论哲学；[5]他与荀融有过激烈的辩论，[6]与王沉有过往来；[7]并与傅嘏（另一最终支持司马氏集

---

① 《世说新语》17.1,635;Mather, *A New Account*, 页 323。
② 张华,《博物志》,载于《三国志 · 魏志》,28.796.11。
③ 科举前史,《九品官人法の研究》,页 125。
④ 钟会所撰生母传记,引自《三国志 · 魏志》裴注,28.784。
⑤ 何劭,《王弼别传》,引自《三国志》裴注,28.795。
⑥ 同上。
⑦ 同上。

团的世家的后人)交谈。①

曹魏政权对于这些豪族后裔的经济和文化权力越来越警惕。随着战乱结束后的经济恢复,这些家族在公元 3 世纪 30 年代又开始重新聚集;它们的年轻人又一次在那些夸示他们的天才的名字下面构成了一种松散的联合,这些名字中也包括像何晏这样的新贵。何晏是在曹操家中长大的,但他的曾祖却是一个屠户;这个家庭的兴起是由于他的女儿成了皇帝的宠妃,而他的儿子何进因此成为大将军。这些出自豪族的年轻人为在政府中充任角色而扰攘。魏明帝(公元 227—239 年在位)将他们视为相当大的威胁,因此颁布了一道特殊的选举令,以确保有这一思想倾向的人无法通过。明帝死后,他的臣属用阴谋将其幼子拥上皇位,并让与这些群体关系密切而且是皇帝叔父的曹爽及大将军司马懿共同摄政。随着这一变化,随着何晏成为吏部尚书,从正始年间开始,豪族群体的成员开始被大量吸收进政府。② 何晏试图通过委任大量杰出的豪族成员在豪族集团与新贵家族之间打造一种巩固的联盟,比如让王弼进入他直接监管下的官属。《世说新语》保留了何晏与王弼初次见面的故事:

> 何晏为吏部尚书,有位望,时谈客盈坐《文章叙录》曰:"晏能清言,而当时权势,天下谈士多宗尚之。"王弼未弱冠,往见之。晏闻弼名,因条向者胜理语弼曰:"此理仆以为极,可得复难不?"弼便作难,一坐人便以为屈。于是弼自为客主数番,皆一坐所不及。③

何晏比王弼年长甚多,是当时最有影响的官员。崇尚王弼这样杰出的年轻人是那个时代的一个新风气,而何晏的不朽主要不是通过他本人的著述、而是通过他乐于将最高的名望让给年轻的天才。另一则轶闻表现了何晏造访王弼,来检验自己将要完成的《老子注》:

---

① 何劭,《王弼别传》,引自刘孝标《世说新语注》,2.6。

② 对于这一群体以及他们的生活方式、涉及的政治斗争,参见拙文"Lebensstil und Drogen",页 87—108。

③《世说新语》,4.6;Mather, *A New Account*,页 95。

何晏注《老子》未毕，见王弼自说注《老子》旨，何意多所短，不复得作声，但应诺诺，遂不复注，因作《道德论》。①

何劭在《王弼传》中告诉我们：

弼幼而察惠，年十余，好老氏，通辩能言。……于时，何晏为吏部尚书，甚奇弼，叹之曰："仲尼称后生可畏，②若斯人者，可与言天人之际乎！"③

在这一突然取代尊敬年长学者（在开始阐发自己的观点之前，他们花费了大量时间来记忆经典）的对年轻天才的崇拜中，何晏比时人走得更远。以他成长于曹操门庭、并且以罕有的才智令其养父震惊的社会声望，以其吏部尚书的权位，以其作为玄学领袖之一的名声，以其玉人般优雅的外表，以其对刺激心神的寒石散的使用，以其对年轻人优秀的才智和原创性保持谦逊的公众姿态，何晏成为正始时期的时代风尚的奠基者，而非追随者。④ 不断地借用孔子及其弟子的话，不仅表明玄学家们对他们的企羡，而且是一种声称他们具有与孔子或孔子所喜爱的学生（特别是颜回）相同的地位的尝试。

与此同时，正始时代标志了一个在治理哲学和实践上发生了根本变革的时代。没有多少材料可以让我们理解这些变化，但似乎在司马氏通过政变取得了实际的控制以后，他们杀掉了绝大多数杰出的领袖（首先是何晏），但基本上延续了这些人的政策。⑤

何晏、夏侯玄以及年轻的王弼这样的哲学家在从事于构造一种新的贵族生活风格（这一风格将在此后数百年间被追随和效仿）的同时，也在

---

①《世说新语》，4.7；Mather, *A New Account*，页97。这些文章现已散佚，只有一些片断尚存，我们将在讨论王弼哲学的部分详细分析。

②《论语》，9.23。

③ 何劭，《王弼别传》，引自《三国志》裴注，28.795。

④ 关于这一代的生活方式的详尽描述，参见拙文"Lebensstil und Drogen"。另见森三树三郎，"魏晉時代における人間の發見"，《東洋文化の問題》1(1949)：121—201。

⑤ 这一论断最早是由王晓毅作出的，参见《中国文化的清流》，页74。

试图用他们的政治哲学承担时代的问题。何晏除了作为正始时代的《论语集解》的编撰者,还撰写了一些批评朝廷奢靡的诗;[①]王弼曾"数次"诣曹爽"论道",换言之,对治理中的原则问题提供建议(令曹爽惊愕和嘲笑)。[②] 何晏看到了一种三头监管的新政体。3世纪的一段文字记载了他以"清谈"常用的方式对那个时代的某些杰出人物的评价:

> 初,夏侯玄、何晏等名盛于时,司马景王亦预焉。晏尝曰:"唯深也,故能通天下之志,夏侯太初是也;唯几也,故能成天下之务,司马子元是也;惟神也,不疾而速,不行而至,吾闻其语,未见其人。"[③]

何晏以最后一句出自《论语》孔子的话来标榜自己。在孔子的弟子中间,有许多关于孔子是否是圣人的揣测。在对这些讨论的间接回应中,孔子回答说:"圣人吾不得而见之矣,得见君子者斯可矣。"[④]这一直被注释者读作对自己有资格作为这样罕见的圣人的一种谦虚但事实上的认可。何晏将自己放在与孔子本人同样的言说地位,并在一个普遍同意孔子的确是最后一个圣人的时代里重复其中的最后一句话,司马光(1019—1086年)指出何晏是想表明这一最高的"神"的角色就是他本人的,这并非全无根据。[⑤] 这里指涉的《系辞》段落是在概括圣人何以能透达这世界的秘密。《系辞》里引用"子曰"(即孔子说),指出了"圣人之道"的三种品质,即深、几和神。在这三种品质中,司马师运转天下,夏侯玄领会世界的隐秘机制,而何晏则以新政体的最高精神自许。因此,何晏不是要自己占据新圣人的角色,而是假设三人中的任何一人都没有做圣人的资格,但三人合在一起却是可能的。司马师无疑证明了何晏对他的

---

① 《三国志·魏志》4.123.13。

② 何劭,《王弼别传》,引自《三国志》裴注。

③ 《魏氏春秋》,引自《三国志·魏志》,9.293。《晋书》2.25承续了何晏对司马师的赞扬。司马师死后被追封为晋景帝。这里的《系辞》引文引自《周易引得》。

④ 《论语》,7.26。

⑤ 司马光《资治通鉴》75.2380曰:"何晏……自以为一时才杰,人莫能及。晏尝为名士品目……盖欲以神况诸己也"。

评价。在他父亲的推动下，司马师秘密地为249年的政变（何晏这一自诩的"神"在这次政变中被杀）积蓄力量，这次政变为晋王朝的建立奠定了基础。

在这重视年轻、原创、风度和才华的环境里，年轻人彼此间的关系也改变了。在这一激昂的思想和政治气候中，传统的对赞助者的尊敬的预期——对身份和年岁以及其他形式的自我控制的尊敬，不是正始时代主导精神的内在装饰的一部分。无论思想上，还是政治上，都是如此。王弼被何晏委任以官职，但在撰写自己对何晏《论语集解》的校正时却无丝毫不安，而且还给了它一个相当刺耳的标题——《论语释疑》。当时的资料充斥着哲学抗辩的记载，这是从240到249这些年间不受束缚的表达自由的一个标志。王弼是由何晏提拔的，但当他在何晏被杀的同年死于洛阳之时，正是司马师为他悲叹——当时是以孔子的外衣来表达的，将王弼当成他过早死去的年轻的天才弟子（如孔子之颜回）：

> 弼之卒也，晋景帝嗟叹之累日，曰："天丧予！"①

在这种环境下，人们可能会预期王弼会选择一种文学的形式来表达自己，这一形式将反映出给予年轻人和天才的新的空间。但恰好相反，他选择了一种对作者有更严格约束的哲学反思的形式——注释，以及概括《老子》和《周易》的行文和论辩结构的分析性文章。这些形式的使用，迫使作者将他的主要精力花在理解另一文本、从中展开统一的意义，而非探索他自己的思想。与此同时，一种对《周易》或《老子》这样的文本的解释性控制的成功尝试，将给注释者带来与最早的经典编辑者和解释者——孔子相同的地位；这一权威来自于成功地给那些当时被当做哲学基础的片断的文本以统一的解释，来自于在所有其他人都未能达到的地方找到了某些有说服力的解释。在这一方面，王弼

① 何劭，《王弼别传》，引自刘孝标《世说新语注》，4.6；Mather，页95。另见何劭，《王弼别传》，引自《三国志·魏志》，28.796.6。

是保守的,他追随的是汉代的传统。他是一个才华横溢的辩论家,但却固守书写语言和保守的注释形式,尽管他的许多同侪通过短小的口头感慨和警句式的评论获得了他们作为深刻的哲学家的声名;这些口头感慨和警句式评论具有口头语的鲜活和环境的实感,是对孔子表达"微言"的形式的效仿;孔子对于书写语弱点的深刻领会的最明显标示就是他没有撰写任何一本书。

然而,通过在传统建立其根基的地方(对经典的注释)挑战传统,王弼在偶像破除方面做到了那个历史时刻的人所期待的极致。他的注释是对汉代传统的最具毁灭性的批评。他在《周易略例》中一个有所掩饰的段落里攻击了郑玄——郑的注释支配了东汉的最后几十年。① 一则关于王弼最终与郑玄的鬼魂遭遇的轶闻,被许多试图撰写王弼传的人漏掉了。它突显了王弼对郑玄的挑战。它也表明了撰写挑战精神权威的注释可能带来的危险。这则轶闻收录于刘义庆(也是《世说新语》的编者)的《幽明录》:

> 王辅嗣注《易》,辄笑郑玄为儒,云:"老奴无意。"于时夜分,忽闻外阁有著屐声,须臾进,云郑玄,责之曰:"君年少,何以辄穿凿文句,而妄说诋老子?"极有忿色。言竟便退。辅嗣心生异恶,少时遇病卒。②

郑玄的鬼魂追逐他,直到他死去。

《三国志》注中引用的何劭《王弼传》的摘录,简单地指出因为公元249年的政治事件,王弼"以公事免"。这年秋天,他死于某种传染病。无子。他的墓在洛阳郊外,是以后几百年间鬼魂出没的地方。③

---

① 《周易略例》,楼宇烈《王弼集校释》,页609。
② 刘义庆,《幽明录》,页20上。
③ 何劭,《王弼别传》,引自《三国志》。王晓毅,"王弼故里新探",178,注1。

王弼的身后

上面有关这位英年早逝的哲学家的传略提示了某些对王弼的思想可能产生了影响的条件。他的家世背景使他进入了一个富有的、排他性极强的精英家族的群体：有悠久的思想和文学传统，彼此间和最高的政治等级关系密切，并且反对中央政府的过度扩张——这些有可能对他的政治理论产生影响。[①] 这一家庭背景为他开启通向那时最上层的哲学沙龙的大门的同时，他的藏书使得他拥有通向各种哲学文本的独一无二的捷径，这些书中有当时颇为稀有的传本，如某个《庄子》的传本，以及后来张湛据之作注的《列子》抄本。[②] 汉王朝的崩溃去除了保存旧学的制度结构，王弼与荆州的渊源使他与早期对汉代正统的挑战有了关联，加上他所处时代对年轻人不浪费在琐碎学识上的才华的迷恋，这些条件创造了一个短暂而珍稀的历史时期，容许他在很年轻的时候就在一个极为开放和竞争的环境中探索他的分析技艺。与其他玄学家一道，他也在从事对孔子及其弟子的境况的企羡性重演，正如在《论语》对"微言"的口头和处境化表达的强调中揭示的那样。在孔子及其弟子的模范设置中的不同角色被比拟，尤其是颜回；但有些人，如上面引用的何晏，甚至敢于比拟孔子本人。尽管王弼在哲学的口头表达方面赢获了声名，但他仍继续使用书写文本的复杂表达结构，以书写性的注释作为有缺陷但又不可避免的哲学工具。他对语言哲学的突出强调，表明了来自那些主张语言根本无法讨论道的问题、因而经典只是古代圣人智慧的糟粕的批评者的

---

① 这一论断在1956年汤用彤和任继愈共同署名的一本著作中得到了最广泛和严谨的探讨。但它似乎只用了汤用彤的一些旧的札记，而论述本身则完全是任继愈的。它在很大程度上决定了20世纪80年代中期以前中国大陆学者讨论玄学的方式。参见任继愈，《魏晋玄学中的社会政治思想》。

② 张湛，《列子注》。

压力。①

王弼的生命也许是短暂的,但他的身后却并非如此。尽管他没有与何晏一道被杀,而是死于249年政治动荡中被免职之后,二者仍一道构成了正始玄学的象征。晋代的名士效仿他们的哲学和风度,他们试图像何晏等人企羡孔子及其弟子那样,达到这个时代的极致。② 王弼的哲学论点被广泛地讨论,其中既有像钟会这样支持他的,也有像荀融那样攻击他的(荀批评他的《周易注》),或像纪瞻那样对他的哲学系统喋喋不休的。③ 在对《周易》的解释的竞争中,王弼最终胜过了郑玄,他的注释在南朝被逐行讲授。④ 在刘宋于439⑤ 年新建立的四科中(南齐建元年间又被重新建立),即玄学、儒学、文学和史学,王弼的《老子注》按王葆玹的研究一定属于玄学科的核心课程。⑥ 最后,孔颖达在他的《五经正义》中选择了王弼的《周易注》。在序言中,他直率地指出,王弼的注释"独冠古今"。考虑到这些功绩,武则天于公元704年诏令王弼从祀孔庙;他由此加入了左丘明、孟子以及他的老对手郑玄等贤人的行列。⑦ 尽管他的《老子注》在唐代被河上公注和玄宗的御注遮掩,他仍左右着《周易》的解读,而且宋代的道学家正是以他的注释作为他们自己致力于这一基础文本的起点的。

值得注意的是,在经过一番辩论之后,王弼因《周易注》而在儒家传统中被供奉。作为这一文本的主角,他成为儒家经典的一部分,并使他作为贤人进入孔庙;他关于孔子优于老子的主张对此也有帮助,尽管他

① 参见本书第三编"识别'所以':《老子》和《论语》的语言"一章。

② 关于正始时代这一竞争的例证,参见 Mather, *A New Account*,页 40,55,103,113,137,226,235,237。

③ 关于荀融,参见何劭《王弼别传》,引自《三国志》。关于纪瞻,参见《晋书》,68.1819。

④ 参见王葆玹,《正始玄学》,页412—25。

⑤ 同上,页424。

⑥ 孔颖达,《周易正义》序。

⑦《佛祖统纪》,T. 1035,卷49,页371上。它的日期并不明确,但可以从随后一章的开头推测出来,它以中宗于705年重新掌握朝政开始。

的理由很难得到儒家学者的称赏。这里被供奉是因为他的注释的强有力的分析品质而被仿效的，它们设定了“意义注释”的新标准，与通过名物度数等资料补充某一文本的学识性注释相对。尽管绝大多数早期对王弼注释的赞扬被给予了他的《周易注》，这显然与《周易》在儒家教育中的突出作用有关。我们有理由主张，这赞誉是给予作为注释者的王弼的，对于他的《老子注》和《论语释疑》也是同样。

尽管年轻，王弼仍被给予了第二种身后及角色，而且这一身后及角色与正始时期的政治紧密相关。在这第二种身后中，王弼与何晏一道构成了一个名叫“何王”的反派角色。当然，二者有某种分工。据说何晏运用他强大的政治地位推行正始时期的变革计划，除了一些肤浅的辩驳外，晋代的史家几乎消抹掉了所有能容许我们理解这一变革的特性的痕迹；何晏还为以腐朽堕落、服药和空谈的生活方式提供了典范。王弼则据说是试图通过他的注释散布作为唯一重要的哲学主题的无和玄的概念，因此让国家精英的心智背离了保持国家统一和民众秩序这类实际问题。这一图像很早就开始出现了。

在中原陷落、部分中国精英南渡以后的几十年，范宁在一篇使他不朽的论文中指出，晋室败亡的精神原因可以在何晏和王弼的思想中找到。要不是这篇论文，范宁只是一个出自佛徒家庭的边缘儒者而已，他无休止地努力恢复旧的礼法，这使他讨厌到了被人免职的地步。这篇论文是以那时流行的对话体撰写的；范的对话者对何晏、王弼的颂扬反映出范宁的观点在那时是何等的边缘。他的传记声称：“时以虚浮相扇，儒雅日替，宁以为其源始于王弼、何晏，二人之罪深于桀纣”。由于这篇短文对后世的重要性，完整地引用它现存的部分是恰当的：

> 或曰：“黄唐缅邈，至道沦翳，濠濮辍咏，风流靡托，争夺兆于仁义，是非成于儒墨。平叔神怀超绝，辅嗣妙思通微，振千载之颓纲，落周孔之尘网。斯盖轩冕之龙门，濠梁之宗匠。尝闻夫子之论，以为罪过桀纣，何哉”？

答曰:"子信有圣人之言乎?夫圣人者,德侔二仪,道冠三才,虽帝皇殊号,质文异制,而统天成务,旷代齐趣。王何蔑弃典文,不遵礼度,游辞浮说,波荡后生,饰华言以翳实,骋繁文以惑世。缙绅之徒,翻然改辙,洙泗之风,缅焉将坠。遂令仁义幽沦,儒雅蒙尘,礼坏乐崩,中原倾覆。古之所谓言伪而辩、行僻而坚者,其斯人之徒欤!昔夫子斩少正于鲁,太公戮华士于齐,岂非旷世而同诛乎!桀纣暴虐,正足以灭身覆国,为后世鉴戒耳,岂能回百姓之视听哉!王何叨海内之浮誉,资膏粱之傲诞,画螭魅以为巧,扇无检以为俗。郑声之乱乐,利口之覆邦,信矣哉!吾固以为一世之祸轻,历代之罪重,自丧之衅小,迷众之愆大也。"①

范宁对何王著述超凡的思想品质的承认,突显了他的批评的无力,这是孙盛等其他东晋著者共同的窘境。② 范宁对那个时代的精英的怒斥再猛烈、激昂不过了。何晏和王弼轻佻的生活方式、他们对儒家的经典解读的传承的蔑弃以及他们发展出的使精英群体沉迷其中的繁复的、迷人的解读,导致了社会标准的解体、国家的自然引领者——儒者的权力的丧失,并最终导致了公元316年以后中原的沦陷。桀纣丧失了个人的生命和王朝,而何王则导致了祸及数代的中国的沦丧。因此,他们的罪恶更甚于桀纣。以这种方式,王弼、何晏成了导致所谓"分裂时代"的悲剧的罪人。在后来儒者对想要承担维护国家、传承正统的责任的其他思想流派的辩驳中,范宁的论述成了通用的票证。

学者们敢于大胆地给王弼的思想和学术成就以公正的评价,将他的双重角色复归为一,是许多世代以后的事了。目睹了明代覆亡的顾炎武(在坚持旧的观点时可能有其自身的生活处境),毫不留情地斥责正始时

① 《晋书》,75.1984。

② 孙盛,引自《三国志》裴注。引文可能出自孙的"易象妙于见形论"。

代的学者致使“国亡于上，教沦于下。羌戎互僭，君臣屡易”，他们不仅亡了国，而且亡了天下。[①] 朱彝尊(1629—1709 年)在数年之后已经敢于挑战这类观点，以及它们的隐含假设：儒家对国家的意识形态控制的任何松懈，都意味着国家的灾难。在“论王弼”中，他断言“毁誉者，天下之公”，而不应为个人偏见左右。范宁的诋毁“辞太激”，而“学者过信之”。北宋的程氏兄弟承认他们受到王弼的影响，而且没人能否定他的思想贡献。当汉代儒家的《周易》注释者“流入阴阳灾异之说”时，正是王弼，“始畅以义理”。[②] 钱大昕追随朱的足迹，直率地否定了对何晏、王弼崇尚老庄贬抑儒学的传统批评。[③] 这些学者明确地拒斥了范宁在玄学与国家覆亡之间建立的脆弱关联，恢复了王弼作为汉以后主要的思想家和注释家的地位。此书关注的正是这一作为注释家的王弼。

① 顾炎武，《日知录》，“正始”。侯外庐，《中国思想通史》，第 3 卷，页 34—38，其中收集了关于王弼和何晏的许多历史评述。

② 朱彝尊，《曝书亭集》，“王弼论”。

③ 钱大昕，《潜研堂集》，“何晏论”。

第二章　经典的系统

王弼的传记作者以及他的对手将他描述为一个致力于通过注释和论文建立一种系统一贯的论辩的哲学家。在“王弼传”中，何劭写道：“弼注《老子》，为之《旨略》，致有理统。”①

王弼的批评者、《晋阳秋》②等几部历史著述的作者孙盛(299—369年)，在题为“易象妙于见形论”的论文中写道：

> 《易》之为书，穷神知化，非天下之至精，其孰能与于此？世之注解，殆皆妄也。况弼以附会之辨而欲笼统玄旨者乎？③ 故其叙浮义则丽辞溢目，造阴阳则妙赜无间，至于六爻变化，群象所效，日时岁月，五气相推，弼皆摈落，多所不关。虽有可观者焉，恐将泥夫大道。④

---

① 何劭，《王弼别传》，参《三国志》裴注，页785。

②《晋阳秋》的片断散见于《三国志》裴注以及刘孝标《世说新语注》。

③“附会”一词的写法并不固定。以两种宋本为依据的“百衲本”《三国志》写作“赋会”(页4601/F19)，而以明本为依据的1739年武英殿本则写作“附会”(页1162)；而基于这两种版本与其他两种明本及清代学术的比较之上的中华书局版，则选择了“傅会”的写法(页796)。詹锳《文心雕龙义证》积累的证据表明，实际上“附”和“傅”是互用的(页1587—1589)。尽管“附会之辨”在这里显然是驳斥性的，但汤用彤在“王弼之《周易》、《论语》新义”中仍指出，这个词并不一定是贬义的(页264—279)。参见下文引证的刘勰的文本。

④ 引自《三国志》裴注，页796。文本没有指出这一段落出自孙盛的哪篇著述。我认为它出自《晋书·孙盛传》里提到的“易象妙于见形论”。

这一段落中的核心问题在于“附会”一词。这个词常以贬义出现，指将一种外在的系统和结构强加到文本之上。孙盛认为王弼强加了这样一种结构，由此摒弃了传统的、已经建构起来的后汉的解释——在他看来是解读《周易》的自然方式。然而，这个词的本义是指一种阐明某一文本的结构核心的解释技巧。刘勰(465—522年)在《文心雕龙》中就是在这个意义上使用的，为此，他专门写了“附会”一章。其中写道：

何谓附会？谓总文理，统首尾，定与夺，合涯际，弥纶一篇，使杂而不越者也。若筑室之须基构，裁衣之待缝缉矣。夫才童学文，宜正体制。必以情志为神明，事义为骨髓，辞采为肌肤，宫商为声气。然后品藻玄黄，摛振金玉，献可替否，以裁厥中，斯缀思之恒数也。凡大体文章，类多枝派，整派者依源，理枝者循干，是以附辞会义，务总纲领。驱万涂于同归，贞百虑于一致。使众理虽繁，而无倒置之乖；群言虽多，而无棼丝之乱。扶阳而出条，顺阴而藏迹。首尾周密，表里一体，此附会之术也。①

在刘勰看来，“附会”指的是写作过程中文本组织的同一性的建立。何劭也在这个意义上将“附会”一词用于王弼本人的著述：

性和理，②乐游宴，解音律，善投壶。其论道，附会文辞不如何晏，自然有所拔得多晏也。③

在孙盛的论述中，“附会”一词指的是一种解释手法：注释者借此从文本中提炼出结构性的、系统一贯的核心，并通过自己的注释来阐明它。孙暗示王弼摒弃了文本本身的指引，构造了他自己的意义；因此，实际上王弼就像在撰写自己的文本一样，给他注释的文本叠加了一个严格的结构。如果撇开孙盛的论述的驳斥性质，我们将看到他实际上确证了那一

① 詹锳，《文心雕龙义证》，页1589。

② 这一表达出自《庄子》“古之治道者……和理出其性”，见《庄子引得》41.16.2。

③ 何劭，《王弼别传》，页795。

时期的其他作者也在陈说的东西：王弼试图在《周易》的各部分间建立系统的行文和论辩性解释，以达到某种统一的意义。孙盛提到了王弼的论辩所围绕的核心，即“玄旨”。通过指涉这一出自《老子》的核心概念，他表明了自己的观点：王弼的哲学筹划是通过对一些文本（如《老子》、《周易》和《论语》）的细读来关注某个核心的哲学问题。这种做法的隐含预设是，这些文本讨论的都是同一问题，因此系统地阐明这一概念的方式就是注释所有这些文本。

王弼讨论的文本的结构似乎与这一系统的目的相左。王弼本《老子》是由81个短章构成的。每一章都是独立的。尽管可以在其中的许多分章中辨识出共同的哲学关切，但它的表述无论如何不是系统的。《论语》包含20卷，每卷又包含许多独立的章。《周易》则含有64卦，彼此之间并没有明显的次序或直接的联系，[1]对于每一卦，都有大量先后附加上去的解释性资料。此类附加中的最后一个，是王弼本人的《周易略例》，到唐代，它已成为《周易》的第十章。[2]

如果说单个文本似乎阻止任何哲学系统化的努力，作为一个群体的经典文本——在表现主题、成篇时间以及哲学背景上各不相联，更使任何一种系统阐释的努力显然毫无指望。然而，从汉初以来，许多最杰出的心灵都曾试图处理经典系统的问题；尽管王弼在哲学和文字学的精深上独出一格，但他无疑并没有发明经典中存在某个“系统”的观念。这一观念在西汉就已经确立了。这可以被看作汉王朝的国家统一及意图建立的思想同一性在思想领域里的反映。王弼的贡献是将这一“经典系统”的共同假设建立在哲学根基之上。他的尝试将被依据他所挑战的既成观念来解读。只有通过将他的直接论述和注释解读为隐含的讨论和

---

① 马王堆帛书本《周易》的次序与通行本不同。该文本被影印在傅举有、陈松长编《马王堆汉墓文物》中，页106—117。

② 孔颖达《周易正义》就是以这种方式处理王弼的文本的，而保存在西安“碑林”中的唐代《周易》版本也是如此。

辩驳，我们才能重构他自己的文本在其中运作的环境。

汤用彤关于王弼与东汉末年荆州学派的关系的研究，强调了荆州学派学者（以及王弼）与众多东汉的经典解释（特别是郑玄的）之间的根本断裂。[①] 余英时则积累了大量证据来表明对朝廷赞助的经典解释的对抗，暗中贯穿了整个东汉时期，郑玄是其倡导者之一。[②] 这将把荆州学派的学者纳入郑玄的传统。我们下面将简要回顾这些证据。

汉代注释策略的概述

公元前136年，汉武帝以五经为国家的意识形态基础的努力，是以这些文本以某种方式具有一致性这一普遍的共识为基础的。这一思想通过各种词源学和历史学的叙述表达出来。

在先秦已经广泛地用于某种文本类型的“经”字，在汉代的词源学解释中，被界定为连接竹简的丝线。[③] 以这种方式，这些文本所从属的这一类范畴象征性地暗示了像竹简一样分离的不同因素被某种共同的意义关联起来。东汉的《释名》将“经”解释为“径”，“经，径也，常典也，如径路无所不通，可常用也”。[④] 这两种界定描述三个因素：首先，经典的一致性；其次，经典的普适性；第三，经典的恒常性。五经博士的制度——每人负责一部经典的解释，将这五种文本置入一个共同的制度框架内，它使“五经”的说法成为习惯。

在内容方面，经典同一性在孔子本人编辑六经的故事中表达出来。根据另一广为接受的故事，这一经典体中的主要哲学论著，即《系辞》和

① 汤用彤，“王弼之《周易》、《论语》新义”，页264—279。王晓毅对此有所补充，“荆州官学与三国思想文化”，《孔子研究》1(1994)：25—44。

② 余英时，“汉晋之际时之新自觉与新思潮”，《新亚学报》41(1959)：25—144。

③ 参见顾颉刚，《汉代学术史略》，页81。关于“经”字起源的讨论，见杜国庠，“两汉经今古文学之争论”，页301—310。另见侯外庐，《中国思想通史》，第二卷，页313。

④ 王先谦，《释名疏证补》，6：12。

注解《乾》《坤》二卦的《文言》也是由孔子本人撰写的。①

然而,主要的问题仍有待解决。经典可见的文本表面并没有为治理国家提供理论或实践的指南。孔子的第一代弟子已经在怀疑夫子是否对他们揭示了他所有的洞见;他们甚至向孔子的儿子询问他父亲的私家教育。② 他们假设有某些秘密教说仍未阐发出来,因为语言无法处理这样神秘的问题。孔子本人曾慨叹"予欲无言",③并指出无言的天道带来的四季运行的完美秩序。孔子之拒绝委身于言辞,以及拒绝撰写自己的著述,这都证明了他对语言局限性的清醒认识。他所编辑的文本作为某种原始材料早已存在。通过他的编辑,他用象征性的载体编码了这些文本,因此,解秘这些秘密的文本、使其中隐含的洞见可以通达,就成为后世学者的职责。事实上,有很多学派和文本都声称拥有和了解夫子的隐秘教说。它们以"传"的形式承递这些洞见,而且西汉末年以降,一个声称揭示了夫子教说的这一隐秘传承的文本群体——谶纬文本开始兴起。

孔子选择的传达形式正是先祖、天和上帝藉之传达的形式,即梦的玄奥的象征性语言、日食和龟裂等预兆以及其他类似的非明确传达的形式。这些"文本"必须被解秘和解码、转译和解释,而且始终是一种刺激性的挑战,因为它们不可能被化约为显白的形式。孔子对这些表达方法的使用,证明他是至高的存在和世界的管理者,即圣人;它还将经典解释与通过占卜、神谕和预兆来解读天意纳入同一范畴。

在汉王朝建立以前,各种解释经典文本的技巧已经被发展出来,但并非都是后来的注释形式。早期的《春秋》注释,如《公羊传》是从鲁国史《春秋》的日常记载中提取出的某种用于指导书写的空想性手册;它们依据这些标准记载来校准实际记述,如果二者相背离,它们就将其解释为

① 参见《汉书·扬雄传》,卷57下,页3577;《三国志》,4:136。

②《论语》16.13。

③《论语》17.17。关于哲学语言的理论的发展,参见本书第三编第一章。

具有有待解释的特殊意义，通常还会插入能解释这一隐含意义的附加的历史资料。这一特殊的、极其理性的解释系统可能处理主体间的传达，但无法用于《诗经》和《周易》这样的文本。然而，对于这些文本，其他的注释策略也被发展出来；这些策略同样是以某个理性的主体间传达为基础来进行的。它们用《春秋》注的主要策略之一，即将有待解释的诗篇重置于某个历史语境中，以达到文本的扩延和具体化的目的，在《诗经》的解释中也得到广泛地运用，例如孟子的《诗经》阐释以及后来的《毛诗序》。“十翼”为《周易》提供的钥匙建立了这一文本作为古圣的作品的地位，并进而表现了潜藏在诸卦中的统一的动力学。

不同经典的这些解读策略依赖于其表面文本本身看似琐碎这一假设。只是被冠以作为作者或编者的圣人，才确保其中包含着真理；但它本身却并不或不能呈显这一真理。

从现有资料看，东汉时期解码经典以及上天预兆的标准官方解释策略是以阴阳五行的系统为基础的——在进入经典的材料被写出和编撰之后的几百年里发展出来的一种理论构造。由于它在变动极大的领域（诸如颜色、质料、天体和时日）间精巧的呼应结构，它容许一种理性控制的、在这个意义上“科学的”而且可传达的元文本的创造。用在《春秋》这一自董仲舒与汉武帝对策以来的群经之首上，[1]它发展出了可用于朝廷议论和法律案例的政治行动的道德标准。[2] 最后，自西汉末年起，阴阳五行理论甚至从一种解码文本的手法转变成了一种编码文本的手法。谶纬文本就是以这一理论为基础来运作的。它甚至声称它们再现了孔子

① “群经之首”这种说法指的是这一事实：在绝大多数时期，都有某一部经典被视为经典群体的核心。在西汉，首领群经的是《春秋》，人们认为，孔子将依据道来运作社会的所有秘密都写进了这一文本。

② 参见 J. Gentz, Ritus und Praxis, 页 513；B. Wallacker, “The Spring and Autumn Annals as a Source of Law in Han China”, 页 59—72；S. Queen, *From Chronicle to Canon: The Hermeneutics of the Spring and Autumn, according to Tung Chung-shu*, 页 127—181。

秘密传承的教说。[①] 直到东汉末年，这一解释统一的"经典系统"的流派才被动摇。[②] 在文字学上，这一系统必定与越来越多的怪异同在。要让整体服属于这一统一的解释系统，就需要更为精巧的构造。一旦对经典编码的潜在机制达成共识，创新就只能建立在对经典使用的术语的更细节性的、更为博学的注释，特别是关于礼器、制度或草木鸟兽等方面的事情。在此过程中，经典的终极"意义"成了理所当然的，并因而失落了。至少这是对现在已基本失传的章句体注释的批评所宣称的。[③]

对这一统一、均质、正统和繁琐的陈腐泛滥学术的反对以各种形式出现。"古文"抄本的发现以及它们与"今文"抄本之间的差异使文字学研究兴起，从而动摇了今文文本的有效性；尽管这些差异的重要性被许多在晚清论争影响下的现代学术极度地夸大了。[④] 章句的注释技艺备受讽刺。[⑤] 用于这一注释风格的"章句"一词，是指它们没有任何一贯的意义，只是任自己散入对单个句子的更为精细的解释，而无任何关联性的思想。[⑥]

章句的批评者总在某个方面与这一范式相脱离，但在绝大多数场合，比如在郑玄那里，将仍旧依循阴阳五行系统的基本解释策略。为了阻止谶纬文本对真正的经典整体的侵入，西汉后半叶的一些学者试图通过更早的"传"来解释经典。事实上，对于《春秋》早已经这样做了，因为在西汉时期《公羊传》为《春秋》提供了主要的解读策略。自刘歆开始将《左传》读作《春秋》的一种注释起，《公羊传》的垄断被打破了，这一过程

---

① 《隋书》，32：941。

② 参见 Tjan Tjoe Som, *Po Hu T'ung: The Comprehensive Discussions in the White Tiger Hall*, I：90f。

③ 几种现存的有"章句"之名的东汉注释，如王逸的《楚辞章句》和赵岐的《孟子章句》，无论在形式还是在技巧上都不适合同代学者给出的对"章句"注释及其注释技巧的刻画。

④ 参见 M. Nylan, "The Chin Wen/Ku Wen Controversy in Han Times"，页 117—129。

⑤ 参见《汉书·儒林传》结尾的"赞"，88：3620；参见《后汉书·郑玄传》后面的"论"，35：1312；参见 T. Pokora, *Hsin lun and Other Writings by Huan T'an*，页 89。

⑥ 我没有发现支持 M. Nylan 下面这一论断的直接的文本证据："章句只是用于教授'官学'——标准的经典解释的教科书，有朝廷的支持，并在太学里讲授"。参见"The Chin Wen/Ku Wen Controversy in Han Times"，页 112。

最终由王弼的同代人杜预来终结。[1] 西汉末年的费直将《周易》的“十翼”读作对文本主体的注释，这一传统为王弼所延续，并加以系统化。最后，不同经典的相对分量遇到了挑战，在东汉时期，更具哲学倾向的《周易》逐渐取代了《春秋》首领群经的地位。[2]

除了这一向更古老的注释材料回归以外，另一选择是发展出不以阴阳五行系统为基础来达到对经典传统的一种统一理解的注释方法；一个早期的例子是《淮南子》中记录的淮南王刘安的圈子。

最后，许多东汉学者开始公开拒绝“章句”，进而找寻超越通行解释中的博学式诡辩术和政治实用主义的经典的终极意义。阴阳五行系统最初想要做的就是将这样一种统一的意义赋予一个宽泛的表达体系(它是以自然事件或从其神圣起源中获得权威的文本为形式的)，但在后来的批评者那里，这一原初的动机丧失了，他们只看到了对细节的学究式关注。

这一意义注释的倡导者构造了他们自己的谱系。荆州学者没有声称是他们最早开始寻找经典的终极“意义”，或重新安排经典的优先性和内容。其中许多学者都在关注扬雄，并为扬雄的著作撰写了注释(现已散佚)，特别是《太玄经》。这暗示了他们自己的努力始于扬雄或扬雄的老师严遵(公元前 59—24 年)。[3] 据《汉书》记载，扬雄“少时从游[于君平]，学已而仕，京师显名，数为朝廷在位贤者称君平德”。[4]

严遵长于《周易》，在成都以卜筮和授业为生。他撰写了《老子注》(现在只有片断尚存)。[5] 他还撰有《老子指归》一文，此文的残篇现存于

---

① 加贺荣治，“魏晉にはる古典解釋のかだち——杜預の春秋經解釋”，*Jimbun ronkyu*13，14，15(1955)。

② 参见虞翻对东汉时期《周易》研究的发展的观察。《虞翻别传》，《三国志・吴志》，12：1322。

③ 因避汉明帝刘庄的讳，《汉书》将“庄遵”写作“严遵”。参见王德有，《老子指归》，页 3。

④《汉书》，72：3056。

⑤ 严遵《老子注》，见严灵峰编，《无求备斋〈老子〉集成》。岛邦男《老子校正》将这一文本收入他的批判性版本中。I. Robinet 概述了对这一文本的不同版本的争论，见 *Les commentaries du Tao To King jusqu'au VIIe siecle*。另见 Aat Vervoorn，“Zhuang Zun：A Daoist Philosopher of the Late First Century B. C.”，*Monumenta Serica*38(1988—1989)：69—94。

《正统道藏》。①

严遵是已知最早的将对《老子》的兴趣和对《周易》的兴趣结合起来的哲学家，尽管二者似乎在更早的时候就已经关联起来了，正如在马王堆帛书中可以同时找到这两种文本这一事实所呈示的那样。② 在其传记中对《庄子》的提及，可能没什么特别的分量，班固在这里所用的“老庄”指的是一个学派的名目，而非这两个哲学家的著述。③

正如上引对扬雄的评价中看到的那样，严遵获得了相当的声望。在他的故里，后世会致祭于他的墓前，甚至将他在《指归》中的贡献与孔子编撰《春秋》相比。④ 他在王弼同代人中的思想地位可以从赵孔曜对裴徽的描述中揣摩出来：

> 冀州裴使君才理清明，能释玄虚，每论及《易》及老庄之道，未尝不注精于严、瞿之徒也。⑤

甚至在死去两个世纪以后，在一个自认为是哲学高峰的时期，严遵仍如此的知名，以致为衡量研究《老子》和《周易》的学者的思想敏锐提供标准。引文假定严遵是在讨论虚玄，这些词显然是指《老子》和《周易》的终极意义。

晁说之(1059—1129 年)在他的《鹿畤记》中指出王弼的《老子注》追

---

① 严遵，《道德真经指归》，《正统道藏》版。参见岛邦男，《老子校正》，页 8，以及王德有，《老子指归全译》。

② 参见 Michael A. N. Loewe，“Manuscripts Found Recently in China: A Preliminary Survey”，*T'oung Pao* 63.1—2(1977)：99—136。

③ 参见戴密微，“Philosophy and Religion from Han to Sui”，载于崔德瑞和费正清编，*The Cambridge History of China*，1：810。

④ 参见《三国志·蜀志》，38：973，那里提到王商祭祀严君平和李弘。此处的李弘不同于在 4 世纪早期宣称自己将是未来的君主的李弘。参见 A. Seidel，*The Image of the Perfect Ruler in Early Taoist Messianism: Lao-tzu and Li Hung*，页 231。

⑤《管辂别传》，引自《三国志》裴注，28：819。有关更早的关于严遵的闻名和思想声望的资料，参见 Vervoorn，“Zhuang Zun”，页 72。

随的是严遵的传统。[1] 这一评价将由严遵注与王弼注的比较得到证实。[2] 然而严遵的《老子》解释使用了阴阳五行系统，这导致了另一《老子》分篇的界限。在这方面，王弼没有走严遵的路。

通过撰写《注》和《指归》，严遵找到了解决逐句注释与一般性论文的问题的方式：前者的危险在于迷失于细节，后者的大视野的危险在于有可能脱离文本。王弼很欣赏这样的模式，因此既写了《老子》和《周易》的注释，又写了《老子微旨略例》和《周易略例》。

在同时关注《老子》和《周易》这点上，扬雄与他的老师一样，此外他又添加了第三种文本——《论语》，并仿效《论语》作了《法言》。[3] 对于为何要加上《论语》，并没有明确的相关论述留存下来。我们只能猜测其中的假设是，孔子在某个方面是这三种文本的核心。扬雄在著述形式上没有追步严遵。他没有撰写关于这三种文本的注释和论文，而是效仿它们的结构撰写了三者的新版本，在这种自觉的模仿中，有他自己对原来版本的理解。

扬雄模仿《周易》的《太玄》[4]，是在《周易》传下的一则记载上运作的，它指出夏商二代分别使用的是这一占卜典籍的两种早期形式，即《连山》和《归藏》。[5]《周易》是适合周代的，正如《连山》和《归藏》迎合夏商二代一样。随着汉代的到来，或者随着西汉末年王莽新朝的出现，需要一种新的"变易之书"。事实上，王莽的确曾用《太玄》来占卜。[6] 这部新书的核心概念是太玄。这一概念也是他作为《老子》摹本的"五千言"《太玄赋》

---

① 晁说之，《鹿畤记》，引自《集唐字老子道德经注》代序，页 1。晁的集注本有写于 1128 年的后序一篇，"题写本《老子》后"，其中他讨论了以《老子》表现《周易》的深刻理解。参见《嵩山景迂生集》。

② 参见本书第一编第四章。

③ 扬雄，《法言》。

④ 扬雄，《太玄经》。参见铃木田次郎，《太平经の研究》，以及 M. Nylan, *The Canon of Supreme Mystery by Yang Hsiung*。

⑤《周礼》，24：6 上。

⑥ 参见 M. Nylan, *The Canon of Supreme Mystery*，页 29。

的核心。①

这三种文本还表现出对玄的强调之外的关联。《太玄》共计 81 首，与《老子》的分章数相同(尽管严遵将《老子》分为 72 章)。这个数字通常被看作是以阴阳五行系统内的数字玄想为基础的。

扬雄用玄这个概念，为东汉末年以后的几代哲学家建立了核心概念。然而，在他自己的著述中，这一概念还没有成熟为一个充分的哲学词汇。对于扬雄及其注释者而言，玄被界定为天，它的本义是指天的玄色。② 由于天是自然和社会的规范性原则，它被定义为玄，保留了作为一个哲学词汇和作为一种讨论统治核心与不同的社会力量之间关系的政治理论的可能；然而，这一可能在扬雄本人的著作中仅仅是被触及到而已。

随着公元 25 年王莽改革的失败以及另一替代形式的汉王朝统治的重建，对玄(作为经典可能的意义核心)的进一步探索的政治和哲学条件此时出现了。阴阳五行体系似乎越来越多地被视为一种与“章句”相关的官方学说。它们对不同段落的不同意义的构造，与对经典的统一意义的寻求越来越对立；而后者与文本分析可靠性的一对新标准——简约和合理相容。在学术圈中政治批评的苛刻压制的时代里，对章句的拒绝成为人们相互认知的标志，或者甚至是共享相同的学术、哲学和政治程式的社会力量的标志。我们下面就将界定这些力量。

在扬雄的传记中，我们已经发现了“章句”与“通”的对立：“雄少而好学，不为章句，训诂通而已。”颜师古(579—645 年)将“诂”字解释为“指义”，这在扬雄的现存著作中是可以找到根据的。③

范晔在一个将所有思想独立、心胸开放的标志都关联起来的陈述里，对班固评价道：“九流百家之言无不穷究。所学无常师，不为章句，举

---

① 扬雄，《太玄赋》，《汉书》，87 下：3566.9。

② 扬雄在《太玄经・玄告》中写道：“天以不见为玄”。参见 M. Nylan，页 461。

③《汉书》，57 上：3514。

大义而已。”①

王充(27—100年)在支持古文经学这一点上与这一传统关联起来;在哲学上,他质疑天通过灾异和谴告来指导社会的观念,并发展出一套不受某些核心的行为体干预的自治的自然概念——他明确地将这一概念与黄老思想联系起来。②

扬雄的同代人桓谭(公元前48—公元28年,有时也被联系到所谓的古文经学),曾与扬雄一样为王莽所用。根据他的传记,他“博学多通,遍习五经,皆诂训大义,不为章句”。③ 他似乎是最早表述五经尽管有种种不同、但实际上只有一个共同的“大义”这一思想的学者之一。他的《新论》开启了另一条隐含的批评道路。④ 在他的政治理论中,他与扬雄和王充同样,强调一种现代的、实用的治理学说;在他对官僚化中央权力的反对中,他也在自己的政治思想中吸收了黄老思想的因素。⑤

阴阳五行体系此时已从一种解释经典的工具转为写作新经典——谶纬文本的工具,许多纬书都有经的标题。由于东汉在很大程度上依赖这一体系的概念来建设它本身的威望,这一体系的政治性格就更为明显了。在桓谭的《新论》开始流行时,光武帝才刚刚建立起这一依赖关系。光武帝下令立即处死桓谭,因为他的学说“非圣无法”。⑥ 尽管桓谭最终只是被外放,但光武帝的反应表明哲学上的异议可以在何种程度上被视为对国家及其政治的合法性的威胁。

通过率先将“十翼”读作对《周易》主体部分的注释,费直将《周易》当成某种自我解释的文本。王弼继承了这一传统,并通过将《文言》等插入

---

①《后汉书》,40上:1330。
② 王充,《论衡》,页1028。
③《后汉书》,28上:955。
④ T. Pokora, *Hsin-lun and Other Writings by Huan T'an*(43*B.C.*—28*A.D.*)。
⑤ 同上。
⑥《后汉书》,28上:961;参见顾颉刚,《汉代学术史略》,页185。

文本主体，建构了传至今天的文本形式。费直也同样“亡章句”。[1]

与费直同代的《易》学家高相，“亦亡章句”。[2]

据说是荀子第十一代后人的荀淑(83—149年)，“少有高行，博学而不好章句，多为俗儒所非，而州里称其知人”。[3] 上下文表明，这里提到的俗儒是指朝廷中拥戴章句的学者。王弼的曾祖父王畅曾师从于荀淑。荀淑的子孙延续了他的传统，特别是荀爽。通过诸荀，我们第一次有了东汉豪族之一的成员。诸荀被称为西豪。[4] 陈启云甚至提出了一种对荀爽《周易注》的极为政治性的解读的可能性，尽管他的文本证据似乎只能部分地支持这一主张。根据陈启云的解读，荀爽用他的注释呼吁：宦官掌控的弱主所控制的中央权力将不断导致叛乱的威胁。[5] 与王弼的先祖一样，荀爽也属于“清”流。越来越多的官员和学者试图通过“清”这个词与宦官掌控的中央区划开来。

韩韶(约公元1世纪)也是“清流”之一，与荀爽出自同一圈子、同一地方。他的儿子韩融“少能辩理，而不为章句”。[6]

尽管有公元160—170年前后的迫害，这里描画出来的思想和政治潮流仍达到独霸的地位；那一时期的最著名的学者都属于这一潮流。作为“外戚豪家”的马融(79—166年)，[7]通过撰写某些经书以及《老子》、《淮南子》和《离骚》的注释，也追步将各种经典传统结合起来的传统。[8] 我们没有关于他对待章句和经典的“大义”的态度的记述，但通过对他的

---

① 《汉书》，88：3602。

② 《汉书》，88：3602。

③ 《后汉书》，62：2049。

④ 同上，62：2050。

⑤ 陈启云，“A Confucian Magnate's Idea of Political Violence: Hsun Shuang's(128—190) Interpretation of the Book of Changes”，载于 *T'oung Pao* 54.1—3(1978)：91。

⑥ 《后汉书》，62：2063。关于更多批评章句的证据，参见 M. Nylan，“The Chin Wen/Ku Wen Controversy”，112—117。Nylan 正确地指出今古文之间的界线就像章句的批评者与某些既批评章句又写有以章句为题的注释的作者之间的界线一样模糊。

⑦ 《后汉书》，64：2113。

⑧ 《后汉书》，60上：1965。

学生卢植和郑玄的论述，我们可以推测出他的态度。

卢植“与郑玄俱事马融。能通古今。学好研精，而不守章句”。[1]

郑玄比他的老师更接近传统的解释技巧。他没有注释《老子》，而是专注于官方的经典——此时也包括谶纬。[2] 然而，范晔在《郑玄传》结尾的“论”中，论述了郑玄的宗旨：

> 遂令经有数家，家有数说，章句多者，或乃百余万言，学徒劳而少功，后生疑而莫正。郑玄括囊大典，网罗众家，删裁繁芜，刊改漏失。自是，学者略知所归。[3]

范晔认为郑玄想要通过齐一和整合先前的努力，来建立一个经典之“所归”的完整系统。这一尝试预设了各家的某种共同的努力，这是由他们试图解释和阐发的经典的统一意义来证明的。经典的意义不是通过拒绝各家的解读，而是通过去粗取精来发现的，这正是数十年后何晏《论语集解》的解释原则。[4] 在《论语集解》中，何晏从既有的注释中为每一句话选取看来最恰当的解释，它假定所有先前的注释追求的都是同一真理，而且完全忽略它们的学派倾向。范晔的观点在郑玄给他儿子的信中得到了确证。在信里，郑玄写道：他“但念述先圣之元义，思整百家之不齐”。[5] 这一对先圣“元义”的强调，预设了这样一种统一的意旨。范晔写道：在他注释中，他“取其义长者”。[6] 根据哲学的简约，郑玄在《诗谱序》中主张通过把握终极意义，所有其他事情也会各得其所：

> 举一纲而万目张，　　解一卷而众篇明。
> 于力则鲜，　　于思则寡。

---

① 《后汉书》，64：2113。

② 郑玄注释过《易纬》，此书在《隋书·经籍志》中有记载，参见《隋书》32.940。

③ 范晔，《后汉书》65。

④ 何晏，《论语集解》。

⑤ 《后汉书》，35：1209。

⑥ 《后汉书》，79：2577。

其诸君子亦

有乐于是与?①

蔡邕(132—192年)是当时极有声望的诗人,并在政治、思想和个人关系上与这些学者密切相关;他提供了与王弼家世的直接联系。蔡邕的家世有尊崇(或祭祀)黄老的传统②,他本人可能是《老子铭》(公元165年钦令刻写的老子牌文)的题篆者。③ 与此同时,他又是一个研治经典的学者,并亲笔写定了公元175—183年今文版的洛阳石经。④ 他似乎与郑玄一样,也试图超越今文和古文的琐碎纷争。

他的传记强调他是清流之一。导致东汉覆亡的董卓强迫蔡邕为他做事。在祸乱中,他将自己的藏书载以十车,转送王弼的叔父王粲;蔡曾在王粲少年的时候见过他。⑤ 蔡本人对经典的解读可以从他给何进写的举荐边让的信中推测:

初涉经义,见本知义,授者不能对其问,章句不能逮其意。⑥

此时,蔑弃章句已经变得如此普遍,以致这一蔑弃本身可以在举荐信中被提到。

始终与高平王氏关系密切、后来加入到曹丕和曹植的知识圈中的徐幹(171—218年)⑦,在他的《中论》中对这些达至经典的终极意义的努力做了总结:

凡学者,大义为先,物名为后。大义举而物名从之。然鄙儒之博学也,务于物名,详于器械,务于诂训,摘其章句,而不能统其大义

① 郑玄,《诗谱序》,载于阮元编,《十三经注疏》,1:264。

②《后汉书》,60下:1979。

③ 参见 A. Seidel, *La Divinisation du Lao Tseu dans le Taoisme des Han*,页39。

④《后汉书》,60下:1990。参见 P. Pelliot,"Les classiques graves sur Pierre sous les Wei en 240—248",*T'oung Pao* 23.1(1924):1。

⑤《三国志》,21:597。

⑥《后汉书》,80下:2646。

⑦《三国志》,21:599;另见裴注中所引的《先贤行状》。

之所极以获先王之心。[①]

上面引用的材料表明,试图发掘经典的终极意义的圈子,与其他有着看似无关的关注的圈子之间是相互锁结的。这些相互锁结的圈子可以列举于下:

- 自公元160年起在党锢之祸中遭到迫害的清流。
- 批评章句、关注经典的“终极”的、统一的意义的学者。
- 试图通过新的著述来讨论汉代的新问题的学者,这些著述可能是对经典文本的模仿(扬雄),也可能是新的文章形式——论,或对经学遗产的批判性检讨(王充)。
- 将关注点从官方的核心经典——《春秋》转移到《周易》上面的学者;他们在由《老子》、后来又加上《论语》的语境中来解读它。黄老思想的影响在他们中间颇为盛行。
- 新涌现的豪族中有极高教养的成员,他们在社会上通过通婚和其他关系相互认可,在道德上相互赋予清流之名,在政治上共同反对宦官和外戚当权。这些关联将首先成为家族间的关联,而以此为基础,也发生在个体间。通过连续数代维持和发展他们的社会、政治和经济立场,这些家族建立了自己的思想传统,并吸引学者作为他们的门客。
- 主张“古文”经才是真正的经文的学者。

从上引的记载看,每个人都至少属于两个或更多的圈子。这些相互锁结的圈子构成了一个相当紧密的集团,这一点可以从如下几点推论出来:首先,他们对中央权威的众多表现的共同反对;其次,东汉的众多迫害中,中央权力将这些圈子视为相互关联的,并对他们加以迫害;第三,到公元3世纪中叶,这些差异颇大的圈子聚结为一个有其明确的自我意义、社会地位和意识形态的高度同一的社会阶层。

对于寻求经典意义的哲学发展而言,荆州学院具有关键的重要性。

---

① 徐幹,《中论》,1:10上。

在整个王朝陷入战乱和无休止的毁灭时，刘表作为汉室宗亲，成为荆州牧。他辖下的荆州得以免于战乱，而荆州学院则为学者以及他们的藏书提供了庇护。他的宽容政策的动机可能是要表明自己是一个知道如何崇尚贤才的人，由此建立起对皇位的某种诉求。刘表也出自高平，是王弼的曾祖父王畅最著名的学生①，而且正是这一思想流派和背景，使得他对于与豪族有某种家世或政治渊源的古文派学者有莫大的吸引力。

很明显，这一思想潮流及其背后的社会力量的强大使得刘表更乐于依靠他们，而非官方的五经博士及其弟子。据记载，这个学院曾有三百余名知名学者。他们的责任显然是为即将覆亡的东汉王朝以后的帝国提供思想基础。

荆州学派的著作流传下来的很少，我们只能从各种传记资料中拼合出有关的记述。从这些材料中，可以得出以下几点：

- 扬雄的原动力在荆州被重新发现。荆州最重要的学者如宋衷，撰写了《太玄》的注释和导读。② 王肃（？—256 年）师从宋衷学习这一文本。③ 宋衷的另外一个学生——李譔，“著……《太玄指归》，皆依准贾[逵]（30—101 年）、马[融]，异于郑玄”。④ 这一竞相研究《太玄》的风气对后面一代学者产生了影响。那个时代名满天下的《周易》专家虞翻（164—233 年），也将对《周易》、《老子》和《论语》的关注结合起来；他不仅质疑郑玄的解读，而且也质疑马融和宋衷的解释。虞翻“以宋氏解《玄》颇有缪错，更为立法，并著《明扬》、《释宋》以理其滞”。⑤ 这个团体的学者为经典撰写了新的标准注释。与此同时，他们还研究《老子》。⑥ 以这种

① 谢承，《汉书》，引自裴松之《三国志注》，6.211。

② 参见侯康，《补后汉书艺文志》，2：2127 上。

③《三国志》，13：414。

④《三国志》，42.1027。

⑤《虞翻别传》，见《三国志》裴注，页 1323。虞翻同样明确地重新排列了经典的次序，并宣称：“经之大著，莫过于易”。

⑥ 汤用彤，“王弼之《周易》、《论语》新义”，页 265；R. P. Kramers, *K'ung Tzu Chia Yu*，页 73。

方式,他们继承、合并了探索新的哲学问题的两种技巧,即着眼于大义的注释和论这种新文体。

● 包含统一的真理要素的材料体明确地包括经典以外的文献,这此时已得到了广泛的接受。李譔“又从[尹]默讲论义理,五经、诸子,无不该览”。[①]

● 从更为严肃、理性的“传”、而非以外在资源(即阴阳五行)的视野来解释经典的技巧,已经颇为盛行。对于《周易》,则用“十翼”;对于《尚书》,则用《尔雅》;对于《春秋》,则用《左传》。[②] 费直对《周易》的注释在此得到继承;将《春秋》与《左传》的文本交织起来的杜预,延续了荆州的传统。

● 在对扬雄的继承中,文本群体的核心由《周易》、《老子》和《论语》构成。

● 注释的关键词是“义”和“理统”。这并不意味着各种材料都只是对某个单一主题的阐发,而是不同的经典在某个共同的、系统的框架内讨论不同的方面——可以回溯到《论语》的一种解读。[③] 这一经典的解读甚至在王弼的著述中也留有痕迹。

● 与上一代左右这一解释道路的学者——郑玄,在观点上有重要的差别。然而,余英时令人信服地反驳了汤用彤的完全断裂说。[④] 汤用彤也引用了“李譔传”的记述:李研治经典,“皆依贾、马,异于郑玄”[⑤];但这句话必须被重新解释。郑玄师从马融,并追步他的解释路线。在师生不同之处,李譔站在马融一边。然而,这意味着在总体上,他仍处于与郑玄相同的路径上;郑玄的注释在古文经学的圈子里仍具有权威的分量。王肃《圣证论》中的批评,似乎同样是针对对郑玄撰写的一切文本的盲目接

---

①《三国志》,42:1026。

② 王粲,《荆州文学记官志》,载于严可均,《全上古三代秦汉三国六朝文》,91:5下。

③《论语》8.8。

④ 余英时,“汉晋之际时之新自觉与新思潮”,《新亚学报》41(1959):57。

⑤《三国志》,42:1027。

受,因此,他讨论的同样是个别的段落而非注释的模式。①

为支持自己关于荆州学术与郑玄之间的连续性的主张,余英时引用了虞翻的评论:“[宋]忠小差[郑]玄”。然而,这里同样要尊重具体的语境。虞翻在这里实际上是在赞扬荀爽(128—190年,《翻别传》中作“荀諝”)。在指出“马融名有俊才,其所解释,复不及諝”之后,虞翻说道:“若乃北海郑玄,南阳宋忠,虽各立注,忠小差玄而皆未得其门,难以示世。”②这一段落也证明了这一主张:郑玄注在总体上仍是更新的注释出现之前的主流标准的一部分。

郑玄一直被看作“意义导向”的注释的先驱。在此后的很长时间里,都有许多拥戴者为他辩护。③ 何晏通过在《论语集解》中收入大量郑玄等人的注释,来表明新的意义导向的注释——“义说”与郑玄等汉代学者的努力之间的连续性。然而,在他的序言中,把“义说”之名留给陈群(?—236年)、王肃和周生烈(都是他的同代人)④,由此指明了某种品质上的变化。事实上,他的《论语集解》既标示出了“义说”对汉代传统的继承,又标明了二者之间的断裂。最终的结果与汉代注家的差别极大,除了何晏等人在序中声称的“有不安者,颇为改易”这一事实以外——这种做法可以由郑玄注的唐代抄本与《论语集解》中的引用段落的比较来证实。⑤

在别处引用的关于郑玄的鬼魂抱怨王弼对他的不敬的故事,表明与章句的斗争在王弼看来已经结束了;这回,斗争的对象轮到了郑玄。然而,在这一过程中,王弼仍在很大程度上受惠于郑玄。⑥

各种解释的差别远非仅只是学术上的。不同的集团为他们自己的政策而诉诸经典的权威。从东汉末年以后儒学被极大地动摇这一视野

① 王肃,《圣证论》,载于马国翰,《玉函山房辑逸书》,卷三,页2068上。

②《虞翻别传》,引自《三国志》,57:1322。

③ R.P. Kramers, *K'ung Tzu Chia Yu*,页79。

④ 何晏,《论语集解》序,1下。

⑤ 参见王素编,《唐写本论语郑氏注及其研究》。

⑥ 参见本书第一编第一章。

看，郑玄代表的是儒家变革，而重建他自己的权威地位意味着强化儒对于国家机构的权力。因此，正如我们从一些后来的记载中看到的那样，在根本上不同的、企图达到经典的最深层面的竞争成了派系斗争的先锋。以这种形式，在针对正始时代的学者（特别是何晏和王弼）的辩驳中的冲突成了标准的比喻。这一辩驳从正始时代一直延及18世纪末《四库全书总目》的编者——他们宣称王弼的学说“排击汉儒，自标新学”。《四库》的编者因此将中国哲学史上一个关键的时刻化约为渴求政治权力的不同派系间相互斗争的琐事。①

《南齐书》引用陆澄（425—494年）给王俭的信，信中记载了为郑玄的《周易注》建立席位的努力：

> 晋太兴四年，太常荀崧请置《周易》郑玄注博士，行乎前代，于时政由王、庾，皆儁神清识，能言玄远，舍辅嗣而用康成，岂其妄然。太元立王肃《易》，当以在玄、弼之间。元嘉建学之始，玄弼两立。逮颜延之为祭酒，黜郑置王，意在贵玄，事成败儒。今若不大弘儒风，则无所立学，众经皆儒，惟《易》独玄，玄不可弃，儒不可缺。谓宜并存，所以合无体之义。②

对《周易》的控制权在后一千年中没有被儒家重新夺回。王弼的《周易注》在唐代成了官方文本，他对此书结构的解释——《周易略例》，成了《周易》的第九章。

历史偶然地将王弼置于所有可能的优越地位上，让他在短短23年的生命里绽现他的天才。作为高平王氏的后裔，使他从出生起就成为那个时代最精英的思想和社会集团的成员。他的家世传统将他与古文经学、清流和荆州学院关联起来。在很小的年纪，他的教育就关注于新的经典核心——《周易》、《老子》和《论语》。儒家学说不仅失去了它的声

---

① 纪昀等编，《四库全书总目提要》序，页2下—3上。

② 参见《南齐书》，39：684。

望,而且随着汉王朝的覆亡,也失去了它的权力。在一般的教育被严重破坏之时,门阀士族一直在力图给他们的后人以最好的教育,以致整个一代有着共同哲学和社会背景的骄傲的年轻人在曹魏时代为最敏锐的心智的桂冠而竞争,这产生了一种富有挑战性的氛围。

汉帝国分裂为魏、蜀、吴三国以后,由于没有新的中央权力有通过统一思想领域来表达其权力的需要和能力,这就为一个年轻的、傲慢的青年哲学家引生中国哲学史上的某个质的改变、并且将此前数代人的努力带向成熟提供了自由的空间。最后,历史还将这个年轻人抛入了蔡邕的藏书。这是目前确定可知的唯一一批幸免于战火的藏书。这批藏书一定包含汉代学术、黄老传统和诗学的文献,而且王粲一定又补充了撰成于荆州的新著。

第三章　技巧与结构的哲学：《老子》及王弼注中的链体风格①

引　　论

王弼的《老子注》并非此类注释中的第一个。在他生活的时代，市面上充斥着各种其他的注本，而王弼的读者很可能已经通过这些早期注释中的某个注本读过了《老子》。残存下来的这些早期注释表现出了对领会《老子》的主旨和意义的强调，而极少关注文本的语言及其对语言的阐述。②

在这一方面，王弼从根本上区别于早期的注释者。他非常重视《老

① "链体风格"一词是为翻译"Interlocking Parallel Style"这一本书中的专用术语构造的词汇。"链体"与我们熟悉的"骈体"有相同之处，但"骈体"风格往往只强调对偶句子间横向的对称关系，而"链体"风格则在横向的对称关系之外，要求关键语汇或思想要素的纵向连续性。在Wagner教授对王弼《老子注》及《老子微旨略例》的研究中，对文体结构的关注是值得注意的。在他看来，王弼行文中常常出现的"链体风格"，并不仅仅是一种文人式写作惯习，如六朝时期盛行的骈体文风，而是出于一种思想表达的需要。所谓"链体"，即两个思想要素平行交错地展开。这一概念，对于理解本书中的注释技艺的分析、思想的探讨及文本结构的转写都至为关键。

② 本章的一个缩节版本已经以"链体风格：《老子》与王弼"为题发表于 *Etudes Asiatiques* 34.1 (1980):18—58。在这里，我要感谢编者们允许我一字不改地使用它的各个部分。关于王弼的哲学，参见本书第三编。

子》中使用的形式和结构上的设计,同时也更关注《老子》对语言及其在处理道时的局限所作的论断。他对《周易》和《论语》的语言及陈述结构的分析表现出了相同的关注。这三个文本通过它们高度精练的形式结构以及对表达的超言方式的运用(特别体现在《周易》的卦象中),表明了对清晰的语言在讨论道、宇宙和圣人的神秘中的有限作用的高度自觉。它们对表达的非语言方式(如形式风格模式、卦象或自我矛盾式吊诡的语言)的运用可以被看作一种旨在扩充超言的表达手段的自觉努力,而它们对语言的明确陈述表明这是一种有意识的策略。

在他对来自不同学派的《老子》注释者的批评中,王弼指出他们没有理解《老子》对语言的用法;他们不但忽视了《老子》语言的实际特征,而且也忽视了文本中对语言的明确阐述。他声称,他们是在"随其所鉴而正名焉,顺其所好而执意焉"。[1]

针对这一对文本字面的拘泥,王弼引证了《老子》的明白告诫。他对各"家"《老子》读解的批评暗示了他自己的策略:王弼将从文本自身提供的或隐或显的提示细绎出他自己的读法。《老子》本身一定提供了正确读解的方法,而王弼则将道出并明确这一方法的特点。在王弼提出与所有其他人都截然相对的解释学方法之前,汉代的其他文本(如《孟子》和《楚辞》)的注释者早已开始转向这一方向了。赵岐(? —201 年)正是将《孟子》读《诗经》的策略理解为引导读者如何阅读《孟子》本身的忠告,这一忠告还没有引起此前的《孟子》的读者的注意。[2] 同样地,这些读者也只触及了文本的字面,而错失《孟子》的本旨。从文本自身的指示中细绎出读解该文本的策略的解释学方法主张一种真正的读解的权威性,并从这一立场出发将其他的读解拒斥为任意强加的解释。与此同时,在将自己的读解可证伪地筑基于文本本身的标准之上的过程中,它自身也受制

① 王弼,《老子微旨略例》。
② 赵岐,"《孟子》题辞",《孟子注疏》,页 5。

于一套严格的规则和程序,从而大大减少了注释者的解释余地。这一更学术化的进路有时似乎会降低使用某个文本以迎合当代需要的活力,而这一点无疑使它更适合当代解释学的进路——可以将这些注释作为某个关于如何读解中国的经典文本的现代学术讨论中值得重视的参与者。换言之,王弼对《老子》的处理在方法上超越了他自己的时代的历史限制;他对《老子》或《周易》文本规则特征的那些发现具有被现代文本研究的学术方法检验并证实/证伪的可能。

本章从王弼的《老子》的解析的边缘开始,即从他对《老子》的一个重要文体特征(我称之为"链体风格")的分析开始。由于《老子》在玄学家中的既有权威,这一特征也成为有关玄与道的话语的基本文体模式。从边缘而非中心开始,在强调王弼的文本处理的某些核心要素时有其便利之处。对《老子》及王弼本人的文体的形式要素的关注,有利于消除某种整体歪曲的危险,这一危险总是与一个像《老子》这样富有影响且注释众多的文本的核心内容相伴。

这样,我们对王弼《老子》注的分析就从对他从《老子》本文中细绎出来且在他自己的著述中复制的链体风格的研究开始。

西方学术对骈体风格的发现

1892 年,杰出的荷兰汉学家施莱格尔(Gustave Schlegel)第一个在西方语言中对中国的骈文规则做了描述,随后又于 1896 年完成了对张说(667—730 年)所做玄奘游记序文的重译。[①] 他关注的是左右大多数严肃、深入的文章(如序文)的严格的数字和语法上的对称关系。对这一对称关系的理解有助于阐明困难的文段:依赖于某个对称的词汇作语法

① Gustave Schlegel, *La loi du parallelisme en style chinois, demonstree par la preface du si-yu-ji, la traduction de cette preface par feu Stanislaus Julien defendue contre la nouvelle traduction du Pere A. Gueluy*.

上的澄清,并对文体的缺损和修复作有根据的猜测。他发现的规则是这样的:

> 在两个对称或并列的句子中,中国的文体法则要求陈述的每一个部分都相互对应:主语对主语,动词对动词,名词对名词,形容词对形容词,副词对副词,地名对地名,所有格对所有格,宾语对宾语等等。①

在他的例证中对称的词汇只是简单的对子,它们的核心要素通常是相对和互补的。

这本小册子颇受当时的汉学家 Erwin von Zach 和理雅格(J. Legge)等人的赞许,他的发现长期以来一直是西方古典汉学修养的一部分。施莱格尔对这一修辞手段的描述尽管有其价值,但只能被视为对汉语中骈体风格的诸形式、历史、思想根源和功能的研究的初步。然而,由于施莱格尔的研究线索没有得到延续,他对某种机械生硬的骈体风格的描述就导致了这种自满的观点:他描述的规则就是骈义的全部规则。施莱格尔似乎没有意识到骈体文的概念以及明清时代的骈体文集,也没有注意中国传统的阅读方式。时至今日,关于骈文:它的特征和历史,已经有很多的中文著述;而且此类风格的篇章的集子也已被汇编在一起。②对于先秦诗文中骈体风格无所不在的运用,他们已经积累了相当多的证据;他们指出为了给西汉以来的制诏带来尊严的腔调而使用骈体风格对这一型式的地位的提升,③同时还指明了它自东汉以来的普及,这一普及在蔡邕那儿达到了巅峰;他们还注意到了这一型式在《老子》、何晏和王

① Schlegel 在一篇文章中首先系统阐述了这一规则,参见"Le stele funeraire du Teghin Giogh et ses copistes et traducteurs chinois, russes et allemands", *Journal de la Societe Finno-Ougrienne* 8(1892):30;他在 *La loi du parallelisme* 一书中提到了这篇文章,页 1。我已将它译为英文。

② 关于有着研究的近期综述,参见尹恭弘,《骈文》;姜书阁,《骈文史论》。

③ 尹恭弘,《骈文》,页 57。

弼那里的出现。[1] 他们关注的是这一型式的美学意义;而他们对骈体风格核心的结构特征的分析也仍未能超越施莱格尔建立起的规则;也没有出现对链体风格的更为复杂的形式及其哲学意涵的分析。

尽管很少有某个当今的资深汉学家因忽略了对称关系而误译某个词汇,我仍主张:由于汉学家们对骈体(链体)风格的更复杂形式缺乏了解已经导致了对许多文本的误解;更糟的是,它还导致了一种社会实践:将中国哲学论文表面上的缺乏系统性归因于中国思想家不系统的思考。对于读解3世纪的玄学文本而言,施莱格尔规则显然是不充分的。它只涵盖了最乏天赋的一类——空洞的对称性的对子。而我们这里所要研究的作者使用的是植根于骈体风格的各种链体技术,这些技术的采用与在讨论核心的哲学范畴时超越定义性语言的局限的哲学困境相关联。

在这一章里,我们将指出:《老子》的许多章都是完全或部分地用骈体(链体)风格写成;王弼在他的《老子》注中将他对这一型式的理解做了自觉而又精妙的运用;王弼在他的写作中最大限度地使用了这一型式,并在使之在玄学写作的标准文体形式中有极大的影响;这一型式规则(我将试着从《老子》和王弼的文本中将其细绎出来)的使用,不仅会解决翻译者和学者面对的文本上的众多谜团,而且还将开启关于这些文本的哲学意义的另一个维度(结构性的和非言语的维度)。

读者将会看到,本章的基本态度是要郑重对待王弼的诠释学主张——对《老子》的读解应该基于本文自身的可证实和证伪的特征和标志,并且把他对骈体风格的读法作为服从辨伪的规范程序的一种正当的假设。或者,从否定性的方面看,它并不从一开始就将王弼的读解化约为一个对《老子》而非玄学有兴趣的现代学者的最多只是边缘兴趣的一个历史现象。

① 姜书阁,《骈文史论》,页49,313。

问题：分章内部的分子关联性

在许多关键性一般陈述中发现的《老子》基本教义的整体上的哲学一贯性没有反映在某些分章内的观点及修辞的关联性当中，这一点已经成为共识。为解决这一谜题提供的种种假说可概述如下：文本的误传——承载文本的竹简散裂后又以错误的次序重新组合(严灵峰)；问题出在对文本结构的错误理解，即《老子》的本文实际上是相当松散的，更像一系列不相关联的箴言(如刘殿爵和木村英一)；或者，文本的深意根本上拒绝常识性的理解。

最后一个假说只是一个信仰上的问题。而在郭店楚墓(墓的年代约在公元前310—前300年[①])最近发现的三个《老子》残篇和长沙附近的马王堆汉墓中的两个近乎完整的《老子》抄本(都成于公元前2世纪初)已经否定了第一个假说，并使第二个假说被根本地动摇了。郭店《老子》残篇显示出的序列表明与通行本的各种版本中保存的序列(这个序列在马王堆甲乙本中已有雏形)之间没有或者只有偶然的关联。[②] 这可能表明，通行的序列只是在公元前300年后才基本固定下来。然而，保存在郭店楚简中的《老子》文本已经在总体上肯定了通行本《老子》的令人惊异的高度稳定性，这样一来，也就无助于解决这一文本既定的章内单个的句子之间关联的问题；当然也不会给我们提供一堆后来被联结为今本的《老子》的松散的箴言性句子。[③] 最重要的是，《老子》中分章的稳定性已经被郭店本中的标点以及各章的不同次序证实。郭店的三种《老子》

① 荆门市博物馆，《郭店楚墓竹简》。北京，1998年。

② 根据通行本的序号，郭店《老子》甲本的章序是19,66,46,30,64(部分),37,63,2,32,25,5(部分),16,64(部分),56,57,55,44,40；郭店《老子》乙本的章序是9,59,48,20,13,41,52,45,54；《老子》丙本是17,18,35,31,64(部分)。

③ 马王堆汉墓帛书整理小组：《马王堆汉墓帛书》；另外一种只有转写后的文本的版本是马王堆汉墓帛书整理小组出版的《马王堆汉墓帛书〈老子〉》。

残本呈现出两个不同序列，这两个序列都与通行本毫无关联。郭店《老子》A 本和 C 本在复现通行本《老子》第 64 章的同一残片上是重叠的。在 A 本中，这残片出现在 46、30、64、37、63 这一序列中；而在 C 本中的序列则是 35、31、64，而 C 本中的残片正是 A 本同章残片余下的结尾部分。换言之，尽管郭店《老子》有着不同的章次，但其中 A、C 两本的第 64 章残片显然具有相同的结构，除了些许细微的差别之外。马王堆《老子》文本的章次在某些地方也与通行本不同，其中还有道篇和德篇次序完全相反的情况。但各章大体完整地出现在新的序位上，反而证实了它们作为独立的文本单位的稳定性。[①] 在如此早的时代，整章在新的序位上的移置证明这些文本单位的稳定性是相当高的，甚至在抄本中没有逗点之类的标记来分隔的地方也是如此。这就给我们留下了理解各章内在结构的修辞特征的课题。

在我看来，上面引述的假说是许多学者不了解关于《老子》既定的分章内单个句子的特定关联的产物。而要解决的问题就是看起来相当一贯的哲学思想体系内部的分子性关联的问题。这一误解导致了这样的翻译策略：即假定《老子》由箴言和类似的俗语组成，后世的编者将这些箴言和俗语用或多或少随机性的“是以”和“故”与某个偶然的结论胶合在一起。[②] 新近的《老子》的重译（常常以马王堆《老子》为底本、刘殿爵的

---

① 帛书《老子》甲本的章序是 38，39，41，40，42，43，44，45—46，80，81，67—79，1—21，24，22，23，25—37；帛书《老子》乙本的章序是 38，39，41，40，42 等等，与甲本一样。据载，严遵对各章的顺序做了略微不同的安排。然而，这一安排不在于将各章分解开来，而是将其中的一些合并，从而达到一个可以根据阴阳学说阐释的较少的章数。

② 在 *Tao Te Ching* 的第 14 页，刘殿爵写道：“在我看来，《老子》不仅是一个选集，而且它的各个分章也是由更短的段落构成的，这些段落间最多只有极细碎的关联。”在第 15 页，他又写道：“既然我们不能在思想上期待更高的一致性，那么，最合理的叙述《老子》的方法就是去处理各种各样的核心概念，尽可能地去叙述它们，但要在它们无法协调时指出其中的不一致。”L. Hurvitz，“A Recent Japanese Study of Lao-tzu：Kimura Eiichi's 木村英一 *Roshi no shinkenkyu* 老子の新研究”，*Monumenta Serica* 20（1961）：311—67，他在页 327 给出了木村英一的解读的翻译。另见木村英一，“A New Study of Lao-tzu”，*Philosophical Studies of Japan*，1：93f.。

译本也包括在内)没有重提这个问题。①

试图以箴言的理论深入并消解分章内部的关联性困境,还并不成功;原文的音韵迫使木村英一和刘殿爵保留分章的部分完整,即使在内容方面他们没有发现句子间关联的地方也是如此。看起来,刘殿爵并没有始终坚持他自己的分析。他一方面说"每个独立的分章通常由更短的段落组成,这些段落间基本没什么关系"②,同时又说"如果读者能在我划分的部分间看到关联,那么他可以简单地忽略我的区分标记"③。

除了箴言假说的分析性困境之外,这一假说的实际作用也值得质疑,要知道,《老子》是一个在中国传统的各种支脉中传承、阅读、再阅读了两千多年的文本。即使我们假定《老子》"原本"就是一个联系松散的箴言的汇编,只是由某个有作为的编者为它增添了超出文本所能支持的关联性的"故"和"是以",我们仍将面对这样的事实:在历史上,没有一个读者以这样的方式读解这一文本。对于理解作为中国传统一部分的《老子》,箴言假说将是毫无助益的;我们仍不得不以它在不同时代的不同注者、传统和群体中被读解的方式来重构《老子》。这一重构将不得不基于一个共同的想法:该文本无论从整体的主张,还是从各章内细节的关联看,都是一贯的。本章将指出,王弼将《老子》读作一个由某种固定的模式——骈体风格写成的文本,对此风格的了解有助于理解各章内部句子的关联;而且,王弼以及其他一些《老子》热切的追随者在他们自己的写作中仿效了这一风格。

对某个文本的历史性读解的重构是一种有根据的诠释学努力,这是毋庸置辩的。然而,现代学者在关注文本的"本意"时,却忽视了历史上的读解者、特别是他们自身的先驱——注释者。英国汉学家 Arthur

① 参见刘殿爵译,*Tao Te Ching*;Robert G. Henricks, *Lao-tzu Te-Tao Ching*。

② 刘殿爵,*Tao Te Ching*,页 14。

③ 同上书,页 51。

Waley 在其《老子》译本跋中以其特有的直率总结了这一观点："从王弼降及 18 世纪的所有注释者都是'布道式的'；也就是说每个注释者根据自己的教义重新解释文本，却没有意图或愿望发现文本原来的意指。因此，在我看来，它们都是没用的。"[①]Waley 表达了一个在今天广为接受的观点，这一观点对中国思想史上最精微、最有哲学价值的资源之一——注释的糟糕研究状况负有责任。历代的中文注释被当代学者（包括当代中国和日本学者）至多用作材料源，他们从中发掘关于某个不易处理的文段的某个偶然的注释。当王弼这样的注家被有关玄学的研究当做对象，从而使他们自己的理论呈现出来时，他们的陈述大都被视为独立的句子来引证，剥离了其原本的注释语境和目的。

这一态度并非源于对这些注释的学术研究史；我们几乎找不到此类研究的证据。因此，它的根源只能在西方思想史上寻找。宗教改革和文艺复兴的一个标志就是拒绝教会的注释权威，并建立作为唯一有效的参考点的原文本（Urtext）。作为在文本中并无根据的二手的经院气思考，这一反对注释的欧洲偏见源于欧洲的神学竞争，并最终在世界范围内成为主流。正是这一偏见为中国的注释文献带来了 Arthur Waley 的刺耳言辞以及学术上的总体漠视。

这一偏见中隐含的现代学术与前现代注释之间的根本差异是对现代的过高估价。在另外的地方我会试着指出王弼以及其他注者的确是在他们自己的哲学、政治与意识形态关切和斗争的背景下阐释《老子》，但是，随着汉末学派和宗教团体的权威陷入低潮，一种对文本高度学术化和理性化的处理对于将这些新注释者的地位提高到"古人"的高度是关键性的。如果这些注释只是随处匆匆记下的札记，它们早就在忽忘中消失了——不会有任何影响。在王弼的时代，各种政治派别间在究竟谁要承袭从《老子》中分有的权威这一点上存在着激烈的斗争；因此，新的

---

① Arthur Waley, *The Way and Its Power*，页 129。

注释受到细密的审查和评判。王弼的注释能始终有其影响绝非由于他所代表的政治立场，而是由于这一事实：他引入的是一个对《老子》的切近细密的阐释，它的纯粹的分析性品质为他赢得了尊敬——甚至从他的对手那里。

下面的分析将把这一点暂时悬搁起来：即我们分析的这一重要的修辞特征究竟是王弼想象出来的呢(对理解王弼本人的思想仍然重要)，还是确实可以在《老子》中找到、由此而成为王弼的一项可证的学术发现呢？只有到结尾时，我才会试着给王弼的假说一个结论。这就要求读者保留自己的判断，并先对我们提供的证据做出评定。

我的整体计划主要关注的是王弼的政治哲学。这里，首先遇到的一个障碍就是他自己的作品和主张的结构；其次，是他注释的文本的结构。在下面的讨论中，我将从王弼自己风格的范型——《老子》开始。

在一个文本中，依照对应问题的不同，可以有几个层次的一致性。它可以是在一个既定的时代政治和意识形态讨论框架内的一致；可以是与同一个作者的其他著作的一致；在呈现为一个综合的、或多或少一贯的整体上是一致的。还有在一个文本的既定段落内字与字之间、句与句之间的关联性问题；正是在这个分子一致的领域里，出现了《老子》里面的那些最重要的困境。王弼在《老子微旨略例》中处理了《老子》哲学的整体一致性。在这里，我只关注分子一致的问题。

《老子》的所有通行本都是分章的。古抄本如郭店本和马王堆本有时用空行或逗点作为章与章之间的界限，①据我们考察，各章的长度大体上取决于内容以及像发语词和结语词这类的要素。相应地，从公元前3世纪最早的抄本起，章就始终是相对稳定的文本单位，并且大体上没什么改变。在这儿，我们关注的是它们的修辞结构。

---

① Robert G. Henricks, “Examining the Chapter Divisions in the Lao-tzu”, *Bulletin of the School of Oriental and African Studies* 45.3(1982)：501—524。

《老子》中显见的链体风格

《老子》中的许多段落是以“显见的骈体风格”写就的。这里所用的《老子》文本是我对王弼所用《老子》本的重构。它将在另一卷中发表出来。仅在与讨论相关的地方，我才会提到更早的《老子》本。《老子》64.5—6说道：①

　　1 为者败之
　　2 执者失之
3 是以圣人
　　4 无为故无败
　　5 无执故无失

撇开“之”的不同指涉的问题，最简单的字面翻译如下：

　　1 进行干涉的人，将损毁它们
　　2 牢牢把捉的人，将失去它们
3 这就是何以圣人
　　4 不干涉，因而也不损毁
　　5 不把捉，因而也不失去

应该提起注意的是，我这里处理的是结构，而非翻译的细节。即使有人想要选择不同的翻译语汇，那么只要我们的结构分析不被证伪，这一论点就仍然成立。

根据施莱格尔的规则，句 1 和 2 以及 4 和 5 都是严格对称的。联结 1/2 和 4/5 两个对子的骈体结构，由一种内容的关联贯穿起来：句 1 中的“为”和“败”被承续到句 4，句 2 中的“执”和“失”被承续到句 5 中。显

① 参见我对王弼的《老子》本及注释的批评性版本和翻译。详细的训诂证据和讨论可以在那里找到。

见的链体风格普遍带有这一明确的链接。这样,就有了 1/4 和 2/5 这两个由共同的词句和内容联系起来的对子,彼此并不平行对称。因此,句子 1—5 就包含了两个由骈体结构联系起来的对子——1/2 和 4/5,以及由内容联系起来的两个对子——1/4 和 2/5。两个平行对子的分界由"是以圣人"构成。这一要素并不联接紧挨着的前行和后继的句子,因为那样将带来一个荒谬的序列"执者失之,是以圣人无为故无败";这样的序列之所以荒谬是因为它将无关联句 2 和 4 联系起来,而非 1/4 和 2/5。这样,句子 3 联接着两个对子,而且实际上必须被读作把两个相同的"是以圣人"合并为一个,它们分别联接句 1 和 4 以及句 2 和 5。由此,句 3 就建立起了由内容联接起来的句子对中的联系。如此琐碎的分析可以表明:它为理解显见的链体结构建立起了一种关键的解读策略,即空间的而非线性的读解。普通的文本是以线性的字符传达信息的,而链体风格则以空间性、结构性信息为主。

形式上,这一文本可以被描述成由一个非对称的句子联系起来两套平行的对子Ⅰ(1+2)和Ⅱ(4+5);而内容上,它包含带有一个由第三要素构成的连轴的两个链体串系 a(1+3+4)和 b(2+3+5)。如果只关注内容,我们可以将这一文本拆解为两个长句:

a 为者败之,是以圣人无为故无败;

b 执者失之,是以圣人无执故无失。

形式上的链体结构和将两个"是以圣人"合而为一的做法并不仅仅是表达一种思想的洗练和简洁的方式。它们以无声的、结构的方式表达了思想的第二个层面。这可以用言语表现。a 和 b 这两个串系并不仅仅是并置的。在主题上,它们是相互补充的对立面,共同构成一个存在着界域的整体。串系 a 的"为"和"败"主要与治理者的社会行动的权力有关;而串系 b 则主要与其财富有关。二者是其地位的支柱。相同的偶对出现在充斥于《老子》其他部分的有关"名"与"富"的观念的表述中。这在目前的这个例子中并不明显，但会变得越来越清晰。在此，我们打算提出一个假说：a 和 b 这样的平行对子的核心观念之间普遍具有一种互补的对立关系。这些东西一起以天地或阴阳的方式构成了一个整体。

这一平行对子指示出两个相对领域的相似甚至相同的结构，这一结构是形式上和非言语性的。通常情况下，"为之者"最终应该有所成就，但结果却是"败之"；"执之者"应该增益其财富，结果却"失之"。两个相对的领域拥有相同的结构，这一点表达在了平行对子中。

"是以圣人"对两组对子的分离，表明这些对子的地位的不同。第一组对子表象了天地或道运作的普遍法则。第二组标明了这一普遍法则在圣人行动中的自觉运用及其结果。这也是我们给这些组以相区分的数字符号的理由。引文的第Ⅰ组(句 1 和 2)给出普遍法则，第Ⅱ组(句 4 和 5)则给出了圣人对这一普遍法则的运用。

这一短章处理了三个问题。首先是"为"和"执"的结果；其次是在"为"的权力动力学与被"执"的财富之间的一般的平行关系；第三是圣人的行为在普遍法则中有其基础。这三者中只有一个问题是以言语的方式表达的。其他二者只是通过诸如链体结构和对子组这样的结构安排在形式上表达出来的。

典型的线性阅读沿着文本的行依照由字符的序列规定的通道来获取意义。作者常用各种手法超越此种线性特征强加给一种思想的局限，这种思想在其组成部分中充满了三维的关联。在中国古典文本中，这些手法包括分段标记和句尾虚词，以之界定一个主张或思想的边界；以"夫"开首的句子标明其普遍有效性，从而区别于一个只在特定的场合有效的句子；在同一文本内明确地指向某个支持一种主张的、出现得较早或较晚的句子，以避免重复；对权威文本含蓄的引证，以证明某种主张与经典教义的一致；等等。除了这些手法以外，有些陈述的展开被无声地编码在结构中。空间性文本的最明显的例子是《周易》，但链体结构开启了一种空间化地组织陈述的方式：在线性的文本上添加一种新的组织，并赋予其隐含的议论主题的一个丰富的新层面。在文化传承的过程中，任何对《老子》以及王弼注的现代读解都要求将这隐含的结构和议论明确化，因为这样的解码已不再是现代读解训练的一部分。在上述例子中，“为者失之”这个句子同时属于三个不同的语脉，而并没有在字符的线性位置上有纤毫的移动：在语法和结构上，它与“执者失之”这个句子平行对称；它是一个陈述的前半部，而这一陈述的后半部（“无为故无败”）在三个句子以后才出现；同时它也是第Ⅰ组对子所描述的普遍辩证法的一部分，而与第Ⅱ组对子中圣人对此普遍辩证法的运用相对。这三个文本中没有一个表达为言语，但它们实际上是比这一陈述的文字本身更重要的组成部分。

之所以选《老子》第64章做详细的分析，是因为其中有一些链体风格的关键因素。这一段包含两个串联在一起的完整的表达，a(1/4)和b(2/5)；它们的主题相对，共同构成一个整体。这是文本的垂直结构。其水平结构划分为两组对子——1/2和4/5，标示出在a和b中涉及到的相对现象具有的相同结构。这一段落是以显见的链体结构写成的，因为在两个串系的组成要素之间有着明确的言语化关联——在这里是串系a中的“为”和“败”以及串系b中的“执”和“失”。

在上面单调的分析之后，我还要进一步，将通过一种结构写作的形式使其无声的结构在非言语化的情况下尽可能的明确：

Ⅰ 1a　为者败之　　　　　　2b　执者失之

　　　　　　3c　是以圣人

Ⅱ 4a　无为故无败　　　　　5b 无执故无失

或者

Ⅰ 1a　　　2b

　　　3c

Ⅱ 4a　　　5b

在这一结构性写法中，水平关系指明链体结构，而垂直关系指明属于同一个句子的成分。写在中间的那个句子 3c 表明这个句子同时指向两组串系，必须被当做两个相同的句子被合而为一。阿拉伯数字 1,2,3 等表示中文文本中句子的次序；罗马数字Ⅰ,Ⅱ,Ⅲ标记具有相同的议论等级的句子组。在这里，"是以圣人"这个句子不仅将第一组对子与第二级关联起来，而且也作为句子组Ⅰ和Ⅱ内容上的不同地位的标记。由于在绝大多数场合下《老子》文本都有两组串系和同时指涉两组的一般性陈述，我就把串系的名称形式化为 a 和 b，而将指涉二者的陈述标记为 c。

在我对王弼的《老子》、《老子注》及其"《老子》微旨略例"的翻译中，所有可以用上结构性写法的地方我都用了。如果按照文本的线性特征阅读，这一段落的次序将是 1a,2b,3c,4a,5b。如果按照链体结构阅读，那就应该将 1a/2b 和 4a/5b 各读为一个对子，而将 3c 读作指涉二者的一个非链体的片断。如果按照内容来读，经拆解的串系组应该读作 1a/3c/4a 和 2b/3c/5b，其中 3c 将出现两次。如果按照意旨的宏观结构，那么组Ⅰ标志的是一般性陈述，组Ⅱ则是其具体运用。

对这一短章的分析表明，施莱格尔的规则对于理解链体结构的复杂性是远远不够的。施莱格尔的规则只涉及句子之间的对偶，而在上面的例子里，我们找到了一种远为复杂的结构——要求非常独特的读解策略的链体句子组。一句接着一句的传统的线性阅读法必须放弃，以便引入旨在建构相关陈述的复杂宏观和微观结构的空间性阅读；仅是对这一结构的理解，就可以使读者把握该陈述的意义。有声和无声的文本的语言和结构组件的整合性运用是极其简约的。其最精巧的形式出现在《周易》里，其中结构的手法在卦象的外形下切实可见，因而不会被忽略；这与《老子》(以及众多的玄学家的著述)中使用的形式不同。这里提供的开放式链体结构的简单例子，几乎不会给理解带来真正的挑战。这一情况在我们转入隐蔽的链体结构时将有所改变。

《老子》27.6 的具有显见的链体结构的段落表现了一种更为复杂的

c 要素。更重要的是,它将表明同一指代词如“其”在链体结构中的位置可以改变其指涉的点,这就要求对同一语汇的完全不同的翻译。这里再一次要求读者忽略我的译文措辞、对主语的辨识以及其他括号中的内容。它们以王弼的读解为基础。然而,在这里,我们感兴趣的只是《老子》自身的陈述结构,而非它的不同注者。数字标明文本要素的次序:

1 故

2 善人不善人之师

3 不善人善人之资

4 不贵其师

5 不爱其资

6 虽智大迷

根据王弼的注释,初步翻译如下:

1 这就是[圣人]何以

2 [令]善人作不善人的老师,[并]

3[令]不善人成为善人的资源,[但圣人]

4 不尊崇他们[不善人]的老师

5[也]不爱他们[善人]的资源

6 即使有智者,[要尊崇和爱他们]也会大错

这一文本有两个对子——2/3 和 4/5。因为句 4 承续了句子 2 的关键词“师”,句 5 承续了句 3 的“资”,我们就有了两个明显骈联的文本 a 和 b。这一琐细的考察有其重要的结果:同一个词“其”在句子 4 和 5 中分别指称不同的东西,即在句子 4 中指句子 2 中的“不善人”,而在句子 5 中则指句子 3 中的“善人”。上面给出的翻译是以王弼注为依据的。其他的注者对这一文段有不同的构造,但他们都不得不把两个平行的句子中的“其”读作对两个不同东西的指代。

这一文本包含几个 c 要素,即 1 和 6。这里,“故”不是仅将句子 2 而

是将对子 2/3 与前面的文本联系起来。句子 6 同样没有对偶者，也同样关涉串系 a 和 b。我们看到，通常情况下，在链体结构中没有对偶者的要素可以被轻易地辨识为 c 要素，并由此而恰当地读作对链体结构的两组串系指涉、总结及得出结论。c 类型的句子，特别是处于某序列的结尾处时，通常不是简单的缩合(如这个例子中的“故”)，而具有表达关于两组串系的总体结论的作用。这样的结论具有修辞上的可能，并为表达在其严格的链体结构中的两组串系的相同结构提供了论点上的准备——这一相同结构指示出使统合陈述成为可能的某个同一性过程的运作。

在我的翻译依据的王弼的读解中，圣人被保留为句 4 和 5 的主语，这意味着另一个 c 要素“但圣人”不得不被插入两个对子之间。

运用上面引入的结构性转写，这一段落应读为：

1c 这就是何以(圣人)

2a[令]善人作不善人的老师，并　　3b[令]不善人作善人的资源，

[但圣人]

4a 不尊崇他们[不善人]的老师　　5b 也不爱他们[善人]的资源

6c 即使对有智者，[尊崇和爱他们]也会大错

或：

1c

2a　　3b

[ ]

4a　　5b

6c

这一修辞结构的重要性及其引出的结构性读解策略在下面这个例子中将更加明显，这个选自《老子》第 70 章的段落将引入以分代整(pars pro toto)构造并第一次引入隐蔽的链体结构。在隐蔽的链体结构中没有明确的标记来关联属于同一串系的句子。

《老子》70.1—70.3：

1 吾言

2 甚易知

3 其易行

4 而人

5 莫之能知

6 莫之能行

7 言有宗

8 事有主

9 夫唯无知是以不我知

很明显，这一段落包含三组施莱格尔式的对子：2/3、5/6 和 7/8。同样明显的是，这一段落包含两个串系。句子 5 承接了句子 2 的“知”，而句子 6 承接了句子 3 的“行”。这样，在串系 2/5 和 3/6 之间我们获得了一个显见的链体结构的部分；而接下来的对子 7/8 是否以及如何与这些串系匹配却是含混的，因为其中没有公开和明确的字汇从既定的串系中承续下来。这一段落还包括 3 个没有偶对者的句了 1、4 和 9。

初步翻译如下：

1 我的言辞

2 很容易理解，[也]

3 很容易施行

4 但是其他人

5 都不能理解，[也]

6 都不能施行

7[我的]言辞有原则

8[我的]事为也有其主宰

9[由此]，那些没有理解力的人因而也将无法理解我初看起来，这里似乎有修辞的混乱。在单个句子1中出现的词“言”，却在重新出现于句子7时拥有了一个对偶词“事”。同样地，出现在句子5中与“行”成对偶关系的“知”，却在句子9的承接里成了单个的。最后，在句子1—6中我们听到只是“言”，却突然发现它们在句子7、8中竟是与从未提到过的“事”成对。

从迄今给出的三个例子看，《老子》中无疑包含有以链体结构写成的部分。从眼下这个例子中的显见的链体风格的要素看，这一段落中至少包含有链体风格的要素，这是很明显的。然而，其中仍有冲突：句1和9的结构位置（它们是同时指涉两组串系的c要素）与其核心语汇“言”和“知”只是两组串系之一（句5和7这部分）的事实。整个陈述紧密、对称的结构使得它不可能与实际的议论结构的松散安排相配合。因此，我打算调整我们的出发点，把从例子中推论链体风格的规则转为使用这些已经推知的规则。

那么，首先是对子7/8与两个既存串系之间的联系。句7和8的核心字汇是“言”和“事”。链体的序列可能是规则的ab，ab，ab，但以后我们会看到颠倒的情形，如ab，ba，ab也可能发生。如果我们检讨规则的序列，将得到串系a：它将句2中的“知”和句5中的“莫之能知”与句7中作为“知”与“莫之能知”的对象的“言”联系起来。同样地，我们也可以得出将句3中的“行”和句6中的“莫之能行”与句8中的“事”联系起来的串系b。“事”与“行”在汉语中具有与“言”和“知”相同的语言关系。这样，我们就有了第一例隐蔽的链体结构：在第三个对子中并通过没有明确的引用与同一串系的要素建立关联，但其核心字汇与既存串系之间自有文化和修辞的关联。第三个对子与前两对建立起的串系之间的联系——链体风格规则的使用让我们发现的是，同时满足结构和文化两方面的要求。这样一来，这一文本就有了2/5/7和3/6/8这两个串系。

由于句4作为两个部分转折的标志，不存在问题，那么剩下的就是1和9这两个单句的问题了。句9相对而言比较容易解决。它在链体结构中的位置表明它应该是c要素的句子。它处在骈联着三个对子的两个串系的最后，并分别由“知/言”和“行/事”支撑。链体结构要求c句同时关联两个串系。我们不得不假定句9中的字汇“知”是两串系的核心字汇“知”和“行”的缺损形式，一种缺省构造。这类结构可以用在缺少一个更高等级的可以同时囊括“知行”的字汇的场合，以免去冗赘的重复。这在链体结构中是一种常用的手法。现代的译者必须在括号中补足被简约的部分，从而防止读者擅自添入自身的文化偏见。

一旦清楚了缺省结构在链体风格中是c句式的一种正常的选择，那么句1问题的解决也就很容易了。其核心字汇“言”更明显的是另一个缺省结构，因为在对子7/8中，“言”与“事”是并置的。句1中的“言”是“言”与“事”的缺省结构，紧接着的句子提及对“言”的“知”和对未经说出的、作为结构性补充的“事”的“行”——译者将不得不把这一语汇结构性地补充入括号中。在这一段落中的两个缺省构造都从串系a中选择其关键词，这样就减少了对这一手法的结构性混淆。

对这一段落的结构性转写如下：

a	c	b
	1c 我的	
言辞		[和我的事为]
2a 很容易理解		
	也	3b 很容易施行
	4c 但[即使这些易知易行的言和事]，其他人仍	
5a 不能理解也		6b 不能施行
7a[我的]言辞有其原则		8b[我的]事为有其主宰
	9c 由此，那些没有理解力的人因此也将无法理解我	

[也无法在行事上效
仿我]。

为了指明句 1 中的“言”和句 9 中的“知”的缺省的特点，我已经指明它们归属的串系，并补足了缺损的部分。

经过完全的形式化以后，这一陈述具有如下结构：

1c
a [b]
2a 3b
4c
5a 6b
7a 8b
9c
a [b]

链体风格不是一种僵硬、机械的文体形式，而是包含着相当多的修辞手法的。正如我将会以文献来证明的那样，隐蔽的链体结构以及缺省构型在链体风格中都十分常见，它们都给陈述带来了结构和议论上的精致，并很好地融入了先秦的哲学修辞传统。第一、第二个例子中，有一些情况是两个要素被汇入同一个词汇(“是以”、“圣人”和“故”等)，而在当下这个例子中，则是只使用一个串系的词汇，来暗含另一串系的对偶语汇，这一暗含的对偶要素的存在形式是结构均衡的要求。

下面，我们转入整章的分析。我们以《老子》第 26 章入手，这一章是以缺省构型写成的，其中引入了一种罕见的链体风格的变体——一种不符合施莱格尔规则的对子：

1 重为轻根
2 静为躁君
3 是以君子

4 终日行不离辎重

5 虽有荣观宴处超然

6 如之何万乘之主而以身轻于天下

7 轻则失本

8 躁则失君

翻译如下:

1 重者是轻者的根本

2 静者是躁者的君主

3 因此君子

4[即使]终日行军也不离弃[运载武器和粮草的]辎重

5 既使[敌军]营寨[在他行军处]有瞭望塔他也始终保持平静和超然

6 如果主宰万乘军车的君主以个人之轻对待天下会怎样呢?

7 以轻对待[它],将失去根基

8 以躁对待[它],将失去君[位]。

在这一章里,我们看到两组完整的对子——1/2 和 7/8,都以核心词“轻”和“躁”构成。这表明,它是有两个串系 1/7 和 2/8 的显见的链体结构。由于句 3 和 6 显然是单个的要素,这样一来,句 4 和 5 就有一点困难。严格地说,它们不是施莱格尔意义上的对子,因为它们的字数和语法都不一样。然而,在一个由公开的链体风格结构成的文本中它们的确是对偶的,而且其核心词也与两个串系有着紧密的关联。句 4 明确地承接了串系 1/7 的关键词“重”,而句 5 中的“宴处超然”则可以被视为串系 2/8 中“静”的观念的回响。根据其数字和一般形式,句 4 和 5 具有松散的对偶关系。其中单出的一端是句 5 中的“虽”字。实际上,在句 4 的开始应该补足某个类似的字。而如果“虽”出现在句 3 的结尾、同时指涉句 4 和句 5 的话,事情将更加简单。我没有在任何版本或抄本中发现这样读解的文本证据。然而,两个句子都以三个字的部分开始("终日行"/"有荣观"),以四个字的部分结束("不离辎重"/"宴处超然")。这都标示着其第一、第二部分之间的对照。在语词和内容上,它们足够接近因而可以被整合进那个意义织体,其中句 4 可以加入 1/7 串系,从而构成以 1/4/7 为序列的串系 a;句 5 加入 2/8 串系,构成 2/5/8 的串系 b。对《老子》的某些译本的研究表明 Waley、戴闻达(Duyvendak)、刘殿爵、木材英一和 Debon 等译者已经假设了句 5 与句 2 以及句 4 与句 1 的联系。

句 3 没有什么问题。它把第一个对子阐发的普遍法则与君子(在表现正确行为模式这方面与圣人有同样的地位)对这一法则的应用区分开来,从而标明了这两个部分地位的差异。句 6 则相当复杂。通过"轻"字,它似乎与串系 a 联系在一起。然而,紧接着它的对子(阐发了句 6 的一般陈述的结果)却回转到同时包含"轻"和"躁"在内的原初的意义织体。这个对子显然将句 6 中关于"轻"的陈述视为有关"轻"和"躁"的两个相类的句子的压缩形式,即缺省构型。同样,对句 6 的正当读解策略暗含了对这个句子在链体风格结构中位置的正确理解。只有在这一方式里,句 6 的陈述才会被理解为两个陈述合而为一的结果:第二个关于治理者对其帝国的"躁"的陈述隐藏在关于他"轻"用其国的可见的陈述中。通过引入一个新的主体——"万乘之主",并将其插入对子 7/8 的议论织体中,句 6 标志着该文本的第三个部分的开始,这一部分描述了行事倒错的治理者的缺失模式。

本章的结构性转写如下:

Ⅰ	1a 重者是轻者的根本	2b 静者是躁者的君主
Ⅱ	3c 因此君子	
	4a[即使]终日行军也不离弃运载[武器和粮食]的辎重	5b 即使[敌军]的营寨[在行军处]有瞭望塔他也始终保持平静和超然
Ⅲ	6c 主宰万乘军车的	

君主以个人之轻对
待天下会怎样呢?

7a 以轻对待[它],将失去根基　8b 以躁对待[它],将失去
君[位]

由于链体风格是哲学写作的一种高度结构性和形式化的方式,它容许文本的结构在相当宽泛的意义上符合链体的规则,就像本章中的对子4/5那样。

链体风格中的一种常见的变体,由序列ab,ab变为序列ab,ba,是在显见的链体结构中所没有的困境。在讨论其隐蔽的形式时有时会遇到这样的难题,因为对于一个有着不同文化背景的现代学者而言,同一串系的要素之间的联系并非直接可见。在抄本如马王堆帛书、各种早期资料中的《老子》引文以及印在王弼或河上公等不同的注释之上的《老子》文本中,对偶句中句子的次序常常是颠倒的。[①] 这也许表明,对于抄写者来说,重要的是对子的对偶关系,而非句子的次序。在有效的记载中,abba这样的次序是很常见的,但在《老子》这里,它从不出现在显见的链体结构中。然而,《老子》第73章的开头在内容上可以用作例子。

文本是这样的:

1 勇于敢则杀

2 勇于不敢则活

3 此两者

4 或利

5 或害

译文如下:

---

① 仅马王堆帛书《老子》甲本中相对于傅奕"古本"的颠倒之处就不下9处:《老子》56章3—6,61章3,66章("处之上……与处之前"),80章4,81章2f.,14章4,15章3,28章2—4,31章("非君子不器"/"不祥之器");也就是说,它们可以被看作是常常发生的。

1 如果有人有勇气[去做],他将被杀

2 如果有人有勇气[不做],他将活下来

3 这两种[勇气]

4 一者有利

5 一者有害

这个段落包含1/2和4/5两个对子,由一个c要素句3联接起来。两个对子之间没有明显的联系,但句3又明确地把前两者与后两者联接在一起;而且句4和5通过"或/或"明确了它们之间的渊源。在文化上,句2中提到的"活"明显地对应句4中的"利",而句1中的"杀"显然指向句5中的"害"。这一小节给出abcba这样的序列,其结构性转写如下:

1a 如果有人有勇气[去做],他将被杀　　2b 如果有人有勇气[不做],他将活下来

3c 这两种[勇气]

4b 一者有利

5a 一者有害

这一次序的颠倒在这里是由4b比5a高一行来表示的,即:

1a　　2b

3c

4b

5a

正如对下面一章的分析将要表明的那样,我认为abba这一序列必须被算作链体风格的常规特征。

《老子》中隐蔽的链体风格

我相信通过翻译,我已经证明了《老子》主要部分是以链体风格写成

的。然而,其中的许多分章并没有表现出这一风格的公开形式(我们迄今为止分析的段落主要是这种形式);这些段落在汉学家中并无太大的歧异。对其隐蔽形式的更为复杂的分析应该以对这一风格的规则的了解为基础,这些规则是从以公开的链体风格写成的段落中细绎出来的。在讨论一些晚近的翻译时,我将用上面展开的工具分析《老子》的某些分章。

《老子》第 68 章:

1 古之
2 善为士者不武
3 善战者不怒
4 善胜敌者不与
5 善用人者为之下
6 是谓不争之德
7 是谓用人之力
8 是谓配天 古之极也

在开首语"古之"之后,《老子》第 68 章似乎包含四个或多或少平行的句子——2—5,紧接着又是另一组多少有些对称的句子,句 6—8。除了某些与武力相关的倾向外,前四个句子并没有直接的明确关联;同样,三个重复的"是谓"究竟指什么也并不清楚。《老子》第 68 章的总体思想大概是说:最佳的军事策略在于去做那些与惯常理解对武人的期许完全相反的事。在展开我自己的分析之前,我将试着让读者们看看在没有清晰的链体风格的情形下会得到些什么。刘殿爵是这样翻译的:

166 那些最善于做武士的人并不显得可畏;
那些善于战斗的人从不愤怒;
那些善于击败敌人的人不参与争斗;
那些善于调动别人的人在他们面前保持谦卑。

166a　这就是常说的不争之德；

这就是常说的利用别人的努力；

这就是常说的与天的崇高匹配。①

刘殿爵的翻译是从《老子》由传统的箴言组成的假设开始的；他把《老子》的分章及分章的序号拆解为他所认为的独立的箴言式陈述的序列。依这种看法，《老子》第68章包含两组这样的陈述，它们有某些关联以致不必递进的序号166、167，而是处理为同系的相关项，166和166a。标点符号透露了一些关于译者对结构的阐释的信息。② 其前四个句子间以分号隔开，而以句号结尾。这表明四者构成了一个单独的陈述，四个要素中的每一个都在以不同的方式重复着同样的思想，而翻译则着重强调它们在内容上的相似性。166a中的三个句子也由分号隔开，从而构成另一单位，这次是三个相似的陈述。它的读解和翻译策略又一次强调了它们的相似性，而非内容和结构上的不同。一个句号将166和166a隔开，它们似乎只有一点儿偶然的关系。由于没有给出其他的标记，这三个"是谓"必定每一次都指涉同一思想或论旨。在将166译为同一思想的多重表达之后，166a中的"是谓"也被用来指涉由翻译创造的这一集合体。译者成功地阐明了他的观点：文本包含着由某些意义的一般框架聚合起来的没有关联的要素。他的译文呈示了不相关联的句子的一个松散的序列，通过平行的结构和没有所指的标识聚合为组。

在远早于刘殿爵广为流传的译本出现之前的1934年，Arthur Waley已经做了这样的翻译：

最好的武士不会冒失；

最好的战士不流露他的愤怒。

最伟大的征服者获胜而不参与争斗；

① 刘殿爵，*Tao Te Ching*，页101。

② 刘殿爵用的是通行的所谓《老子》王弼本，其中的句1没有"古之"这两个字。

最善于用人的人表现得比别人低下。
这就是所谓不源于竞争的权力,
所谓用人的能力,
是与天、与上古相配的秘密。①

标点符号同样给出了关于译者看到的结构的线索。Waley 用分号隔开句 1、句 2,句 3、句 4 也一样。这样,就有了两个对子,它们之间由句号分开。第二组被视为一个单独的从句。三个重复的“是谓”被读作一种起强调作用的修辞手法,“是”的标识点始终是开放的。尽管 Waley 看到了在《老子》中陈述一般是成对的、而非四重的,但他没有在两个对子之间建立起任何关联,并且跟刘殿爵一样,他也以一种展现其相似性的方式来翻译它们。这似乎并不具有说服力。

Leon Hurvitz 已将木材英一的日文翻译转译成了英文:

[有句古代的箴言这样说]:“那些要做[真正]好的武士的人并不勇猛;那些[真正]善战的人并不愤怒;那些真正击败某个敌对的王国[即与他自己的王国相匹敌的国家]并不依赖[盟国]的帮助;那些[真正]善于利用他人的人[自我谦抑并]自处于低于他人的地位”。这就是所谓的“不争之德”或“用[他]人之力”,或是所谓的“配天”,它是古人的道的极致。②

在木材英一原来的研究和日文译本中只在各个句子单元间用引号给出形式标记,而没有区分分号和句号。然而,木材英一将前四句说成是“古代的箴言”括在引号里,这样就将它们标记成有四个平行部分的单个陈述。这一看法导致了强调这四个部分的相似性的翻译策略。他通过插入“或”将除了最后的“古之极也”以外的后三个句子明确地界定为对上面“古代的箴言”的精髓的概括。他将最后的“古之极也”看作假定

① A. Waley, *The Way and Its Power*, 页 227。
② L. Hurvitz, “A New Study”, 页 359。木村英一, *Roshi no kenkyu*, 页 489。

的作者或编者的话，他在使用了三个常用的成语之后，又加入他自己的评价。

这里对翻译的分析可以轻易地延续到最近出版的译本当中。甚至那些马王堆帛书的译者们也没能摆脱《老子》结构松散的假设，因此也没有对这一文本的修辞风格的理解做出什么贡献。我从后三句开始讨论。在形式上，句6和句7结构相同，而句8则不同。木材英一已经注意到了这一点，但他的解决办法是：将“古之极也”割掉，只留下“是谓配天”，然而这剩下的部分与句6和句7仍是不对称的：

6 是谓不争之德

7 是谓用人之力

8 是谓配天 古之极也

在链体风格两元性“遗传密码”的“基因” 结构中，非对偶的句8不太可能是这组对子的第三个部分。《老子》第68章以其平行对子构成的形式设置，使得文本看起来是这样的：句8在结构上是指涉两个前面的串系的c句型。这样的两个串系在这一文本中存在吗？

该文本中包含着的某些显见的链体结构的要素有助于建立这样的关联。句7中的“用人”承续了句5中的同一词汇。句6中的“不争之德”承续了句4“善胜敌者不与”的内容，尽管在用词上有所不同。这样一来，我们就有了两个关联明确的串系4/6和5/7，并且有一个可能的c型句8。在这一情况下，链体规则让我们把剩下的一对——句2和句3插入这一织体。句2中的武官（“士”）是唯一能谈得上利用他人来战斗的人选，他用人的最佳方式不是以勇武的姿态招摇，而是在他人面前保持谦抑。这就给出了包含2/5/7的串系a。幸运的是，句3中因为“不怒”而成为“善战者”对于是第二个串系来说是最佳人选：这个串系关涉的不是作战，而是胜敌的艺术。这给出了包含3/4/6的串系b。

第一个c要素“古之”显然指涉接下来的对子2/3。最后的c要素对前面关于两个串系里所说的东西做了总结。我们已经碰到过这样的例子：两个平行句子中的同一代词“其”的所指依据句子的结构位置而改变。在这里，后三句中的“是”也是如此。远非在第一组句子含糊的一般意义中有其共同的未经说出的所指，而是三个“是谓”都各自从其结构位置中得到了特殊的指涉点。句 6 中的“是谓”指串系 b 的主题——善战和善胜敌者；句 7 中的“是谓”指串系 a 中“不武”和“为之下”的善用人的“士”。而句 8 中的第三个“是谓”只能是指前面两个串系，意思是“这两者”。依据对链体风格的规则的了解，《老子》第 68 章结构严谨、内容一贯、表达精练，而对其内容的理解与其链体结构的谨严相应。本章中间的部分有一个颠倒的序列：cabbabac。结构性读解在消除翻译的多义性上的影响比此前讨论的各章强烈。

结构性翻译如下：

1c 那些古代的

2a 善于作武官的人并不勇武　　3b 那些善十战斗的人并不愤怒

[正因为这样]　　4b 那些善于战胜敌人的人并不参与作战

5a 那些善于用人的人在部下面前保持谦抑

6b 这种[不作战]就是所谓不战之能

7a 在[部下面前谦抑]就是所谓的用人之能

8c 这[两种能力]就是所谓的配天之能，[它们是]古人最高的[成就]。

或：

1c

2a　　3b

4b

5a　　6b

7a

8c

除了对三个"是谓"的所指的澄清之外,将平行的对子整合进链体结构的二元织体的结果促成了一种不同的翻译策略。它不是强调平行对子的相似性,而是强调同一串系的成分之间内容上的关联和差异。实际上,一般地说,两个串系是彼此互补的对子,在这里,一面是如何对待自己的部下,一面是如何对待敌人。对读者和译者而言,这里的策略性提示是:要展示出两个串系的对立,而非平行对子之间的相似性。

把握结构对于理解内容以及以此为基础的翻译的影响,可以在对《老子》第44章的分析中变得更为清楚:

1 名与身孰亲

2 身与货孰多

3 得与亡孰病

4 是故

5 甚爱必大费

6 多藏必厚亡

7 知足不辱

8 知止不殆

9 可以长久

初看起来,《老子》第44章显然包含两对平行的句子——5/6和7/8。开头是一组结构上有共同点的三个句子,如每个句子的相同位置都有"与"和"孰"。我们还是从分析此前的翻译开始。Waley对这一章的翻译是这样的:

声名或自身,哪个对于自己关系最大?

自身或财货,哪个更重要?

得到或失去,哪个更糟?

因此最贪吝者最终会付出最珍惜的;

囤积者最终将经受最惨重的损失。

安于你的所有及所是,没有人能侮辱你;

及时止步的人,没什么能伤害他;

他将永久地安全、有保障。①

Waley 是我所见过的唯一发现了第一个对子与句 3 之间结构差异的译者。第一个对子中的名词“名/身”和“身/货”与句 3 中至多是名词化的动词“得/亡”之间没有对应的关系。② 句 3 中的动词“得”与“亡”很可能是指对句 1 和句 2 中的“名”和“货”的得到和对己“身”的亡失。在我看来,这正是 Waley 正确提出的;这个读法使句 3 成为指涉前两个串系的 c 型句。

从这三句构成的第一部分开始,这一文本在翻译中似乎散开了。在提出了三个问题以后,Waley 的译文以一个逻辑上相当无理的“因此”转进到下一部分。③ 下面两个句子中的“爱”和“藏”似乎都指财货。在句 2 中的确出现了“货”字,但按照这种读解,此章的其他部分没有再谈及句 1 中出现的“名”。Waley 译文中的下一个对子并没有改善这一状况。“知足”看起来至多是又一次提到了财货和社会地位,但关于“知止”究竟是指什么仍不清楚。Waley 实际上顺着通常对骈体文的观念(即链体风格是指将同一件事情说两次),也遵从了这些词现成的字典意义;因为句 5 中的“爱”的字典意义指“节省”或“吝惜”,而句 6 中的“藏”指积聚,他有理由认为二者都在处理货物和财富的问题。以这种方式,我们最终得到

① A. Waley, *The Way and Its Power*, 页 197。

② 刘殿爵、陈荣捷和木村英一都没有将句 1,2 与句 3 区分开来。刘殿爵, *Tao Te Ching*, 页 105;陈荣捷, *A Sourcebook in Chinese Philosophy*, 页 161;L. Hurvitz 译木村英一,“A New Study”,页 348。

③ 其他译者如刘殿爵、陈荣捷和木村英一的做法与此相同。

的将是这样可怜的一章：在以对子提醒读者文本本身是高度技巧性和结构性的东西以后，却在总共39个字9个短句的篇幅里丢掉了其问题的一半。

如果这一段落确是以链体风格写成的，那么关于每个句子的地位以及它与其他句子关系的结构信息一定会在确定其关键词的意义和所指上起重要的作用，而不仅是字典上的字义。我们在每天的说话里也有这样的经验。我们使用非描述性的词如"东西"，通过理解上下文来确定它在这一特定场合下的特定意思。而且我们经常想用的某个词的特定意思，不是字典的词义，而是它在某个特定语境中可能的意义。一旦了解到某个段落是由链体结构写成的，这一语境化的结构信息就成了确定其关键词意义的一个关键的、核心的部分。

《老子》第44章具有链体风格的所有标志：平行的对子和非对偶的要素。如果它是以链体风格写的，那也是以隐蔽的形式，因为在串系之间没有明确的交叉语汇。

首先，我们要讨论的是三个问题之后的"是故"的突兀。对《老子》中的"孰"(在这三个问题里作为疑问词)的分析表明，它只被用在并不指望得到回答的修辞性提问中。[①] 在修辞性提问暗含的答案明确以后，这里的"是故"也就可以理解了。

其次，"是故"暗示在此前和此后的句子间有某种直接的关系。这一

---

① 在《老子》15.4中，王弼正确地指出"孰能"是"言其难也"；这意味着它应该被译为"谁能够做到……"，预期中答案是"没人"或"几乎没人"。在《老子》23.2中，问题"孰能为此"，问的是谁能产生"飘风""骤雨"。答案自然是天地，而且它也的确被添加在了正文里。这个问题应该被译为："那么，是谁导致了它们呢？自然是天地。"在《老子》58.3中，王弼正确地将"孰知其极"注解为：这是指认识这一"终极"的不可能性(就像不可能"根据形式"或名称来把握它一样)。翻译应该是："究竟有谁能认识'终极'呢？"(答案是：没人能)。在《老子》73.4中，王弼将"孰知其故"解读为一个隐含了"只有圣人"这个答案的问题。与《老子》44的情况一样，这个问题后面紧跟着"是以"。如要答案不是像王弼所说的那样在问题中已经暗示出来，那么这个"是以"将完全不知所云。《老子》74.1的"孰敢"显然暗含了答案"没人敢"。在《老子》77.2中，问题"孰能损有余以奉不足于天下者"紧跟着一个明确的答案："其惟道者乎！"这些是《老子》中的"孰"的所有典型例证。

关系在我查阅的所有译文中都无法看到。范应元,一位13世纪下半叶的《老子》"古本"的编撰者、可能也是最后一位将其对《老子》的读解建立在对链体风格的自觉把握上的注者,从"爱"的结构位置推断它意指的一定不是对财富的"吝惜",而是对第一句中的"名"的珍惜。他这样写道:

甚爱名者必大费精神

多藏货者必重失身命[①]

范应元明确地指出句5中的"爱"所指涉的是"名",而句6中的"藏"指涉的是"货"。将"藏"与"货"联系起来没有任何问题,因为"藏"无论如何不能与"名"联系起来。剩下的唯一选择就是,省略了对象的"爱"也注定指向"名"。范应元的观点基于对"爱"的常规语境的熟悉,因为"爱名"这一词语组合也出现在《战国策》、《韩诗外传》和《三国志》中。[②]

以这种方式,我们得到了1/5和2/6两个串系以及作为c要素的句3。与既有串系的恰当联系的问题在句7和句8这里又一次出现了,这两句被所有译者依照已经提到的思想来翻译,即链体结构意味着用不同的话将同一思想说两遍。Waley对这两行的翻译都指向财富,尽管这些句子中的某些语汇也出现在《老子》的其他地方,并能给出某些线索。《老子》33.3中也使用了"知足"这个语汇("知足者富也")。这表明,在《老子》中"知足"是与富联系在一起的;这样,句7以一种颠倒的次序与以"货"为关键词的2/6串系关联起来就是很合理的了。句8中的"知止"出现在《老子》32.3:"始制有名,名亦既有,夫亦将知止,知止所以不殆。"依照王弼注推论,这一段应该这样翻译:"随着[社会]控制的开始,[我,圣人,将]拥有各种名爵。一旦有了名爵,[我,圣人]开始理解[如

① 范应元,《老子道德经古本集注》,2: 16a(页46上)。

② 参见《战国策逐字索引》,461.227.8:"明主爱其国,忠臣爱其名"。《韩诗外传逐字索引》,1.13.3.19:"为能胜理而无爱名";*Hightower, Han shi wai chuan: Han Ying's Illustrations of the Didactic Application of the Classics of Songs*, 23,译为"只有能超逾自己欲望的人才能不爱浮名"。另见《三国志》,1412:"存身爱名"。

何]停止[对升迁的追求]。[只有]他们明白了[如何]停下来，才能使[我]脱离危险。”

依据哪种翻译在这里无关紧要，原因很简单：在这一段里，“知止”有了隐含的对象“名”，而这正是我们需要的。它让我们相当自信地将句 8 与以“名”为核心观念的 1/5 串系联系起来。单独的句 9 显然是 c 型句。然而，此句中成对的词“长久”可能仍是对两个串系的承续；这里，“长”在“超过”的意义上指向与名相关的串系，而“久”则在“持久”的意义上跟与“货”相关的议论相联。我们的读解幸运地在范应元那儿(在已经引用的注释中)找到支持，他明确将“知足”和“知止”与上面指出的相应串系联系在一起。

文本的分部是易于勾画的。一般原则在第一个对子中以修辞性提问的形式陈说出来，这对修辞性提问在句 3 中得到总结。接下来是句 5 和句 6 构成的第二组，它表明忽略包含在第一组的修辞性提问中的洞见的结果。随后的第三组处理的是对这一洞见的恰当应用。如果以王弼注为依据，那么在结构性转写中，本章可以被翻译如下：

Ⅰ 1a 当名与身相联时，[在两者中实际上]
更珍惜哪个呢?! [当然是名]。

2b 当身与财货相联时，[在两者中][实际上]更会增进哪个呢?! [当然是财货]。

3c 如果[以这种方式]，获得[更多的名和财货]和失去[自己生命这一面]同时俱来，[究竟]是谁导致了这一[降于己身]的痛苦呢?! [当然是其他人的妒嫉]。

Ⅱ 4c 这就是为什么

5a 对[声名]的过分渴望不可避免会导致巨大的代价；

6b 过分的聚敛必然会导致巨大的丧失。

Ⅲ [最后，那些] 7b 知道如何满足于[已有的财富]的人将不会失去什么!

8a 知道如何停止[对更大名声的渴求的人]
　将不会有危险
　　9c 这就是[可能]延续和持久的方法

《老子》第 44 章有一个颠倒的序列,这个序列是:abccabbac。在形式化的转写中,其结构如下:

Ⅰ 1a　　　　2b
　　　3c
Ⅱ　　4c
5a　　　　6b
Ⅲ　　　　7b
8a　　9c

界定这两个串系的对子"名"和"货",代表了佛教东来之前的中国哲学中存在者(事和物)的两个大的类别。一般说来,它们为链体结构二元的串系提供了基本的格栅。[①] 对《老子》第 7 章的分析有助于加强这些论断。在王弼的修订本中,这一章是这样的:

1 天长
2 地久
3 天地所以能长且久者以其不自生故能长久
4 是以圣人
5 后其身而身先
6 外其身而身存
7 不以其无私邪故能成其私

这一段里有两个显见的对子——1/2 和 5/6。没有明确的标记将这些句子关联起来。如果它是以链体风格写成的(这一点由平行的对子和

① 参见"王弼的本体论"。参见本书第三编。

中间的 c 型句透露出来），那么它也是隐蔽的链体结构。它显然可以分为两个部分，头三个句子建立起一种宇宙性的原则，始于句 4 的第二部分表明了圣人对它的应用。

木材英一的译文被 Hurvitz 转译如下：

> "天地不会消失"。天地之所以能永恒的原因是[它们无私无虑]，[而且它们]并不试图通过自己的手段繁盛起来：因此，它们永生。因此，圣人[在对这一普遍真理的服从中]"[将别人放在首位]而将自己放在最后，但[其结果是他]发现自己[自然而然]处在前列了。[他试图援救他人而]忽略自身，但[结果是]他[毫不费力]地生存下来"。难道[这]不是因为圣人"没有个人的私欲吗"？正是因为这个原因[，与通常预料的相反，结果]圣人反而能"完全满足他个人欲望"。①

刘殿爵、戴闻达、Waley 以及其他人提供的译文大体相同。这里，"长"和"久"为何重复出现（如果它们指相同的东西的话）或第二组中的圣人如何模仿天地仍不清楚；在这些翻译中，天地只是为圣人的"身存"提供了范例，而没有为其"身先"提供什么。"是以"似乎确保了后面关于圣人的两个句子都以第一组讲述的原则为依据。按照这些翻译，《老子》第 7 章看起来是相当混乱的；其中一个句子没有了下文，而另一个句子则被重复了两次——虽然外在严格的形式结构在提醒读者这一写作是自觉且有明确安排的。

从锛体风格的一般规则看，我们必须假定它是以链体风格写成的（考虑到其中平行的对子和非对偶的部分）。《老子》中没有简单重复内容的对子。

根据既有链体风格的范式，我们在翻译中必须着眼于第一个对子的差异而非相似。在这里，文本要求我们在重复的"长"和"久"之间做出区分，而不是像其他译者那样将它们合并为一个意义。为分析句 1 和句 2

① L. Hurvitz，"A New Study"，页 330。

之间的差异提供指引的是第二个对子,即被看作句1和2的应用的句5、句6。其中的关键词是“先”和“存”。除生存下来以外,“久”的语义空间很小,它只适用于句6中的“存”字。这样一来,圣人的“外其身”就是在效仿地。结果是一个由句2/6构成的、在句3中有其暗示的串系。

圣人的“后其身而身先”一定是在效仿天。这就将“先”与“长”关联起来。然而,能谈得上“长”的天在其高居于所有存在者之上这一点上面,是帝王和圣人的范型。这个例子表明在确定《老子》中的某个语汇的意义时,只看它固有的语义范围是不够的;它在链体结构的结构性安排中的位置和关联必须被视为重要的、有时甚至是决定性的特征。由“长”与“先”的联系可知,“长”在这里意指“在什么之上”或“优于”,近似于在“优于”和“拙于”的意义上与“短”的相对。由此形成了第二个串系,即1/5及其在句3中的要素;整章序列是abcabc。句3中仍有问题。现存的王弼《老子》本通行本以及马王堆帛书和傅奕“古本”都将预期中的“长久”写作“长生”。岛邦男曾提出过一种将其改为“长久”的校订意见。依据传统的一致性,我相信应维持文本中的“长生”,而将它读作“长”和“久”这个对子的缺省构型。

区分两个串系的基本分界线仍是财富和社会身份这两个互补的对立,这与前面分析过的《老子》第44章是相同的。两章中的论点也相似。如果对财货和社会地位的渴望和兴趣公然显露出来,它将引来他人的仇视;人们会攻击那些公然显露其名位(望)和财富的人,从而极大地减短他的生命、危及他的威望;对普遍法则的正确运用将保障生命和地位。这是在句3(对于天地)和句7(对于圣人)中讲述的道理。

本章呈示了一组结构严谨、理解透彻的议论,其中有《老子》里常见的对常识性意见的辩证反思:

I 1a 天优越 2b 地持久

3c 天和地之所以能

优越和持久是因

为它们不以自己
的志趣生活。
这[正]是它们能
持久和[优越]的
原因。

Ⅱ　4c 这一[天地的模式]是[众所周知的]圣人何以

5a 将自己置于背后而[以此
谋求]处身优越

6b 忽略自身而[以此谋
求]生命的持久。

7c 的确，难道不正是因为他没有私欲，所以才能成就自己的
私欲吗？

或：

Ⅰ 1a　2b

3c

4c

5a　6b

7c

下面的例子将呈示《老子》中链体风格的标准形式的使用。尽管其形式组织严谨，它仍给译者和读者带来了困惑。这是王弼通过建立恰当的关联直接提供了解决的少数例子之一。在我对王弼《老子》本的重构中，《老子》第9章是这样的：

1 持而盈之不若其已
2 揣而锐之不可长保
3 金玉满堂莫之能守
4 富贵而骄自遗其咎
5 功遂身退天之道

其中有两个对子,1/2 和 3/4;以及句 5 中的一个 c 要素。在对子之间没有显见的关联,而且朴质的隐喻性陈述也不利于对关联的寻找。从王弼注中推衍出的初步翻译如下:

1 维持[它]同时还增加它不如什么也没有;

2 磨亮[它]使它锋利,反而不能使[自己]长久;

3 没有任何用金玉填充[其]宫室的人能够长久保存它们;

4 没有哪个富有、尊崇而又傲慢的人不给自己带来灾难;

5 一旦功业完成就该抽身退出——这才是天道!

翻检其他译文同样呈现出一幅混淆的画面。Waley 用分号隔开句 1 和句 2,但在句 3 和 4 之间用的却是句号,这表明了这些对子之间的一种不同的关系。刘殿爵在句 1 和句 2 后面用的是分号,在句 3 和句 4 后用的是句号,这表明前三个句子属于一组。陈荣捷在这五个句子间没有发现联系,而将它们全部以句号分开,尽管它们是一个系列。我所见到的翻译中,没有哪个在简单的系列之外在前四句之间建立了结构。

尽管文本没有显见的关联,但其中并不缺乏词语和内容的联系。句 3 中的"满"让人联想到句 1 中的"盈"——郭店甲本以及马王堆甲本的句 3 用的正是"盈"字。句 2 的内容——用手指划过刀锋然后将其磨得更锐利,被承续在句 4 中关于富贵而骄的人的论说中。王弼用简单而有效的技巧明确地建立起了关联,并帮助读者走出谜团:他用句 1 中的"不若其已"注释句 3;而用句 2 中的"不可长保"注释句 4。这样,《老子》第 9 章就包含了两个串系 1/3 和 2/4,并由一个 c 要素句 5 结合起来。经结构性转写的译文如下,其中的插入部分来自结构分析:

1a 维持[一个人的德能]并增进

它不如什么也没有。　　2b 擦亮[一把宝剑]并磨利它,也将

无法长久地保护[自己]。

3a 没有哪个用金玉来填满其[已很

奢华的]宫室的人能保住这些财富。

4b[已经]富有尊崇而又傲慢的

人将给自己带来灾祸。

5c 一旦功业完成了，就抽身退出——这才是天之道！

对链体风格规则的自觉运用以及王弼的帮助又一次将一堆看似无关联的句子转变为一个结构谨严的文本。

这里，还有必要引入《老子》中链体风格的一个重要和精致的变体，二元系列。如果用图示来表示的话，这一系列在外形上是这样的：

1a

2b

3c

4d

5e

6a

7b

8c

9d

10e

在此，我们遇到的不是一个对子与另一个对子的关联，而是两个对偶句子的系列(1/2/3/4/5/6……和6/7/8/9/10……)——每个系列中的相应成分彼此相联，1a和6a，2b和7b，3c和8c等。两个系列通常由一个单独的要素锁联，在这里被称为X要素。

《老子》最耐人寻味的分章之一——《老子》第22章就是以这种型式结构的，这大概是王弼的发现，他自己也在写作中使用了这一变体。[①]

① 参见王弼《老子微旨略例》，楼宇烈，《王弼集校释》，页196。

《老子》第22章本文如下：

1 曲则全

2 枉则正

3 窪则盈

4 蔽则新

5 少则得

6 多则惑

7 是以圣人抱一为天下式

8 不自见故明

9 不自是故彰

10 不自伐故有功

11 不自矜故长

12 夫唯不争故天下莫能与之争

13 古之所谓曲则全者岂虚言哉诚全而归之

该文本有四个平行的句子8—11。它始于一个六个平行句子的系列；前四者并非明显地相互对反，而后两者是相互对反的。句5和句6在性质上与其他的句子不同，可能是前四者的总结部分。这样，我们在这一章里就找到了有四个平行句子的两组，1—4和8—11。两组之间没有明确的关联，但我们不得不通过句7中的“是以”来寻找。

可能的假设有两个。包含四个句子的两组分别有二个对子。然而，它们的用词和内容看起来如此的没有关联，以致很难为联系对偶句子的两个串系建立明确的标准。王弼对此提出了一种了不起的变通。他对1—4句的注释直接逐字援引了句8—11。他以这种方式为一种读解策略建立了基础：将彼此相关的句子接在一块儿。这一说服力很强的做法导致了含混性的突破性减少，并为这一段议论带来了清晰的结构；它完全照顾到了句7中的“是以”所确保的一致性。这里，句7中的“是以”还表明两个部分的不同地位：前面是普遍的真理，后面是圣人对它的运用。下面的翻译同样以王弼注的推论为依据。然而，两组句子之间的决定性关联仍独立于王弼注的细节内容。

由王弼注中推衍出的翻译如下。句子的序号，特别是X句，被错开排列，以应和上述讨论：

1a 收敛导致完满

2b 弯曲导致正确

3c 洼陷导致丰盈

4d 蔽旧导致更新

5X［总之］，

减少导致获得

增加导致失去

这［终极的原则］

是圣人之所以固

持于一并［使之

成为］天下的模

范的原因。

6a［圣人遵从第一句箴言，所以］他并不表白自己，因此［他的］洞见［完满］

7b［遵从第二句箴言，所以］他并不自以为是，因此［他的正确］昭然彰显

8c［遵从第三句，所以］他并不自我夸耀，因此他能拥有［他的］［无比］的功绩

9d［遵从第四句，所以］他并不自我赞誉，因此［他的才德］增益

10X［总之］，

就是因为他不

争，所以天下
没人能与他争。
古人说“收敛
导致完满”等
难道是空话吗？
对于真实完满
的人，天下人
都会归附他。

或：

1a
2b
3c
4d
5X
6a
7b
8c
9d
10X

句 10 显然没有对偶者，是 c 型句。句 10 逐字引用句 1“曲则全”，是缺省构型；句 1 被用来代表 1—4 的全体。

王弼为这一关联提供的原因仍没有完全令我确信。而那些将有明显结构的文本转变为名言的堆积的翻译也不会把我们引向歧途。王弼的尝试始于一种基本正确的假设：在两组中的平行的句子——1—4 和 8—11 之间一定有某种关系，因为后者所说的东西是以前者为依据的。我们必须从对结构的洞见出发来进行翻译。与此同时，这一文本也清楚地表明有关链体风格的知识并不直接带来对文本结构的理解。对每一段落的具体分析仍是必需的，尤其是对于以隐蔽的链体风格写成的段落而言。然而，分析的工具会变得更具体，而且可以对某些特定的读解策略证伪。

下面是扼要的概括：《老子》的部分分章是以（显见的或隐蔽的）链体风格写成的，而且包含一种规则的变体，即序列的颠倒——abba 而非 abab。单独的句子常常在缺省结构中使用两串系中某一串系的材料。韵脚也常被用作一种强调对偶关系的附加方法。[①] 作为一种规则，二分的串系基于互补的对立面。以这种方式，这种风格被专用来处理有关不同地存在着基本领域的相似结构的讨论，以及那些相似的串系下面的原则。因此，链体风格不仅是一种形式上的手法，而且与特定的哲学观念和追求相关，对此我将在对王弼哲学的研究中专门讨论。[②] 有关链体风格规则的知识有助于详细阐明隐藏在这些分章的结构中的沉默的文本，并带来两个重要结果。首先，对链体风格的理解促使对文本的解读不是关注对偶双方之间的共同点，而关注它们的对立和互补，并关注与同一串系的其他要素的关联。其二，对对偶句以及单句中未指明的关键词的指涉点的正面界定在确定这些点意义的过程中变得十分重要。

在我看来，《老子》中有近一半（81 章中有 39 章）的分章是完全或部分地以链体风格写成的，它们是：1，2，3，5，7，9，10，13，19，22，23，25，26，27，29，33，38，39，41，44，47，49，50，51，53，56，57，61，62，63，64，65，67，68，70，73，76，77，80。有几章的句子中包含一个 abc 的层级，但没有链体结构，比如《老子》第 75 和第 81 章。具体的文献证明参见我的翻译，也会单独出版。可能还会有我没有看出其链体结构的分章。总之，这里

---

① 《老子》第 2，28，41 以及其他包含押韵部分的分章。参见 B. Karlgren, *The Poetical Parts in Lao-tsi*。

② 参见本书第三编第二章“王弼的本体论”。

描述的结构和议论模式在《老子》中无处不在。

读者将会注意到，我在建立关联的时候很少引用王弼的注释。尽管王弼是在《老子》使用了链体风格这一假设基础上进行读解的，并且有时会将它们指出，但这一模式的出现并不依赖王弼的权威，而是如我希望我已经表明了的：存在于对各种误解和歪曲的学术检验中。对于这位正始年代(240—249年)杰出的年轻哲学家而言是有关《老子》的共享知识的东西，作为一种现代学术发现重新出现了。

有这种理论上的可能性：在某些时候为了适应这一风格模式，《老子》经过了流水线式的处理。这一假设的合理程度相当低，因为只是部分《老子》的篇章表现出了这一模式。郭店和马王堆的两处发现使我们可以以经验为依据否定这一假设。两处发现涵盖了链体风格的全部范围：公开的和隐蔽的形式以及缺省结构。对于马王堆帛书本，可以通过与这里给出的例子比较轻易地验证。但郭店本也包含很多公开形式的众多要素，如本章开始时分析过的《老子》第64章的片断，以及第9章和第44章，以及上面研究过的隐蔽的链体风格。这一模式甚至延续到句子次序与通行本及马王堆本不同的情况。但我们可以认为3世纪的抄者和编者在现存文本中做了某些流水线式的处理来迎合结构的逻辑。郭店《老子》甲本中的第56章就是一个例子。王弼本中的“挫其锐解其纷”在这里的对应者是“副其韰解其纷”；它位于“和其光同其尘”之后，而通行本则在其前。由于它是有两组三个句子的平行阶梯结构的一部分，序列中组件的位置不能像在abba的二分构造的变体中那样改变。结果，“副其韰解其纷”不得不与“不可得而贵亦不可得而疏”匹配，而不是像在通行本的结构里那样与“不可得而利亦不可得而害”相联。可以想象：鉴于两组平行的三个句子，编者为了让它们更好地对称可以相当随意地重新安排它们的次序，甚至会为此目的调整部分用词。郭店出土竹简的稳定性表明《老子》简文材料(三个部分都没有涉及老子其人)的文本地位已经足够高，从而大大限制了编辑的自由。

《老子》以外的其他早期文本中的链体风格

链体风格在汉以前的中国文献中已经很常见了。我并不试图得到对这一模式的起源和传衍的定量的、历史的、地理的或语言学上的描述。这将需要对现存所有的经典文献进行分析，而且很可能并不会带来与努力相称的洞见。我将要证明的只是：这一风格模式也存在于其他早期文本，而并不只在《老子》中。链体风格在文本中的出现开始于与《老子》约略同时的那些文献，这将给我的论点的合理性提供支持。

我将从《管子》、《礼记》、《韩非子》、《孝经》、《墨子》和《周易》中引用材料；它们绝不是代表性的，是偶然的阅读的产物而非系统查找的结果。然而，我希望链体风格的使用以及应用的形式最终能有助于文本的断代。

在《管子・内业》中有这样一段，我直接对它做了结构性的转写：

1a 一物能化谓之神　　　　2b 一事能变谓之智

3a 化不易气　　　　4b 变不易智

5c 唯执一之君子能为此乎

执一不失能君万物①

这一段落是用显见的链体风格写成的：在句 1 和句 3 中通过“化”、在句 2 和句 4 中通过“变”明确关联起来。对这一段可以这样翻译：

1a 那种能使其他存在者转为一致的东西我称其为“神”。　　　　2b 那种能使政事变得一致的东西我称其为“智”。

3a 在这种转变中，[神]的生命之息不会改变。　　　　4b 在这一改变中，[智]的知识不会改变。

5c 只有固守于一的君子才能做到这些！

固守于一，而不使一失去，便能主宰

① 《管子・内业》，270。

万事万物。①

《礼记·乐记》这样写道：②

1a 礼节民心　　　　　　　　2b 乐和民声

3c 政以行之

4c 刑以防之

5c 礼乐刑政四达而不悖

则王道备矣

6b 乐者为同

7a 礼者为异　　　　　　　　8b 同则相亲

9a 异则相敬　　　　　　　　10b 乐胜则流

11a 礼胜则离

12b 合情

13a 饰貌

14c 者

礼　　　　　　　　乐

之事也

这一段是以公开的链体风格写的。基于礼乐的二分结构贯穿了“乐记”全篇。

这一段的翻译如下：

1a 礼规范百姓的心，　　　　2b 乐谐和百姓的声音，

3c 政府的政策为的是施行(礼乐)，

4c 刑罚为的是防止百姓的(抱怨)。

5c 当没有对礼乐刑政的悖逆时

① 关于另外的英译本，参见 Rickett, *Kuan-tzu*, 页 161。

② 参见 S. Couvreur, *Mémoires sur les bienséances et les cérémonies*(Leiden: Brill, 1930), 卷Ⅱ, 1:55。

王者之道就完备兴盛了。

6b 乐建立一致性。

7a 礼建立差异性。　　8b 一致性引生亲和。

9a 差异性带来敬畏。　　10b 乐过度就导致混淆。

11a 礼过度就导致疏离。　　12b 使感情和洽并

13a 区别外貌

14c 正是礼乐所要达到的。

这一段里出现了许多上面界定过的链体风格的要素，包括在句6以一个b句开始一个新的a/b对子的系列时出现的abba序列。这一模式在句5中混入了“杂质”，其中将礼乐与刑政一起说成是“四种方式”，尽管“政/刑”这一对子没有得到进一步的讨论。

《礼记·中庸》有许多段落是以链体风格写的，比如：①

1a 喜怒哀乐之未发谓之中　　2b 发而皆中节谓之和

3a 中也者天下之大本也　　4b 和也者天下之达道也

5c 致

中　　和

天地位焉万物育焉

翻译如下：

1a 喜怒哀乐还没兴起[的状况]被称为“中”。　　2b 它们兴起时仍受“中”的控制被称为“和”。

3a“中”是天下的根本。　　4b“和”是天下万物共通的道路。

5c 当“中”“和”已经达致，
天地将处于它们的正位，而
万物将在其中繁育。

---

① 参见S. Couvreur, *Mémoires sur les bienséances et les cérémonies*(Leiden: Brill,1930)，卷Ⅱ，2:428。

其序列无需解释。5c 中关于天/地和万物的两个句子是否应该以及能够与既存的串系相关联仍是明显的。

《礼记》有很多具有链体结构的段落,但没有 c 型句。可以假设这一屡经描述的链体模式属于同一种风格类型,但没有 ababc 结构所蕴涵的哲学内容。

有这样一个例子:①

1c 子曰君子

2a 道人以言而　　3b 禁人以行

4c 故

5a 言必虑其所终而　　6b 行必稽其所敝

7c 则民

8a 谨于言而　　9b 慎于行

10c《诗》云

11a 慎尔出话　　12b 敬尔威仪

13c《大雅》曰

14a 穆穆文王　　15b 于缉熙敬止

翻译如下:

1c 孔子说:君子

2a 以言辞引导他人　　3b 以行控制他人

4c 因此

5a 说话时,他必须考虑他的言辞的后果　　6b 行动时,他必须发现他的行动中没有价值的方面

7c 其结果是,百姓

8a 谨于言辞而　　9b 慎于行事

① 参见 S. Couvreur, *Mémoires sur les bienséances et les cérémonies*(Leiden: Brill,1930),卷Ⅱ,2:518。

10c《诗经》说：

11a 说话时谨慎　　　　12b 行为仪表上庄敬

13c《大雅》说：

14a 敬穆庄重的文王　　　　15b 恒常不断地致力于完成他的责任

这一段落又引入了一种公开的和隐蔽的链体风格的混合体；对子 2/3、5/6、8/9 在都重复了关键词“言”和“行”这一点上是明显的，其序列是 ababab。由于言和行的辩证关系是中国哲学以及政治诗学的一个恒常的主题，这一文本引用了两处以言行二者为基础的《诗经》文字来为这里的议论增添些经典性的润泽。然而，这些引文并没有明确使用上述关键词；引自《诗》的句子由“话”（显然指向上文的“言”）和“仪”（指上文的“行”）很容易建立起一致性。出自《大雅》的句子的前半句以“穆穆”指示一种与“言”和“话”的领域相关的德性，后半句似乎指向行为和行动。这样，我们就得到了一个完整的序列：cabcabcabcabc ab。

这一段可以为链体风格的起源提供某些线索；即使在《老子》中，c 型句也常常明确包含 a，b 串系中的要素。我认为，在链体风格形成的第一阶段，最后的句子开始越来越多地承担总结的功能，而且逐渐发展为一个同时包含两个串系中要素的句子，直到最后从对偶系列中分离出来成为一个独立的总结。在文本的织体中插入在用词上与此前的系列明显不同的引文，这可能代表了这一发展路向上的一个步骤。

《礼记》中还包含一些这样的段落：在公开的链体结构中引出两个以上要素的讨论。如《礼运》篇中有一则关于“明”（或“则”）、“养”和“事”的明显的三重结构的材料，引文如下：①

故

君者所明也非明人者也

① 参见 S. Couvreur, *Mémoires sur les bienséances et les cérémonies*（Leiden: Brill, 1930），卷I, 2:514。

君者所养也非养人者也

君者所事也非事人者也

故君

明人则有过

养人则不足

事人则失位

故百姓

则君以自治也

养君以自安也

事君以自显也

在第三组中，在预期中出现“明”的位置出现的却是“则”。有些注释则曾将这一“则”读作“明”字，另一些人如孙希旦(1736—1784年)所做的正相反，将前面的三个“明”读作“则”。[①] 对于我们结构分析而言，指出这些注者在理解中以来自结构的信息衡度来自文本承接的信息的正确性就足够了。无论以哪种方式，这里都要做些改变。翻译如下：

这就是为什么

治理者是那些别人向他提建议，而非

建议别人的人。或，

治理者是那些别人以他为模范，而非

将别人作为模范的人；

治理者是那些由他人供养的人，而非

供养他人的人。

治理者是那些由他人服务的人，而非

服务他人的人。

这就是为什么治理者

① 孙希旦，《礼记集解》，605。

给别人提建议(或以他人为模范)就会犯过错;

供养他人,将不足以供养[所有人];

服务他人,将失去其[作为治理者]的职位。

这就是为什么百姓将

给治理者提供建议(或以治理者为模范)来治理自己;

供养治理者来安定自身;

服务治理者来使自身显扬。

《韩非子》是以一个链体结构的陈述开篇的:

1c 臣闻

2a 不知而言不智　　　　3b 知而不言不忠

4c 为人臣

5b 不忠当死

6a 言而不当亦当死

7c 虽然,臣愿悉言所闻唯大王裁其罪

译文:

1c 臣听说

1a 不知道而有所言说是为不智;2b 知道而不说是为不忠。

4c 作为臣子

5b 不忠应该论死;

6a 说得不正确同样应当论死。

7c 尽管这样,我愿意说出我听到的一切,

请大王裁定我的罪过。①

在此下的另一章里,有一个长的链体段落,论述了奖与惩的辩证

① 陈奇猷,《韩非子集释》1:1。

关系。①

《墨子》同样以一个链体段落开篇，论述了吸引贤人的两个主要策略。它认为：②

1a 入国而不存其士则亡国矣

2b 见贤而不急则缓其君

3b 非贤无急

4a 非士无与虑国

5b 缓贤

6a 忘士

7c 而能以其国存者未曾有也

从字数上看，这一链体结构并不很严格，而且它包含一个颠倒的序列，abba。字数上的不规则可以归因于文本的缺损。从关键词“贤”和“士”的重复上看，这一不完整的段落是以公开的链体结构写的。

翻译如下：

1a 如果进入一个邦国，[治理者]不保有士人，他将使这个邦国灭亡

2b 发现贤人而不急于[将他吸纳入朝廷]，是在怠慢自己的君主

3b 拒绝贤者，而没有急切地努力去[招回他们]

4a 拒绝士人，而没有与他们一起考虑国家的事[换言之]

5b 慢待贤人

6a 忽忘士人

7c 而能使邦国安全——这还从没发生过！

---

① 陈奇猷，《韩非子集释》1：111。

② 《墨子引得》，1。

《孝经》中，有几个未被译者意识到的链体段落。在郑玄注中的一处给出了有关《孝经》17 中一组句子的关联的线索。[1] 这一段是这样的：

1c 子曰君子之事上也

2a 进思尽忠　　3b 退思补过

4a 将顺其美　　5b 匡救其恶

6c 故上下能相亲也

翻译：

1c 孔子说：在辅佐君主时，君子将

2a 在升进[于朝廷]时，[只]考虑如何竭尽自己的忠诚　　3b 退居于野时，[只]考虑如何弥补[他]的过错

[由于他]

4a 依据[忠诚]之美努力　　5b 致力于补救[他的]过失

6c 君主与他的臣属彼此亲和

在这一规则的隐蔽的链体段落中发现关联似乎并不困难，因为“恶”与“过”、“美”与“忠”显然有关联。郑玄进一步将句 5 的“恶”与句 3 的“过”直接连成一个独立的表达，这样来注解句 5：“君有过恶则正而止之”。

《周易》的《系辞传》是早期玄学的一个基本文献，其地位只有《老子》可以比拟。其首章有一个长的段落是以链体风格写成的：

1a 乾道成男　　2b 坤道成女

3a 乾知大始　　4b 坤作成物

5a 乾以易知　　6b 坤以简能

7a 易则易知　　8b 简则易从

9a 易知则有亲　　10b 易从则有功

① 《孝经》，2：2560a。

11a 有亲则可久	12b 有功则可大
13a 可久则贤人之德	14b 可大则贤人之业

15c
易　　　　简
而天下之理得矣
天下之理得而成位乎其中矣①

依据韩康伯的注释,试翻译如下:

1a 乾道成就男性	2b 坤道成就女性
3a 乾主掌最初的开始	4b 坤主掌万物的成就
5a 乾因其易而主宰	6b 坤因其简而能[成就]
7a 易则易于了解	8b 简则易于遵照
9a 易于了解则亲于[身]	10b 易于遵照则有成就
11a 亲于[身]则可以长久	12b 有成就则可以广大周普
13a 长久可见于贤人的德性	14b 广大周普可见于贤人的事业

15c 由于[贤人的]易简,
他可以把握天下万物的
所有[特]性。由此,
他成就他在其中[天地
等]的[卦象]的位置。

这里引用的例子以及一些注释只是对汉以前材料中的链体风格的一般示例。我认为,指出链体风格是早期汉语文本中一种常见的模式将是可靠的。上面粗略的分析似乎表明:它是由链体文的"链式"结构中发展出来的,它的最后一个对子逐渐被用来承担一个一般性结论的功能。这一质的区别导致 c 型句从对偶句中形式性地分化出来。

---

①《周易引得》,《系辞上》1。

王弼时代的链体风格

在公元2、3世纪间，对于试图从章句的束缚中摆脱出来的几代学者和哲学家而言，《老子》、《周易》和《论语》成为基础性的文本。关于语言能否处理哲学问题和圣人们（尤其是孔子本人）的洞见的讨论，将关注的目光集中在那些被设想为圣人撰写或经圣人编撰的文本中的用语方式上。扬雄率先在其著作中使用孔子的表达形式。他以这种方式模仿了《周易》的复杂结构、《老子》关于终极事物的话语，并以《论语》口语性的、常常深奥难懂的言说作为他的范式。

从王弼这一代直至4世纪，《老子》的一种突出的风格特征——链体风格成为哲学写作的标准形式。而在口语式的表达中，人们往往偏爱更接近《论语》的其他形式。

王弼的文章展示了远远比出自早期文本的短章更为系统化的链体风格。正如我们已经看到的那样，在《老子》研究中几乎没有人关注这一风格特征；同样，对王弼、何晏或释道安及其他出自玄学传统的早期中国佛教徒的研究也是如此。由于王弼的相关篇章如《老子微旨略例》将以全译的方式发表在将单独出版的本计划的另一部分中，在此，我将只做一点简要的文献引证。[①] 这一文本是完整展开的链体风格的一个范例，这一风格源出于《老子》，进而发展成甚至可以用于长篇文章的散文体。引号中的词句出自《老子》。这篇文章是这样开头的：

1c 夫

2a 物之所以生　　　　3b 功之所以成

4c 必

① 另见我已经发表的这一文本的译文，"Wang Bi: The Structure of the Laozi's Pointers", *T'oung Pao* 72(1986):92—129。

5a 生乎无形　　　　6b 由乎无名

7a 无形　　　　8b 无名

9c 者，万物之宗也。

10a 不温不凉　　　　11b 不宫不商

12b 听之不可得而闻

13a 视之不可得而彰

14a 体之不可得而知　　　　15b 味之不可得而尝

16c 故其

17a 为物也则混成为象也则无形　18b 为音也则希声为味也则无呈

19c 故能为品物之

20b 宗

21a 主

22c 包通天地，靡使不经也①

翻译：

1c 这是普遍正确的：

2a 物之所以被创造　　　　3b 成就之所以产生

4c 必然是

5a [物]由"无特征者"造出　　　　6b [成就]以"无名者"为基础。

7a 无特征者 和　　　　8b 无名者

9c 就是[《老子》所说的]"万物之祖"。

10a [作为无特征者]，它不温不凉　　　　11b [作为无名者]，它不[让声音出自音符]宫和商

12b [即使]"倾听它"，仍然无法听到

13a [即使]"注视它"，仍然无法看到

① 王弼，《老子微旨略例》，楼宇烈，《王弼集校释》。

14a［即使］“摸索它”，仍然无法辨识

15b［即使］“品尝它”，仍然无法得知它的滋味

16c 这就是为什么

17a“作为物”它“完全出于混沌”，“作为象”它“没有形状”

18b 作为“声”它“没有具体的音调”，作为“味”它没有滋味。

19c 这就是为什么它能够成为

20b 原则和

21a 主宰

22c 作为万物的所有［不同］范畴的原则和主宰，它包容和弥满天地，没有任何东西不经由它

句5明确地承续了句2中的“生”，句6则通过“由”含蓄地与句3的“所以成”关联起来。由“无形”和“无名”，句7和句8(二者在语法上被整体为一个c型句)承续了对子5/6的关键词。这以一种规则的次序给出了两个串系——2/5/7和3/6/8。“温”和“凉”等属性属于“物”以及它们的“形”，而“宫”和“商”等乐声则与“名”的复合体有关——稍后承续在“听”、“味”等词中；它们将句10和11整合进这一织体。句8—11似乎构成了一个有四个平行句的系列，但实际上是与ab两个串系相联的。句12由“听”指向涉及“名”的串系b；句13由“视”指向涉及“形”的串系a；句14指上文提到的“形”不能被“体之”，句15通过《老子》第35章的参照可以确定是指“名”的。下面四个平行的句子组通过引证《老子》的文本来证明前面提出的论述，并表明自身是试图将《老子》中零散的内容系统化的“微旨”。这一组句子很独特，因为它不是单个句子间对偶而是对子与对子间对偶的。同样，句17中的“物”与下面的“象”都指“物”，而句18的两个部分都指“名”。最后一句，19—22，实际上是一个由来自两个串系中的要素提炼而成的单独的c型句。文本继续以同样的二分结构展

开,其中没有非链体风格的部分。通过将整个对《老子》的分析插入链体风格的模式中,通过在这些议论中插入大量的《老子》原文,王弼将《老子》通常是简洁的陈述系统化了。

从王弼的《老子》注中引出的一段将表明:同一风格模式既被用在他自己的写作也被用于澄清《老子》的文本结构。

《老子》3.1 如下:

不尚贤　　　　使民不争
不贵难得之货　使民不为盗
不见可欲　　　使民心不乱

经我重构后的王弼注如下:

贤犹能也
尚者嘉之名也
贵者隆之称也
唯能是任尚也曷为
唯用是施贵之曷为
尚贤显名荣过其任下奔而竞效能相射
贵货过用贪者竞趣穿窬探箧没命而盗
故可欲不见则心无所乱也

无论对于这一章的《老子》本文还是王弼注,如果严格衡量,施莱格尔的骈体规则都是无法直接看到的。同样,其骈体风格是开放式的,而且,尽管平行的对子间只是共享一些共同的方面、而非众多其他片断的严整秩序,仍有足够明确的关联让我们将它视为链体风格的一个重要的候选段落。翻译:

1a“贤”就像“能”。

“以累誉相加”是“激励”的一个术语　　2b “格外欣赏”是“褒奖”的一种表达

3a 对于一个只不过能完成这项[特定的]委派[并无他长]的人，“以累誉相加”用意何在呢？

4b 对于一种仅能用于此种“特定”用途[别无它长]的东西，为什么要“格外欣赏”呢？

5a 如果给予贤人以累誉、显耀知名者的激励超过了他们的职守，那些在下位的人将汲汲于奔竞，以他们[自己]的能力与[那些被荣崇的人]比较，相互赶超

6b 如果对物的欣赏超过了它们的用途，贪者就会汲汲于追求它们。他们将[像孔子在《论语》17.10中所说的“小人”]“穿窬探箧”，不顾[自己]的生命来盗窃。

7c 这就是为什么[本文说]，如果有可能被欲求的[物]不被[在上者]显摆出来，[百姓]的心就不会受到任何扰乱！

除以链体风格写成以外，这一注释还指出了前三句的结构——否则它们可能被视为三个平行的句子。第三句后半句中从第一对中的“民”变为“民心”，这一细微的变化表明第三句可能有独立的地位；链体结构二分的基本模式使得它不可能是三个平行句，王弼注因此暗示第三句是前两者的总结——单立的c型句。《老子》这一段落翻译如下：

1a 不以累誉加于贤者，来劝导百姓不争竞

2b 不格外欣赏那些难得的货物，来劝导百姓不为盗

3c [总之]，不显摆可能被欲求的

“物”,来诱导百姓的心不致陷
入混乱

在王弼的读解中,隐含的主角(这一策略正是对他说的)是治理者。

王弼及其注释中使用的链体风格没有引起学者们的注意,对何晏也同样如此;结果增加了对他们的读解的困惑。考虑到正始时代的哲学家在此后数十年、甚至数世纪的巨大声望,3—5世纪散文、序言和注释的作者继续以这一风格作为他们写作的基本范式就毫不奇怪了。这也包括释道安(312—385年)和释慧远这样的作者。[1]

结　论

链体结构以一个二元的修辞部分开头。这一修辞部分沿着并置的互补性对立面(如天和地、货和名、赏和罚、阴和阳等)展开,通过有关它们的陈述的对偶指出它们相似的结构,并且达到一般性的结论。虽然它主要用在短篇的、高度风格化的片断(如书或章节的开头、序文等)中,但它在《老子》近一半的分章中的出现,使得它在3世纪中叶发展为形上学论述的一种风格模式。

更早的注释(如《韩非子》“解老”和“喻老”以及严遵《老子指归》的残存部分)并没有给出足够的信息,从而容许我们评估他们对《老子》链体部分的解读。然而,考虑到在大部分作品中这一风格的要素的普遍盛行,他们很可能是在知道其中有链体结构这一领会下进行读解的。然而,随着西汉关于语言能否处理万物的“所以然”的讨论的复兴,《老子》中的这一风格特征被视为众多丰富语言在处理极为复杂的结构(如宇宙

---

① 关于释道安,参见他的《人本欲生经序》,此篇序文完全由链体风格写成。其中的一段在我的博士论文“Die Fragen Hui-yuan's an Kumarajiva”(Munich 1969,页196)中有相应的翻译。关于释慧远,参见他的《沙门不敬王者论》,Ⅱ.86,第12行。这一段在我的博士论文的第187页有译文。

秩序)和极为简单的结构(如存在)时的能力的手段之一。

《周易》和《论语》被视为这一路向上的更进一步的尝试。在一种质的转变中,玄学家将链体风格的运用从短章和片断移向整篇文章的写作。这似乎预设了对这一风格规则的有效理解,这一理解也引导了对《老子》中无从捉摸的部分的读解策略。

尽管王弼非常强调《老子》之文的复杂性,而且这一强调是在大量的链体文段中做出的,但无论是在3世纪的作品还是在六朝后期的文学理论中我都没有发现任何有关这一风格的明确论述。明确的相关讨论的缺席也许是有关链体风格的有效知识(在宋代的注者那里仍可看到)消失的原因之一,这一消失使得现代学者将这些相当文学性的、论述凝练、首尾一贯的文本约减为一堆毫无关联的格言——从汉代以来由不知所云的偶然的"故"关联起来。链体风格在3世纪向长篇文章的转移必定基于对其规则的积极且明确的理解。在这一时期的现存文献中,王弼对《老子》和《周易》的结构性分析,即《周易略例》和《老子微旨略例》显然是这一风格最长而且也最为精致的范例,而且,在我看来,它们也是这一时期最重要的哲学著述。

尽管链体风格有在寻求万物存在的"必然"特征时的优点和便利,王弼作品中的段落也揭示出由链体结构的二分性安排带来的局限也可能阻碍其论述的展开,产生一些怪异的结构。①

对链体风格规则的理解除了有在某个文本内建立结构性关联和等级并减少文本的混淆这些实际的优点外,它还开启了包含在文本中的一种重要的、但未形诸言辞的哲学和论述资源。正像《周易》的卦象那样,这些结构成为有待实现的一种沉默的文本。它们设置了文字在其中运作的框架,并引领读者的阅读策略。

① 参见王弼,《老子微旨略例》197,在那里王弼将"名"与"称"分列在一系列平行的句子中间。然而,它们并不是真正平行的,而且他还进一步将"称"细分为另一个子对。参见拙译,"Wang Bi: The Structure of the *Laozi's Pointers*",页119。

在《老子微旨略例》中，王弼明确处理了《老子》论述风格的哲学基础以及其他注者的对这一风格的误解。然而，其中没有找到有关链体风格的明确言论。从何晏（比王弼年长很多）作品的少量残篇中链体风格要素的出现看，我们可以设想使用链体风格的风尚在王弼之前已经涌现，我们还可以设想这一风尚基于对链体风格作为《老子》的许多核心部分的基本组织形式的理解，而且在从事仿效这一文本的实践。并非王弼作为注者发现了一种重要的文体特征，情况似乎是在他的同辈中有关于文本中的链体结构的共同理解。有些地方王弼感到有必要明确标记出隐蔽的段落或我们上面引证的大段平行式阶梯结构的个案中的链体关系，这似乎表明其他人没能把握其中的结构。

这样，我们将总结出三个论点，其中的每一个都有独立的效用：

1. 王弼及3世纪其他的早期玄学家已将《老子》中的相当一部分章节理解为是以链体风格写成的。对于他们对《老子》读解的任何研究都将不得不以他们的这一理解为基础。

2. 在对这一特征的哲学潜能的仿效中，他们以这一模式锤炼他们自己的作品。王弼以这种方式写出了这一文体中最洗练同时也是现存最长的文章。

3. 对《老子》文本结构的细致考察揭示出玄学家中关于《老子》中公开的或隐蔽的链体风格的运用的共识是以对这一文本的相当合理的读解为基础的。他们对语言在处理终极道理时的能力的共同兴趣促使他们关注《老子》和《周易》这类文本中使用的表达方法。这样的关注没有在想尔注中发现，由于根本路向不同，它很大程度上忽略了《老子》的修辞手段。王弼的读解策略的活力不仅在《老子》本身的许多章节中得到了支持，而且也由大量的其他早期文本中相似结构的出现证实。换言之，他们的解读策略超越了读解《老子》的特定的旨趣而具有了学术洞见的价值。

包含翻译和文本分析在内的文化传输将不得不使编码于链体结构中的沉默的文本明晰起来。

第四章　意义的解构与建构

隐藏的意义

王弼不仅撰写了《老子》注和《周易》注——二者对这两个文本的释读所具有的塑形性影响一直延续至今，他还是第一个为其注释概括性地提供了哲学和方法论基础的注者：为《老子》写了《老子微旨略例》，为《周易》写了《周易略例》。根据刘勰的《文心雕龙》，这一时期的注释被归入"论"的门类之下。[①] 其分割为处理本文中句子的小条目的形式上的碎裂并不妨碍它被看作一种完整一贯的论述。由于"论"在很大程度上用于"经"(作为学者研究所要面对的现实)，注释和论文实质上是以同一种材料和方法为基础的。

王弼是在一个众多最智慧、有最高教养的心灵关注《老子》、《论语》和《周易》作为他们哲学洞见的基本来源的时代写作的。在这一艰深的领域为思想上的卓越而产生的激烈竞争极大地提高了这一时期注释的训诂学上以及哲学上的品质。这样一来，王弼的《老子》构造就给一个教

---

① 刘勰，《文心雕龙义证》，2：699。

养极高的氛围带来了一次严肃的学术和哲学上的挑战，在这样的氛围里，并没有出现另外一个注本的显见的需要。本章要处理的不是王弼的哲学，而是他的注释技艺。非常奇怪的是，中国注释家的技艺几乎没有受到关注。哲学史家们一直在这一假设的基础上展开研究：注释者们主要是在对经典的一种谦恭的注释的伪装下阐述他们自己的哲学；因此，一般说来，哲学史家们在征引注释者的注文时一直将其视为是与它们注解的文本相对独立的。

对王弼注释技艺的研究也是一种检讨隐含在上述做法中的预设（即王弼的注释毫不尊重本文，而主要是将自己的观点强加在本文上）的方式；并且看一看他的注释是否基于某种一贯的、可论证的方法论，以及如果确是如此，这个方法具体是什么？

王弼的两篇“略例”注重的不是对《老子》和《周易》各自的主要教义的总结，而是陈说这些文本的沉默的形式结构。而且，它们试图让读者发现这些结构的哲学意涵。下面的篇幅主要处理的是《老子微旨略例》。《周易略例》写于其后，而且关注的是一种不同类型的编码。我将只在有助于突出《老子微旨略例》中隐含的、未经充分展开的论述的情况下才会引用它。两篇文章都从对于这两个文本非同寻常的表达方式的哲学困扰开始。

事实上，在王弼及其同代人的读解中，《老子》是由大量独立的短章构成的，他们的次序大体上是随机的。每一章都重新开始，但章与章之间的界限似乎是相当固定的。

《老子》运用了大量的语言学和修辞学的手法：从拟声到明喻，从引证和链体结构到权威性的宣喻或没有解释的赤裸裸的哲学性事实陈述；与此同时它又不断地告诫读者语言（包括它自己的）对于传达终极之道是不可靠的媒介：“道可道，非常道”（《老子》1.1）；“强为之名曰大”（《老子》25.6）。作为一部以文字写下的书，《老子》是在充分了解语言作为一种界定的工具在对于终极之道的分析中并不够用的情形下，继续用语言对终极的东西做哲学上的探索的一种尝试。上述这些以及其他一些类似的《老子》陈述在《老子微旨略例》中得到讨论。

《周易》建立起了许多叠置的解释层：从对一个卦的整体意义的文字解释(卦辞)、所用的卦象的文字解释(象辞)、单个卦画的文字解释(彖辞)中的字，经由在它们中出现的符号，到编码于无声的卦象结构中的"意义"，最后到《系辞》以及其他附加的篇章言意关系的理论化。① 这一读解的基础被诉诸《系辞》中历来被归于孔子的一段论述：

> 子曰："书不尽言，言不尽意"。然则圣人之意，其不可见乎？子曰："圣人立象以尽意，设卦以尽情伪，系辞焉以尽其言。"②

译为：

> 夫子说："[写下的]文字(书)无法穷尽[说过的]话(言)；[说过的]话无法穷尽意义。难道这意味着无法察知圣人的意旨吗？"孔子说："圣人[们]设立'象'以完整无遗地[表达他们的]意旨；建立'卦'来完整无遗地[呈现]真伪；联缀言辞以完整地[体现]他们的言说。"

根据这一段，整个《周易》是为通过使用符号的、结构的以及其他表达手段来解决语言无法充分传达圣人之意的哲学意旨而构造的。《周易略例》正是《周易》的这个方面及其哲学意涵。

《周易》和《老子》之所以使用这些形式不是因为它们属于一个未受质疑的传统，或是因为它们只是碰巧有效。从它们关于语言的有限能力的明确陈述中，王弼的推论是二者都是有意识地以这种方式结构的。因此，它们玄奥的文学形式是其哲学内涵的一个实质性的成分。结果是，只有当读者同时理解了两个文本中语言的实际使用与对语言作用的限

① 这里对《系辞》的翻译是以王弼的视角为依据的；在他看来，《系辞》是《周易》不可或缺的部分。

②《周易》7.10上。

界的洞见之间的矛盾、并在读解时留意文本在意识到这一矛盾的情形下已经被编码，他才能恰当地进入文本。那么，注释者的双重任务就是解释文本是在用这些看似累赘的表达方式回应怎样的哲学问题，与此同时帮助读者克服传统的、不恰当的读解策略，并发展出这两个文本自身所需的策略。

哲学语言根本上的不可依赖没有使王弼对《老子》中实际使用的修辞手段持漠然的态度。情况正相反。王弼将这一文本当成哲学性修辞的范例，一再强调其文体技巧的重要性以及其对于把握文本的隐晦意义的必要性。他写道：

> 又其为文也，举终以证始，本始以尽终，开而弗达，导而弗牵。寻而后既其义，推而后尽其理。①

译为：

> 另外，由于[《老子》]的文章形式，[它的单个论辩]，标举归的以证明开端，根于开端以穷尽归的。[正如《礼记》对于君子所说]，“开启而不穷达，指示路径而不牵引”。[因此]，只有在细心的寻索之后，才能认识它的意义；只有在推演之后，才能充分地领会它的原则。

王弼对形式、文体以及修辞结构的哲学含义的发现与曹丕在几十年前发现的“文气”一致，他们指出文本的文学性天赋是带有哲学意味的独特而且值得学者关注的成分。② 在汉末至三国的过渡时期，通过建安时代(196—220 年)的文学引发的革命使得新诗成为一种既可以表达个人情感又有表达哲学洞见的可能性的方式。诗作为非议论性的表达形式

---

① 《老子微旨略例》，3.1。
② 曹丕，《典论论文》，页 178。

成为处理不可表达的东西的一种可行媒介，最终成为哲学话语的形式之一。① 在一个结构性的层面，曹丕用“文以气为主”的理论主张新诗具有表达那些本质上难以界定的思想的能力。正如当代学者周继旨指出的那样，这与以前释读策略的背后假设形成了断裂。基于董仲舒天人相应的理论，这一早期的释读策略根据阴阳五行学说寻找可以解密的线索。② 新的理论假定哲学和文学文本的核心主题是道，并建议一种在这一方向上寻找线索的释读策略。

“气”与作者的个人天赋相应，它像道本身一样难以通过语言察知和描述。在相关的讨论中，孔繁引用了刘劭《人物志》的第一段话来说明这一点：

> 盖人物之本，出乎情性。情性之理，甚微而玄。③

一首诗包含并收藏这一特殊禀赋就像面孔或瞳仁收藏并表露个人所禀赋的气一样。这样，观相术对面相的解密或通过瞳仁看出人的内在禀赋——那个时代许多杰出的思想家都沉迷于其中的道术，就成了与把握一首诗中的“气”或《老子》中不可名状的东西的相似的努力。在那个时期的清流的谈话（以刻画人物、诗和那个时代著名学者的哲学陈述为内容）中使用的表达方式有意识地避开汉代评价（如班固的《古今人表》）中界定清晰的、陈腐的道德字汇，而使用象征、隐喻以及其他的表达方式。④

《老子》在清谈家和建安诗人中是颇为流行的文本。它使用的文体以及常常是诗化的形式当然有助于赋予这类用于哲学探究的表达方式

---

① 参见汤用彤，“魏晋玄学和文学理论”，《中国哲学史研究》，1(1980)：37—45；王葆玹，《正始玄学》，页350—356。

② 周继旨，“魏晋文论的兴起与玄学中‘天人新义’的形成”，《哲学研究》5(1984)：45—53。

③ 刘劭，《人物志》，1，参见《人物志引得》。

④ 孔繁，《魏晋玄学和文学》，页7。奇怪的是，在大量关于玄学与文学及文学理论的关系的研究中，并没有提到王弼对作为不可言说者的哲学化形式的行文结构的发现。事实上，王弼对显然属于中文意义上“文”的类别的《老子》和《周易》的分析，比3世纪的其他资料都更缺少详尽审慎的阐发。参见汤用彤，“魏晋玄学和文学理论”；周继旨，“魏晋文化的兴起”。

以新价值。反过来,使用此类形式的风尚的兴起也有助于让人关注《老子》选择这类特殊的表达方式的意义。

王弼对《老子》的文学和修辞手法的理论描述和实践分析作为他哲学的一个实质的成分,反过来为其他使用非线性的哲学话语形式的尝试提供了更充分的正当性,并提高了对文学性文本的理论理解。

由于这里关注的主要是王弼的注释技艺——他的哲学及语言哲学将在后面的研究中阐述,[1]在此,我将简要说出在王弼对《老子》语言的哲学探索中那些对于理解他作为注释者的技艺的方法论基础而言必要的因素,而不是全面地展开他的语言哲学。

隐含的作者及其权威:孔子和老子

王弼将《老子》视为由老子本人推敲和构造的文本。他谈到"老子之文"[2]及"老子之书"[3],这实际上是将作者界定为一个个体,而且他的作品是技艺化的文本——文。在《老子微旨略例》中,老子在那些描写他推敲文本的句子中作为主体出现。王弼及其同代人没有将这一文本视为松散的格言集,或来源不同的、除了题材的接近外没有任何哲学一贯性的哲学素材。《老子》是由一个名叫老子的作者撰写的这一假设,是关于该文本哲学上的同质性的假设。这样,作为最先的一个步骤,我们将"老子"界定为《老子》的同质性的标志。由此出发,依所释读策略,《老子》的每一章都必须在整体的上下文中读解,这一整体的文本环境决定着进入文本的视角。

对于王弼而言,这个老子是谁呢?为了理解王弼构造《老子》的策略,我们不得不重构他对这样的作者的评价。很显然,一个由神灵通过

① 参见本书第三编"识别'所以':《老子》和《论语》的语言"一章。
②《老子微旨略例》,3.1。
③《老子微旨略例》,6.1。

灵媒赐予的文本需要一种与乡下白痴的胡言乱语所需要的不同的读解策略。

在王弼的时代以及他所处的圈子中,老子的身价通常是通过与孔子的关系得到界定的,后者在那时被一般地视为最后的圣人。出于对比的目的,我们有关于两人相遇的混乱的叙述和描画;有被归为两人写下和说过的言辞,在王弼的读解中,他们在这些言辞中陈述了他们对各自相对地位的看法;有汉代对两人的各种评价的发展;有王弼及其他人的相关论述;最后,还有后来作者对王弼及其他人的相关看法的转述。

老子与孔子的相对地位问题是当时最受关注的一个题材。它在儒与正在兴起的道教之间精神的和伦理的竞争中有其宗教的重要性;这一对比反映了究竟哪种理论对于治理社会更为根本,就此而言,它也有政治的重要性;同时它还有哲学重要性,因为它影响着不同传统的文本的地位,并且,更重要的是它还影响着对这些文本的读解策略。

为了确定老子的生存年代,学者们已经研究了在先秦和汉代文本中关于老子与孔子相遇的各种记载。① 然而,这些谈及二者关系和等级的文本的写作有着另外的目的。法国汉学家 Michel Soymie 似乎是唯一一个就这方面对有关这些会面的文本和绘画证据做过细致研究的人。② 在《庄子》中,孔子是作为老子的弟子出现的;③孔子本人是"至人",在《庄子》中,他也被用来阐发庄子自己的思想。④ 孔子向老子问道,问"礼乐之本"⑤,并在有关特殊的礼仪问题的讨论中引述老聃的话作为权威的依

① 参见《古史辨》第3,4和6卷胡适、梁启超、张煦、唐兰、高亨、钱穆、罗根泽、冯友兰、顾颉刚、马叙伦、谭戒甫等人的研究。Homer Dubs 以"The date and circumstances of the philosopher Lao-Dz"和"The Identification of the Lao-Dz"等文加入了这一争论,见 *JAOS*61、62。

② M. Soymie,"L'entrevue de Confucius et de Hiang T'o",*Journal Asiatique* 242(1954):311—392。

③ 孙次舟,"跋《古史辨》第四册并论老子之有无",罗根泽编,《古史辨》,6:86。

④《庄子引得》,14.5.48。参见孙次舟,"跋《古史辨》",页84。

⑤《孔子家语》,3:11。

据。[1] 这一说法被直接收入《吕氏春秋》、《韩非子》和《孔子家语》等众多文本。[2] 有一些汉代的浮雕描绘的是正在讨论的孔子和老子。[3] 这些轶闻有一个共同的假设：两个人追求共同的目标，他们的思想和教诫是互相补充而非彼此排斥的。作为孔子的老师，老子在等级上要高于他的学生。

司马谈《论六家要旨》(被收在《史记》“太史公自序”中)也承认西汉初期老子优于孔子的普遍看法。西汉初年，《老子》作为政治哲学著作而受到政治核心的赏识。[4] 司马谈没有以上述老子在礼仪等问题上是孔子的老师的传说作为自己的依据，而是以《老子》与那些被归于孔子的陈述的哲学观点之间的关系为基础。司马谈对各家的处理是分层级的，将最重要的放在最后。最优先的位置被给予了道家，他认为在处理万物的“始基”上道家是卓越的；而儒家，虽然稍有欠缺，但在处理日常政事上更为优越。[5]

从汉武帝开始，朝廷对五经的儒家教义的支持似乎在某种程度上损害了《老子》的官方地位。[6] 然而，正如 **Benjamin Wallacker** 在其汉代儒学的研究中表明的那样，“五经博士”从来没有获得过像某些关于汉代儒学官方地位的研究中指出的那种学术垄断权。像扬雄那样的人同时模仿《周易》、《论语》和《老子》是相当正常的，他还指出：

---

① 《礼记正义》，19：1400；参见 S. Couvreur, *Mémoires sur les Bienséances et les cérémonies*, I.2：434 和 463。

② 郭沫若，“老聃、关尹、环渊”，《古史辨》，6：631。此文收集了许多重要的段落，表明这些文本认同老子为孔子师。参见 A. Seidel, *La divinisation du Lao Tseu dans le taoisme des Han*, 页 12。

③ 关于这一动机的图像证据，参见 Kaete Finsterbusch, *Verzeichnis und Motivindex der Han-Darstellungen*, 页 221。刘培桂发现几乎所有这些浮雕都出自山东南部和江苏北部，而那正是高平王氏的所在，“汉画像石中的孔子见老子”，页 35。

④ 参见陈德昭，《老子思想对汉初政治之影响》。

⑤ 司马谈，《论六家要指》；参见云泷龟太郎，《史记会注考证》，130：7。

⑥ B. Wallacker, “Han Confucianism and Confucius in Han”，收载于 D. Roy 和 Tsuen-hsuin Tsien 编，*Ancient China*: *Studies in Early Civilization*, 页 222。

> 老子之言道德,吾有取焉耳。及搥提仁义,绝灭礼学,吾无取焉耳。[①]

在班固(32—92年)的《古今人表》中老子达到了他曾经得到的最低的等级;这些表格将众多的历史人物分为九品,从上上、上中直至下下。最高的三个等级以及最低的等级分别有其专门的名称。最高的是圣人,其次是仁人,接下来是智人。最低的一等是愚人。[②] 正如王葆玹指出的那样,看似规则的分为三组的九个等级潜藏着孔子建立的一个不同的三分系列,根据《论语》(班固在《古今人表》序中也提到过):[③]

> 中人以上可以语上矣,中人以下不可以语上矣。[④]

班固将这一句话与《论语》里的另一句话关联起来:"唯上智与下愚不移"。[⑤] 上智是那些无需改变和教化的圣人;下智是那些班固"人表"中的愚人,他们不可能被教化和改造得更好。孔子本人将那些最高等级的人界定为"生知",而那些不可教育的愚人则是"困而不学"。[⑥] 无论是圣人还是愚人都是天生如此的。圣人是世界的大成就,而愚人则是世界的灾难。圣人在班固的人表中是尧、舜和周公等带来太平盛世的圣王,而愚人则是商纣王这样的暴君。然而中人(班固人表中的第二至第八等)是可以教育和改造的。一般人大都属于这一类。他们可以寄望的最高等级是第二等,当然也可能沦落为第八等。

与那时在某些儒者中盛行的评价一致,班固将老子贬为第四等(即中上),而把孔子放在作为最高等级的圣人中的最后一位。然而,这一评价是有人反对的。班固去世的几十年后,像马融(77—166年)这样的重

① 韩敬,《法言注》4.6,页76。
② 《汉书》,20:861。
③ 王葆玹,《正始玄学》,页55。
④ 《论语》6.21;《汉书》,页861。
⑤ 《论语》17.2。
⑥ 《论语》16.9。

要学者又开始从事对《老子》的研究,而且,在一种不同的宗教价值系统中,老子在后汉成为最高神,孔子则显然低于他。

在公元165年朝廷下令撰写的《老子铭》(朝廷可能想要为自己吸收某些日益兴起的老子的民间声望)中,老子被视为与“混沌之气”并存的最高神,而且明确批评了班固对老子的评价。① 这并不必须暗示出对孔子的反对。被认为是道教的两个天师张道陵和张鲁中的某一个所撰写的《老子想尔注》对《老子》21.1“孔德之容唯道是从”一句注释道:“道甚大,教孔丘为知;后世不信道文,但上孔书,以为无上,道故明之,告后贤。”由这一注文推断,《老子》这一句话只能译为:“孔子之德的广大,只是他依从道[对他所说的东西]的[结果]。”②这样,即使这一文本也假定了孔子与《老子》的教化有共同的基础。

对于王弼及其他著名的玄学家而言,上述三种说法——老子作为一个中等的智者、老子作为孔子的老师、以及老子作为最高神都没有准确地反映历史实情。

班固的九品系统在曹魏初年得到了关键性的推动。公元220年,陈群为曹丕发明了著名的九品中正制,它成为评价、挑选和晋升官员的主要方法(直到唐代引入科举制为止);陈群在这一为生者设立的等级系统中复制了班固为那些历史人物设置的等级。③ 王弼以及其他许多人仍在

---

① 《老子铭》,参见 A. Seidel, *La divinisation du Lao Tseu*,页128。自称出自老子后裔的李唐皇室改写了《汉书》。依据公元742年的诏令,《汉书》的唐代抄本将老子移至上上的圣人格,参见梁玉绳,《人表考》,载《二十五史补编》,1: 285下。这种安排在1739年版的《二十五史》的重印本中仍可以看到,1: 457上。道教传统的经典表述见唐陆希声《道德真经传》,其中,陆断言伏羲、文王和孔子三者合在一起才可以比得上老子;参见王葆玹,《正始玄学》,页8。李约在《道德真经新注》序中(载《正统道藏》)转述了对归于伏羲、文王和孔子的那些文本的论述:“六经皆黄老枝叶”。不仅是陆希声这样的道徒这样估价。李唐皇室尊老子为“帝”,而对孔子则只尊礼为“王”。王葆玹《正始玄学》已经收集了这一证据。

② 参见饶宗颐,《老子想尔注校正》,页27。另见 S. Bokenkamp, *Early Daoist Scriptures*,页113。

③ 王葆玹,《正始玄学》,页39。孙楚指出,班固立九品人表,“此盖记鬼录次第耳,而陈群依之以品生人”,参见《太平御览》,第265卷;王葆玹,《正始玄学》,页55。

班固的九分系统里运思,但没有接受他的个别评价或袭用他的术语。他们很少使用班固为第二等级设定的名目——仁人,而是用贤人或次等的圣人来替代。王葆玹发现了一条王弼注意到《系辞》中关于圣贤分别的材料。《系辞》的第一部分叙述了在通过卦象理解宇宙的基础上,可以怎样安排这个世界。然而,这一成就的主角不是预期中的圣人,而是贤人。王弼对此评论道:

> 不曰圣人者,圣人体无,不可以人名而名。故易简之主,皆以贤人名之。然则以贤是圣之次,故寄贤以为名。穷易简之理,尽乾坤之奥,必圣人乃能耳。①

王弼主张特定的成就只能由"中人"范围内的某些人来完成,而不是由其人其行都无法界定的圣人来做。因此,《系辞》主张"易简而天下之理得矣"。只有圣人能够达到对世界的秩序原理的完全把握。

对于王弼来说,历史载记无法支持上述三种对于老子的评价。然而,由于这三种说法出现在他所处时代的思想氛围中,王弼本人对老子的评价也必须针对这一背景来理解;不仅如此,王弼的评价还从对上述评价的否定中获得了特别的意味。那么,王弼在历史范围内将老子定位在何处呢?他的判断的依据是什么呢?

在《老子微旨略例》现存的部分中,没有老子的传记。但是在王弼的《论语释疑》中,却给出一则短的传记性注释。在注释《论语》中的老彭的名字时,王弼写道:

> 老是老聃,彭是彭祖。老子者,楚苦县厉乡曲仁里人也。姓李氏,名耳,字伯阳,谥曰聃,周守藏室之史也。②

---

① 引自孔颖达《毛诗注疏》,载阮元编,《十三经注疏》,页586上;参见王葆玹,《正始玄学》,页10。从论辩和术语看,这一片断似乎是真的。我们并不必然由此得出王弼曾写过完整的《系辞》注这一结论,显然不是这样。但他为《系辞》的某个段落写了文章,并以之作为他的《周易》解释的基础。这一引文一定出自这些文本。

② 王弼,《论语释疑》,载楼宇烈,《王弼集校释》,页623。

这一短注主要是以司马迁的“老子传”为依据的。① 这则注释以其严谨枯燥否定了这一类主张：《老子铭》中作为与“混沌之气”并存的神的老子，以及《想尔注》“一，散形为气，聚而为太上老君”中所描述的老子。②

上引资料是对《论语》中的一句话的注释。从这条注释推论，《论语》的这句话只能被翻译为：

> 孔子说：“传承[古老的训诫]而不创造[任何新的东西]，[自己]诚信而[又]崇尚古代，我私下里将自己与老聃和彭祖相比。”

王弼的《论语释疑》是对何晏及其同事于公元243年前后纂集的《论语集解》的批评。何晏等人通过引用包咸(公元1世纪)的注释将“老彭”读作一个人的名字：

> 老彭，殷贤大夫，好述古事。我若老彭，但述之耳。③

王弼在这里追随的是郑玄——他最早提出这里指的是老聃和彭祖。④ 其中的谦词“窃比”事实上是指孔子认为自己上文中提到的那些方面优于老子和彭祖。将《论语》的句子与对它的注释放在一块儿看，这则注释表明孔子觉得将自己与老子比较是很正常的；他们的地位一定是可比的，他们彼此在人的等级上一定足够接近，否则这句话就没什么意义

---

①《史记》，63.2139。王弼在老子的姓氏上背离了《史记》，他给出的姓氏是“老”，而非其他史料中的“李”。参见高亨，“《史记·老子传》笺证”，《古史辨》6(1938)：444。这暗示了对李氏出于老子这一说法的拒斥，这一说法自东汉以来被许多叛乱者用来为他们的野心提供理由；参见 A. Seidel，“The Image of the Perfect Ruler in Early Taoist Messianism：Lao Tzu and Li Hung”，*History of Religions*9.2—3(1969/1970)：216。老子姓李的假设最终导致老子被当做李唐皇室的祖先。李氏出自老子的说法在王弼的时代颇为盛行。例如，孔子的后人孔融在想要为年长的李膺接纳时，指出了李膺的假想祖先老子与孔融自己的祖先孔子的渊源，参见《世说新语》，2.3。关于《论语》这一段落的讨论并没有结束。几十年后，葛洪提出老彭就是老子，参见《抱朴子内篇》，10：43。

② 饶宗颐，《老子想尔注校正》，页12。

③ 何晏，《论语集解》7.1。实际上，《大戴礼》中提到了老彭，9：10下，而且他也出现在班固的《古今人表》中，在那里，他被列在“上下”一级。

④ 引自陆德明，《经典释文》，3：1362；参见谭戒甫，“二老研究”，《古史辨》6(1938)：477。

了。这样,这条注释就用孔子自己的话回应了班固对老子地位的过低的评价。与此同时,孔子谦虚地声称他在可比的情形下,优于老子。在班固的人表中,这将使得老子被置于仅次于圣人的第二层(在后汉时期,"亚圣"这一术语被创造出来用以指称这一等级)。在次高等级中的人的地位很高:他几乎就是一个圣人,处在可抵达的范围内。

除上述孔子本人的陈述外,王弼在《老子》中也找到了证据。在《老子》中,有很多以作者的"吾"为主语的陈述。在许多场合下,这些陈述都或隐或显地是圣人论及自己的话。[1] 但在《老子》第70章,"吾"谈论的是作者自己,后面却跟着一个谈及圣人的句子。依据王弼注的翻译如下,为了使其链体结构更为明显,这里做了结构性的转写:

	我的言辞[老子说,缺省了"我的事为"]	
很容易理解	也	很容易施行
	但[即使这些易知易行的言和事],其他人仍	
不能理解也		不能施行
[我的]言辞有其原则		[我的]事为有其主宰
	由此,那些没有理解力的人因此也将无法理解我[并在行事上效仿我]。理解我的人越少,越使人荣耀。这就是圣人外着粗布的衣服而怀揣珠玉。[2]	

---

① 《老子》第67章是一个例子,其中的"我"没有明确所指;然而,在注释中,王弼用《老子》的其他部分和《系辞》给出了解释,二者都是以圣人为主语的。参见本书第二编。顾颉刚将出自《老子》中圣人的引文当做是对另一不同的《老子》的引用,这一尝试似乎并不成功,因为这些引文并不完全明确和统一,因此难以归并。王弼本人显然是以他视为《老子》和《论语》中的内证为依据的。

② 参见本书第二编。

在《老子微旨略例》中，王弼在这样的上下文中引用了这一陈述：

> 《老子》之书，其几乎可一言而蔽之[就像孔子对《诗经》所说的那样]。噫！崇本息末而已矣。观其所由，寻其所归，[老子之]言不远宗，事不失主[正如老子在第70章中谈及自己时所说的]。①②

这样，王弼就把第70章中的"吾"认作为老子本人。很明显，既然老子很容易理解的话都没人能理解，何况是比他走得更远的圣人了，圣人"处无为之事，行不言之教"，以致根本没有言辞可供领会，没有行为可供效仿。正如 Arthur Waley 看到的那样，《老子》是第一部作者用"吾/我"来指称自己的中国文献。③ 在《老子》第70章中，这个"我"与圣人是可以比较的，但又比圣人略低。④

这样，在关于老子和孔子自身的权威的问题上，王弼将老子定位为仅次于圣人孔子。王弼的同时代人阮籍(210—263年)在这个问题上与他一致——将老子描述为上贤和亚圣(这两个等级是相同的)。⑤ 一篇4世纪批评王弼、支持班固的短论题为《老聃非上贤》，这表明王弼及其友人是将老子定位在班固的人表中的第二等级上的。⑥

另一方面，《老子》的作者身份的"我"又高于"众人"。"众人"是一个攻击性的词汇。他们不是人民，在《老子》中人民被称为"民"或"百姓"。"众人""皆有余"⑦，"昭昭"⑧，"察察"⑨，"如春登台"⑩，"皆有以"⑪，知得

---

①《老子微旨略例》，见《王弼集校释》，页198。

② 译者按：此段的详细译文，参见本书第二编第三章。

③ A. Waley, "Appendix I: Authorship in Early China"，载 *The Way and Its Power*，页101。

④ 扬雄引用了同一分章，并将其中"我"等同为老子本人。他在"解难"中写道："老聃有遗言：贵知我者希"，引自《汉书》87下：3578。

⑤ 参见陆希声《道德真经传》序，2上。另见王葆玹，《正始玄学》，页8。

⑥ 王葆玹，《正始玄学》，页16。孙盛，"老子非大贤论"，页119—120。

⑦《老子》20.6。

⑧《老子》20.9。

⑨《老子》20.10。

⑩《老子》20.3。

⑪《老子》20.13。

太多也学得太多[1],是那些教育他人的人[2]。他们属于在上位的人,属于统治层,属于那些其行为会得到在下者响应的人。[3]《老子》指斥他们为"俗人"[4]。他们是些粗鄙的学者——那些有官方的学者地位而缺乏必要的领悟的人。因此,我把"众人"译为"粗鄙的学者"。作者身份的"吾"在自己与粗鄙的学者之间建立起了明确的区别,因为"处众人之所恶"才是"几于道"的。[5] 然而,这里没有根本的区分;作者性的"吾"仍在努力超拔于众人之上;它"欲"与他们不同:"我独欲异于人,而贵食母"。[6] 我们的结论是:作者性的"吾"远高于那些粗鄙的学者而仅次于圣人,但仍与粗鄙的学者们处于同一个大的框架内。

根据王弼读解出的这些自我界定,处在仅次于圣人的等级上的老子是"中人"可能达到的。尽管作者这一可达到的地位似乎给了读者比较容易进入文本的道路,但它实际上削弱了作者作为哲学家的可靠性,同时也削弱了文本作为真理的指示的可靠性。作为亚圣,老子是一个不可靠的哲学家。现代文学从司汤达和福克纳以来,为了突出事实和历史的虚构性质,已经开始运用无意识的不可靠叙述者。正如我们将要看到的,《老子》是一个更为复杂的例子,因为王弼将老子看作是在完全意识到他自己陈述的不可避免的不可靠性的前提下写作的。

在一段著名的对话中,王弼明确地界定了孔子与老子的关系。相关的记述有两个版本,第一个版本收在何劭的"王弼传"中(何劭卒于公元301年)。这一轶闻几乎被征引在所有关于玄学的论文和著作中,但遗憾的是,除了钱穆以外,其中的绝大多数引文里标点的错误导致了意指的

---

①《老子》64.8。
②《老子》42.2。
③《老子》8.1。
④《老子》20.9。
⑤《老子》8.1。
⑥《老子》20.15。

错失。这一段材料很重要,我将两个版本征引如下:

> 弼幼而聪察,年十余,好老氏,通辩能言。父业,为尚书郎。时裴徽为吏部郎,弼未弱冠,往造焉。徽一见而异之,问弼曰:"夫无者,诚万物之所资也,然圣人莫肯致言,而老子申之无已者何?"弼曰:"圣人体无,无又不可以训,故不说也。老子是有者也,故恒言无,所不足。"①

第二个版本在《世说新语》中,与前者微有不同:

> 王辅嗣弱冠诣裴徽,徽问曰:"夫无者,诚万物之所资,圣人莫肯致言,而老子申之无已,何邪?"弼曰:"圣人体无,无又不可以训,故言必及有;老庄未免于有,恒训其所不足。"②

我们没有具体的关于这些口头的对话在成文之前记录和传播的过程的知识。从同一故事记载上的变形看、从它们时或归因于不同的人看,我们可以假设亲耳听到或从别处听说这一对话的不同的人各自传下了他们听到的故事。这些记述被如此详细地保存并流传下来的事实证明了那个时代对这类简短的自发性的哲学以及其他对话的重视程度,这与汉代学术琐碎的写作风格形成鲜明的对照。

上述对话一定发生于公元 244 或 245 年,在王弼撰写《老子注》(写

---

① 何劭,《王弼别传》,引自《三国志》裴注。

② 刘义庆,《世说新语》,4.8。与 Richard Mather 等译者一样,绝大多数中国学者都错失了最后一句的结构和内容,因此也错失了整段的意义;参见刘大杰,《魏晋思想论》,页 21;贺昌群,《魏晋清谈思想初论》,页 64;冯友兰,《中国哲学史》,Ⅱ:603;汤用彤、任继愈,《魏晋玄学中的社会政治思想略论》,页 22;侯外庐等编,《中国思想通史》,Ⅲ:97;唐长孺,《魏晋南北朝史论丛》,页 326;楼宇烈,《王弼集校释》,页 639 和 645;罗民胜,"试论王弼玄学对名教的批判",《中国哲学史研究》1(1987):73—75。何启民《魏晋思想谈风》误将前一段引文中的重要部分插入到《世说新语》的版本中,页 94。钱穆"记魏晋玄学三宗"首次在最后三个字之前断句,读为"故恒言无,所不足"。但他的读法无人追随。

于 248 年)之前的三四年。[①] 从我们迄今引用的材料看,还无法确定王弼是否有观点上的转变,后来的资料一致将这一论述作为王弼对孔老关系的思考的确切表达。由于王弼的观点的实际影响,如果他有了观点上的改变应该会被敏感地记录下来。然而,圣人“体无”以其极度的简洁省略了他与众人全面的、非常复杂的关系,以及在王弼著作的其他部分详尽处理的圣人的情感问题。

裴徽的问题又一次预设了孔子与老子的可比性:孔老之间的差异是非常细微的,以至于很难区分他们相对的等级。这一定是那个时代玄学的共识;裴徽的问题不是孔老之间的可比性,而是他们之间的细微差异。

然而,裴徽的问题不仅预设了孔子和老子的可比性,而且也预设了他们哲学观念的相容性。二者被假设为处理的是同一哲学主题,即作为“万物之所以”的“无”,以及这一“所以”与万物的关系问题。对于老子而言,证明他的“申之无已”相对容易些,因为他明确讨论了这一问题。而对于孔子,情况则相反。没有任何被归于他的论述明确提到了“无”的观念。

然而,自后汉初期以来,在扬雄和桓谭等人的著作中可以看见这样颇为盛行的观点:《春秋》的头一个字“元”以及《系辞》中的“太极”只是《老子》中“道”[②]的异称,与此相应,由孔子编撰的经典处理的也是和《老子》同样的问题。圣人与老子一样,处理的都是这一唯一实质性的哲学

① 冠礼通常在 20 岁举行。王弼生于公元 226 年,那么冠礼的时间就是 245 年。我认为编者这一段的断句“父业为尚书郎。时裴徽为吏部郎,弼未弱冠往造焉”有误。我认为应改为“父业为尚书郎时,裴徽为吏部郎;弼未弱冠往造焉”。这就是说,王弼的父亲与裴徽曾同时做职位较低的官职;但王弼造访的不是作为吏部郎的裴徽,而是已成为著名学者和高官的裴徽。刘汝霖《汉晋学术编年》相当可靠地证实,到 244 年,裴徽已经成为冀州牧;但除了上面这段被误读的段落外,刘没有其他的材料论断裴徽见王弼时还只是一个吏部郎。吏部郎只是出身豪门的年轻人的一个入门官职;如果王弼造访的仅仅是一个吏部郎,那也就没什么可吃惊的了。刘汝霖认为《老子注》写于二人相见之前,即公元 243 年,《汉晋学术编年》,页 159。没有证据可以证明这一点。显然王弼早在公开他的《老子注》之前就已经以《老子》专家而闻名。

② 这方面的资料,参见本书第三编第二章。

问题。王弼与裴徽共享这一基本假设,而王弼在此又在这一共同性中建立起了差异。孔老相容性的假设对于王弼对《老子》和《周易》(被视为由往圣相继而成的作品,孔子给它添加了最后的几个部分)的建构具有重要的影响。

任何文本的读解前提都是这一文本的性质预设,而这一预设提供了整个文本的背景。例如,对一个被假定为包含编码信息的文本的读解策略将不同于一个直陈式的文本。如果一个文本被认为包含了圣人的洞见,那么对它的读解策略将与被假定为乡下白痴写的文本截然不同;圣人的洞见被接受为真理,需要的只是对它的理解;而白痴的胡言乱语中的任何真理都将被视为偶然的结果。然而,为人熟知的道说真理的狂人形象甚至削弱了这些一般假设的可靠性。

裴徽与王弼的对话有助于我们确定引导王弼的读解策略的两个基本预设。首先,它表明了孔子和老子分别作为圣人和亚圣都具有极高的品质;其次,它表明圣人和亚圣实质上处理的是同一问题,即“无”与万物的关系。由于这是这些文本的核心问题,对《老子》、《周易》和《论语》的注释必须把每一个独立的分章读作这一整体探索的一个部分。因此,王弼的《老子微旨略例》不是以一个关于老子或任何其他人的论述开始,而是由一个关于“所以”及其与万物的关系、关于“所以”的不可界定性以及通过它在具体的万物中的“畅至”来认识它的面相的可能性的论述开始。①

这样一来,文本的预期品质就取决于作者的等级;文本的预期的核心问题就取决于这一事实:圣人和亚圣处理的是哲学唯一的真正研究对象;因此,文本的单个部分的一致性就在这两个假设的基础上建立起来。

对于《老子》而言,这三个向度对文本结构的引导的结果通过注释而清晰和直接起来。然而,裴徽的问题不是针对《老子》;他在阅读这一文

① 《老子微旨略例》,页 195。

本时没有遇到什么问题。他着力于这样的问题：尽管圣人孔子实际处理的是同一问题,可他似乎没有提到它。与《老子》相反,孔子的那些文本表面,如《周易》,并没有为他关于这一核心问题的思考提供明确的线索。

王弼对裴徽的回答将作者/编者的身份与实际的文本表面关联起来。从作者/编者孔子的圣哲看,文本的核心问题是什么以及只能是什么是很清楚的,无论文本表面上在说什么。这样,他的论述带来的主要的新贡献是为孔子的文本建立了一种读解的策略,即它们必须被读为实质上是在处理"所以"与万物的关系,而不去管文本表面上似乎说的是别的东西。呈现出《论语》和《周易》中这些潜藏的思想,将是王弼的注释的任务。

王弼的回答处理了孔子似乎没有谈到"无"或类似的东西的问题,但他没有质疑裴徽提问的正当性。从司马谈《论六家要旨》以来,将思想家按照他们可能归属的学派("家")来归类成为一种惯例。甚至宫廷图书馆也是以这一方式组织的,其结果是《汉书·艺文志》中的图书分类。玄学家们(裴策在其中有很高的地位)追随并发展了一种试图超越这些肤浅的学派划分而回归严肃的哲学探究的传统(对此我们将在本书的其他地方加以概述)。他们否定了"儒"和"道家"这类名称的哲学价值。在他们看来,将孔子视为对于治理社会有某些价值的有关人和社会关系的学说的创建者(正如司马谈主张的那样)是一种误解;认为《老子》在宣扬"绝礼弃学"时是对孔子的核心训诫的轻忽同样是一种误解。但他们都不承认在后汉发展出来的对孔子和老子的神化。①

他们认为,事实上,二位哲人都厌恶粗鄙的学者们肤浅而且有社会危害的胡说。其结果是,王弼将通常认为互不相容的传统(一面是《周易》和《论语》,另一面是《老子》和《庄子》)读为相同的哲学探索的部分,

---

① 参见 Jack Dull,"A Historical Introduction to the Apocryphal(Ch'an Wei) Texts of the Han Dynasty",页 516;A. Seidel, *La divinisation du Lao Tseu*。

结果是他可以在其《老子注》中以《论语》、《周易》和《庄子》中的要素作为补充,而在其《周易注》中以《老子》和《论语》中的要素为补充。[1] 他的师友何晏在一篇文章中相当清楚地表达了这一点。刘孝标《世说新语注》中引用的"文章叙录"中提到了这一点:

> 自儒者论以老子非圣人绝礼弃学,晏说与圣人同,著论行于世也。[2]

这样,《老子》的作者就不是一个与其他学派的倡导者相反的道家学者,而是一个探求玄奥的"万物之所以"的哲人。在读解策略上,没有理由将他看作是以孔子为潜在的对手来加以反对。与此相反,尽管他们理解的层次有所不同,但二者在根本上是一致的。对于《老子》而言,它必须被读作在根本上与孔子的哲学思考的目的相一致(这并不意味着与声称是继承了孔子传统的儒家教条一致)。

王弼与裴徽的对话建立了另一个重要的解释原则。由于圣人完全意识到他所"体"证的"万物之所资"无法言说,因此他不说。这样,在那些可能是圣人及其先辈编撰的作品中有关"无"这类神秘主题的论述的缺席就不是它们缺乏对终极事物的兴趣或理解的标志;正相反,他们对这类主题的沉默,是他们自身体现"无"的本质的最高的证明。

孔子的"不作"成为他的洞见的最终证明。圣人的行为、事迹和言语,比如记录在《论语》和《周易》中的那些,尽管看似琐碎,却只能被读作暗示着某些不可言说的东西的深玄的启示。它们通过暗示的方式处理的正是《老子》试图正面把握的问题。圣人的生活(包括他的不事著述)

---

① 例如:《周易略例》"明象"章引用了《庄子》鱼筌之喻,见《王弼集校释》,页 609;在注释《老子》38.2 时,引用了《周易》"复卦"的彖辞"天地之心见",《王弼集校释》,页 336;《老子》17.1 注引《周易》"乾卦"《文言》;《老子微旨略例》6.1 引用《论语》2.2 中孔子的话,而且王弼《周易注》中有许多引文出自《老子》。

② 《文章叙录》,引自刘孝标《世说新语注》,4.10。某些中国学者将这一段误解为何晏认为老子在等级上与圣人同样高。根据语法、内容和上引证据,我认为这一解读是靠不住的。参见王葆玹,《正始玄学》,页 9。

成为他所体证的作为万物之本的“无”的活生生的展现。[①] 相反,《老子》对这一“无”的文字表达形式的寻求却正表明了他属于“有者”。我们有书籍形式的《老子》(与孔子的无书相反)这一愉快的事实,是老子低于孔子的一个标志和证据。由于读者像老子(尽管他与圣人的距离已经非常接近,但其地位仍只是在普通学者范围内的最高等级而已)一样也属于这一范围,老子的低于圣人也确保了他对我们来说的可接近性。

既然如此,王弼就是在为老子的、作为其缺憾的工作撰写注释,然而无论是在他的《老子注》还是《老子微旨略例》中,都没有对这一文本持批评性的、甚至怀有敌意的观点的言辞。然而,他同时代的人中有某些人持这样的立场。荀粲(约 212—240 年)主张:既然言辞不能完全表达意义,所以被归为圣人的作品就是靠不住的,其实质不过是“圣人之糟粕”,是些没什么价值的饶舌。因此,它们是不值得研究和注解的。[②] 他是否对《老子》提出过相同的主张无从得知,但考虑到在那个时代孔子与老子之间广为接受的地位差别,如果前者都是如此,那么后者就更不用说了。王弼没有接受这一极端的立场,而是在他关于语言的理论以及他的注释的实践中含蓄地反驳了它。荀粲观点的论辩性压力在王弼对这一问题的存在的接受和对这一问题的相当全面的解决这两方面都可以觉察到,我们在后面还会谈及。[③]

从王弼与裴徽的对话中所做的比较出发,可以进一步认为由于相应洞见的缺乏,《老子》是一个并不可靠的文本。这不是王弼的观点。圣人与老子之间是如此的接近,以至于他们之间的差异只能在某个对于考察者而言并不明显的点上发现。这一最小的差异在于二者对语言的不同态度,而不在于他们对“无”的理解程度。事实上,孔子没有谈到“无”,而

---

① 参见 R. Wagner,“Die Unhandlichkeit des Konfuzius”,载 A. Assmann 编,*Weisheit. Archaologie der literarischen Kommunikation Ⅲ*,页 455—464。

② 何劭,《荀粲别传》,引自《三国志》裴注,10.319。

③ 参见本书第三编第一章。

老子却谈到了它。然而,正如我们将会看到的,王弼认为老子完全意识到了语言在处理非具体性问题上的缺陷,也意识到了作为一种哲学工具的语言的不可靠性。《老子》中包含着的真理是充分的,这一真理因误解而遮蔽,因此既值得、也需要对它加以注解。

依据《老子》自身的指示,必须发展出一种对此有充分认识的读解策略:语言在表达“无”时的弱点、不可靠和尝试性,这一读解策略同时要使这一表达方式的有限潜能尽可能地发挥出来。与之正成对照的是,《周易》使用了一种精致得多的多层次表达结构,从而得以在“体无”的同时不必陷入关于“无”的那些不可信赖的陈述中去。就有关《老子》的读解而言,我们有必要假定这一文本中包含有对“万物之所以”的可靠的理解,但它用以谈及这一“万物之所资”的语言却是尝试性的、不可靠的,而且它对此有清楚的认识。

然而,这两个文本之间仍有一个差别。《周易》在王弼及其同代人看来,是由“体无”的孔子及其前辈圣人为了克服语言的这些缺陷而建构的文本。它是那些成功地谈及存在的哲学而又不正面提到它的圣人们的一次演示。这一神秘、深奥的演示使得普通学者很难透达它的深度。《老子》是一部可理解但其言辞并不可靠的书,不是由真正的圣人、而是由比之略低的“亚圣”撰写的关于作为“万物之所以”的“无”以及“体无”的圣人的书。

这一对《老子》的评价是阮籍、何晏等玄学家的共识。将老子置于最高地位的陆希声在一则关于王弼的批评性评注中指出阮籍重复了王弼的评价:

> 王弼以谓圣人与道合体,老氏未能体道。故阮籍谓之上贤亚圣之人,盖同于辅嗣。①

释道安(312—285年)断言“何晏王弼咸云老未及圣”,南朝的周颙也

① 陆希声,《道德经传》序。参见王葆玹,《正始玄学》,页8。

重复了这一说法。[①] 王葆玹收集到了玄学家(包括何晏和郭象)将庄子看作与老子地位相同的证据。[②]

这一对孔老关系的评价在随后的几个世纪里一直是玄学的追随者的标志,从而与那些强调其相应奠基者的绝对优先地位的道徒和儒者区别开来。[③]

这样,王弼对《老子》的评价就否定了那个时代流行的三种路向以及在其基础上的诠释策略。在他看来,《老子》这本书既不是最高神揭示出来的,也不是孔子的老师写的,或者某个平庸的思想家编造的。同时它也不是与孔子的儒家教义相对的道家文献。王弼承继了这样的传统:将《老子》视为一个像圣人那样从事哲学而非建立某个学派的哲学家的著作,一个尽管已经达到了普通人所能期许的最高层次但仍低于圣人的人的著作。[④] 这一差距使得他在哲学探寻中试图使用必然是不可靠的、尝试性的媒介——界定性的语言,这一媒介同时使得运用语言的哲学成为可能,也导出了学派分类史的荒谬。

还有最后一个问题。如果老子与孔子的相对地位的问题确实像我们声称的那样重要的话,为什么在《老子微旨略例》中没有关于二者的完整论述呢?问题很可能出在这一文本的传承上。正如我们将在别处表明的那样,《老子微旨略例》是一系列出自原初那个更大的文本的选本。[⑤] 这类选本中现存的有两种,其中一个较短,而且被完整地包含在另一个选本中。两个选本都以佚名的方式收载了《道藏》,其中一个作为独立的篇章,而另一个则是宋代道藏摘要《云笈七签》的一个部分。[⑥]《道藏》似

---

① 释道安,"二教论",页 138;周颙,"周重答书并周重问",页 40 上。

② 王葆玹,《正始玄学》,页 11。

③ 王葆玹,《正始玄学》,页 16。

④ 王葆玹收集了许多魏晋名士以九级的第二级为目标以此作为宣称自己亚圣地位的方式的证据。参见《正始玄学》,页 54。

⑤ 参见本书第二编第三章。

⑥《老子微旨例略》,《正统道藏》。张君房,《云笈七签》。

乎不太可能收载一个在根本上背离了道家核心信仰(即《老子》相对于其他人的优越性)的作者的著述,尽管它也收录了像《墨子》和《韩非子》这样的文本。正如我们将要看到的,在王弼对各"家"的攻击中并没有专门针对道家的,尽管在有关其个人或学术的记述中没有东西表明他会认为自己是一个道家的支持者。因此,这一对道教的批评的缺失可能又暗示了某种编辑性的介入。另外可以指出的是,作为进一步的证据,尽管圣人在《老子》中极为重要,但在现存的《老子微旨略例》的选本中却很少提到他,即使提到也只泛泛之谈。尽管在《老子微旨略例》原本中包含更多关于孔子的论述是可能的。然而,如果《略例》中是以一种本来会用在老子身上(在道教徒看来)的方式提及孔子的,那么《道藏》的选本将这些段落删去也就可以理解了。然而,这两方面的观点都并无严格的证据。

我们现在可以得出引导王弼对《老子》的读解、确定其方法论并为可行的和不可行的诠释做法提供标准的一些初步的参考性结论。

- 《老子》是一个由老子本人撰写的文本。由此,似乎假设了这一文本在力求哲学上的同质性。对它的注释必须把单立的分章读作一个均质整体的部分。

- 《老子》探索的是那个唯一的哲学问题——"所以"的特征以及"所以"与万物的关系。这一假设决定了整个《老子》的一般背景。

- 由于要成为所有特殊的东西的"所以"就必定是非特殊的,因此它拒绝以特殊性为前提的定义。

- 与此同时,这一"所以"在万物中作为万物之"所以"显现出来。这一关系被复制在盛行于存在者中的某些结构中。这一情况使得用语言材料作为能指和符号来描述它们成为可能。

- 老子在写作中对这一语言结构有清醒的理解。因此,他的文本中不包含确定的、可靠的"名",而只有权宜的探索性指称构件。

- 对《老子》中独立的分章的读解策略必须筑基于对这一文本的基本意旨以及对它所使用语言的后果的正确理解。在前一个方面的失败将导致第二个方面的失败，从而最终导致在理解这一文本上的彻底失败。

● 因此，意在理解《老子》的哲学探索的读者不要去关注《老子》的必然是不可靠的、权宜的和特定的陈述中那些背离自身指向万物根据的方面，而要去关注它们共同的、深奥的核心。

《老子》与被归入孔子名下的文本的地位

如果上面对孔老关系的估价是认真持重的，那么这一点在王弼对他们各自的文本的处理中就一定很明显。可以预见，那些被归给孔子的陈述将被看作比老子本人的拥有更高的权威。在《老子注》中，大量假想的、但仍可辩识的引自其他文献以及明确提及其他文献的文本出自《周易》，确切地说，在总共涉及 6 种不同文献的 21 处引文中，出自《周易》的有 11 处。这 11 处引文中有 8 处出自《周易》的哲学部分即《系辞》，两处出自《文言》。所有这些文本都被归入“子”的名下，而“子”在王弼的时代被普遍地等同为孔子。① 这是与王弼的引文中对出自《论语》和《孝经》中的孔子的话的强调相一致的。剩下的 1 处引自《复》卦的彖辞和象辞，在王弼的《周易注》中，它被阐释为其政治哲学的核心部分。彖和象又一次被假定为孔子本人早已插入的。这些文本被作为与《老子》的思考一致的自明的真理来引证。根据王弼本，《老子》第五章开首曰：“天地不仁，以万物为刍狗；圣人不仁，以百姓为刍狗 。”对于其中的第二句话，王弼注曰：

> 圣人与天地合其德，以百姓比刍[与]狗也。

出自《周易・乾卦》的《文言》部分的这一表述——“与天地合其德”，

---

① 出自《系辞》的引文见《老子》38.2，47.1，49.4，64.1，67.1，70.4 和 73.6 注。出自《文言》的引文，见 5.2 和 77.1 注；出自“复卦”彖传和象传的引文见 38.2 注。

是关于“大人”的。王弼依照了《文言》本身,将“大人”等同为“圣人”。《老子》没有解释为什么圣人会做与天地所做的同样的事情。王弼再一次通过引文的插入来代替具体的解释。这样一来,《周易》中孔子的话的引入,就不仅是对于王弼的注及其隐含的读者而言作为无可置疑的真理的可靠来源,而且对于《老子》本身也是如此。在王弼的解读中,只有在《文言》的话的基础上,《老子》的话才是有意义的。这样一来,我们将不得不检验这一假设:作为圣人的孔子与作为贤人的老子之间的关系,在那些被信奉为出自孔子的话与《老子》的话之间的关系中得到了反映——前者是后者的基础。

《老子》第47章有这样的名言:

不出户,以知天下; 不窥牖,以知天道。

王弼注曰:

事有宗 而 物有主。

[正如孔子在《系辞》中所说:“天下何思何虑”]

途虽殊而其归同也; 虑虽百而其致一也。①

以“虽”开头的两个句子几乎是《系辞》中“子曰”的一句话的逐字重复。同样,这句话不是在提出理由,而是作为一种权威而被援引。《老子》的话只是在孔子的话的真理基础上才是真实和有意义的:只有一条唯一的哲学道路,因此所有的思想都不得不趋向于它。结果,毫无疑问,人们思考的“事”或“物”都将必然归结于它们的“宗”和“主”。

在他对《老子》第49章第四、五两句的注释中,圣人通过自身的没有特征建立起社会秩序,以便“百姓各皆注其耳目焉,吾(圣人)皆孩之”;在这里,王弼从《系辞》引入了一段长的引文。它指出天地设立了万物的位置,

① 文本及其详细译文,参见本书第二编。

而圣人通过使每一物都得到它恰当的位置而充极它们的所能。《老子》的话好像还是建立在《系辞》的话的基础之上，根据它，《老子》的话的确变得富有意味。在对《老子》70.4的注释中，《系辞》的引文又一次暗示只有在《系辞》的限定的基础上《老子》的话才是有意义的。

《老子》73.8的王弼注(其中提到圣人“坦然而善谋”)，引用了《系辞》中的两句话和《老子》其他章节的一句话。很显然，这些共同构成了《老子》的这一论断的潜在基础；因为在援引这一论据以后，注文总结道：“故[老子]曰‘坦然而善谋’也。”

在另一个场合，王弼用“故曰”进一步引入《周易》，而没有提及在何处可以这样说。通常他会在注文的结尾使用这一表达；在解释了基本的论断以后，然后以“故曰”来总结。然而，在这个地方，“故曰”后面跟着的文本不是出自《老子》，而是出自《周易》。[①] 在一个更明显的例子里，他将《老子》的文本本身视为对《系辞》的直接参照。[②]

在这些引文的基础上，我们得出结论：在王弼看来，《老子》和《周易》，特别是被归入孔子名下的哲学部分，在哲学上是完全相容的。

对这种观点而言，《老子》的许多哲学论述依赖于孔子在《周易》中建立起来的前提，并且只有依靠这一背景才是可理解的。

这样一来，《周易》或被提及的部分就可以有相对于《老子》的哲学的优先性，这反映出作为圣人的孔子与老子之间细微但却意义重大的区别。

隐含的读者及其教育

在界定了作者、主题以及用来处理这一主题的语言以后，我们接下来研究作为作者的奇想的牺牲者、他的批评的承受者以及他的洞见的接

① 王弼《老子》38.2注。

② 《老子》80.4，参见《老子》80.1注。

受者的想象的存在——隐含的读者。读者不是一张可以在上面任意书写的白纸。他是这样一种特定的历史存在：除了有不可剥夺的因此也不容置辩的误解、选择、反对、厌弃的权利以外，他还有记忆、知识、思想习惯和偏见以及对作者潜在的批判甚至敌视的态度。这一隐含的读者与王弼同时代的真实读者可能有亲缘关系。在作为王弼的一种虚构的同时，他还可以被看作是对实际的同时代读者的一种虚构化的抽象；因此我们应该将出自历史资料中有关实际读者的信息与王弼的文本中有关隐含的读者的信息处理为互补的关系。

这两种读者在王弼《老子注》（或《老子》本文）中都没有直接出现。但从《老子注》和《老子旨略》的一些做法以及这些文本内的压力的某些痕迹，我们可以重构这一隐含的读者的某些特征；反过来，这也将有助于勾画王弼的著述的意图，因为很明显，他一直在试图对他的特定的、历史性的隐含的读者说些什么。

在考察王弼强加给其隐含的读者的《老子》的知识水准之前，我将首先呈显出这一想象中的人群的基本教育程度。王弼的《老子注》中包含有出自《周易》、《论语》、《左传》、《孝经》、《庄子》和《淮南子》的未加区分的逐字引文。其中也许还有更多未被辨认出的出自其他文本的引文。这些引文的性质随着读者期待的不同而不同。对于隐含的读者而言，看到《老子》在某些问题上与《庄子》和《淮南子》一致时不会太过惊异，而看到儒家的“六经”与《老子》有相同的政治哲学这样的假设时情况就不同了。

正如我们已经看到的那样，引文的上下文会告诉我们某些关于相应文本在一个文本等级秩序中的地位的信息。如果某段引文被作为一个论点所依据的权威来引证，那么它的地位就显然高于被引用的也出现在别处的那些表达或比较，而它在不必回溯其原本的上下文以及其原来文本的地位的情况下也是可理解的。

《老子注》中的某些引文，如出自《淮南子》和《庄子》中的那些，即使对于原来的本文没有任何知识也能理解。在对《老子》49.5 的注释中，王弼说：

［如《淮南子》14.138.9所说：］

夫在智则人与之讼　　　　在力则人与之争

引自《淮南子》中的话完全被整合进了王弼的议论中。这一论述的真理性的证明源自议论本身的逻辑，而非来自记忆宝库中唤起的《淮南子》的权威。在对《老子》20.1的注释中，王弼从《庄子》8中借用了一个句子，它同样有其自身的逻辑和权威，而无需读者有任何关于其来源的知识。在对《老子》49.5的注释中逐字引用的独特用语也同样如此。这些文本在《老子注》中的可引用性基于它们共享《老子》的基本取向的假设。

在对《老子》24.2的注释中王弼对《左传》的含蓄提及则具有不同的性质。王弼写道：

其唯于道而论之，若

郤至之行，

盛馔之余也。本虽美，

更可薉也。　　　　本虽有功而自伐之，故更为疣赘者也。

首先，要想理解这里对郤至的提及，需要对王弼暗示的这则故事有完整的知识。读者必须在心中多少知道些《左传》（以及《春秋》）的内容。其次，在这则暗指的《左传》的故事中，引用了《尚书》中的这句话："怨岂在明，不见是图，将慎其细也"。这一故事以及这一格言的内容适应于引用它们的注释所对应的《老子》本文。相应地，《左传》和《尚书》被用作一个权威的文本整体的部分，它们有共同的哲学并相互发明。对《尚书》引文的暗示揭示并证明了《老子》与"六经"是对同一哲学问题的探索。在对《老子》32.3的注释中的第二条对《左传》的含蓄提及处理的是用社会规范控制社会带来的反面结果。① 这一提及再一次预设了《老子》与《左

① 参见本书第三编第三章。

传》有共同的哲学基础。

在王弼对《老子》25.9 的注释中未指明地引用了一句源自《孝经》的话，它预设了这样的知识准备：知道“天地之性人为贵”这句话是孔子本人说的。隐含的读者在内心必须了解《孝经》。这句话是通过其作者、而非其逻辑获得权威的。对它的引用巧妙地解释了为什么人类最高的存在——“王”在《老子》中可以与四大中的其他三个“道”、“天”、“地”并提。这一引文又是在《孝经》这样的文本与《老子》有共享的哲学这一基础上被引用的。

《老子》49.5 的注释通过含蓄地指涉《论语》里孔子关于“君子之于天下也、无适也、无莫也”的论述来解释《老子》中圣人“为天下浑心焉”的论述。①只有在读者识别了“适”和“莫”这两个词汇的暗指的情形下，这一注释才有意义。隐含的读者必须对《论语》了然于胸。孔子和老子又被理解为共享相同的哲学。通过这一注释，圣人与君子的同一化没有被进一步证实，而是被预设为前提了。奇怪的是，它依赖于这两个词在另一个文本(《周易·乾卦》“文言”注)中可以互换使用这一事实。②

正如已经指出的，大量可辩识的引文出自《周易》，并且在王弼的注中被当做权威的资源来引证。引文及其原本上下文的分辨对于把握王弼的诠释而言是关键的。隐含的读者熟悉《周易》，并将它看作圣人的权威性哲学论述。

从当时人的传记中，我们得知《老子》和《周易》在公元 230—240 年间的曹魏是基本哲学教养。③《庄子》在这一背景中并没有被提到，也许是因为它极为有限的可利用性。就我所知，直到正始末年，仅有的几段出自《庄子》的引文也只能在王弼和何晏那里找到。④

---

① 参见本书第二编中我对 64.1 注的译文及页 659 注①。

② 参见本书页 470 注⑨。

③ 关于钟会，见《三国志》裴注，页 786；关于荀融，见页 316；关于何晏，见《太平御览》卷 385《何晏传》的摘要。

④ 参见本书第三编。

由此可知,王弼的隐含的读者应该熟记《周易》、《论语》、《孝经》和《左传》,但并不需要对它们有巨细靡遗的知识。与此形成对照的是,葛洪《抱朴子》(一个由比王弼晚两代的、有汉学传统训练的南方学者撰写的文本)的隐含的读者则要求对几乎整个汉以前及汉代文献有完整的知识,只有这样他才有望对《抱朴子·外篇》有所理解。王弼的读者追求的是哲学;王弼考验的是读者的思考能力,而不是他的教育水准。王弼的隐含的读者是罕见的天才和哲学家,他通过细读圣人和亚圣的著作寻求对万物的根据以及社会秩序的理解。他不是一个意在掌握有关各家宗旨的广博知识的博闻多识者。

我们现在从《老子注》中对其他多少有些经典性的文本的指涉转向注文中《老子》自身的各分章间的相互指涉,这种情况几乎在每一章里都有。王弼对《老子》中单个句子的注释常常使用将在文本的随后部分出现的表达,这样,对于一个初读者而言,那将是无法识别的。在他对第10章的注(作为一个极端的例子)中,有六处这样未标明的出自后面分章的引文。[1] 引文如下:

> [治理者]载营魄抱一,能无离乎!

注释:

> 载,犹处也。营魄,人之常居处也。
> 一,人之真[性]也。
> 言人能处常居之宅,抱一清神能常无离乎?则"万物自宾"也。

在注释里,"乎"后面的整句话是对《老子》32.1的未加引号的逐字引用。其文如下:

> 道常无名,朴虽小,天下莫能臣也。侯王若能守,万物将自宾。

① 这六处未标明的引文是,10.2注中出自32.1的引文,10.3注中出自56.7的引文,10.4注中19.1的引文,10.5注中32.1的引文,以及10.6注中37.1—3的引文。

如果读者不能辨别出它是对《老子》另一章的逐字引用,并且它前面的句子与这里“乎”前面的句子在内容上非常相近的话,那么王弼对由感叹词“乎”开启的一个空间的阐释将显得毫无意义。

《老子》10.1 没有指明这个句子的主语是谁。注释为它插入了“人”作主语。然而,这个句子不是对任何人都有效的,而只是对那些处于某个可以使万物为宾的位置上的人而言的。这个句子通常出现在劝告治理者尊崇贤人以达到万物将自宾的结果的政治性论述中。实际上,《老子》10.1 的真正主语是王弼从《老子》32.1 引文的前半句中暗中引介过来的,那一句的主语是万物将宾服于他的“侯王”。我通过在括号中置入主语“治理者”而将它插入《老子》10.1 的译文中。这一做法的正当性可以由《老子》10.6 的王弼注中出自《老子》37.1—3 的引文得到证实。在那里,引文中包括了“侯王”。

读者如何理解句中的“乎”呢(在这一句中,它表示尽管“侯王”若能“载营魄抱一”便会天下宾服,还是很少有侯王能做到)?要想理解这句话批评性的、绝望的意味,他必须留意稍后的《老子》22.6 中的另一个句子,那里提到“圣人抱一”。对于圣人而言,这是他行事的自然方式,而对于侯王来说则是一种罕见的成就,只能以表明这一选择的唯一性(甚至是不现实性)的假设性的“若”(或“若唯”)来讨论。

要达到对作为我们的例证的《老子》10.1 的王弼注的一种简单的把握,读者也必须能够辨识没有引证标记的引文以及这些引文的未经述及的上下文,并将《老子》对同一问题的其他论述一并考虑在内。如果对《老子》的文本没有这样高水准的把握,读者将无法理解王弼的论述,这些论述的可靠性很大程度上依赖于这一事实:它用《老子》本身来解释《老子》并由此达到了对整个文本的一以贯之的读解。

第二个例子,《老子》33.4 如下:

强行者有志也。

王弼的注释如下：

> “勤能行之”，其志必获，故曰强行者有志矣！

要想弄清这一行动的对象，读者必须意识到注中用来解释“强行”的“勤能行”出自《老子》41.1，其文如下：

> 上士闻道，勤能行之。

通过对《老子》41.1的间接指涉，王弼注给《老子》33.4提供了三个关键的信息。它告诉读者“强”的意思不是“横暴”，而是“勤能”；它将告诉读者“强行”者是“上士”（在那章里似乎被等同为圣人）；它还将告诉读者这一“上士”如此投入地付诸行动的是“道”。经过这一构造，《老子》33.4的意思就成了这样：

> 强行[道]者[，即上士或圣人]，[将]得[其]志也。

读者在阅读41.1时，也有必要想到《老子》33.4。在《老子》41.1中，上士实践道的结果并不清楚。王弼通过简单地引用《老子》33.4补充了这一结果，即“有志”。在某些场合引文显得非常明显，如在《老子》20.1的注释中，王弼以“下篇云”开头，后面跟着一段逐字的引文。①

隐含的读者熟知《老子》。王弼的《老子》注没有假定他的读者是头一次阅读《老子》，并因此而渴求指引。在某种意义上，对于一个3世纪的知识分子来说，不可能有所谓对《老子》的初次阅读。这一文本的思想以及许多词汇已经成为文化的背景声音，甚至对那些从未看过《老子》的人也是如此；它们中的某些东西已经成为谚语库的部分，就像许多现代的“成语”一样。作为权威的、可引证的文本，《老子》至少从公元前3世纪就开始被引用。这里有一个文本构造的“金字塔”：从个体读者的理解和误解到某些被特定的知识圈普遍接受的解读；到隐含在某个引证《老

---

① 详见本书第二编第四章。

子》的论述中的构造——这一构造再次预设了对当下段落的某种一般理解；到某个教师对整个文本的口头解释；到文本性的注释；最后到关于“《老子》本义”的分析性文章。所有这些形式在公元3世纪同时存在。在理解了注释只是可以构造这一文本的多种类型的“金字塔”的顶端以后，我们目光也会转向在给定时代的特殊的哲学、政治和社会背景下重构对这一文本的理解的其他资源。有可能从《老子》中引证某个段落的断代史中的政治言论和奏章、发展完善的“论”文本以及对诗及历史著述的注释等，对《老子》的构建的历史而言，都是潜在的、未经利用的资源。由此可知，曹魏时代的年轻人要想了解《老子》，会有比阅读注释更多的渠道。

那些成长于20世纪90年代以来的、出身于氏族的年轻人（如何晏、钟会或者王弼本人）的传记中，常常提到他们在很小的时候就阅读了《老子》——通常在10岁以前。他们常常能够在对这一文本的理解上胜过那些年长的同伴。[①] 这种读解还包括对该文本的全部或者是主要部分的记诵。在何晏与王弼关于《老子》的著名讨论中，没有记载提到两个人手里拿着某个抄本，而那些分享青年王弼的胜利的客人，更是肯定没有文本在手。王弼和何晏是在讨论《老子》中某些段落的意义；这一讨论对那些没有对整个文本了然于心的人而言没什么意思，因为否则他没法在两人就某个段落进行讨论时考查论辩双方在何种程度上是以整个文本的术语和宗旨为依据的。[②] 这一证据表明，隐含的读者与王弼的真实读者在对《老子》的纯熟程度上有相象之处。

整篇《老子》在读者头脑中的同时呈现对于《老子》的时间结构的知觉有其重要的影响。阅读是一种依时间轴展开的行为，迄今未知的文本

① 关于何晏在阅读兵书上比其继父曹操更优秀的记述，参见《太平御览》第385卷中的《何晏传》；关于他对《老子》的早慧的阅读，参见《世说新语》，12.2；关于钟会，参见《三国志》裴注中引用的他撰写的生母传记，页785。整个《世说新语》的第12卷都被用来记述这类早慧的例子。

② 关于此次相遇，参见《世说新语·文学篇》。

依据时间、空间和论述连续地展开。在许多文学和哲学著作中，这一阅读过程的时间结构被作者用来逐步构建一个论述、调动所有悬疑的要素讲述一个故事，并且诱发读者对将要到来的发展的预期。王弼对隐含的读者熟悉《老子》本文的预设消除了这一时间结构的部分，并暗示了在阅读它的每个部分的每个瞬间整个文本的同时在场。我们下面还要回到这一点上。[①]

对立文本

由俄国结构主义者 Victor Shklovskij 最先提出的一条定理指出：任何文本都是针对一个或数个背景写成的。我称之为“对立文本”。我们可以假定，3 世纪的年轻人在教师或父母的指导下研习了这一文本。钟会的母亲亲自指导他，也许用的就是他父亲钟繇撰写的《老子》和《周易》注。[②] 这里的问题是：年轻的学习者究竟是只知道《老子》本文，还是附有一种或几种注释的文本？王弼的隐含的读者的头脑中究竟是只有一个由以前的注释家结构的文本，还是有几个这样的文本？王弼是在回应潜藏在他的隐含的以及真实的读者心目中的对立文本吗？

那时的《老子》抄本可能并没附有注释。成于公元 270 年的《老子》索统本残本就是这样一个抄本，尽管它的大标题《太上玄元道德经》表明它是在被饶宗颐确定归属于张道陵的天师道的特定传统中读解《老子》的。[③] 然而，这样的白文式文本在那个时候可能已经是例外了，这种例外可能是源于索统作为一个占梦者在吴国(抄本使用的年号)，或者是在遥远的敦煌的生活。根据几百年后的注家孔颖达(574—648 年)的记述，汉

---

① 参见本编第五章。

② 关于钟会母亲对他的教育的描述，参见裴松之《三国志注》，页 785。钟繇的著述收录在姚振宗，《三国艺文志》，包括《周易训》、《老子训》和《笔势论》。

③ 饶宗颐，“吴建衡二年索统写本《道德经》残卷考证”，*Journal of Oriental Studies* Ⅱ.1:1—71 (1955)。

代的注释一般是作为一个独立的单元附录于本文的。孔颖达认为马融(79—166 年)是第一个将自己的注释直接插入本文中的人。[1] 然而,真正重大的变化始于王弼对《周易》以及数十年后杜预对《春秋》和《左传》的重新安排。王弼将《周易》读解为自我注解的文本;他把包含在"十翼"中注释拆解开,并将它们插入本文。[2] 杜预(222—84 年)则将《左传》结构为对《春秋》的注释,将两个文本中的相应部分交织起来。[3] 这种重新安排似乎是在一个注释越来越多地成为文本结构不可或缺的部分的时代里对本文/注释关系的整体重组的一部分。[4] 事实上,王弼用于《老子》的一些重要的注释技巧是以《老子》本身所包含的阐释技艺为基础的。我们在下面还会谈到这一点。

就我所知,我们找不到王弼那个时代本文与注释的一般安排的抄本证据。然而,还是有一些间接的线索。傅奕(554—639 年)在撰写他看过的《老子》古本的历史的时候,是以年代顺序展开的。他提到的最古老的抄本是"项羽妾"本。这一公元前 3 世纪晚期的抄本是以它的拥有者命名的。接下来的是"望安丘之本"。望安丘之好像是毋丘望(之),公元前 1 世纪的《老子》注释者。[5] 如果确是如此,那么这在傅奕的目录中就是

---

① 孔颖达《毛诗正义》云:"汉初为传训者,皆与经别行。三传之文,不与经连。故石经书《公羊传》皆无经文。《艺文志》云:'《毛诗经》二十九卷,《毛诗故训传》三十卷,是毛为诂训,亦与经别也。及马融为《周礼》之注,乃云欲省学者两读,故具载本文。然则后汉以来,始就经为注。"1.289 上。

② 汤用彤,"王弼之《周易》、《论语》新义"。

③ 杜预,《春秋经传集解》。

④ 正如我们已经看到的那样,"内部的注释"在《管子》以及马王堆出土的《五行篇》中已经出现了。出现在东汉末年的文本与注释的再安排似乎在某些版面特征上加以区别:让注释成为插入另一文本层的独特的文本层,并以某些特殊的方式标识出来。将注释写成较小的字体以便让两行注释对应一行本文的新技巧,几乎不可能用于竹简,因为它们对于两行文字来说太窄了。然而,到了公元 2 世纪末,纸已经得到广泛的运用,也许正是此种介质的出现才使得这一变化成为可能。在注释前面插入诸如"注"这样的字眼是另一种选择,但效果有限,因为它无助于确定注释的结尾。

⑤ 严灵峰《中外老子著述目录》假设"安"与"毋"在古文字中较为接近,因为被混淆了。而"毋丘"是一种有确定记载的姓氏。

第一个由与它一道传承下来的注释来冠名的《老子》文本。这一目录中所有此后的抄本——河上丈人、王弼、河上公,都是以其注释者命名的。[①] 傅奕处理的只是"古"抄本而不管当时的新抄本。这意味着那个时代几乎所有的古本都附有注释。这一间接的证据表明在那个时代无论是王弼注的隐含的读者,还是它的真正读者都不仅阅读并记诵了《老子》本文,而且他们所了解的《老子》也都是由一个或几个注释者所结构的《老子》。

隐含的以及真正的读者可能并不十分需要一个年仅 22 岁、出身高贵的自负的年轻人的注释,因为也许在各地的书肆(如果这是那个时代各种注本得以流通到更广泛的公众中的渠道的话)可以买到十几种有名的注本。他们也许听说过王弼与何晏之间著名的讨论,但竞争仍是激烈的;我们应该假定隐含的读者对这一注本抱有既好奇又怀疑的态度——乐于对某些显见的不足加以嘲讽。

在阅读王弼的分析的过程中,历史的读者需要暂时将《老子》本文与那些他读过的注释分割开来,并以试验性的态度进入王弼对《老子》的构造中;这样,他们就一定会将王弼的《老子》解读与其他人的相比较,然后对哪一个有最高的说服力做出结论。这一结论中包含对注释品质的标准的建立。最后,为了发现其他的注释者或王弼在其基本方法和具体分析中什么地方搞错了,他们还必须解构其他注者(或由王弼)对于《老子》的解读。

在这一比较中,王弼注及其《老子微旨略例》不可能是置身其外的旁观者。我们只能假定它们支持对其竞争者的解构以期使读者脱离其阅读惯习(在王弼看来,这一惯习将根本上阻断他理解"老子微旨"的可能)。即使现存的历史材料的缺乏可能不容许我们将整个王弼注看作与

① 傅奕的记载收录于彭耜《道德真经集注杂说》,见《正统道藏》。详尽的分析参见本书第二编第一章。

其他《老子》注的想象中的对话，即使我们的分析技巧的缺陷不足以发现许多王弼注源于这一压力的印迹，但我们仍可以确定地指出：这一对话的确发生了；尽管它的对话者已经消失，但还是有许多印迹留了下来，只是我们有可能无法发现它们。在上述警告之后，我们可以进一步指出我们所能发现的这类对话性的、竞辩性的结构。

尽管在王弼那个时代有众多《老子》注本（由此它们也潜存于王弼的读者的心目中），留存至今的却相当少，而且也很少有人研究。对于河上公注和想尔注，已经有了一些研究成果。① 然而，考虑到王弼所处的知识氛围和具体的文本证据，它们看上去都不太像是王弼争论或对话的候选者；此外，河上公注的断代也还是一个问题。②

除了《老子》中包含的自我注解（比如13.1中的“何谓宠辱若惊”）以外，对于《老子》某些部分的现存最早的解释存在于《文子》和《韩非子》（韩非卒于公元前233）中；一种西汉《文子》抄本的出土很大程度上证实了这一文本的真实性，而且很可能是先秦的文本。③ 除了在《淮南子》中有与它极为相近的文段外，我们对于《文子》在汉代的作用一无所知。由于曹魏政权强烈的“法家”倾向，《魏书》中所说的“今之学者师商韩而上法术”是可信的。④ 因此，《韩非子》在曹魏时期被广泛地阅读，而且是王弼的隐含的读者素养的组成部分。由于王弼的《老子旨略》以及《老子注》反对法家的文本解读和政治策略，这就更加可能了。⑤

《汉书·艺文志》列出了四种解释《老子》的作品。前三者《老子邻

---

① 饶宗颐，“《老子想尔注》续论”；I. Robinet, *Les Commentaires du Tao To King jusqu'au gong zhu jiaoli*；大渊忍尔，《老子想爾注と河上公注とのにつて關係》，页103—8。

② 大渊忍尔，《老子想爾注と河上公注とのにつて關係》，页103—8

③ “定州西汉中山怀王墓竹简《文子》释文”，《文物》12(1995)：27—36。李定生，“文子论道”，《复旦学报》，3(1984)：80—85；李定生、徐慧君，《文子要诠》，上海：复旦大学出版社，1988年。

④ 《三国志》，页502。参见许抗生，“论魏晋时期的百家学”，《中国哲学研究》，3(1982)：33；唐长孺，“魏晋玄学之形成及其发展”。

⑤ 参见本编第四章。

氏经传》、《老子傅氏经说》、《老子徐氏经说》可能是附在本文后面或是单独抄录的对整个文本的解释。第四种《刘向说老子》可能包含他对《老子》的重新安排以及某些注释。[①] 对于它们的内容我们一无所知，也没有任何引文流传下来。由于《老子》在汉初的数十年中的重要性，这些解释与法家读解倾向一致是十分可能的，这一点在马王堆汉墓帛书的文本特色和文本环境中也同样明显。

扬雄(公元前53—公元18年)的老师严遵是下一个其文本部分现存的、有关于《老子》的专门著述的作者。他撰有两卷《老子注》，在《隋书·经籍志》和《经典释文》中都有著录，但《经典释文》之后没有关于它的序录；岛邦男因此主张它在唐代就已经佚失了。[②] 严遵还写了通论性的《老子指归》，《隋书·经籍志》著录为11卷，而后来的目录中则分别著录为13和14卷。这本书卷七以后的残本以这一名称保存在《正统道藏》中，它涵盖了《老子》的后半部分，蒙文通又从唐宋的注本中辑出了有关前半部分的现存的该书引文并编为辑录。[③] 岛邦男已经通过指出其许多《老子》文字与其他早期的《老子》引文的相近使这一资料摆脱了作为一种宋代伪书的嫌疑。[④] 这一观点通过严遵的《老子》本与马王堆帛书本的密切关系得到了进一步的加强。扬雄与严遵的关系为王弼带来了另一个明确的与传统的关联，因为王弼继承了后汉时期刘表治下的荆州学风，扬雄在那里的影响极大。[⑤] 至少有一位王弼本的宋代支持者晁说之，指出王弼注以严遵发展出来的种种前提为基础："王弼《老子道德经》二卷……盖严君平《指归》之流也。其言仁义

① 《汉书·艺文志》，10:1729。

② 岛邦男，《老子校正》，页8。

③ 《道德真经指归》，《正统道藏》；蒙文通，"严君平《道德指归论》佚文"，《图书集刊》，6(1948)23—38。

④ 岛邦男，《老子校正》，页8。

⑤ 参见本编第二章。

与礼不能自用,必待道以用之。天地万物各得于一。”[①]

我没有见过安丘望之(或毋丘望之、望安丘之)《老子注》现存的引文,该注本大概成于公元前1世纪。[②] 此种《老子》本文及其注释曾收入傅奕为撰写《道德经古本》而研究的材料中。在东汉后期,学者们开始打破专治一经的传统而纂述众经的通义,某些学者如马融(99—165年)也撰写了《老子》的注释。[③] 然而,这一文本完全佚失了。某个作者不详的《老子节解》在唐宋的集注中被广为征引,但那些引文应该是出自某个后世作者的同名著作。[④]

在刘表著名的荆州学院中,《老子》得到了广泛的研究。荆州学院的领袖人物宋衷(王弼的祖父王粲与之关系密切)撰有《老子》和另一种在荆州得到集中研究的文本《太玄经》的注释。[⑤] 在魏讽对曹操的叛乱中幸存的荆州学者(其中的许多人卷入其中)[⑥]被曹魏收纳,他们的文本在那里发挥了相当大的影响。

与道教的出现相关联的各种《老子》注在曹魏发挥的作用,无从得知。黄巾道和五斗米道幸存下来的领袖人物,也被曹操收纳。曹操和曹丕均喜好道家典籍。[⑦] 很可能在后来被看作道教信徒的主要教育材料的后汉的《想尔注》(或被归在张鲁名下,如饶宗颐[⑧];或被归在张道陵名下,如唐玄宗和杜光庭[⑨])在曹魏时期也为人熟知。[⑩]《想尔注》现

---

① 晁说之,《鄜畤记》,载《集唐字老子道德经注》。

② 楠山春树,《老子傳說の研究》,页168注32以及页19注6,甚至将他们等同为安期生之,《史记》里曾提到过这个人,他是河上丈人的弟子。

③ 参见《后汉书》的马融传记,页1972。

④ 楠山春树,《老子傳說の研究》,页199,已经研究了这些片断以及这一注释(在唐代的资料中它有时被当做老子本人的东西)与河上公注的关系。

⑤ 汤用彤,“王弼之《周易》、《论语》新义”,页266。

⑥ 同上。汤用彤相信魏讽之乱实际上标志着清谈之士对曹氏获得政权的反抗。

⑦ 参见汤一介,《魏晋南北朝时期的道教》,页125。

⑧ 饶宗颐,《老子想尔注校正》,页3,根据载于《传授经戒仪注诀》中的论述,《正统道藏》。

⑨ 唐玄宗,《道德真经疏外传》;杜光庭,《道德真经广圣义》,二者均征引在饶宗颐的《老子想尔注校正》中,页1。

⑩ 参见饶宗颐,《老子想尔注校正》,页3。

存于敦煌卷子中,另有部分引文散见于各种典籍。[①]《河上公注》的成书年代自从唐代以来就颇有争议,但很可能出于东汉。它也属于相同的范畴。

汉代终结后的几十年间,在魏、蜀、吴三国中,《老子注》都颇为流行。在东吴,虞翻(183—233 年)写出了一种注本(现佚),由于像虞翻这样的东吴学者在曹魏的名望,[②]很可能各种各样的抄本已经将其带到了北方。最后,著有《太玄经注》的範望,撰写了一部《老子注》。[③]

在曹魏,有许多《老子》注本早于王弼的《老子注》:史料中提到的隐士孙登(209—241 年)撰写的《老子》注本(至今有片断尚存);[④]另外写有《周易注》的曹魏高官钟繇的《老子》注本;[⑤]张揖(卒于 239 年)的注本;[⑥]许多与王弼年辈相仿的年轻人的注本,如钟繇的儿子钟会(225—264 年)、[⑦]荀融(233—263 年)[⑧]——两者都是王弼的辩论对象;[⑨]董遇(227—264 年)的注本;[⑩]孟康(227—264 年)的注本;[⑪]至于何晏和其后

① 饶宗颐对它做了编撰和注释,以《老子想尔注校正》为题出版。

② 虞翻,《老子注》二卷,《三国志》他的传记中提到了此书。《隋书·经籍志》列为佚书。

③ 范望,《老子注训》二卷,陆德明《经典释文》序中提到了此书,但不见于隋唐的其他目录。参见姚振宗,《三国艺文志》,页 26。

④ 孙登的引文可以找到,例如李霖的《道德真经取善集》,3.12 下,4.15 下,6.11 下。

⑤ 钟繇,《老子训》,在刘孝标《世说新语注》引用的《魏志》中提到过。钟的注释在《隋书·经籍志》编成以前就已经散佚了。

⑥《文选注》中提到此书;参见岛邦男,《老子校正》。此种注释早已散佚,在《隋书·经籍志》中没有著录。

⑦ 钟会的《老子道德经注》二卷,在陆德明《经典释文》有关他的资料中提到过,同时也著录于《隋书》和新旧《唐书》。在唐宋元的《老子》集注本中有相当多钟会的佚文,而此种注释的佚文在《文选注》中可以找到。在本章的后面可以找到这一著述的片断。

⑧ 荀融的《老子义》在《三国志》荀爽传的注释中引用的《荀氏家传》中提到过。根据这一晋代的资料,荀融的注释与王弼和钟会关于《老子》、《周易》的短论在那个时代同样广为流传。

⑨ 关于钟会和王弼,参见何劭《王弼传》。关于荀融,参见上一注释中提到《荀氏家传》。

⑩ 董遇的《老子训》,《三国志》王肃传裴注引用的《魏略》中曾经提及。

⑪ 陆德明《经典释文》序中提到了孟康的《老子孟子注》。《隋书·经籍志》提到了一种孟氏著的《老子注》,列为梁代的著述,但当时已经散佚。被误以为顾欢的《道德经注疏》而收入《道藏》的张君相《老子集解》中,有大孟和小孟的注释文段,前者可能就是孟康。

的阮籍关于《老子》的文章，就更不用多说了。[1] 仅钟会注就有相当多的佚文尚存。

撰写一种新的《老子》注本意味着王弼进入了一个充斥着那个世纪最高、也最具革新意识的心灵的领域，他们或是自己写过《老子》的注本，或是熟知其他人关于《老子》的作品，而且都已形成了自己确定的观点。与此前的数十年相比，使他的隐含的和实际的读者信服的社会和思想条件已经有了很大的改变。

汉代的注释家通常是教师。他们将自己的解读传给弟子，而最初写成的注释可能是从老师或学生的笔记中发展出来的。作为教师的注释者的权威有时会被其作为官方委任的经学博士的权威放大。在这种情况下，注释者不得不在与其他注释者的竞争中、而非与他的学生的竞争中，建立他的声名和信誉。学生们只是学习、接受老师的智慧，并将其传下去。[2] 结果，老师的注释和观点——在学术性文献中被指称为"师法"，将被确保为某种特定的权威、传布以及传布的延续。而延续的原因则是那个时代的家族发展出了一种被称为"家法"的思想传统，将它们与代代相传的特定教义关联起来。[3] 在一个单个教师门下的这类学生的数量可能上万，在这种情况下，教导是经由年长的学生展开的。[4]

这一切随着汉王朝的崩溃改变了。当和帝（公元 89—105 年在位）

---

① 何晏的《老子道德论》在《世说新语注》4.6 和刘勰的《文心雕龙》中曾被提到过。在隋唐书目中仍列为尚存。看起来这些文章中包含何晏未发表的《老子注》的要素——那些他在听闻了王弼对《老子》的解释后，仍觉得值得保留的部分。现存的一个较长的片断被征引在本书第三编第一章。根据《世说新语注》中引用的《晋诸公赞》，阮籍和夏侯玄都写有《道德论》；然而它们在《隋书》和《唐书》中都没有单独的著录。阮籍的《道德论》有三段佚文存于《太平御览》（卷 1 和 77），在那里被引用《通老论》。姚振宗的《三国艺文志》认为，这两个标题指的是同一文本。夏侯玄的论文的片断在本书第三编第一章中有详细的研究。

② 然而，即使那时某些文本，如想尔注已经假定学生们熟悉出自相同环境的其他注释者，并且竭力地反驳他们。参见此章后面给出的想尔注的例子。

③ 参见马宗霍，《中国经学史》，页 57。卢盛江，"汉魏学风的演变与玄学的产生"，页 92—96。

④ 关于此类汉代的私家学校的建立及其教学方法的细致研究，参见吉川忠夫，《鄭玄の學塾》。郑玄有数千学生，马融的学生也有上千人。参见卢盛江，"汉魏学风的演变与玄学的产生"，页 93。

以后宦官拒绝承认六经为衡定国是的基础时，朝廷通过太学建立某种正统形式的失败尝试彻底结束了。而且，有其自己的弟子群的私家教师的存在（其本身已经表现出某种观点的分化），随着汉代的结束也在北方的曹魏消失了。王弼从来不是任何名人的弟子，也不曾做过教师。他的《老子注》不得不通过完全不同的机制来赢得认可。

首先，随着学校的涣散，知识领域的结构极大地改变了。知识分子的群体不再依照师生的亲缘关系出现；一个竞争的市场兴起了，在其中，知识分子阅读和讨论有关同一主题的各种命题，并根据他们视为最杰出、最有说服力的主张选择立场。一个像何晏这样的人（处在他自己的思想名望和政治权力的高度）会因为青年王弼的《老子注》比自己的优秀，而将自己的注本毁掉；而正是这一姿态而非其他姿态使他获得了更大的名声，并被载入了《世说新语》。[①] 一个像钟会这样的人会让自己被何晏的一个观点说服，并通过他自己的著述来宣扬何的主张。[②] 还有关于这样一些问题的口头和书面的激烈的公开辩论：圣人的具体特征，《系辞》中某个核心段落的意义，或汉亡后谋求长久的政治稳定的策略。口头的辩论会被参与者格外热心地记录下来留给后人，以致直到今天还有一些保留在《世说新语》这类文本和当时名士的传记中。总之，论辩或注释由之建立的社会过程已经改变；他们不得不在一个思想的精英市场中的激烈竞争中生存，不可能再依赖师生间的传承。

太学和私家学校（以及它们在学生群体中的解释权威）的崩溃，也意味着最重要的文本的意义再一次对讨论开放了。正如我们在前面详细讨论过的那样，当时得到了广泛认可的一个看法是：此前的注释并不仅仅是错失了这个或那个段落的意义，而是完全错失了这些文本的“本意”；而且，由于未能理解它们的基本意旨，他们被迫使用更繁复的方法

---

① 《世说新语》4.6 和 4.7。

② 参见《三国志》钟会传注，页 795。

来使个别的句子应和它们的整体假设。作为错失本意的一个结果，注释显得不够精练和优雅。[①] 新的《老子注》的泛滥出现在汉末，是在当时没有传统的思想“学派”起主导作用的情形下，为建立对于经典文本的新思想霸权而竞争的一部分。

早在《老子注》成书之前，王弼已经在他的未来读者中赢得了名声。由于他高贵的社会地位和家世的思想传统，在他尚未成年时，他已经与那个时代一些最杰出的士人往来了。他前途无量的声名早在公元 244 年(当时他还只有 18 岁)就已播流甚广，以致像裴徽这样身份的人都会在孔老高下这样重要的问题上以对待权威的态度向他请教。[②] 当他的《老子注》最终完成时，已经有了某些对它的期待；这有可能预先引导未来的读者给这一独特的注本一个机会。尽管作者的年少和轻慢，王弼的《老子注》还是迎合了当时的思想和社会条件，从而预先引导读者试着去阅读他的著作。

同代人对王弼注的反映表明了他们对这一著作的思想品质的普遍崇敬，但没有专门的评论来解释评判的标准。难道是工弼为他们自己一直持有的观点提供了《老子》的神圣权威(因此他们并不关注《老子注》是否能解释《老子》)？难道是他们赞同王弼解读《老子》的基本前提——《老子》是一部政治哲学著作而非关于长生久视的神的著作？或者他们觉得王弼注将《老子》视为一个同质的整体，在精练和优雅上超越了所有其他注本，即使其结果可能并不符合所有人的哲学趣味？

除了对实际读者的疑问外，我们还必须考虑王弼的隐含的读者(作为实际读者的虚构的镜像)。王弼没有明确与他创造的镜像辩论。然而，他的注释技巧暗示了对某些标准的普遍接受：借此验证某个注释的解读方式的可行性和合理性。王弼试图用来说服其隐含读者的这些标

---

① 参见本章前面的讨论。
② 同上。

准，就是他假设他的实际读者会用来估价他的著作的那些标准。

比起他的实际和隐含的读者来，我们自己对王弼《老子》的解读不知又贫乏了多少，这主要是王弼注的最终成功以及对其他注释的现存片断缺乏研究的结果。然而，对照现存佚文逐行地阅读王弼注来分辨其中隐含的对话和争论仍然是有指望的；我们很幸运：像《周易略例》那样，王弼用《老子旨略》应对与其他注家和读者的争论，这样一来就将他自己的注释置入了一个关于《老子》的正确阐释的争论语境中。这证明他熟知其他的注释，并且觉得他的读者也同样如此。

这一争论也是汉末以来先秦各家思想更生的活力的一种清晰的反映。王弼在指出了他所认为的《老子》"主旨"之后，以一种精致的链体风格的平行阶梯序列写道：

而法者尚乎齐同，而刑以检之[百姓]
名者尚乎定真，而言以正之[百姓]
儒者尚乎全爱，而誉以进之[百姓]
墨者尚乎俭啬，而矫以立之[百姓]
杂者尚乎众美，而总以行之[百姓]①

王弼随后针对每一学派指出：对某一特定做法的极端强调不可避免地导致了它本来要回避的那种负面现象；总之，"斯皆用其子而弃其母"。换言之，他批评的主要是他们分析的方法；而只有在此基础上，他才能反驳各种价值的立场和朝廷的策略。在这一语境中，这些被误导的政治策略成了被误导的训诂和哲学方法的产物。他接着写道：

然[《老子》中对《系辞》的意译]
[各种议论]致同而途异，
至合而趣乖，

①《老子微旨略例》。

而[出于各家的]

学者惑其所致,

迷其所趣。①

由于未能把握《老子》的论断的主旨,他们的解读策略就受到各家的核心观念的左右。这样,整体文本被他们扭曲以适应这一目的。王弼写道:

观其[《老子》中的某些议论倡导]齐同,则谓之[指《老子》]法;

睹其定真,则谓之名;

察其纯爱,则谓之儒;

鉴其俭啬,则谓之墨;

见其不系,则谓之杂。

随其所鉴而正名焉,

顺其所好而执意焉。②

就现存的载记和现有知识而言,要在这一批评中定位那些不知名的注释者,即使不是全无可能,至少也是极其困难的。他们只是作为那些试图独占《老子》的哲学学派的成员而被提及的。

在这一学派的名单中,王弼又一次借用了司马谈的《论六家要旨》。我们由此知道:公元3世纪中叶,《老子》被视为一部哲学经典,为包括儒墨在内的各家共同利用、研习和注释。作为一个学派,墨家到公元3世纪时已经早就消失了。王弼将他们纳入他的批评中,并不是因为在市面上真的有这样一种需要反驳的注释。在此,他的批评的目的肯定是为了拒斥任何可能的学说性和学派性的《老子》阐释,反驳一种特定的方

① 《老子微旨略例》。

② 同上。

法——可能被某个学派利用的方法。①

上引议论之所以令人诧异,首先在于某种缺席。在司马谈提到的各家中最为重要的道家,在《老子旨略》所有提及学派的三个部分中都缺失了。这难道意味着王弼在含蓄地以一种道家的立场攻击其他各家吗?

司马谈《论六家要旨》中,有一个学派的等级。由于道家处理的是根本的问题,所以是最高的,而所有其他各家包括儒家在内都依照这一最高标准来衡量,并找到不足。王弼并不共享这一对道家的高度评价,而是主张孔高于老。如果说他曾试图与道家结盟,那么,上面的议论将是这样做的合适场合。随着汉末道教及其社会组织的发展,道家作为一个独立的哲学派别的地位开始模糊起来(如果说它还曾在司马谈的短论之外有某种存在的话)。唯一有可能与道家关联起来的注释出自严遵,据说他是"《老子》和《庄子》的痴迷者"②,但是他撰述的时代远在道家成为一种有组织的宗教之前。然而,在这一新的道教发展的架构中,也出现了一些《想尔注》这样的注释;王弼没有考虑它们,忽视或者将其视为他的读者不知道或与之无关的东西。

《老子微旨略例》的两个残本在《道藏》中传承,其中支持道家的段落不太可能被删去;同样,公开批评道家的段落也不太可能被保留下来。有这样一种可能性:王弼对道家的《老子注》的公开批评被从摘录里砍去了。另一方面,要砍去《老子旨略》中处于连续系列的三个而非一个段落中(其中只有第一段明确提到了学派的名称)的批评,还是要用些编辑上的花招。只有那样,才能使其中与道家相关的资料消失得了无踪迹。问题被下面这一事实加剧了:出自道教传统的注释,如想尔注,可以被恰当地指责为依照一系列预先的观念(其中的许多都涉及长生术)解读《老子》并将文本扭向这一宗教目标。从王弼拒绝追随他们的道路看,至少

① 我要感谢 Robin Yates 教授,他提醒我注意到对于一种已经断绝的学派(如墨家)加以驳斥的怪异。

② 参见《汉书》,页 3056。注释庄子的名字也因避讳而写作"严周"。

可以说他在以一种含蓄的方式与这些道教的注家争论。长生的问题在他的《老子》解读中完全空缺了。

虽然我们没有有力的证据证明王弼在他的批评中包括了道家或现在通常意义上的道教,针对道家或道教的辩驳的缺失也绝不意味着他接受了他们诠释《老子》的策略,并从一种道家的立场出发来攻击其他各家。王弼主张孔高于老的事实,并不能阻止他在这一批评中攻击儒家的解读方法。由此可以推知,没有什么能阻止他对道家注释策略的攻击,尽管他撰写的是道家神圣经典的注释。

王弼的批评并不出自任何一种特殊的学派立场;他攻击的是各家在注释《老子》时共通的方法论谬误。在上述辩驳的序论中,王弼写道:

> 然则,老子之文,欲辩而诘者,则失其旨也;欲名而责者,则违其义也。

各家的根本错误在于执著于《老子》个别的命题和术语。这些注家不是将自己的分析根植于不同分章深层的、共通的论述指向,以及由整个文本提供的语境,而是任自己依附于个别的用词;而且一旦他们分辨出了与他们自己的学派一致的那些宗旨,他们就将这些段落和术语当成文本的核心,宣称《老子》赞同他们自己学派的宗旨,并以这些要素为基础来解释整个文本其余的部分。结果,正如王弼在批评各家之后所说的,我们看到的就只能是“纷纭愦错之论,殊趣辩析之争”。各家的错误在于没有将《老子》解读为一个哲学家对不可捉摸的真理的追寻,而是将其当做一种可以被占有并用来加强这个或那个学派立场的拥有很高权威的经典。这样一来,一个本来可以为社会提供(如果正确地解读)建立秩序的策略的文本,就不可避免地导致了恰好与其本意相违背的东西。

正如我们已经看到的,王弼在《老子微旨略例》中认为:解读《老子》必需预设一种关于整个文本的基本意旨的理解,从而获得一个角度和语境,进而从这一角度出发,在这一语境中解读各个分章。王弼认为:《老子》的所有各章都在追寻同一个哲学目标，即澄清万物的“所以”与万物的关系，并从中细绎出治理社会所需遵循的法则。王弼关于语言无法界定不可捉摸的对象的论述，我们会在其他地方详细讨论。[①] 这一缺陷迫使《老子》检讨各种现象，来寻找指向讨论共同主题的各种结构。

然而，这一哲学问题使得文本的表面变得非常不可靠，因为语词、象征和喻象只是背离其自身的符号，除了在这一目的的完成中消失外，并无别的功能。

各家共同的做法的问题在于将注意力集中在了《老子》在其探索中使用的这一极不可靠的、短暂的和权宜的材料上；正如王弼在论及各家之前的序论中所说，他们都是在“欲辩而诘者则失其旨”，“欲名而责者则败其性”。他们从单个的术语中构造出整体的意义，而非在整个语境的架构内解读特定的术语。

在此，王弼批评了一种在汉代经注中普遍运用的注释策略，他的批评也涉及章句(如郑玄)的批评。针对这一注释风格，王弼在《老子旨略》的平行作品《周易略例》中有明确论述。由于《周易略例》晚于《老子注》，其中的讨论被进一步深化了。在《周易略例》著名的“明象”章中，他发展出了一个等级序列：左右一卦的意义的“意”，表现“意”的“象”和描述“象”的“言”。“意”指某一卦的整体思想。对于首卦“乾”，它的“意”是健和刚；而且可以通过象征表达出来，如“天”、“龙”和“马”，卦象和卦画；而它的“言”则表达在《卦辞》、《爻辞》、《彖传》、《象传》和《文言》中。在以往对这一文本的阐释中，同样的错误发生了。

言生于象，故可寻言以观象；象生于意，故可寻象以观意。

因此，理解是可能的。注释也因此可以在这一过程中提供帮助。然而，象和言是纯粹工具性的，只有理解了这一工具性的人才能正确地使用它们。除了提供通向下一更高层次的进路外，它们并无其他的目标，

① 参见本书第三编第一章。

也不值得关注。能指除了指向所指，并在这一功能的发挥中消失外，并无其他目的。只有当能指的所有外在于此功能的事项都被忽忘之后，它的目标才能被完成。王弼从《庄子》中抽取了一个术语，用来指称对对以达到某种更抽象理解的工具的抛弃和忽略。这个词就是“忘”。

> 象者，所以存意，得意而忘象。

然而，执泥于工具的人将无法达到得象或得意的目标。

> 是故，存言者，非得象者也；存象者，非得意者也。象生于意而存象焉，则所存者乃非其象也；言生于象而存言焉，则所存者乃非其言也。然则，忘象者，乃得意者也；忘言者，乃得象者也。

在这一论断的极端化表达中，王弼总结道：

> 得意在忘象，得象在忘言。[1]

那些不恰当地处理《周易》的人，将特定的象与意等同起来。王弼在其乾卦注中，提出了同样的论断：

> 象之所生，生于义也。[2] 有斯义，然后明之以其物，故以龙叙乾，以马明坤，随其事义而取象焉。是故初九、九二龙德皆应其义，故可论龙以明之也。至于九三，乾乾夕惕，非龙德也，明以君子当其象矣，[正如《周易》通过写下“君子终日乾乾，夕惕若厉”，实际所做的那样]。

错误地将远为广阔的义约减至象的狭窄禁锢，导致了这样一种注释策略：它需要更为怪异的构造来建构某种意义的同一性。

> 而或者定马于乾，案文责卦，有马无乾，则伪说滋漫，难可纪矣。

---

① 王弼，《周易略例》。

② 此处用于意义的词是“义”。在类似的上下文里，它与“意”同义。这句话似乎是要回复到《系辞》“圣人立象以尽意”的论述。

互体不足，遂及卦变；变又不足，推致五行。一失其原，巧愈弥甚。①

尽管《周易》和《老子》分别用不同的语言和象征手法处理它们各自晦涩的主题，但它们都以同一假设为出发点：直接的术语和定义在结构上就无法说出想要说的东西。二者都以“意”或“义”、“旨”或“指”作为文本的起点和核心，“然后”，各种象征的、比喻的和语言的手法才会在与读者沟通“义”和“旨”的尝试中被用到。

然而，既然读者面对的只是这些工具，而且“义”和“旨”是结构上难以把握的，这些工具就获得自己的重要性，以致它们本身似乎成了文本的主题。这样一来，王弼描述的各家的错误，就不是愚笨的心智或缺乏教养的思想的产物；真实情况恰恰相反。他在《周易略例》中含蓄地批评的学者，如郑玄，无疑应算作前一个世纪最开放、最聪慧和最有教养的人。这些错误在《周易》和《老子》所用的复杂表达结构（它们受特定的语言结构的调控）中有其根源。一旦这一结构被遗忘了，想要从神圣文本中细绎出意义就只能诉诸更为怪异和复杂的技巧，其结果是过多相互竞争的解释的出现，它们共享同一个根源——对文本的表达的误解和方法论的错谬。

在方法上对各家的一般攻击，并不意味着它们之间全无分别。每一家都在建立最好的秩序的意图下，有其导致无序的特定方式。那么，它们在王弼列举中的次序又意指什么呢？在提到各家时，王弼改变了次序。司马谈《论六家要旨》中有三种顺序：第一种是阴阳家、儒家、墨家、名家、法家、道德家（在其后的文本中被称为道家），认为它们都是“务为治者也”，只是方式不同，而且有些家比其他诸家更透彻。第二个序列描述了各家的侧重点，对调了法家和名家的位置；将道家放在最后。对它们特征的刻画始于一个评价性的论断：道家包含了各家的优点；某种对儒家的类似说法遭到了拒斥。第三个序列紧跟着第二个。道家在一边，

① 王弼，《周易注》，页215。

其余五家在另一边，两者间存在着质的不同。汉语的修辞常用两种顺序，一种将最重要的要素（无论是正面还是负面的）放在最后，另一种将最重要的要素放在开始，但我不记得曾经见过随机的顺序。以最重要的要素为开端的顺序更常见。

王弼超越了司马谈的做法，将其顺序颠倒，并改变了它的意义。像司马谈那样，他也通过各家对某一特定侧面的强调来刻画它们，但最初可能包括道家。司马谈关注的是各家不同层级的积极贡献（所有这些最终都被吸收进道家），而王弼则关注共通的方法论缺陷，并根据它们的影响以及它们负面的社会结果的层次划分等级。在王弼看来，所有各家的政治策略不仅是不全面的，而且是绝对起反作用的，它们解读《老子》的策略也同样如此。王弼完全去除了阴阳家。阴阳家在司马谈的时代十分重要，那时在他的学派顺序中它的位置甚至在儒家之前；但在王弼的眼中，它失去了所有的尊严，甚至没有在各家中被提及。在《周易略例》中，他提到了“五行”理论（它形成了阴阳学说最实质的部分），但只是作为那些荒唐的学者为了从《周易》中找出意义所能诉诸的理论的一个例子（“变又不足，推致五行”）①。在各学派中，王弼重新安排了司马谈的顺序。这一顺序的意图可以从王弼将杂家置于最后这一事实明显地看出。在王弼的顺序里，从影响力和破坏力看，法家最为重要，其次是名家、儒家、墨家和杂家。

由此，我们可以推断，王弼的隐含的读者受法家思想的影响最大，其次是名家，再次是儒家。这一对隐含的读者的估价与那个时代其他资料的独立信息相合，那些信息告诉我们在曹魏政权中法家和名家的无所不在的影响。王弼在《老子注》中隐含的争论，主要指向排在前列的那些思想潮流。与此同时，他并不否认出自所有这些学派的要素可以在《老子》的文本表面找到。通过不将自己的视角与任何各家相联，他也就在一种

① 本章后面有这一段的完整译文。

独一无二的新视角中面对它们,这一视角也许可以称为哲学的视角。正是认识到了这一点,随后数十年的学术史以及随后数个世纪南朝的大学建制都没有将王弼的学术归入任何一家(如道家),而是给了它一个全新的名字——玄学。

针对各家的辩驳还道出了关于隐含的读者(《老子注》是对他们讲说的)的某些东西。在他对《老子》宗旨的总结中,王弼将下面两个因素关联起来:处理万物的"所由"与万物关系的形上学因素,以及处理治理者统合社会的策略的政治学因素。正如我们从上引王弼对《老子》的"要旨"的罗列中看到的,哲学洞见的实际运用是关注的核心。

由此,我们可以得到结论:王弼的隐含的读者实际上就是治理者本人。这并不是说,《老子注》只假设了治理者为读者;在治理者使用的政治策略的形成中,众多高级官员以及有资格获得较高委任的那些人都参与其中。在理论上,最终选定的策略是治理者的;尽管实际上,它们是由官员们发展并执行的。官员们会依次在某个较低的层次上、在他们自身与其治下的地区或官署中重复唯一的治理者与百姓之间的基本关系,在那里,通行着相同的机制。将隐含的读者视为治理者,在王弼的《老子》构造中得到了证实:其中,为社会命运负责的人类行动者是带来秩序的理想治理者——圣人,或是产生混乱的实际治理者,需要包含在《老子》中的洞见来阻止社会的崩溃以及他自己地位的毁灭。隐含的读者和受众后面这一类有缺陷的急需指导的领导者,他们受到了各个不同学派的有负作用的策略的灌输。

对于王弼的隐含的读者,我们可以总结如下:

- 可能会受这一论断的诱惑:终极事物是超越语言的,因此,文本是完全不可靠的,是些无用的东西。
- 熟知《老子》。
- 同意这一点:如果郑重对待,这一文本需要注释。
- 了解《老子》的其他注本。

● 不根据某位老师或他的教导界定他的思想倾向。

● 假设《老子》中包含着可能已经被忘却或被注家的喋喋不休淹没的伟大的洞见。

● 假设《老子》与孔子实质上处理的是同一问题,以致二者可以相互澄清。

● 愿意自己被论辩(而非权威)说服,从而依从某种不同的《老子》解读。

● 从其政治思想和对《老子》的解读看,他的隐含的读者强烈地受到各家教说的影响,特别是法家和名家。

● 是那个时代实际的领袖,在理解上有缺陷,因而对普遍的社会混乱负有责任,急需指导。

这样一来,《老子注》必须通过将各章插入同一的总体宗旨和构建文本的同一性来帮助读者不断地重新发现各章的这一共同目的;在这种方式中,它将阻止读者陷入以琐碎的方式解读《老子》的陷阱,那样的方式将只得筌蹄而失落鱼兔。与此同时,王弼注的特定抱负是:消解一种建构完善且颇为盛行的解读策略,这一策略让自己依附于文本的表面,并为了具体学派的目标歪曲文本。只有这样,《老子》的真正意义以及随之而来的社会政治福祉才会被发现。

与《老子注》解构隐含的读者对整个文本和每一段落的前理解这一目的相适应,一种精确的、表达充分的翻译将使得隐含的反文本(或诸反文本)明显起来。它不得不以一个缺乏精练和优雅的长的括号开始,细节性地讨论解读某一段落的方式:由于他们对《老子》基本宗旨及其特殊的语言用法的特定误解而致谬误的注家 X、Y、Z 是如何解读的;而正确地把握了基本宗旨,但未能理解《老子》所用的修辞形象、语法特征或隐喻结构的含义,并且因此未能理解某一段落的特定意义的注家 A、B、C 又是怎样做的。很明显,在目前对其他注释佚文的研究阶段,这样一个括号对于本书的读者只能是某种泛泛的“威吓”,它只能在相当有限的程度上被真正地做到。

一致性假设

王弼认定《老子》是一个历史人物、被称为老子的周守藏史撰写的。《老子》由一个名曰老子的个人撰写的故事，是一个关于文本同一性的故事。《诗经》一直被认定是由不同的作者撰写的；孔子从数目众多的诗歌中选出适于道德目的的那些，这一故事为通过各种注释提供一种方法论上同一的整体阐释建立了架构。作者的多重性假定也对《尚书》和《周易》有效。据说二者(后者在《系辞》中明确指出了这一点)是由前后相继的圣人在跨度很大的时间里写作并纂集的，这一过程终结于孔子。这些文本的同一性假设是建立在文本表面有效的证据之上的。根据其价值，它们被视为同一的；它们的不同部分要求一种相同的解释方法，来获致对其深隐的共同意义的把握。

在《老子》这一个案里，同一性假设在文本表面并无明证。《老子》是由一定数目的短章组成的，在王弼的解读中是80或81章(其中第31章无注，而在第30章的注释中被引用，王弼认为它不属于《老子》)，[1]每一章的字数从21～131不等。它们的用语是高度隐喻性的，所考虑的特定对象也常常未能指出，因此，无论是根据各章间的联系，还是根据所用的术语，其同一性都不是显见的。在王弼可以看到的文献中，《老子》中的许多陈述被归于其他的作者。[2]另一方面，又可以说，不同的章共用几个关键词，如道、德和玄；共用特定的关键喻象，如水和赤子；共用特定的核心问题，如圣人的行为与自然的一般模式的关系、万物及其共同的存在基础的关系；共用关于政府正常运作的特定的普遍性哲学态度。它们还

---

① 参见本书第二编第四章。

② 由于张湛的《列子》本很可能出自王弼的藏书，因此王弼也许知道这一文本将《老子》第6章归为《黄帝书》中的文本。参见杨伯峻，《列子集释》，页3。

共有某些修辞特征,如链体风格的运用,二分的论辩结构(论辩的两部分沿平行的路线展开),以及韵文段落的出现。

当王弼在《老子旨略》中宣称"《老子》之书,其几乎可一言而蔽之"的时候,他表明了他对于同一性问题有着怎样的自觉。他的这句话是对《论语》的模仿,孔子处理《诗经》的同一性问题时说:"《诗》三百,可以一言以蔽之,曰思无邪"。[1] 王弼接下来写道:

> 观其所由,寻其所归,言不远宗,事不失主。文虽五千,贯之者一;义虽广瞻,众则同类。解其一言而蔽之,则无幽而不识;每事各为意,则虽辩而愈惑。[2]

由此可见,王弼对于同一性假设在《老子》解读中的重要性有着相当清醒的认识;将每一章都读作有其自己的、由文本表面决定的意义,这样的解读策略将导向对文本实际意义的误解。《老子》的意义的构造与其同一性的构造关联在一起,后者又与对《老子》处理的基本问题的有效理解相关。对于王弼而言,对《老子》面对的哲学问题的把握将提供对其语言运用的理解,因此,也将提供对解读《老子》的正当策略的理解。

王弼的同一性假设,是要在他对文本的注释过程中证实的。它使得特定的操作合法化(如通过某个术语出现于其中的语境来界定它),但其结果只能是证明其自身的价值,以及作为这一假设的有效性的验证起作用。

然而,同一性是在将文本的不同部分整合进一个共同的架构而建立的,这一架构是不会在文本中详细说明的。因此,它必定是阐释者的构造:他必须证明它能够有效地引导这些不同部分的解读,以便得出一个

---

① 关于这句话的读法的不同传统,参见 S. Van Zoeren, *Poetry and Personality: Reading, Exegesis and Hermeneutics in Traditional China*,页 37。

②《老子微旨略例》,6.1。

同一性的文本。然而，正是在这一过程中，有可能出现例外。在关于文本的整体宗旨的一般假设的引导下，为了适应这一架构，可能必须扭曲某些个别的部分。王弼对诸家的批评指出，实际文本对他们的一般假设的背离达到了这样的程度：它迫使他们提出个别段落的怪异结构，来迎合一般假设。

与他们的做法相反，王弼建构起了发展他自己的《老子》解读策略的极具革新性的、原创性的方式：在对现代解释学的独特方法之一的一种早期预期中，他从《老子》本身给出的关于文本性质的提示中细绎出了解读《老子》的策略。根据展开的注释策略，这是一种决定性的、极具影响的步骤。它拒绝承认任何基于外部强加的材料和思想的解读策略的合法性，而是建立起基本上作为自我说明的单位的文本观念，其中有待解释和阐发的原始材料只能从文本自身抽取出来。其他的解读传统仍然存在，特别是在道教群体和谶纬文本的操作(即使在屡遭官方的禁止之后)中；在这样的情况下，王弼的注释策略标志着中国文本(从六经、诸子到佛教的经赞)注释主流的一个转折，不仅通过他发展出的特定策略，而且还通过他借以做到这一点的方法。一旦将文本设为关于它自身的基本权威，注释者就成了阐发文本的自我解释的谦卑的工具。通过严格地限定用来解释某一给定文本的材料，通过将注释者限制在某种依附性的角色，注释服从于极高的可证伪性标准。无法用这样合法化的工具解释某个文段，不再可能导致不受文本支持的、旨在消除歧异和各种威胁(将证伪整个解释)的工具的形成。这样，其他注家就有了一个理性的、学术的基础，来提出一种基于对文本的宗旨和结构的假设的新解读，这一解读将得到既有材料的更好的支持。

注家作为文本的自我解释的工具这一谦卑角色看起来相当谦谨，而声称提出了关于古代圣人的洞见的真实解读，则暗含了对此前的工作的傲慢、粗暴的拒斥：正如我们在王弼对既有“诸家”的粗率驳斥中看到的那样，它们都成了方法上的误导和操作上的破坏。

在这一解释学工作中,王弼的做法是哲学家的,而非史学家的。无论是他本人,还是与他同时或稍后的其他玄学注释者,都没有试着重构文本作者的历史视野和环境,从而在这一语境中解读文本。正如《春秋》和《诗经》的注释清楚表明的那样,这一视野并不一定意味着会将文本减约为相对性的文化产物——只对其时其地(而非对当下)有意义。通过历史地重新分划其隐含的赞誉或批评对象,注释者能够从所有这些文本中细绎出一般的准则。与此种做法相反,玄学注释者通过将文本的隐喻性或轶闻性陈述翻译和融入一种新创造的本体论和政治哲学的玄学语言,突出了文本与他们的时代以及其他时代的持续的相关性。在这一翻译的和系统化的形式下,文本提出的哲学洞见能够被后世的哲学家(他们当中的绝大多数都是注释者)进一步发展和采纳。王弼本人就是由此种看似消极的视角开启的创造性新选择的一个极好例证。

在这些从文本本身获得的指示中,首先值得注意的是同一性暗示:以作者的身份称自己为"我"。对于王弼,文本的哲学同一性假设因此指引他对各分章的解读,而支持这一同一性的核心假设也在各分章中得到验证。在这一面对各分章的过程中,一个新的精确的注释标准出现了——易或简。这似乎完全不是学术性的尺度,但在西方数学中却被认真地用作真理和品质的标准。注释越容易做到使实际文本的整体适应理解的架构,它对恰当理解其宗旨的宣称也就越牢靠。二者之间越是经常地诉诸附加的结构,注释的可信度也就越低。

尽管王弼研究《老子》的动机是哲学式的,但他作为注释者的方式却是训诂学的,受制于从文本自身抽取出的、相当严格的注释规则。也许,支撑这些规则的方法论原则在他撰写注释之前早已得出了。《春秋公羊传》所用的方法显然源出于某种对《春秋》的撰写实践的分析;赵岐的《孟子注》声称对《孟子》使用了孟子解读《诗经》的方法;费直已经散佚的《周易注》将《易传》作为其理解该文本的指导。在《老子》这一个案里的特殊问题是表面文本必定的不可靠性,此种不可靠性源自其所涉问题的结构。解决这一问题的方式同样受文本本身的陈述的指引,相应的策略肯定比《公羊传》相对简单的表述/偏离模式或者赵岐的整体意义/特殊词句模式远为复杂。只有在其来源可证伪的注释规则内更有效地击败他的对手,王弼的《老子注》才能在当时获致成功。这一公开的竞争一定对提高王弼注的品质发挥了极大的作用。那些可以依赖某个既有学派或宗教共同体(在其中,教师或宗教指引的权威可以强加一种甚少竞争的解读)的注释者,不太会受严格的注释规则的左右,而且可能会主张基于从某些神圣权威那里传承来的神圣启示或传统的特权。一个处在王弼那样地位的人,如果以同样的方式操作,将会遭到他的对手们的无情嘲笑。

同一性假设和关于语言必然的不可靠性的主张给文本和注释都增添了余地,也增添了约定的力度。在通过诉诸其他章的段落,亦即,通过语境的增厚,使丰富和转变文本的特定的分析性做法正当化的同时,也增强文本维持自身的能力。单个的分章或片断对于防止琐碎的意义强加或暴力的扭曲没什么作用;因为没有足够的语境。然而,一旦同一性假设被建立起来,注释者就必须提出对整个文本的同一性解释。尽管文本无法直接质疑注释者关于同一性的具体内容的假设,但它可以通过其绝对的范围和差异,来质疑每一具体内容的有效性、简约和精致,创造出足够显眼的不合理推论,并迫使注释者忽视那些无法解释的事项。这将容许读者脱离注释者,要求或创造另一种解读,其中文本同一性的具体基础的假设将由对个别段落的注释更好地证明。

这将意味着,一种像《老子》这样的文本——就其缺席的主题、混淆的语法和隐含的关联来说,其实是注释者构造出来的。但他不是任意地构造。他是在同一性假设和文本用不可靠的语汇提供的开放性所强加的约束下操作的,他必须在个别的句子和部分构成的障碍前妥协,并在他所处时代的思想氛围视为合法的解释技巧的帮助下,找到出路。

文本的潜能：比较不同注释的《老子》构造

在与裴徽的对话中，王弼清楚地谈到了圣人与老子的共同主题——“无”与万物的关系。在《老子旨略》中，王弼宣称：“《老子》之书，其几乎可一言而蔽之。噫！崇本息末而已矣。”[1]在《老子旨略》的另一部分，他进一步对此做了具体阐发：

因而不为，
顺而不施；
崇本以息末，
守母以存子；
贱夫巧术，
为在未有；
无责于人，
必求诸己；
此其大要也。[2]

我们在此不去探究王弼的《老子》构造是否重构了“原意”，如果真的有这样的东西。本节将把上引关于《老子》基本宗旨的结论处理为假设，并研究王弼用来证明和解说这一假设的解释方法。其结果应该是一个被阐发为一套解释规则的不同手法的目录，其有效性即使在并不赞同王弼的主要哲学观点的注释者（如钟会）那里也会被接受。

分析将分三步进行。首先，我们将在其他注释的背景下从整体上分析某些章，以便让读者初步了解王弼注以及他所使用的不同注释手法的复杂的相互作用。其次，我们将给出各种手法的文献证明，并逐一加以分析。第三，我将试着从王弼的注释策略（关于他本人对文本的构造、对

① 《老子微旨略例》，6.1。
② 同上书，2.44。

正当的注释策略的共享假设以及所谓"文本"的性质)中紬绎出一般性的结论。这里所用的王弼的《老子》文本以及王弼的《老子注》,是以我的批评性版本《王弼:〈老子旨略〉及〈老子注〉的结构》为基础的。

例1:《老子》17.1

> 本文:
>
> 大上下知有之
>
> 注释:
>
> 大上谓大人也。大人在上,故曰大上。大人在上,居无为之事,行不言之教,万物作焉而不为始,故下知有之而已。

无论是语法还是内容,《老子》的这句话都很不清楚。对于其语法及内容构造,有诸多不同的选择,我们会在分析过王弼的构造以后述及。

王弼首先从建构该句的前半部分的主语"大上"开始。绝大多数通行本都将"大"读作"太"。太是一个修饰名词的名词化形容词,而如果王弼文本用的是这个字,那么将其读作"大上"就是不合文法的,而且也不够精练。王弼的《老子》本以该字为"大"是经陆德明证实过的,而且,更重要的是,相对而言更早的马王堆汉墓帛书和郭店楚简也都证实了这一点。将"大"读作"大人"是可能的。王弼将"大上"中的"大"等同为"大人"。这一大人是《周易》乾卦中最突出的角色,这为王弼本作"大"的事实提供了内在的证据。

然而,这里还有将大人与《老子》中的其他主角直接关联起来的问题。《周易》通过龙这一象征,用君子一词提到了大人。《文言》(被认为是孔子所作)对乾卦第五爻的注释,将龙/大人/君子等同为圣人——一个在《老子》的其他部分频繁出现的形象。王弼在《老子》5.2的注释中,又一次将《周易》乾卦的大人与《老子》的圣人等同起来。在注释"天地不仁,以万物为刍狗;圣人不仁,以百姓为刍狗"的后半句时,王弼通过指出"圣人与天地合其德"来解释这里圣人与天地的并置;从

"合"字以下,这个句子照搬了《文言》对《周易》乾卦的一个陈述,然而,在那里,句子的主语不是圣人,而是大人。在其对《老子》17.1 的注释中,王弼也在大人与圣人之间建立起了直接的关联。他写道:"大人在上,居无为之事,行不言之教,万物作焉而不为始"。整个句子自"居无为"以下,全部引自《老子》2.2 和 2.3。王弼相信读者会记得《老子》2.2 和 2.3 的主语是圣人。

在《文言》对此卦的注释中,大人居处第五爻位的结果是社会的和谐。"圣人作而万物睹,本乎天者亲上,本乎地者亲下"。[①]《文言》并不宣称圣人一旦达到了治理者的地位,就会陷入繁忙。显然他无为也无施,但他在这一地位上完整出现确保了万物自我调整的相互作用。这样一来,《文言》重新陈述了王弼引用过的《老子》引文的核心观点,确证了大人与圣人的相容。根据注释的策略,王弼通过考察两个文本发生的语境中的平行关系,证明了将一个术语与另一个等同起来的合理性。在这一构造中,《老子》的这个句子就有了主语——大/大人/君子/圣人。《老子》17.1 中的大[人]被与《老子》的其他陈述和别处关于圣人治理社会的陈述关联起来。

这一等同(其中并无任何歪曲)是一种文本内裂策略的部分。个别的术语不是根据表面的意义来把握,而是在这一假设下来解读:它们是用语言的方式指涉超出语言范围的东西的亘古常新的尝试。因此,它们是从其共同的命名者的立场、而非从它们表面差异的视角来解读。在当下这一个案里,此种内裂式的注释可以穿越文本的边界,如果有待解释的文本处理的是同一基本问题的话。这里将《老子》文本中的"大"与《周易》中的"大人"(在那里被等同为君子和圣人)等同起来的做法,为王弼开启了考察《老子》中关于圣人的陈述是否有助于澄清《老子》17.1 的后面的句子的道路。对于读者来说,这一等同会被当做有待通过构造该句

① 王弼,《周易注》,页 215。

及该章的后面的句子来验证的假设。

从王弼的方法中，我们总结出在注释和建立一个证实的主体间基础中指引他的第一个规则：

不管表面的用语有怎样的不同，像《老子》、《周易》和《论语》这样的哲学文本处理的同样的几个关键问题，其中就包括有关圣人的问题。它们是圣人或仅次于圣人的亚圣撰写的。这些圣人体现的真理是同一的，他们的教化也一样，无论他们用什么样材料或形式的例证。因此，在语境一致的基础上跨越术语差异和文本边界来辨识核心观念，就成了正当的、理性的方法。而在这一基础上，用关于术语 y（如《周易》中的“大人”）的较为明确的陈述，帮助关于与其等同的较为含糊的术语 x 的陈述（如《老子》中的“大”）建构意义，就是正当的了。

这一规则支持下列做法：

● 表面文本差异内裂为在共同语境的基础上文本底层的共同性。

● 为了建构关于主语 x 的陈述的意义，可以运用出自同一文本内或其他合法文本的关于一个被等同为主语 x 的主语的各种陈述。这一方法将被称为语境的扩展。此类平行文本的有效还增加了对关于主语 x 的陈述的解释的合理性。

与此同时，这一规则还将否定下列做法：

● 随机地将表面的文本要素与外在于该文本的材料、或者与手边文本不同的结构等同起来。

● 随机地在用语相同的基础上，声称术语意义的等同。在当下的个案里，《老子》中其他“大”字的使用是全不相干的。

● 在没有事先证明这些其他材料实际上属于同一主题之前，随机地使用文本内或文本外的材料构造意义。

在辨识《老子》这句话的主语的同时，王弼去除了可能的第二个主语部分——上。实际上，其他注释者一直将“太上”当做双名词。王弼用“大上谓大人也”（大上指的是大人）而非“大上大人也”，保留了“上”作为动词的选项。在下一句里，他用“大人在上，故曰大上”来证明这一点。我将“在”译为“rest”(即处于、位于)是以王弼对《周易》中的同一个字的注释为根据的，《周易》乾卦第五爻为“飞龙在天”。王弼注的焦点落在“在”这一表达上面。他说：“不行(如处于第三爻时的做法)不跃(如处于第四爻时的做法)，而在乎天，非飞而何？故曰飞龙也。”①

这一构造必须做到两点：第一，根据“上”的语法和内容的可能性，它是可行的；第二，它能为“大”实际上指大人这一假设提供部分的证明。

在《周易》乾卦中，大人可以处在完全不同的位置上：从第一爻的潜龙到第五爻的飞龙以及第六爻的亢龙。在《周易》的卦象中，治理者最高的位置是第五爻而非第六爻。乾卦第五爻的爻辞作：“飞龙在天，利见大人。”《文言》分辨了那些有此有利条件的人。在其第五爻的注释中，引用了“子曰”，指出这意味着“圣人作而万物睹”，即“一旦圣人居于[可见的高位，高得好像他‘在天’一样]，万物就见到[他，即‘利见大人’]”。② 这样一来，“大人”在《周易》中的上下文就支持了王弼将“上”当做动词(意为“在上”)的合理性。

从王弼注可以推知，我们必须将前两个字译作“大人在上”。只有靠句子的其他部分，我们才能有足够的上下文来确定这一陈述的语态：有可能是直陈句(大人在上)，条件句(只要或只有大人在上)，或假设句(如果大人在上)。

一个关于大人/圣人处在治理者的地位的《老子》陈述，是一种合理的构造吗？《老子》没有明确说圣人是治理者，尽管班固的《古今人表》中的圣人，绝大多数都是治理者，但至少他们中的最后一个——孔子不是；所以，仍有可能将圣人理解为某种独特的、有特殊禀赋的存在，而不一定非要当成负责管理整个社会的人。

① 王弼，《周易注》，页 212。
② 同上书，页 215。

然而,《老子》关于圣人的陈述绝大多数都属于这一类:它们只能在圣人的确处在治理者的地位(在此地位上,他们的所有作为或无为都将给百姓甚至万物带来影响)这一前提下获得理解。在标准的结构中,如《老子》第5、7和77章,圣人效仿天地或道,所以他的态度和行为(与天地或道一样)对万物都有影响。在其他的结构中,如《老子》第2、3、12、19、22、26[其中"君子"作为圣人的同义词出现]、27、28、29、49、57、58、60、63、64、71、72、78章,圣人被说成是按照正确的方式治理国家并维持他作为治理者的地位的人,这又一次预设了他的在位。尽管这些对应结构中没有一个能证明王弼对"大上"的解读,但它们扩展了语境,使之足以证实它的合理性。

王弼将"大"读作"大人"进一步得到了直接的上下文的支持。紧跟着的三个句子都以"其次"开始。正常情况下,这一表达预设了"此前"是某类与大人紧密关联的人。"次"暗示了一个等级秩序,其中,大[人]优于后面的句子中提到的那些人。在王弼的解读中,《老子》第17章的首句与其后的三个句子描述了一个品质逐次下降治理者的系列——以大人开始,以被"侮之"的治理者结束。

对于这一结构,王弼在《老子》第38章找到了呼应。王弼将那一章读作对各种治理术的描述。他在具有"上德"的治理者的不干预与具有"下德"的治理者的干预之间建立了质的差别。后者又被列为一个等级不同的系列,从用"仁"者到用"前智"者——"愚之始"。《老子》第17章没有界定大人以下各类人的治理策略。王弼在注释中,用《老子》38章的内容加以补充。

大人本身没有根据第38章得到直接的界定,但其合乎逻辑的结论是:大人就是那里描述的拥有"上德"的治理者。王弼的想法可以从其对乾卦第五爻的注释中找到证据,在那里,他说大人"以至德处盛位"。"至德"和"上德"这两个词,是在完全一致的意义上使用的。

在《老子》第38章中,大人之下的第一个是用仁的治理者,这与《老子》第17章最高者之下的一样;其次是用威权的治理者;最后是用智的治理者,在王弼《老子》第38章的注释中,智被译作“前识”。《老子》第17章的序列比《老子》第38章短;王弼辩识出了两个序列中的最高者和最低者。“威权”一词在《老子》第38章的本文和注释中都没有用到,但它作为对其中提到的“义”和“礼”的方式的总结性词汇是必需的。《老子》第17章和《老子》第38章平行的治理方法的等级,在含蓄的提及中,被王弼当做他对《老子》第17章的解读的合理性的证明来引用。对大上的这一解读也使该句剩余部分的意义确定下来:“在下位者知道[大人]的存在”。

通过在“下知有之”后面加上“而已”二字,王弼给《老子》17.1强加了这样的翻译:

> 如果大人在最高的地位,那些在下位的人,也[只是]知道有他罢了,并没有别的。

这一解读合乎内在的逻辑。由于圣人在使百姓和谐时没有用行动干预或用言辞规定界限,所以没有他们可以用来界定圣人的行为或言辞。无法界定圣人,就像无法界定圣人所体现的道一样——一个反复出现在《老子》中的主题。① 语言和认知在处理圣人时,有着与处理道时同样的问题;二者都是无法定义的,尽管万物的存在依赖于道,百姓生活的秩序依赖于圣人。从万物的存在和百姓生活的秩序中只有一个确定的结论是可能的:有像圣人或道这样的东西,但语言无法超越这一含糊的观念。根据首句的内在一贯性,王弼所建构的解读获得了理解。

根据本章的整个上下文,将“下”读为“那些在下位的人”,可以通过最后一句中出现的“百姓”一词得到确证。对此,我们很快会谈到。

《老子》第17章中接下来的三句话具有大体相同的模式。它们是:

> 其次亲而誉之

---

① 参见本书第三编。

其次畏之

其次侮之

作为动词"亲而誉"、"畏"和"侮"的主语的不同的"其"具体指的是什么，以及句末不同的"之"具体指的是什么，是必须明确界定的。

这里的"其"一定指向前面句子中的某些主语。对于这里引用的第一句话来说，候选者将是"大人"或"下(在下者)"。同样的语法矛盾对于有待辨识的两个词也适用。这些句子的意义无法以一种明确的方式建构起来，此种方式不同于这样过于大胆的决定：将未定要素与前面句子中的既定要素关联起来，并在此基础上确定文法。

王弼在与本章首句的相似中构造这些句子。在这一点上，他在前四句的平行(每句都以动词后面加"之"字结尾)中找到了支持。在对"其次亲而誉之"的注释中，他为"亲而誉之"插入了一个主语"下"：使下得亲而誉之。由此，这个句子中的"其次"，就指某些在品质上仅次于大人，但仍是"上"，仍处于治理者地位的人。这句话必需这样翻译：

如果仅次于[大人]的人[在位]，[在下位者]将会亲近并赞誉他。

这为下一句话"其次畏之"以及这个系列中的最后一句话"其次侮之"设定了程式。

这一治理术的下降顺序与前面提到的《老子》第38章尤为相合。从这些过程中，我们细绎出另一规则：

不同术语的结合的合理性证明，既依赖于不同术语植根于其中的论证结构的平行，也依赖于建立此种平行关系所必需的语法结构的生命力。

《老子》第17章的下一句话是：

信不足，焉有不信。

这个句子打破了前面句子的平行关系，因此，王弼把它读作对前面那些句子中的下降等级的总结。同样的结构在《老子》中有好几处例证。一旦做出了这样的结论，这句话就必须给出“在下者”对待他们的长上的态度之所以会败坏其长上的品质的理由。这一关于可能的意义的结论，根据前面的句子界定了前半句话与后半句话不同的主语，从而强加了这样的翻译：

如果[治理者]的信不充分，那么[在在下者当中]就会出现信的缺失。

王弼是通过插入“则”建立起两个半句之间的连接的：“信不足焉，则有不信”。王弼是这样注释的：

言从上也。夫御体失性，则疾病生；辅物失真，则疵釁作。信不足焉，则有不信，此自然之道也。已处不足，非智之所济也。

在此，信被解释为对于“性”或“真”始终真实的东西。王弼在《老子》21.5中找到了对这一解读的支持，在那里，他将信解释为“物反窈冥”时万物中显现出的“信验”。孔子以同一种方式，在信的方面优于老子。[①] 这样，王弼的解读就在其他权威文本中找到了支持。王弼以下述方式建构《老子》17.5的意义：

[总之]，当[居于上位的那些在品质上低于大人的人]缺乏信用时，[作为其结果]，[在在下者中]信用也缺失了。

这一章还剩下最后一句：

犹兮其贵言也功成事遂而百姓皆曰我自然

第一部分中的“其”又一次指向一个未命名的主语，它必须被构造出来。“百姓”与本章首句中的“下”(由此也与后面的句子)关联起来。《老子》第17章首句中大人态度的结果是“功成事遂”，从而在根本上有别于

---

① 《论语》，7.1；参见王弼，《论语释疑》，页623。

较低等级的治理者的治理策略引生的混乱局面。因此，王弼认定大人是适应这一“其”的要求的唯一人选。在其注释中，他通过重复《老子》17.1注中对大人的刻画做到了这一点：“居无为之事，行不言之教”。他认为，文本中所说的“功成事遂”是其结果。

王弼注解“犹兮”时说，它的意思是“其端兆不可得而见也，其意趣不可得而睹也”。然而，无法辨识他的具体意思的结果是，“他的话受到[在下者]的敬重”。由这些注释可以推知，《老子》17.6只能翻译为：

> [大人如果居于上位]，他是无从确定的；[但]他的话却受到[在下者]的敬重。

作为“犹兮”的结果，百姓无法用任何准确的词语界定在上位的大人的行为和目的。在王弼注中，其浑融的结果是“无物可以易其言，言必有应”。大人以这种方式负责维持社会的自我调整过程——一个被王弼陈说为普遍同意的观点。由此而来的悖论是：虽然整个百姓“功成事遂”的社会秩序从根本上归因于大人居位，但由于它们不是出自他以任何方式进行的干预，百姓就自然而然认为这一整饬的局面源于他们自己本性的结构的调整。接下来的部分可翻译如下：

> [如果以此方式，百姓]功成事遂，百姓就都会说“我们自然而然就是这样的”。

此章最后一句的这种解读也强化了对第一句的解读。它具有相同的角色——大人和百姓，重新阐述和具体化了第一句中的某些命题。在第一句中，如果大人在上位，那么“在下者”也“只是知道有他而已”，却并不能说清楚他的具体特征和贡献；到了最后一句，百姓从居于上位的大人的无从界定中得出的结论是：整饬的秩序源于他们自己本性的预定和谐。

在这一上下文里，王弼必须确定文本究竟在谈谁的功和事。直接的上下文暗示，它们要么是圣人的——因为他是句子的焦点；要么是百姓——因为否则他们把这些功和事归于自己的本性就显得不可理解了。由下面将要引证的《论语》中的对应段落提供的扩展的语境,暗示了后一种选择——对此,王弼也赞同。这些对应文本,有助于支持王弼对本章的构造的内在一贯性。

以现在熟悉的证明方式,我们可以通过寻找《老子》以及其他权威文本(如《周易》、《论语》)中的其他陈述(主张如果由圣人来治理社会,百姓最多只知道他存在,却无法界定他),来检验王弼对这一晦涩段落的辨析的合理性。

《老子》15.1 说:"古之善为道者,微妙玄通,深不可识。夫唯不可识,故强为之容。豫兮若冬涉川。"在对《老子》15.2 的注释中,王弼将"古之善为道者"等同为"上德之人"(一个出自《老子》第 38 章的术语,它被等同为大人和圣人是我们已经熟知的了)。这一对应段落显然增大了王弼对《老子》17.1 的解读的可能性。"强为之容"的表达与《老子》25.4 中关于"混成、先天地生"的"物"的类似陈述极为相近。关于这一存在者,《老子》写道:"吾不知其名,字之曰道,强为之名曰大。"由于圣人"善为道",他们有很多共同的特征。

由此,具体界定道的不可能性与具体界定圣人的不可能性相呼应,进一步加强了王弼的论据。在《老子》第 70 章中,作者性的"吾"自拟于圣人。这个"吾"声称,其"言甚易知,[其行]甚易行"。然而,"天下莫能知[吾言],莫能行[吾行]"。此章以圣人更加难以辨识的陈述结尾:"是以圣人被褐怀玉"。王弼将"被褐"读作"同其尘"(与《老子》56.6 中的贤明的治理者一样);将"怀玉"读作"宝其真"。王弼由此得出结论:"圣人之所以难知,以其同尘而不殊,怀玉而不渝。"这样,王弼就在《老子》内部找到了对其《老子》17.1 注的很好的支持。

更有力的支持恰恰出自孔子本人。王弼对《论语》8.19 的注释至今尚存,孔子说:

> 大哉尧之为君也!巍巍乎!唯天为大,唯尧则之。荡荡乎!民

无能名焉。

王弼的注释如下：

> 圣人有则天之德。所以称唯尧则之者，唯尧于时全则天之道也。荡荡，无形无名之称也。夫名所名者，生于善有所章，而惠有所存。善恶相须，而名分形焉。若夫大爱无私，惠将安在？至美无偏，名将何生？故则天成化，道同自然，不私其子而君其臣。凶者自罚，善者自功；功成而不立其誉，罚加而不任其刑。百姓日用而不知所由，夫又何可名也！①

这样，孔子本人就确证了对于居于君位的圣人而言，"在下者"或"百姓"（这里称为"民"）只"知道他的存在"，但他是如此广大和无所不容，以至于根本没有界定他的方式；然而，善者在其中完成功业、恶者在其中得到惩罚的社会过程最终都以他为根据。② 被插入其《论语》注中的出自《系辞》的引文，再一次将圣人与他所体现的道关联起来。实际上，王弼在这里从一系列关于道的陈述中总结出了基本的陈述结构。它们标准形式出现在《老子》1.2 的注释中："言道以无形无名始成万物，[万物]以始以成而不知其所以[然]，玄之又玄也。"

与《论语》"巍巍乎其有成功"的呼应，容许王弼为自己保留对道的另一种描述：圣人设法让百姓"功成事遂"。这一主张也为人熟知。获益的是善者，他们将完成其功业，[而恶者将被给予惩罚]。但是，这一社会的自我调节是通过处于君位的圣人混沌的无为达到的。

王弼对贵言的解释是以《老子》13.5 中的贵身为范型的，其中的"贵"也被读作在"无物可以易其身"的意义上"被尊崇"。王弼由此设法建构

① 王弼，《论语释疑》，页 626。

② 应该指出的是在这一段常见的汉代引文中，关于人民无法界定尧的句子常常被忽略；参见应劭，《风俗通义》1:1；《汉书・儒林传》，页 3589。这两个例子所强调的都不是圣人的特征的不可捉摸，而是他留下的形式化的社会制度，即"文章"，在其中他的隐密的程式彰显（"焕"）自身，正如绝大多数后世的注释对此段的解读那样。

一个文本,给这一章以某种一贯的解读:它在文法上是可行的;其核心命题的合理性可以在王弼对众多《老子》本身的段落的解释中得到确证,也可以在其他权威文本如《论语》和《周易》的相当接近的平行文段中得到确证;其中的辨识(特别是关于"大上"为"大人在上"以及"下"为"在下者")可以由重要的平行文本很好地确证。他对这一章论断的分析所依据的材料,绝大多数取自该章本身以及《老子》的对应文段,而不是在某种宗教的或意识形态的信仰基础上随机引入的。

在我们目前的解读层次上,王弼的构造不包含与其他注家的竞争。在此,我们没有真正的对立文本,它作为一种针对其他注释的构造的特征,只有在真的遭遇其他可能的构造时才会明显起来。我们下面就要处理这样的遭遇。假如可能的话,我们将在此插入可以视之为王弼的对立文本的注释。除了严遵以外(王弼与他可能有某种传统的关联),没有王弼谈及早于他的尚存注释的明显迹象。然而,由这些其他注释者提出的构造将允许我们衡量《老子》文本的可能性的范围,并由此估量王弼在撰写他自己的注释时面对的困难和挑战。与此同时,这还允许我们通过让王弼注面对其他选择来突显他的注释方法。最后(但不是至少),它将显示《老子》到那时为止已经发展出的内容和语法上可接受的构造的庞大历史范围,并由此对我们理解文本与解读的复杂的、高度互动的关系有所帮助。

严遵对这一章的解读预示了王弼的注释。他对第一句的注释已经佚失。然而,岛邦男《老子校正》认为严遵的文本所属的文本族中有某个文本有这第二句。对于"其次亲之誉之"他注释道:"人乐为主曰帝。"这意味着严遵将"下"等同为"人",更具体地说是百姓;同时他将第一句中的"太上"等同为比帝还高的人。严遵将"上"读作动词"在上"是可能的,但可能性不大,因为那样会使"太"变成一个笨拙的名词。很可能他将太上读作一个复合名词"至高者",在语法功能上是一个出于强调目的的前置的宾语,"对于至高者,在下位者只是知道有他存在而已"。然而,这一区别并不重要,因为在严遵的解读中,太上所说的也是一个处于治理者地位的人,是等级最高的治理者,而且文本处理的也是在下降的秩序中对各种治理者类型的洞察。这样一来,第二句话就被严遵读作:“对于仅次于[最高级的治理者]的人,[在下位的人]亲近并赞誉他。”

两种注释的基本一致,在严遵对接下来一句话的注释中得到了确证;这句话在他的文本系统中读作“其次畏之侮之”,一种将论及的治理者类型由四种减少为三种的读法。严遵写道:“嗟之叹之,故谓之王。”“嗟”和“叹”这两个词分别是对“畏”和“侮”的注释。它们这些词不应被读作这些词被“译”为同义词,而是必须被视为被用在《老子》中的结果。①

然而,严遵没有为解释这些词而引用《老子》的其他材料;他的注释没有为其构造的合理性提供证明。他的注释中使用解释性词语没有在《老子》的其他地方出现,治理者的各种类型名号的等级也没有在《老子》的其他地方出现,而且,相继的不同治理者何以会在他们的臣民中导致这样的反应的原因,也没有得到解释。从严遵那里可以推知,这句话要这样来解读:“对于再下一层次[的统治者],[在下位者]畏惧和厌憎他们。”严遵对这一章的注释只保存了这些,因此,我们就只能忽略他对剩余部分的构造了。

王弼的解读追随严遵对前两句的构造或与之耦合。然而,他所用的方法却相当不同。通过以平行的文本丰富文本的语境,他试图在《老子》和其他权威文本的框架内确立他的构造的合理性,使在严遵那里是一个固定信仰的东西,变为有着透彻的内在逻辑的论辩性构造。

进一步回到《韩非子》:在其“解老”篇中没关于这一章的解释,但是在卷16“难三”篇中,在一段对孔子给三位公子关于政的建议的批评性分析中,插入了《老子》第17章的首句,引文是“太上下智有之”。由于在每一个场合给出的建议都不相同,子贡向夫子请教原因。答案是,他们面

① 岛邦男,《老子校正》,页65。

对的问题不同。对叶公子高的回答是:“悦近而来远”。《韩非子》进一步引用“或曰”说:

> 或曰:仲尼之对,亡国之言也。叶民有倍心,而说之悦近而来远。则是教民怀惠。惠之为政,无功者受赏,则有罪者免。此法之所以败也。

文本接下来指出尧舜是如何做的,然后收结道:

> 明君见小奸于微,故民无大谋;行小诛于细,故民无大乱,此谓“图难于其所易也,为大者于其所细也”。今有功者必赏,赏者不得君,力之所致也。有罪者必诛,诛者不怨上,罪之所生也。民知诛罚之皆起于身也。故疾功利于业,而不受赐于君。

接下来是:“太上下智有之此言太上之下民无说也安取怀惠于民上君之民无利害说以悦近来远亦可舍已。”这一段从《老子》引文“太上下智有之”开始,然后给出了解释。在这段引文中,我没有断句。断句的方法可以有两种:“此言太上之下,民无说也”,或“此言太上之下民,无说也”。前者“太上之下,民无说也”似乎更好,但它与后者“太上之下民,无说也”之间的差别,对于我们的目标而言是无关紧要的。两种读法都证明此文本将《老子》的“太上下”译为“太上之下”或“太上之下民”,这就意味着它在“下”之后断句,从而形成“太上下,智有之”(与王弼的“大上,下智有之”不同)。① 现在,可以进行翻译了:

> “最高[统治者]之下的[百姓],知道[赏罚]是[他们自己行为的结果]”。② 这意味着:由于最高[统治者]治下的百姓不希求[任何

---

① 这一更为详尽的关于标点的论辩是在陈奇猷的标准版所倾向的标点的驱迫下写的,参见《韩非子集释》,Ⅱ:853。与《韩非子》的读法不同,他断为“太上,下智有之,此言太上之下民无说也”。

② 《韩非子》的《老子》文本的“智”将被读作“知”。它是直接依据此前的句子“民知诛罚之皆起于身”来解释的。

来自其统治者的特殊补偿],怎么让百姓希求恩惠呢?最高君主的百姓没有[来自其君主的]利和害,这就意味着"悦近来远"的策略可以被抛却了。[①]

这里的主张是:最高等级的治理者将以这样一种方式来安置事物,在这种方式下,百姓知道他们的命运依赖于抽象的、匿名的法律对他们行为的评判,而不是依赖于治理者的施恩与否。我们可以从这一上下文推知《韩非子》将这一章后面几句解读为百姓对品质较低的治理者的反应,这与严遵和王弼很接近。《文子》(其中的大部分内容早于《韩非子》)可以在实际上作为《韩非子》这一陈述的背景。令人困扰的是,1973 年在河北定县 40 号汉墓中出土的较长的竹简本《文子》要到 1995 年 12 月出版后我们才能看到。[②] 然而,这一发现似乎证明了现存文本总的来说是先秦文献。我们这里用到的部分的年代可以由这一事实确证:它的引文出现在《淮南子》中,只有细微的差别。[③] 在这里,《老子》第 17 章首句出现在一段详细描述从帝、王到霸治理策略的败坏的大段文字中。这一段落让圣人"于物无有"的治理策略与那些品质较低的治理者的"重为惠、重为暴"相对。与《淮南子》一样,这样治理的结果是:"为惠"则"无功而厚赏,无劳而高爵","为暴"则"无罪而死亡,行道者而被刑"。

故为惠者即生奸,为暴者即生乱,奸乱之俗,亡国之风也。故国有诛者,而主无怒也。朝有赏者,而君无与也。诛者不怨君,罪之当也。赏者不德上,功之致也。民知诛赏之来[④],皆生于身,故务功修

---

① 陈奇猷,《韩非子集释》,Ⅱ:852。

② 李定生、徐慧君,《文子要诠》,页 1。新的发现是在"河北省文物研究所定州汉简整理小组"发表的三篇论文中发表和讨论的,分别题为"定州西汉中山怀王墓竹简《文子》释文"、"定州西汉中山怀王墓竹简《文子》校勘记"和"定州西汉中山怀王墓竹简《文子》整理和意义"。

③《淮南子逐字索引》,9.70.22。

④ 有些文本错误地将此处写作"民之"而非"民知"。我依据的是四部丛刊版,这一版本也是刘殿爵《文子逐字索引》所依据的底本。李定生、徐慧君的《文子要诠》错误地接受"之"这种读法。

业，不受业于人，是以朝廷芜而无迹，田壄辟而无秽。

接下来是总结性的句子："故太上下知有之"，或"故太上下知而有之"。此后是一段对正确施行王道的治理者的大段描述，其结果是使社会自我调整，而"莫出于已"。这一文本必须以我对《韩非子》的相应文本所建议的那种方式来标点，即"太上下、知有之"，并译作："在最理想的[治理者]的治上，[百姓]知道[何以]会有[赏罚]。"①

《文子》、《韩非子》和《淮南子》在对《老子》第17章首句的语境建立和文法处理上是一致的。这无法证明他们将这一文本视为《老子》的部分，但他们都从《老子》中与这一章紧挨着的其他部分引用了其他因素，并且都在宽泛的意义上处理了《老子》。这三个文本中有两个是紧密关联的——《文子》和《淮南子》的相应段落大体相同，而《韩非子》则将整句插进一个由孔子的陈述支持的论断。在像王弼那样将文本纳入一个品质逐次下降的治理者次序中时，无论在文法结构还是在具体意义上，三个文本都与王弼注不同。这种解读不是绝对易简的，因为它与自发性的解读之间有一定的距离。"知(智)有之"或"知而有之"，实际上被"译"为"民知赏诛之来皆生于身"或"民知赏诛之皆起于身也"(《韩非子》)。这一翻译提出了主语——"民"，和宾语——"赏诛"，并用"来"、"生"和"起"等词将"有"译为"何以有"。

后汉的《想尔注》提出了一种完全不同的构造。对于《老子》第17章首句，它的文本作"太上"，而非"大上"。注释如下：

知道，上知也。知(也)恶事，下知也。虽有上知，当具识恶事，改之，不敢为也。

① 《文子逐字索引》，42.8.7。李定生、徐慧君，《文子要诠》，页154。刘殿爵依据杨树达《老子古义》，保留"故太上下知有之"而未加标点(这造成了一种语法上的错谬)；而李定生、徐慧君则标点为"太上，下知而有之"，并在注释中提到了王弼注，尽管在这一语境下，这种读法并没有什么意义。

《想尔注》有一种抄本现存，错误甚多。在这一句里，我认为“知”后面的“也”是对前面的“知也”的机械重复导致的抄写错误。[①] 翻译如下：

理解道是最高的知识。理解恶行是最低的知识。即使是具有最高知识的人，也应充分地熟悉恶行，以便可以重新教化那些为恶行的人，[并由此设法]让他们不敢为恶行。

想尔注通过插入“知”字将“太上”读作“具有上知的人”的简称。这一跳跃的合法性来源于与“下知”(低等的知识)的对照。从文法上看，拥有最高知识的“太上”是此句的主语，“下知”是“有”的前置宾语，而“之”则指代这一宾语。想尔注通过将其译为“当”，在一种命令式的罕见转折中解读这一“有之”。[②] 这一“当”表明想尔注把《老子》这句话读作道教信徒行为的直接性指导，而非一系列分析性哲学陈述。从这一注释可以推知，不是将《老子》第17章首句读作王弼的“大人在上，下知有之”，而是：

拥有最高知识的人[也]要有较低的知识。

将“下知”译作“具识恶事”，并不要求进一步的文本的确证。在想尔注中，没有其他的文本涉及必须同时拥有最高和最低知识的问题，可用来确证这一解读的合理性。如严遵注一样，想尔注也解读了这一章的第二句：“其次亲之誉之”。注文如下：

见求善之人，学晓道意，可亲也。见学善之人，勤勤者，可就誉

① 遗憾的是，最近再版的饶宗颐《老子想尔注校正》似乎在很多地方都不具说服力，无论就批评性的文本处理，还是就标点而言。以《老子》13.1的想尔注为例。饶宗颐本作：“知道，上知也，知也。恶事，下知也。虽有上知，当具识恶事，改之不敢为也”。“上知也，知也”后面的句号使这一重复看起来没什么道理，而且接下来又造出了一句同样没有意义的话“恶事，下知也”。这一构造的结果是，想尔注的论述“虽有上知，当具识恶事”看起来在《老子》文本中完全没有基础。麦谷邦夫的《老子想尔注索引》中给出的文本与饶宗颐本不同。它用句号来分离文本的单位，写作：“知道，上知也，知也恶事，下知也”。

② S. Bokenkamp 在 *Early Daoist Scriptures* 的译文中没有点出这一强迫性。尽管我们对此章的译文相当一致，但仍有重要的差别。

也。复教劝之勉力助道宣教。①

这一注释译为：

> 看到追求善的人，觉晓道的意义，[拥有最高知识的人]会去结交[这个人]。看到学习为善的人勤苦努力，[拥有最高知识的人]会去赞誉[这个人]。他还会教导和鼓励[这些人]发挥他们的能力在宣扬教化中辅助道。

想尔注将"亲"和"誉"后面的之分别与不同的人联系起来。因此，"其次"必须被译为复数形，将两个"之"所说的人都包括在内。"可"表明"亲之誉之"又一次被解读为命令。想尔注就这样构造了《老子》第 17 章的第二句话：

> 那些低于[你，拥有最高知识的人]，要么去友善他，要么去赞誉他！

言说的对象是拥有最高知识的人，即拥有关于道的知识的道教信徒；他们被提醒，要以恰当的方式对待那些等级较低的人。在这里，"其次"指涉的仍是"太上"，只不过在第一句话中"太上"是主语，而在这里，"其次"成了出于强调的目的的前置宾语。即使这在文法上行得通，主语的变换也一定不如严遵/王弼的构造来得易简。

想尔注在下一句话中遇到了较大的麻烦，在他的文本中，这句话是：

> 其次畏之。

想尔再一次将句子一分为二。流传下来的抄本使他首先注释了这一部分，然后加上了对下面的元素"侮之"的单独的注释。第一部分的注释是：

① 前两个句子之间的平行关系有细微的残破，"亲"字前面应该插入"就"字，或将"誉"字前面的"就"字删去。

见恶人诫为说善[①],其人闻义则服,可教改也。就申道诫示之,畏以天威令自改也。

翻译如下:

看见邪恶之人,[拥有最高知识的人]会告诫[这个人],并解释[如何为]善;如果这个人一听到这一道理,就信服了,那他还是可以教化和改变的。即指出道,告诫和指导他,以天之威严来使他惧怕,让他自我改造。

这一注释要求我们将《老子》中的这句话译为:

对于卑下者,要么让他们惧怕,

随后是《老子》此句的第二个部分:"侮之"。想尔注曰:

为恶人说善,不化而甫(笑)之者,此即刍狗之徒耳,非人也,可欺侮[②]之,勿与语也。

此注译为:

如果[拥有最高知识的人]对邪恶之人解释[如何为]善,[那个人]不改变反而嘲笑他,那么,这个恶人也就是"刍狗"之类的人,不属于人类,可以蔑弃他,不要跟这样的人说话。

这样一来,在前两个字的语法角色上,我们有了第二个变化。在第一句话中,它们是主语,在第二句话中,它们成了由其与前面主语的关系界定的前置宾语;在第三句话中,它们又成了由其与前面的前置宾语的关系界定的前置宾语。这些对每一句话不断变化的构造显然低于严遵/王弼的更为易简的解决。《老子》此句就读为:

---

① 饶宗颐将此句断为"见恶人,诫为说善"。尽管我认为他会认同我的译文,我看不出他们的断句如何处理"为"字,根据想尔的下一注释,我将这个字读为"向[某人]"。

② 我不太清楚饶宗颐为什么要读作"悔",而非另一抄本中的"侮"。在这一抄本中左边的偏旁很明显是"人"而非"心"。

以轻蔑来对待他们！

这后一种做法是对那些拒绝教育，应该被“煞”的(如《老子》5.1 的想尔注所说)。

想尔注的《老子》文本的下一句没有两个“焉”字，作“信不足，有不信”。注释作：“刍狗之徒，内信不足，故不信善之言也”，译为“由于属于‘刍狗’之类的那些人内在的诚信不足，因此不相信善人的言语”。想尔注构造了前面两组动词，每一组指涉百姓的四种类型的一个下降的等级。这样的两个句子是平行的，其内在结构也是重复的。我们正在讨论的这句话打破了这一平行关系。王弼依据修辞规则，认为这样的句子一定是属于此前整个一套平行句子的一般陈述(，或者是开始了一个新的主题)。想尔注的解决忽视这一修辞特征，只是将这句话与前面一句的第二部分(即那些刍狗之徒)联系起来。结果，这句话不得不用一种逻辑的关联加以补足：“[之所以不与那些只能侮之的人说话，是因为]他们作为刍狗之徒内信不足，是不会相信善人的话的”。由于没有提供关于其他三种类型的可用来比较的句子，这一解读打破了平行关系，却并不能在文本中找到任何支持。由此可知，《老子》这句话应读作：

> 由于[那些应该被蔑弃的人]的诚信不足，他们自然缺乏对[那些讲真理的人的话]的信任。

想尔注的《老子》文本接下来是：

> 犹其贵言，成功事遂。

这句话的注释是：

> 道之所言，无一可弃者。得仙之士，但贵道言，故辄成功事遂也。

这一注释译作：

> 道所说的话没有可以抛弃的。得成神仙的人，只尊崇[所有]道

的言语，因此能成功事遂。

像王弼一样，想尔注也假定最后这一句又是指这一章第一句用“太上”或“大上”说到的那个人。这里，想尔注指的是“有上知”的“得仙之士”。为解释这一句混乱的语法结构，想尔“翻译”了它：将“犹”译作“但”；在《老子》35.5“道出言”的基础上，将其译作“道”；并通过增加“故”字，将两个部分关联起来。由这一翻译可以推断，想尔注将《老子》此句构造为：

> [通过]尊崇地持守[道的]言语，[第一句中提到的有最高知识的人]完成[他的]功业，并[看到他的]事务顺遂。

“道”的关键性插入在此处的上下文中没有根据，但是可以强调《老子》在第35章中说过“道出言”。这一章的最后一句作：

> 百姓谓我自然

对此，想尔注道：

> 我，仙士也。百姓不学我有贵信道言[1]以致此功而意我自然，当示不肯企及效我也。

这一注释译为：

> “我”指的是仙人。百姓不学我通过尊崇道的言语达致这样的功业，而认为这一[成功]出于我自然的本性，这显明了他们不热衷于效仿我的原因。

在这一章中，具有上知的人并没有说“我”。“我”在这里的引入对于想尔注是决定性的，但没有其他的文本证据支持。而上一句“道”的插入与这一句“我”的出现（也许没有牢固的文本基础），是在设法为这两句话

[1] 饶宗颐将此句标点为“百姓不学我，有贵信道言……”。然而前一注释中“但贵道言”的主语显然是“得仙之士”，这一“得仙之士”在本注中被当做“我”。在我看来，合版的标点是正确的。

以及这一章提供某种逻辑的关联。有上知的人(在这一章的注释里也被称为“善人”)正是通过崇重道之言,才获得成功——得仙的。百姓忽略了这一点,认为得仙是由于上知之人的本性,无法通过宗教实践和善行达到,因此,他们拒绝仿效仙人。

由注释可知,《老子》第17章的最后一句必须译为:

> [但]百姓[不信者][只是]将此[得仙]归因为我的本性[,而非归因为我对道之言的崇重]。

在这一章的基础上,我们可以说想尔注构造了一个逻辑上说得通的文本,它不太严格地应合他对文本的整体意义的构造。他从《老子》中包含“道之言”这一假设开始:《老子》完全成了规定信众所要遵循的规则的文本。只要是可以被构造为命令的语法形式,都会被以这种方式来解读。尽管想尔有时会含蓄地以解密难解的段落的方式提到《老子》的其他部分(或以避免重复的方式提到他自己的注),但他并不受修辞结构、语法的可能性、内容的合理性或易简这类太过文本化的规则的束缚。由于坚信自己知道《老子》的终极旨归,他觉得他可以随意扭曲文本表面的类型,来迎合这一目的。在这一解读中,这一章的意义以之为依据的所有关键词,都是在没有直接的文本或上下文根据的情况下插入的。在为某个段落提供一种合理的、易简的解读与将这一段落同该文本假设的整体宗旨相关联之间的微妙平衡,明显因对后者的偏好而倾斜了。

与王弼不同,想尔似乎并没有将读者视为在文本意义的竞争中老练的、见闻广博的竞争者,而是视为向被赋予了宗教权威的人学习的信众,他们通过这一文本和注释获知怎样修炼才能得仙。这样的建议甚至也提给那些已经拥有“上知”的人;在对《老子》第17章的首句的注释中,他们被告知应该同时拥有“下知”。我们必然学会适应这样的事实:《老子》同时有多种生命,仿如薛伦丁格尔的猫(Schroedinger's cat),它们彼此隔阂,有时甚至在同一个头脑下也是如此。

我们将以河上公注为第四个例证。在河上公注中,《老子》第17章首句作:

太上下知有之

河上公对此注曰:

太上谓太古无名号之君。下知有之者下知上有君而不臣事质朴淳也。若不知者没而无。谥法者号之曰皇。

翻译如下:

“太上”是指上古的君王,他们没有个人的名号[如伏羲、黄帝、尧和舜]。① “下知有之”意指那些在下位的人知道有一君王,但他们并不臣属和服务于他,由于他性情的素朴[以致他们不知道他个人的名号]。如果[在下者]完全不知道他们,那么他们也就会完全不存在[于载记中],[我们也将无法知道他们的族名和谥号]。按照“谥法”,称他们为皇。②

由此可知,河上公将此句读为:

太上[之君],在下者[只]知其存在,[但并不臣事他们,也不知道他们个人的名号]。

这表明,他的解读策略与严遵和王弼相同:都以界定这一句的前后两部分的主语和宾语为根据。然而,由于其文本作“太”,而非王弼的“大”,河上公的解决就成了用“太上”指“太古”,这一点可以在本章后面的注释中得到确证:在那里,他用了“太上之君”,而非此处的“太古之君”;无论在这个句子还是后面的句子中,都必须补足核心名词——

① 这一对上古君王的称呼也见于班固的《古今人表》,《汉书》,页861。

② 这最后一段只在强思齐的《道德真经玄德纂疏》中有,岛邦男由此将其收入《老子校正》。但在许多其他本子中都没有这一段,参见郑成海,《老子河上公注校理》,页113。关于“谥法”,参见《史记》附录,张守节的《史记正义》,页18。

"君"。的确,河上公对下半句话的解读支持了这一假设:前半句话涉及的是治理者,但他已将文本资源构建为"太古",没有一个字被留给治理者,所以只能做额外的补足。而王弼则通过细致的语境扩展,设法为这两个字的解读找到了更好文献证据,

河上公强调的不是语言在界定此类治理者时的无力,而是上古时对治理者的缺乏了解:由于他们性格中的谦逊和简朴,他们不用人们的臣属,因而也无法让人们在知道他们存在的初步了解以外,进一步地熟悉他们。以这种方式解释"下知有之"这句话,是相当巧妙的,因为它与关于他们的历史故事以及《老子》本身对其素朴的假设相符。它还有某些上下文的证明:《老子》第17章后面的几句话都在描述在下者对其君王的态度。

河上公本下一句作:

其次亲而誉之,

注曰:

其德可见,恩惠可称,故亲爱而誉之。

翻译为:

此人的德才可以被看到,他的恩惠和仁慈可以被称赞;因此,[在下者]亲近他,爱戴他,并颂扬他。

由此,《老子》此句当做:

次于[太古之君]的君主,[在下者]亲而誉之。

与严遵和王弼一样,河上公也以"在下者"为后面几个句子的后半句的主语。

对于下一句"其次畏之",河上公注曰:"设刑法以治之。"由这一注释我们可以推知,河上公将这句话读作:

次于那些[可亲而誉之者]的君主,[在下者]畏之。

下一句"其次侮之"被注释为:"禁多令烦,不可归诚,故欺侮之。"因此,河上公对此句的构造读作:

次于[可畏者]的君主,[在下者]侮之。

在这一解读给出的次序中,用来衡量不同类型的治理者的尺度只能从在下者的反应中推论出来。与王弼一样,河上公将这一次序读作《老子》第18章和第38章的次序的对等物,并且在分类治理者类型时,使用了许多相同的词汇。这一次序里,没有明确的时间架构。然而,首句注中对"太古"的提及,也许暗示了此后所述的君王既是时间上晚出的,又是品质上低下的。岛邦男由这一隐含的时间次序中得出这样的结论:河上公在此是在追随5世纪末南齐顾欢的注释,顾欢明确地将治理者的类型与不同的时代关联起来。①

与河上公相反,王弼通过呈示治理者怎样因无法实施前一句中的治理技巧而必然导致对下一治理技巧的采用,使这一次序在时间上和品质上都成了必然的。②

"信不足焉"被注释为"君信不足于下,下有巧诈之民也"。由此可以推知这一句为:

[上一句中的"侮之"是由于这类君主]信不足。

河上公给下一句"有不信焉"做了单独的注释:"下则应之,以不信欺其君也"。由此,这一句读作:

[在下者]有不信焉。

这样,河上公在将这个句子仅仅跟"其次侮之"一句关联起来这一点

① 岛邦男,《老子校正》,页87。

② Eduard Erkes, *Ho-shang-kung's Commentary on the Lao-tse*,其中有这一注释的译文。然而,可悲的是这一译文充斥着错误,现在已经没什么用处了。

上，是与王弼一致的。这一注释的弱点是：它将两次重复同一东西的冗赘推给了本文，并打破了平行规则。

“犹兮其贵言”的河上公注为：“说太上之君举事犹犹，然贵重于言，恐离道，失自然也。”[①]这使得《老子》这句话不得不译作：

在谋划时，他们[太古之君]小心翼翼，慎重其言。

这在《老子》第56章可以找到呼应：“知者不言”，河上公注曰：“知者贵行不贵言也”。在将这个句子与《老子》第17章首句提到的人关联起来这一点上，河上公加入了想尔和王弼这一边。

与王弼一样，河上公将“成功事遂”与其后面的句子而非前面的句子联系起来。他注释道：“谓天下太平”，由此给出的构造是：

当[他们因此]成功事遂

最后一句“百姓皆谓我自然”被注释为：“百姓不知君上之德淳厚，反以为己自当然也。”这一构造与王弼类似：古代的君王带来太平，但由于他们不做积极的干预，百姓无法认识到他们的贡献，反而认为它出自他们的本性。在这样的译解中，“自然”令人震惊的人格化被避免了，而且，事实上，“自然”根本没有被处理为一个复合名词。河上公将“我自然”“译解”为“己自当然”。“然”被译为“当然”，“我自”被译为“己自”，因此是在“我自”和“然”、而非“我”和“自然”之间分开。这要求《老子》此句被译为：

百姓说：“我们自己本来就这样”。[②]

这一章的潜能不仅在于内容上不同的阐释，而且也包含截然不同的文法结构的选择以及隐含的主语和宾语的安排。为展示这一文本潜能的范

---

① 强思齐在这里引用了一则更短的文本，即“说太上之君举事犹贵重于言”。这更倾向于将“犹”读作“仍然”：“这是在说太上之君做事，仍然贵重他们的言辞”。上文“犹”字的重复是郑成海提出的，它消除了这一可能性，迫使读者将“犹兮”翻译为“计划”或“小心翼翼地组织”。

② 参见郑成海，《老子河上公注校理》，页113；岛邦男，《老子校正》。

围,我将把从不同注释中推论出的译文并置于下:

严遵	王弼
对于太上,下知有之而已	若大[人]在上,在下者[仅]知有他而已 若次于[大人]者[在上],[在下者]亲之誉之
[等级]低于太上者,[在下者]亲之誉之	若再次者[在上],[在下者]畏之
[等级]再低者,[在下者]畏之侮之	若更次者[在上],[在下者]侮之。[总之],由于[在上的更次者]缺乏信用,[结果],[在下民]中没有信用。 [在上之大人]无从确知![但]他的话受下民尊崇。 [若百姓由此] 功成事遂,百姓们都会说:"我们自发地就是这样"。

《文子》、《韩非子》和《淮南子》

在最高治理者的治下,[民]知[何以]有赏罚。

想尔	河上公
[有]上知者,也要有下知	关于太上[之君],在下者知道有他而已,[但由于他们不臣事他,所以也不知道他个人的名号]
对于那些低于[你,有上知者]的人,要么与之友善[,要么夸奖他]!	那些低于/晚于太古之君者,[下民]亲而誉之。
到[上句提到的]在下者中去,使之畏惧,或欺侮之。	那些再低/晚的君主,[下民]畏之。 那些更低/晚的君主,[下民]侮之。

由于[在道之真理中，那些应该被欺侮的人]的信仰不足，他们不信[传道者的话]。

更低的君主缺乏信用，在下者[也]不可靠。

由于总是贵重[道之]言，他上知者]功成事遂，而百姓却将此[得仙]归因于我的本性如此[而非崇贵道言的结果]。

[有在谋划时，[太古之君]小心翼翼，其言。慎重当[他们因此]成功事遂，百姓却只是说："我们本来就是这样"。

例 2：《老子》第 6 章

王弼给出了《老子》此章的整个文本，然后从整体上加以注释。为便于分析，我们在此将文本的单个片断与注释结合起来。王弼本《老子》始于：

> 谷神不死是谓玄牝。

王弼将《老了》的隐喻性概念转译为直接的哲学语言。其注释如下：

> 谷神，谷中央无谷也。无形无影，无逆无违，处卑不动，守静不衰。谷以之成而不见其形，此至物也。处卑而不可得名，故谓之玄牝。

《老子》这一章前两句的核心要素是"谷神"的观念，"[它]不死"的断言、"是谓玄牝"的事实依次承接。王弼对此句的解读，很接近自发性的解读。[1] 由王弼注可以推知，此句译为：

> 谷神不死，被称之为玄牝。

王弼注没有将句中的字汇重新解释为与通常的意义完全不同的东

① 俞正燮《癸巳存稿》引用《白虎通》以及唐宋的其他文本，指出"牝"是某种像洞的东西（就像树上的洞）。然而，这一解读似乎不适合王弼注。从"牝""处卑"这一象征性的解释看，王弼显然想到的是雌性。这种读法得到了下面《周易》提到的"牝"的支持。

西;他也没有额外引入任何一个新的语汇或概念,来用作理解文本的指导性观念。只要不是对《老子》的其他部分或其他文本一无所知,就可能做出这样的解读。在这一方面,它是简约的。

然而,事实上王弼对这一段的解读,是以或隐或显地关联着《老子》其他部分的一个宽泛的网络为基础构建起来的。"神"字也出现在《老子》29.2 中,在那里,《老子》说:"天下神器也。"对此,王弼注释道:"神,无形无方也。器,合成也。无形以合,故谓之神器也。"

因此,对神的定义取自《老子》的其他部分以及《周易》——其中也给出了进一步的界定。《系辞》说:"阴阳不测之谓神。"①"神"被界定为某种不可见的、非物质性的,然而却给予生命。《周易·说卦》将"神"描述为"妙万物而为言者也",并进而设想出"神"是如何为万物提供基本秩序的。② 因此,王弼对"神"的比喻性解释受权威文本的类似陈述的约束。王弼将"谷神"解读为"无谷"——谷中央的无,它使谷成其为谷。这一无本身没有形式或形状,不倾向于任何方向,对任何有可能留驻在谷里的东西都"无逆无违"。与将"神"解读为神灵或精神不同,王弼将它当做一个比喻性的表达。

"谷"被依照表面意义解释为可能容纳各种事物的空间,在方式上与天下作为"器"相同。谷与神的关系(也同样是上引器与神的关系),在《老子》第 11 章中有详细的讨论,我们将在本章的最后加以研究。

王弼还将"谷"解释为低洼处,因此,作为"谷中央"的神可以"处卑不动"。这与当下的语境联结起来,因为它预示了"玄牝"的性别中隐含的象征,因为与男人和天的"高"位相比,女性和地一样,是"卑"的。这同样在《老子》其他章中有其呼应。王弼没有注释的《老子》第 66 章断言:"江海所以能为百谷王者,以其善下之,"这是一个与《老子》32.4 近似的陈

---

①《周易正义》,7.4 上。

②《周易正义》,9.2 上。

述。在那里,《老子》说:“譬道之在天下,犹川谷之于江海”,这一教说在第66章被应用到君王身上:“是以圣人欲上民,必以其言下之。”这一陈述在《老子》28.1中以不同的话重复了一遍,其中圣人“知其雄,守其雌,为天下谿”。在对这一段的注释中,王弼加上了一句:“谿不求物,而物自归之。”

谷神不动不作,只是无为和“守静”;这一谷中央的无谷不属于存在者生灭的过程。它“不死”,也不被创生。然而,尽管这一无谷本身无法界定,但谷却是“以之成”的。尽管谷是一个有限的、因此是特定的空间,但它却是非特定的,以致万物都可以在其中找到一个位置。王弼称为谷之“用”的,正归因于这一特定性的空缺。在《老子》第11章,毂以同样的方式汇拢一个车轮的30根辐条,因为它对任何一根辐条都没有特殊性。谷并非完全没有特殊性;它仍是一个有特定方位和大小的谷。因此,其特定的、有限的缺少特殊性(使谷能容纳各种存在者)只是“所以”的特定显现:正因为所有特殊性的缺失,将使[无]成为万物的基础。因此,谷神只是这一“所由”特定的、语言上更容易把握的表达。在这个意义上,“谷以之成”。这预示了“牝”的象征的第二个方面——生。

万物的所由有两个根本特征:首先,物皆由之而成其所是——在其他场合在“道”这一语汇中表达的特征;其次,正是因为这个原因,它是不可辨识的——这一特征的标准语汇是“玄”。在《老子微旨略例》中,王弼自己总结了他对道的各种注释:“道也者,取乎万物之所由也。”[①]“玄”在《老子》中出现过八次。在其对《老子》1.5的注释中,王弼说:“谓之玄者,取于不可得而谓之然也。”在王弼的解读中,“玄牝”的隐喻精妙地表达出了这两个方面。

“是谓玄牝”中的“谓”同样不简单。王弼通过含蓄地将它与其相对物——“名”分离开来,突出了这一表达的重要性。王弼说:“处卑而不可

① 参见本书第三编第一章。

得名,故谓之玄牝。”正如我们前面详细讨论过的那样,王弼将《老子》中各种关于语言的陈述构建为一种语言哲学,其核心观点是:语言是哲学不可回避的、但又不够充分的工具。存在本身的结构拒绝任何正面的定义。因此,《老子》有意识地用不可靠的语汇,如它在这里用“谓”以及在别的地方用“以为”等词宣示的那样。这就要求读者和注释者去找寻陈述的意旨,而非停留在用来指称它的贫乏的语言材料上。这些语汇的权宜性格也容许它们被等同为或置换为指向同一方向的其他语汇,正如在这一章随后一句中发生的那样。

那么,是谁在“谓”呢?在本文中没有给出主语,王弼也没有专门指定。《老子》和王弼用“玄牝”指某些熟悉的语汇这一想法在现有材料上无法找到支持,因为这一语汇在现存的先秦典籍中没有在其他地方出现过。下一表达“是谓天地之根”也是如此。在《老子》第25章中,这些权宜语汇的组合是由作者性的“我”完成的。它在谈到“有物混成”时说:“以为天下之母。我不知其名。强字之曰道,名之曰大”。这表明,在王弼的解读中,所有这些语汇都出自老子本人。为显明这些表达主观的、权宜的性格,人们只能将其译为“[我]谓之玄牝”或“[人]谓之玄牝”。接下来的《老子》文本是:

> 玄牝之门是谓天地之根。

王弼注释道:

> 门,玄牝之所由也。本其所由,与太极同体。故谓之天地之根也。

“天地之根”这一表达没有出现在《老子》的其他地方,或者其他同时代的文本中。由此,《老子》本身就建立了一条重要的解释性原则,即将各种对本根的权宜名称等同起来的合法性,在这一个案中,是“门”和“天地之根”。类似的做法出现在《老子》52.1中:“天下有始,可以为天下母”,在这里,“始”与“母”被等同起来。在这一思路中,王弼进一步将这一“门”与《系辞》的“太极”等同起来,“太极生两仪”,因此是万物的根本。①

在王弼注中,“门”一般被当做事物由之而出的东西。② 由此,我们在双重意义上理解了被称为玄牝的谷神,以及被称为天地之根的玄牝由之而出的[门]。这一哲学性的复杂构造似乎需要在《老子》其他部分找到对应者,来证明其可能性。“门”这一语汇导向《老子》1.5 的注释:“众[和]妙皆从同而出,故曰众妙之门也。”这里,“众”指由“母”生出的存在者的多样性;“妙”根据王弼前面“始物之妙”的注释,而与“始”关联起来。“始”和“母”最终都源自“玄之又玄”。这里不是深入这些段落的哲学分析的地方。然而,《老子》第 6 章用“玄”和“牝”这两个语汇描述的两个方面,实质上再现于“始”和“母”的观念中,而作为“玄之又玄”的门则再现为“天地之根”的门。这样,王弼就在他对《老子》其他陈述的建构的语境中建构了当下这一段落,用以验证他的建构与其他陈述的一致性。根据王弼注,这一句应译为:

门,玄牝由之而[出],[我]谓之天地之根。

这一章的最后一句是:

绵绵若存,用之不勤。

王弼注曰:

欲言存耶,则不见其形;欲言亡耶,万物以之生。故曰:绵绵若存也。无物不成,用而不劳也,故曰用之不勤。

在已经拓宽的对“天地之根”的探究之后,王弼可以放心地用关于道的其他表达解释这一章的其他部分。“欲言存耶,则不见其形;欲言亡耶,万物以之生”这一悖论,几乎逐字在《老子》14.2 的王弼注中再次出现,他以

① 《周易正义》,1.9 下。

② 参见《老子》1.5 和 52.3 的王弼注。

此来注释《老子》那一章中"无形之形,无物之状"的"一"。以这种方式,"天地之根"被进一步与"一"等同起来。"绵绵若存"在《老子》23.3的王弼注中被引用来作为对圣人的描述。在那里,圣人依道应物,效法它的方式:"以无形无为成济万物"。他通过"以无为为居,不言为教"来做到这一点,因此,与道一样,他也是"绵绵若存"的,结果是"物得其真"。除了给谈论"门"、"根"和"一"这一系列添加了两种可供选择的方式外,这一材料还为加强此种对"绵绵若存"的解读(将其读作对所由的悖论的描述——尽管它自己不可捉摸,却是所有可捉摸的东西的根本)增加了更多的对应文本。

将"用之不勤"解读为"用而不劳",可以由《老子》45.1得到加强。在那里,《老子》谈及大成等等。它们的大被视为绝对的,超越了大与小的相对范畴。《老子》第45章说:"大盈若冲,其用不穷。"在王弼的解读中,这指的是与《老子》第6章最后一句所表达的同一思想。《老子》45.2这句话又被引用在《老子》4.1的王弼注中:"道冲而用之,又不盈。"王弼对此注释道:"冲而用之,用乃不能穷,满以造实,实来则溢。"

由王弼注可以推知这一章最后一句读为:

[虽然]绵绵,但却存在。用而不勤。

王弼对这一章的注释,是他的解释能力的一个很好的例证。他的出发点是平实而又极为通顺的清晰语法。他没有为各个句子额外引入新的主题,而是恪守这一规则:主题的变化必须有语境的明确的或者强烈的暗示。他恪守每一个字的标准字义。他对"门"这样的字的注释,与共享的文化假设相一致。他为这一章建立了有说服力的逻辑一贯的解读。他用其他章的对应文段强化了解读中的每一要素;这建立起了在整个文本假设(为创造一种合理的解读)的同一性的语境中这一章的论断与《老子》其他部分的一致性。这不仅对论断的实质是正确的,而且对于它的形式(他将其与《老子》的语言理论关联起来)也是如此。尽管并不缺乏注释的天才，王弼又一次使用了我们在前一个例子中发现的解释方式和验证技巧。

然而，正如我们很快会看到的，我们在前一个例子中发现的、由其文法的开放性产生的文本潜能的范围，在这一语法结构看似确定的、但有明显的隐喻性议论形式的分章中同样巨大。严遵用这样的话注释“谷神不死”：

> 太和妙气，妙物若神，空虚为家，寂泊为常，出入无窍，往来无间，动无不遂，静无不成。化化而不化，生生而不生也。①

严遵把“谷神”等同为“太和”。这一语汇也许引自《周易》乾卦彖传的“大和”，但没有在《老子》中出现过。在对《老子》1 的注释中，严遵列出了一系列象征，说：“太上之象，莫高乎道德，其次莫大乎神明，其次莫大乎太和”。接下来是天地、阴阳和大圣。② 神被解释为对某个没有形状和形式、动无痕迹的东西的隐喻。在这一注释中（也许是一个片断），严遵没有触及“谷”的观念。然而，作为太和的神，尽管生化所有被生被化者，但其本身是不生不化的，这解释了《老子》本文中的“不死”。王弼从严遵那里继承了“谷神”是所有事物的根本，但不受其生、化和坏灭的影响这一观念。然而，这一注释中，核心观念和解释又一次被严遵叙述和联想起来，而不是推论出来。甚至与《周易》的可能的对应概念，似乎也并非基于细致的结构分析。

对于“是谓玄牝”，严遵注释道：

---

① 岛邦男，《老子校正》，页 85。最后两句承续的是《庄子》中的句子。然而，更为可能的是，这一论辩是《列子》的；参见杨伯峻《列子集释》。在那里，它直接出现在此处讨论的《老子》第 6 章的逐字引文之前。这一引文在那里被记述为出自《黄帝书》；同上。

② 岛邦男，《老子校正》，页 55，没有列入强思齐《道德真经玄德纂疏》中引用的这一段，此段也出现在蒙文通“严君平《道德指归》论佚文”，《图书集刊》6（1948）：26。对“道德”、“神明”、“太和”、“天地”这四个概念的进一步解释，出现在严遵《道德真经旨归》对《老子》第 44 章的注释中：“我性之所禀而为我者，道德也；其所假而生者，神明也；其所因而成者，太和也；其所托而形者，天地也”。此处，“太和”是导向个人特殊品性的充分发展的一种力量。

牝以雌柔而能生，玄犹幽远而不见，虽子物如母，莫睹其形。[①]

这一注释解释了在“牝”的观念中隐含的生的象征意义，并暗示了牝之“玄”与前一句“神”的不可见的关联。最后一句解秘了“玄牝”的象征意义，但在述及“玄”以及“牝”对其他存在的不可见时，没有对“牝”何以不可见给出哲学的根基。王弼同样追随了这一解释方向，但在基本上也是严遵的语法的重构中，他更贴近文本，并且没有用额外的东西就将事物关联起来。

严遵本《老子》的下一句有所不同。从他的注释中我们可以看出，“玄牝之门，是谓天地之根”中的“谓”，在他的文本里可能作“为”。[②] 其注曰：

太和之所以生而不死，始而不终，开导神明，为天地之根元。

我们在此不考虑《老子》中没有的、额外的概念（如神明和太和）的插入。文本中玄牝之“门”在此被解释为一个简短的表达：“之所以生而不死、始而不终，开导（神明）”。只有“开”可以与“门”的观念关联起来。在这一注释中，天地的根基和本源是运作“门”中所表达的东西的代理者。由此，严遵对《老子》这一句话的构造就成了：

玄牝之门[的运作]，[是由]天地之根[来完成的]。

王弼既没有依照这一文本，也没有追随这种解释。他将“谓天地之根”读作由“门”表达的东西的另一个名称。

严遵对“门”这一语汇的动词化的结果，在他对下一句话“绵绵若存，用之不勤”的注释中变得更加明显：

动静玄妙，若存若亡，成物遂事，无所不然，光而不灭，用之不勤

---

① 岛邦男，《老子校正》，页 65。

② 同样的解读出现在《道藏》中李荣的文本中，李荣的文本属于想尔的文本传统。参见岛邦男，《老子校正》，页 64。

者，以其生不生之生，体无形之形也。①

“它”指的是什么呢？在王弼的构造中，它指前面一句的“天地之根”，又与玄牝之“门”等同起来。在严遵的注中，从外面引入的表达“动静”、“成物遂事”直接与第一句注中关于太和的陈述联系起来。最后一句也是在重述第一句注的末句。由此，上面句子的主语就不是“根”或玄牝之“门”，而是玄牝/神/太和本身。根据严遵，最后一句就只能译为：

[玄牝/神]绵绵若存。用之不勤。

同样，尽管在主语上有这样的差异，但王弼还是接受了大多数严遵对这些句子的意义的构造。

严遵预塑了王弼贴近文本表面意义的方式。没有什么语法的或语汇的构造急剧地变更文本的这一层次。然而，他们在基本观点上有差别。严遵承继汉代的传统：随意地引入在文本中没有根基的概念。同时，他似乎不关心文本的内在同一性。他几乎没有在自己写的东西以外提到过《老子》的句子或哲学论断，而是用他自己的语汇将各章联系起来。他没有努力用注释与本文的接近以及注释结构的致密说服读者。严遵依赖其本身的权威，有学派注释的痕迹。与此同时，他开始了一场对《老子》的哲学意义做更细致的分析的运动。他将《老子》视为处理万物之所由的问题的哲学文本，而非一本给道教祭酒的指导手册。严遵将《老子》读作一部哲学分析、而非实践建议的著述。因此，他恪守《老子》的分析性和描述性的语法，而没有从一种过度的语境中引入对读者的劝诫(如想尔和河上公所做的)。我们再回溯得更远些，看一看《文子》中对《老子》第6章两个片断的解释：

大道无为。无为即无有，无有者，不居也。不居者即无处无形。无形者不动，不动者，无言也。无言者，即静而无声。无形者视之不

① 岛邦男，《老子校正》。

见，听之不闻，是谓微妙，是谓至神。绵绵若存，是谓天地根。①

在此，没有出现“谷神”，只有“至神”——王弼称其为“至物”。这里强调的只是这一事实：尽管道对于人的感官是隐而不显的，但这一“至神”却又“绵绵若存”（引自《老子》第6章）。《文子》在其他地方探讨过道的生的方面，因此，引自《老子》第6章的另一句话“是谓天地之根”，也来得并不突兀。有理由假设《文子》意识到了《老子》第6章的整体，并引用了其中的要素：“绵绵若存”这句话解释了《老子》第6章首句“谷神不死”，同时也强调这一无从捉摸的神的持恒存在。上引片断给了我们关于《文子》对《老子》第6章的解读的一些提示。从它在“绵绵若存”后面引用“是谓天地之根”（在所有已知的《老子》文本中次序都与此不同）可以清楚地看到，“是谓天地之根”的“是”指的是“神”，而非其他文本系统中紧前面的名词——门。除了假定《文子》的文本中“玄牝”没有重复以外，我看不出其他的可能。因此，《文子》的《老子》此章文本只能读作：

谷神不死，是谓玄牝之门，绵绵若存，是谓天地之根（用之不勤）。

上引段落的解读显然也影响了王弼，但它没有像王弼那样将其视为《老子》对超越道的“所由”的发现。

上引例证表明，即使不是在注释的目标和方法上，至少也在某些文本的构造上属于严遵的传统；而想尔注则又一次采取了完全不同的立场：将这一章解读为对男性祭酒房中术的指导，其中包括持精不泄、上导养神的方法。它从武断地宣称“谷者欲也”开始。初看起来，这好像指点出对“谷神不死”的某种华丽的翻译，但令人沮丧的是，想尔只能选择两种训诂学辨析中的一个。第一种选择是：谷与欲的区别在于词根“欠”。

---

① 李定生、徐慧君《文子要诠》，页60。《列子》中有《老子》第6章的完整引文，标明为出自《黄帝书》；参见杨伯峻，《列子集释》，页3。然而，其解释显然有王弼死后数十年向秀、郭象的哲学转向的标记。因此我没有在这里引入这一解读。

想尔注暗示,在秦/汉的文字改革中,通过附加词根,许多同音的通假字被从外形上分别开来[①],“抄写者”没有注意到旧的文本中的“谷”实际上应该抄作“欲”。尽管在其他先秦文本中,“欲”字已经是这样的外形,但这一可能性仍被保留在郭店竹简甲本中。马王堆汉墓帛书指向第二种选择——读音的辨析。它们将后来通行的“欲”字写为“浴”(是稍后的郭店竹简甲本中“谷”的一个字形),而非“谷”。它们由此确证,当时并没有通用的“欲”字。然而,“浴”的读音与“欲”相同。尽管想尔本的《老子》用的是“谷”而非“浴”,字形和读音的通转足以支持“谷”应该读作“欲”的假设——这绝非毫无根据的。无论这一论述在训诂学上是否有力,想尔的注释简单地将“谷”字当做“欲”字。用“欲”字来代替“谷”字,《老子》第6章首句就有了不同的长度和语法。在王弼的解读中,“谷神不死”是一个完整的句子,“是谓玄牝”也是。在想尔的解读中,因为“欲”用作动词,两者就成了一个单个的句子。想尔注接下来写道:

> 精结为神。欲令神不死,当结精自守。牝者,地也,性安,女像之,故不掔。[②] 男欲结精,心当像地似女,勿为事先。[③]

言说的对象是道教的男性祭酒,涉及的问题是他的性行为和技巧。由这一注释可以推知,想尔将《老子》第6章的首句读作:

> 欲[令]神不死,[你必须扮演]玄牝[的角色]。

想尔将这一文本读作达至长生的指南。《老子》的陈述因此被转译为对信徒的劝告和训诫。这一语境决定了文本的解读策略,没有给它留

---

① 参见 N. Barnard,“The nature of the Ch'in 'Reform of the Script' as reflected in archaeological documents excavated under conditions of control”,收入 David T. Roy 和 Tsuen-hsui Tsien 编,*Ancient China*: *Studies in Early Civilization*,页181。

② S. Bokenkamp 的 *Early Daoist Texts*(页83)将“掔”字读作“坚硬”,并译为“因此[他们的生殖器]不能坚硬”。这个词只出现在想尔注中。我认为这里的语境是女性模仿地的安静,并告诫男性不应冒失。但我不熟悉早期的医学/性的术语系统,无法形成有力的论断。

③ 岛邦男,《老子校正》,页65。

下坚持自身的余地。语境在文本上强加的暴力，可以在各种变形和未能解释的要素中看到。以“欲”开始，接下来是“是谓”而非“当”，这在句法结构上是怪异的，注释者只是根据他的语境理解的强度插入强制性的“当”和“勿”。在“玄牝”前面，想尔的构造需要一个“像……那样做”的表达，而《老子》的句子中并没有这样的表达，又通过建议男性模仿女性来补足。牝的玄(黑色)没有相应的解释。

这一章的下面一句话，想尔本与王弼本不同。其文作：

玄牝门，天地根。

想尔注作：

牝，地也，①女像之。阴孔为门，死生之官也，②最要，故名根。男茎亦名根。③

这样，想尔就将这一论断解读成应该仿效玄牝的命令，因为“玄牝之门”“最要”，掌管生死。从想尔注可以推知，上引《老子》的句子只能译为：

[因为]玄牝门，[甚至是]天地根。

在这一注释中，想尔选取了一种语法上毫无争议的构造，并将焦点集中到对“玄牝门”的象征的解释上。它是“生死之官”，新生命由之诞生，而正如我们将要看到的，男精的“泄漏”是死亡的原因。将“门”当做阴道口使《老子》把它拔高到“天地之根”的地位。想尔通过增加另一品质迅速做出了回应——将它理解为“生死之官”。由此，在他对这一章首句的解读中确定的规则在此得到了理论基础。

“玄牝”这一特定的遣词也许暗示了对想尔追求的那种解释的找寻，

① 这一注释部分地重复前面的注释。

② “生死之官”这一表达在《老子》21.3的想尔注中再次出现。

③ 最后这一闲聊式的强调在上文中显得相当多余。可能是后来添加的脚注。

特别是因为“玄牝”在两汉被与房中术联系起来。

《后汉书注》引用了刘向(公元前77—公元6年)《列仙传》中的《容成传》。容成相传是黄帝的老师,有一部关于房中术的书著录在其名下:

> 容成公者,能善补导之事。取精于玄牝,其要谷神不死,守生养气者也。发白复黑,齿落复生。御妇人之术[①],谓握固不泄,还精补脑也。[②]

这一解读使想尔注的年代提前了,与想尔注一样,它将玄牝理解为阴道。尽管它没有改变“谷”字而是保持了“谷神”的文本,但它实际上通过在它前面增加了“要”字达到了与想尔相同的解释,对应想尔注的“欲神不死”,它表达为“其要谷神不死”。此处劝诫男性的修仙之徒要“取”女性的精液,与自己的阳精一道导引至脑。

在赞成首句的基本结构的同时,想尔还举了这一技术的影响甚大的反例。《老子》9.1注曰:“道教人结精成神,今世间伪伎诈称道,托黄帝、玄女、龚子、容成之文相教,从女不施,思还精补脑。”[③]想尔注现存的部分没有明确述及“结精”的具体所指。然而,他们的技术一定与托名容成等人的伪伎相当接近,从而导致混淆。在想尔看来,主要的区别在于,“结精”不只是一种单纯的性技巧。在《老子》21.6注关于身体之精与池中之水的细致比较中,想尔更详细地阐发了他的教说。在《老子》21.4和21.5注中,他首先说:

> 有道精,分之与万物,万物精共一本。生死之官也,精其真,当宝之也。

---

① 此处的多妻思想是从《黄帝内经》之类文本中的汉代思想中演绎出来的,这些文本一致认为男人可以通过与多个女性性交而回复他们的精力。

② 《后汉书》(页2741)中引用的《列仙传》。参见R. van Gulik, *Erotic Color Prints of the Ming Period*,页3;饶宗颐,《老子想尔注校正》,页68。我译为“其目的在于”的“其要”,Gulik译为“他的技艺(术)的要点”。这里提到的“术”,只能是两句以后提到的“御妇人之术”。参见李零,《中国方术考》,页357。

③ 饶宗颐,《老子想尔注校正》,页11。

他在《老子》21.6 注中接着说道：

> 古仙士宝精，以生；今人失精，以死；大信也。今但结精，便可得生乎。不也，要诸行当备。

这一节注释以比较结束：

> 精并喻像池水，身为池堤封，善行为水源，若斯三备，池乃全坚。心不专善，无堤封，水必去。行善不积，源不通，水必燥干。决水溉野渠如溪江，虽堤在源流，泄必亦空。××，燥炘裂，百病并生，斯三不慎，池为空坑也。①

关键的问题是精的流失（以水为喻），但想尔明确指出这只有通过正当的道德实践而非性实践才能做到。如果水流失了（由于源头堵塞或堤封开决），身体就成了空坑，精华耗干，百病丛生。作为精的坚池的身体，面对三种威胁：心灵不专意于善，将破坏身体作为封堤的功能；行为的过程不出于善，将堵塞精华的稳定流动；不是用道德的语汇而是用自然的语汇描述的某些东西——身之封堤的精华渠道的开"决"，导致精华流泄入野地。最后一项的意义没有得到详细阐发。看起来，它似乎是指通过性行为或其他过程精的流失。而这正是我们在此涉及的《老子》第 6 章注的主题，即为了长生而对精华的这一"自然"流失的控制。

接下来一句"绵绵若存"，无论在文法上还是在内容上，都不能说是自明的。两者都只能从零碎的线索中构建出来。想尔对此注曰：

> 阴阳之道，以若结精为生。年以知命，当名自止。年少之时，虽有，当闲省之。绵绵者微也，从其微少，若少年则长存矣。今此乃为大害，道造之何？道重继祠，种类不绝，欲令合精产生，故教之。年少，微省，不绝，不教之懃力也。懃力之计出愚人之心耳，岂

① 饶宗颐，《老子想尔注校正》，页 28。

可怨道乎？上德之人，志操坚强，能不恋结产生，少时便绝。又善神早成，言此道精也；故令天地无祠，龙无子，仙人妻，玉女无夫，其大信也。

这一注释实际上提供了对“绵绵若存”的翻译，即“若少年[时这样做]则长存矣”。这样，他就将这个句子构造为：

[如果你]少年时[就按第一句所说的那样做]，[你]将[长]存。

将《老子》此句的“若”译为“则”在文法上是行得通的。比较困难的是，主语的改变并无文本的根据。然则，在想尔的解读中，前一句“[这是因为]玄牝门，[甚至是]天地根”被当做对首句的解释；因此，将第一句中的“你”转承进第三句的解读，也是可以容忍的。

此章最后一句“用之不勤”的想尔注是：

能用此道，应得仙寿，男女之事不勤也。①

这一构造保持了前面的言说对象以及规劝的姿态。它将四个字分成两个不同的警告。在说“能用此道”时，它为“用之”的“之”插入了“道”字。“道”字在这一章中没有出现，而且这一解读极大地偏离了表面意义，除了为此章建构一种整体意义的必要以及《老子》第 4 章和第 40 章中对“道”使用了“用”这一语汇外，并无其他的证据。这样，此章最后一句的前半句就被读作：

用[此道]！

对于后半句“不勤”，想尔注给出的翻译是“不可不勤也”。双重否定颠倒了这里所有可能的意义，因此我根据岛邦男，将第二个“不”字作为誊写错误删去。这一陈述实际上承接了前面的注释中的论断，然而，在那里，“勤”写作“懃”。当时一定有这样的争论：日益兴起的道教共同体

---

① S. Bokenkamp, *Early Daoist Texts*，页 84，将此译为“勤于(性交)”，而我读作“强制自己[减少性交]”。

被指责鼓励年轻人强制自己完全放弃性交，导致他们无法为宗祠延续后代。在这一辩论中的“强制自己”，一定就写作“懃力”。“勤”字也出现在《老子》其他章中(第 41 章和 53 章)，但这些章的想尔注已经散佚，而且，从其上下文看，它们似乎也不符合眼下这一段的需要。想尔注从这一外在的辩论中引入这一语汇的意义，将其插入这一句的后半部分；这表明它将《老子》读作包含比其写作年代晚得多的特定辩论和事件的建议的文本，因此赋予注释者将这些玄奥的段落与这些事件关联起来的自由。联起来看，想尔将这一章最后一句构造为：

用[此道]，但不要懃力[让自己在年轻时完全中止性交]！

据此，想尔遵循的是将《老子》读作关于长生的规劝性指南，其中包括当时已相当发达的房中术。他并不、也不需要创建这一诠释语境，只要在与其他“道教”解释的竞争中运作就行了。这一解读有其自身的节奏和逻辑，并在读者们普遍共享的假设中运作。其他注释，如河上公，很大程度上也在同一语境中。

比较这些注释的目的在于：通过突显由作为潜能的未注释文本开启的极其广阔的潜在合理选择的范围，强调文本构造概念的意义和重要性。我将再一次以并置四种《老子》第 6 章译文(从《文子》、严遵、想尔和王弼推论出来的)来结束这一比较。

《文子》

谷神不死

是谓玄牝

绵绵若存

谓天地之根

严遵

谷神不死。是谓玄牝。

玄牝之门[的运作]，[是由]

天地之根[完成的]。

[玄牝/神]绵绵若存，

用之不勤。

想尔	王弼
欲神不死，[你必须扮演]玄牝[的角色]	谷神不死。是谓玄牝。
[这是因为]玄牝门，是天地根。	门是玄牝[所由]，[甚至]是天地之根。
[如果你]年轻时[按第一句话做]，[你将][长]存。	绵绵若存。
用[此道]，不要勤力[让自己在年轻时完全中止性交]！	用而不劳。

例3：《老子》第11章

第三个例子不从王弼开始，而是尽其可能以时间的先后为序。《文子》中有两段涉及《老子》第11章首句的主题：

> 毂虚而中立，三十辐各尽其力，使一辐独入，众辐皆弃，何近远之能至。①

在这里，轮子成了帝王与臣子关系的一个比喻，帝王是空的中心，每个臣子做其特定的工作。第二段材料也提出了相同的论断。

> 三十辐共一毂。各直一凿，不得相入，犹人臣各守其职也。②

现有的材料似乎无法重构《文子》对整个《老子》第11章的解读，因此，我打算把它搁下。我们来看看严遵的注释。对于《老子》11.1“三十辐共一毂，当其无，有车之用”，严遵注曰：

> 太古圣人之牧民也，因天地之所为，不事乎智巧，饮则用瓢，食则用手，万物齐均，无有高下。及至王者有为，赋重役烦，百姓罢极，

① 李定生、徐慧君，《文子要诠》，页124。
② 同上。

上求不厌,贡献辽远,男女负载,不胜其任,故智者作为推毂,驾马服牛,负重致远,解缓民劳。复世相承,巧作滋生,雕琢斑毂朱轮,饰以金银,加以翠玑,一车之费,足以贫民。是以老氏伤创作之害道德,明为善之生祸乱也,故举车、器、室三事,说有无利用之相资,因以垂戒云。①

这一章第二句为:"挺埴以为器,当其无,有器之用。"严遵注曰:

道德衰废之时,忧患攻其内,阴阳贼其外,民人薄弱,羸瘦多疾,是故,水火齐起,五味将形,生熟不别,乾渍不分,故智者埏土为器,以熟酸碱,遂至田猎奢淫,残贼群生,刳胎杀鷇,以顺君心,雕琢珠玉,以为盂盘,朴散为器,一至于斯。

第三句为:"凿户牖以为室,当其无,有室之用。"严遵注曰:

人心既变,万物怨恨,虫蛇起,毒螫作,禽兽害人,于是岩穴之中,不足以御患难,全性命,终天年,故智者作为居室,上栋下宇,穿窗候望,坚关固闭,开阖疾利,蜂蝨不得入,禽兽不得至。而后遂至华台、危阁、阿房之殿,大关守险,筑城为固,士卒疲倦,死者无数。然而上世以为治、后世以为乱者,此乃有无利用相因之弊盖在乎人尔!②

不幸的是,对于这个在王弼的读法中作为此章最后一句的句子,严遵的注释没有留存下来。③《老子》11.1 注中已经道说出来的一般性论断是:智者想给苦难的百姓带来利益的意图,最终使百姓生活更加悲

① 陈景元,《道德真经藏室纂微篇》,2.10 上。文本编成于 1068—1077 年。奇怪的是,无论是严灵峰的《集严遵〈老子注〉》,还是岛邦男都没有注意到这一段。《道德真经注书》(1.22 下)保留了关于此句的一段论述,介绍说"严[遵]顾[欢]等云"。后面论述所提供的不同阐释难以指定。然而,这一注释的要旨既不适合前面的文句,也不适合后的文句。

② 陈景元,《道德真经藏室纂微篇》,2.10 上。

③ 从下一章的注释看,似乎严遵将二者读作一章。属于严遵的《老子》本传统包含 72 章而非 81 章。

惨,简言之,即何以“为善之生祸乱”。因为在这一章的最后一句“有之以为利,无之以为用”中,有与利相联,无与用相联,所以我将第一句注中的“有无利用相资”与“有无利用相因”读成链体结构:“有利与无用互为条件”。这与严遵的论断密切结合:车、器和室的确有利于运输、饮食和遮蔽,由于随之而来的发展,它们不再具有永远增进百姓生活的功能。

据我理解,严遵对《老子》第11章的构造如下:

> [智者]集三十辐为车,①但它却没有车的用处[一直减轻百姓负担],[尽管其本来的优点在于有助于运输]。
>
> [他们]塑泥为器皿,但它却没有器皿的用处[一直增进百姓生活],[尽管其本来的优点在于有助于烹饪和饮食]。
>
> [他们]挖凿门窗而为室,②但它却没有居室的用处[保护百姓生活],[尽管其本来的优点在于提供庇护之所]。

我们没有严遵对最后一句“故有之以为利,无之以为用”的注释,谨做如下推论:

> 因此,某种有利的东西,却是无用的。

严遵通过与《老子》2.1中的一系列基本论断如“有无相生,难易相成”等关联,为这一章的解释建立了逻辑的语境;通过与《老子》其他涉及随技术的发展而来的历史性堕落的各章(如第28、57、80章)、以及由古至今的道德堕落的各章(如第17、18、38章)关联,为之建立了论辩的语境。严遵假设《老子》中有对以后世代的“警告”,选取的例子是对智者的文化批评的一部分:他们不是圣人,没有能力看到他们创造出来以减轻百姓负担的工具,最终却增加了百姓的负担。在让《老子》回应特定的历

---

① 严遵将“毂”读作“车”,因为他用“推毂”来解释这个词。

② 在前面的句子中,器的确是由埏土造成的,而房屋却并不是真的通过凿切门窗制成的。这仍然有些麻烦。

史处境这一点上,这一解读是独特的。这一构造满足与《老子》其他部分一致以及文法通顺的要求。它创造了一个意义丰富的论断,用一个额外引入的观念——智者加以发挥。在《老子》18.2、19.1 和 65.3 中对这一智者有更多的批评。可以认为这是一种文化的共识:这些技术工具是如《系辞》所描述的那样,由本文化的英雄们制作的。[①] 结果,他们作为这些工具的发明者被引入文本,就毫不勉强了。这样,我们就有了对这一章论述合理的贴切的解读。

与前两个例子一样,想尔注与其他注释差别甚大。此章第一句注曰:

> 古未有车时,退然;道遣奚仲作之,愚者得车,贪利而已,不念行道,不觉道神,贤者见之,乃知道恩,默而自厉,重守道真也。

对于另两项发明,想尔只是注释道:"亦与车同说。"对于最后一句"故有之以为利,无之以为用",想尔做了如下解释:

> 此三物本难作,非道不成。俗人得之,但贪其利,不知其元。贤者见之,还守其用,用道之本,贤愚之心如南与北,万不同。此三之义指如是耳。今世间伪伎因缘真文设诈巧,言道有天毂,人身有毂,专气为柔,辐指形为锧鐯;又培胎练形,当如土为瓦时;又言道有户牖在人身中;皆邪伪不可用,用之者大迷矣。

想尔将这一文本构造为对错误行为的批驳以及如何正确行为的指南;并且与其他显然更为流行的《老子》解读形成了竞争的关系。

这里引用的两段想尔注有着相同的论辩基线。推测想尔对这一章的解读的关键在于贤者的作用。有两种可能:或者这三个例子以"当其无有"开头的后半句话涉及贤人;或者整个文本都是对愚人的批驳,贤人的恰当态度仅仅被抽象为隐含的对照。由于注释指出"车之用"基于道,

---

①《周易·系辞》。

贤人应该了解它。然而,似乎无法以这样的方式构造“当其无有车之用”这句话:可以将其读作:“他应该心知[带来]车之用的[东西]。”因此,注中所有关于贤人的陈述一定是从对愚者的批评中推论得来的。由此,我们推论出这样一种译文:

[愚人取]三十辐组合为车,但他们无有[带来]车之用的[东西,即道的意识]。[你,作为读者以及道徒,必须与此相反]。

这一章的最后一句话总结了这三个论述:

他们[持守][这些新发明带来的]利;他们却不去[持守][带来]其用[的东西]。

与前述两个例子一样,想尔注在其解释的制度性参量上是最自负的,它不通过诉诸原因来证明自己。无论在《想尔注》的其他部分,还在其《老子》的构造中,“用”这一表达都没有以这里给出的意义出现。愚者与贤人的对立在《老子》中出现过,但这一章中没有明显的迹象表明这里有其运用。当然,这一作为一种宗教和哲学文本的注释的价值不受这些考量的影响。显然,它对于社会的技术革新的关注与严遵有着根本的不同。在想尔这里,它们是在道的命令下发明的,贤人不会放弃它们的用处;在拒绝愚人对所涉利益的盲目追求的同时,他将在对“道恩”的清醒意识中使用它们。

第二段注释中引用的批驳还暗示了另一种对该文本的构造。从这几句话看,似乎至少可以确定那些“因缘真文”的“或者”提供的《老子》第11章解读的框架:

三十辐共一毂,但无车之用。

这一注释似乎将这一章读成了一个谜语:“[这是什么意思:]三十辐共一毂,但其无车之用?”这一解读并非独特的。还有其他注释指出三十辐是指《周礼》提到的礼仪用的车轮,是效仿月亮建造的(一月有30天),并没有“车之用”。[1] 这一注释解开了下面这个谜题：辐指身体的各个部分，它们都关联并依赖于其中的道之“毂”。这一双关语根源于道既是天毂、又是人毂的事实，尽管我无法证实这一暗示。事实上，其结果是没有车之用。那么，下一句话就是：

[这是什么意思：]挻埴以为器，但无器之用。

这里，谜语在于未明确提到的对陶土的焙烧。胎儿的孕育和身体的修养被比作陶土的焙烧。这里的双关语更加成功，因为“器”常被用来指人。[2] 第三句将译作：

[这是什么意思：]凿户牖以为室，但无室之用。

该文本在此宣称：这里的双关语在于道通过进入人的身体而有了户牖。对最后一句的构造较为困难，因为我们没有相关的引文。也许它会是：

尽管[三者]各有其利，却没有任何[实用的]用处。

尽管所有基本观点的不同都将严遵与后两种注释区别开来，但他们还是共享一个基本的语法构造：在三个“当其无有 X 之用”型的句子中，最重要的是“有”与“无”的关联。然而，在这一章里，最后一句话分别使用了这两个语汇，而王弼正是利用这一点将这一章当做构造《老子》哲学的基石。

接下来，我要重复一下《老子》第 11 章的王弼本：

三十辐共一毂当其无有车之用
挻埴以为器当其无有器之用
凿户牖以为室当其无有室之用

---

① 《周礼注疏》，39.269。
② 这个词用于人的一个例子是《论语》的“君子不器”。

文本从三个例子开始,句法风格上是平行的。对王弼以及所有早期注释者来说,句法的平行意味着三句话都在论述相同的问题。王弼对第一句话注释道:

> 毂所以能统三十辐者,无也。以其无能受物之故,故能以寡统众也。

王弼将本文里的"无"提升为一个单独的语汇,从而去除了"无有"这一关联的可能。这可在《老子》40.3"天下万物生于有,有生于无"中找到证明,在那里,"无"作为一个单独的名词出现。

动词"用"被用于"无",在《老子》的其他地方也没有出现过,但"用"常被用于"道"以及其他与"无"相当的语汇(如《老子》4.1、6.1、40.2 和 45.1—2)。通过这一构造,此章与其他众多涉及万物之所由的特性的分章关联起来。然而,《老子》第 11 章还为这些讨论贡献了一种新的特性。王弼的《老子》构造中常常谈到万物之所由是"无"或"无形无名",此章则提出了一个哲学性论断:只有通过这一与三十辐相对的无,毂才能容纳并控制它们。由于《老子》第 11 章的语言相当含糊,此处用来丰富和确定陈述语境的陈述,被视为与《老子》第 40 章的开头有关。

从王弼注可以推知,《老子》第 11 章中的这三句话只能译为:

> 三十辐共一毂,但正是[后者的]无才是车之用的[基础];挻埴以为器,但正是[器当中的]无[,因没有土而能容纳各种东西]成就了器之用;凿户牖以为室,但正是[户和牖的]无成就了室之用。

由于这一构造试图处理"无"这一语汇,并将这一陈述插入《老子》其他意旨的语境当中,在有车、有器和有室的组合中对有的构造在这一章中是独特的。它的证据出自此章最后一句:

> 故有之以为利,无之以为用。

王弼注曰:

木埴壁所以成三者，而皆无为用也。言有之所以为利，皆赖无以为用。

这一注释使得这句话只能译为：

因此，[具体的]有成就了[它们的]利，而无却成就了[它们的]用。

王弼在其《老子》14 和 40.1 注中以稍有区别的形式重述了最后这一表达。“故”将最后这一句与前三句关联起来，使之成为一个总结性陈述。从前三句话中，这一总结承续了两个语汇——“有”和“无”。王弼以总结陈述中“有”的意义来证明他对“有车”、“有器”和“有室”的不常见的解读(读为“存在着车”、“存在着器”和“存在着室”)。我们必须意识到：鉴于《老子》对语言的不可靠性的不断告诫，它对比喻的频繁使用、它的生硬含糊的文法和内容、它发明的新语汇以及习用语汇新的哲学用法和表达形式，不会令王弼吃惊，因为他有着与《老子》同样的困惑。

我们接下来选取王弼的同代人、朋友钟会的注释，其教育背景看起来与王弼非常相似。他的父亲钟繇也写过《老子注》，但现已不存。钟会注与王弼注孰先孰后，无从考据；由于在环绕着王弼注释《老子》过程的轶闻语境中没有提及钟会注，它的成书很可能稍晚。由于我们在此探究的是《老子》的解读潜能的范围，而非真的关注不同注释的时代顺序的难题，这一注释的年代并不具有根本的重要性。

钟会注似乎颇为流行：李善的《文选注》引用过它；李霖(其盛年约当1172 年)的《道德真经取善集》也详尽地引用了其中的材料。[1]

对于《老子》第 11 章最后一句“故有之以为利，无之以为用”，钟会注曰：

① 李善，《文选李善注》，四部备要本，11.3 下，11.5 上，53.4 下，59.3 下，59.12 上。李霖，《道德真经取善集》，《正统道藏》本。

举上三事明有无相资，俱不可废。

故

有之以为利，利在于体；　　无之以为用，用在于空。

故

体为外利，资空用以得成；　　空为内用，籍体利以得就。

但利用相籍，咸不可亡也。无赖有为利，有籍无为用。二法相假。①

钟会的解读采纳了王弼引入的重要的新方法，即将最后一句中的"有"和"无"处理为源于前三句话的后半句中的相同语汇的名词。然而，钟会仍严格自限于这一章的范围内。无论对有还是无，都没有与它们在其中作为独立的哲学术语的那些分章关联起来。"有"仍是提供毂、器和室之"外"的具体物理性事物，而"无"则是这些物理体"内"具体事物的空缺。通过用"有无相资"来强调有与无的相互依赖，钟会与严遵一样，将此章与《老子》2.1"有无相生"联系起来。《老子》2.1与"难易""长短""高下"等一道，是一系列对立的一部分。这些对立中的两方面在同一层次运作。对王弼而言，"无"显然是有物之域的秩序的基础；而钟会却从基本相同的文本构造中细绎出两个领域的相互依赖。这样一来，尽管在与严遵相同的语境里，钟会仍构造出了新的意义。通过接受王弼对这一章注释的基本设定——它处理的是物质与非物质领域的关系，钟会的注释实际上与王弼注构成了某种讨论的关系。在关于车、器和室的三个句子的基础上，王弼用它的新概念"利"构造了《老子》第11章的最后一句话。在其对前面三个句的构造中，"无"显然是有之用的基础。钟会的分析基于语法的平行以及有与无之间隐含的对等关系，并据此来解读有关车、器和室的陈述。

从上引注释看，钟会对《老子》第11章最后一句的构造显然与王弼不同：

---

① 钟会，《老子注》，征引于李霖，《道德真经取善集》，2.20。

因此

有给[无提供]利，

无给[有提供]用。

这一构造的优点在于照顾到了两部分严格的形式对称，而王弼则用一种文法的区分将它们编织为一个单个的句子。钟会的构造也有缺点："利"这一语汇在此章最后一句才第一次出现，似乎没有可以与"无"相比的重要性和地位。"利"在钟会这里指实际的用处：尽管毂和器都是中空的，但它们的用处取决于围绕这一中空的具体物质。"用"指可用性：只是因为毂、器和室的中间是"无"和空，它们特定用处的一般可能性才建立起来。①

以最后一句的注释推论，我们甚至可以重构钟会对整个《老子》第11章的解读：

> 三十辐共享一毂。但毂之无构成了车之有的有用性。抟土以做成器皿。但[器]之无构成了[器]之有的有用性。凿窗和门来造屋室。但[室]之无构成了[室]之有的有用性。

王弼和钟会都受这样的约束：尽可能贴近文本，使注释基于合理的推论，尽可能少用额外的材料；两人都将《老子》读作哲学著作，而非道教的神或师用来教戒徒众得仙的恰当方式的著述。然而，钟会有无"相资"的理论标明两人世界观的根本分歧。从这一小段中，我们可以假设，钟会是从"贵无"(王弼)到"崇有"(如《列子》和向.郭《庄子注》等文本)的转型中的关键人物。② 钟会的注释表明，即使在同一哲学传统中，王弼的解读也是有待检验的，只是这一检验基于这样的立场：接受王弼建立起来

① 事实上，王弼在《老子微旨略例》中也主张所以只能通过事物显现。然而，王弼没有说"相籍"。王晓毅的"钟会与早期玄学"在分析了同一段落后认为钟会的理论与王弼相同的观点是没有说服力的，参见《中国哲学史研究》2：31(1987)。的确，二者说的都是有无之间的关系，但给予二者的本体论地位却并不相同。

② 汤用彤，"贵无之学(下)——道安和张湛"。

的严格的注释规则。

有相当多《道德真经节解》的片断至今尚存。这一注释的年代不明；陆德明指出，有些人认为是老子本人写的，其他人则说河上公是它的作者。一种以此为名的注释曾被当做后汉的作品提及。现代学者如严凌峰曾假设它是葛洪写的；对此做过最细致研究的楠山春树，假设它与河上公注的重编有关。① 我们将略过这个问题，试着将其读作构造《老子》第11章的另一种选择，它曾有数个世纪与王弼注并存。

《道德真经节解》对“埏埴以为器，当其无有器之用”（第一个字与王弼本不同）一句的注释尚存：

> 谓古人为土器不烧炼，得水则败，不成器也。子欲为道，不入室依时炼形者，则为俗人，必死也。②

这要求我们将前面的《老子》文本译为：

> 如果器[只]是以土为之[，而不加恰当的烧炼]，它将无器之用。如果屋室[身体]只是[通过]凿户牖造成[但你却不恰当地深入它，并驯化你的身心]，它将没有室之用[为长生提供处所]。

这一注释与想尔注一样，将“当其无有器之用”这部分中的“无”和“有”联接起来，将整个片断读作一个语法关系单一的句子。对其他两个例子的注释没有流传下来，但对此章的最后一句“故有之以为利，无之以为用”，有一则短注尚存。

关于前半句的术语“有”，《节解》写道：“谓有道也。”这一注释位于“有之以为利”之后，表明它被读作一个单独的句子。由此注释可以推知，此句当译为：

> 故有之[道]，以为[是]利。

---

① 楠山春树，《老子傳說の研究》，页200。
② 顾欢，《道德真经注疏》，1.23下。

下一注释为我们提供了这两句话的主语。注释曰：

> 谓圣人守一，行自然，无所用。

据此，我们将整句话读为：

> 故[圣人]有之[道]以为福利，[以致]无所需求。

从关于“器”一句的注释可知，《节解》将《老子》这三句话读作负面的教诫。如果某人求道，而不修炼身体，他也许看起来像一个经久的器皿，但正如未经烧炼的土器会为水所败，他的身体也会衰败而死。

对于最后一句，《节解》引入了一个全新的主语——圣人，以及一个同样新的宾语——道。在这一句中增加的两个要素实际是一个：一旦“之”指道，圣人也就自然成了主语，因为他正是“有”道者。道作为主语，不只是发明出来的。在《节解》的解读中，这一章的前三句是反面材料；它们描述了人们不应该做什么，以及这一错误立场的结果。因此，一种合理的解读会假设“故”之后将紧跟着正面的结论——与俗人相对的圣人的态度。《节解》的处理比王弼注武断得多；通过提出这一章的主题是在强调道士自我修炼的必要，并从文本之外引入理解这一章的核心观念，《节解》还试图完成作为注释者的最终目标：构造一个逻辑一贯、意义丰富的文本，并在一个同质的整体中安置它。

我们将再一次把不同的译文依大概的时代顺序并置，属于严遵开创的传统的放在左边，属于“道教”传统的放在右边：

严遵	想尔
[智者]集三十辐为车，但它却没有车的用处[一直减轻百姓负担]，[尽管其本来的优点在于有助于运输]。[他们]塑泥为器皿，但它却没有器皿的用处[一直增进百姓生活]，[尽管其本来的优点在于有助于烹饪和饮	[愚人取]三十辐组合为车，但他们无有[带来]车之用的[东西，即道的意识]。[你，作为读者以及道徒，必须与此相反]。他们[持守][这些新发明带来的]利；他们却不[持守][带来]

食]。[他们]挖凿门窗而为室,但它却没有居室的用处[保护百姓生活],[尽管其本来的优点在于提供庇护之所]。因此,某种有利的东西,却是无用的。

其用[的东西]。

“因缘真文”的“或者”的解读

[这是什么意思:]三十辐共一毂,但其无车之用?[这是什么意思:]挺埴以为器,但无器之用。[这是什么意思:]凿户牖以为室,但无室之用。尽管[三者]各有其利,却没有任何[实用的]用处。

王弼

三十辐共一毂,但正是[后者的]无才是车之用的[基础];挺埴以为器,但正是[器当中的]无[,因没有土而能容纳各种东西]成就了器之用;凿户牖以为室,但正是[户和牖的]无成就了室之用。因此,[具体的]有成就了[它们的]利,而无却成就了[它们的]用。

钟会

三十辐共享一毂。但毂之无构成了车之有的有用性。抟土以做成器皿。但[器]之无构成了[器]之有的有用性。凿窗和门来造屋室。但[室]之无构成了[室]之有的有用性。

结　　论

对于3世纪左右(处于中国思想史上最繁盛的时代之一)颇具影响且有极高教养的《老子》读者/注释者而言,上述种种语法选择都可以被看作同一文本合理的、可接受的构造,尽管它们截然不同。主张历史的选择使王弼注得以完整地保存下来,是毫无根据的。正如我们已经指出的那样,王弼注的传承在中晚唐几乎中断,当时河上公注和玄宗御注最为盛行。[1] 三种注释的文本传承情况也不同。对想尔注的支持依赖于它所指导的特定道教派别的幻想,而河上公注的命运则取决于其后几个世纪汉学地位的改变。

是什么导致了不同作者在构造同一文本时的广泛差异呢?这里提两个条件。首先,《老子》的文法结构、逻辑关联和术语系统相当开放,以致不同的合法构造是可能的。这一条件很重要,但它似乎不是本质的,因为总会有在变更文本表面的所有要素的表达潜层次的基础上构造某一文本的可能性。其次,有这样一个语境——预期的界域,文本是以它为背景来考察的。自Frege的开创性研究以来,语境对于一句话中某个字的意义的决定性影响已经被充分认识到了。[2] 然而,我们这里涉及的是一个更宽泛的语境,它无需太多表面用词的证明,事先就可以确定文本的特性。在此,我将重点讨论想尔注和王弼注。

想尔无论在何处谈及《老子》这一文本,都直接称其为道。《老子》包含"道之所言"(《老子》第17章注),这一表达可回溯至《老子》第35章"道出言"。在对《老子》21.1"孔德之容唯道是从"的注释中,想尔写道:"道甚大,教孔丘为知;后世不信道文,但上孔书,以为无上;道故明之,告

---

① 参见本书第二编第二章。

② 参见 Gottlob Frege, *Funktion*, *Begriff*, *Bedeutung*. 5 *logische Studien*。

后贤。”因此,《老子》就是道本身的言语化,是作为对儒家典籍以及错误的“道家”教化的批评出现的。这一描述与现存注释中唯一一处提及老子的地方给予他的极高地位相吻合。在对《老子》10.1 的注释中,想尔将那里提到的一界定为道,“一者道也”:

> 一在天地外,入在天地间,但往来人身中耳,都皮裹悉是,非独一处。一散形为气,聚形为太上老君。①

在这种意义上,作为一(即道)的聚集形式,老子被等同为道。因此,《老子》成了最高的权威,在 2 世纪晚期成为某些小圈子的至高神。正如《老子铭》中描述的那样,这一至高神与原初的混沌相始终,将自己具像为直到当世的一系列历史人物。因此,以《老子》为形式的“道出言”,对于想尔注有着最高的权威;而在王弼注中,它们只是一个低于孔子的哲学家依据其语言本质的不可靠性对哲学的探索性尝试。

在想尔继承的传统中,老子发现了长生的秘密;他的著述包含了达至长生的告诫(无论它表面上是否说到),这些告诫随后被系统地表达在一部宗教戒律的指南中,作者也是想尔。在此,《老子》不是众多有同等价值的文本之一,而是真理唯一的来源。而王弼承继的传统则以为《老子》处理的是其他众多经典共同的主题,即“万物之所由”的问题。它是孔子(在其言行中体现了这一真理)以外某种理解真理的尝试。在这里,《老子》是在与《论语》或《周易》等典籍同样的哲学和语言层次运作的,而且必须与它们一块儿解读。

如果将想尔归入道教的祭酒之列是正确的,那么,它将能够解释此注的权威式语言。它不是根据那些看似明白的段落解释晦涩难懂的段落,并试图以此理性地说服读者的论辩性注释;而是这样一种注释:要么诉诸从直接启示而来的宗教权威(在注释并不明显)或师/弟关系中师的权威,要么二者兼用。想尔(以及严遵)的主要解释工具是《老子》之外的

---

① 饶宗颐,《老子想尔注校正》,页 12。

概念的引入。想尔注的隐含读者是一个弟子、信徒，在老师的宗教和学术权威之下的某个人。想尔似乎并没有设想弟子们读过其他的注释，但它设想他们曾经听闻其他的道家教说，并且受到了它们的影响。王弼则不得不设想他的读者已经阅读过其他的《老子注》，而且意识到他自己的注释能否幸存下来，是与它在“自由的市场”竞争中被证明的学术品质紧密相关的。他解释《老子》的主要策略是：通过将不同分章的语汇和论断相互关联，用其本身的语汇来解释它。

因此，考察的视界或语境对于构造文本、将其潜能的巨大范围减约到一个可证实的确定层次的种种策略而言，成为决定性的。想尔注是语境的极端重要性的一个很好的例子，因为它从《老子》中细绎出的那些重要教化，没有一个在表面的文本中有明确的叙述。王弼注则是内在式解读的典型例证。两种策略反映了不同的思想和社会氛围；在完全不同的作者、注释者和读者之间的关系上运作；为其注释诉诸不同类型的权威。然而，二者都是对文本的构造——将可能提升为现实。作为构造，它们只能被主要当做他们自己时代和传统的思想产品。它们是否发现了《老子》的“真实意旨”的“摩登”问题依赖于各种无法证实、也不一定有意义的假设。

在其对各家的批评中，王弼指出，它们都构造了特定的《老子》。尽管难以将各家与有效的材料和出土文献联系起来，例如，找到一种系统的墨家或儒家的《老子》解读，现有资料的比较证实了王弼的说法：在他的时代，已经有许多截然不同的《老子》的文本构造。王弼主张这些差异都源于解读《老子》的基本方法的错误。关于这一问题，我们不必妄取一边。然而，对不同解读的比较带来许多令人不安的洞见：

- 对于所有注释者而言，注释《老子》的必要性是显见的：文本/个人身份以及与之相关的哲学/宗教重要性之间的难缠差别，由其中细绎出的实现了的潜在意义的范围，这些无不使该文本成为实践上无法运用的。

● 在以往注释者中，对于不同分章的语法和逻辑结构没有达成共识。我们可以设想，现存的注释为它们的解读策略或最终的哲学陈述被传续下去找到了足够的支持。很可能，其他也许有更宽变化范围的注释没有流传下来。想尔注只在一种敦煌卷子里幸存下来，它从事与其他“道家”的《老子》解读（我们对此的所知仅限于想尔注述及的那些）的竞争。

● 如果把不同读者对这些构造的接受当做解读行得通的标志，那么，这一文本也就认可了众多截然不同的构造。

● 注释者在思想传统中运作。他们中的绝大多数都在其传统内部研究彼此的构造，吸取那些训诂上有说服力的、哲学上和政治上可接受的构造。王弼从严遵那里汲取了很多线索；钟会也从王弼那里借鉴了很多。在这方面，还需要更多的研究。

● 没有理由假设有这样一个黄金时代，在那里，文本清晰确定，构造的多样性少之又少。有影响的传统如《文子》、《韩非子》、严遵和想尔并没有发明他们的解读策略，它们可以回溯得更加辽远。事实上，有其固有的明确意义（一个有着共同的哲学、修辞和文化取向的读者可以把握它）的“原初”《老子》文本的观念，以及能够在与写作时相同的语境内解读它的观念，可能是不合理的；无疑，它不是一个操作性的概念，因为它只是在一份长长的名单里增加了一个注释者而已。无论《老子》产生于怎样的环境，我们只能将它处理为注释者或现代学者尽其知识和理解力现实化的一系列（无意识的）潜在可能性、潜在的选择。这一文本不同意文本模糊性的现代观念，这些注释者也一样。文本能在减约关于无可捉摸的对象和结构的理解的模糊性中做到这一点，而注释者则通过将文本译为一个理想的、明确的同质性整体共享这一理念。

● 所有注释者都共享这一假设：该文本实际上是不明确的，而重新发现其本意是他们的任务。我们不只是在用语法和逻辑的关联处理对大体相同的句子的各种解释，就像在对旧约和新约以及印度或希腊哲人的研究所做的那样。我们处理的是由有其正常的文本变化范围的中文文本支撑的不同语法和逻辑的构造。注释者没有发展出一套文法概念来界定字与字之间的关系。然而,他们必须发展出,而且也的确发展出了告诉读者的方法:文本将怎样构造出来,矛盾将怎样被消除。他们以不同的方式做到这一点,很多时候是通过翻译。这些翻译将明确他们看到的深植于《老子》陈述中的语法和逻辑关系。结果,翻译《老子》的问题就无论如何不是将其译作白化文或外文的现代译者(他们与文本有着巨大的文化距离)最先遇到的。而是一个从最早的时代起就为读者和注释者面对并处理的问题。然而,绝大多数现代译者都没能细致地研究这些先驱的工作。

● 现代译者对早期注释者的工作缺乏耐心的嘲笑,是相当肤浅的。正如上面的比较展示的那样,即使像想尔这样的注释者也试图达到对文本的某种一贯的解读,而且,在解决《老子》中的众多谜题时,各个注释表现出了各不相同但总体上水平颇高的文本构织能力。

● 对上述各个例子的初步分析表明,确定文本意义的决定性步骤不是由该文本本身的措辞驱使的,而是在它接触读者之前早已完成的了。想尔与王弼的根本区别不在于对这个或那个句子的特殊构造,而在于《老子》在其中被考察的总体框架。这一总体语境确定各种问题,然后再从文本中抽取相应的答案。某种解读的合理性由以确定的第二个语境环是该文本的其他部分以及被假定为属于同一类的其他文本。其中可以找到对同一问题的更为清晰的陈述;此处看似含糊的语汇,在别处与某个可以引入的主语或宾语相联;总之,这第二个语境环成了源泉:可以从中发掘用来丰富某个段落的特定语境的材料,使之足以确定其意旨。接下来才是第三个语境环,即某句或某章的当下语境:它的用语、修辞、语法和逻辑。上面给出的构造的多样性表明了外围的语境环(这里假设《老子》是处理长生问题的文本,那里假设它是处理万物之所由问题的哲学文本)在何种程度上决定着内部的语境环,以及《老子》作为语言和修辞的结构在何种程度上由此种影响形塑。不同文本的文本表面的潜能范围千差万别,甚至同一文本的不同部分也是如此。《春秋》或《左传》的文本表面的潜能范围远小于《老子》,而《周易》则跟《老子》的情况相类。汉代的《春秋》构造在其笔削的意义上差别颇大,但在语法和逻辑上却没什么不同。

在概括了王弼面对的问题(从现存注释看,即《老子》的文本潜能范围及矛盾)之后,我们下面将系统、细致地研究他为《老子》(作为一组包括《论语》、《周易》在内的权威文本的部分)建构一种确定的、同质的意义的技巧。

第五章　王弼的注释技艺

引　　言

王弼注释的一般策略是将文本的句子和语汇的多义性约减至最低。这一多义性体现在对完全相同的句子会有截然不同的解读并存这一事实中；它同时也是有文本基础的事实，《老子》的很多句子没有明确的主语，它的喻象和比较难以把握，它的术语系统有时似乎并不一贯。

王弼化减多义性的常用技巧在于将含混的部分与处理同一问题言辞较为清楚的部分关联起来，并以较为清晰的部分解释含混的部分。这样合并的结果是王弼的《老子》所处理的问题的数量被极大地缩减了。王弼对上引《老子》唯一的核心问题的陈述以及他对《老子》的分析实际上产生出有限几个与核心问题有着紧密关联的问题。对其哲学内容的细致研究，将在本书的其他部分给出。①

王弼注承担了许多不同的形态。他解释个别的措词、隐喻或明喻。他澄清《老子》的各种陈述的隐含结论。凡是在似乎由文本假定但有可

---

① 参见本书第三编。

能为读者错过的地方，他都会标明主语、宾语以及逻辑和语法的关联。他还指出有待解释的部分与《老子》其他部分结构上的平行关系。

注释与文本的结合

王弼《老子》以 81 章本流传下来。第 31 和 66 章无注。据宋代的记载，王弼认为第 31 章是伪造的。而对于第 66 章，除了文本中没有多义性（这似乎使王弼式的注释显得多余）外，找不到其他的解释。我们不知道王弼注是否有散佚的部分。早期被引用的注释文本与通行本之间有极高的一致性，因此王弼注的文本散佚的可能是很小的。[①]

在王弼注的各种传承下来的形态中，注释被以 2 世纪晚期开始流行的方式插入本文。然而，我们找不到抄本的证据，来确定本文与注释究竟是以怎样的方式交织起来的。唯一一条指出马融最先将注释插入本文的材料（即孔颖达的说法）可能是正确的。王弼本人将到他那个时代为止仍是独立的"十翼"与本文交织起来，直接附于诸卦；这就将这些对卦和卦辞的注释提升到了正文的层次，使之成为它的一个有机的部分。几十年后，杜预同样让《左传》这一原本独立的文本成为《春秋》的一种注释，其权威地位与《春秋》本身相近。然而，他没有进而将《左传》的相应部分插在每一日、每一月或每一事件之下，而是按年将《春秋》分割开，并将《左传》对应这一整年的部分插在那一年下面。[②] 然而，他自己的注释似乎已被直接插在它们所指的相应文本之下。转到王弼的《老子注》上来，这将给出对王注原本写作方式的两种被验证过的选择。他可以把它对每章的注释加在此章的结尾，或者直接把他的注释插在对应部分之下。

在传下来的文本中，王弼将《老子》剩下的 79 章（除去第 31 和第 66

① 具体的论证参见本书第二编第二章。
② 杜预，《春秋经传集解》。

章)分割为总共约403个有待注释的陈述。尽管这给了每章大约五个注释,但无论在数量还是长度上都有一些极端的例子。有些章(如第16,20,25,41章)被分划为相当小的条目,乃至单章竟有多达15个注释(第20章);有五章(第4,6,19,75和78章)只有一个注释;第78章是个例外,它先给出文本的整章,然后在注释中逐条详细解释。第38章注因其极端的长度而突显出来,实际上,它也可能只有一个注释,因为只有一种材料中有第二项。由于这些只有一个注释的分章现存于通行本中,我们必须考察它们是否是原本组织方式的残余。这将意味着:本来所有的分章都是以这种方式注释的,后世的编者割裂了注释段落,将片断分配进它们恰当的位置。

这一假设似乎在王弼注的一个奇怪的特征中找到证据。有不下146处,王弼逐字重复《老子》的句子(或一个片断),注释以"故""故曰""故云"或"故谓"等表达归属于它。

《老子》7.2可以作一个例子:

是以圣人

后其身而身先	外其身而身存
不以其无私耶?	故能成其私。

王弼显然认为前面一句是自明的,因而只注释了最后一句:

"无私"者,无为于身也。"身先""身存",故曰"能成其私"也。

可以认为,这种对接挨着的句子的不简约的重复,只有在对一章的整个注释被附于该章最后面的情况下才可理解。同样对本文部分的重复也出现在其《周易注》中。如果由此可以判定王弼将其对《老子》整章的注释附于每章之后,那么顺理成章的是,他也是将整个注释附于每一卦之后的。由于《老子》的每一章都很短,因此主张有必要通过重复本文来提醒读者是没有说服力的。

对注释中"故"之后的《老子》本文更细致的考察表明它们是一种更

宽泛的论辩结构的部分。在上引例子中，结尾的引文显然被结合进了一个论断。除146处正文的直接逐字引用外，还有另外30处采用了正文的关键词，但在文本中加入了解释性的材料。《老子》18.2是一个例子：

> 智慧出，焉有大伪。

译为：

> 一旦智慧出现于[统治者的行动]，[在他的臣属中]就会有巨大的欺骗。

王弼注曰：

> 行术用明，以察奸伪，趣睹形见，物知避之。故智慧出则大伪生也。
>
> 译为：如果他施行诡计，运用他的智慧，来探察[百姓的]奸和伪，其结果是，其他人知道如何规避他。这就是[文本]说“智慧出则大伪生”的原因。

《老子》这一句的两个半句之间的逻辑关联，以及这一逻辑深层的动机都没有详细的说明。王弼首先处理后者，然后为该句提供了一种确定无疑的译文。他将“焉”读作标示已完成的动作的词缀，意为一旦智慧出，其结果将是有大伪。为了突出这一点，他以“则”来翻译“焉”。在这一构造中，“有”只能指“将出现”。为了引出治理者对智慧的运用“将引生”百姓的欺伪这一见解，他将“有”译为“生”。与此同时，王弼保留了原来的结构。结尾的重复不是对所处理的段落的提示——提示只有在一种注释的开头才有意义(如前面对《老子》7.2的注释)，而是读者要在细致分析之后对原句的再解读，或以完完全全的原句，或依据刚刚给出的解释做些逻辑性的添加。

王弼注的另一深层特征为这一论断添加了分量。在18个分章中(第3，22，24，27，37，44，46，55，59，63，64，65，67，68，72，73，78和79章)，王弼没有注释该章的最后一句。所有这些句子都可以被解读为对此章的总结或结论。这些注释不太像散佚了。有时,在同一章中有两个议论,比如在《老子》第 7 章。在这一章里,第一段关于天地的议论结束于这一结论:“故能长生”。尽管它是《老子》7.1 的议论的结尾,但却位于注释之后,在 7.2 处理圣人的议论的开头。7.2 注没有处理这一关于天和地的句子。我们在此获得了与其他未注最后一句的各章完全相同的结构,只是这一次在此章的中间罢了。同样的情况也发生在《老子》56.7。因此,我们不得不为这一特征以及出自前面紧挨着的《老子》本文中的众多逐字引文找寻另外的解释。也许对这一结构的分析还有助于解决王弼《老子》的原本安排的问题。我们将以《老子》第 24 章为例:

第一句“企者不立”被王弼注释为:

> 物尚进则失安,故曰企者不立。

这一注释解决了隐含角色的身份问题,即第一部分举动不当的治理者,和第二部分回应其举动的臣民。它也解决了两个半句之间逻辑关联的问题。如果治理者强调其尊位、举止傲慢,他的下属也会奔竞不已,结果,治理者本人的地位将会受到威胁。有了这一注释的指导,读者可以以自己的判断力把握这一系列中余下的句子。它们是:

> 跨者不行,自见者不明,自是者不彰,自伐者无功,自矜者不长。

译为:

> 大跨步的[统治者]无法前进。自我展示的[统治者]并不明智。自以为是的[统治者]无法彰显[他自己的正确]。自夸的[统治者]将不会有无可比拟的成就。自我表扬的[统治者]将不会有[自己的德性]成长。

下一句“其于道也,曰饯食赘行”也需要注释,因为它相当含糊。注曰:

> 其唯于道而论之,若郤至之行,盛馔之余也。本虽美,更可薉也;本虽有功,而自伐之,故更为疣赘者也。
>
> 译为:根据道来判断,[这些态度]就像郤至的行为,是盛馔的剩

余。尽管[食物]根本上是可口的,[其余食]则会腐烂。尽管[郤至]根本上是有功绩的,而自夸其功,就成了赘疣。

《左传》郤至的故事很好地说明了这一章。他夸耀自己无可置疑的功绩,有人觉察到这会激起君主的怨恨,在这夸耀中,已经可以辨识出即将降临的噩运。通过这一注释,《老子》原文的"其于道也,曰饯食赘行"就要解读为"这些[态度]对于道来说,[我]称它们为'残剩的食物'和'多余的行动'"。

这样一来,注释就将自己插入到本文的修辞结构中,引导对个别句子的解读,并让读者用他自己的方法理解从解释框架自然而然可以理解的段落。王弼也曾用长的系列陈述做到这一点,但在这里则是通过不注释最后一句再次做到的。此章最后一句是:

物或恶之,故有道者不处。

与隐含读者一样,我们猜测上面罗列的负面后果是由于这些行为激起了他人的怨恨和忌妒。

很明显,王弼注打算使《老子》的整个议论清晰到这样的程度:结论完全成了自明,可以放心地让读者用自己的心智解释它。对于读者来说,这一靠自己解码结论的能力也为王弼的观点的有效性提供了极好的证明。按王弼的潜意,这一句子的恰当读法是:"[以上例子中的负面后果的原因是]他人可能嫉恨他[这个夸耀自己的人],这就是有道的人不会选择[这样的做法]的原因。"

这一章以及前面提到的各章有力地显明,在由注释设定的框架内,注释者的引导与读者的自由行为之间生动的交织暗示我们:注释已被直接整合进本文了。而且,它把自己插入阅读的时间顺序和程序结构中,成为本文的修辞以及读者的解读/构造程序的一个不可分割的部分;它在一个读者总是处于迷失或随意解释的危险的文本中,为他提供桥梁、道路和联接。

对其他读法的强调性拒绝

我们继续处理第二个有待澄清的问题：何以有如此多王弼的注释以“故”“故曰”或“故谓”等表达后接被注句的逐字引文来结尾。

也许有人会主张此种对本文的重复，是在通过重复来固定《老子》的文本。这一方向上的尝试在马王堆帛书《老子》乙本中已经可以看到，其中列出了文本的两部分各自的确切字数。事实上，这些引文已经被用于文本的固定了，因为保存在它们当中的是许多王弼《老子》本的文字，这些文字长时间以来已经叠加上了出自河上公本的各种读法。[1] 尽管这种固定理论有某些优点，但仍不是很具说服力。总的看来，还是只有一小部分《老子》文句被这样重复；注释者不可能期望自己的注释有这样高的地位：抄写者会在叠加其他《老子》本的同时，原封不动地保留他的引文。这种在一般都相当短的注释里对本文的不简约的重复，一定另有原因。

正如我们在本章引言中所说的，王弼的预期读者对《老子》了然于胸，而且知道一种或多种其他的注释性构造。他对某些句子的正文的读法自然会根据他最初所读的(或是他最欣赏的)注释本的构造进行。因此，王弼注就有了双重的功能：清除读者对待注段落的构造，使其信服自己的新注释给出的构造的合理性和可行性。这一双重过程以“故”“故曰”或“故谓”结束。在我看来，它的调子显然是反驳性的：“[并不是因为你们从前读过并追随的注释者提出的奇异构造]，这就是[《老子》]说…… 的原因。”对接下来引文的翻译必须以感叹号(!)结束。

王弼并没在他的所有注释里都给出这样的逐字引文，只是在相当有限的章节里这样做。我认为此类对某一段落真实意义的重新确认是在他觉得其他注释严重地误解了《老子》的情况下出现的，当然，这无法证

① 我对王弼《老子》本的重构很大程度上是这些引文为基础的。参见本书第二编第四章。

实,因为他的批评所针对的那些注释现已不存。这也将可以解释王弼选择引用某些段落而对其他部分全不留意的原因。在描述对其他构造的强调性拒绝的同时,这些文句的重复就成了曾有一个或多个反文本存在的考古学证据,王弼是在与它们在读者头脑中的影响抗辩。用特殊的证据穷究这一论辩,对本研究的品质和长度都会有所贡献。然而,这些反文本现存残片的缺乏以及众多注释年代的不确定,迫使我放弃了这一尝试。从他在《老子旨略》中对各种其他解释的批评中,我们可以假设王弼反对的不只是一个而是众多异类的读法。

这些出自《老子》的引文还完成了另一种功能。假设读者在接触王弼注之前以不同的观点阅读《老子》。然后阅读了王弼注。王弼注不仅从其表面结构和哲学意义两方面来解释《老子》,有时还会以确定的、同时代的语言给出某个段落的译文。注释以出自正文的引文或有少量补充的译文结尾。在这里,引文是在要求读者根据已经给出的解释重新阅读原文,从而彻底摆脱他开始的解读,理解王弼的构造。

他的注释的结果是一个对其预想读者(对于现代读者并不一定)而言没有矛盾、完全一贯的文本。由于王弼进而构造出了《老子》各种论断由以产生的共同的哲学根基,他就不仅将《老子》呈示为一个同质的文本,而且将它构造成了一种系统的哲学。

解释暗喻、明喻、比拟和象征

《老子》使用了许多语言修辞,王弼注试图解码它们的喻象价值。最著名的当然是《老子》第5章“刍狗”的表达:

> 天地不仁,以万物为刍狗。
>
> 译为:天地并不仁慈。对它们而言万物仿若草和狗。

为一些现代注释者选择的属于河上公传统的解释——这是指用于牺牲然后抛弃的“刍狗”,具有将这一表达与一种文化的创造物关联起来,从而便于解释的优点。然而,一直在这里引用的出自《庄子·天运》篇的故事讲述了刍狗存在的两个阶段,它先是被衣以文绣,然后被抛却并践踏。这一顺序在《老子》第5章中找不到呼应。最多也只能用到这一记载的第二部分,即它被抛弃了。然而,何以要在这里用"刍狗"这个词的原因并不清楚,因为还有许多比它更合适的。想尔注中关于刍狗的起源的故事与《庄子》不同,但也面临同样的问题。① 因此,王弼试图从其《老子》解读的一般语境来界定这一表达。他注释道:

> 天地不为兽生刍,而兽食刍;不为人生狗,而人食狗。无为于万物而万物各适其所用,则莫不赡矣。

译为:

> 天地不为牛创造草,而牛[却]吃草。它们不为人创造狗,而人吃狗。由于它们不干预万物,万物皆各适其用,没有不得到供养的。

以这种方式,这一陈述成了对自然的自治秩序的一个隐喻:天地不给任何事物施加恩惠,却又为所有的事物提供了条件——这是一个可以在《老子》的其他部分和《论语》中找到众多论证的陈述。

对于《老子》第5章,王弼必须进一步处理《老子》的一个明确的比拟:

> 天地之间,其犹橐籥乎,虚而不掘,动而愈出。
>
> 译为:天地之间的[空间]就像鼓或笛。[其声音]空虚而不可穷尽。击打得越多,就会产生出越多的[声音]。

《老子》本身以非常具体的方式解释了这一比拟,没有用任何哲学词汇。王弼注根据《老子》的哲学宗旨解读这里的比拟和解释:

> 橐籥之中空洞,无情无为,故虚而不得穷屈,动而不可竭尽也。天地之中,荡然任自然,故不可得而穷,犹若橐籥也。

---

① 关于相关段落的完整译文,参见本书页426注①。

译为：

> 鼓和笛内部空虚。[笛]没有[偏爱某一音符的]情感。[鼓]没有[创造某一特定声音]的作为。这就是[正如文本指出的]：[笛]"虚"而不可穷尽；[鼓]不断"敲"而不可穷竭的原因。在天地之间的[空间]里，[所有事物]的自然都充分发挥。这就是[天地之间]像鼓和笛一样不可穷竭的原因。

语境又一次构建了解读策略。根据此章第一部分的构造，天地无私，对万物中的任何一者都没有特别的关切。结果，它们都能依其本性运作，从而将它们置于彼此间的"前定和谐"（莱布尼兹的表达）中。这一章的第二部分不得不以某种方式与第一部分关联起来。"天地之间"是万物出生之所。正因为天地之间的空间是空洞的，才有可能无私地容纳万物。关于作为"无"的一种具体形式的"空"的无穷潜能，《老子》中有其他的比喻。[①] 在每一场合，没有具体偏向赋予这些空以吸纳或产生最多样事物的可能性。这些其他段落丰富了这一文段的语境，不仅因内容的对称，也因多义性的减少。籥，中空"无情"，不偏向这个或那个音调，因此能吹奏出所有这些音调来。基于当下的语境以及《老子》中众多相似的比较，王弼着手为这一段落构造一种在语法、词汇和喻象上可行的、合理的意义。

另一个例子是《老子》28.1：

> 知其雄，守其雌，为天下谿。

译为：

> 知道作为[天下]之雄的人，他[必须]保持为雌，将成为全天下的溪谷。

这一陈述以三个喻象——雄鸡、雌鸡和谷来运作。《老子》自身没有做解

---

① 参见《老子》第11章和第28章。

释。王弼注曰：

> 雄，先之属。雌，后之属也。知为天下之先者必后也。是以“圣人后其身而身先”也。

译为：

> 雄，属于先的类别；雌，属于后的类别。知道如何作天下之先的人，必持身于后。因此[如《老子》7.2 所说]，圣人“后其身而身先”。

这样，雄鸡和雌鸡的喻象就被解释为《老子》7.2 中处理的先后问题的不同表达。这一平行还让圣人成为这一章中并无主语的“知”字的主角。通过以很低程度的语法和内容矛盾将这一平行引入《老子》28.1 的语境，王弼在将此句读作更为清楚的《老子》7.2 的一种较为含糊的复述时，试图最大限度地减少语法和内容上的多义性。这一结果还照顾到了当下的措辞、这一章的语境、《老子》的整体语境，以及最终以一种使其后的部分进入《老子》的历史哲学的核心陈述的方式构造此章的要求。我们还必须处理 28.1 的最后一部分：“为天下谿”。

王弼将隐喻性的谷解释为：

> 谿不求物，而物自归之。

译为：

> “谷”不渴求其他事物；而其他事物自愿服从于它。

谷低于它的环围。前半句的先/后结构，也暗含高/下的等级；在《老子》第 6 章中，谷神被称为“玄牝”。牝的女性性别在那里被王弼看作谷神“处卑”的喻象性表达。这样，《老子》28.1 的谷就对应这里的“雌”。然而，看起来与《老子》第 28 章的“谿”最相对应的《老子》第 6 章的“谷”，是不可捉摸的“天地之根”的喻象。在王弼的构造中，《老子》第 28 章涉及的是圣人对社会的处置。王弼不是因为用词的相近，而是结构的相近进行关联的。这是由河海与小溪的关系带来的。小溪极其自然地归入河海，因为后者“卑身”于其下，而河海之所以能如此大也是因为这一原因。

《老子》32.4 说:“譬道之在天下,犹川谷之与江海也。”王弼对这一句的注释与 28.1 注几乎相同:

川谷之不求江与海,非江海召之;不召不求而自归者也。

译为:

溪流不追求[流入]江海,[它们流入江海]也不是因为江海召唤它们;后者不召、前者不求,溪流自动地流归[江海]。

与《老子》第 28 章一样,《老子》第 32 章处理的也是圣人在社会中的作用。他的社会政策将效仿道与天下的关系。在上引《老子》32.4 之后,王弼马上做了这样的运用。这一模式实际上是由《老子》第 66 章提供的,王弼没有注释这一章。它是这样的开始的:

江海所以能为百谷王者,以其善下之也,故能为百谷王。是以圣人欲上民,必以言下之。

这一论断在《老子》的很多涉及圣王必须采取低姿态(像《老子》39.4 和 42.1 那样的)的段落中都有回应。王弼又一次通过将它与那些他认为是同一问题的其他阐述(使它们的观点更为清楚)的段落关联起来,确定了这一喻象的确切意义。

主语的插入

《老子》有很多章没有明确的主语或主角。还有更多单句用定冠词“其”意指前面没有明确界定的名词。对这两种情况,王弼都没法去除由之而来的多义性。

王弼注释的 79 章中,有 23 章没有清楚地辨明该章所涉的主角(第 3,9,10,14,18,19,22,23,24,28,32,35,36,39,52,56,57,58,59,60,63,64,71 章)。但比如第 57 章,它以“以正治国”开头。这样,我们就可以轻而易举地推论出它的主角是国家的治理者。第 3 章“不尚贤,使民不争”

也没有界定主语。同样只有对民有影响，一般来说，是居于治理者位置的人。在接下来的3.2中，此章提到了制定这些原则的圣人。由于“不争”显然是《老子》中百姓的理想态度，这个句子的主角就做了正确的事情。因此，他一定既是治理者，又是圣人，简言之，即圣王。

在对《老子》27.5关于圣人“常善救人”的注释中，王弼引用了第3章的“不尚贤”，以圣人为其主语。因此，我们可以相当确定地假设，在王弼的构造中，《老子》3.1的隐含主角就是圣王。

第18章以“大道废焉有仁义”开头——一个似乎有完美的角色的句子，读作：“一旦大道失去了，就会有仁义出现。”然而，“仁义”对王弼来说，是此句涉及社会史的明证。道兴盛与否依赖于治理者。王弼注“失无为之事，更以施慧立善”是以源自《老子》2.2的引文开头的，据此句所说，“圣人处无为之事”。因此，第18章的真正主语就是治理者，而且《老子》18.1只能译作“一旦[治理者]抛弃了大道，就会有仁义[来指导他的行为]。”

第10章更为复杂。其首句为“载营魄抱一，能无离乎”，根据王弼的构造，应读作：“处常居之宅，抱持[它们的]一，不离开它。”接下来它以相同的方式言说，没有关于道说的对象究竟是普通人还是圣人或治理者的任何线索。王弼没有给出明确的答案，由于他在别的地方总是彻底地清除所有多义性，我们只能假设对他来说，在这里，道说的对象是谁根本不成问题。这一“载营魄抱一”的结果由王弼的注释阐发出来：“万物将自宾”。这一表达出现在《老子》32.1：“侯王若能守之，万物将自宾。”这样，我们就可以将第32章的侯王引入第10章。第10章本身也肯定了这一点，将“爱国治民”说成道说对象的行为。侯王本应是圣人，但很不幸的是，他们不是。因此，第10章的语调是失望的。事实上，根据《老子》22.6，圣人才是能真正做到“抱一”的人，侯王则只能有志于此罢了。由于在王弼的构造中，《老子》是关于政治原则的本体论基础的文本，他假设所有这些未指定的分章的主语/主角（除了第39章）或是以道治国的治理者——圣王，或是不以道治国的治理者——给自己和社会带来破坏。这一关于《老子》的一贯主题的假设如此深地浸透王弼的注释，以致在很多场合都不是直接道出这一隐含的主语，而是在如上所示、众所周知的基础上运作。

因此，王弼假设每一章实际上都有恰当的、即使未明确说出的主角，而文本的表面上的多义性只是混乱的读法的结果。与此同时，王弼未对这些角色加以辨识也表明他的注释所针对的反文本，在关于核心角色的问题上，与王弼有着相同的假设。上面引用过的有着不同注释策略的几种现存注释没有这样的特征。由此我们可以断言，它们并不真的足以构成王弼的反文本。

《老子》51 章中的“其”有 143 处未明指涉，在王弼的文本和解读中（在第 1,21,24,27,28,52,54,56,58,59,60,64,72 和 78 章）的数目约为 20。在其他注释中这样未明指涉的“其”的数量很不一样，这部分因为这些不定指涉的“其”提供了通过插入具体指涉使文本符合注释者的假设，进而增加相应文本构造的同一性的机会。①

王弼有时会明确指出“其”的所指，如在《老子》78.1。在对“天下莫柔弱于水，而攻坚强者莫之能先，以其无以易之也”一句的注释中，王弼对最后一部分写道：“以，用也；其，谓水也。”

然而，在绝大多数场合，他只是直接插入某个语汇，如在《老子》1.3 和 1.4的注释中。在这两句“故常无欲，以观其妙”和“常有欲，以观其徼”中，“其”的所指并不明确。在语法上，在此前的文本中有四个候选项（当然文本外有更多的候选项），即“道”、“名”、“无名”和“有名”。在王弼对《老子》1.2“无名万物之始，有名万物之母”的构造中，实际的主语既不是“无名”，也不是“有名”，而是“道”，他将上述句子译为“言道以无形无名始成万物”。“道”在文本中以“始”和“母”这两个名词描述的本体论

① 以“贤人”来替代“其”的例子，见上文提到的《老子》11.1 的想尔注。

过程中承担着不同阶段的两种功能，这在注释中是以“始”和“成”来描述的。在砍去“有名”和“无名”这两个候选项的同时，它也将出自1.1中的“名”去除了，因为在王弼此章注的其他地方并没有提到它。由此，我们可以确定“道”是主语。

《老子》21.2“道之为物，惟恍惟惚”，接下来是“恍兮惚兮，其中有物，惚兮恍兮，其中有象”。这一“其”字可以指涉的唯一一个前面的名词是“道”。这在当下的语境中无法获得理解，因为既然说“道之为物”，“道”就总得有一个“物”；在更大的语境中也一样，因为在王弼的构造中，《老子》的其他部分对此也没有呼应。在这一难题中，王弼额“外”引入了一个主语——“万物”，并注释道：“以无形始物，不系成物，万物以始以成，而不知其所以然。故曰……。”因此，尽管道是惟恍惟惚的，但作为始成万物者，也在其中显现。在这个意义上，虽然“其中[在万物中]”有物或有象，但因其惟恍惟惚，仍是无法辨识的。这一解读将最终的文本牢固地设入《老子》中众多相同陈述的语境中。这一注释的结尾也给出强调性的“故曰”的一个很好的例子。很明显，其他对“其”的解释在这里被断然拒绝了。

《老子》中另一多义性的主要来源是动词后面的“之”字。在许多场合下，它是指向前面某个明确的名词的，但也有许多完全不确定的情况（如《老子》9.1，9.2，10.7—8和54.4）。

9.1“持而盈之，不若其已”中的“之”字没有一个前面出现过的可指涉的名词。它也许只意味着“某个东西”。王弼注为：“持谓不失德也”。“失德”这一表达出自《老子》第38章，在那里，是指只具“下德”的治理者。在为这一“之”找寻主题的过程中，王弼在《老子》中找不到可从中获得恰当宾语的“持”字。文本中的另两处“持”字都不适用。因此，他将“持”再界定为“不失”，这与“持”字在《老子》中的一般意义相应。而《老子》38.2中的“不失”有一个明确的宾语——德。王弼便将它移至此处。

对于下一句“揣而锐之，不可长保”，王弼就没有那么幸运了，他在

《老子》其他地方无法为“之”找到一个合适的插入语。因此,他转变了策略,通过解释喻象来解码其意义。他注释道:“既揣末令尖,又锐之令利,势必摧衄,故不可长保也。”这里没有包括实际的名词——“剑”,因为这句话的意义要宽泛得多。例如,它指某个已经处于尊位的治理者进而要炫示其地位,这将激起他人的争竞,并最终将导致他的失位。这样的解读,在《老子》和《周易》中都有很多对应的论述。因此,在这两个例子中,“之”都保留了“某些东西”这一一般意义,两句话都以一般性语汇描述源于这种行为的社会动力。然而,通过将两个句子与《老子》的其他陈述关联起来,由“之”造成的多义性被最大限度地消除了。

在《老子》54.4“修之身,其德乃真,修之家,其德乃有余”以及后面平行的句子中,“之”的内涵没有得到界定。这里“修”字也没有在《老子》的其他地方出现。王弼通过将“之”界定为此章前两句的内容,解决了这一谜题,这两句话是:“善建者不拔,善抱者不脱”。在《老子》54.3 注中,这两个句子被说成是一种“道”,而事实上,正是这个词应被插入上引句子,作为“之”的内涵。

在《老子》10.7—8 中,《老子》说“生之,畜之”,这里的“之”同样没有明确的对象。王弼注意到了《老子》51.1—2,在“道生之,德畜之”后面是“是万物莫不尊道而贵德”,由此将“之”界定为“万物”。同样的界定被移置入《老子》10.7,而且在 10.6 的注释中已经写明。

最后这种方法基于文本自我指涉的假设,即文本不再重复其他章中已经做过的解释。同时它也基于整个文本对熟知它的读者的共时性显现,因此,第 51 章的某个解释就并不是“晚”于,而只是第 10 章之外某个地方给出的解释。这一文本没有某个论辩在其中展开和发展的时间结构。每一章都与整个文本的共同核心处于同等的距离,这一距离可以衡量为语言与万物之所由的距离。

正如这些例子呈示的那样,王弼意识到了《老子》对于读者的多义性。然而,在他看来,这一文本本身并没有多义性。王弼对上面描述的问题的解决是：指出《老子》是自身指涉的，那些表面看来模棱两可的段落，只是因为没有被理解为关于同一问题没有(或较少)多义性的其他陈述的简略指涉而已。

通过对等关系界定字汇

王弼使用了一种在早期的《春秋》注中被广泛使用的注释技巧，即通过某个对等者界定字汇。许慎(约卒于公元120年)的《说文解字》收入了许多这类注释，后来成为后世的注释者为超乎他们想象的字汇找寻意义的资源。这些注释使得注释工作变得更科学、更客观。阮元的《经籍纂诂》只是此类书中最系统、用得最广的一种。[①]

《老子》的用词总的说来较少，而且平易，不太需要解释特定字汇的意义的注释技巧。然而，每一个字汇都有一个可能用法的频谱，如果这个字汇的主要意义对上下文不适用，混淆和多义性就会产生。在这样罕见的场合，王弼会给出简洁的字典定义。它们位于注释的开头，而且常常构成一个简单的同义词，这个词具有在可能意义的频谱中对他而言较为恰当的意义。

作为一个动词，《老子》10.1“载营魄”中的“载”字本身有一个可能的意义范围：意指“运载”、“包含”，以及较为罕见的，如“载高位”(班固)中“处于”的意思，颜师古将其注解为“乘”。当他说“载，犹处也”时，王弼注似乎与这一罕见用法有关。渚桥辙次的《大和汉辞典》(第38309号)只列了王弼的这一定义。接下来一句“专气”的“专”也有一个正常的意义范围“仅仅”、“专门”，但也许还有极少用到的动词用法，意为“绝对控制”或“绝对运用”。在将其界定为“任”时，王弼注利用的就是这一可能的意义。

① 阮元，《经籍纂诂》。

翻译本文

王弼常常与对特定字汇的语法和内涵的解释相结合，给出对有待解释的段落的翻译。事实上，为了减少文本的多义，王弼不得不或明或暗地翻译它。

翻译不一定意味着从一种语言到另一种语言的变换。翻译有可能是将某个文本从一个时代的语言转为另一个时代的语言，如 Dobson 研究过的汉代赵岐对《孟子》的“翻译”。[①] 也可能是将文本从一个语言层次转到另一个层次，如清代将圣谕译为白话文。[②] 它可能是用其他更易理解的字句对某个给定句子的内容的意译，在此过程中指出语法和逻辑的关联，详细阐明某些暗示，如王逸（公元 89 年—158 年）注释《楚辞》时使用的那种技巧。[③] 它也可能是阐明隐含的语法和逻辑关联以及隐含的主语和宾语的直译。王弼使用了后面这两种方法，也许还是最早使用最后一种方法的。

这些翻译可以直接带出一个表达的语法结构。例如《老子》36.2“国之利器”一句，究竟是在说它是国家所用的有用工具，还是它是对国家有益的工具，并不清楚。王弼通过将它译为“利国之器也”，直接阐明了这句话语法结构，并去除了多义性。在其他的例子里，翻译同时建构了语法和内容，如《老子》21.7，其中的“众甫”这一表达被译为“物之始”，即以“物”译“众”，以“甫”译“始”，而“之”则表明了两者间的语法关系。这样一来，“众甫”就成了“众物的来源”的意思。

在另外一些场合，为增加精确性，会加入一个主语。《老子》16.3“吾以观其复”，可以理解为“我以 XX 方式观其复归”，这里，“以”指的是什

① W. A. C. H Dobson, *Late Han Chinese*，赵岐对《孟子》意译来描述汉语书写语言发展的这一阶段。

② 例如 1724 年的《圣谕广训》，或 1876 年的《圣谕广训直解》。

③ 王逸，《楚辞章句》；这一注释被收入许多《楚辞》的版本中。

么并不清楚。《老子》此前的文本是:"致虚极也,守静笃也,万物并作"。王弼将"吾以观其复"这句话注释为:"以虚静观其反复"。这样,他就从前面的文本中引入"虚"、"静"两字,因此《老子》这句话就只能读作:"我[和他人相反],以此[虚和静这两个概念]观它们[=万物]归复之所"。这一细微的澄清对整体意义有实质的影响。它使"万物并作"与虚静的对立明确起来。其次,物的虚静并不在其显现中直接可见,而是在哲学的眼光中被看作它们根本的宗旨。王弼的简短注释以极其简练并始终贴近文本表面的方式,将有着宽泛的语法和意义维度的文本构造化减为一个精准、确定的陈述。

王弼常用"言"字引入整句的翻译或意译。据我统计,在其《老子注》中,共有24处"翻译"[1]和17处"意译"。[2]

《老子》10.1注可以作为"翻译"的一个例子。本文为"载营魄抱一,能无离乎"。王弼首先给出了三个定义。首先是已经提到过的"载,犹处也"。第二个定义中的"营魄"在《楚辞·离骚》中出现过,在汉代王逸的注释中,它被界定为"灵魂"。[3] 但王弼在这里将它界定为"人之常居处"。这是王弼注中少数几个没有进一步证据的注释之一。第三个被界定的词是"一",对此王弼注曰:"一,人之真也"。这一定义以王弼对《老子》39.1ff.中的"一"字的解读为基础,实际上将"常居处"与"一"结合起来。在提供了这些定义后,王弼进而翻译道:

言人能处常居之宅,抱一清神,能常无离乎!则万物自宾也。

---

① 此类的翻译出现于王弼《老子注》的10.1、2、3、5、6,11.2,16.1,20.4,21.8,30.4、5,32.2,34.1,53.1、2,54.7,58.3、5,61.8,62.4、6,73.4,78.1,80.2。

② 此类的意译出现于王弼《老子注》的1.8,23.2、6,25.5、10,27.4,28.5,29.3,30.3,35.3,55.3,58.1,69.2、3,72.1,75.1,77.2。

③ 王逸《离骚注》,见《楚辞章句》,参见竹治贞夫,《楚辞索引》,页277。关于王逸的注释技术,海德堡大学"汉语文本与注释"研究小组成员的一篇博士论文有专门的研究,参见Michael Schimmelpfennig, *Qu yuans Weg vom "Wahven Menschen" zum wirklichen Dichter Der Hanzeitliche Kommentav von Wang Yi zum "Li Sao" und den Liedern von Chu*, Ann Arbor, University Microfilms, 2005.

译为：

> [这句话]说的是：如果人能居处于他恒常的居所，"抱一"并净化他的精神，能恒常这样而不与之分离，则"万物自宾"。

这一"翻译"以新的定义置换了原来的字汇，并使得逻辑和语法的关联明确起来。"能"的插入强化了结尾的语气词"乎"，只能以叹号而非句号标点。引出最后一句话的"则"，进一步加强了前面诸句在"只有当"的意义上的推断性质。对于最后一句"万物自宾也"，此处没有显见的文本根据。王弼暗示感叹词"乎"隐含着一个隐蔽的陈述，并进而将其阐述为"万物将……"，事实上，这是出自《老子》其他部分的引文，而非王弼的发明。对于《老子》30.4"故善者果而已矣，不以取强矣"，王弼先以不常用的动词用法"济"来界定"果"（"果"还可以意指"结果"，或在不同的语法模式中，意指"做完"）。由于此章涉及的是"以道佐人主者"，于是就有了这样的预期：此章将处理他建立的秩序。从这一语境出发，王弼说"果，犹济也"，用在其注释中意指"导向秩序，整顿"。这样，王弼就将此句译为：

> 言善用师者，趣以济难而已矣，不以兵力取强于天下矣。

译为：

> [上面的句子]说的是：善于用兵的人，其目标只是济渡乱难而已，而不是要用武力的方式强加暴力于天下。

在"善"字后面插入"用师"是以前一句为根据的，其中述及用师的可怕后果。将"不以取强"非常详尽地译为"不以兵力取强于天下"的理由在于此章第一句中的"以道佐人主，不以兵强于天下"。王弼将"不以取强"读作"不以兵强于天下"的缩略。从表面看，"不以取强"应译作"不以诉诸强力的方式"——"以"指向"取强"，而这一与第一句太过接近的相似将"兵"插入进来作为"以"的指涉点，因此最终读作"不以[兵]的方式强加暴力[的统治于天下]"。将《老子》本文与这一注释和翻译提供的构造对比起来，我们看到在这一从潜能到现实的转变中，多义性和混淆性被极其出色地化减了。

《老子》本文没有告诉我们“善者”擅长什么；译文明确指出他“善用师”，并因而对前一句提到的用师的可怕后果有着完全清醒的认识。《老子》没有告诉我们“果”将带来什么；译文明确指出，他将“济难”；“而已”的意义暗示，“果”是唯一的意图。隐含的意图由额外添加的“趣”字明确起来。经过这一构造，相当含糊的“善者果而已”就有了明确的意味：意指某个以道佐人主、因而理解用兵的危害的人，将只是用军队渡过暂时的危难而已。在后半句话中，《老子》没有阐明“强”的对象，而注释则为“之”加入了宾语“天下”。如果接受了王弼对前半句的解读，那本文后半句中的“以”将难以理解。如果武力是用来济难的，又怎么能说“不以诉诸暴力的方式”呢？通过实际上将“以”读作“用之”，然后为“之”插入内涵“兵力”，王弼试图完成这样的构造：不留下任何多义的东西，而且牢固地立基于上下文及其他有力的证据。

这显示出逐个要素解释的零散注释与此种翻译之间并没有太大的不同。正如引言中提到的那样，我们对王弼没有给出这样明确指导的段落的翻译是以他自己的翻译为前例的。引出这些“翻译”的“言”可以被进一步详尽地译为：“如果翻译为我们当代的语言，并且将所有隐含的语法和逻辑关系、主语和宾语明确出来，那么这一《老子》陈述说的是：……”。

第二种陈述整句或整段内容的类型是意译：用其他的话重述主题内涵。它也以“言”开始。例如，《老子》58.1“其政闷闷”，王弼注曰：

> 言善治政者，无形无名无事无正可举，闷闷然卒至于大治，故曰：其政闷闷也。

译为：

> 这说的是：善于治理的[统治者]无形无名，没有事为和标准可以标举出来。[他的治理]“闷闷”的样子，[但]最终却达到了大治。这就是[文本]说“其政闷闷”的原因。

这一意译中的“无事”、“无正”将此章与《老子》57.1“以正治国，以奇用兵。以无事，取天下”联系起来。毫无疑问，这里的“无正”只是“以正”的相反形式。深不可测的治理者的主题已经在对《老子》第17章的分析中提到了。这里的意译以“卒至于大治”这句话将《老子》此句的隐含结果表达出来。意译的策略通过出自《老子》其他章的材料扩展了语境，同样达到了消除文本多义性的效果；它可以使关键性的“闷闷”系于这一假设之下：它只是在《老子》的许多地方发现的思想的另一种表达。这里引用的段落都在强调这一事实：理想的治理无法通过明显的记号辨识，这就与隐喻性字汇“闷闷”紧密地结合在一起。

王弼的翻译表明，受非议颇多的西方译者对于《老子》的问题，其实只是非常古老的东方学者的难题的一种变体。将文本翻译为不同的话语总是涉及文本矛盾的极大化减。具体策略在想尔、王弼、戴闻达、木材英一、杨联陞、刘殿爵和 von Strauss 等人中间会有较大的不同。困境一直在于：解释的结果只是几种可能的文本解释中的一种，也许在特定的现代地点和时间会显得非常重要，但却与这一文本作为出自特定时代的中国语境的文本完全无关，因为它没有以那种现代翻译所建议的方式被构造出来。

合并字汇与结构

在王弼的构造中，《老子》用许多词来指称“万物之所由”。其中有些是需自觉理解的隐喻，如“根”，“母”，“门”或“宗”：

- 是谓天地之根。(6.1)
- 凡物芸芸，各复归于其根。(16.4)
- 有名，万物之母。(1.2)
- 可以为天地母。(25.3,52.1)
- 众妙之门。(1.5)
- 玄牝之门。(6.1)

• 万物之宗。(4.1)

其他更古旧的隐喻早已沉睡在汉语死喻象的墓园中了。有些原本隐喻义义的抽象结构仍然存在,但言说者/著述者将不再注意一个混合的喻象。最好的例子是“道”。这个词在《老子》之前就被建构为一个哲学词汇;因此它不是用作一种定义的工具,而是作为自身需要界定的东西出现的。也许,“始”也属于这一死喻象的范畴,如果这个字指婴儿的出生的话。

• 道生之。(51.1)

• 道者,万物之奥也。(62.1)

两个例子都表明“道”已经成为一个完全抽象的观念,其特定的喻象起源已不再左右它的用法。从技术上说,“道”既不能“生”也不能“覆”。

• 万物之始。(1.2)

• 天下有始。(52.1)

两个例子都保留了创生或出生的一般指涉,但类比关系已经太过疏松,无助于指定在这一“始”中想象的确切过程。

最后,《老子》中有两个极出色的发明:“自然”和“无”(至少在王弼的解读中)。它们是专门的哲学语汇,并没有给具有崇高地位的、久已熟悉的字如“道”和“德”增加哲学的深度,只是试图用没有负担的语言材料准确地描述一种新的哲学洞见。据我所知,这在此类专门哲学语汇的发明中是最早的。两个语汇都试图详尽阐明语言在界定这些新洞见的对象时的缺陷。①

---

① Hermann-Josef Rollicke 给出了关于“自然”一词的起源和早期发展的精彩分析,参见 *Selbst-Erweisung. Der Ursprung des ziran Gedankens in der chinesischen Philosophie des*4. *und* 3. *Jhs. v. Chr*。关于“无”,庞朴近来将闻一多早先提出的“玄学”可能在某些神秘的原始宗教(即萨满教)中有其先驱这一意见发展为一种文字学的论断:“无”实际上在“舞”和“巫”字有其家族的历史。参见庞朴“说无”,页 63—74。同样的情况当然也可以用于《楚辞》中的作为神的“太一”与玄学里的“一”的关系。

- 万物之自然。(64.9)
- 故有之以为利,无之以为用。(11.2)

《老子》本身以三种技巧的运作,来表明这些语汇都是借以窥见某些在本质上超越语言的界定范围的权宜手段。

第一种技巧在于将这些语汇和结构彼此关联并等同起来:

- 始与母:“天下有始,可以为天下母”。(52.1)
- 第21章中的道与众甫(读作“物之始”)。
- 门与根:“玄牝之门,是谓天地之根”。(6.1)
- 道与母:“有物混成,先天地生。……可以为天下母,吾不知其名,字之曰道”。(25.1—5)
- 道与宗:“道冲而用之或不盈,渊兮似万物之宗”。(4.1)

从这些《老子》本身的辨识可以看得很清楚:这些语汇的价值在于,它们具有特定的描述力量,但其中没有一个足以作为定义。

第二种技巧实际上为第一种提供了理论基础。它在于围绕这些核心语汇的各种含混表达,借以指明它们不可信赖的、权宜的性质。

上面给出的例子提供了某些材料。“可以为天下母”中的“可以为”(52.1);“是谓天地之根”中的“是谓”(6.1);“可以为天下母”中的“可以为”(25.3);“字之曰道”中的“字之曰”(25.5);“似万物之宗”中的“似”(4.1);“常无欲,可名于小矣;万物归之而不知主,可名于大矣”中的“可名于”(34.2—3);“此两者同出而异名,同谓之玄”中的“谓之”(1.5)。在《老子》的33处“谓”中,有不下20处是伴随难以定义的根本观念出现的(第1,6,10,14,16,27,30,36,51,56,59,65,68,69,74,78章)。“谓”只是一个可用的语汇,但对于传达根本观念同样是不可靠的。

第三种技巧在于通过将彼此排斥的属性应用在它们上面,来强调这些核心语汇的权宜性格。“道氾兮,其可左右。万物恃之而生而不辞,功成而不居,衣被万物而不为主。故常无欲,可名于小矣;万物归之而不知主，可名为大矣”(34.1—3)。这里，我们不仅有两个作名词用的形容词“大”和“小”同时用于同一个对象——道，而且还有太多其他的陈述。道可以同时是极大——因为它是万物之所由，和极小——因为它的无所不在(尽管不可觉察)。在第6章中，王弼以相同的方式构造了“绵绵若存”这句话:“尽管它[天地之根]不可捉摸，但它却存在着”。《老子》第25章第一句“有物混成”表达了相同的思想:“可以为天下之母”者“存在”，但在其混成中无法辨识。下面的句子延续了同样的悖论。同样的技巧也被扩展到了自觉模仿道的悖论性质的圣人。圣人“知其雄，守其雌，为天下谿;……知其白，守其黑，为天下式;……知其荣，守其辱，为天下谷”(28.1—5)。

王弼自己对《老子》语言的处理是以《老子》本身这些方法和指示为基础的。这些语汇的权宜性质(可以从其易于合并这一点得到证明)，并不暗示王弼将《老子》看作没有一贯的术语系统的文本。《老子》可以将不同的语汇用在同一对象上，但在王弼的解读中，却没有以同一语汇处理不同的问题。

例如，婴儿或小孩的喻象在《老子》10.2，20.4，28.1，49.5和55.1中以“婴儿”、“孩子”和“赤子”等词汇出现。《老子》本文说它“未咳”(20.4)，它不会为动物刺伤或抓伤，骨骼柔弱而握固，不知男女之事而没有损害地变大，是“精之至”，终日号哭而不嘶哑，是“和之至”(55.1—4)。它被用作“含德之厚者”(王弼以此描述圣人)的一个比喻;用作成圣理想的一个喻象(10.2);用作《老子》中“我”的一个比喻(20.4);以及，在28.1和49.5中，它是圣王将使百姓复归的理想的精神状态。

这里有几个问题。首先，在第55章最详尽的描述中，用的是“赤子”而非“婴儿”;这需要两种表达具有相同的喻象价值的证据。“孩子”与其他几种表达的关系也一样。其次，《老子》里面没有详细给出任何以不同的表达出现的统一喻义;在28.1和49.5中，也没有任何详细说明。第三，从现有先秦文献看，“婴儿”似乎并不是一个有固定意义的喻象。注释者解释这一喻象时的分歧，证明了其潜在可能性的范围。严格说来，婴儿需要一个完整的构造来承担确定的意义。

“赤子”和“婴儿”这两个表达之间有某种较弱的关联。《老子》10.2曰：“专气致柔，能若婴儿乎。”《老子》55.2说“赤子”“骨弱筋柔”，这可以与10.2中的“柔”联系起来，而它的“终日号而不嗄”则可以与10.2中的“专气”联系起来。二者又都由共同的比较点关联在一起。

《老子》没有详细给出婴儿的统一喻义，但王弼给出了。婴儿“无欲”(10.2,55.1和49.5)。“无知”也在《老子》55.3中被提到，在第10章关于婴儿的句子的下面一句中的另一喻象(10.3)，以及在王弼对49.5的注释中都有不用智力这个意思；它还是王弼28.1注的唯一论点。

那么，王弼将婴儿这一喻象解读为无知无欲的根据是什么呢？在《老子》28.1和49.5中，圣人试图将百姓转化为这样的婴儿。据《老子》3.4，圣人“常使民无知无欲”。同样的陈述也出现在《老子》37.4中。王弼将两个陈述合并，这样就为将“圣人皆孩之”(49.5)解释为“皆使和而无欲，如婴儿”提供了坚实的基础，并进而解释道：百姓将不用智力来与治理者争竞。这种对比喻性陈述的解释依赖其他地方的明确论述，以消除歧异。

然而，在《老子》中，婴儿这一喻象不仅被用于百姓，也用于圣人自身。道本身是“常无欲”(34.2)，而效仿它的圣人“欲不欲”(64.7)。他对知识的拒斥同样得到了很好的证实。

一旦建立起了明确的意义，王弼会转而在自己的注释中将这一喻象用于其他领域，以消除多义性。在《老子》50.2中，我们得知对于“善摄生者”，野兽和武器都无法伤害他。给出的唯一原因是“以其无死地”，这只是一个断言，而非解释。王弼首先指出只有“不以欲累其身”者，才能不被甲兵角爪所伤。这最终证明“赤子之可则而贵”。55.1中的“赤子”与此处不会受到伤害的“善摄生者”的关联，是二者都不会受到伤害的基础。《老子》50.2说：“盖闻摄生者，陆行不遇兕虎，入军不被甲兵。”55.1

又说:“含德之厚者,比于赤子。蜂蠆虺蛇不螫,猛兽不据,攫鸟不搏。”从这一类似可知,“含德之厚者”即是“善摄生者”;而且,后者必定如婴儿,因此他不受伤害的原因在于无欲。

然而,直接的上下文仍对一个语汇的潜在意义有影响。我们注意到,在上面的分析中,《老子》20.4中的婴儿被漏掉了。这一句话是:“我廓兮其未兆,如婴儿未咳。”王弼注曰:“言我廓然无形之可名,无兆之可举,如婴儿未能咳也。”这里,给出了一个专门的语境。这一语境将这一陈述与其他关于圣人之莫测的论述联系起来,即《老子》15.1:“古之善为道者,微妙玄通,深不可识。夫唯不可识,故强为之容:豫兮其若冬涉川,犹兮其若畏四邻。”王弼对此注曰:“上德之人,其端兆不可睹,意趣不可见,亦犹此也。”婴儿这一喻象中的核心语汇“兆”,被王弼采纳进15.2注中。20.4中的比喻不是用婴儿的整体,而只是用它单纯的面孔。当王弼为婴儿构造一种一般的喻象价值时,并不机械,而是在当下语境的基础上确定同一喻象的用法。

“名”这一语汇可以用作第二个例子。它在总共十章里(1,14,21,25,32,34,37,41,44,47)出现了24四次。除最后两章,它们都在处理道。《老子》41.15明确说:“道隐无名”,这在《老子》32.1“道常无名”中得到了确证,这里的“常”指某种不会改变的东西。《老子》25.4f.用“吾不知其名,字之曰道,强为之名曰大”这一陈述,指出即使像老子这样的人也不能克服这一障碍,给道一个定义。《老子》14.2描述“一”,它是如此“绳绳”[“隐晦”],以致“不可名”;在同一章的开头,“名”字出现了三次:“视之不见名曰微,听之不闻名曰希,博之不得名曰夷。”这里所用的界定——“微”、“希”和“夷”,都被王弼理解为对不可定义性的描述。因此,这里“名”的内涵就被进一步总括为“无名”。《老子》1.1宣称:“道可道,非常道;名可名,非常名。”在第37章,作为圣人的“吾”效仿道,以其“无名之朴”“镇”百姓。因此,《老子》将道描述为“无名”是有可靠记录的。

这一“无名”与第一章“有名”相对:有一个“无名”的时代,那时,道是

“万物之始”;另有一个已经“有名”的时代,它是“万物之母”。这一时间结构在《老子》32.3 圣人“始制,有名”中又一次出现。这一“有名”的时代,就是万物具体化、专门化的时代。“名”这一语汇在第 44 和 47 章中,有不同的语境:在第 44 章中,“名”意指与“身”相对的“名誉”;而在第 47 章,“名”是一个意指“定义为……”的动词。

这样,王弼就碰到了一个麻烦的个案,即《老子》21.6。在那里,跟对道的界定的规则一样,“真精”也有个“名”。从王弼对在其假设的语境中这一反常的处理,我们可以看到他对《老子》术语系统一贯性的默认前提是何等的自觉。文本为:“自古及今,其名不去。”在王弼的构造中,《老子》第 21 章前面的句子已经界定了道的不可定义,这些句子以“道之为物,惟恍惟惚”开始。这样一来,这一语境就暗示我们,“名”这一语汇不能被当做“定义”。王弼仍不得不处理这个句子。他注释道:“至真之极,不可得名,无名则是其名也”。通过从《老子》其他部分引入“道”是“无名”的证据,王弼设法保持了文本的一贯性:指出在这一独特语境中,“名”是指道的否定性定义“无名”。在这里,“名”成了它的对立面“无名”的节略语。

第三个例子是“始”和“母”。《老子》1.2 为:“无名万物之始,有名万物之母。”在这一构造中,道被描述为具有分别由语汇“始”和“母”概括的两种作用。“始”的作用也用“生”来表达。《老子》40.3“有生于无”,用“有”指具体事物的总体,用“无”指道(王弼视其为道的同义词,在这个语境中,“生”没有产生的意思,它的意思是“受到……支持”)。对已经具体化的事物的“母”的功能,被采纳入《老子》25.1—3 中,在那里,道被描述为:“有物混成”,“可以为天下母”。在这一陈述中,“母”的作用是用语汇“成”来描述的。道的这种双重作用在《老子》51.3 中延续:“生之、畜之”。王弼在对《老子》1.2 的注释中引用了这段话,并将第二种作用“畜”确定为“母”的作用。这两种作用被概括为“始”和“成”。它们以不同的语汇在王弼对《老子》41.15 的读法中再次出现:“夫唯道善贷且善成”。我们又一次得到了对道的“始”和“成”两种作用之间差别的术语化固定，它在《老子》对这一语汇以及其他语汇的使用中得到了很好的证明。然而，王弼同样要处理“始”和“母”这两个词反常的、不一致的用法，在那里，这两个词实际上被合二为一。

《老子》52.1 说：“天下有始，可以为天下母。”这将两种在别处被细致分开的作用合并了。以《老子》其他地方对道的两种作用及其描述语的一贯构造为依托，王弼强调“可以为”是此句的关键。他写道：“善始之，则善养畜之矣。故天下有始，则可以为天下母矣。”这使得本文不得不译作：“[既然]天下有始，[这一始][也就]可以为天下母。”正如我们看到的，在王弼的解读中，道的确同时掌管“始”和“成”这两方面。因此，王弼对《老子》52.1 的解读就用“可以为”提供的选择，将这一思想的整体语境强加给某个特定的句子，来消除反常——它将动摇《老子》术语系统的一贯性。

这样，在王弼的构造中，《老子》就在向读者传达正确的解读策略，即假设术语使用的一贯性，并在语境相同的基础上将核心观念合并在一起。

在《老子》本身合并其核心观念的基础上，王弼可以主张这样一种注释技巧理论和实践上的合法性：将《老子》本身使用的合并方法极端化，例如，合并所有用于万物之所由的语汇，形成难以定义的本体的不同方面的一个集合。以这种方式，为了达到相互阐发、相互解释的目的，他将相同哲学意义和结构的不同语汇关联起来，作为源于其可比较的论辩语境的证据。《老子》4.1，8.1—3，14.4，21.2—7，25.1—6，34.1—3，37.1—3，40.1—3，41.15，42.1，51.1—3 和 62.1 等关于道的陈述都将它描述为对所有事物都很重要的东西：始之，长之，覆之，或存在于它们当中。通过这样的合并，其本身常常模糊不清的当下语境被极大地扩展并具体化了，由此，许多单独看来并不清晰的陈述，获得了较高程度的明晰和精确。这一语境扩展的技巧对于王弼减少多义性的努力，是至关重要的。

王弼继承了由《老子》开始的对核心语汇的合并。在《老子》52.1将“始”与“母”等同之后，王弼进而将“母”与“子”和“本”与“末”等同起来。“母，本也；子，末也”(52.2注)。本末这个对子在《老子》中没有出现过，但在《老子》第26章出现了“本”字。王弼这个对子可能是从《系辞》中移入的。在《系辞》中，它出现在对《周易》本身的一段描述中：

其初难知，	其上易知
本	末也；
初辞拟之	
	卒成之终

王弼没有注释《系辞》，韩康伯注曰：

夫	
事始于微	而后至于著
初者数之始	
拟议其端	
故难知也	
	上者
	卦之终
	事皆成著
	故易知也①

在20.15注中，王弼重复了《老子》“母”与“本”的等同：“食母，生之本也。”然而，这一等同基于母与子和本与末结构上的近似。一旦这一近似关系确定下来，王弼把它用在自己的语言中，独立于待释文本的语汇。

①《周易正义》，8.8上。

因此，在他对《老子》第38章注释的结尾，王弼用母/子和本/末这两种平行关系在平行链中论说“名”和“形”，比如说：

舍其母而用其子，

弃其本而适其末。

在对《老子》39.3“天无以清将恐裂”的注释中，王弼将“一”、“母”和“本”合并：“用一以致清耳，非用清以清也。守一则清不失，用清则恐裂也。故为功之母不可舍也。是以皆无用其功，恐丧其本也。”

在《老子》41.11—14中，提到了四种“大”物：大方、大器、大音、大象。王弼对此注曰：“凡此诸大，皆是道之所成也。在象则为大象，而大象无形。”这样，这四种“大”物就成了道的显现。在王弼对《老子》35.1的注释中，大象被称为“天象之母”，因此与“母”这一语汇合并为一。

在《老子》中，“常”这一语汇是经常伴随道的一种属性(1.1，32.1和37.1)，但也以单独的名词出现(16.5—7，52.9和55.5)。作为名词，王弼将它注释为道的一个“恒常的方面”(1.1，25.2，47.1和52.9)，人应该“归复”于它(59.2)，因为它与人们共同的“本”相关联的“性命之常”(16.5注)，因此是万物中“和”的基础(55.5)。

“一”这一语汇在《老子》中作为一种成熟的哲学观念和独立的名词出现。它以相同的形式出现的那些《庄子》的段落，都属于描述绝对的“齐一”或万物的和谐的语境。它仍是万物的一个特征。[①] 在对《老子》22.5“少则得”一句的注释中，王弼将它等同“为本”：“自然之道，亦犹树也。转多转远其根，转少转得其本”。《老子》下面一句是：“是以圣人抱一，为天下式”，王弼注曰：“一，少之极”。

在前面的注释中，“少之极”达到了“树”这一喻象的“本/根”。在下面一个例子中，出现了一条完整的等式链。对于《老子》28.6“朴散则为器，圣人用之则为官长”，王弼注曰：“朴，真也。真散则百行出，殊类生。

① 参见《庄子》中对“至一”一词的社会性解释。

若器也。圣人因其分散，故为之立官长。‘以善为师，不善为资’，移风易俗，‘复使归于’一也。”

这里，结尾处的“复使归于一也”是对这一章用到的三个“复归”的总结，即“复归于婴儿”、“复归于无极”和“复归于朴”。在此，“一”成为统一婴儿的态度（如《老子》28.1 的王弼注所说：“不用智，而合自然之智”）、无极和朴的语汇。因此，“一”在这里被读作界定导致社会和谐的人类纯朴状态的语汇，这一解读显然与上面提到的《庄子》的段落有关。

在对《老子》10.1“载营魄抱一，能无离乎”的注释中，王弼武断地将这里的“一”界定为“一，人之真也”。“真”在当下的第 28 章对“朴”的界定中又一次出现。[①] “无极”这个词被王弼解释为“不可穷也”。这一定义在《老子》4.1 注中被用于道。在那里，“道冲而用之”被“译”为“用乃不能穷”。因此，它是“不可穷尽”的，结果，无极在这里又被读作另一个用于道的语汇。最后，从圣人的行为看，“朴”在《老子》32.1 注中被界定为道的等同物。王弼说：“朴之为物”，“以无为心”或“近于无有”。

“无”这个词在《老子》本文中已经发展出来，又被王弼当做核心的哲学概念。他不是简单地将关于所由的各种观念合并入一个集合，而是试图通过将为数众多的词化减为几个核心概念，建立一套更严格也更精确的哲学词汇。这些核心概念中最为激烈的是“无”。

对于《老子》8.2“故几于道也”，王弼注释道：“道无水有，故曰几也”。这里，“无”没有被用作名词，而是用作动词/形容词。然而，在其他地方，王弼明确建立起了“无”与“道”的等同。在注释《论语 · 述而》中孔子的陈述“志于道”时，王弼写道：“道者，无之称也，无不通也，无不由也，况之曰道。寂然无体，不可为象”。《老子》42.1“道生一”被王弼注释为：“何由致一？由于无也”。这里，道和无也合并了。

---

① 这还与《老子》16.4“凡物芸芸，各复归于其根”有关联，它将“一”等同于“根”。但在眼下这一注释中与这一论述没有显见的指涉关系。

王弼将《老子》第21章构造为核心概念的一个真正的武库：以《老子》将道等同为“众甫”为基础，王弼接下来具体说明，这就是“万物之始于无”。

另一个例子是“真”。在《老子》中，它指人的“真性”。王弼用这个语汇界定其他的陈述。“常使民无知无欲”(3.4)被注释为：“守其真也”。在对《老子》10.2的注释中提到了“婴儿”，并被等同为“无欲”。同样的情况也出现在《老子》28.1“复归于婴儿”的注释中，王弼说：“婴儿不用智，而合自然之智”。这暗示了“真”与“自然”的等同，可以在《老子》10.2注中得到确证。

这里对自然的使用在《老子》64.8中有其根据，那里将自然说成由“复众人之过”支持的某种东西。在其对《老子》12.1“五色令人目盲”的注释中，王弼论辩道：“夫耳、目、口、心，皆顺其性也。不以顺性命，反以伤自然，故曰盲、聋、爽、狂也”。这里《老子》并没有用到的“性”字，被等同为“性命”，一个《庄子》用得很多、《周易》里面也出现过的词。“顺性命”这一表达实际上出自《周易》。“反以伤自然”对“不以顺性命”的简单复述，因此“性命”和“自然”又关联起来。从中提取语汇资料的文本库，同样是儒家文本的整体。

《老子》没有明确将各类能依道而行的哲人联系起来。依据上面提到的《老子》关于“所由”的方法，王弼建立了这一关联。正如上面对《老子》17.1的描述那样，王弼通过在注释中引用21.2中关于圣人的陈述将“大”与圣人和《周易》乾卦中的大人联系在一起。在对《老子》17.6关于大人的陈述的注释中，王弼引用了他自己在《老子》15.2注中关于“古之善为道者”的陈述。这些“善为道者”在王弼注中与在《老子》38.1中的“上德之人”直接关联起来，“上德之人”和“善为道者”成为同一人物的不同名称。在同一章中，“上德之人”又被指为“大丈夫”，这个人物进而被等同为《老子》第25章提到的“四大”之一，并通过将一个原本在《周易》中用在圣人身上的陈述用于他，而将其界定为圣人。

通过将50.2中关于“善摄生者”的句子用于16.3中的“吾”，这里的“吾”就被等同为那些“善摄生者”了。“善摄生者”又与55.1中“含德之厚者，比于赤子”的人等同。“赤子”被刻画为“无欲”(10.2注)，“含德之厚者”与50.2中的“善摄生者”都被这样描述。《老子》41.1中的“上士”，当其“闻道”之时，“勤能行之”。这一“上士”，通过41.3和41.5的王弼注中引用的58.10和7.2中关于圣人的语汇而与圣人等同。通过41.1注中的一则引文，他被进一步等同为33.4中的“强行者”。在《老子》第33章中，它指出“强行”[道]只是被王弼解读为圣人的人物的诸侧面之一，其他几个特点是“自知”、“自胜”和“知足”。通过在《老子》68.2注中使用7.2和10.5注中关于圣人的陈述，68.1和68.2中的那些“古之善为士者”和“善战者”被看作圣人的化身。

相同的合并也发生在相对的一极，圣人的各种缺失模式在一个下降的类型中被组合在一起，其最系统的表达是《老子》第38章；较为粗略的表达可以在《老子》第17、18和19章找到。事实上，字汇的合并只是结构的合并的一种从属形式，并由那些结构的相似证明。

以母/子和本/末这两个对子为例。它们只是更宽泛的结构——即无/有或无/万物的具体表现。在王弼对《老子》11.1,2和42.3的构造中，无和有作为这个意义上的语汇出现。母/子这一对子出现在《老子》52.2。在《老子》4.1以及1.2的王弼注中，它作为道/万物重新出现；在6.1注中作为天地/万物出现；在14.2中作为一/无物/无状之状、无物之象，被王弼定义为“万物之宗”；在16.4中作为根/物芸芸；在21.7中，作为甫/众，在注释中被等同为始/万物，等等。

王弼将《老子》解读为通过相互关联的两方面对万物之所由的界定，即一方面作为万物的根据，它因此而被称为道；另一方面又无法辨识，是玄。这一双重结构在《老子》第25章被明确地建构起来，并在《老子旨略》中得到延续。这一生的侧面在《老子》41.15中被提到：“道隐无名，夫唯道善贷且善成”。第二则材料是《老子》25.1f.：“有物混成……可以为天地母”。这里的不可辨识性出自“混成”，并由“吾不知其名”这一直率的陈述接续。王弼对此注曰：“名以定形。混成无形，不可得而定，故曰‘不知其名’也”。

王弼是通过“始”和“成”来形式“化”这一生的侧面的。作为一个组合，这两个词出自《系辞》的第一部分，在那里，乾和坤被界定为：“乾知太始，坤作成物”。①

一旦这一结构被用相当明确的材料建构起来，王弼就开始用它确定极其模糊的段落的意义。《老子》21.2“道之为物，惟恍惟惚”中的“恍”和“惚”都指“含糊”、“不清楚”，并没有明显的不同的意义。然而，王弼将它们置入既存的结构，将它们分别界定为“无形”和“不系”。在下一句的注释中，它将这两个范畴插入熟悉的“始/成”结构中，并没有有力的文本证据：“以无形始物，不系成物”。这里的不可辨识性由“恍”“惚”两个字表达出来。王弼在他的注释中进一步引出这一特质：“万物以始以成，而不知其所以然”。其他许多涉及道和圣人这样含混性的段落被以同样的方式处理，以便在术语歧异的环围中创造出一种统一的结构。正如在刚才的例子中看到的，这些结构是在本质上是动态的。

无/万物结构在圣人/百姓结构中找到了副本，它被以相同的方式合并。还有一种缺失模式——昏愚的治理者/百姓，在圣人之下创生秩序的动力，在此类治理者那里却成了混乱的根源。

结 语

王弼的注释技艺是以《老子》自身的理论陈述和实践方法为基础的。在这种方式上，他的做法是解释学的。他用来消除多义性的材料绝大多数来源于《老子》，再用源自与孔子相关的文本的对等文段加以强化。因

---

①《周易·系辞》。

此，在方法论、解释材料和哲学主张上，王弼让自己从属于文本的假想作者。此外，他对《周易》的解读技巧也基于《周易》本身的内在策略指导和解释，特别是“十翼”。老子的权威在于他作为亚圣的地位。孔子的地位显然更高，与他相关的文本也有更高等级的权威。

《老子》需要注解。在与各家思想相联的注释者的引领下，他们的读者已经将文本化约为对其各自宗旨的琐细的支持。同样的情况也发生在《周易》和《论语》上。尽管《老子》对语言的权宜作用有明确的提醒（这些提醒与孔子和《系辞》中的陈述呼应），他们还是将自己系附在文本表面的特定观念上，并在此基础上解释文本。在这一过程中，文本在更新的努力中所指向的东西被遗忘了。王弼的注释为读者重新发现的文本意旨，并通过将注释插入文本的缝隙来引领读者、使之不再犯旧的错误，从而恢复了它本来的作用。

严格说来，注释执行三种操作：将文本构造为可理解的表达；文本背后哲学逻辑的解释；解消铭刻在读者心中的从前的解读。这三种操作相关但不相同。对于隐含的读者，文本构造的可信性是首要的关切；只有在此基础上，该注释及其哲学才能援用《老子》的权威，他才会乐于放弃他借以阅读该文本的从前的构造。

在王弼的实践和理论陈述中，特定注释的有效性的两个主要标准是合理性和可行性。合理性意指特定的构造适应老子作为一个关注某个基本问题的哲学家以及《老子》作为对围绕核心主题的诸问题有所道说的著述的整体构造。可行性意指在关于语法约束和语词、喻象的可能意义的共同预设内，某种构造是可能和简约的。二者都是一种有效注释的必要条件；没有哪一个是充分的。然而，它们又是不同的。合理性的要求决定可行地构造出于其中的范围。在王弼《老子注》中，不容许任何段落、任何句子同一性的整体构造不一致。

王弼注的隐含读者不是学生或信徒，而是有较高教养且对该文本及其一种或几种注释了然于胸，这些注释分享王弼的哲学式读解的基本方向。他们是以头脑中先前的构造和解读考察王弼注的人，是其批评性的、潜在的反对者。

王弼的《老子》注是针对一系列反文本撰写的，它们存在于他的原初读者的头脑中。根据当时的材料，王弼注遇到了许多有力的冲击，这些冲击只能从与这些反文本的比较中加以重构。在针对反文本的论辩的可见迹象中，可以看出这些反文本与王弼共享相同的视角，而非与正在兴起的道教有关的注释。

王弼《老子》注的目标是化减文本的多义性（由其他注释者停留在文本表面的错误做法所致），并在这一过程中动摇它们对其意义的有效构造的任何主张。文本中含糊的表达或陈述，大都在关于同一问题的明确论述的帮助下得到了解释。文本的所有复杂性被内聚为少量围绕那独一无二的关系（道与万物及其副本圣人与百姓的关系）问题。

在这一过程中，王弼不再受《老子》的术语系统的束缚。通过运用《老子》、《周易》和《论语》中的要素，王弼试图发展出一种精确的、抽象的哲学语言。他将这种语言插入其内爆式注释中，作为核心的标志。在王弼注通过坚持合理性和可行性原则使其文本构造在所有层面上都从属于本文时，它同时也重构并重新表述了本文，以带出王弼在《老子》表面的歧异下发现的系统的哲学。这是以相当简约、而且常常是了不起的阐释天分完成的，其结果是一种有相当高的学术和哲学水准的完全统一的文本。尽管王弼坚持从《老子》本身的指引中细绎出他自己的解释策略和具体读解，但他的工作不是对一个死去的思想家道说的历史学家式的重构。他分享他同时代人的基本假设：《老子》是与理解宇宙和社会秩序的动力学有最高且最直接关联的基本文本。他的《老子》解读的新活、有力和持续的影响源于这一约束：在这一简短文本中发现的可用性颇高的洞见，是由从更早的解释技艺中继承来的极高的解释合理性标准来衡量的，而且必须在高度竞争的语境中立脚，并且得益于随着中央极权的国家和正统的权威的崩解而来的短暂空缺。

第二编

文本的批判性重构与翻译

第一章 王弼的《老子》校订本[1]

引 论

自唐代初年以来,《老子》主要是通过王弼和河上公这两个注本传承下来的。绝大多数石刻和抄本中的唐代的节录,如魏徵(580—643年)的《群书治要》,都以河上公本(或河上公本的不同传本)为底本。[2] 然而,至唐初,仍有某些学者试图推广王弼的《老子》文本及注释:陆德明(556—627年)、傅奕(554—639年)等人努力使其免受河上公本的窜乱。陆认为后者是伪书,他说:"河上者,非老子所作也。"[3]

尽管有上述种种努力,河上公注仍然普及,到宋代已经实际上取代了王弼本。在宋代,陆德明的工作被范应元等学者承续下来,出于保

---

① 本章最初以"The Wang Bi Recension of the *Laozi*"发表于 *Early China* 14(1989)。在此我要向编者 E. Shaughnessy 教授致谢,他通览了本书的手稿,并惠允我将已发表的这篇文章直接用于本书。

② 见岛邦男,《老子校正》中的列举。近来有两个河上公的版本发表。参见郑成海,《老子河上公注校理》,以及王卡,《老子道德经河上公章句》。

③ 陆德明,《经典释文》第25卷。另见傅奕,《道德经古本篇》。

存“古本”的目的，范出版了一种明确比较当时通行的各种传本的版本。①

近年来，饶宗颐教授已经出版了带有详细注释的两种《老子》残本的敦煌抄本。其一是断代为公元270年的索纨本，内含《老子》第51～81章；另一种是想尔本，含《老子》上篇，关于其年代的问题尚多分歧，但无论如何可以肯定在2—5世纪之间。②

这两个抄本都源自道教的天师道一系。1973年长沙附近马王堆两个西汉初年的墓葬中两个《老子》抄本的发现，在总体上确证了在那样早的时代《老子》文本的稳定性。③ 1993年在湖北荆门附近的郭店村1号楚墓中发现的三组《老子》片断的竹简现已出版，编者将其年代定在“战国中期”，即公元300年左右。④ 郭店本与马王堆本相当接近，也许是因为它们都出自楚地。

这些发现使我们可以更精确地追迹《老子》的历史，并证实了一些先秦和西汉文本中的《老子》引文的读法。然而，还有一些读法没有得到证实，我们有理由假定在同时并存的几个文本统系中，郭店和马王堆抄本同属于其中的一个。

这些考古发现继踵姚鼐（1732—1815年）、徐大椿（1693—1771年）

---

① 范应元，《老子道德经古本集注》。

② 饶宗颐，“吴建衡二年索纨写本道德经残卷考证（兼论河上公本源流）”，载《东方研究杂志》2：1（1955）：1—71；《老子想尔注校正》；以及“《老子》想尔注续论”，载《福井博士颂寿纪念东洋思想论集》，页1151—1171。关于想尔本成于2世纪末的断代，参见陈世骧，“‘想尔’老子道德经敦煌残卷论证”，《清华中国研究》1：2（1957）：41；将其断代为5世纪的考证，参见麦谷邦夫，“‘老子想尔注’について”，*Toho gahuho*57（1985）：75—107。

③ 马王堆汉墓帛书整理小组，“马王堆汉墓出土《老子》释文”，《文物》11（1974），8—20。影印本见马王堆汉墓帛书整理小组，《马王堆汉墓帛书》。

④ 参见荆州市博物馆编，《郭店楚墓竹简》，页3—10简文照片以及页111—122的释文。关于断代，参见该书页1。这一断代基于随葬品与附近的包山2号墓的相似，以及在公元前278年秦攻楚以后楚处于强秦的影响下，因此后期的楚墓会表现出秦的文化影响，而郭店1号墓并无这些影响的迹象的假设。另见王葆玹，“试论郭店楚简各篇的撰作时代及其背景——兼论郭店及包山楚墓的时代问题”，《哲学研究》20（1999）：366—90。王反对这一断代，认为在秦攻楚以后，在文化上有更多的对秦的抵抗。他将墓葬断在公元前278—265之间。

以及近人马叙伦(1884—1970年)的文本研究,他们都在重申河上公本作为道教伪书的激烈主张,将“王弼本”作为“标准本”。[①] 然而,这一“王弼标准本”并不可靠。各种可用的最早复本只能回溯至明刊本,而最早的现存本出自明中叶(《正统道藏》本)。学者们已经注意到王弼注中引用的本文与该注注解的《老子》本文之间的差异。马叙伦早在1924年就提到了这一点。[②] 刘殿爵和 William Boltz 提出了相同的看法,但他们仍在使用、甚至翻译“王弼本”。[③]

同样奇怪的是,波多野太郎在其对王弼注释各种读解的编辑中没有考虑王弼《老子》本的问题,甚至楼宇烈的《王弼集校释》也没有质疑印在通行本王弼注之上的《老子》本文。[④]

据我所知,唯一致力于重构王弼本《老子》的是日本学者岛邦男。他的《老子校正》一书在马王堆帛书公诸于世之前出版,给他带来了相当大的便利。这为他的假设和猜想的精确性提供了一次独立的验证。可悲的是,在马王堆帛书发现之后的躁动中,这一著作基本上没有引起注意,楼宇烈在其《王弼集校释》中没有用到它。[⑤]

---

① 参见岛邦男,《老子校正》,页33。姚鼐,《老子章义》。徐大椿,《道德经注》。

② 马叙伦,《老子校诂》,页6。马叙伦认为王弼本的某些错误进入了河上公本。这被认为是河上公本晚于王弼本的证据。如果考虑到马王堆本,这一判断是经不起推敲的。

③ 参见刘殿爵,*Chinese Classics*, *Tao Te Ching*,页155;陈荣捷,*The Way of Lao-tzu*,页162。刘对《老子》的翻译使用的是“王弼”本。Ariane Rump 和陈荣捷翻译的 *Commentary on the “Lao-Tzu” by Wang Bi*,以及 Paul J. Lin 的 *A Translation of Lao Tzu's Tao Te Ching and Wang Bi's Commentary* 用的也是《老子》“王弼本”。William Boltz 将“王弼”本与河上公本合并成一种合刊的“通行本”;参见 William Boltz,“The Religious and Philosophical Significance of the ‘Hsiang Erh’ *Lao Tzu* in the Light of the Ma-Wang-Tui Silk Manuscripts”, *Bulletin of the School of Oriental and African Studies* 45(1982):107;“The *Lao Tzu* Text That Wang Bi and Ho-shang Kung Never Saw”, *Bulletin of the School of Oriental and African Studies* 48:5(1985):493—501。R. Lynn, *The Classic of the Way and Virtue: A New Translation of the Tao-te Ching of Laozi*,也大体上追随这一文本。

④ 波多野太郎,《老子王注校正》;楼宇烈,《王弼集校释》。高明的《帛书老子校注》也用的是同一“标准本”。

⑤ 我要感谢 Terry Kleeman 让我注意到这一重要的著者,William Boltz 也提到了这本书。

问 题

《老子》王弼本的通行本有各种版本，其中最早的刊刻在《正统道藏》中。在这一《老子》王弼本的所有现存版本中，文本上的差异相当细微，因此，这里可以将其统称为《老子》王弼通行本。然而，注释中引用的《老子》文本与刊印在注释之上的《老子》本文之间却有着显见的冲突。①

这一冲突表现为如下几种形式：

1. 注释中，王弼常常以“是故”或“故”这样的表达来引证《老子》。其后的引文与该注释上面的对应的《老子》文本背离的情况是存在的。在《老子》6 中即有这样的例子：

《老子》王弼通行本：是谓天地 根

王弼注：故谓天地之根

2. 王弼在注释中引用了《老子》某段来注解另一段，在《老子》王弼通行本与该注释的引文之间存在差异。

《老子》王弼通行本(2.2)：圣人处无为之事

王弼注(17.1 注)：圣人居无为之事

3. 王弼在其他作品中引用了《老子》，在用字上与《老子》王弼通行本不同。其中一例出自《周易注》。②

《老子》王弼通行本(58.6)：人之迷 其日固 久

《周易注》：人之迷也其日固已久矣

4. 王弼注中引用的《老子》要素暗示本文的用字与《老子》王弼通行本不同。

① 在后面的分析和讨论中，我用的《老子》王弼通行本指在楼宇烈的《王弼集校释》中所用的广为接受的“王弼本”。这与我将要重构的王弼本是必须严格分开的。

② 王弼，《周易注》，《王弼集校释》，页 397。

《老子》王弼通行本：无名天地之始

王弼注：　　　　　　道以无名无形始成万物

王弼注(21.7注)：　以无名阅万物之始

通行本的“天地”一词既没有出现在对这一段本身的注释中，也没有出现在第21章注对此段的指涉中。两条注释都暗示“万物”才是《老子》王弼本的读法。以王弼引证的随意来解释这些差异，是应该放弃的想法。有两个理由：其一，王弼《老子》注及其他作品暗示的读法在现存的“古本”中找到了强有力的支持；其二，在王弼眼中这一文本的哲学权威预除了随意引证的可能，王弼对文本的准确用词极其郑重。因此，我们就得到了如下这些初步的结论：首先，《老子》王弼通行本并不等于王弼实际上使用的《老子》本；其次，另一《老子》本被叠加在王弼注之上，而注释本身却没有变得与其一致。以此为编辑上不够审慎的反映，同样是必须排除的看法。各种不同传统附加在“它们”自己的版本之上的极端重要性——作为唯一正确和权威的文本，基本上排除了这种可能性，但为什么王弼《注》没有被改变呢？唯一的解释是它有其自身的权威。当《老子》本文被调换以迎合主流学派，王弼作为一个真正哲学家的资格仍未被动摇，他的《老子注》文本也未被触动。明显地，我们有必要重构王弼《老子》本，试着弄清通行本中的种种改变从何而来，并将其《老子》本还原到传承谱系的恰当位置上。

王弼对《老子》的最初校订

由于王弼《老子》本可能与所有已知的《老子》本都存在较大的不同，在看其他本《老子》之前，我们必须获得相当数量王弼《老子》本的确定读法。关于王弼《老子》本的证据，我们将援引下列资料：

1. 王弼在其《老子注》及其他作品中的《老子》引文(要考虑到它们在传承中可能出现的问题)；

2. 以王弼《老子注》中的字词为基础的推断;

3. 在唐代初年以前的文本中带有王弼注的《老子》段落的引文,这里我们假设在这些场合下使用的是王弼《老子》本的字句。

4. 陆德明在其《老子道德经音义》中关于他看到的"王弼《老子》本"读法的明确记述(然而,这一文本可能已经经历了某些改易);①

5. 范应元在其《老子道德经古本集注》中的明确陈述,其中将他的王弼《老子》本抄本与一种或数种《老子》"古抄本"关联起来。

这一列表在可靠程度上是递减的,然而,外来资料(引文及关于王弼《老子》本的明确记述)如果在多处与内在证据一致,其可靠性可以得到提高。

王弼《老子注》中的用词有 79 处与通行本王弼《老子》不同(参见附录 A)。除其中的一处外,所有王弼《注》暗示的读法都可以在郭店和马王堆抄本,《淮南子》、《文子》或《战国策》中的《老子》文本,有断代的抄本(如公元 270 年的索统本、出自敦煌卷子的唐代以前的想尔本、傅奕和范应元所用的"古本")中找到。总之,可以假定这些读法代表了王弼所用《老子》的文本。

在这些确定的读法的基础上,我们可以进而考查其他资料的可靠性,来重构王弼本《老子》。陆德明给出了几百条音义,但只有三处与各派通行本一致的读法不同。这三处不同的读法或是由傅奕、范应元的"古本"或是由王弼本人的注释证实。②

然则,陆德明的许多读法必须放弃,因为有强有力的证据支持王弼本《老子》的其他读法。陆德明的文本显然经历了某些窜易。而且,正如波多野太郎提到的那样,范应元的《老子道德经古本集注》中的陆德明《音义》的引文与通行本《老子道德经音义》之间的不同,表明后者已经被

---

① 陆德明,《老子道德经音义》。另见波多野太郎,《老子王注校正》,A—2,12。

② 即,10.6 中以"无以"代"无",16.4 中以"凡物"代"夫物",20.4 中以"廓"代"泊/怕"。

窜改了。[①]

范应元在47处给出了关于他所看到的“古本”与他手中的王弼《老子》本的关系的记述(参见附录B)。我们不知道范应元的“古本”的确切来历,以及促使他在那些地方而非别的地方标出二者一致与否的标准。从他的记述看,我们得知他手中的王弼《老子》本与所谓“古本”只有三个不同之处;其差异也仅一字而已。[②]

通行本王弼《老子》最好的现存版本与范应元记述的读法之间有不下37处差异。其中20处(2.4,10.4,19.1,20.5,20.9,21.6,28.7,34.4,35.3,38.2,38.2,41.15,42.2,45.2,48.3,49.4,51.4,57.3,59.2,65.4),王弼自己的注释明确地揭示出王弼《老子》的原本读法。这20例中有13处,范应元提供的读法是王弼《老子》本的本来读法,而通行本则是窜易的结果。有三处(19.1,42.2和65.4),范的文本和通行本都错了。只有四处(20.5,20.9,21.6和45.2)通行本有内部证据的支持。王弼用《老子》字词所做的间接概括容许我们有根据地猜测他的文本。这些概括表明12处以上范本王弼《老子》优于通行本的地方(参见附录B)。在其他地方,或是没有明确的证据,或是范的读法不大可能。我们可以断定,范应元手中的王弼《老子》本更接近原本:32处可验证的地方,有25处支持范的读法。还有其他东晋及中古初期材料中的引文,它们绝大多数出现在其他注释中,如张湛(4世纪)《列子注》、李善(卒于公元689年)《文选注》、颜师古(公元581—645年)《汉书注》。对于它们,并没有什么统一的结论,因为它们均出自王弼《老子》原本已在经历窜易的时代。只有在有可靠的内外证据支持的情形下,它们的读法才可以接受下来。岛邦男已汇集了许多明显的引文,然而,这样的引文常常是未经指明的,因此找寻它们是碰运气的事。

---

① 波多野太郎,《老子王注校正》,A—2,12。

② 关于各种差异,参见附录B。

现在我们有了许多王弼《老子》本的真实细节。与通行本较高的背离率表明，如果我们找到与王弼《老子》本的真实细节基本符合的另一种文本或文本族，就应该放弃以通行本为重构王弼《老子》本的基础。由通行本王弼《老子》与陆德明的王弼《老子》的差别，以及与范应元本更大的差别，我们已经可以断定王弼《老子》本已经逐渐被其他读法替代了。随着这一结论，又产生了另一个问题。我们可以辨识出逐渐替代王弼《老子》本的文本或文本族吗？从一开始我们就可以指出，并没有一个在所有真实细节上都符合王弼《老子》本原本的文本，来替代通行本。而且，除了包含王弼注的文本外，也没有任何现存的文本与通行本王弼《老子》相同。这在某种程度上排除了这样的可能性：某种完全不同的《老子》本被叠置在旧的王弼《注》之上。与通常的情形一样，事情是混杂淆乱的。我们在哪儿能找到王弼《老子》本最接近的近似文本呢？

关于马王堆和郭店抄本的争论实际上忘却了对《老子》"古本"和真本的寻找已经持续了很多个世代这一事实。简帛的朽坏，私人和国家藏书的反复焚毁，新的书写载体(纸)的蠹蚀，加之以一次次官方对书籍的毁坏。从酷秦焚书以来，这种情况不断受到负面的评讥，激发了致力于图书复兴的官方和私人努力，并使之合法化。学者和权势之士追寻并时而制造"古本"的行为，贯穿了中国历史。关于河间献王刘德(卒于公元前128年)，班固写道：

> 河间献王德，以孝景前二年立。修学好古，实事求是。从民得善书，必为好写与之，留其真。加金帛赐以招之。由是四方道术之士，不远千里，或有先祖旧书，多奉以奏献王者。故得书多与汉朝等。是时淮南王安亦好书，所招致率多浮辩。献王所得书皆古文先秦旧书，《周官》、《尚书》、《礼》、《礼记》、《孟子》、《老子》之属，皆经传说记七十子之徒所论。①

①《汉书》，53.2410。

我们没有关于他的先秦《老子》本的更多记载，这种《老子》本一定早于马王堆本。七个世纪以后，《老子》抄本的狂热收集者傅奕出版了他自己的《道德经古本》——他精读过的那些抄本的批判性的合刊。他还写了关于这些文本的发现及传承过程的简史。尽管这简史已经佚失，但它和陆希声（公元9世纪后期）《道德真经传》序一道构成谢守灏《混元圣纪》序（撰于1191年3月）的基础。① 其中给出的傅奕关于他所见到和读到的不同《老子》抄本的记述又被引用到彭耜的《道德真经集注杂说》中。彭耜好像有一种比《道藏》中保存得更好的谢守灏《混元圣纪》的版本，而且他还指出他手里的版本提到了这一引文的资料来源——杜光庭（850—933年）现已佚失的《老君实录》②。我在此用的是彭的文本。傅奕的记述存留下来的部分值得全文引述。③

> 唐傅奕考校众本，勘数其字，云："项羽妾本，齐武平五年彭城人开项羽冢得之；安丘望之④本，魏太和中，道士寇谦之得之⑤；河上丈人本，齐处士仇岳传之。三家本有五千七百二十二字，与韩非《喻

① 陆希声，《道德真经传》；谢守灏，《混元圣记》序。

② 关于这一标题的记载，参见P. Van der Loon, *Taoist Books in the Libraries of the Sung Period*，页108。彭耜提到杜光庭的资料，参见《道德真经集注杂说》，2.31上。

③ 岛邦男教授以这样一种方式标点这些句子，以致留下了那些对他自己的分析并不需要的；参见岛邦男，《老子校正》，页27。

④《后汉书》注引用了现已散佚的嵇康"圣贤高士传"中安丘望之的传记。他字仲都，号安丘丈人，为京兆长陵人。少持《老子》经，恬静不求进宦。汉成帝想要见他，他拒绝了。作为巫医行于人间。参见《后汉书》，19.703。他有一些弟子，其中有"明经"耿况。耿况在西汉末年，与王莽的侄子一起跟从安丘望之学习《老子》。参见《后汉书》，19.703。陆德明在《老子道德经音义》序中提到了毋丘望之的《老子章句》，此书著录在梁代的书目中，参见《隋书》34.1000。毋丘望之和安丘望之很可能是同一个人。由于至少到晋代还有毋丘氏，而安丘只是地名，所以安丘为毋丘所代。然而，陆德明的叙述中暗示的时代顺序中，这一注释的出现晚于河上公而早于严遵。我没有找到出自这一注释的引文。在《道学传》中有安丘望之的传记，刻传的片断尚存，这一片断出自葛洪《抱朴子》，但在今本《抱朴子》中却并没有这一片断，而是被征引在《太平御览》，卷666.2b7—12。根据这一记述，他非常受汉成帝的推重。并说"《老子章句》有安丘之学"。在皇甫谧《高士传》中有相同的记述。参见S. Bumbacher, *The Fragments of the Daoxue Zhuan*，片断59和60，页188—190。

⑤ 关于寇谦之，参见Richard Mather, "K'ou Ch'ien-chih and the Taoist Theocracy at the Northern Wei Court"，页103—122。

老》相参。又洛阳有官本，五千六百三十五字；王弼本，有五千六百八十三字，或五千六百一十字。河上公本有五千三百五十五字，或五千五百九十字，并诸家之注，多少参差，然历年既久，各信所传，或以它本相参，故舛戾不一。《史记》司马迁云：'老子著书，言道德之意五千余言'，[①]但不满六千，则是五千余矣。今道家相传谓《老子》五千文，盖举其全数也。"[②]

傅奕的叙述表明寻找《老子》"原本"的努力已有很长的历史。我们不知道他的"古本"的确切根据，但它很可能是通过比较七种他校读过的"古本"来建构一种批判性文本的尝试。陆德明很大程度上在同一脉络中。他建构《老子》正确读法的努力假定：在统一文字之前的抄本中的标记主要是注音的，而且，由于古抄本中有大量的通假字，文本的意义只有在读法确立以后才能弄清。在他自己的注释(已经被严重蚀毁)中，他提到不同注家的《老子》本，也提到了一种简文本——肯定是汉代或汉以前的抄本。[③] 傅奕这样的编者也致力于固定文本。马王堆乙本中对上篇和下篇字数的标记正是这种尝试的明证。

傅奕阅读并比较这七种抄本，在此过程中细数它们的字数。马王堆抄本的发现表明，至少从秦力图完全翦灭某些文本传统以来，对抄本中所含字数的记述就成了增加文本稳定性和确定文本统系的手段。字数表明某一文本属于哪种系统。此外，傅奕的叙述次序还给出了这些抄本

① 《史记》，63.2141。

② 彭耜，《道德真经集注杂说》，2.30 上；谢守灏，《混元圣记》，3.20 上。这两个文本最重要的不同在于对第一组抄本的描述的结尾。彭耜以"仇岳传之"结尾。然后另起一句"三家本有五千七百二十一字"。前面提到的三种抄本都有相同的字数。谢守灏将此误引为"仇岳传家之本有五千七百二十一字"，因此没有给出前面提到的另两种抄本的字数，尽管引论中明确指出傅奕数过这些古本的字数。

③ 参见陆德明，《老子道德经音义》，1397，关于"搏"与"豫"；1398，关于"德之容"与"窪"；1401，关于"夷道若纇"；1401，关于"歙歙"；1403，关于"其充"；以及其他几处。在《经典释文》引论中(卷1，页62)，陆德明提到他见到的几种《老子》注释，但没有竹简文本。关于陆德明的文本的传承以及在旧的传承基础上修订某些缺失的描述，参见黄焯，《经典释文汇校》。

写定(不是发现或转抄)的年代顺序。项羽妃本肯定最古,因为项羽死于公元前 202 年,而且抄本写定时一定还在世,因为他的妃子的墓葬相当奢华。墓中所出的文本,至少有一种——《古文孝经》在宋初仍然存在,它成为夏竦(985—1051 年)《古文四声韵》的参考资料之一,《古文四声韵》撰成于 1044 年,它在标准的字形下给出了它们在各种抄本和铭文中的字形。① 遗憾的是,迄今为止还没有人对宋初抄本所用的古抄本中的文本加以研究,来为越来越多痴迷于中国传统的"真实"轨迹的学者和官员阅读古铭文和抄本提供帮助及指导。在郭忠恕(10 世纪)的《汗简》序中列出的 12 种"古本"中,有一种《古老子》,但我没有在他的著作中找到一条出自这种《老子》本的直接引文。② 这与夏竦使用了《汗简》和许多新资料的《古文四声韵》不同。③ 夏使有了两种《老子》抄本:一种"古文老子",一种《道德经》,但似乎没有看过出自项羽妃墓中的《老子》本。④ 在序中,夏谈到了古文文本的发现及传承。魏晋以降,阅读这些古文文本的能力几乎完全丧失了。然而,在极少数爱好者中,这种兴趣和技能以及某些文本被保留下来。李白的亲戚——诗人及印文专家⑤李阳冰(713—785 年)的儿子家传有古文《孝经》及其他文本。显然他读不了古文,因此便将它给了韩愈(768—824 年);当时韩愈还没有重新发现佛法传入以前"真正"的中国的志趣,并且似乎也读不了,便将它带给"好古而能知"的归公。这一抄本因此传给了他。尽管我们对夏竦的"古文老子"

① 夏竦,《古文四声韵》序,页 1 下。对于这一抄本中出现的字的引涉,频见于《古文四声韵》。夏使用了另一种古本《孝经》,与另一文本一道由私人传承下来。由于没人能读这一古本,它被送给韩愈,韩又转送"好古能解"的归公。

② 郭忠恕,《汗简》,页 1。

③ 李零,夏竦《古文四声韵》"跋",页 3。

④ 同上书,页 1 下,夏竦写了一种简文本《老子》的传承,但没有证据表明他有项羽妃墓中的《老子》抄本。在《古文四声韵》中,夏用了两种《老子》文本,一种频繁引用的《道德经》,另一种引用得极少的《古老子》。

⑤ 参见 L. Wagner,"Art As an Instrument for Political Legitimation during the Tang: The Small Script and the Legitimation Seal", *Oriens Extremus* 40(1997): 2;对于《老子》抄本的传承,见页 175—180。

的来源一无所知，但他细节性地描述了他看到的以漆书于竹简上（漆书）的两卷本《老子》的传承。它在另一古文专家天师道道士司马承祯（647—735 年）的收藏中。这一抄本的一个副本从另一道士手中到了天台山，并最终在宋代朝廷搜集可靠文本的努力中找到，夏竦因而有机会看到。[①] 可惜的是，还没有对这两种文本乃至夏竦书中引用的单个字的批判性研究。范应元的“古本”可能与这两种文本之一有某种关联。

我们还是回到傅奕的列举中来。项羽妃本比断代为公元前 2 世纪初的马王堆甲乙本都早。接下来是傅奕手中的文本的一项令人惊异的空缺，即严遵本的缺席，严遵本本来应该成为他提到的下一种文本，因为该本的断代为公元前 1 世纪后期。安丘望之本最终落到了北魏著名道士寇谦之手中。上面引文中的年代名号是不可能的。“太和”年号始于 477 年，而寇在 448 年就已经死了。这里肯定是魏太武帝在位时的“延和”（432—435 年）或“太平”（440 年）。[②] 河上丈人本是在北齐于 550 年创建以后才第一次出现的。傅奕在王弼之前提到它，显然是将它断代为东汉的文本。他拒绝将《史记》[③]中提到的战国时期的河上丈人与这一文本关联在一起，梁代宫廷书目已做了这样的关联。[④] 傅奕注意到了他手中的三种古本与《韩非子》所用抄本的接近。它们相同的字数（5722）显示出令人吃惊的标准化程度，但这数字与马王堆乙本《老子》上下的合计数字（3041＋2426＝5467）还不够接近，不足以支持马王堆本代表一种与这三种本子相近的文本的主张。

洛阳官本也是在王弼之前提到的。由于洛阳是东汉的首都，这一洛阳官本肯定是出自东汉宫廷藏书的没有注释的《老子》抄本。接下来是王弼本，紧随王弼本的是所有值得重视的文本中最晚近的河上公本。在

---

① 夏竦，《古文四声韵》序，页 1 上—下。

② 陆德明，《经典释文》，1.64。陆德明的列举的年代序列中，这一注释在严遵之前，河上公之后。

③《诗经》，20.2436。

④《隋书》，34.1000。

此，傅奕又一次拒绝了梁代宫廷书目将此注释断代在汉文帝（公元前179—156 年在位）时代的做法。[①]

既然傅奕细数了河上丈人本的字数，那他就一定读它们，这也可以从他看到了河上丈人本与河上公本之间年代和结构上的实质差别推知。最后部分的批评显然是针对葛玄（164—244 年），他把《老子》的字数减少到刚好五千字，傅奕认为这是对司马迁的记述过于拘泥的读法。傅奕自己的"古本"的字数与上面提到的数字都不相合。由于没有进一步的证据，我们只能假设他试图用手中的早期抄本，从中选出可确证的最好读法以得出一种批判性的版本。范应元也同样。我们完全不知道他的"古本"的来历，但它与傅奕本的关系是如此的紧密，以至于我们必须像岛邦男那样将它们当做同一个文本族中关系最近的成员。它们之间的关系甚至比马王堆甲乙本之间的关系更密切。傅奕和范应元的"古本"之间的差异约有 100 处，但它们共同背离其他现存文本的地方要远高于此。

现存文本中，有相当一部分是我们在重构王弼《老子》本时要考虑到的。首先是出自西汉的马王堆甲乙本，它们关联紧密，与其他现存本之间的差异比它们彼此之间要高得多。在很多地方，郭店本都证实了它们的读法。其次是严遵的《老子注》，此书自唐代既已佚失，其文本只保存在各种引文中。生活于西汉末年的严遵，还撰有《老子指归》，此书除了前六章已经佚失外，其余部分以《道德真经指归》为题保存在《正统道藏》当中。[②]这一文本几乎没有被认真地研究过，并且常常被视为伪书，然而，岛邦男有力地表明插在《老子指归》中的许多《老子》读法与其他早期证据相合。事实上，他把出自《老子指归》的《老子》下的读法作为他自己的批判性版本的基础，据此界定其他抄本的偏差。[③] 第三种是《想尔注》，

---

① 《隋书》，34.1000。

② 严遵，《道德真经指归》。它的现代版及白话译文，见王德有，《老子指归全译》。

③ 岛邦男，《老子校正》，页 51。

一种敦煌的抄本，陆德明最早提及此书，指出有一种传统宣称它是由张鲁（卒于216年）撰写的。关于这件事，唐代刘大彬的《茅山志》保留有陶弘景（456—535年）《登真隐诀》中的一段引文：

> 隐居云：《老子道德经》有玄师杨真人手书张镇南古本。镇南即汉天师第三代系师鲁，魏武表为镇南将军者也。其所谓为五千文者，有五千字也。数系师内经，有四千九百九十九字，由来阙一，是作三十辐，应作卅辐，盖从易文耳，非正体矣。宗门真迹不存，今传五千文为正本，上下二篇，不分章。①

想尔本把《老子》第11章的"三十"写作"卅"，但其《老子》文本无疑在5000字以上。杨羲（326—335年活动于茅山）的抄本似乎是通常被与葛玄关联起来的5000字本的先驱。最后是河上公注及其《老子》本。出自河上公本的引文也表明它是一个有多种读法的文本族。岛邦男引证两条新的证据来证明河上公注在公元5世纪已经撰成。首先，他在陶弘景的作品中找到了最早的一条逐字引文。其次，它对"辙"字和"恢"字的读法（在绝大多数《老子》抄本中分别写作"彻"和"恢"），将此文本与梁武帝（464—549年）的《老子讲述》关联起来。② 由于岛邦男在河上公注中发现了顾欢注的引文（活跃于5世纪后期），他断言此注写于六朝晚期，与傅奕的叙述中暗示的年代一致。③ 他写道："这是河上公本非古本的明证"。④

然而，在《老子校正》中，岛邦男似乎没有考虑到发表于1955年的索统本。正如饶宗颐指出的那样，这一年代明确的抄本支持河上公本的许多特殊读法。⑤ 而且，岛邦男没有提到高诱（公元2世纪末）《淮南

---

① 刘大彬，《茅山志》，9.1上。
② 岛邦男，《老子校正》，页33。
③ 同上书，页117。
④ 同上书，页109。
⑤ 饶宗颐，"吴建衡二年"，页13。

子注》中的一条间接引文(尽管在现存河上公注中没有这段文字)。[1]他也没有提到收入《文选》的谢宗(卒于243年)张衡《东京赋》注中的一则引文。[2] 然而,必须提到的是,谢宗的这篇注释的可靠性还存在疑问,因为其中包含出自郭璞(276—324年)《尔雅注》的引文,而《尔雅注》是在谢宗死后60年才写成的。[3] 无论对河上公本的最终结论是什么,它在唐代的突出地位使之成为逐渐替代王弼《老子》本的文本或文本族的候选者。

一方面基于已确证的王弼《老子》本的要素,另一方面基于真实可靠的《老子》古本,我们将寻找完善的文本以代替通行本王弼《老子》作为王弼《老子》本的基础。正如在附录B中呈示的,范应元手中的王弼《老子》本很接近他的"古本",在他提供细节描述的47处,有44处相合。范应元的"古本"又与傅奕"古本"密切相关。由于猎寻古本的持续性,我们没有理由认为这两种文本比马王堆本晚出。马王堆帛书的北京整理者看到了它们与傅奕"古本"的相近,他们给出了一种合成版,将马王堆甲乙本与傅奕"古本"而非王弼《老子》通行本并置。[4] 相当奇怪的是,高明对马王堆本的细致整理却没有依循这一做法,反而退回到不加批判地将通行本王弼《老子》作为参照来对比马王堆本的路径上。[5]

两个"古本"合在一起与通行本王弼《老子》之间有300多处差异,而它们与河上公本的差别甚至更多。因此,我认为我们可以假设,两个"古本"共同代表了一种远比通行本更接近王弼《老子》本的文本。在两个

---

① 这一引文似乎早已由李翘发现,见《老子古注》。在 E. Erkes, *Ho-shang-kung's Commentary on the Lao-tse*,页9,以及 A. Seidel, *La Divinisation du Lao Tseu dans le Taoisme des Han*,页32,都提到过这一引文。然而,洪业在"A Bibliographical Controversy at the T'ang Court"中已经指出,这一引文是间接的,而非逐字引文。

②《六臣注文选》,3:79下。另见 Seidel, *La Divinisation*,页32。

③《六臣注文选》,3:66下,67上,70下。

④《老子甲本、乙本、傅奕本对照表》,载马王堆汉墓帛书整理小组编,《马王堆汉墓帛书老子》,页65—94。

⑤ 高明,《帛书老子校注》。

"古本"的近百处差异中,内在证据在60处指明了哪种是更好的读法,双方各占一半。王弼《老子》本与两个"古本"都不同的三、四处,陆德明和范应元都列举出来了。

王弼《老子》本近似于两个"古本"的"中间"本,三者形成了一种非常密切的文本族。它们与郭店本和马王堆本有许多共同的差别;然而,郭店本和马王堆本是在一个书写字符仍极不稳定的时代写就的。这两组文本的对比甚至显示出这一字词关系的逐渐上升的稳定性。[1] 因此,郭店本和马王堆本只是呈示了对书写文字的精确性的一般兴趣。它们在这一假设下运作:读法很大程度上意味着言说语与字符的等同。只要达到这一目标,所有的字符都是正当的,无论是通过同音假借(如以"又"代"有")还是同过异体字都行。书写的固定化只是在后来几个时代才实现的,在此期间,有这样与言说语的固定联系的书写字符的数量迅猛增长。随着这一"新媒介"而来的兴奋可以在通过汉赋炫示出来的新书写字符的过剩中看到。由于这一书写字符的不稳定性,傅奕和范应元整理(并标准化)的"古本"与郭店和马王堆本之间的差异的数量是极高的;一旦将这些同音假借和异体字去掉,共同的要素就成为主要的了。傅范"古本"与马王堆甲乙本的差别,比与河上公系的本子之间的差别要少得多。

岛邦男没有明确他依之重构其王弼《老子》本的原则。他在《道藏》本王弼《老子》以及其他通行本的核心片断的基础上为王弼《老子》本建构了一个文本族。正如我已经指出的,通行本王弼《老子》经历的实质变化使之成为王弼《老子》本底本的一个靠不住的候选本。事实上,王弼《老子》本所归属的文本族中有两个近缘成员——傅范"古本",两个稍远的成员——马王堆甲乙本,以及远缘成员——郭店本。然而,在其整理

[1] 参见拙文"'书不尽言':先秦时期对于文字之不可靠的批评与出土文字中所见的对文字之作用的态度",发表于 *Chugoku shuto shiryo gakkai*,Tokyo,1999年3月。

工作中，岛邦男将注意力更多地放在了手边个别的证据、而非文本族上，他使用的是：(1) 王弼注中的内部证据(在这方面他的贡献极大)；(2) 出自他称为“后汉本”或“汉魏本”的外部证据。后一“文本”是在那个时代的其他文本及其他他认为那个时代通行的《老子》本中的引文的基础上重构出来的。尤其是当他从对严遵的参考中借用某些实质内容时，有两点与它相背。首先，各种学派和传统互相质疑对方的《老子》本。这些学派常常构成相容和相斥的知识共同体；很可能在任何特定的时代，不同学派和教派的不同《老子》文本之间没有相互的交叉或影响。其二，无论是严遵本还是索统和想尔本(以及河上公本)，都得到王弼注的内部证据的支持，可以用作王弼《老子》本原本的真正候选本。相反，傅范以“古本”为基础的“校订本”却满足这一要求，尽管傅范本出现得更晚。在为王弼《老子》本构造一个无法承担这一角色的文本族的过程中，岛邦男亲手剥夺了他自己的劳动果实，因为他只容许自己在那些有明确证据的地方改变通行本，而没有从整体上质疑它。

叠　加

在建立了由王弼《老子》本、傅范“古本”和较远的马王堆本构成的文本族的较高程度的内在一致性以后，我们下面将处理王弼《老子》本被窜改的方向。范应元看到的原本中有 25 处明显优于通行本王弼《老子》，其中有不下 22 处是依河上公本改窜的。[①] 可以举些例子。

虚词

《老子》19.1

王弼《老子》通行本：此三者　以为文　不足

① 59.2 是个例外，而 65.4 和 67.2 在其他方面不同。

河上公本：	此三者 以为文 不足
王弼注：	此三者 以为文而未足
傅奕古本：	此三者 以为文而未足也
范应元古本：	此三者 以为文 不足也
郭店甲本：	此三言 以为叓 不足
马王堆甲本：	此三者也以为文 未足
马王堆乙本：	此三者也以为文 未足
想尔本：	此三者 为文 未足
裴頠(267—300年)：	以为文 未足[①]

由此可知，王弼《老子》本一定将此句读为“此三者以为文而未足”，与傅奕古本一致；在“未”字上，与马王堆抄本一致。通行本显然是依河上公本改窜的。

《老子》48.1

王弼《老子》通行本：	为学 日益
河上公本：	为学 日益
严遵本：	为学 日益
王弼《老子》20.1注：	为学者日益
傅范古本：	为学者日益
马王堆乙本：	为学者日益
郭店乙本：	学者日益

王弼本此句一定读作“为学者日益”，与傅范古本和马王堆甲乙本一致，而与河上公本和严遵本(以及这里没有引证的想尔本)不同。

① 裴頠，《崇有论》，《晋书》，35.1046。

语汇

《老子》1.2

王弼《老子》通行本：	无名	天地之始
河上公本：	无名	天地之始
想尔本：	无名	天地 始
傅范古本：	无名	天地之始
王弼注：	未形无名之时则为	万物之始
马王堆甲乙本：	无名	万物之始也
《史记》127.3220	无名者	万物之始也

王弼《老子》本这句一定读作“无名万物之始”，这种读法有王弼注、马王堆甲乙本和《史记》引文的支持。王弼《老子》通行本的读法出自河上公本，这种读法与索纨本、甚至傅范古本相合。

《老子》2.4

王弼《老子》通行本：	万物作焉而不辞
河上公本：	万物作焉而不辞
王弼《老子》17.1 注：	万物作焉而不为始
傅奕古本：	万物作焉而不为始
范应元古本：	万物作焉而不为始
郭店甲本：	万物作 而弗 始
马王堆乙本：	万物昔 而弗 始

王弼《老子》本此句一定读作“万物作焉而不为始”，这在意义上就带来了与通行本的实质差别。然而，与整个文本族不同的是，王弼《老子》本有“焉”字。

《老子》20.1

王弼《老子》通行本：	善之与恶	相去若何
河上公本：	善之与恶	相去何若
王弼注：	美　　恶	相去何若
傅奕古本：	美之与恶	相去何若
范应元古本：	善之与恶	相去何若
想尔本：	美之与恶	相去何若
马王堆甲乙本：	美　与恶其	相去何若
郭店乙本：	美　与恶	相去何若

王弼《老子》本此句一定读作“美之与恶相去何若”，这种读法有傅奕古本、马王堆甲乙本和郭店乙本的支持。他的注释决定了傅奕和范应元本之间的选择。

《老子》35.3

王弼《老子》通行本：	道之出口	淡乎其无味
河上公本：	道之出口	淡兮其无味
王弼《老子》23.1注：	道之出言	淡兮其无味也
傅范古本：	道之出言	淡兮其无味
郭店丙本：	故道□□□	淡呵其无味也
马王堆甲乙本：	故道之出言也曰	淡呵其无味也
想尔本：	道之出言	无味
索统本：	道之出言	无味

王弼《老子》本此句应读作“道之出言淡兮其无味也”，其中的“言”字不仅有王弼注、郭店丙本、傅奕古本、马王堆本的支持，而且也有想尔本的印证。王弼《老子》通行本的文句完全出自河上公本。

《老子》69.2

王弼《老子》通行本：	祸莫大于轻敌轻敌	几丧吾宝
河上公本：	祸莫大于轻敌轻敌	几丧吾宝
索统本：	祸莫大于轻敌轻敌	几丧吾宝
王弼注：	欲以取强无敌于天下也……故曰几亡吾宝	
傅奕古本：	祸莫大于无敌无敌	则几亡吾宝
范应元古本：	祸莫大于轻敌轻敌	则几亡吾宝
马王堆甲本：	祸莫于于无适无适	斤亡吾葆矣
马王堆乙本：	祸莫大于无敌无敌	近亡吾琛矣

王弼《老子》本此句应读作"祸莫大于无敌，无敌则几亡吾宝"，这种读法有王弼注、傅奕古本、马王堆本的支持（将甲本中"适"算成"敌"）。含义上的变化是巨大的。

词序

《老子》13.6 和 13.7

王弼《老子》通行本：	若可　寄	天下……	若可　托	天下
河上公本：	若可以寄于	天下……	若可以托于	天下
《文子》引文：	若可以寄	天下……	所以托	天下 ①
王弼注：	可以托	天下……	可以寄	天下
傅范古本：	则可以托	天下矣……	则可以寄	天下矣
郭店乙本：	若可以厇	天下矣……	若可以迲	天下矣
马王堆甲本：	若可以迈	天下矣……	女可以寄	天下
马王堆乙本：	若可以橐	天下□……	女可以寄	天下矣

---

① 《文子要诠》，页 178，依据的是《通玄真经注》，10：2 下。《文子逐字索引》给出的文本是"则可以寄天下……乃可以托天下"，依据的是《通玄真经缵义》，10：3 上。

《庄子》引文：　　则可以托　天下……　　则可以寄　天下
《淮南子》引文：　焉可以托　天下……　　焉可以寄　天下

王弼《老子》本应读作“则可以托天下……则可以寄天下”。王弼《老子》通行本的词序是河上公本的词序，但王弼注仍保留了原本的次序。注释中的“可以”可以看作对“可”的解释，但“以”字本文中的存在有如此众多的早期文本的支持，我们只能将“可以”当做王弼《老子》本的读法。至于“则”字，王弼的注释是：“如此乃可以……”，其中的“乃”只能被读作一种逻辑次序的解释，迫使我们接受这个有某些早期文本支持的“则”字。

《老子》69.1

王弼《老子》通行本：扔无敌执无兵
河上公本：　　　　　仍无敌执无兵
索统本：　　　　　　仍无敌执无兵
王弼注：　　　　　　执无兵扔无敌
严遵本：　　　　　　执无兵仍无敌
傅奕古本：　　　　　执无兵仍无敌
马王堆甲乙本：　　　执无兵乃无敌
陆德明：　　　　　　　　　扔

王弼《老子》本此句应读作“执无兵扔无敌”，在通行本中已经被河上公本的读法替代了。通行本的读法在除范应元本以外的所有其他早期抄本中都是独特的。

与实质性的意义变化有关的字词的删减

《老子》20.15

王弼《老子》通行本：我独　异于人
河上公本：　　　　　我独　异于人

王弼注：	我独欲异于人
想尔本：	我　欲异于人
傅范古本：	吾独欲异于人
马王堆本：	吾欲独异于人

王弼《老子》本此句应读作“我独欲异于人”，在通行本中同样被河上公本的读法替代。“欲”字的删减暗示了“老子”（即文本中说“吾”的人）身份的实质变化。与这一文本族的其他文本不同，这里必须保留“我”而非“吾”，因为王弼注中就是这样引证的。

《老子》34.3

王弼《老子》通行本：	万物归焉而不为主	可名为大
河上公本：	万物归焉而不为主	故可名为大矣
王弼注：	万物归之以生而力使不知其所由……	可名于大矣
想尔本：	万物归之　不为主	可名于大
傅奕古本：	万物归之而不知主	可名于大矣
范应元古本：	万物归之而不知主	可名为大矣
马王堆甲本：	万物归焉□□知主	可名于大
马王堆乙本：	万物归焉而弗为主	可命于大

王弼《老子》本应读作“万物归之而不知主可名于大矣”，通行本主要是河上公本的读法。“知”字被“为”字代替是一种根本性的哲学变化，同时改变了句子的主语。在河上公本中，主语是“不为主”的某个“他”；而在王弼《老子》本中，万类仍是主语，它们都将自己托付给某个“他”，但却不知道谁或什么是它们的宗主。此句成为王弼对玄的解释的基石，存在（Being）作为万物的始基，不可见也不可名。

《老子》39.2

王弼《老子》通行本：其致之

河上公本：	其致之
王弼注：	各以其一致此清宁灵盈贞
严遵本：	其致之
傅范古本：	其致之一也
马王堆甲本：	其至之　也
马王堆乙本：	其至　　也

王弼《老子》本此句应读作“其致之一也”，他的注释只与傅范古本相应。

《老子》47.1

王弼《老子》通行本：	不出　户　　知天下不闚　牖　　见天道
河上公本：	不出　户　以知天下不闚　牖　以见天道
王弼注：	虽处于今可以知古始故不出户窥牖而可知
《韩非子》：	不出于户可以知天下不窥于牖可以知天道
《淮南子》：	不出　户　以知天下不窥　牖　以见天道
严遵本：	不出　户　　知天下不窥　牖　　见天道
傅奕古本：	不出　户可以知天下不窥　牖可以知天道
范应元古本：	不出　户可以知天下不窥　牖可以见天道
马王堆甲乙本：	不出于户　以知天下不规于牖　以知天道
陆德明：	窥

王弼《老子》本此句应读作“不出户可以知天下不窥牖可以知天道”，通行本用的是河上公本的读法。然而，河上公和严遵本的“见”字似乎是一种古老的异文，这一点有《淮南子》中的引文及范应元本的支持。

这些例子表明河上公本的要素叠加在王弼《老子》本原本之上形成了王弼《老子》通行本。王弼《老子》本非常接近傅范古本，在很多场合下有马王堆本或早期引文、有时有想尔本的支持。我建议从总体上放弃以王弼《老子》通行本为底本重构王弼《老子》本的做法，而是代之以以傅范古本为核心、以马王堆本为外缘文本的一种合并本。傅范古本之间存在差异的地方将在可用的内部或外部证据（在缺乏内部证据的情况下）的基础上来处理。在后一种情况下，选中的读法应在马王堆本中有根据。只有在有明确证据证明王弼《老子》本的读法与同一文本族中的所有其他成员都不同的情况下，才可以背离这一规则。《老子》21.6 可以作为例子。

《老子》21.6

王弼《老子》通行本：	自古及今其名不去
河上公本：	自古及今其名不去
王弼注：	自古及今其名不去[①]
王弼《老子旨略》：	自古及今其名不去
想尔本：	自古及今其名不去
傅范古本：	自今及古其名不去
马王堆甲乙本：	自今及古其名不去

尽管傅范古本及马王堆本的读法是“自今及古其名不去”，但王弼《老子》本这句一定读作“自古及今其名不去”，因为有他自己的引文的确证。没有意识到王弼在其他地方的引文的支持，岛邦男选择了文本族的读法。偶尔也有王弼注中的文句顺应被改窜了的本文的情况。

《老子》70.2

土弼《老子》通行本：	言有宗事有君
河上公本：	言有宗事有君
索统本：	言有宗事有君
严遵本：	言有宗事有君

① 事实上，这一注释部分的两个主要的古本资料并不一致。《集注本》作“自今及古”，《永乐大典本》作“自古及今”。

马王堆乙本：　言又宗事又君

马王堆甲本：　言有君事有宗

王弼注：　宗万物之宗君万物之主

傅范古本：　言有宗事有主

王弼注中的第二个分句开头的“君”应该换成“主”，才能让“君万物之主”与“宗万物之宗”的结构平行，该分句中“宗”重复了两次。他的文本是“主”而非“君”不仅有傅范古本的支持，还有《老子旨略》中一个意译了这一段话的陈述的支持：“言不远宗，事不失主”。[1]

一个经常被引用来断定《老子》的学派归属的段落，显示了重构王弼《老子》本的某些困难。

《老子》57.3、4

王弼《老子》通行本：人多伎巧　奇物滋起法令滋彰

河上公本：　人多伎巧　奇物滋起法物滋彰

《淮南子》：　法令滋彰

《史记》：　法令滋彰

严遵本：　人多伎巧　奇物滋起法令滋彰

《文子》：　民多智能　奇物滋起法令滋章

傅范古本：　民多智慧而衺事滋起法令滋章

郭店甲本：　人多智　天戟勿慈记法勿慈章

马王堆甲本：　人多知 而何物兹□□□□□

马王堆乙本：　□□□□□□□□□□物兹章

王弼注：　民多智慧则巧伪生巧伪生则邪事起

《老子旨略》：　息淫在乎去华不在滋章

---

① 关于这一章的版本，参见我的注释。

“法令”这一《淮南子》、《史记》、《文子》和严遵本给出的文本所共享的读法，直接抨击了法家。马王堆本出自法家的背景，因此没有传承这一版本，但郭店本有“法勿[物]”的读法。王弼批判曹魏的法家。然而，如果王弼的文本中有“法令”一词，他为什么要错过抨击以法律运作国家的观念的机会呢？然而，他干脆没有注释这个词。上引《老子旨略》中的陈述是他的文本一定与“华”有关的证据，而“法物”（奢华的事物）在这儿显然更合适。因此，王弼的文本跟郭店甲本和马王堆本的读法一样，是“民多智慧而邪事滋起法物滋章”。

分章与分篇

王弼将《老子》读作分章的。在三个段落中，他提到了“下”章或“上”章。[①] 其中有两处，他提到的章可以在通行本的同一篇内找到，而第三处指的是另一篇内的一章。[②]章的划分在郭店和马王堆本中也有明证，其中不仅时常用句点标明出来[③]，而且章序虽与通行本不同，但各分章作为基本单位仍是完整的。对于马王堆本，其中38（作为文本的开始），39，41，40，42，66，80，81，67，79，1，21，24，22，23和25（依照马王堆本中的次序）就是这样的。同样的情况在郭店本中也很普遍，然而，在章与章之间既没有数字也没有标题来标明边界。它们的开头和结尾是由偶尔带有标点的风格和议论特征来标划的。唐代的石刻《老子》也表现出相同的面貌。在其《老子》传承的简史中，谢守灏写道：

> 今检类众本，有依文连写者，亦有分题八十一章，若古诗之章

---

① 《老子》23.1注引及第35章；57.1注引及第48章；28.5注引及第40章。

② 例如，《老子》上篇的28.5注引用了《老子》下篇的第40章。

③ Robert G. Henricks, “A Note on the Question of Chapter Divisions in the Ma-Wang-Tui Manuscripts of the Lao-tzu”，页49—51；另见“Examining the Ma-Wang-Tui Silk Texts of the Lao-Tzu, with Special Note of their Differences from the Wang Bi Text”，页166—198，及页501—524。

句。每章分别，于文为繁，则所译科段可了，不复每章皆题也。[①]

王弼认为《老子》包含很多章，但在他的《老子》本中各章是否以与郭店和马王堆本相同的方式划分还并不清楚。早期标划各章、甚至有时用句点标明句子的起止的习惯（如我们在郭店本中看到的），似乎逐渐消失了，对于越来越“文”（即以书写为取向的）的精英而言，这是不必要的。马王堆本中的标点已经越来越不规则了。我们可以假设王弼《老子》本更像想尔本，在章与章之间、甚至在本文与注释之间没有形式上分划。在《老子旨略》中，王弼将每章（并没有用章这个词）描述为一个独立的论辩单位。这在他的注释中也很明显，他极少解释某一章最后的句子中包含的结论，因为他认为那是自明的。[②]

对于《老子》分为两篇或更多篇，证据更为复杂。假定对其他章的内部指涉一直未经触动地存留在王弼《老子注》中，他原来的文本就显然不是依照马王堆本德/道的次序。王弼《老子》通行本分为上下两篇（《正统道藏》中四篇的安排是以这一版本的排印安排为基础的）；有可靠的证据表明，从汉初以来，两篇的文本划分相当普遍。然而，这可能还有实质性的哲学和解释暗示，因为在马王堆乙本中两篇的标识中，已经给出了两部分的标题，即其中一篇是阐述道，另一篇是阐述德。王弼使用了关于《老子》的宏观结构的“篇”这个词。在其《老子》第20章注中，他引用了第48章的一段，并指明这段引文可以在“某个或那个”下篇中找到。在《老子旨略》中，他用“是以篇云”[③]（这里的“篇”有异文作“经”，但这是王弼唯一一次称《老子》作“经”）引入两段《老子》引文；很明显，这里的篇是复数的，指的不是上篇或下篇，而是可以与“章”互换的字眼。这可以由上面提过的一个事实来确证：一条出自某个“下章”的引文跨越了传统的篇的分界，即引文在第28章，而其出处

① 谢守灏，《混元圣记》，3.18下。

② 参见本书第一编。

③ 参见《老子微旨略例》2.32。

却是在第 40 章。

晁说之在其《鄜畤记》(成书于 1111 年)中说:“赖傅奕能辨之尔,然弼题是书曰《道德经》:不析乎道德而上下之。”[1]正是在这一论述的基础上,董思靖(1059—1129 年)指出,王弼没有以这种方式分划《老子》,[2]而且在《老子旨略》中,王弼只是简单地用《老子》来指称这一文本,而不是用“道德经”,或其他相近的标题。这与他拒绝当时流行的其他《老子》解释是相当一致的。

结　论

由上述证据可知:

1. 被置诸传世的王弼注之上的《老子》本不是原来的王弼《老子》本,而是一种逐渐被河上公本中的要素替代的文本。

2. 王弼《老子》通行本必须被放弃,不能以之作为王弼《老子》的一种批判性版本的底本。

3. 内在的文本证据表明,傅奕和范应元的两个“古本”应该被当做最接近原来的王弼《老子》本的文本,马王堆本则是同一文本族中远缘的成员,而郭店本则更远。

4. 两个“古本”的合并本,补之以马王堆甲乙本,形成了对王弼修订的《老子》本的重构的基本核心。

5. 王弼《老子》本细分为章,但可能没有形式的标记。它没有被分为《道经》和《德经》,但有可能也分为两篇。

我的王弼《老子》本将试着按第四点建议的方式去做。王弼注的传承和当前状况的问题,我将在下一章单独处理。

---

① 晁说之,《鄜畤记》。引自《老子道德经》《四库全书》版附录,卷 1055,页 184 下。

② 董思靖,《道德真经集解》序。

附录 A 王弼《老子》本通行本与王弼注中引用的《老子》本文的差异

表中使用的简称：

MWD/A 和 B：马王堆《老子》甲本和乙本

GD/A、B、C：郭店《老子》甲、乙、丙本

FY：傅奕本

FYY：范应元本

HNZ：《淮南子》

YZ：严遵本

XE：想尔本

SD：索紞本

Ⅰ：散见于别处的引文

《老子》句	王弼《老子》本通行本	王弼注中《老子》引文	与王弼注引文相同的本子
1.2	天地	万物	MWD/A,B
1.5	此两者	两者	MWD/A,B;I
2.2	处	居	MWD/A,B;GD/A
2.4	辞	为始(17.1)	MWD/B;GD/A(都只有“始”);I
2.5	弗[居]	不[居]	FY;FYY
2.4	弗[居]	不[居]	FY;FYY
4.1	或	又	HNZ;MWD/B(有),《文子》;I
4.1	知谁	知其谁	MWD/B;FYY
6.1	地根	地之根	MWD/A,B;FY
9.1	如	若	MWD/B;GD/A;《管子》
9.2	棁	锐	HNZ;FYY;YZ
10.2	能婴	能若婴	FY 和 FYY:“能如婴”

续　表

《老子》句	王弼《老子》本通行本	王弼注中《老子》引文	与王弼注引文相同的本子
10.4	无知	无以知	MWD/B;FY,FYY
10.6	无为	无以为	MWD/B:“无以知”;FY,FYY
13.5,6	寄……托	托……寄	MWD/A,B;GD/B;FY;FYY;XE;SD
14.1	夷	微	MWD/A,B
14.4	以	可以	FY
16.3	观复	观其复	MWD/A,B;FY;FYY
17.6	贵言	贵言也	MWD/A,B;GD/C
19.1	文不足	文而不足	FY(未足)
20.1	善	美	MWD/A,B;GD/B;FY;XE
20.4	独	廓	陆德明
20.12	无止	无所止	MWD/A,B;XE
20.14	似	且	FY
20.15	异	欲异	MWD/A,B;XE;SD;FYY
23.4	德	得	FY(两次)
28.7	不割	无割	MWD/A,B;HNZ;FY;FYY;YZ
29.4	故	凡	FY
30.1	强天下	强於天下	MWD/B;MWD/A:“强□天下”;GD/A
30.4	不敢以取	不以取	MWD/A,B;GD/A;XE;SD
34.2	主常	主故常	FY;FYY
34.3	为	知	FY;FYY
34.3	为	於	MWD/A,B;FY;XE;SD
35.3	口	言	MWD/A,B;FY;FYY;XE;SD
37.3	不	无	XE;SD

续　表

《老子》句	王弼《老子》本通行本	王弼注中《老子》引文	与王弼注引文相同的本子
38.2	无以为	无不为	FY;FYY;YZ;I
38.2	有以为	无以为	FY;FYY;I
38.2	始	首	MWD/A,B;《韩非子》
40.1	动	动也	MWD/A,B;GD/A
40.3	天下万物	天下之物	MWD/B;GD/A;FY;FYY
41.1	勤而行	堇能行	MWD/B;GD/B
41.15	且成	且善成	MWD/B;FYY
42.2	教之	教人	MWD/A;FY;FYY
47.1	户知	户以知	MWD/A,B;HNZ;《文子》
48.1	学	学者	MWD/B;GD/B;FY;FYY
48.2	道	道者	MWD/B;GD/B;FY;FYY
48.3	为而无	为则无	FY;FYY
48.4	取	其取	
48.4	天下	天下者	FY;FYY;YZ
48.6	不	又不	MWD/B(缺两字);FY
48.6	天下	天下矣	MWD/B("天□□");FY
49.4	歙歙	歙歙焉	MWD/A,B;FY;FYY
49.4	浑其心	浑心	MWD/A;FY;FYY
49.4	心	心焉	FY;FYY
50.2	有三人之生	有三而民之生	FY;FYY(无"而");YZ
52.1	以为	可以为	FY
54.4	修之於身	修之身	MWD/B;GD/B;FY;FYY;SD(3)
54.4	乃余	乃有余	《文子》

续　表

《老子》句	王弼《老子》本通行本	王弼注中《老子》引文	与王弼注引文相同的本子
55.1	厚	厚者	MWD/B；MWD/A："厚□"；GD/A；FY；FYY
55.8	气曰强	气则强	FY
56.4	分	纷	MWD/A，B；GD/A；FY；FYY；HNZ；I
57.3	人多伎巧	民多智慧	FY；FYY；I
58.6	迷	迷也	MWD/B；FY
59.2	服	复	陆德明
61.4	以静为下	以其静故为下也	FYY；FY（"静"作"竫"）；MWD/B（"为其静也故宜为下也"）
61.9	欲大	欲则大	MWD/B
62.4	加人	加於人	FY；FYY
64.8	学复	学以复	FY
65.2	智多	多智	FY（"多知"）
65.4	常知	能知	FY
67.4	能成	能为成	MWD/A，B；FYY
67.6	战	陈	FY；FYY
69.1	扔无敌执无兵	执无兵扔无敌	MWD/A，B（扔作乃）；YZ；FY（扔作仍）
69.2	轻敌	无敌	MWD/A，B；FY
70.1	莫能	莫之能	MWD/A，B；FY；FYY
70.4	我者贵	我贵矣	MWD/A，B；FY；FYY
77.2	唯有道者	其唯道者乎	FY（惟）
78.1	其（《道藏》）	以其	MWD/A，B；FY；I
81.4	不	无	MWD/A，B；FY；FYY；YZ

附录B　王弼《老子》本通行本与范应元《老子道德经古本集注》中王弼抄本合于“古本”之处的差异

下表中各标注的意义：

a：王弼注证明范应元本的读法正确。

b：其他间接证据证明范应元本的读法正确。

c：通行本正确

d：两种读法都不正确

c：证据不足，无法确定

《老子》句	王弼《老子》本通行本	范应元之“古本”	标注
2.4	万物作焉而不辞	万物作焉而不为始	a
9.3	金玉满堂	金玉满堂	b
10.4	爱民治国能无知乎	爱民治国能无以知乎	a
14.1	视之不见名曰夷	视之不见名曰几	d
15.4	孰能浊以静之徐清	孰能浊以竫之而徐清	b
18.3	六亲不和有孝慈国家昏乱有忠臣	六亲不和有孝慈焉国家昏乱有贞臣焉	b
19.1	三者以为文不足	三者以为文不足也	d
20.5	儽儽兮若无所归	儽儽兮其若不足，似无所归	c
20.9	俗人昭昭我独昏昏	俗人皆昭昭我独若昏	c
21.3	惚兮恍兮其中有象恍兮惚兮其中有物	芴兮芒兮中有象兮芒兮芴兮中有物兮	d
21.6	自古及今	自今及古	c
22.2	枉则直	枉则正	b
25.2	寂兮	宋兮	b
25.5	字之曰道	故强字之曰道	b
26.3	燕处	宴处	b

续　表

《老子》句	王弼《老子》本通行本	范应元之“古本”	标注
28.7	不割	无割	a
34.2	衣养	衣被	e
34.3	万物归焉而不为主	万物归之而不知主	a
34.4	以其终不自为大	是以圣人以其终不自为大	d
35.3	道之出口	道之出言	a
38.1	上德无为而无以为	上德无为而无不为	a
38.1	下德为之而有以为	下德为之而无以为	a
39.4	是以侯王自谓孤寡不穀此非以贱为本邪，非乎	是以王侯自称孤不穀是其以贱为本也，非歟	b
41.1	故建言有之	故建言有之曰	b
41.15	夫唯道善贷且成	夫惟道善贷且善成	a
42.2	人之所教我亦教之	人之所以教我而亦我之所以教人	d
45.2	大盈若冲	大满若盅	c
47.2	其知之弥少	其知弥尠	b
48.3	损之又损，以至於无为无为而无不为	损之又损之，以至於无为无为则无不为	a
49.4	圣人在天下歙歙为天下浑其心	圣人之在天下歙歙焉为天下浑心焉	a
51.3	故道生之德畜之	故道生之畜之	a
57.3	人多伎巧奇物滋起	民多智慧而衺邪事滋起	a
59.2	是谓早服	是以早复	a
64.2	其脆易泮	其膬易判	e
65.4	知此两者亦稽式常知稽式	知此两者亦稽式也知此稽式	d
67.2	我有三宝持而保之	我有三宝持而宝之	b
73.8	繟然	坦然	b

第二章　王弼《注》的襄赞和传承：批判性版本的基础

问　题

在第一章概述了王弼《老子》本的一种新的批判性版本将建构在何种基础上之后，我们现在来看一下王弼《注》的各种通行本的可靠性，以确定是否需要一个新版本，而如果确实需要，那么可以用哪种文本为资源。我的论点是：除岛邦男《老子校正》中的文本以外，王弼《注》的所有现存版本都基于1445年前后刊印在《正统道藏》中并在明万历年间由张之象承接的文本；更好的文本可以从出自11—13世纪编撰的各种《老子注》的摘引的合集中细绎出来；但由于没有一种完整的早期文本可以代替通行的本子，王弼《注》的一种批判性版本将不得不为每一条注释选择最好的读法作为底本，批判性地加以编校，并注明其他相关的文本传统的不同读法。这一工作将在本编的第四章完成。

这一章将通过王弼《注》传承的可确证的历史呈显证据。在此过程中，我希望给出的是一种可以被称为文本的社会史的叙述，它关注的是王弼《注》引起的那种特定类型的兴趣以及由此而来的对王弼《注》的保存；在防止这一文本随着它的载体的残毁而消失这一点上，二者都是有作用的。

1927年,王重民汇编了早期书目和藏书家的著作中与王弼《老子注》相关的材料。[1] 后来的学者(直到波多野太郎和岛邦男)又进一步增添了些资料。[2]

然而,我们仍缺少将各类记述整合而构成的有关这一文本的可靠历史。像《文子》、《淮南子》或《太平经》这样的独立文本,已经有了此种历史[3],但也许是由于对注释一直以来都不够尊重,迄今还没有为采用注释形式的哲学著作撰写的这样的历史。

各种观点变化的范围极大:从不加批判的假设(认为被置诸通行的王弼《注》之上的《老子》本就是王弼《老子》本、通行的王弼《注》就是可能有的最好的版本)到洪颐煊(1765—1833年)的激烈主张——他从法琳7世纪早期的《辩正论》中的王弼注引文与他手中的王弼注文本之间的差异推断"今本王弼注明代始出,或后人掇拾为之"[4]。在这一点上,他的观点是对钱曾的呼应(1629—1701年),钱曾指出:"惜乎辅嗣注不传,而独传此(指河上公注),书之日亡,惜哉。"[5]事实上,王弼《老子注》要在儒家的怀疑中存留下:儒家认为它的意识形态影响造成了晋的灭亡和中国的内乱。它既要与那些道教群体偏爱的注释竞争,又要与那些有能力让自己的注释流行的帝王撰写的注释竞争。因此,这一文本不可能依靠中国文本收藏的主线确保自身的传承,甚至不能让抄写者在业报簿上得分。

撰写关于王弼《注》的历史的困难源于方法的开端。绝大多数讨论这一文本的历史的现代学者,都将王弼《老子》本的历史与王弼《老子注》的历史联在了一起,因此他们一直在寻找二者共同出现的最早的单独版

① 王重民,《老子考》,页78—87。

② 波多野太郎,《老子王注校正》;岛邦男,《老子校正》,页9。

③ 参见B. Kandel, *Wen tzu: Ein Beitrag zur Problematik und zum Verstandnis eines taoistischen Textes*; B. Kandel, *Taiping jing: The Origin and Transmission of the "Scripture on General Welfare": The History of an Unofficial Text*; Harold D. Roth, *The Textual History of the Huai-nan tzu*。

④ 洪颐煊,《读书丛录》,13.2,见《国学珍籍汇编》,台北:广文书局,1977年。

⑤ 钱曾,《读书敏求记》,3.80,引自纪昀,"老子道德经提要",页137。

本。这导致了对被收入《正统道藏》和《四库全书》的这类文本及其变体的采用，直到1980年楼宇烈的《王弼集校释》。[①] 然而，正如前一章表明的那样，王弼《注》上的《老子》本有其自身的历史。这一《老子》本逐渐依河上公本改窜，而王弼《注》中的《老子》引文却基本没有随之改变。因此，我们不得不走上另一路：研究独立于王弼《老子》本的王弼《注》的传承。岛邦男在其《老子校正》中，又一次率先尝试这一进路。与其他人依循明代的版本不同，他寻找的是王弼《注》现存的最早文本，并在11—13世纪的各种“集注”本中找到了它们。尽管他关注的是《老子》的不同文本系统，而非王弼《注》的。因此，当他在引用他认为是最好的注释文本时，他没有为收入其著作中的各种注释（包括王弼《注》）建构一种批判性的文本。这些集注中的王弼《注》引文又被转而附着于出自其他统系而非王弼《老子》本归属的统系的《老子》文本。

王弼《老子注》的历史：证据

与王弼的生存年代重合的何劭（约236—300年），在其“王弼传”中提到“弼注《老子》”。[②] 刘义庆（403—444年）的《世说新语》以及刘孝标（462—521年）的注释也提到了王弼的《老子注》。[③] 这些轶闻中的绝大多数出自更早的轶闻集。其中的一则轶闻讲到，王弼的师长何晏（190—249年）在听了王弼对《老子》解释后，承认它优于自己的分析，因而将他本人的注释改写为两篇哲学文章。[④] 这一最早的关于王弼《注》的记载极好地解释了它留存下来的原因。它不可能诉诸儒家学者、朝廷、佛教徒和道教徒的推重。它只能依赖王弼解读《老子》的分析能力和哲学深度。那些一再寻找王弼《注》的某个抄本并将其传布于世的人，正是受到这些

① 楼宇烈，《王弼集校释》。

② 何劭，《王弼别传》，引自《三国志》裴注。

③ 刘义庆，《世说新语》，AB 8下；《世说新语》，AB 9下。

④ 参见本书第一编。

品质的吸引。王弼在其同代人以及后辈中的声望依赖于他的《老子注》和《周易注》,以及概述它们的基本结构的两篇论文。由此,我们就有了王弼作《老子注》并马上获得了声名的直接和间接的证据。

王弼《老子注》最早的三条明确的逐字引文在张湛(其盛年约在320年前后)《列子注》中(这里无需考虑隐含的引文)。张湛与王弼有亲戚关系,而且他收集起来的《列子》(或《列子》的一部分?)出自蔡邕(133—192年)的藏书,这批藏书曾收藏在王氏家族。① 就像向秀与郭象的《庄子注》一样,张湛的《列子注》属于王弼《老子注》的传统。因此,无论是由于家庭还是学术原因,张湛都很可能拥有王弼《注》的善本。在《列子》与《老子》重叠的地方,张湛有时会引用王弼《注》。

此类保存在另一文本中的引文,常常会使已散佚的文本的部分或者现存文本的某种古老的读法保留下来。即使该文本的单行本被改窜,这些引文通常也不会随之改变。张湛《列子注》中的前两则引义出自土弼对《老子》第6章的注释。用来作对比的版本是现存最早的宋本和明本。方括号中的文本是张湛本中的《列子》/《老子》文本,然而,张湛是作为出自《黄帝书》的引文来引用的。

例1　出自王弼《老子注》第6章。

1. 张湛②　[谷神不死是谓玄牝]　无形无影无逆无违处卑不动
2. 《集注》③　谷神谷中央无谷也 〃 〃 〃 〃 〃 〃 〃 〃 〃 〃 〃 〃
3. 《集义》④　〃 〃 〃 〃 〃 〃 〃 〃 〃 〃 〃 〃 〃 〃 〃 〃 〃 〃 〃 〃
4. 《道藏》⑤　〃 〃 〃 〃 〃 〃 〃 〃 〃 〃 〃 〃 〃 〃 〃 〃 〃 〃 〃 〃
5. 《四库》⑥　〃 〃 〃 〃 〃 〃 〃 〃 〃 〃 〃 〃 〃 〃 〃 〃 〃 〃 〃 〃

---

① 张湛,《列子注》,页278。关于藏书,参见本书第一编。
② 同上书,《列子注》,页4—5。
③《道德真经集注》,1.24上—下。
④ 刘惟永,《道德真经集义》,11.2下—3上。
⑤《道德真经集注》,1.5上。
⑥《老子道德经》,141下。

1. 守静不衰谷以之成而不见其形此至物也处卑而不可得名故谓之玄牝
2. 〃〃〃〃〃〃 〃〃〃〃〃〃〃〃〃〃〃〃〃〃〃〃〃〃〃〃 天地之根绵绵
3. 〃〃〃〃〃〃〃〃〃〃〃〃〃〃〃〃〃〃〃〃〃〃〃〃〃 〃〃〃〃〃〃
4. 〃〃〃〃〃〃〃〃〃〃〃〃〃〃〃〃〃〃〃〃〃〃〃〃〃 〃〃〃〃〃〃
5. 〃〃〃〃〃〃〃〃〃〃〃〃〃〃〃〃〃〃〃〃〃〃〃〃〃 〃〃〃〃緜緜
1. [玄牝之门是谓天地之根绵绵若存用之不勤]门玄牝之所由也本其所
2. 若存用之不勤 〃〃〃〃〃〃〃〃〃〃
3. 〃〃〃〃〃〃 〃〃〃〃〃〃〃〃〃〃
4. 〃〃〃〃〃〃 〃〃〃〃〃〃〃〃〃〃
5. 〃〃〃〃〃〃 〃〃〃〃〃〃〃〃〃〃
1. 由与太极同体故谓 天地之根也欲言存邪 不见其形欲言亡邪万物以 生故曰绵
2. 〃〃〃〃〃〃〃〃之〃〃〃〃〃〃〃〃〃则〃〃〃〃〃〃〃〃〃〃〃〃之〃〃〃〃
3. 〃〃 〃〃〃〃〃〃〃〃〃〃〃〃〃〃〃〃〃〃〃〃〃〃〃〃〃〃〃〃〃〃〃〃
4. 〃〃 〃〃〃〃〃〃〃〃〃〃〃〃〃〃〃〃〃〃〃〃〃〃〃〃〃〃〃〃〃〃〃〃
5. 〃〃 〃〃〃〃〃〃〃〃〃〃〃〃〃〃〃〃〃〃〃〃〃〃〃〃〃〃〃〃〃〃〃〃緜
1. 绵若存 无物不成 而不劳也故曰 不勤
2. 〃〃〃也〃〃〃〃用〃〃〃〃〃〃用而〃〃
3. 〃〃〃〃〃〃〃〃〃〃〃〃〃〃〃〃〃〃
4. 〃〃〃〃〃〃〃〃〃〃〃〃〃〃〃〃〃〃
5. 緜〃〃〃〃〃〃〃〃〃〃〃〃〃〃〃〃〃

例2 出自王弼《老子注》第73章,没有在任何宋代的集注中传承下来。

1. 张湛[①] 孰谁也言谁能知天 意 耶其唯圣人也
2. 《道藏》[②] 〃〃〃〃〃〃〃〃下之所恶〃故邪〃〃〃〃
3. 《四库》[③] 〃〃〃〃〃〃〃〃〃〃〃〃〃〃〃〃〃〃

① 张湛,《列子注》,页129。
②《道德真经注》,4.8下—9上。
③《老子道德经》,页181下。

在上面两个例子中，张湛的读法有两处主要的不同：即“故谓[之]天地之根绵绵若存用之不勤”作“故谓之玄牝”，“谁能知天下之所恶意故邪”作“谁能知天意耶”，两种读法优于所有现存本的读法，这是现代编者一致同意的。然而，现存的版本却共享着某种同一性，如果其读法是残坏的，那就表明它们都可以回溯到某个有相当多误读的同一版本。在现存版本中印在王弼《注》之上的《老子》本也有同样的特征。它们相当一致地与王弼《老子》本的可证实的读法不同。波多野太郎及其他人所做的对明代及明以后版本的比较研究（尽管是必要和有价值的），没有提供足够的文本多样性，来消除主要的文本残坏。

有一个要素是上面的比较中没有看到的。所有通行本都将此章的整个注释附加在《老子》文本的结尾。张湛实际上引用了两段注释。第一段到“玄牝”为止，其后是《老子》本文“玄牝之门……”，接着才是注释的剩余部分。在王弼《注》通行本的基础上，很难断定哪种文本安排更好。王弼《注》中有很多注释附在每个句子（有时是一个句子的部分）后面的例子，但也有《老子》第38章注这样的情况：以一篇通贯的长文为注释。从张湛引文的年代和整体品质，以及他引用的是王弼《老子》本中的“天地之根”而非王弼《老子》通行本的“天地根”这些情况看，张湛的安排似乎更好。

从上面两个例子中，我们提出三个假设：

1. 既然所有三条引文都完整地重新出现在保存至今的版本中，我们可以假设出自王弼《注》的单独段落的保存率相当高。

2. 在过去400多年间，没有任何抄本的发现可以使学者将王弼《注》的文本直接基于唐或唐以前抄本。引文与现存文本的高度一致表明，直到我们手中最早的刻印本为止的文本传承基本上没有中断过。

3. 自从现存版本的底本固定下来，王弼《注》一直有较高的文本地位，以致在没有进一步未注明的改动下基本完整地传承下来。这一假设大体上也适用于《注》中《老子》引文。我们将试着验证这些假设，并提出一些新的假设来。

《世说新语》的注者刘孝标曾在其注释中引用过一次王弼《注》。

例3　出自王弼《老子注》第39章。

1. 刘孝标①　　　一者数之始　物之极也各是一物　　所以为主也

2.《集注》②　　　〃　〃〃〃而〃〃〃〃〃〃〃〃之生〃〃〃〃〃物　各得此一以成既成而

3.《道藏》③　　　〃　〃〃〃〃〃〃〃〃〃〃〃〃〃〃〃〃〃〃〃〃皆〃〃〃〃〃〃〃〃〃

4.《四库》④　　　〃　〃〃〃〃〃〃〃〃〃〃〃〃〃〃〃〃〃〃〃〃皆〃〃〃〃〃〃〃〃〃

1.　　　　　　　　　　　各以其一致此清宁　贞

2. 舍一以居成居成则失其母……　〃〃〃〃〃〃〃〃灵〃盈生

3. 〃　〃〃〃〃〃〃〃〃〃……　〃〃〃〃〃〃〃〃〃　〃〃贞

4. 〃　〃〃〃〃〃〃〃〃〃……　〃〃〃〃〃〃〃〃〃　〃〃〃

---

① 刘孝标,《世说新语注》,页61。

②《道德真经集注》,6.11下,6.21上。

③《道德真经注》,3.4下—5上。

④《老子道德经》,页162下。

很明显，刘孝标引用的是两个不同的注释部分的节录。二者都现存于传世诸本中。第一条节录在通行本的各种印版中都窜乱为“一物之生”。5 世纪的惠达在其《肇论疏》中引用了同一段落，字句与刘孝标相同，由此可以确证这是一种更早（也更好）的读法。①

刘孝标没有提到《老子》河上公注。这让我们窥见了王弼《注》在其中享有声望的那些圈子。《世说新语》记录和赞美了公元 2—4 世纪门阀士族的子弟及朋友的思想成就。其中记录的思想传统显然就是王弼的思想传统。刘孝标《注》中的《老子》引文极有可能出自王弼《老子》本。惠达为之作注的《肇论》，是公元 5 世纪的僧肇撰写的一组极为重要的佛教论文。与他的老师鸠摩罗什（卒于 412 年）一样，据信僧肇也曾注释过《老子》②，而且两者都在由 3 世纪的哲学家（如王弼）建立的思想框架中活动。刘孝标还给出了该文本在当时的标题——《老子注》。

公元 5—6 世纪道教影响的扩大（常常有强有力的皇室庇护），逐渐导致河上公注及其《老子》本的时兴。在同一时期，后汉将老子转化为上神乃至最高神的做法，产生出难以数计的传说，其中包括老子西去化胡的故事——那些被教化的野蛮人如今倒回来成了佛徒。魏徵（580—643 年）《群书治要》从始至终使用的都是河上公本。③

然而，王弼的《注》仍被传抄，并以《老子道德经》为题（二卷，带有王弼《注》）著录于《隋书·经籍志》。它进而受到了当时积极兴复经典研究的学者的欣赏——其中最突出的是傅奕（555—629 年），他搜集并分析了许多《老子》“古本”。他的兴趣在于《老子》本身。自东汉以来，绝大多数抄本都带有注释，因此，他常常用抄本所带的注释来界定它们。其中，他找到了两种“王弼本”（即带有王弼注的《老子》本），其中

① 惠达，《肇论疏》，Z.150.6a16。

② 参见拙文“Exploring the Common Ground: Buddhist Commentaries on the Taoist Classic *Laozi*”。

③ 岛邦男，《老子校正》，将《群书治要》中的《老子》引文插入到河上公系的文本族中。

一本有 5 683 字，另一本有 5 610 字。傅奕没有表达对河上公或王弼注（及文本）的偏爱；然而，他自己的《古本老子》的拼合本显然拒绝了《老子》河上公本，他的拼合本甚至一向是作为针对河上公本的解毒剂而流通的。①

在反对联想多于分析的注释风格的学者中，我们还发现了陆德明（556—627 年），他决定将他的《老子道德经音义》（其中也包含有关不同注释上的抄本的文本歧异的记录）奠基在王弼《老子》本之上。尽管并不怀疑河上公注的真实性，他还是决定支持王弼《注》，他说：

> （河上公）言治身治国之要。其后谈论者莫不宗尚玄言，唯王辅嗣妙得虚无之旨。②

在《老子道德经音义》中，有不下 56 章的王弼《注》的用词被标了音注。没有对其他注家的音注。与将何晏等人的《论语集注》当做《论语》的标准注本一样，他把王弼《注》也视为标准本。除其中的一条外，所有出自王弼《注》的音注在现存本中都可以找到。例外的一条是第 27 章中散佚的一个片断。③ 然而，现存的《老子道德经音义》早在十二世纪以前就已被窜乱，因此，它不是王弼《注》的可靠指南。在其《孝经音义》中，陆德明给出了标题以及分章标题的数字。而在《老子道德经音义》中，却并没有这样做。

由此我们可以推论出第四个假设。陆德明手中的王弼《老子》本抄本既没有各章的数次，也没有标题。这也许反映了王弼原本的安排。标明年代为 3 世纪的唯一一种《老子》抄本的残篇是于敦煌发现的公元 270 年的索统本。在这一抄本中，各章既无数次，也无标题，靠每一新的分章

---

① 参见上一章中傅奕关于不同抄本的记述。

② 陆德明，《经典释文》序，1393。

③ 陆德明引用的没有王弼注片断的分章有：1，2，7，8，11，12，21，23，29，31，33，37，39，40，46，48，52，56，57，66，71，74，76，78 和 81。出自 27.4—8 的散佚片断为：所好；裕；长。《老子道德经音义》，4 上。

另起一行来分划。① 未标明年代但也较早的想尔抄本（出自敦煌卷子S6825）②也无标题。它甚至没有给每一新的分章另起一行，在本文和注释之间也没有可见的分划。从无组织的、不间断的汉字行到带有标题、目录、章与章以及本文与注释的分划的结构化文本体之间的文本转变，经历了一个漫长的过程，它的历史还有待写出。③

虽然没有给出各章的标题，陆德明依河上公注的方式给出了《道经》和《德经》的标题。这一传统可以追溯至马王堆乙本，但它似乎不是王弼《老子注》的原本形式的特征。

陆德明的序和他对王弼《老子》本的使用是王弼《注》又重获尊敬以及使它通行得更广的努力的重要证据。王弼的《周易注》在大约同一时期成为唐代该文本的官方注释，并由孔颖达（574—648年）作了疏。它获得如此显赫的地位，是三种不同的《周易注》（即郑玄、王肃和王弼）的支持者多年艰苦斗争的结果。④ 除了将两个文本读作对同一哲学困境的探索外，王弼对《周易》所用的分析方法与用在《老子》上的方法也相同。

那一代另一著名的学者颜师古（581—645年）——他为班固的《汉书》撰写了最重要的注释，发现了一种王弼《注》的“[刘]宋古抄本”（即抄成于420—479年间）。当时避难至南朝的北方士人的藏书中，应该有多种王弼《注》的抄本；何况刘宋将玄学作为最重要的学术领域，列于儒学、文学和史学之上。⑤ 尽管颜师古自己《玄言新记明老部》（Pelliot的敦煌卷子中有此书的残篇）总体上依照河上公的读法，并在序言中重复了河上公的传说，颜对王弼的观点还是有兴趣的。他写下了一段有些含糊的话：

---

① 索统抄本的影印本，见饶宗颐，“吴建衡二年”一文。

② 想尔抄本的影印本，见饶宗颐，《老子想尔注校笺》。

③ 关于同一过程，在欧洲已有一些极好的研究。参见Ivan Illich, *Im Weinberg der Texte*。

④ 王葆玹，《正始玄学》，页4。

⑤ 王葆玹，《正始玄学》，页2。

王弼字辅嗣，山阳人，官至尚书郎。魏正始十年，时廿四。寻宋古本直云：王弼下称，注《道》《德》二篇、《通象》，阳数极九，以九九为限，故有八十一章。①

据我所知，没有其他资料称是王弼建立了81章的分法。一般认为这种分法出自刘向。② 然而，说这个数字自刘向的时代起已经固定下来，是合理的。显然颜师古手中的王弼《注》有这样的数字；用刘宋"古本"确认这一数字是必要的，因为《老子》已有不同的分法（如严遵的分法），而且还不断有新的分法产生出来。第二个重要的记述是王弼《注》的抄本已经不易得了。第三，这一文本当时似乎以《道德经注》为题流布。我们因而提出第五个假设：尽管没有数字和标题之类形式上的区分，但正如5—6世纪的文本证实的那样，王弼《老子注》是有81章的。

王弼注与河上公注的共存，也可以在李善（卒于689年）《文选注》中看到，在其中，两种注释都用到了。在《文选注》中，李善27次引用了王弼《注》。③ 他一般引用的标题作《老子注》。除两处引文外，其余的都能

① 颜师古，《玄言新记明老部》，页2462。这一稿本被载入严灵峰，《无求备斋老子集成》，引文在第4页。

② 这一说法并不可靠。马王堆本的分章数不同，但它们都在75—80这一范围之间。如果刘向通过编辑确定了81章这个数字，严遵在此后很短的时间内就发展出一种理论，为72章这个数字赋予更高的意义是不太可能的。只有他手中的本子已经是72章，他为之提供一种解释，这才是可以理解的。

③ 李善，《文选李善注》。引文为：1.11.12.a7（《老子》1.2），2.11.12.a8（《老子》1.5），3.11.12.b1（《老子》1.5），4.26.34.b7（《老子》4.1），5.17.12.a5（《老子》5.3），6.3.10.a8（《老子》10.3），8.3.17.b6（《老子》10.9），9.59.16.a8（《老子》14.1），10.20.24.b7（《老子》16.1），11.30.1.b9（《老子》16.2），12.31.31.a2（《老子》16.3），13.59.5.b8（《老子》21.1），14.22.28.b5（《老子》21.4），15.53.8.b3（《老子》22.6），16.40.14.b6（《老子》24.4），17.3.17.b6（《老子》25.12），18.24.15.a5（《老子》26.1），19.21.21.b3（《老子》27.4），20.54.15.b5（《老子》34.2），21.11.12.a7（《老子》40.4），22.20.30.a5（《老子》41.14），23.20.30.a6（《老子》41.15），24.11.6.a6（《老子》42.1），25.35.21.b7（《老子》46.1），16.54.16.a4（《老子》51.4），27.50.5.a10（《老子》55.3）。

在现存本中找到。[1] 有 20 处引文有文本歧异。[2] 这 20 处读法中，内部证据和外部证据使我承认其中的 14 处是全部或部分正确的。[3]

例 4　李善引用的《老子》1.5 王弼注：

1. 李善[4]　　玄　冥　黑　无有也

2.《集注》[5]　〃者　〃也默然　〃　〃　〃

3.《集义》[6]　〃　〃　〃　〃　〃　〃　〃　〃　〃

4.《道藏》[7]　〃　〃　〃　〃　〃　〃　〃　〃　〃

5.《四库》[8]　〃　〃　〃　〃　〃　〃　〃　〃　〃

例 5　李善引用的《老子》10.9 王弼注：

1. 李善[9]　　　　涤除邪饰至于极览

2.《集注》　言能　〃　〃　〃　〃　〃　〃　〃　〃

3.《集义》　〃　〃　〃　〃　〃　〃　〃　〃　〃　〃

4.《道藏》　〃　〃　〃　〃　〃　〃　〃　〃　〃　〃

5.《四库》　〃　〃　〃　〃　〃　〃　〃　〃　〃　〃

例 6　李善引用的《老子》41.15 王弼注：

1. 李善[10]　有形则亦有分有分者不温则凉　　　　故象　者形者非大象也

2.《集注》〃　〃　〃　　〃　〃　〃　〃　〃　〃　〃　〃炎不炎则寒　〃　〃而　〃　〃　〃　〃　〃　〃

3.《道藏》〃　〃　〃　　〃

4.《四库》〃　〃　〃　　〃

---

① 《老子》第 24 和 26 两章王弼注的引文。

② 这些引文指注释 36 的列表中 2,3,5,8—16,20 以及 22—27。

③ 例外的是注释 36 的列表中 10,12,14,20 和 27。

④ 《文选李善注》,11.12.a8。

⑤ 《道德真经注》,1.5 下。

⑥ 刘惟永,《道德真经集义》,1.8 上。

⑦ 《道德真经注》,1.1 下。

⑧ 《老子道德经》,139 上。

⑨ 《文选李善注》,20.28.b1。

⑩ 《文选李善注》,20/30.a6。

绝大多数差异都是虚词上的差异，文本的区别常常极大，但意义却基本上不受影响。像张湛的引文中得到的那种意义的澄清（即那些文本散佚的场合）极少。其中有一例，本文与注释的连接有不同的安排。① 然而，这一文本是以节录的方式引用的，并没有好的理由让我们接受这一安排。李善的引文常常是些节录，而且写法充斥着难以猜解的错误。然而，从李善《文选注》中的王弼《注》引文与现存本在数量和品质两方面的高度一致中，我们可以推断，7 世纪的王弼《注》文本在此前几个世纪的战火中相当完整地保存下来，是直至现存版本的基本未曾中断的传统的部分。

公元 719 年，著名的史家刘知幾（661—721 年）在一份给礼部的奏议以及另一份直接呈进御览的奏议中质疑了河上公注的真实性：

> 今俗所行《老子》，是河上公注。其序云：河上公者，汉文帝时人，结草庵于河曲，仍以为号。以所注《老子》授文帝，因冲空上天。此乃不经之鄙言，流俗之虚语，按《汉书・艺文志》，注《老子》者有三家，河上所释无闻焉。岂非注者欲神其事，故假造其说也？其言鄙陋，其理乖讹。虽欲才别朱紫，粗分菽麦，亦皆嗤其过谬，而况有识者乎？岂如王弼英才隽识，探赜索隐，考其所注义者为优。② 必黜河上公，升王辅嗣，在于学者，实得其宜。③

在刘知幾的辩论中，我们看到了保存和推广使何晏放弃自己的注释的王弼《注》的相同理由。

与此事相关的政府部门有一个讨论这一问题的机构。它的成员包括国子博士司马贞、太学博士郗尝通以及其他八人。公元 719 年 5 月末，他们提出了一个受刘知幾支持的折中方案：

---

① 前页注③的列表中的 12。

② 根据王溥，《唐会要》，77：1408。

③ 李昉，《文苑英华》，766：4033 下；绝大多数段落都被翻译在洪业出色的研究中，“A Bibliographical Controversy at the T'ang Court A. D. 719”，*HJAS*20(1957)：78。

> 又得议称:《老子》道德者,[①]是谓玄言。注家虽多,罕穷阙旨。河上,盖愚虚之号,汉史实无其人。然其注以养神为宗,以无为为体,其词近,其理弘。小足以修身洁诚,大可以宁人安国。故顾欢曰:"河上公虽曰注书,即史立教,皆没略远体,指明近用",斯可谓知言矣。王辅嗣雅善玄谈,颇采道要,穷神用[②]乎橐籥,守静默于玄牝,其理畅,其旨微,在于玄学,颇谓所长。至若近人立教修身弘道,则河上为得。今望请王河二注,令学者俱行。[③]

刘知幾的奏议似乎在太学引起了相当大的争论。5月28日的诏书以不赞成的口气提到"诸生会议"。有趣的是,诏书提到了朝廷"旁求废简,远及缺文",以获取材料来复原正确文本的努力。这一搜求促使刘知幾呈进了他的第一份奏议。诏书决定:"(河上公章句)可令依旧行用。王所注,传习者稀,宜存继绝之典"。同样,在8世纪上半叶,张君相纂成了最早的《老子》集注——《三十家注解道德经》,其中收入王弼以及其他3世纪注家的注释。此书已佚。[④]

尽管当时王弼注"传习者稀",尽管河上公是"今俗所行",王弼《注》仍获得了非常有力和显赫的支持;而且由于719年的这份诏书,它可能得到了更为广泛的传抄。它被引用在形形色色的文献中,如徐坚(659—729年)的《初学记》、[⑤]法琳(572—640年)的《辩正论》、[⑥]慧琳(737—820年)的《一切经音义》。[⑦] 这表明,王弼《注》在哲学圈子里有相当广泛的

---

① 这一修订依据的是《文苑英华》中的解读,766,4034下。

② 《唐会要》77.1409以及《文苑英华》766.4034下都读作"神用",而非《册府元龟》中的"神明",参见洪业,"A Bibliographical Controversy",页81。

③ 王钦若编,《册府元龟》,604.7249,参见洪业,"A Bibliographical Controversy",页81。

④ 关于张君相的年代,参见王重民,《老子考》,页142。王重民追随阮元的意见,认为张的著作实际上就是《正统道藏》中的《道德真经注疏》,此书被归为顾欢所作。

⑤ 徐坚,《初学记》,6.206,17.548。

⑥ 法琳,《辩正论》。这一文本的部分被收入释道宣《广弘明集》。

⑦ 慧琳,《一切经音义》,T.1218,Taisho. 卷54:351上,"根株"条下;353上,"金镤"条下;386下"鲁朴"条下;583中,"鞞囊"条下,676上"排筒"条下;853下"朴素"条下;913下"朴散"条下。

市场。

然而最后，颁布上述诏书的皇帝有他自己的创制，这使他成《老子》最权威的注释者。唐代李氏皇族中许多六朝时期的权力追逐者一直宣称他们是老子的后裔，据《史记》记载，老子姓李氏。这一宣称暗示了统治的宗教权威以及在以老子之名传下的文本中蕴藏的社会理想。[①] 自六朝起，帝王们开始亲自撰写《老子》的官方注释，这一惯习从梁武帝(502—550 年在位)一直延续到明太祖。公元 731 年，唐玄宗梦见了老子，他证实了老子是李氏皇族的祖先。[②] 这一联系使《老子》更为重要，它甚至一度被引进朝廷的科举考试。

在公元 721 年，玄宗被引入道籍，此后不久，他开始着手写一部《老子注》，此注始撰于 724 年，成于他梦见老子两年后的 733 年。[③] 这一文本严格依循与严遵和河上公注相关的《老子》传统，它似乎实际上晦蔽了王弼《注》。新旧《唐书・艺文志》以《玄言新记道德》二卷附王弼《注》和《王弼注新记玄言道德》二卷记录了王弼《注》。[④] 正如武内义雄曾指出的那样，《玄言新记》是当时老子注的通称，颜师古的注释以《玄言新记明老部》为题也证实了这一点。[⑤] 然而，没有带王弼《注》的石刻，在敦煌卷子中也没有该文本的残篇。只有杜光庭(850—933 年)在其《老子》研究的巨著中提到了它。[⑥]

在宋代，我们又一次看到对王弼的兴趣的复兴。河上公以及玄宗注的权威随着唐王朝的崩溃而削弱。在其《老子》注汇编的序中，彭耜引证了各种宫廷的资料来证明王弼《注》对国家治理的重要性。在引用现已

---

① A. Seidel,“The Image of the Perfect Ruler in Early Taoist Messianism: Lao Tzu and Li Hung”，页 216—247。

② 戴闻达(J.J.L. Duyvendak),“The Dreams of the Emperor Hsuan Tsung”，页 102—108。

③ Charles Benn,“Taoism As Ideology in the Reign of Emperor Hsuan-tsung”，页 85。

④《旧唐书》，页 2026;《新唐书》，页 1514。

⑤ 武内义雄，《老子原始》，页 71。

⑥ 杜光庭，《道德真经广圣义》序，页 2 下，及 5.20 下，其中提到了王弼及其历史地位。然而，杜的注释似乎没有引用王弼。

散佚的《三朝国史》中有关佛道部分的内容时，彭耜写道：

> 真宗咸平二年，上谓宰相曰："《道》、《德》二经，治世之要道。明皇注解，虽粲然可观，王弼所注，言简意深，真得清静之旨也。"因令镂板。[①]

真宗因建立宫廷图书馆方面的努力而闻名，其中不仅有抄本和刊本印，还有刻版。[②] 各种资料表明，这些刻版不是为了某些大规模的复本能立即刊印而刻制的，而是为了在免除刻石的艰难的同时能有效防止复写的错误和建立一种可重复制作的官本。一旦急需某个复本，就印制出来。杜光庭已经为他的权威著作记录了这一程序。戴密微（Paul Demieville）还发现了其他资料。例如，在公元 985 年用四川刻版为一位日本访客印制的一套佛藏复本。[③] 尽管皇帝的命令并不一定会使王弼《注》通行起来，但它是朝廷赞助的一个重要标志。在徽宗于 1118 年写出他自己的《老子注》之前，宋代的帝王中没有撰写过《老子》的"宫廷注本"。真宗的论述因而废黜了唐玄宗《注》作为阅读《老子》的指南的地位，并暂时以王弼《注》代之。994 年的这一宫廷本可能是宋代出版的最早的王弼《老子注》单行本。《宋史·艺文志》中提到的王弼《老子注》，可能就是指收藏在宫廷图书馆中的这一版本。《宋史》中的标题拒绝使用唐代给《老子》的那些稀奇古怪的题目，复原了王弼《注》在初唐以前的文本中的题名。此后两个世纪出版的各种版本和选本反映出一个重要的政治因素，对此，我们无法深入探讨。

与此同时，出现了一种更新的文字学兴趣——不是限于商周的铜器

① 彭耜，《道德真经集注》序，页 4 上。

② P. Pelliot, *Les Debuts de l'Imprimerie en Chine*，页 75。关于整个状况，参见 S. Cherniak, "Book Culture and Textual Transmission in Song China", HJAS54：1(1994)：5—125。

③ P. Pelliot, *Les Débuts*，页 83；以及戴密微，"Notes additionelles sur les edition imprimees du Canon Bouddhique"，载 P. Pelliot, *Les Débuts*，页 121。对于这一时期的印刷及书籍出版的发展，参见崔德瑞，*Printing and Publishing in Medieval China*。

以及其他制品，而是包括各种其传统被安史之乱以后的战火和动荡中断的文本的抄本。我们知道，至少有一种张君相《三十家注解道德经》(包含大量的王弼《注》)的私家抄本幸存到了宋代，并进入了12世纪末晁公武对其在四川的大量藏书的描述中。① 追随张君相的传统，在11—12世纪间，各种汇编本被编撰出来，其中完整地或部分地收入了古代和当代的注释。

陈景元(1025—1094年)——一位出自江西南城的南宗谱系的道士，曾居住于天台山，他接续了这一传统：从他搜集到的大量注本中，他汇集了他认为对《老子》各章最好的注释的摘要。陈景元因其对道家古抄本的搜集和校勘而闻名，1091年，当时执掌秘书省的王钦臣推荐他负责校勘道家典籍，为宫廷图书馆创制这些文本的标准本。② 陈景元《道德真经藏室纂微篇》现存于《正统道藏》。③ 根据1258年杨仲庚的序，陈景元"摭诸家注疏之精华而参以师传之秘"。1068—1078年间，陈被神宗请入宫中，他呈进了当时已经编成的稿本，此稿本后来被收入《道藏》。约两个世纪以后，杨仲庚本人使用这一校勘极为方便，并且，"窃叹幸窥《纂微》之要，若披云雾而睹日月也。第以世无善本，流行未博，苟就藏帙，详加校正，募化善士，命工刊梓，以传不朽"。④ 因此，此书虽是在1258年得到赞助出版或再版的，但文本本身却写于1068—1078(暂不考虑是否有改窜)。《宋史·艺文志》没有著录这一题名，但王重民认为碧云子名下以这一题名著录的书，就是陈景元的这本书。陈道号碧虚子，王认为"云"字当为"虚"字的误版。⑤

该书载有陈景元自己的详细注释，许多引文出自严遵注，外加少量

① 武内义雄，《老子原始》，页71。

② P. van der Loon, *Taoist Books in the Libraries of the Sung Period*，页10；J. Boltz, *A Survey of Taoist Literature, Tenth to Seventeenth Century*，页203—05。

③ 陈景元，《道德真经藏室纂微篇》。

④《道德真经藏室纂微篇》序，页9下—10上。

⑤ 王重民，《老子考》，页227。

河上公、唐玄宗以及其他人的注释。陈景元常常提到的一种《老子》"古本"(可能无注)、河上公或王弼的《老子》本以及傅奕的版本,想要建构一种超越这些注释传统的真正的《老子》本。他提供了八段他的"王弼本"或"古王弼本"与他建构的文本不同的文段。他给出的每一处文字都优于通行的王弼本。他手里的王弼《老子》本质量极高。由于他引用的引文出自王弼《老子注》的各个部分,我们可以假定他的文本是完整的。他的王弼《老子》本的质量,可以支持他的王弼《老子注》也同样真实的假设。不幸的是,在这一汇编中,只有四处出自王弼《注》的引文(分别出自10.9,13.5/6,43.2,55.3 注),而且都与现存本相合。它们都是些节录,其中,43.2 的注文为一种不同于其他宋代引文的读法提供了佐证。陈的文本证实了这一主张:完整的王弼《注》抄本在 9—10 世纪的战火中幸存下来,而且尽管受到了严遵以及唐玄宗的晦蔽,王弼仍被视为一位重要的注释家。

王雱的《道德真经集注》[①]现存于《道藏》中,其中包括唐玄宗、河上公、王弼以及王雱(王安石之子)本人的注释。王雱的注释完成于 1070 年,似乎也引起了王安石的注意。[②] 在序中,王雱指出"今世传注释王弼张说两家","经文殊舛,互有得失,害于理意者不一"。梁迥在撰于 1089 年的后序中指出:"昔之为注者有三,曰河上公,曰明皇,曰王弼。夫三家之说,其间不能无去取,然各有所长,要其归宿,莫非究大道之本。"[③]后序进而谈到了"近世"的王雱。对各种注释的欣赏程度体现在每一部分注释引用的次序上。在所有地方,唐玄宗和河上公的注释都排在前面。这

① 《道德真经集注》。

② 王重民,《老子考》,页 205。

③ 王雱,《道德真经集注》序,页 5 上。从文本的组织看,似乎梁迥也参与了《集注》的编撰,因为他撰写后序来解释选择注家的理由;尽管负责出版的人姓张。然而,正如 Judith Boltz 指出的那样,有这个名字的人的生活年代(928—986 年)与后序的年代不合;参见 *A Survey of Taoist Literature*,页 332。关于这一文本,参见 Wang Shiu-hon,载 E. Balacs 和 Y. Hervouet 编,*A Sung Bibliography*,页 360。

在政治上有点怪异，因为这两种注释是前一个朝代的官方注释。被描述为一个纯粹的学者的太守张公，

> 常患夫执经者不知道，乃命黌舍之学者参其四说，无复加损，刊集以行于时而广其教。①

这篇后序是专为此书写的。鉴于当时道徒肤浅的理解，它强调了这些注释在哲学和分析上的重要性。王重民认为《宋史·艺文志》中著录的文如海编撰的《老子集注》——包含完全相同的注释，可能就是这本书。②

这一《集注》本涵括了编者视界所及的尽可能完整的王弼《注》，但被置于另一传统的《老子》本文之下。对前 20 章的检视表明，除其中一章外，其余的王弼《注》都是完整的。其中，第 15 章最后两句的注释丢失了，而《老子》5.1 的王弼注被误派到河上公名下。这一版本本文/注释的次序依循的是编者发现的底本的次序。在这方面，所有现存的其他本子都没有歧异。此书的宋代刻本均已散佚。由于它的复本在明代可能还存在，所以没有理由假设这一文本在 1445 年收入《正统道藏》(由之存留至今)前曾被改窜过。

这一文本是王弼《注》(没有王弼《老子》本)最早的完整可用的版本。这个本子相当不错。尽管它也和其他许多文本一样，有许多残坏的段落，但它还是保存了一些其他地方缺失的注释以及许多更好的读法，就像我在校辑/译文部分的脚注中指出的那样。由于这个原因，岛邦男用它作为他的王弼《注》的底本，除第 11 章外。

然而，即使在都城，似乎王弼《注》的传布也还是非常有限。董逌(12 世纪)在其《藏书志》中记载："我朝崇宁中，再校定《道藏》经典，此书《藏》中已不复见。其余诸家，仅存元宗、河上公、严遵、陆希声四注，及傅奕所

① 梁迥，"后序"，《道德真经集注》，页 2 上。

② 王重民，《老子考》，页 208。

传《古本道德经》。”[①]

比陈景元稍晚的晁说之(1059—1129年)——他推重司马光,转过来又为苏轼推重(这在《宋元学案》中可以找到很好的文献支持),也参加到重建可靠的《老子》解释史的努力中来。[②] 他的撰成于1115年的序表明,他是载记中第一个刊印王弼《老子注》的单行本的宋代学者。这一单行本的题名是非道徒式的——《王弼老子道德经》二卷。与宋初学者对严遵《老子注》的高度赞赏一致,晁将王弼纳入这一传统,并参与了对王弼《注》的哲学和分析品质及其对《老子》独到理解的赞许。应该注意的是,晁不是道教徒,而且他的本子的题名将其与道教类型的题名分离开来。尽管那时晁的本子已经散佚了,但该本的题名却随同序文一道进入了后来《道藏》和《四库》本。晁写道:

> 王弼《老子道德经》二卷,真行老子之学欤!盖严君平《指归》之流也。其言仁义与礼,不能自用,必待道以用之,天地万物各得于一,岂特有功于老子哉?凡百学者,盖不可不知乎此也。予于是知弼本深于《老子》,而《易》则未矣。其于《易》多假诸《老子》之旨,而《老子》无资于《易》者,[③]其有余不足之迹,断可见也。呜呼!学其难哉!弼知“佳兵者,不祥之器”至于战胜以丧礼处之非《老子》之言,乃不知“常善求人,故无弃人;常善救物,故无弃物”独得诸河上公,而古本无有也,赖傅奕能辩之尔。然弼题是书曰《道德经》,不析乎道德而上下之,犹近于古欤!其文字则多误谬,殆有不可读者,令人惜之。尝谓弼之于《老子》、张湛之于《列子》、郭象之于《庄子》、杜预之于《左氏》、范宁之于《穀梁》、毛苌之于《诗》、郭璞之于《尔雅》,完然成一家之学,后世虽有作者,未易加也。予既缮写弼书,并以记

① 彭耜,《道德真经集注杂说》,1.3上。

② 参见《宋元学案》,卷22。

③ 只要粗看一下王弼《老子注》和《老子微旨略例》就可很快否定这一论断,因为其中常常引到《系辞》。

之。政和乙未十月丁丑,嵩山晁说之鄜畤记。[1]

据我所知,上面对第 27 章的描述与任何抄本或出自《老子》的引文都不相符。我猜想文本的读法一定不同。传入《道藏》中的傅奕"古本"并不是范应元或晁说之提到的本子,而且在传下的傅奕本中,整个段落都在。然而,王弼《注》没有提到第二部分,即《老子》27.6 的"常善救物,故无弃物",因此,我认为这是晁要讨论的段落,他只为文本的框架引用了第一部分。[2]

附有此序的《道藏》、《四库全书》和《古逸丛书》中的文本,都不符合序中提到的那些特点。因此,它只是一种佚失的王弼《注》的早期单行本的残余部分。在晁公武那样庞大的藏书中都没有王弼《老子注》单行本(尽管他本人刊印了一种列有各种异文的《老子》版本),由中可见在 12 世纪初获得这种本子的艰难。[3]

晁说之本之后就是 1170 年的熊克(约 1111—1184 年)本,它给出了另一个宋代赞助《老子》刊印的故事。

> 咸平圣语有曰:"《老子道德经》,治世之要,明皇解虽灿然可观,王弼所注,言简意深,真得老氏清静之旨"。克自此求弼所注甚力,而近世希有,盖久而后得之。往岁摄建宁学官,尝以刊行。既又得晁以道先生所题本,不分道德而上下之,亦无篇目。克喜其近古,缮写藏之。乾道庚寅,分教京口,复镂板以传。若其字之谬讹,前人已不能证,克焉敢辄易,姑俟夫知者。三月二十四日,左从事郎充镇江

---

① 晁说之,"王弼老子道德经记"。据我所知,最早提到这篇序文的是彭耜,《道德真经集注杂说》,1.26 下—27 上。它的全文收在《道德真经集注》(《道藏》)。这一文本也附于四库全书版《老子道德经》,184 下—185 上,以及《集唐字老子道德经注》,古逸丛书第 6;以及晁说之,《崇山景迂生集》,见晁贻端编,《晁氏丛书》,18.6 下。

② 参见本书重构的《老子》王弼本。

③ 在《宋史·艺文志》中著录的这一版本散佚了。王重民认为《郡斋读书志》4.57 中《老子道德经》的长篇注文实际上就是这一版本的序。参见《老子考》,页 237。

府府学教授熊克谨记。[1][2]

尽管在南宋商业性出版有了迅猛的发展，流通泛围似乎仍然有限：获得一种已经刊印的书籍的最方便的途径仍是手抄。[3] 熊克他在某个学者的书房中看到这个本子之后，也还是用这一做法。然而，阅读者是全国范围的，因此，刊印本被传布到了各地。

从熊克的叙述中，我们可以知道，像晁说之一样，他没有努力纠正他的抄本中的错误（这符合那个时代训诂学的精神），而是以抄本发现时的形式刊印的：既无《道经》/《德经》的区分，也没有各章的标题，拒绝了河上公文本安排的两个特征。他所说的"字之谬讹"是指《老子》文本还是指王弼注，并不明确。然而，由于那个时代训诂学的注意力用在了建构一种出于各种不同版本的完善的《老子》上，上述评述指的不太像晁说之的抄本中的《老子》。这一抄本的独特之处在于它包括王弼《注》；评述的内容必须与此相合。[4]

这两个印本后来的情况不得其详。在那段时间，持续的战乱毁掉了大量书籍。晁说之本最后一次见于著录，是在陈振孙（约 1211—1249 年）的《直斋书录解体》中，此书所述书目的最后年代是 1240 年。[5]

陈振孙描述了他手中的版本："弼本行《老子》，分《道德经》为上下卷。此本《道德经》且无章目，当是古本。"然而，晁说之和熊克的序一定保存到了明代。晁出自书香世家，可以想见，他的所有著作都被保存在各处复本中。事实上，这篇序被收入了他的著作。熊克的情况也差不

① 彭耜从另一资料《三朝国史》中引用了同一文本，文字上稍有不同；另见本书页 322 注⑥。

② 熊克，《老子道德经》"后序"，页 185 上。在其他版本中，这一后序题为"克伏诵"。

③ 参崔德瑞，*Printing and Publishing in Medieval China*；Ming-sun Poon，"Books and Publishing in Sung China"；Sorgen Edgren，"Southern Song Printing at Hangzhou" *Bulletin of the Museum of Far Eastern Antiquities* 61(1989)：1—212；Susan Cherniak，"Book Culture and Textual Transmission in Sung China"，*HJAS* 54：1(1994)：5—125。

④ 在 1128 年，晁说之出版了一种非常接近古体的抄本，它同样是不分《道经》和《德经》的。参见晁说之的序，"题写本老子后"，《崇山景迂生集》，18.7 下—8 上。

⑤ 陈振孙，《直斋书录解题》，页 285；关于陈，参见 P. Van der Loon，*Taoist Books*，页 27。

多。他很可能在自己的再版中刊印了晁的序——它在宋代一定还在。现存的三个版本,即《道藏》本、《四库》本和《古逸丛书》本(它们通过重印晁、熊两本的序宣露其与晁、熊版本的渊源),都有它的某些特征:都不分成《道经》和《德经》,都不带标准河上公本的章题,只有《道藏》的各章标有数次。这些特征成为"王弼《老子》本"的标志。我认为,晁、熊序文的附入,不是因为他们的版本得到了再版,而是印证王弼《老子注》的这些独特的特征。

这些版本(指《道藏》、《四库》和《古逸丛书》本)的文本包含晁说之版的《老子》本缺失的那个句子,而且也没有记载上面引用的王弼关于《老子》第31章的论述;这些版本不是晁/熊本的再版。

李霖编辑了《道德真经取善集》,①在其序文针对当时《老子》学者的酷评中指出,有许多人都只了解它的部分,却没人能完整地把握它。② 因此,他编撰了这个选集。另有一篇金代的刘充升在1172年撰写的序。刘主张《老子》是治身和治国的指南,那些认为晋王朝的崩溃与这一文本有关的指责是毫无根据的。他赞许地引用了隋代学者王仲淹的话,王认为:"虚玄长而晋室削,非老庄之罪,以其用之不善也"。③ 刘惟永(盛年约在1300年左右)在后来又重复了这一论述。④

在赞助《老子》刊印的传统下,李霖的老友王宾廼将这一著作付梓。⑤它收入了近50个注家的注释。由于宋代对于其他同代作者的偏爱,绝大多数注者出自宋代,而宋徽宗的注释当然被放在首位。其中也有许多王弼、河上公和唐玄宗注(这些人的注释至今尚存)的引文,还有出自其

① 李霖,《道德真经取善集》。

② 李霖,《道德真经取善集》,2下—3上。这一批评基于他们都误解了《老子》这一假设。这一论辩有其传统。例如,陆希声在他的《道德真经传》序中批评对《老子》的种种误解:"王何昧老子之道而失于虚无。此六者皆获罪于老子"。反例是黄帝和孔子。

③《道德真经取善集》序,页1下。

④ 刘惟永,《道德真经集义大旨》,12下。

⑤《道德真经取善集》序,页2下。

他一些人如鸠摩罗什以及钟会等人的注释，这些人的注释已经散佚了。[①]这既证实了许多现已散佚的注释在当时仍在，也证实痴迷《老子》的人们搜集这些文本的热情。李霖还添上了他自己的注释。

李霖引用了39段王弼《注》，涉及到第5,8,13,14,15,21,22,23,32,33,38,41,43,44,45,48,54,57,58,60,61,63,65,67,70,73,74,79和81章，这表明他见到了整个文本。其中有32处，文本与留存至今的各种王弼《注》本子中的某一种相符。在13.5/6和14.4中，李霖似乎给出的是王弼观点的总结，后者与现存文本有较大的差距。有两处，他提供了的是节录(32.1和38.1)；有三处引文不见于其他本子(5.2、15.3和62.3)，其中，第一和最后一例是可以接受的增添。总之，这些引文与其他现存王弼《注》(不考虑《老子》本文)是极为一致的。

同样在金代，赵秉文(1159—1232年)编撰了《道德真经集解》。[②]这一著作中有三处王弼《老子注》的引文(《老子》第1、4、6章)，其中第二处引文不见于他本，但有理由收入。从这两个版本，我们可以推论：王弼《注》在金占领后的北方并未中断。

1229年，彭耜出版了另一部南宋《老子》注释的汇集——《道德真经集注》，此书存于《道藏》，意在补充陈景元的著作。[③]前面引用过的彭耜的序列举了朝廷对《老子》的重要性的宣谕，而且每一部分都以宋徽宗御注开头。它包含的只是已经收入陈景元著作中的那些王弼注，因此，没有提供什么新材料。他的《道德真经集注释文》列举了河上公本有别于其他本子的地方，是与当时通行的王弼《老子》不同的指针。[④]

在1246年，董思靖出版了他对《老子》的注释——《道德真经集解》，

---

① 李霖引钟会《老子注》共13次。所有的引文都出自前2/3，即《老子》11,12,16,18,19,22,23,25,27,28,36和41。

② 赵秉文，《道德真经集解》；另见王重民，《老子考》，页280。

③ 彭耜，《道德真经集注》。

④ 彭耜，《道德真经集注释文》。

其中有王弼的引文。[①] 他的序文强调了《老子》的哲学重要性，并引用了白居易针对《老子》"道家"读法的辩难："元元皇帝五千言，不言药，不言仙，不言白日升天"。[②] 对于第 31 和第 75 章——前者没有王弼的注释，董思靖说："王弼注谓此章疑非老子所作"。这可能意味着他看到了晁/熊本，尽管晁/熊的序中没有提及第 75 章（实际上此章有王弼的注释）。董引用的王弼《老子》43.2 注，与其他宋代引文近似。

与此同时，其他旨在建构一种正确的《老子》本的努力也在进行。范应元担心因文本残蚀导致《老子》真理遗失的危险，纂辑了《老子道德经古本集注》。正如王重民指出的，它引用了成稿于 1253 年的张仲应的注释，而最早提到它的书撰成于 1270 年，这样就可以确定它的成书年代就在两者之间。[③] 范使用了各种各样的"古本"，包括一种晋代的本子（他没有给出完整的书目），而且在他的资料中有一种王弼《老子注》的版本；他常常提到王弼《老子》本的读法。它是王弼《老子》本原本的重要资料，但不是王弼《注》的。

《道德真经集义》是刘惟永及其弟子纂辑的。[④] 阳恪 1296 年的后序、刘惟永本人 1300 年撰写的序、苏起翁和喻清中 1298 年的序以及张与材 1300 年的序被依次附入它的引论性文本《道德真经集义大旨》。[⑤] 刘惟永的序叙述了此书的宗旨以及出版的认捐过程。尽管刘是一个道士，此序仍包含了对其同道较低的才智和教育水准的批评。

> 凡道家者流，诵其正经，犹恐未明其旨。非参合诸家之注，岂能深造玄微哉？[⑥]

---

① 董思靖，《道德真经集解》。

② 董思靖，《道德真经集解》序，6 下。在对这一段的注释中（看起来像是出自董思靖的手笔），引用了苏轼对当时道士的批评。参见武内义雄，《老子原始》，页 484。

③ 王重民，《老子考》，页 266。

④ 刘惟永，《道德真经集义》。

⑤ 同上。

⑥ 刘惟永，《道德真经集义》，3.23 上。

刘惟永有自己相当完备的藏书，而且在纂辑此书的过程中，他把自己的藏书与共事学者的藏书汇集起来：

> 第缘梓之费浩大，非独力所能为，遂与徒弟赵以庄、刘以鉴持疏往各路，叩诸仕室君子及知音黄冠，捐金共成其美。今经一十余年，凡寝食之间未尝忘焉。①

喻清中序里也提到了出版这一巨著的艰辛。②《道德真经集义》汇集了36位《老子》注释者的完整注释——包括王弼注，以及其他42种注释的引文和节录。这一雄心勃勃的构想的原本长度据说是31卷，"万亿言"。《道藏》中只留存下17卷，《道藏》将其刊刻为八册，涉及《老子》前11章。

文本细心地指明每一注本中本文与注释的切划。除《老子》3.6外，文本中王弼的本文与注释的分划与《集注》及其他版本相符。《集注》与《集义》的文本都有一些在更早的时代就已经无法理解的段落，如《老子》5.3注。二者都有少量抄写错误。在前11章，《集注》两次将"不"误写为"又"，但《集义》并没有同样的错误。反过来，《集义》也有许多抄写或其他错误，这使得它更接近明代的本子。它还填补了《集注》的一些明显的缺漏，如5.1注中的"人食狗"。由于《集义》稍优于《集注》，岛邦男选择这一文本作为前11章王弼《注》的底本（不包括《老子》本文）。

对于前11章，《集注》和《集义》两个相当接近的文本，有足够的异文来建立一种可靠的底本，清除绝大多数错误。然而，它们也有几段文本，其中的残坏是它们独有的。对于其他各章，唯一可靠的底本是《集注》，而且我们只能依靠明代早期的本子作为验证。

宋代对王弼《注》的襄助是以这一假设为基础的：对《老子》的理解已

---

① 刘惟永，《道德真经集义》，3.23下。

② 同上书，3.25下。

经被败坏为愚不可及的迷信。因此，这一襄助就成了复原《老子》作为一种哲学文本的地位、反对道教群体将其用于其他目的的努力的部分。由宋一代学者——从王安石到苏轼——所作的大量训诂性和哲学性的《老子》注释反映了这一目标，正如那些搜寻、校勘和编辑王弼《注》的藏书家在序和跋中叙述的那样。

我们接下来要说到明代版本了。从纪昀 1778 年对《四库》本王弼《注》所作的提要，我们了解到《永乐大典》中收有此书的一种本子。《四库》本对《老子》第 38 章标题的脚注说："此章以下缺注"。① 《四库》本引用了《永乐大典》本中的所有异文。现存《永乐大典》已非全帙。由此可知，王弼《注》在明初被收入了最重要的皇室文集。

《四库》的编者标注出了他们所用底本（完全基于《道藏》本）与《永乐大典》中的前 37 章在本文和注释上的所有歧异。

对于《老子》本文，他们标注出了 38 处歧异（除去没有王弼《注》的第 31 章的八处以后）。对这些异文的研究表明，《永乐大典》的王弼《老子》本的错误比《道藏》本还少。它提供了一些有价值的资料，而且不同于我所知道的任何其他《老子》本。② 另外，《永乐大典》的《老子》本明显早于《道藏》本，与保存在傅奕和范应元那儿的版本相近。在《老子》34.4 的尾句上更是如此，如果没有《永乐大典》本，就只有傅奕本中有这个句子了。③ 这一版本常常接受傅奕、范应元、唐玄宗以及严遵的各种抄本一致与通行本不同的异文。

《四库》本标注出 41 处《永乐大典》的王弼《注》与《道藏》本不同的地

---

①《老子道德经》，页 160 下。

② 在 18.3，20.11，21.1，26.4，29.1 和 34.2 中有一些毫无根据的怪异读法；在句子的安排上有两处疏误，直接被王弼对《老子》19.1 和 18.1 的注释驳斥；也有一些读法直接受到王弼注的反驳，如 32.2 中的"民"而非"人"。

③ 参见本书的文本重构部分。

方。在同样去除掉许多抄写的错漏之后①，剩下的23处差异大都与保存在宋代的注释汇集（如《集注》）中的文本一致，消除了张之象/《道藏》本的抄写错误。总之，《永乐大典》与宋代文本一致，没有带来什么新的东西。本文与《注》两方面数量很小的差异表明该文本已经变得何等统一了。

刊印于1445年的《正统道藏》收载了现存最早的王弼《老子注》单行本。由于更早的《道藏》版本的目录已经不存，我们无法知道这一文本是否早已收入某一版《道藏》。这一以《道德真经注》为标题（当然不是王弼本来的标题）的文本，被为分四卷（一种极为独特的安排）②，与宋版河上公《注》的卷数相同，尽管划分各卷的界限不同。事实上，正如王葆玹已经指出的那样，卷数反映了明代《道藏》的一种技巧性的安排，通过这一安排，所有收入其中的文本卷数都翻了一倍。③ 这一版本既没有《道经》和《德经》的名称，也没有数字或标题形式的章目。章与章之间的区分是通过每章另起一行达到的，而本文与注释则由字的大小来区分。这是最早附有晁说之和熊克的后序的文本。

这一版本中的《老子》文本已经由河上公本代替了，大体上与其他流传至今的明代文本相同。其王弼《注》的文本同样包含了绝大多数其他文本共有的麻烦部分，而且没有那些简单的抄写错误。然而，考虑到有出自宋代的更好的王弼《注》文本，王葆玹以《道藏》本为底本的建议看起来就没什么根据了。

焦竑（盛年约在1588年前后）在其《老子翼》中纂辑了他能找到的在他看来对《老子》各分章最好的注释④，其中的注文选自67种关于《老子》的注释及文章，也包括王弼《注》。他的两个朋友负责编辑和删削，此书

---

① 在《老子》1.5，2.2，5.2，11.2，16.10，17.1，18.2，19.1，20.2，20.8，22.5，25.3，26.3，33.2，34.2和36.2中。

②《道德真经注》。

③ 王葆玹，《正始玄学》，页169。

④ 焦竑，《老子翼》，载严灵峰，《无求备斋老子集成》。

收载了两人写于万历年间的序。焦没有分辨他的版本所依据的底本，有趣的是，他的版本在当时一定跟《道藏》本的文本安排差不多。无论在标题还是在序中，《道德经》的名称都没有出现过。这一版本分为两篇，但没有与“道”和“德”相联。各单章既无数次也无标题。注释与《老子》本文是机械地分开的：注释为每行双排，而《老子》本文则是单排。他显然试图建构一种真实的《老子》文本。他提到了傅奕本和王弼本，并声称是在追随它们。在他依据的各种资料中，他引用了傅奕的“较定古本”，这一“较定古本”显然是用作底本的。在他自己的注释中，他给出了三则出自王弼的较短的引文，其中两处涉及王弼《老子》本的读法，一处引用的是一则较长的王弼注释。

这一较长的引文是第32章注释的节录版。它出自一个明显残坏的部分，但焦没有提供将其复原成有意义的文本的可能。3.2和3.3注的引文与其他版本相符，但附有一个在别处得不到证实的解释。出自18.3的引文也与其他版本相符。他提供的文本与各种宋、金、元的注释选辑中的各种引文不同，但在那个时代，他引用的绝大多数注释都已散佚，只是在各种注释选辑中有其节录而已。他可能有晁/熊本的复本，但我们没有办法证实这一点。他的《老子》本并不比其他明代版本更接近王弼《老子》本的原本。

在万历年间(1573—1620年)，张之象(对于此人我们没有其他进一步资料)出版了《三经晋注》，其中包括了王弼《老子注》。三经显然是指《老子》、《列子》和《庄子》。那么，注释者都是谁呢？他可能收入了各种晋代的注释，但也可能只用了王弼的《老子注》、张湛的《列子注》和郭象的《庄子注》，即事实上汇集出版了带有这三种注释的完整的文本。此书今已无存，但《四库》本是以它为基础的。纪昀(1724—1805年)为此本写了一篇序，其中提到晁说之所说的“《道德经》不析乎道德而上下之”，这一特征为《四库》本采纳。纪昀还提到张之象本在王弼文本后面印有晁说之和熊克的后序。《道藏》本也载了这两篇后序，但纪昀手中并没有晁/熊本。

事实上，张的版本存于《四库》本中。即使是编者还有《永乐大典》本的前37章，张之象本仍构成基础，而且所有与之不同的地方都被一一指明。由于《四库》编者所用的《永乐大典》没有王弼对第38章以后各章的注释，由于他们“今无别本可校，姑仍旧文”，他们只是重印了张之象版的后半部分。

从纪昀的叙述中我们可以假设张之象刊印的是一种完整的王弼《老子注》，而非附于他所偏爱的一种文本及文本组织的注释选辑。然而，张之象本依据的不是晁/熊本；它没有晁说之在其后序中引用的王弼的论述。在其《四库》本序中，纪昀引用了钱曾（1629—1701年）《读书敏求记》中的话：“弼注《老子》已不传”。纪昀进而指出：

> 然明万历中，华亭张之象实有刻本，证以《经典释文》及《永乐大典》所载，一一相符。《列子·天瑞篇》引“谷神不死”六句，张湛皆引弼注以释之，虽增损数字而文亦无异，知非依托。曾盖偶未见也。此本既从张氏《三经晋注》中录出，亦不免脱讹，而大致尚可辨别。[①]

由于《永乐大典》中《老子》第38章以后的王弼注已经佚失，纪昀剩下的只有张之象本，“张之象所录王注，脱误甚多，今无别本可校，姑仍旧文”。[②]

并入《四库》本的张之象本王弼注与《道藏》本的比较表明：要么是张之象本以《道藏》本为底本，要么张之象本与《道藏》本有共同的底本。在《四库》本后42章（除第66章外，此章无注）中，有23章（即39，40，42，43，44，47，48，53，54，55，57，61，62，63，64，68，69，71，75，76，77，78和81章）重印的张之象本与《道藏》本没有差别。在第65章有一处用字的不同；在另外九章（41，45，46，58，59，67，70，72和73章）中，有一些抄写上的错误，主要（但非全部）出在《道藏》本方面。对于第74章，《四库》的编

① 纪昀，《老子道德经》序，137下—138上。
② 纪昀，《老子道德经》，160上。

者明确指出，其中的一句依据的是河上公本而非张之象本。剩下的有差异的，只有第38，49，50，51，52，56，60和80章。

在《老子》38.2注中，《四库》本删去了24个字；然而，这些被删去的字与上下文是应和的，并有《集注》本的证实。对于《老子》49.4，《四库》本遗漏了“百姓皆注其耳目”，这句在所有其他文本传统中都有，它的必要性也得到了王弼注的确证。对于《老子》50.2，《道藏》本删去了一个“亦”字，然而这个字是有根据的，这是唯一一处《四库》本比《道藏》本多一个字的地方。在其注释中，《四库》本将“亦”字错误地移置，写作“亦十分有三”而非可以更好地证实的“十分亦有三”。在第51章，《四库》本删去了最后一句注的最后六个字，但这六个字在更早的资料中得到了证实。在第52章，《四库》本没有重复首句的注释，这种重复同样是有其根据的。《老子》56.5和56.6《四库》本写作“无所特显则物无所偏争也”和“无所特贱则物无所偏耻也”，而非《道藏》本的“无所特显则物无偏争也”和“无所特显则物无偏耻也”，《道藏》本的读法得到了《集注》的证实。对于60.4，《四库》本在“圣人”之后没有“亦”字、在“云”之后没有“非独”二字，二者都有《集注》的确证。在80.2，《四库》本没有“之当”二字，这同样有《集注》的证实。

《永乐大典》异文与张之象本的比较，表明了相同的特征。张之象本与《道藏》本一而再地(8.3，10.9，15.1，16.6，16.12，16.13，18.1，20.1，22.1，26.4，27.4，34.2)共同偏离宋代文本传统(包括《永乐大典》本)的可靠织体。它们甚至共有某些奇怪的、独特的错误，如27.4的“自物因然”而非正确的“因物自然”，或20.1的“鷲”而非正确的“燕”。唯一的差别似乎是张之象本多了些他自己的抄写错误(如35.3的“如”写作“知”，或23.7和30.3结尾的“也”写作“焉”)。张之象还从《道藏》本中选取了晁说之和熊克的两篇后序。这两篇序由此而被收入《四库》本。张之象似乎还是第一个依据傅奕版及其宋代的模仿本将《老子》各章的数字系统引入王弼本的人。傅奕将这些数字附加在各章之后，而张之象则将它们放在前面。《道藏》本既无标题也无数字。与河上公注以内容为导向的标题或唐玄宗注以各章前几个字为标题的做法，这似乎是最周全和巧妙的办法了。这一做法为《四库》本采用。

总结：

1.《四库》在与《道藏》本相同的位置分割本文和注释；

2.《四库》基于张之象本，而张之象本又转抄自《道藏》本。它删去了一些抄写错误，又增添了些它自己的错漏。它漏抄了一个较长的段落以及许多很短的片断或单个的字。只有一处，它比《道藏》多了一个字。这个字也许是张之象从《集注》中插入的。

3.还是《四库》本删去了这些漏失的字和段落，我们无从得知。《四库》本下半部的每一处都依据《道藏》本，但又不如《道藏》本。它没有贡献真正的文本选择，也没有减少多少抄写错误。

4.因此，《四库》本间接地基于《道藏》本。除了少数出自《永乐大典》的可接受的异文外，它至多是在当时可见的宋代版本的基础上，减少了《道藏》本的错误。《四库》本没有提供新的文本材料。作为一种派生的文本，它不是我们底本选择的真正候选本。

纪昀指出："书在宋时，已希逢善本"。他注意到了晁说之序中王弼不分《道经》和《德经》的记述与他们手中的《经典释文》有这一区分的事实之间的矛盾。纪昀他们依据的张之象本也没有这一区分。浙江书局1875年版的《二十二子》(以王弼《老子注》开头)，宣称是以"华亭张氏原本"为底本的，这一"华亭张氏原本"指的似乎就是张之象本。[①] 与《四库》编者手中的版本的比较立即表明，尽管他们的文本的某些特点确实在这一新版本中出现，但还是有许多其他的特点确是此本所没有的。因此，我们只能假设这一刊本也是经过重新编辑的。这一极不可靠的版本被

① 上海古籍影印1875年浙江书局版《二十二子》，1986年。这一版本既没有提到张之象书的原题，也没有提到他的全名。参见波多野太郎，《老子王注校正》，页29。

楼宇烈选作他的《王弼集校释》的底本，而《王弼集校释》是现在使用最广的版本。

同样在万历年间，孙鑛(1542—1613年)出版了一种版本；它的《老子》基于张之象本，受河上公本的影响比张本更大(它把河上公本的标题插入文本，若没有这些标题，这一文本里就只有王弼注了)。它的王弼《注》依据的是《道藏》本。这一版本的抄本存于日本尊经閣文库中，严灵峰的《集成》中的本子是据此重印的。[①] 它是现存最早的日本版(1732年)——皁谷东赟本的基础[②]，它一直是一系列关于王弼《老子注》的日本研究的基础文本。这一系列研究始于宇佐美灊水(1710—1776年)，他在1770年纂成了带有王弼《老子注》的批判性版本《老子道德真经》。[③] 在序中，他提到他对焦竑《老子翼》以及孙鑛对各种抄本的批判性比较的使用。对于王弼《注》，他指出："王注今本多乱脱，无善本可取正"。由于他本人年事已高，而且还有其他事要做，他没法花更多精力来校正王弼《注》中的错误了。他把这一工作留给后来的学者。《古逸丛书》的版本反过来以宇佐美灊水的版本为基础，这一版本的编者——黎庶昌做了多处不恰当的改动。[④]

因此，《道藏》本王弼《注》及其派生本成为所有其他现代版本的基础。整个文本群关联甚密。它们的《老子》本共有相当多与我们由内证得知的王弼《老子》本的不同之处，也共有许多偏离王弼《注》早期资料(即《集注》和刘惟永《集义》)的地方。

《四库》本是建构某种类似于批评性文本的东西的尝试。《古逸丛书》本已经过它的总编者黎庶昌的修订。从那时起，许多中国和日本学者致力于在这些相对较晚的版本的基础上进行修订。其中最重要的有

① 孙鑛，《王弼注老子》，载严灵峰，《无求备斋老子集成》。
② 皁谷东赟本有王弼注的《老子道德经》，载严灵峰，《无求备斋老子集成》。
③ 宇佐美灊水《老子道德真经王注老子道德经》，载严灵峰，《无求备斋老子集成》。
④ 黎庶昌，《古逸丛书》序。

宇佐美灊水、东条一堂(1778—1918 年)、魏源(1794—1856 年)、陶鸿庆(1860—1918 年)、刘国钧(1899—1980 年)、波多野太郎、岛邦男和楼宇烈。他们在所有传世本都残毁的地方做出了重要贡献,我们在后面将会大量运用这些修订的成果。然而,他们没有尝试(或尝试而没能成功)去构造王弼《注》以及王弼《老子》本的批判性版本。

无论是对于王弼《老子》本还是对于王弼《注》,岛邦男都提供了最重要的方法论贡献。首先,他把复原王弼《老子》本与复原王弼《老子注》区分开来。其次,他试图建立一个文本族,从中可以重构出王弼《老子》本来。第三,在通过宋代的集注构建一种王弼《注》的本子这一思路上,他也是先驱。对于后两项,我在很多地方都得出了不同的结论,但这之所以可能正是追随他的方法的结果。

首先,岛邦男为王弼《老子》本建构的文本族中包括在《道藏》版、《四库》版、浙江书局版以及所有依据唯一的底本《道藏》本的其他晚出版本中印在王弼《注》之上的《老子》本;由于它被出自河上公本的要素叠加的明证,将它作为文本族的成员似乎不无问题。这一文本在多处与王弼《注》中的引文不同。正如我在前一章指出的那样,出自王弼《注》的内证表明在岛邦男的世系表中的傅奕/范应元文本族与王弼《老子》有极为紧密的关系;岛邦男的著作撰成时还未出版的马王堆甲乙本也必须加入。实际上,岛邦男建构的王弼本更接近这一文本族,而非他自己的文本族。

其次,岛邦男没有着手建构收入其著作中的王弼《注》的批判性文本。他只是复制了他认为保存得最好的王弼注(无论何种版本),而没有检查这一文本的细节。这常常导致一些不知所云的文本因素的保留。我本人的著作系统地运用了岛邦男仍带试验性的进展。

结　论

- 魏正始年间(240—249 年),王弼撰写了名为《老子注》的《老子》注释。它没有分作《道经》和《德经》,各章也没有标题和数次。王弼假设《老子》是由被他称作“章”或“篇”的独立的短篇组成的。

● 从《想尔注》抄本的安排,我们可以假设王弼《老子注》中本文和注释在视觉上是连续的。每一新的分章并不另起一行。

● 王弼《注》在魏及六朝时期延续着哲学探索传统的知识圈流行。这一文本的作用在南朝可能更大些,但杰出的北朝知识分子和佛教僧侣也使用和赞赏它。它逐渐为河上公《注》掩蔽,但在唐初仍能维持大体相当的地位。它的辩护者强调它的哲学和分析的品质。

● 王弼《注》的文本经历与王弼《老子》本有不同的历史。整体上,王弼《注》幸免于王弼《老子》本上发生的那些变化,基本上没有遭到破坏。它在7—8世纪被广泛地引用,并被收入张君相的《三十家注解道德经》。自宋初以降,它受到了批判性的关注。各种单行本被刊印出来,而且它还被完整或部分地收入这一时期的各种集注中。11世纪的《集注》包含现存最早的王弼《注》文本,尽管被置于出自不同传统的《老子》本下。

● 对于确保该文本的延续所必须的赞助,只在极罕见的情况下出自朝廷的理由,如大型的儒道释的典藏。这些赞助不是基于功德积累的原则(像许多“非官方”的佛教和道教文本那样),而是基于对王弼《注》的哲学品质的欣赏——它被视为对《老子》的宗派化解读或炼丹服食化的理解的解毒剂。这是一个文本仅仅因其思想品质而得以存留的罕见而令人兴奋的例子。这一声望导致它在宋初被诏令分立出来,并在明代和清代被收入朝廷赞助的《永乐大典》、《道藏》和《四库全书》中。

● 王弼《老子注》的源起及直到有刊印版本的时代的传承是完全可以证实的。

● 现存最早的两个单行本——《道藏》本和张之象本(后来被抄入《四库》本),实质上是相同的。所有后来的版本都基于这一明代文本。所有对这一文本的偏离都是批判性的、常常是无根据的改窜的结果,并没有另外的文本基础。这两个版本中包括一种被严重歪曲的《老子》本以及许多超出宋代的集注之外的王弼《注》中的错误和缺文。它们不能用作王弼《老子》本原本或王弼《注》的底本。

● 在其他文本中引自王弼《注》的引文中，无法在现存本中辨识出的数量极少，如果扣除那些由内在证据证明为有疑问的引文，这一数量会更少。因此，这一文本是以极高的完整性留存下来的。王弼《注》有其自身的文本权威，独立于它所依附的《老子》文本。

● 在其他文本中传下来的引文与传世文本之间的差别相当小。因此，这一文本在字句上与其原本是相当接近的。

● 自宋代以来的所有现存本共有一些相当特殊的文本残损。这些残损不能归因于各种抄写的错误，而是指向一个共同的源头。这一源头不是“原本”，而是某个带有自 11 世纪以后常被提到的实质性残损的复本。因此，现存所有后来的版本都出自 11 世纪中叶的某个文本。这有助于证实叶梦德在 1034 年的奏议中的抱怨：书籍的刊印对文本品质的负面影响——错误被规范化，而不会再广泛地搜集抄本。[①]

● 对于王弼《注》，我们必须依据这一带有共同的残损段落的统一的文本族中最早且最好的完整文本：首先是《集注》中的文本，由其他引文和完整本（特别是刘惟永《集义》本的现存部分）以及学术性的意见加以补充。

● 由于王弼《注》的重要性，以及可以通过回溯明以前资料达到的文本品质上的巨大改进，一种批判性的王弼《注》既是可行的，也是可以期代的。

① 参见 Susan Cherniak，“Book Culture”，*HJAS*54：1（1994）：48。

第三章 《老子微旨略例》：文本、翻译及文字学研究

引　言

本章[①]旨在检验将匿名的传世本《老子微旨例略》归给王弼的证据，呈示王弼对《老子》的形式结构的分析，并给出批判性文本和注解性翻译。王弼的现存著作有《周易注》、《周易略例》(《周易》结构的分析)[②]、《论语释疑》[③]的残篇(挑战何晏的《论语集解》)[④]以及《老子注》。[⑤] 早期的记载表明王弼还撰有关于《老子》的一篇单篇论文，与他关于《周易》的著述模式相合。一般以为，这篇论文已经散佚。

---

① 本章是我的同题文章的修订版，该文发表于 *T'oung Pao* LXXII(1986)：92—129。我要感谢 T'oung Pao编者同意我在本书中使用这篇文章。

② 王弼，《周易注》；《周易略例》。参见楼宇烈《王弼集校释》。

③ 王弼，《论语释疑》，《王弼集校释》，页 621—635。

④ 何晏，《论语集解》。

⑤ 王弼，《老子注》。参见本书第二编的《老子》本。

《老子微旨略例》的真实性

1951年,王维诚教授考辨出《道藏》里匿名的《老子微旨例略》就是王弼关于《老子》的论文(部分或全篇)。[①] 关于这一论文的目录学记载始于何劭(236—300年),他说:“弼注《老子》,为之《旨略》”[②];刘勰(465—522年)在《文心雕龙》中提到这一文本,将其看作“论”这种文体的杰出范例[③];同一世纪的王僧虔因他的儿子在没有参阅王弼最重要的《旨略》的情况下就匆匆浏览《老子》而惩罚他[④];最后,唐宋书家提到了一卷或两卷的版本[⑤],其中的一卷本又细分为18章[⑥]。此文的标题有细微的不同;唐代的两卷本题为《老子指略例》。出自此文的长段匿名引文出现在张君房《云笈七签》的首卷,《云笈七签》于1019年呈交御览。[⑦] 与《云笈七签》中的许多其他例子一样,这一引文没有提到作者,只有《老君指归略例》的标题,与王弼的《周易略例》其似。这段引文有1 350字,除了少量异文外,这些文字全都可以在有2 552字的《道藏》本中找到。我认为原来的文本标题是《老子微旨略例》。之所以是“略例”而非“例略”,是以

---

① 王维诚,“魏王弼撰《老子旨略》佚文之发现”,《国学集刊》7:3(1951):367—76。后来的两个版本都是以他的发现为基础的,参见中国科学院哲学研究所中国哲学史组以及北京大学哲学史教研室编,《中国历代哲学文选》“两汉隋唐”编,页308;以及楼宇烈,《王弼集校释》,页195。严灵峰在数年以后重复了这一发现。参见严灵峰,《老子微旨例略》;《老庄研究》,后序,页413;《老庄研究》,1966年版,页636。

② 何劭,《王弼传》,引自裴松之《三国志注》。

③ 詹锳编,《文心雕龙义证》,页665。

④《南齐书》,卷33,页598。

⑤ 参见陆德明,《经典释文》,卷1,序,页32下;《新唐书》,卷59,页1514上;《旧唐书》,卷47,页2028上;《宋史》,卷205,页5177上及5206上,列有王弼《道德略归》以及一种匿名的《老子指例略》。郑樵《通志略》提到了一种王弼《老子略例》,以及一种匿名的《老子旨略论》,都是二卷;王应麟,《玉海》,卷63,页12上,提到了王弼的《老子略论》;明清的目录学家简单地抄录了前代的著录;参见焦竑,《国史经籍志》,卷4,页9上,以及周中孚,《郑堂读书记》,卷69,页1346。

⑥ 晁公武记录于赵希弁,《昭德先生郡斋读书后志》,卷2,页823;这一著录承续在马端临《文献通考》,卷211,页1730下。

⑦ 张君房,《云笈七签》,载于《正统道藏》。

《周易略例》的对应及刘勰“二略例”的提法为根据的。

王维诚还发现了直接将传世本与王弼关联起来的唯一一条引文。张湛《列子注》中有一条王弼的引文：

> 王弼曰：形必有所分，声必有所属；若温也则不能凉，若宫也则不能商。

在《道藏》本中，这一段中的两句话的次序是颠倒的。[①] 在王弼现存的文集中，没有其他与这一文本相合的段落。

正如我们前面指出的，在王弼的注释之上的《老子》本不是王弼《老子》本的原本；关于王弼《老子》本的信息可以从他的注释中辑取出来，它们常常与通行本王弼《老子》相背。王弼《老子》原本属于由傅奕和范应元的两种古本构成的文本族，马王堆甲乙本与该文本族有较近的亲缘关系。[②] 如果可以证明《老子微旨略例》中所用的《老子》文本与这一文本族中的王弼《老子》本的具体特征相应，那么，我们将得到《老子微旨略例》的真实性的更有力的证据。

《老子微旨略例》中有大量出自《老子》的直接引文，其中绝大多数在各个文本族之间都并无争议。我们将重点关注那些有争议的。

● 《老子微旨略例》在第 6 章开头用“言不远宗，事不失主”来刻画“《老子》之书”。这句话指涉的显然是《老子》70.2。关键是“主”字。在《老子》49.5 注中，王弼在说“物有其宗，事有其主”时，重复了这一句的第二部分。从这两句话可以看出，《老子微旨略例》和王弼《老子注》都以一种将“事”与“主”关联在一起的《老子》文本为底本。事实上，只有傅范两种古本写作“事有主”而非河上公及其他传本（包括马王堆乙本）的“事有君”；而马王堆甲本则反转了“君”与“宗”的次序。由此可知，在这一句上，王弼《老子》本与傅范两种古本共享相同的特定读法，而《老子微旨略

① 张湛，《列子注》，页 9。
② 参见本书第二编第一章。

例》也是同样。

●《老子微旨略例》云:“息淫在乎去华,不在兹(滋)章”。这指涉的是《老子》57.4。关键点在于“章”字。王弼《老子》本所属的文本族均写作“兹章”,而非其他文本族中的“滋彰”。同样,《老子微旨略例》与王弼《老子注》所用的《老子》本有着相同的特征。

●《老子微旨略例》曰:“执古可以御今”。这指涉的是《老子》14.4。关键的要素是“可”,只在傅奕古本中有这个字;一般说来,傅奕古本是与王弼《老子注》所用的文本最为接近的。王弼《老子》14.5注中承续了这一主题:“故可执古之道,以御今之有”。在对《老子》47.1的注释中,王弼又一次提及了这一《老子》的段落:“执古之道可以御今”。从这些段落看,王弼的《老子》本似乎将此句读作“执古之道可以御今之有”。而《老子微旨略例》也共有这一独特的文本特征。对此,也可以有反驳的意见。《老子》这句话后面跟着一句“以知古始”。王弼对此句的注释中同样包含一个“可”字:“故虽在今,可以知古始”,这句注文还出现在《老子》47.1注中。在《老子微旨略例》中,他也说“可以知古始”。傅奕古本在这里毫无帮助,因为与范应元本一样,它写作“能知古始”;而马王堆甲乙本均写作“以知古始”,这种写作得到了严遵本的支持。这里有三种可能:其一,王弼《老子》本在此处也读作“可以”;迄今为止,还没有能证实这种可能的文本证据。其二,由于王弼经常将“以”译为“可以”(参见《老子》14.5注),可能他的《老子》本在前后两句中都是“以”字,而他以这种方式在注释中转译了它们,这就将我们考虑的这一段的重要性取消了。其三,王弼《老子》本在前一处作“可以”,而对于后一处,他在处理中将二者“平行化”了。由于王弼常常有这样平行化的做法,我更倾向于第三种可能。

● 两个《老子微旨略例》的段落呈示了一个冲突。《旨略》云:“所谓自古及今其名不去者也”,它指涉的是《老子》21.6。关键点在于两种文本传统之间的冲突:一者读作“自古及今”,另一者读作“自今及古”。王弼《老子》21.6注有两种版本,《集注》(更古)本为“自今及古”,《永乐大典》本为“自古及今”。根据这两种版本，王弼直接写在“自古及今无不由此而成”这句《老子》引文之前。这些文字表明，他的文本实际上是“自古及今”。在此，《永乐大典》本更有说服力，它证明王弼的《老子》本读作“自古及今”。而这正是《老子微旨略例》提到的读法。

● 第二段关于“王侯”或“侯王”的次序。《老子微旨略例》曰：“明侯王孤寡之义”。这指的可能是《老子》39.4 或《老子》42.1；在这两句里，《老子》都承续了侯王自称“孤”“寡”的观念。与王弼在《老子》42.1 注中提到“王侯”一样，《老子微旨略例》为“王侯”而非“侯王”这一读法提供了强有力的支持。另一方面，在王弼《老子》本的不同地方两种读法都出现过，甚至对这一段，同一文本族中也有不同的文本传统。因为这个原因，我相信这一歧异在对论辩的支持上没多少分量。

● 最后一点：《老子微旨略例》与王弼《老子注》共同提到《系辞》的一段话，而且共有同一特定写法。《老子微旨略例》写作：“夫途虽殊必同其归”，《老子》47.1 注写作：“途虽殊而其归同”。《系辞》的通行版写作“塗”而非“途”。《老子注》和《老子微旨略例》中的写法一致。

王弼为《老子》创造了一种专门的分析类型，他还为之确定了一套新的术语。《老子微旨略例》系统地使用了这套术语。如“取于”或“取乎”（意为“X 是用来描述 Y 的这个或那个特征”）对于王弼是独特的，它出现于《老子》1.5 和 25.5 注，以及《老子微旨略例》中。[1] 同样，“名”（即定义）和“称”（称谓）之间非常独特的区分也同时出现于《老子注》、《老子微旨略例》和《论语释疑》中。[2]《老子微旨略例》中的阐释与《老子注》之间紧密的平行关系在我们译注中有着详细的材料支持，而且已经被王维诚和严灵峰引证过了。

《老子微旨略例》与《老子注》还共享一套从中援引隐含的真理论述

① 参见《老子微旨略例》。

② 参见《老子微旨略例》；王弼，《老子注》3.1，25.10；《论语释疑》。

的经典。其中最突出的是《系辞》(以及《文言》)、《论语》和《老子》。而且,《老子微旨略例》是以王弼的个性风格——链体风格写成的。它是现存的以链体风格撰写的最长的严谨篇章。①

最后,正如在译注中举证的那样,《老子微旨略例》与《老子注》之间的重叠是压倒性的。某些段落完全相同,其他的许多部分也紧密相联。二者的一般分析导向是一致的。对于王弼的作者身份,我看不出有任何可怀疑的。只有一个学者对《旨略》的真实性有所保留,但他并没有详细阐发。② 我想,王维诚的辨识是相当可靠的。他已经校出了所有异文。我们这里的文本,基本上是以他的文本为依据的。

王弼的《老子微旨略例》与传世文本

传世《老子微旨略例》是全篇还是部分?张君房《云笈七签》中的长段引文完整地出现在《道藏》的《旨略》文本中。没有任何已知的引文在传世本《旨略》之外。通过在未到一行终止的地方结束篇中的某一行,《道藏》本在形式上分为两部分。王维诚由此推断《道藏》本为两卷。上面引用过的一则宋代资料提到这一文本被分为18章,这些章共同构成一卷;王弼《周易略例》也细分为章;王弼《老子》本也是如此。然而,文本中没有在郭店和马王堆的《老子》抄本以及西汉的《系辞》抄本中的那种句点。③《周易略例》可以为分析《老子微旨略例》的结构提供一个模式。《周易略例》中每章平均约400字,而且都有各自的标题。要发现该文本是否以及在何处被细分为章,链体风格的结构可能会有些助益,因为它

① 参见本书第一编第三章。

② 参见陈荣捷,*Commentary on the "Lao-tzu" by Wang Bi* 序,Ariane Rump 和陈荣捷译。

③ 参见《马王堆汉墓帛书》;R. Henricks,"A Note on the question of Chapter Division",49—51;"Examining the Chapter Divisions",501—24;屈万里,《汉石经周易残字集证》,卷1,页25上;W. Peterson,"Making Connestions:'Commentary on the Attached Verbalizations' of the Book of Changes",*HJAS*42:1(1982):71。

通过一个 a/b 对到另一 a/b 对转变来标记一个片断或选段的结束，而终止点常常是由一个以语气词“夫”为标记的一般性原则陈述来标明的。

第一个这样的终止点出现在句 1.51，给出的选段为 393 字。第二段处理的是认识论的问题和问题意识；它结束于句 2.69，不是基于一个单个的 a/b 对。此段有 634 字。2.33～2.42 可能是一个插入成分。句 2.69 后面的“又”，意思不是作为一个附加论辩的“而且”，而是标志着出自同一原文的进一步引文的开始，这是一种常见的做法。这一选段好像结束于句 3.10，有 162 字。第二部分的第一选段在可见的分段标志之后到句 4.26 之间，有 282 个字，也像第一个选段那样以同一a/b对为基础。第五段有 162 个字，通过呼应第二段的名/称讨论重复了平行关系。第六段和最后一段有 943 字，包括一个完整的短论。它主要是对《老子》第 19 章首句的分析。它论辩的锋芒指向一种对《老子》的化约式解读：将《老子》读作是在倡导对所有文化价值的摒弃，这种解读在班固《汉书》中对道家的介绍中可以找到直接的参证。①

许多在《老子注》得到广泛讨论的主题（特别是关于有无之间关系的更为严格的哲学探讨）在《老子微旨略例》中没有得到足够的重视。然而，对《老子微旨略例》的现存要素中《老子》引文的检讨令人不得要领。《老子微旨略例》引及了《老子》的 28 个分章，但只有少量段落得到了深入的分析。《老子微旨略例》依赖于整篇《老子》同时呈现在读者头脑中这一假设；它任意地援引《老子》各部分的材料，并将其插入自己的论辩和结构格栅中。即使容许较宽的错误边界，我们仍只能假定现存的六章本远远少于十八章本，因此《道藏》本《老子微旨略例》最好被读作一系列精致的选段和片断。《云笈七签》本与《道藏》本的对比表明，在这样的删节中，论辩的次序基本上得到了维持。传世本《老子微旨略例》的开头，似乎就是原文本实际的开头。而最后一部分对《老子》宗旨的总结性陈

① 班固，《汉书》，页 1732。

述，使之成为整篇的总结性分章的上佳候选者。如果这两个假设成立的话，《老子微旨略例》的整体结构就与《周易略例》有很大的不同。《周易略例》后面各章着眼于《周易》分析的特殊问题，而没有在与开头的各章同样抽象的层面上展开。因此，我们不能期待《周易略例》的结尾有总结性陈述。

《老子微旨略例》在道教藏书中的传承也许可以解释文本中对道家的批评的缺失。这个传本的质量是相当高的。现有的两个节本只有少量的歧异，实际上无需编辑工作的介入。

《老子微旨略例》的文体

从东汉和三国起，“例”、“略”和“指”等要素开始出现于文学作品的标题；它们旨在系统地澄清经典文本的结构和意义。唐代著者邢璹在他对王弼《周易略例》的注释中解释了“略例”的意义：

> 略例者，举释纲目之名，统明文理之称……[王弼]作略例以辩诸家惑错，综文理略录之也。①

何劭把同样的功能指派给《老子微旨略例》，说王弼“注《老子》，为之《旨略》，致有理统”。② 实际文本中的许多论辩也确证了邢璹提到的第三个特征。

“指”这个要素是由王弼以比其他某些先驱更为原本的意义上提取出来的。③ 然而，董仲舒（公元前179—前104年）在分析《春秋》的非直接语言时使用了这个字。董认为《春秋》并不明确地谴责战争，而是通过

---

① 邢璹，《周易略例注》序。

② 何劭，《王弼传》。

③ 参见 A. C. Graham 对《墨子》中这一概念的注释，*Later Mohist Logic, Ethics, and Science*，页547—48。另见 *Christopher Harbsmeier, Language and Logic*，页192。司马谈，《论六家要旨》，《史记》，卷130，页3288；严遵，《老子指归》；李洗，《春秋左传指归》和《太玄指归》（姚氏学《补三国艺文志》中提到）。

各种描述技巧达到对不同的战争类型的更为复杂、更为现实的评估。要理解这一点,只盯着《春秋》的"辞"是毫无意义的。他写道:"辞不能及,皆在于指。"在这种意义上,"见其指者,不任其辞;不任其辞,然后可与适道矣"。①

《老子》所思的奥妙对象的内在结构无法界定,因此它只能被"指"向,而《老子》的章就是朝向一个无法定义的中心的指针。王弼说:"然则,《老子》之文,欲辩而诘者,则失其旨也。"②

他的结构分析反驳了"章句"类的注释,呈现出《老子》的结构是本体论对于语言所有的问题的答案的一部分。在刘勰《文心雕龙》的范畴中,《老子微旨略例》属于"论"的一个子类别。刘勰在关于"论"这一章的开头界定了"论"这种文体:"圣哲彝训曰经,述经叙理曰论"。③

《老子微旨略例》构成了强调"文"的"论"的子类别。刘勰称何晏、夏侯玄、嵇康、王粲、傅嘏"师心独见,锋颖精密,盖论之英也"。他用王弼的一个意象来描述"论":"乃百虑之筌蹄,万事之权衡也。故其义贵圆通,辞忌枝碎。必使心与理合,弥缝莫见其隙;辞共心密,敌人不知所乘,斯其要也。"④

因此,"论"获得它自身的哲学和文学的严格性,而《老子微旨略例》在这方面被认为是杰出的。《老子微旨略例》有着双重的重要性,一方面是最早的、也是最为重要的对"老子微指"的结构分析,另一方面它本身就是一篇重要的哲学论文。在我看来,《老子微旨略例》是现存的3世纪最重要的哲学论文。

王弼并不是最早将某种特定的目标和功能指派给某个文本结构的人。《周易》的"十翼",特别是《系辞》和《说卦》,通过对卦象及其次序的

---

① 苏舆,《春秋繁露义证》,页50。
② 参见《老子微旨略例》。
③ 詹锳编,《文心雕龙义证》,页665。
④ 同上书,页55。

哲学蕴意的分析，率先开启了这一路向。[①] 在汉代，《系辞》被视为孔子所作，随之而来的是这一文本以及此类工作的地位的提升。《诗大序》将诗歌阐释为孔子所立的不同范畴，它们属于不同的时代和环境，并通过它们的主题、态度和文学手法来回应它们的时代。这个结构提供了重要的分析标志。当统治者是圣王，道大行于天下之时，它们是颂歌；当统治者还未能达到圣人的高度时，它们将更具批判性，但它们仍不得不在批判中采取间接的语言，因为这类统治者很可能粗暴地回应它们的劝告；对于毫无指望的无道的统治者，它们只能是悲哀的叹息。每一类诗歌要求不同的解读策略。[②] 严遵似乎最早将一种基于《系辞》模式的解读策略用于《老子》；严遵本人及其《老子注》和《老子指归》在公元 2—3 世纪仍极具影响。王弼的解读常常追随严遵的基本轨迹，但在哲学分析上却完全不同。[③] 在文本和主题上，严遵的《老子指归》是王弼《老子微旨略例》的直接先驱。

严遵撰写了一种短小但极为专门的对《老子》结构的分析，它作为《老子指归》的一种序文以“君平说二经目”为题传世。[④] 我们必须假定严遵熟知《老子》分章的数量以及章序的不确定；尽管他提出的 72 章的分章法与马王堆抄本和据说是刘向所做的 81 章的分章法不同，他仍然宣称他本人的章数以及将《老子》分为两篇的做法是《老子》原来的设计，而且这种分法别具深意。严遵以这样的陈述开始他的分析：“昔者《老子》之作也，变化所由，道德为母，效经列首，天地为象。”因此，他将他的“上经”的 40 章（对应通行本的 38—81 章）与天和阳的数字关联起来，将他的“下经”（对应通行本的 1—37 章）与地和阴的数字关联起来。由此，他推论说，“上经”讨论的是“来”（将来），“下经”讨论的是“往”（过去）。领

① 《系辞上》。
② 《毛诗正义》，2 中—4 下。
③ 参见本书第一编第四章。
④ 严遵，“君平说二经目”。

会《老子》的结构，将为"智者"建构一个元文本，使他们能"通天地之数，阴阳之纪，夫妇之配，父子之亲，君臣之仪，万物敷矣"。[①] 严遵通过此篇序文首句的平行构造宣称《老子》中包含两个信息层次，即用道和德的明确的语言范畴的工具对世界的变易的分析，以及包含在结构的沉默模式中的更为普遍的分析。两个陈述的平行关系是它们运作于同一层次的一种形式性的指标。在这种整体主义的解读中(以相当保守的社会价值为依据)，《老子》的明确分析和隐含结构成为领会统治宇宙和社会的结构的全部来源。

"《老子》微旨略例"的标题似乎直接构成对严遵的挑战。的确，《老子》有其结构，也有其意义；但它的"指"是精"微"的，并不从属于某种粗糙的、在文本中没有任何根据的二元式阴阳分析。《老子》的"微指"只有一个焦点；《老子》使用了存在者领域内的各种结构，这些结构都指向一个共同的中心，这一中心在结构上不能被言语化，只能通过停驻于存在者领域的指示来达到。《老子》的上下两篇之间没有分别，各章的最后宗旨间也没有分别。在方法上，严遵误入歧途了：它让读者关注文本的表面，以及假想的上经和下经的阴阳结构。相反，对待《老子》的正确方法，不是要盯住表面的文本和结构，而是要像人们对待"指"那样(即考察它所指的方向)关注它的各章。

从《老子微旨略例》看《老子》的结构

《老子微旨略例》从《老子》本身提炼出了解读这一文本的适当的策略。《老子》用大量标记警告读者：它的语言是不可靠和暂时性的。除了众所周知的对不能命名道的反思外，文本不断地重复"是谓"这样的表达，为文本注入了暂时性的、不可靠的品质。《老子》中的各种主题关注

① 严遵，"君平说二经目"，页131。

的都是同一问题。因此，各个段落也必须在其他企图表达同一思想的段落的语境中来解读，而且必须从它们指向的点来解读，而不是依据它们表面的措辞。这为一种内聚的而非发散的解读策略提供了理由。正如在对王弼的注释技巧的研究中试图表明的那样，《老子微旨略例》为《老子注》建立了理论的根基。[①] 除了对《老子》的写作策略的描述外，王弼进而以他自己的语言明确展开了他在《老子》中看到的核心观念，并在一段插入性的文字中(6.2 以下)对这些核心观念如何转译为一个致力于终止天下的混乱和冲突的统治者有哲学引导的政治实践进行了阐发。

王弼是在《老子》的地位只有《周易》可以匹敌的思想环境中写作的。在曹魏的思想界，《老子》不是道家的教本，而是共同的哲学遗产的部分；它是所有思想者的一份挑战，无论他有怎样特殊的学养。《老子微旨略例》由此进入了与其他解读的真实的竞辩中；它不是因为这些解读的信条而斥责它们，而是因为它们在解读《老子》时误导性的方法论。它们依附于表面的文本，依附于个别的论述甚或语词，而非去辨识整个文本的哲学核心；从而将《老子》化约为对某个特殊的学派的倡导。在界定《老子》的“核心”之前，《老子微旨略例》2.43 写道：“然则，《老子》之文，欲辩而诘者，则失其旨也；欲名而责者，则违其义也。”接下来，在 2.45 以下进一步呈示方法上误导的各家已经败坏了这一文本。远超出《老子》本身的论述之外，王弼进而依据语言哲学以明确的哲学语言阐发了《老子》的实践的意涵(2.20 和 5.14)。

第二点呈现于《老子微旨略例》。王弼本人的哲学建构以其基本的二元格栅将自身阐述为《老子》隐含意义的系统化。因此，在王弼的心目中，老子是作为一个有着秩序完好的范畴系统的哲学家，但由于它们不是他的哲学关注的焦点，它们没有得到充分的阐发。尽管在许多场合，王弼可以以《老子》本身的二元构造为基础，但仍有许多其他的例子，从

① 参见本书第一编第三章。

明确的论述看,《老子》只提供了他所需要的一半。王弼在这种情况下就直接在严格的链体结构的相似中补足缺省的部分。同样,在许多情况下,这看上去并不是过度的强加;一般性的二元架构消除了文段中的问题(如《老子》第1章首句),随之而来的是也许可以更好利用的文本中的重要且丰饶的不规则的缺失。正如在注释中解释的那样,在这一过程中,王弼通过对文本及各段落的枝节的完全掌控来运作。在《老子微旨略例》中,没有任何一个单个段落的解读与《老子注》中的解读不同。

由此,《老子微旨略例》就整合了三种不同的分析立场。在发展出一种基于文本本身的指引的解读策略这一点上,它是文字学的。在将自身插入一项哲学的事业——《老子》当中这一点上,它是哲学的;但它从对《老子》的洞见的细致解读中发展出了它自身的系统化的哲学论述。在从前两种立场中发展出一种有哲学指导的政治科学这一点上,它是政治性的;这一政治科学探讨了在一种等级社会中社会和政治行为的辩证法。

文本的版本基础

本章收入的文本有下列版本为基础:

- 《正统道藏》中的《老子微旨例略》,计2 552字;
- 《云笈七签》中节录的《老君指归略例》,计1 350字。
- 下列著作中收载的对文本的批判性注释:

A. 王维诚,"魏王弼撰《老子旨略》逸文之发见";

B. 严灵峰,《老子微旨例略》,以及他在《老庄研究》1959年和1966年版后序中对这一文本的提示;

C. 中国社会科学院哲学所中国哲学史组及北京大学哲学史教研室编,《中国历代哲学文选——两汉隋唐编》,308页以下;

D. 楼宇烈,《王弼集校释》,页195—210。

《老子微旨略例》的翻译

本书的译文是以我对链体风格的研究为基础的。[1] 其标准形式是：

(1) a　　　　　　　　(2) b

(3) a　　　　　　　　(4) b

　　　　　(5) c

数字给出的是句子的顺序，字母 a 和 b 指两个串系，而中间的 c 则同时指涉两个串系、没有与之平行的论辩要素。写在同一层的句子是平行的。

这一基本形式有三个常见的变形。首先是 abbac 的顺序：

(1) a　　　　　　　　(2) b

　　　　　　　　　　(3) b

(4) a

　　　　　(5) c

第二种是平等的“阶梯”形式：

a

　b

　　c

　　　d...

a

　b

　　c

　　　d...

链体结构有公开的和隐蔽的两种。在前一种形式中，属于一个串系（如 a 串系）的句子通过使用相同的语汇而彼此指涉。在隐蔽的形式中，没有这类明确的指涉存在；其间的关联是隐含的。由于有变体abba

① 参见本书第一编第三章。

的可能性，这常常导致某个句子该归入两个串系中的哪一个的问题。

1979 年，Chang Chung-yue 在其未出版的博士论文中收入了《老子微旨略例》的翻译。它相当糟糕。我自己的译文发表于 1986 年，而 Richard Lynn 于 1999 年出版了另一种译文。[①] 尽管 Lynn 知道有更早的译文，但他仍然决定做自己的，他没有对先行者进行批判性的、细节性的讨论。结果，这一译文非但没有校正早期的错误和缺点，反倒充分利用特权强加他自己的解读，并重复了楼宇烈版的错误。我为这样互不关涉的世界的持续存在而悲哀，同时也为这一领域的不成熟而悲哀。在这个领域里，此类翻译竟被当做个人的学术训练，而非出于对批判性事业的需求。

《老子微旨略例》的文本及翻译（底本：《老子微旨例略》）

上篇第一章[②]

［**本文**］夫[③]物之所以生，功之所以成，必生乎無形，[④]由乎無名。無形無名者，萬物之宗也。不溫不涼，不宮不商。聽之不可得而聞，視之不可得而彰，體之不可得而知，味之不可得而嘗。故其爲物也則混成，爲象也則無形，爲音也則希聲，爲味也則無呈。故能爲品物之宗主，包通天地[⑤]，靡使不經也。若溫也則不能涼矣，宮也則不能商矣。形必有所

---

① Chang Chung-yue，"The Metaphysics of Wang Bi"；R. Wagner，"Wang Bi：'The Structure of the Laozi's Subtle Pointers"；R. Lynn，*The Classic of the Way and Virtue*，页 30—41。

② 附于各章的章次依据的是通行本的次序。尽管不能认为这是原文本的章次，但第 1 章很可能是首章的部分或全部，同样可能的是在原文本中各章彼此相随，就像在现存的摘要中那样。因为，它们对应的是原文本的第 1，4，8，12，15，18 章，而非第 1，18，4，15，8，12 章。换言之，现存的摘要很像是给出原本的论辩展开以及编者所认为的论辩的主线。对前现代的汉语文本摘要的经验表明，一般情况下，原本的次序都会保留下来。

③ 取"夫"而非"天"：据《云笈七签》改。

④《云笈七签》本"無形"作"形形"。

⑤ 取"包通天地"而非"苞通"，据《云笈七签》改。"包"字的证据：王弼《老子》16.6 注："乃能包通萬物"；35.1 注："故能包通萬物"。"天地"和"萬物"互用，因此，王弼注中的两则引文都支持《云笈七签》本，尽管可能"包通萬物"更合情理。

分，聲必有所屬。故象而形者，非大象也；音而聲者，非大音也。然則，四象不形，則大象無以暢；五音不聲，則大音無以至。四象形而物無所主焉，則大象暢矣；五音聲而心無所適焉，則大音至矣。故執大象則天下往，用大音則風俗移也。[①] 無形暢，天下雖往，往而不能釋也；希聲至，風俗雖移，移而不能辯也。是故天生五物，無物爲用。聖行五教，不言爲化。是以道可道，非常道；名可名，非常名也。五物之母，不炎不寒，不柔不剛；五教之母，不皦不昧，不恩不傷。雖古今不同，時移俗易，此不變也；所謂自古及今，其名不去者也。天不以此，則物不生；治不以此，則功不成。故古今通，終始同；執古可以御今，證[②]今可以知古始；此所謂常者也。無皦昧之狀，溫涼之象，故知常曰明也。物生功成，莫不由乎此，故以閱衆甫也。

［**译文**］

(1) 一般说来[③]，

(2) 物象之所以创生，

(3) 事功之所以达成，

(4) ［物象］必然创生于“无形”，

(5) ［事功］必然基于“无名”。[④]

(6) 无形和无名，就是［《老子》所］说的“万物

① 《云笈七签》本“移也”作“移”。

② 取“證”而非“禦”：据《云笈七签》改。

③ “夫”这个词指的是超越当下状况的普遍有效的论述。它常被误解为另一段开始的标志。

④ “无名”和“无形”的对子承续了《老子》的术语。尽管在《老子》(如 32.1)中“无名”作为道的特征出现，但在《老子》中“无形”从未作为一个名词出现；它只出现于《老子》41.14 的“大象无形”中。王弼文本中名和形、物和功(或事)的并置，为其著述加入了论辩的精密性；而这种并置在《老子》中无法找到。在《老子》第 41 章中，“无形”和“无名”出现在两个相续的句子里，但前者是一系列平行的悖论(如“大器晚成”)中的最后一个，而后者则被王弼视为这个系列的总结。换言之，这两个句子的地位是不同的。从一种以悖论和平行来运作的哲学向王弼的系统性哲学的转变，在此处王弼将《老子》的语汇和意象转换为一种系统的、分析性的话语的做法中相当明显。关于王弼注中的平行，参见《老子》51.1 的王弼注：“凡物之所以生，功之所以成，皆有所由。有所由焉，则莫不由乎道也”。另见《老子》1.2 的王弼注：“凡有皆始于无……言道以无形无名始成万物”。

之宗”。①

(7)[作为无形],它不能温也不能凉。②

(8)[作为无名],它不属宫也不属商。③

(9)[即使]听,也听不到它。

(10)[即使]看,也看不到它。

(11)[即使]摸,也摸不到它。

(12)[即使]品尝,也品尝不到。④

(13)因此[《老子》说道]

(14)“作为物”,它“混

---

①《老子》4.1:“道冲而用之,又不盈,渊兮似万物之宗”。《老子》14.5的王弼注有这句话。

② 参见《老子》35.1王弼注:“大象……不温不凉,故能包通万物,无所犯伤”。参见《老子》41.14王弼注:“有形则有分,有分者不温则凉,不炎则寒,故象而形者,非大象”。《老子》55.6王弼注:“不皦不昧,不温不凉,此常也。无形不可得而见”。

③ 参见《老子》41.13王弼注:“听之不闻名曰希。不可得闻之音也。有声则有分,有分则不宫而商矣。分则不能统众,故有声者,非大音也”。

④《老子》14.1和35.3是这些论述的前两句以及第四句(以不同语汇)的来源。《老子》14.1作:“视之不见名曰微,听之不闻名曰希,搏之不得名曰夷。此三者不可致诘,故混而为一”。因此它讨论的是耳、眼和触觉的感官,但它对于最后一者使用了一个比《老子》所用的更为抽象的词汇。在《老子》中,没有将感觉系统地分为两组并将二者分别与名和形关联起来的企图。王弼从《老子》35.3的系列中补足了关于味的第四个缺失的关联,它同样不适用于这里给出的严格论辩:“道之出言,淡兮其无味也。视之不足见,听之不足闻,用之不足既。”这后一例子中,我们看到了视、听和用,以及在这个序列之外讨论道之“淡”的一般性论述。然后眼、耳和味觉被系统地组织进王弼这里所用的四重结构中。《老子》35.3也是将讨论味的句子分派给关于声和听的串系的证据,因为味与嘴和语言有关。要注意使用abba结构的便利。《老子》的两段话都以视听为序,但王弼颠倒了这一次序,创造出了一种不同于通常的abab顺序的abba结构。

成”，[①]“作为象”，它“无形”；[②]

(15)“作为音”，它“无声”，[③]“作为味”，它“无呈”。[④]

(16) 这就是它能成为万物的[⑤]

宗和

主[⑥]，

覆盖弥漫天地[⑦]，没有任何东西它不贯穿其中的原因。[⑧]

(17) [因为事实上]，假如它是温的，那就不能是凉的；[⑨]

(18) 假如它属于宫，就不能属于商。[⑩]

[因为]

(19) 形必然有某种把

(20) 声必然有其所属

---

① “为物”这个词取自《老子》21.2：“道之为物，惟恍惟惚”。而“混成”出自《老子》25.1：“有物混成”。王弼注释道：“混然不可得而知，而万物由之以成”。

② 《老子》41.13：“大音希声”。

③ 《老子》41.14：“大象无形”。

④ “无呈”这个词在《老子》中找不到对应者。它是依据《老子》35.3 中提到的“淡”和“无味”而制造出来的，用以配合其他三个词。

⑤ 将“宗”与“主”分开来翻译，其根据在于《老子》47.1 王弼注“事有宗而物有主”。然而，将两个词分别划归两个串系是不无障碍的，因为实际上，王弼互换地使用它们；参见《老子》49.5 注“物有其宗而事有其主”。

⑥ “品物”出自《周易》乾卦；参见《周易》乾卦《彖传》：“云行雨施，品物流行”。王弼没有注释这个词，但孔颖达疏曰：“品类之物”。

⑦ 道的“包通”的作用被王弼屡次谈及；参见《老子》16.6 王弼注：“知此复，乃能包通万物，无所不容”；以及 35.1 注：“故能包通万物，无所犯伤”。

⑧ 参见《老子》第 38 章王弼注：“故物，无焉，则无物不经”。

⑨ 此类假设性论断是王弼思想的典型特征，而且常被用来检讨反命题的有效性。参见《老子》41.14“大象无形”。王弼注曰：“有形则亦有分，有分者，不温则凉，不炎则寒，故象而形者，非大象”。

⑩ 参见《老子》41.13 王弼注：“有声则有分，有分则不宫而商矣。分则不能统众，故有声者，非大音也”。

它特殊化的东西；

的阶位。[①]

(21) 这就是[根据《老子》]

(22) 象若成形，就非“大象”；[②]

(23) 音若成声，则非“大音”[③]的原因。

(24) 然而，如果

(25) 四象[④]不成形，“大象”也无从显现；

(26) 五音不成声，“大音”也无从达至。[⑤]

[因此]

(27) 当四象成形，而万物不受[外来]的掌控，“大象”也就显现了；

(28) 当五音成声，而心并不受[外来]的干扰，“大音”也就达至了。[⑥]

---

① 这些一般性的法则没有出现在《老子》中。王弼在上引41.13和41.14注中论到了它们。

② 参见《老子》41.14“大象无形”。王弼对该句的注释以与此处文本相同的字句结尾：“故象而形者，非大象”。

③ 参见《老子》41.13“大音希声”。王弼对该句注释的结尾与此处稍有不同：“故有声者，非大音也”。Chang Chung-yue 认为“四象”是四时，但王弼在其他地方用地四时这个语汇(The Metaphysics of Wang Bi，225)。

④ 这个概念在《老子》中没有出现，也没有在王弼现存著述的其他地方使用过。参见《老子》9.5王弼注及《论语释疑》17.17。“炎”“寒”似乎被用作特殊性的例子，而不指涉任何单一的现象；参见《老子》41.14、16.6、55.6等处的王弼注。我假设此处的“四象”与《系辞》的句子有关：“易有太极，是生两仪，两仪生四象，四象生八卦”。韩康伯没有注释四象，但孔疑达《疏》将其解释为金木水火。然而，王弼在《老子微旨略例》中谈到五物，这也许是指五行。从上下文看，四象很明显是指形的基本构件，就像五音是声的基本构件一样。

⑤ 这一论辩对于王弼哲学是关键性的。同样，它开始于一个假设性的反命题。它的证伪开启了正面论辩的道路，即事物中仍然包含它们的“所以”的印迹，因此万物成为本体论的资源，而非仅只是本体论洞见的障碍。关于王弼对“所以”的迹的论述，参见本书第三编。

⑥ 在这两个句子中，王弼概述了作为道的隐喻的大象和大声“畅”“至”的条件。条件是特殊的事物“回返”其“所以”；当它们舍弃“所以”，为其他事物掌控之时，它们的“真性”将消散，它们将进入一种不同的动力机制，而且会阻塞在哲学上达至道的路径。“主”的概念是3世纪哲学讨论的核心。王弼主张真正的主宰原则是道，而到了郭象的一代，这一思想已被抛弃，而被代之以“无主”的事物的自治。“无所主”的意思在王弼对《老子》37.3“吾将镇之以无名之朴”的注释“不为主”中变得明晰。“施”这个词可回溯至《老子》53.1王弼注“言若使我可介然有知，行大道于天下，唯施为是畏也”。这个“施”字在王弼注的其他段落与“造立”、“施化”和“设”等动词关联在一起，它与“为”字一起在《老子》53.2的王弼注中构成了一个双字词。

(29) 这就是[《老子》说]：

(30) 如果[统治者]能“执大象”，则“天下往”；[1]

(31) 如能用大音，则风俗移。[2]

(32) 由于显现的是无形，所以，尽管天下都趋附于他，[百姓]却无法解释趋附的原因。

(33) 由于达至的是无声，所以，尽管风俗移易了，被移易的[百姓]却不能理解。[3]

(34) 因此：

(35) 天创生五物[4]，但正是无物[5]使它们有用；[6]

(36) 圣人[孔子]推行五教，但正是无言带来

---

① 引自《老子》35.1。王弼注中悲观的调子相当明显：“主若执之，则天下往也”。

②《老子》没有关于大音的这一论述。王弼通过推类和系统化给出了论断。大音指的是道的教化，因此这一对子指的就是圣人“居无为之事”、“行不言之教”。

③ 30—33 句以一种有趣的过程源自《老子》。《老子》有关于天下会服从能够“执大象”的统治者的论述。大象被读作《老子》第 14 章中的“大象”，王弼将其视作表述道的词之一。通过平行的句子，大音的概念被引入进来，王弼进而构造了关于统治者执大音的论述来配合前者。同样，在《老子》中，这个对子与“圣人居无为之事”、“行不言之教”似乎没什么关联。这一论述现在由大象/大音这一对子构成。圣人通过他的两种治理策略来“用”大象和大音。在这些策略中，道显现其自身。王弼可以准确地指出《老子》将同样的句子用于圣人和道的不可知性、隐晦性的描述。因此句 32、句 33 回溯到王弼对道之“玄”的解读。参见《老子》1.2 王弼注，“万物以始以成而不知所以然，玄之又玄也”。另见《老子》34.2 王弼注及《论语释疑》8.19。关于圣人之不可捉摸，参见《老子》17.1 和 17.6 的本文及王弼注。

④ “五物”的所指不明。《中国历代哲学文选——两汉隋唐编》的编者将其与《左传》“天生五材，民并用之”中的“五材”联系起来。注释者将其等用为五行。

⑤ “无物”这一大胆的语汇取自《老子》14.2 关于“一”的一个论述：“一者，其上不皎，其下不昧，绳绳不可名，复归于无物”。

⑥ 王弼从他对《老子》第 11 章的解读中细绎出了这一关键概念：事物不是从与它物的关系中，而是从它们“反”归作为其存在的无当中获得其功用的。“三十辐共一毂，当其无，有车之用”。王弼注曰：“毂所以能统三十辐者，无也。以其无，能受物之故，故能以寡统众也”。在《老子》第 11 章的结尾，王弼总结道：“言有之所以为利，皆赖无以为用也”。另见《老子》1.4 王弼注：“凡有之为利，必以无为用”。

了教化。①

(37) 这就是[《老子》说]:

(38) "道可道,非常道";

(39) "名可名,非常名"的原因。②

(40) 五物之母既不炎也不寒,既不柔也不刚。

(41) 五教之母既不皎也不昧,既不仁慈,也不残忍。③

(42) 尽管古今不同,时俗变化,她却不并不变化。这就是[《老子》所说]:"自古及今,其名不去"。④

(43) 天若不依靠她,就无法创生万物。

(44) 治国若不依靠她,就无法达成功业。⑤

---

① 五教指的是指导父子、君臣、夫妇、兄弟、朋友的德行。常见征引的是《孟子·公孙丑上》中的句子,然而,其中没有用到这个词。在《老子》14.2 的"无物"与 2.3 的"无言"之间,没有内在的关联,但王弼将它们编织进一种系统的关系。孔子欲效仿天统治四季的方式而"无言",为此提供了论证,参见《论语释疑》。

② 《老子》1.1。

③ "母"被王弼读作一个哲学性的隐喻。它出现于《老子》第 1,10,25,52 和 57 章。关于王弼合并不同的概念,参见本书第一编。参见《老子》52.2 王弼注"母,本也"。此处对"母"给出的那些特征(其上不皎、其下不昧),出现在《老子》14.2 对一的描述中。

④ 参见《老子》21.6;在那里它指的是道,这表明这些词对于王弼而言是可以互换的。王弼注曰:"至真之极,不可得名,无名则是其名也。自古及今,无不由此而成。故曰'自古及今,其名不去也'"。参见《老子》14.5 王弼注:"无形无名者,万物之宗也。虽今古不同,时移俗易,故莫不由乎此以成其治者也。故可执古之道以御今之有。上古虽远,其道存焉,故虽在今,可以知古始也"。

⑤ 《老子》中并没有出现过的"天"和"治"的对子,将此章第一行开始的平行串系中讨论的两个事物的领域概念化了。此处称为"天"的领域是创生事物的领域,而"治"的人的领域则是带来社会性的功业的领域。这一对子中的论辩回溯到《老子》39.2:"天得一以清,地得一以宁,神得一以灵,谷得一以盈,王侯得一以为天下贞。其致之一也"。

(45) 因此，古今相联，终始同[构]，“[统治者]执古之道可以御今之有”；[1] 以今天为证据，“可以知古始”[2]，这就是[《老子》]所说的“常”。[3] 由于它没有

(46) 皎昧的表象，

(47) 温凉的情状，

(48) 因此[《老子》说]：“知常曰明”。[4]

(49) 物象之创生，

(50) 事功之成就，

(51) 没有不由于这一“常”的。因此[《老子》]说：“以阅[万]众[之]甫”。[5]

上篇第二章

[**本文**]夫奔電之疾猶不足以一時周，御風之行猶不足以一息期。善速在

---

① 《老子》14.4。

② 《老子》14.5。

③ 王弼此处引用的出自《老子》14.5 的句子以“是谓道纪”结尾。这个术语在《老子》的其他部分没再出现，但“道[之]常”的概念是常见称述的；参见《老子》32.1 和 37.1。因此，王弼将这一概念插入到这里。整句话与《老子》47.1 王弼注甚近。

④ 引文出自《老子》16.6 和 55.6。王弼对前者注释道：“常之为物，不偏不彰，无皎昧之状，温凉之象，故曰：知常曰明”。《老子》55.6 王弼注曰：“不皎不昧，不温不凉，此常也，无形不可得而见”。

⑤ 《老子》21.7。这指的是王弼在 21.6 注中描述为“至真之极”的东西，而非“常”，但王弼将两个概念合并为一。《老子》21.7 王弼注：“众甫，物之始也，以无名阅万物始也”。

不疾，善至在不行。故可道之盛，未足以官天地；有形之極，未足以府萬物。是故歎之者不能盡乎斯美[①]，詠之者不能暢乎斯弘。名之不能當，稱之不能既。名必有所分，稱必有所由。有分則有不兼，有由則有不盡；不兼則大殊其真，不盡則不可以名，此可演而明也。夫道也者，取乎萬物之所由也；玄也者，取乎幽冥之所出也；深也者，取乎探賾而不可究也；大也者，取乎彌綸而不可極也；遠也者，取乎綿[②]邈而不可及也；微也者，取乎幽微而不可覩也。然則道，玄，深，大，微[③]，遠之言，各有其義，未盡其極者也。然彌綸無極，不可名細；微妙無形，不可名大。是以篇[④]云：字之曰道，謂之曰玄，而不名也。然則，言之者失其常，名之者離其真，爲之者[⑤]則敗[⑥]其性，執之者[⑦]則失其原矣。是以聖人不以言爲主，則不違其常；不以名爲常，則不離其真；不以爲爲事，則不敗其性；不以執爲制，則不失其原矣。然則，《老子[⑧]》之文，欲辯而詰[⑨]者，則失其旨也；欲名而責者，則違其義也。故其大歸也，論太始之原以明自然之性，演幽冥之極以定惑罔之迷。因而不爲，順[⑩]而不施；崇本以息末，守母以存子；賤夫巧術，爲在未有；無責於人，必求諸己；此其大要也。而法者尚乎齊同，而刑[⑪]以檢之。名者尚乎定真，而名[⑫]以正之。儒者尚乎全愛，而譽以進之。墨者尚乎儉嗇，而矯[⑬]以立之。雜者尚乎衆美，而總以行之。夫刑以

---

① 取"美"而非"羨"：据《云笈七签》改。
②《云笈七签》本作"緬"。
③《云笈七签》本作"妙"。
④《云笈七签》本作"經"。
⑤《云笈七签》本无"者"字。
⑥《云笈七签》本作"窒"。
⑦《云笈七签》本无"者"字。
⑧《云笈七签》本作"君"。
⑨《云笈七签》本作"誥"。
⑩ 取"順"而非"損"：楼宇烈据王弼《老子》29.4 注"故因而不爲，順而不施"改。
⑪《云笈七签》本作"形"。
⑫《云笈七签》本作"言"。
⑬《云笈七签》本作"智"。

檢物，巧僞必生；名以正[①]物，理恕必失；譽以進物，爭尚必起；矯以立物，乖違必作；雜以行物，穢亂必興。斯皆用其子而棄其母。物失所載，未足守也。然致同而[②]塗異，至合而[③]趣[④]乖，而學者惑其所致，迷其所趣。[⑤]觀其齊同，則謂之法；覩其定真，則謂之名；察其純愛，則謂之儒；鑒其儉嗇，則謂之墨；見其不係，則謂之雜。隨其所鑒而正名焉，順其所好而執意焉。故使有紛紜憒[⑥]錯之論，殊趣辯析[⑦]之爭，蓋由斯矣。

［译文］

(1) 事实上

(2) 闪电的速度也不能在一瞬间周行各处，

(3) 驾风而行也不足以在瞬息之间达到。[⑧]

［正如《系辞》对于神所说］

(4) 善“速”不在于“疾”，

(5) 善“至”不在于“行”。[⑨]

---

① 取“正”而非“定”：Wagner 据文本相似性改。对于各家，都是后半句中的语汇，如“檢”、“進”、“立”和“行”，得到了承续；只有名家的“定”是从前半句而非后半句承接来的。

② 取“同而”而非“同”，据《云笈七签》改。“而”的证据：《系辞》“天下同歸而殊塗，一致而百慮”。

③ 取“合而”而非“合”，据《云笈七签》改。见前一注脚。

④《云笈七签》本作“趨”。

⑤《云笈七签》本作“趨”。

⑥《云笈七签》本作“憒”。

⑦ 取“析”而非“拚”：据《云笈七签》改。

⑧ 据《庄子》所说，列子就是这样行走的。

⑨ 关于雷电和风的这对陈述可以回溯至《说卦传》：“动万物者莫疾乎雷，挠万物者莫疾乎风”。这一论述接在关于神的一个句子后面，正如韩康伯在注释中所说，本身是“无物”的神，却处于雷风之类特殊事物的核心，使事物运动。《系辞上》主张“［圣人］唯神也，故不疾而速，不行而至”(没有提到雷风)。《说卦》用于风和雷的词都是“疾”。通过将此处用于神的词用到雷和风上，王弼就将两个论述关联起来了。《系辞》的论述只是简单地道出了一个悖论。在一种典型的王弼式思想激进主义的做法中，王弼将这一陈述转化为这样一个命题：神不仅能够不疾而速，而且它的“速”正是它的“不疾”的作用。这里用的词“在”与他用于转化《庄子》中关于“蹄”“筌”的论述的词完全相同。参见本书第三编第一章。

(6) 因此

(7) [如老子所说]“可道”[①]之最盛者也不足以“官宰天地”[庄子语],

(8) “有形”[②]中的最大者也不足以“府藏万物”。[③]

(9) 因此

(10) 赞叹者不能穷尽这样的美,

(11) 歌颂者不能穷尽这样的博大。

(12) 给它命名无法适合它,

(13) 给它称号无法完全把捉它。

(14) 命名必定会使它成特殊的东西,

(15) 称号必定会要有所依据。

(16) 有特殊性,则会有某些东西无法涵盖。

(17) 有所依据,则必然有某些东西无法穷尽。

(18) 有无法涵盖的东西,就会极大地偏离其真质,

(19) 有无法穷尽的东西,因此不可以给它取名。[④]

① 《老子》1.1。

② 然而,《老子》1.1 的“可道”没有平行者,而我们知道王弼实际上将“可名”解作“有形”,因此句 8 实际指向的是《老子》1.1。这导致了一种颇具讽刺的境况:指涉“名”的句子不得不与“可道”之下的串系相联。

③ 句 7 和 8 的前半部分承续的是《老子》第 38 章王弼注的结尾的论辩:“舍其母而用其子,弃其本而适其末。名则有所分,形则有所止,虽极其大,必有不周,虽盛其美,必有患忧”。句 7 和 8 中加引号的表达出自《庄子》。

④ 名和称谓的差别对于王弼而言是关键性的,它是以《老子》的许多论述为根据的。例如,《老子》25.4:“吾不知其名”,这里的“其”指的是 25.1 中的“有物混成”。王弼注曰:“名以定形,混成无形,不可得而定,故曰不知其名也”。《老子》接下来说:“字之曰道”。王弼注曰:“夫名以定形,字以称可言。道取于无物而不由也。是混成之中,可言之称最大也”。《老子》下一句是:“强为之名曰大”。王弼注:“吾所以字之曰道者,取其可言之称最大也。责其字定之所由,则系于大。大有系则必有分,有分则失其极矣。故曰强为之名曰大”。另参见《老子》25.10:“域中有四大”。王弼注曰:“四大,道、天、地、王也。凡物,有称有名,则非其极也。言道则有所由,有所由然后谓之为道。然则是道,称中之大也,不若无称之大也。无称不可得而名,曰域也”。“谓”这个词与“称”同用,也出现在《论语释疑》中。只是在《老子》3.1 的王弼注中,名和称似乎具有相同的意义。

(20) 这可以进一步明确。(加入的短论：名与称)

(21) 事实上，

(22)“道”是取于[1]它作为万物根基的[方面]，

(23)“玄”是取于它让玄奥[2]发出的[方面]。[3]

(24)“深”是取于“探赜”也不可能探达根底的[方面]。[4]

---

① “取乎”是王弼创造的一个新词。它还以“取于”的形式出现于《老子》1.5和25.5的王弼注。

② 王弼将道理解为事物的“所以”的创生的侧面。他是以《老子》相关论述为依据的，如《老子》34.2:“万物恃之而生而不辞，功成而不居”；或，《老子》51.1:“道生之，德畜之，物形之，势成之”。在此基础上，王弼构建了其他指涉道的词或它的同类语；参见他对《老子》21.1—4和24.5的解读。

③ 这句话指涉的是《老子》1.5，在那里“玄”是“众[和]妙之门”。困难在于这里的“出”的及物性，它暗示某些创生的过程，而在王弼上下文中的实际意义是万物之“所以”仍然是不可辨识的“玄”。“所以”的不可辨识之下潜在的逻辑和必然性是王弼最重要的哲学发现。他从对《老子》关于这一方面的语言(如“玄”、“隐”或“无名”)的细致解读中发展出了这一观念。他将这些概念合并在“玄”的观念之下。这两个句子之间的平行关系隐藏着语法关系上的一个差异。除《老子》1.5外，还有其他关于玄的论述，如《老子》51.5和10.9的王弼注。《老子》51.5王弼注关于“玄德”注解道:“有德而不知其主也，出乎幽冥，故谓之玄德也”。在他对《老子》10.9的注释中，王弼使用了近乎相同的语汇。这些段落暗示《老子微旨略例》中这句“玄也者取乎幽冥之所出也”已经被强迫性的平行关系变形了，实际上应该被译为“‘玄’是取于它让事物出自幽冥的方面”。关于道的句子在《老子》25.5王弼注中有近似的平行句:“道取于无物而不由也”。“幽冥”这个词似乎并非源出于《老子》或《周易》这样的经典，尽管它与《老子》21.4“窈兮冥兮”(同样也是描述道的)之间有某种松散的关系。然而，“幽冥”在解读《老子》的语境中已经成为哲学语汇的部分，甚至早在汉代建立以前。《文子》在“上德”篇中以某种出自《老子》14.1的半引文的方式写道:“道以无有为体，视之不见其形，听之不闻其声，谓之幽冥。幽冥者，所以论道，而非道也”(《文子要诠》，页117)。关于玄的定义，常见征引的是《老子》1.5的王弼注:“玄者，冥也，默然无有也。始母之所出也。不可得而名，故不可言‘同名曰玄’，而言‘谓之玄’者，取于不可得而谓之然也。谓之然，则不可定乎一玄。若定乎一玄而已，则是名，则失之远矣”。因此，玄是万物之“所以”的必然的不可辨识性。

④ 《老子》65.4:“玄德深矣远矣”。这将“深”与玄关联起来。参见《老子》15.1:“古之善为道者，微妙玄通，深不可识”。这的确是“玄”指称的方面。“探赜”出自《系辞》:“探赜索隐，钩深致远，以定天下之吉凶，成天下之亹亹者，莫大乎蓍龟”。

(25)“大”是取于它“弥纶”而不可能穷极的[方面]。①

(26)“远”是取于它广大辽远不可企及的[方面]。②

(27)“微”是取于它奥妙精微不可察知的[方面]。③

(28)因此,“道”、“玄”“深”、“大”、“微”、“远”等词,都各有意义,但它们都不能穷尽它的整体。

(29)因此,

(30)指称“弥纶无极”的词,不可能指称“细”,

(31)指称“微妙无形”的词,不可能指称“大”。④

(32)因此[《老子》]说:

“[吾]字之曰道”⑤,

“谓之曰玄”⑥,

而不命名它。

(33)因此

(34)言及它的人,将错失其[=天下]常;

(35)命名它的人,将偏离其[=天下]真质;

① 在《老子》25.6中,“大”这个词被分派给道。“弥纶”一词出自《系辞》:“易与天地准,故能弥纶天地之道”。另见《老子》25.6王弼注。

② 在《老子》25.8中,“远”与道一起出现。这导致了对《老子》65.4的再解读,其中“远”实际上是分派给“德”所代表的生的方面。

③ “微”的定义取自《老子》14.1:“视之不见名曰微”。

④ 通过这一论辩,王弼指出《老子》和《系辞》的道说的试验性和启发性方式是由它们所探询的对象的结构决定的。它们所运用的语言的试验性、含蓄性解释了这一语言中的矛盾和悖论,并建立起了用于解读这一语言的框架。

⑤《老子》25.5。

⑥《老子》1.5。

(36)“有为”的人,会破坏它[=天下]的本性;

(37)执著它的人,会迷失其[=天下]本原。①

(38)这就是圣人

(39)不以言为主脑,就不会错失其[=天下]常;

(40)不以名为恒常,就不会偏离其[=天下]真质;

(41)不以有为为事,就不会破坏其[=天下]本性;

(42)不以执著来统治,就不会迷失其[=天下]本原的原因。②

(43)这样,那些将自己的琐碎分析强加给《老子》的文本模式的人,将错失《老子》的指向;那些只关注[特定]语汇的人将偏离它的宗旨。③

(44)因此,[《老子》]的根本宗旨在于论述太始④的源头以阐明自然之性;推演玄奥的极致来固定怀疑欺罔的迷局。⑤

---

① 句34和35在《老子》或《系辞》中似乎没有根源。句36和37中包含《老子》29.3和64.5中的引文。在《老子》29.3的王弼注中,宾语“之”被等同为“天下”或“物”:“万物以自然为性,故可因而不可为也,可通而不可执也。物有常性而造为之,故必败也;物有往来而执之,故必失矣”。

② 整个段落的论辩模式是以《老子》第64章为根据的,尽管某些材料取自《老子》第29章及王弼注。王弼以两种语言行为——“言”和“名”来补足“为”、“执”这两种身体行为,这与《老子》2.2是一致的,在那里,《老子》指出:圣人“居无为之事”、“行不言之教”(王弼常常引用的一个论述);参见《老子》7.1,23.3和63.1的王弼注。整个段落从句33到句42形成了一个平行的阶梯,它似乎并不适合此处的语境,因为它讨论的是圣人的行为而非《老子》的语言。这一印象由句33前面以及句43开头的两个“然则”得到了强化。我相信整个段落是因为语境上表面的相似性而移置此处的一个片断。

③ 如果句33至句42的确属于此处,那么《老子》将属于圣人的范畴。由于圣人将语言的性质理解为表达有关“所以”的洞见的一种虚弱的工具,可以预料到他的文献最多只是线索或指示而已,这进一步传递出王弼建议的用于《老子》本身的解读策略。关于圣人与老子的相应地位,参见本书第一编。

④ “太始”的概念源出于《系辞》的“大始”(“乾知大始”)。在其提升的形式“太始”中,它成为汉代《周易》诠释的部分。那一时期最重要的解释性文本之一《易纬乾凿度》说:“太初,形之始也”。

⑤ “太始”的创生方面的讨论指的是道;作为“幽冥之极”的“所以”的隐晦指的是“玄”。

因应，而不作为；顺适，而不发起；[1]尊崇根本以便让其枝本[2]休息；守护其母以便保存其子孙；[3]不看重[作为控制百姓的手段的治理]技艺；在[对于统治者的生命和地位的]危机还未出现时，对它们采取行动；[4]不要求别人，而是要求自己；[5]这些是《老子》的要旨。

(45) 但

(46) 法家崇尚齐同，因而运用刑罚来监控[百姓]；

(47) 名家崇尚定指真实，因而用名来校正[百姓]；

(48) 儒家崇尚完满的爱，因而用荣誉来驱使[百姓]；

(49) 墨家崇尚俭啬，因而用约束来固定[百姓]；

(50) 杂家崇尚各种方法，因而用各种手段让[百姓]依从。

(51) 事实上，

---

① 王弼创造的一个表达。在《老子》29.4 注中，他说："圣人达自然之性，畅万物之情，故因而不为，顺而不施"。

② 王弼创造的一个表达。本末这一对子在《老子》中并没有出现。这一表达遍布王弼《老子注》中；参见《老子》38.1，57.1，57.5 和 58.10 的王弼注。

③ 王弼创造的另一表达出自《老子》52.2"守其母"，以及反复出现的关于道维持事物的论辩。王弼在《老子》第 57 章和第 58 章的注释中充分地发展了这一表达。

④ 王弼创造的另一表达。《老子》18.2："智慧出，焉有大伪"。王弼注曰："行术用明，以察奸伪，趣睹形见，物知避之，故智慧出，则大伪生也"。由此，《老子》中的"智"就被王弼理解为治理的技艺。"巧术"的组合出现在《老子》65.3 的王弼注中："而以智术动民邪心，既动，复以巧术防民之伪，民知其术，随其防而避之，思惟密巧，奸伪益滋"。第二部分取自《老子》64.3，说圣人"为之乎其未有"。

⑤ 王弼的一个表达。根据在于《老子》79.3，对此王弼注曰："有德之人，念思其契，不令怨生，而后责于人也"。我此处的译文试图配合王弼给予此句的一般化。"无德"的人"彻司人之过也"，即关注他人的过错。王弼在他对《周易》"讼卦"的注释中承续了这一主题，参见《王弼集校释》页 249，它援引了孔子论述的权威："'听讼，吾犹人也，必也使无讼乎'！无讼在于谋始……讼之所以起，契之过也，故[《老子》79.3 说]'有德司契'而不责于人"。这里对《老子》的四个"大要"的总结，将在后面进一步约减为一个句子；参见 6.77。

(52) 用刑罚来监控，不可避免地会产生巧伪；①

(53) 用名来校正，不可避免地会使秩序和体谅丧失；②

(54) 用荣誉来驱使，不可避免地会导致竞争；③

(55) 用约束来固定，不可避免地会引生违抗；

(56) 用多样手段使百姓行动，不可避免地会引生秽乱。

(57) [因为]以上各家都是在用其子而弃其母，百姓将失去支撑他们的东西，得不到卫护。④

(58) 然而，[如《系辞》所说]

(59) 路径虽不同，但目标一致；⑤

(60) 立场虽各异，但意义相合。

(61) 但[各家]的学者

(62) 迷失于[《老子》]论辩的目标；

(63) 困惑于[《老子》]论辩的趋向；

---

① 在对曹魏时盛行的法家的抨击中，王弼援引了《老子》58.2“其政察察，其民缺缺”。朝廷这一政策的灾难性后果，在《老子》49.5的王弼注中得到了描画。详细的分析，参见本书第三编第三章。此处各家的次序把最邪恶的法家列在首位。这样的顺序是以《老子》第17章和第38章为依据的。在《老子》第17章中，在甚至使那些在下者都不重视的统治者之上的最低等的统治者是让百姓“畏”惧的。《老子》17.3王弼注：“不能复以恩仁令物，而赖威权也”。

② 名教在王弼的时代有强大的影响。《人物志》的作者刘劭拥护这一宗旨，他发展出了考试的做法，这一做法是为避免王弼所归属的那个集团获得统治地位而设计的。参见拙文，“Lebensstil und Drogen im chinesischen Mittelalter”，*T'oung Pao* 59(1973)：79—178。王弼用“理恕”一词承续了《论语》“夫子之道，忠恕而已”。对《论语》这句话，他注释道：“忠者，情之尽也；恕者，反情以同物者也。未有反诸其身而不得物之情，未有能全其恕而不尽理之极也。能尽理极，则无物不统。极不可二，故谓之一也。推身统物，穷类适尽，一言而可终身行者，其唯恕也”，《论语释疑》，《王弼集校释》，页622。

③ 根据《老子》第17章，这指的是在17.2中描述的践行一种高于法家的统治学说的统治者——“其次亲而誉之”。王弼注释道：“不能以无为居事，不言为教，立善施化，使下得亲而誉之也”。在《老子》17.3的王弼注中，这一学派的表征是“能以恩仁令物”。王弼将此读作儒家的特征，但他们对竞争的运用将导致斗争。《老子》3.1曰：“[统治者]不尚贤，使民不争”。王弼注曰：“唯能是任，尚也曷为？……尚贤显名，荣过其任，下奔而竞，效能相射”。

④ 关于母子的隐喻，参见前文，2.44。

⑤ 在《系辞》中，孔子说道：“天下何思何虑？天下同归而殊途，一致而百虑”。在《老子》47.1注中，王弼提到了同一段落。

(64) 看到[《老子》中的某些论述倡导]齐同,就说它是法家的;

(65) 看到[某些论述倡导]定指真实,就说它是名家的;

(66) 看到[某些论述倡导]纯爱,就说它是儒家的;

(67) 看到[某些论述倡导]俭啬,就说它是墨家的;

(68) 看到[某些论述倡导]无系统的[教旨],就说它是杂家的;

(69) 他们根据眼中看到的,来分派名称;依据他们喜爱的,来为《老子》附上意义。在不同的倾向和阐释间,各种纷繁淆乱的竞争就是由这一[方法论上的错误]导致的。[1]

上篇第三章

[**本文**]又:其爲文也,舉終以證始,本始[2]以盡終;開而弗達,導而弗牽。[3]尋而後既其義,推而後盡其理。善發事始以首其論,明夫會歸以終其文。故使同趣而感發於事者[4],莫不美其興言之始,因而演焉;異旨而獨構[5]者,莫不説其會歸之徵,以爲證焉。夫途雖殊,必同其歸;慮雖百,必均其致,而舉夫歸致以明至理,故使觸類而思者,莫不欣其思之所應,以爲得其義焉。

---

① 这些对各家的批驳表明王弼是在与《老子》的其他阐释者进行着一场活跃而又广泛的论辩。他本人著述的成功导致了所有他提到的著述的消失。对于这一部分的分析,参见本书第一编。

② 取"本始"而非"不述始":据《云笈七签》改。

③ 取"牽"而非"率":据《云笈七签》改。

④ 取"感發於事者"而非"感發者":据《云笈七签》改。

⑤ 取"構"而非"搆":据《云笈七签》改。

［译文］

(1) 另外，由于［《老子》］的文章形式，［它的单个论辩］，标举归的以证明开端，根于开端以穷尽归的。［正如《礼记》对于君子所说］，“开启而不穷达，指示路径而不牵引”①。［因此］，只有在细心的寻索之后，才能认识它的意义；只有在推演之后，才能充分地领会它的原则。②

(2) 它的确善于阐发某个主题的开端，来开启他的解释！

(3) 它的结论的确很杰出，它以此来终结文本。③

(4) 因此，

(5) 那些受与《老子》相同的倾向推动的人，没有不喜爱它阐释的开端的，而且他们会进

(6) 那些以不同的导向撰写自己著述的人，没有不欣赏它的结论，他们还以之作为证据。

① 这一引文出自《礼记》18.6/97/16。完整的引文为：“故君子之道，喻也。道而弗牵，强而弗抑，开而弗达”。这对于理解王弼解读《老子》的策略有其重要的作用。

② 此章的句 1 具有链体风格的明确标志，它包括三对平行的句子。然而，串系无法轻易地关联起来，因为有太多重叠的词，同时，对于进一步以 a/b 串系建立两个串系及其关联又太少确定的论据。

③ 王弼注试图让各章的内在逻辑明确出来，以便在没有进一步注释的情况下，结论也可以理解。参见第 3,22,24,27,43—46,55,59,63—68,71—73,78 和 79 章的王弼注。

而由此详尽阐发。

(7) 一般说来[如《系辞》所说],

(8) “趣至”虽然各异,但它们的宗旨却必定相同;

(9) 思虑可以百出,但其目标却必定一致。①

(10) [《老子》]标举归致以阐明最高的义理。② 因此,那些思考彼此关联事物的人,没有不为[《老子》]与其思想的呼应而欣悦的,因而以为他把握了它的意义。

下篇第四章

[**本文**]凡物之所以存,乃反其形;功之所以尅,乃反其名。夫存者不以存爲存,以其不忘亡也;安者不以安爲安,以其不忘危也。故保其存者亡,不忘亡者存;安其位者危,不忘危者安。善力舉秋毫,善聽聞雷霆,此道之與形反也。安者實安,而曰非安之所安;存者實存,而曰非存之所存;侯王實尊,而曰非尊之所爲③;天地實大,而曰非大之所能;聖功實存,而曰絕聖之所立;仁德實著,而曰棄仁之所存。故使見形而不及道者,莫不

① 参见《系辞》:“子曰:天下何思何虑?天下同归而殊途,一致而百虑”。

② “理”在王弼那里的意思是“治理”。关于这个词,参见 P. Demieville,“Le vocabulaire philosophique chinois, I; T chouang-tseu, ch. II”, *Choix d'Etudes Sinologiques* (1921—1970),页49。“至理”一词也出现于《老子》42.2王弼注:“我之教人,非强使人从之也,而用夫自然,举其至理,顺之必吉,违之必凶。故人相教:违之必自取其凶也,亦如我之教人勿违之也”。

③ 《云笈七签》本作“尊”。

忿其言焉。夫欲定物之本者，則雖近而必自遠以證其始。欲[①]明物之所由者，則雖顯而必自幽以敘其本。故取天地之外，以明形骸之內；明侯王孤寡之義，而從道一以宣其始。故使察近而不及流統之原者，莫不誕其言以爲虛焉。是以云云者，各申其說，人美其亂。或迂其言，或譏其論，若曉而昧，若分而亂，斯之由矣。

［**译文**］

(1)［一般说来］，[②]

(2) 物之所以持存，是它们的形的否定性对立面。

(3) 功业之所以成就，是它们的名的否定性对立面。[③]

(4) 事实上，

(5) 持存的人不以他的持存为［原因］，而是因为他不忘掉灭亡的［危险］。

(6) 安全的人不以他的安全为［原因］，而是由于他不忘掉危险。

(7) 这就是［《系辞》说］，

(8) "保其存者亡"，"不忘亡者存"；

(9) "安其位者危"，"不

① 《云笈七签》本作"夫欲"。

② 这第二部分在《老子微旨略例》中（我们现有的这一文本部分的唯一版本）被与第一部分区划出来：在前一章的结束句句10中留下了一些空隔。这造成了一种直观的区分。这一手法没有被用在《略例》各章的分离上。

③ 文本在此从宇宙生成论转入本体论，并通过演绎转入实际的政治问题。关于否定性对立的观念的分析，参见本书第三编第一章。

忘危者安"的原因。①

(10) 善用力者[限制自己]只举最轻的秋毫②,

(11) 善于听者[限制]自己只去听雷霆之声。

(12) 这就是道与形之间的否定性对立。③

(13) 安全的人的确是安全的,但[《老子》说],他的安全出于他拒绝将安全当做[给定的]。④

(14) 持存的人的确是持存的,但他的持存出于他拒绝将持存当做[给定的]。

(15) 侯王的确被尊崇,但[他们的地位]出自[他们]对尊崇的拒⑤绝。⑥

---

① 参见《系辞》:"子曰:危者,安其位者也;
亡者,保其存者也;
乱者,有其治者也。
是故,君子
安而不忘危,
存而不忘亡,
治而不忘乱,
是以身安而国家可保也。
《易》曰:'其亡其亡,系于苞桑'"。
这一片断是以明显的链体风格写成的平行阶梯。这一思想在王弼《老子注》中有许多呼应;参见《老子》第39、64.1和73.8王弼注。

② 此处的"秋毫"是指秋天动物新长出的极细的毛发。它最早在《庄子》中用于那些极细极轻的东西。

③ 句10—12的翻译策略是以《老子》40.1为根据的:"反者道之动"。

④ 根据《老子》64.1:"其安易持,其未兆易谋"。王弼注曰:"以其安不忘危,其存不忘亡,谋之无功之势,故曰易也"。另见《老子》73.8王弼注。

⑤ 之所以这样翻译,是由句17和18的平行句促成的,那里的"绝"和"弃"表明"曰"字后面的词是及物动词。这阻止平常的译法。

⑥ 王弼此处指涉的是《老子》32.1,那里告诫侯王为了维持其高位要保持小和朴:"朴虽小,天下莫能臣也。侯王若能守,万物将自宾"。参见《老子》39.4:"王侯无以为贞而贵高将恐蹶。故贵以贱为本,高以下为基。是以王侯自谓孤、寡、不毂"。另见《老子》42.1。

(16) 天地的确广大，但它们的广大是由拒绝[为]大达到的。

(17) [统治者]圣智的功业的确存在，但它们是由“绝[1]圣”建立的。[2]

(18) 仁的功德的确彰著，但它是由“弃仁”来维续的。[3]

(19) 因此，那些见形而不见道的人，莫不厌憎[《老子》]之言。

(20) 事实上，

(21) 想要界定事物的本根的人，尽管事物在近处，但必须从远处证明它们的本始。

(22) 想要阐明事物根基的人，尽管事物处身显明，但必须从玄奥处开始，来指出它们的根本。

(23) 因此[《老子》]

(24) 取天地之外的东西阐明形骸之内的事物。

(25) 阐明侯王自称“孤[4]寡”的意义，却从道和一(《老子》42.1)的推演开始，来展示它

① 在《老子》中没有直接的来源，但其中有天地只有通过仿效“一”才能成其大的思想。参见《老子》25.10，25.12 和 39.2。

② 参见《老子》19.1：“[统治者]绝圣弃智，民利百倍”。在对《老子》10.3 和 10.4 的注释中，王弼发展了这一论辩。

③《老子》19.1：“绝仁弃义，民复孝慈”。圣人对天地不仁的仿效的利益在《老子》第 5 章中得到了描述：“天地不仁，以万物为刍狗”。另见王弼对此的注释。

④ 这指涉的是《老子》第 5，7 和 43 等章，在那里，圣人仿效天和地。

的根源。①

(26) 因此,那些只知近处的事物而不知根源的人,莫不以[《老子》]为诞远的空言。因此,胡言乱语的人都各自宣讲自己的理论,而其他人也乐得看他们的混乱。他们或是以《老子》之言为迂远,或是讥讽它的论述。明白的变得晦暗,分辨的变得混淆,就是由于此!

下篇第五章

[**本文**]名也者,定彼者也;稱也者,從謂者也。名生乎彼,稱出乎我。故涉之乎無物而不由,則稱之曰道;求之乎無妙而不出,則謂之曰玄。妙出乎玄,衆出乎道。故生之畜之,不禁②不塞,通物之性,道之謂也。生而不有,爲而不恃,長而不宰,有德而無主,玄之德也。玄,謂之深者也;道,稱

① 《老子》42.1 以"道生一"开头,进而谈到了侯王自称为"孤"。值得注意的是,王弼这里假设《老子》谈论道和一的唯一动机是要根据政治哲学澄清统治者的这些自我称谓的意义。由此,本体论的探索被读作政治哲学领域里的追求的基础。王维诚建议将现存文本的"道一"读作"得一",这就指向了《老子》第 39 章,此章又是以解释统治者何以称自己为孤寡的原因结尾的。我认为这一改变并不必要。

② 取"禁"而非"壅":Wagner 据《老子》10.7 和 10.8 的王弼注改,注文为:"不塞其原也,不禁其性也"。"壅"这个词在现存的王弼著述中,并没有出现过。

之大者也。[1] 名號生乎形狀，稱謂出乎涉求。名號不虛生，稱謂不虛出。故名號則大失其旨，稱謂則未盡其極。是以謂之玄則玄之又玄，稱道則域中有四大也。[2]

［译文］

(1)“名”是界定对象的。

(2)“称”是推论性的称谓。[3]

(3) 名生于对象。

(4) 称出自主体。

(5) 这就是[4]

(6) 关涉到没有事物不根于它，就称之为道。[5]

(7) 寻求中看到没有“妙”不由之发出，就谓之为“玄”的原因。[6]

因为

(8)“妙”出自玄。[7]

(9)“众”根于道。[8]

(10)［《老子》说］“生之畜之”[9]，即不禁［其性］，不塞［其原］，而贯穿事物之本性，说的就是道。

(11)［而当《老子》说］“生而不有，为而不恃，长而不宰”时，就指的

---

① 在《云笈七签》的节录中没有从“天地實大，而曰非大之所能”到“道，稱之大者也”这一整段，而是代之以“皆理之大者也”一句。

② 《云笈七签》的节录以此结尾。

③ 参见本书第三编第一章的分析。

④ 句5—15处理的是称谓的细分。在句16，论辩回归到“名/称”的二分。另一此类的细分出现在句22—24。这是王弼的链体风格的有用和简约达到极致的少数几处之一，因为它不得不依赖读者对于文本在脉络之一的细分中的延续的注意。

⑤ 《老子》25.5。

⑥ 《老子》1.5。

⑦ 这指涉的是《老子》1.5，在那里，“玄”被描述为“众妙之门”。

⑧ 这是在指《老子》21.7：“以阅众甫”。另一方面，《老子》1.5将“玄”描述为众妙之门。

⑨ 《老子》10.7：“生之”。王弼注曰：“不塞其原也”。《老子》10.8：“畜之”。王弼注曰：“不禁其性也”。

是"[从]玄[而来]之德"。①

(12) 玄是最深奥的谓。②

(13) 道是最广大的称。③

(14) 名号生于形状。

(15) 称谓出于关涉和寻求。

(16) 名号不凭空产生。

(17) 称谓不凭空出现。

(18) 因此

(19) 使用名和号事情就会根本错失它的意义。

(20) 使用称谓又无法穷尽它的绝对。

(21) 这就是

(22) 当谓之为玄的时候,就要说"玄之又玄"。④

(23) 当称之为道的时候,就要说"域中有四大"的原因。⑤

---

① 引文出自《老子》10.9。此处的段落通过在两个词中间插入"之",给出了翻译"玄德"一词的重要线索。王弼将"德"读作"得",即事物从道那里获"得"的东西。在这种意义上,它也就是事物的能力,而且,在其他地方,我也这样翻译。

② 在《老子》15.1 和 65.4 中,"深"字被用于"玄"。

③《老子》25.6。

④《老子》1.5。

⑤《老子》25.10。《云笈七签》中的《老子微旨略例》的摘录就在这儿结尾。

下篇第六章

[**本文**]《老子》之書，其幾乎可一言而蔽之。噫！崇本息末而已矣。觀其所由，尋其所歸，言不遠宗，事不失主。文雖五千，貫之者一；義雖廣贍，衆則同類。解其一言而蔽之，則無幽而不識；每事各爲意，則雖辯而愈惑。嘗試論之曰：夫邪之興也，豈邪者之所爲乎？淫之所起也，豈淫者之所造乎？故閑邪在乎存誠，不在善察；息淫在乎去華，不在滋[①]章；絕盜在乎去欲，不在嚴刑；止訟存乎不尚，不在善聽。故不攻其爲也，使其無心於爲也；不害其欲也，使其無心於欲也。謀之於未兆，爲之於未始，如斯而已矣。故竭聖智以治巧僞，未若見質素以靜民欲；興仁義以敦薄俗，未若抱樸以全篤實；多巧利以興事用，未若寡私欲以息華競。故絕司察，潛聰明，去勸進，剪華譽，棄巧用，賤寶貨，唯在使民愛欲不生，不在攻其爲邪也。故見素樸以絕聖智，寡私欲以棄巧利，皆崇本以息末之謂也。夫素樸之道不著，而好欲之美不隱，雖極聰明[②]以察之，竭智慮以攻之，巧愈思精，僞愈多變，攻之彌深，避之彌勤，則乃智愚相欺，六親相疑，樸散真離，事有其姦。蓋捨本而攻末，雖極聖智，愈致斯災，況術之下此者乎！夫鎮之以素樸，則無爲而自正；攻之以聖智，則民窮而巧殷。故素樸可抱，而聖智可棄。夫察司之簡，則避之亦簡；竭其聰明，則逃之亦察。簡則害樸寡，察[③]則巧僞深矣。夫能爲至察探幽之術者，匪唯聖智哉？其爲害也，豈可既[④]乎！故百倍之利未渠多也。夫不能辯名，則不可與言理；不能定名，則不可與論實也。凡名[⑤]生於形，未有形生於名[⑥]者也。故有此名必有此形，有此形必有其分。仁不得謂之聖，智不得謂之仁，則各有

---

① 取“滋”而非“茲”：据严灵峰本改。

② 取“聰明”而非“聖明”：Wagner 依据《老子》49.5 王弼注“勞一身之聰明以察百姓之情”改。

③ 取“察”而非“密”：Wagner 据“簡”—“察”的平行关系改。

④ 取“既”而非“記”：严灵峰据《老子》35.3“用之不可既”及王弼注改。

⑤ 取“名”而非“民”：王维诚。

⑥ 取“名”而非“民”：王维诚。

其實矣。夫察見至微者，明之極也；探射隱伏者，慮之極也。能盡極明，匪唯聖乎？能盡極慮，匪唯智乎？校實定名，以觀絕聖，可無惑矣。夫敦樸之德不著，而名行之美顯尚，則脩其所尚而望其譽，脩其所顯[①]而冀其利。望譽冀利以勤其行，名彌美而誠愈外，利彌重而心愈競。父子兄弟，懷情失直，孝不任誠，慈不任實，蓋顯名行之所招也。患俗薄而興名行崇仁義，[②]愈致斯僞，況術之賤此者乎？故絕仁棄義以復孝慈，未渠弘也。夫城高則衝生，利興則求深。苟存無欲，則雖賞而不竊；私欲苟行，則巧利愈昏。故絕巧棄利，代以寡欲，盜賊[③]無有，未足美也。夫聖智，才之傑也；仁義，行之大者也；巧利，用之善也。本苟不存，而興此三美，害猶如之，況術之有利斯以忽素樸乎！故古人有歎曰：甚矣，何物之難悟也！既知不聖爲不聖，未知聖之爲不聖也；既知不仁爲不仁，未知仁之爲不仁也。故絕聖而後聖功全，棄仁而後仁德厚。夫惡強非欲不強也，爲強則失強也；絕仁非欲不仁也，爲仁則僞成也。有其治而乃亂，保其安而乃危。後其身而身先，身先非先身之所能也；外其身而身存，身存非存身之所爲也。功不可取，美不可用，故必取其爲功之母而已矣。篇云：既知其子，而必復守其母。尋斯理也，何往而不暢哉！

［**译文**］

(1)《老子》这本书几
乎可以用一句话来概
括[正如孔子对《诗经》
所说的]：噫![④] 尊崇

① 取“顯”而非“道”：Wagner 改。前一句承续的是“名行之美顯尚”中的“尚”，因此这一句当做“顯”。

② 取“興名行崇仁義”而非“名興行崇仁義”：据楼宇烈本改。

③ 取“賊”而非“則”：王维诚。

④《论语》2.2：“子曰：诗三百，一言以蔽之，曰思无邪”。这一指涉并非只是一种有学养的暗示。它指出的是《老子》和《诗经》的共同结构。二者都包含广泛的材料，但这里宣示它们都共享相同的导向；参见刘宝楠，《论语正义》，页 21。

本根以止息枝末——不过如此而已![1] 考察[万物]的根基,探究[它们]的归向,[《老子》]的话不背离根本,[他的]事为不失其宗主。[2] 尽管文本有五千言,但它们是一以贯之的[如孔子那样]。[3] 尽管它的思想广大,其中的多样是同类的。如果领会到它可以"一言以蔽之",就会辨识出所有的玄奥;但如果看每个主题的单独的意思,那么,即使有再好的分析技艺,也将更加迷惑。

[下面是关于淫兴邪起以及对治它们的方法的插入论述]

(2) [我将]试着加以分析.

(3) 邪恶的兴起,难道

(4) 淫欲的兴盛,难道

---

① 王弼会在前文(2.44)以一个较长的论述系列对《老子》加以总结之后,再次回到总结的《老子》的主题,是相当令人惊奇的。从这一总结的极端变体看,王弼的著述安排主要集中于政治哲学领域,这是相当明确的。

② 《老子》70.2 里自称:"[我的]言有宗,[我的]事有主"。

③ 《论语》4.15:"子曰:'参乎! 吾道一以贯之哉!'曾子曰:'唯。'子出。"

是邪恶者的创造？

是淫欲者的运作？

(5) [当然不是。]这就是

(6) [正如孔子所说]“闲邪”在于“存诚”，不在于善于监察；

(7) 息止淫欲在于去除[1]奢华，而不在于炫示更美的东西的原因。[2]

(8) 禁绝盗窃在于[统治者]去除欲望，而不在于更严厉的惩罚。

(9) 停止争讼在于不崇尚[贤者]，而不在于善[3]听[讼]。[4]

(10) 因此[圣王]

(11) [统治者]不去攻击[百姓]的欲求，而是让百姓没有欲求的倾向；

(12) 不妨害他们的作为，而是使他们没有作为的倾向。

(13) [按《老子》的看法]在没有任何征兆的时候谋划，在[危险]尚未开始的时候采取行动——这就是全部！[5]

---

① 参见《周易·文言》。这被假定为孔子的话。

②《老子》20.15:“我独欲异于人而贵食母”。王弼注曰:“食母，生之本也。人者，皆弃生民之本，贵末饰之华”。参见《老子》57.4:“法物滋章，而盗贼多有”。

③《老子》64.7:“是以圣人欲不欲，不贵难得之货”。王弼注曰:“好欲虽微，争尚为之兴；难得之货虽细，贪盗为之起也”。

④ 参见《周易》“讼卦”王弼注，《象》曰:“君子以作事谋始”。王弼注曰:“[正如孔子所说:]‘听讼，吾犹人也，必也使无讼乎’！无讼在于谋始，谋始在于作制。契之不明，讼之所以生也。物有其分，职不相滥，争何由兴？讼之所以起，契之过也。故‘有德司契’而‘不责于人’”。

⑤《老子》64.1 和 64.3。王弼将《老子》中的“未有”的“有”字替换为“始”。没有文本支持这一读法，这里的“始”字可能出自上引《周易》的段落。

[插入的论述到此结尾]

(14) 因此,

(15) 竭尽聪明来治理巧伪,不如展示素朴来安静百姓的欲念;

(16) 倡导仁义来敦厚风俗,不如“抱朴”来保全健康和真实;

(17) 增多巧利以兴进事用,不如减少私欲来平息竞争。[1]

(18) 因此,[《老子》主张]

(19) 禁绝监察,潜没聪明;

(20) 取消鼓励和倡导,剪除奢华争竞;

(21) 放弃技巧功利,轻视宝贵的财货。

(22) 所有这些都是要使百姓不爱[名]、求[物],并不是要攻击邪恶的东西。因此,展示素朴来禁绝圣智,减少私欲来放弃技艺和功利,说的无非都是“崇本息末”罢了。

(23) 事实上,如果素朴之道不能得到展示,而偏私欲求不能消隐,那么[统治者]

(24) 即使竭尽他的智慧来监察百姓,

(25) 虽然竭尽心虑来攻击他们,

(26) 但

① 句 14—16 以及它们所关联的句 18—20 指向的是《老子》19.1,在那里王弼给两组平行阶梯(每组三句)提供了一种极为精巧的解释。参见本编第四章的文本及其翻译。

(27) 监察的技艺越精巧，百姓伪诈的技巧就越精湛；

(28) 他对他们攻击得越激烈，百姓归避他的努力就越强。①

(29) 这样一来，就会智愚相互欺骗，六亲相互猜疑，大朴亏散，离[其]真性，在所有的事务上，都存在奸诈。一旦“舍本攻末”，即使穷尽圣智，也只会带来更深的灾难，何况用那些比这还低下的技艺呢！相反，如果以“无名之朴”②来安静百姓[如《老子》37.3 所说]，就会君“无为”而民“自正”。③

(30) 而如果[统治者]以智慧和知识来攻击他们，百姓将会困穷，而巧伪繁生。因此，“素朴可抱，圣智可弃”。④

① 参见本书第三编第三章。

②《老子》37.3：“侯王若能守，万物将自化。化而欲作，吾[圣人]将镇之以无名之朴”。

③ 参见《老子》57.5：“故圣人之言云：我无为而民自化，我好静而民自正”。王弼将“无为”与下一句的“自正”结合起来。

④ 这些引文都源自《老子》19.1。

(31) 一般说来，

(32) [统治者]的监察简少，[百姓]的归避也简少。

(33) 当[统治者]竭尽他的智慧时，百姓也逃避得更聪明。

(34) [规避]简少则危害也少，

(35) [逃避]得聪明，巧伪也更深。

(36) 但能够做到察及深隐的人，难道不是圣智之人吗？他所带来的危害难道可以测度吗？因此[《老子》19.1所说的]“百倍之利”，并不是夸张。

(37) 事实上，如果某人不能分辨名号，跟他讲道理是不可能的；如果不能界定名称，跟他讨论现实也同样是不可能的。一般来说，名生于形，从来没有形生于名的情况。这就是有[特殊的]名，必有

[特殊的]形，有[特殊的]形，必有[特殊的]分的原因。

(38) 由于仁不能被称为圣，

(39) 智不能被称为仁，

(40) 这些名就都有其实质。

(41) 事实上

(42) 能察见最精微东西的人，是明的极致。

(43) 能探穷深隐东西的人，是虑的极致。

(44) 能穷尽极明的人，难道不是圣者吗？

(45) 能穷尽极虑的人，难道不是智者吗？

(46) [因此，只有]通过校定名实，来了解"绝圣"的意图，才不可能发生错误。①

(47) 事实上，如果敦朴②的德性不彰著，而

(48) 名

和

(49) 行

的美被

(50) 赞誉 和

(51) 荣显，

那样

(52) [百姓]将努力获

(53) 将努力得到赞

① 句23—44包含一个关于《老子》19.1的第一句话的解释的争论："绝圣弃智，民利百倍"。指明并将这一部分与下一部分分划开来的一个形式要素是它们开头句子的严格平行："夫素朴之道不著，而好欲之美不隐"与"夫敦朴之德不著，而名行之美显尚"。《老子》第19章的第一句话是班固之类的儒家学者乐于引用的话，用来证明《老子》与孔子教化的不能相容。

② 这些语汇指涉的是《老子》15.3，其中描述"古之善为道者"："敦兮其若朴"。

得荣显，渴求声名。

誉，希求利益。

如果

(54) 渴求声名，

(55) 希求利益，

(56) 成为他们行为的动机，

(57) 那么，名声越美，就越远离诚实。

(58) 利益越得，争竞之心就越强烈。[1]

(59) 父子兄弟之间，所怀情感不再坦白，孝不再诚至，慈也不再真实，这都是[统治者]显示

(60) 名

和

(61) 行

招致的。

(62) 因厌憎粗俗浅薄而荣显名行，倡导仁义，将会带来更多的虚伪，何况那些比这更低下的技术呢。因此[《老子》19.1 所说的]“绝仁弃义”“以复孝慈”并不是夸张。[2]

(63) 事实上，城墙越高，冲击的战车就会出现。利益越大，[没得

① 句 45—56 暗指《老子》第 44 章。

② 句 45—60 的整个主题是《老子》19.1 的第二句：“绝仁弃义，民复孝慈”。

到利益者的]欲求也越深。[但正如孔子对季康子所说],如果[统治者]保持无欲,“即使设立奖赏也不会有人盗窃”。[1] 反过来,如果[统治者]私欲肆行,[百姓]对利益的渴求就会更加混乱。因此,[正如《老子》19.1 所说],没有比“绝巧弃利”,代之以“寡欲”更好的了,它将使“盗贼无有”。

(64) 事实上,

(65) 圣智是才智之士中的杰出者;

(66) 仁义是品行之中最伟大的;

(67) 巧利是用处之中最好的。[2]

(68) 如果,不能保守根本,而让这三者繁盛,[对百姓]的危害已到了这样的地步,何况那些比这三者更加背

---

① 《论语》12.18:“季康子患盗,问于孔子。孔子对曰:‘苟子之不欲,虽赏之不窃。’”王弼通过将“不欲”替换为“无欲”而这一论述彻底化。

② 同一论述逐字出现于《老子》19.1 王弼注中。

弃素朴的技艺![1] 这就是古人叹息:"确实呀!事物是何等难以领悟"的原因。

(69)人们只能理解非圣是非圣,而不能理解圣本身就是非圣。

(70)能理解不仁是不仁,而不能理解仁本身就是不仁。[2]

(71)这就是只有

(72)绝圣,圣的功业才能完成;[3]

(73)弃仁,仁的德性才能广大的原因。[4]

(74)厌憎强悍不是意味着人们不愿意强大,而是行事强悍的人会失掉他的强大。[5] 抛弃仁义,不是意味着人们不愿意仁义,而是随着仁义,会有伪诈出现。[统治者]执持的

---

① 此句或有残蚀,因为在其他带有"况术"的句子中没有与之平行的。此种典型的构造是"况术之下此者乎"或"况术之贱此者乎"。然而,我的读法所依据的标点是在整篇译文的开头给出的列表中标有c的版本所建议的(况述之有利斯以忽素朴乎),并将"斯"等同为其他例子中的"此"。楼宇烈将此句分作"况术之有利,斯以忽素朴乎",但他建议的读法与我的读法近似。

② 这两个句子的逻辑是:统治者的智和仁的结果实际上对其他事物有害。

③ 只有解除邦国的监察措施才会促使百姓珍视诚实,从而使秩序得以建立,统治者得以保全。

④ 只有放弃特殊的偏好才能使圣人成为这样一种秩序的基础:所有事物都可以在一种前定的和谐中找到它们的位置。这一对句子是王弼哲学中系统化转向的另一个例子。《老子》只是简单地道出了统治者放弃智慧的结果将对百姓有极大的利益,王弼却得出这样的结论:正是由于他们弃绝这些治理工具,他们所意图的结果才能达到。

⑤《老子》73.1:"勇于敢则杀"。王弼注曰:"必'不得其死'[《老子》42.3 语]也"。参见《老子》第68章。

秩序，混乱随之而生；保守个人的安全，危害随之而来。

(75)［《老子》］说："后其身而身先"[1]，"身先"并非将一己之身放在优先地位带来的；"外其身而身存"[2]，"身存"也并非保存一己之身达到的。

(76)功业不可夺取，美善不可运用，因此［统治者］只能执取带来功绩的母体。[3]

(77)《老子》说："既知其子，而必复守其母"[4]。领会了这一道理，还有什么不明白的地方呢？

---

①《老子》7.2。

② 同上。

③ 关于"为功之母"，参见本书第三编第二章。

④《老子》52.2。这一引文是解释性的，并且以"必"之类关键性的添加来运作。

第四章　王弼所用《老子》的重构及批判性版本；王弼《老子注》的重构及批判性版本；根据王弼注推论出的《老子》译文；王弼《老子注》的译文

关于版本的说明

所有现存的印在王弼注之上的《老子》本文的前现代版本都不是王弼本人所用的文本。① 通行的王弼《老子》本必须从整体上放弃。此处对王弼《老子》本重构的尝试是以对王弼《老子》本所属的文本族的辨识为基础的。出于这一目的，我们将王弼注中的《老子》引文与现存的文本传统进行了比较。其结果是得到了包含如下四种文本的文本族：

1. 傅奕，《道德经古本》，收入《正统道藏》，施舟人：《道藏索引》665号(上海书店，1996)。本书引作“傅奕古本”；

2. 范应元，《老子道德经古本集注》，收入《续古逸丛书》，引作“范应元本”；

3. 马王堆《老子》甲本，收入《马王堆汉墓帛书》(马王堆汉墓帛书整理小组编，北京文物出版社，1974年)卷1。引作“马王堆甲本”；

4. 马王堆《老子》乙本，收入《马王堆汉墓帛书》卷2，引作“马王堆

① 这一论辩的证据见本编第一章。

乙本”。

在这一对王弼《老子》本的重构中，王弼的注释构成了基础，这是因为注释中的《老子》引文没有接受它的《老子》本文的绝大多数变化，同时也是因为许多其他的文本特征可以从注释中推论出来。在没有王弼的直接指引的地方，陆德明《经典释文》中的某些注释以及文本族(其中最重要的是傅奕古本和范应元本)的共同的读法会被采信。文本族内部的所有异文都被罗列出来。马王堆的异文常常基于字音或字形相近，在那个时代，书写还只是一种使用少量标准字符的极不稳定的交流方式。郭店出土的三种《老子》的年代约为公元前 300 年，它们支持了相当数量的马王堆本的读法，特别是在虚词方面；但也提供了许多与已知的所有文本传统都相当不同的读法，以致需要完全不同的处理。我注意的是那些给以王弼注为依据的、但又缺乏文献证明的读法以支持的地方，但我没有给出它们与我重构的《老子》本的所有差异。

我的工作极大地受惠于岛邦男《老子校正》所开启的进路。他将现存的《老子》本组织成文本族，并试图为每一个文本族建立一个批判性的文本。他的王弼《老子》本是以王弼《老子注》里引的《老子》原文以及文本族成员的读法为基础的，他所使用的王弼《老子注》是《正统道藏》中有王弼注的《老子》单行本。偶尔也添加严遵和想尔等文本传统的材料，在他看来，由于年代的相近，二者与王弼较为接近。基于他开启的视域，我达到了不同的结果。他组织在一起作为王弼的文本族的那些文本，都是明代的本子，而且他常常被迫在他批判性的王弼《老子》本中反驳这一文本族的共同读法，而绝大多数场合都是依照傅奕和范应元本的方向做出改变的。对这些关联的细致考察表明，这两种文本(即傅奕本和范应元本)与马王堆本(关系稍远)一道，构成了王弼的文本族。因此，我完全放弃了通行的王弼《老子》本。对于王弼《老子》本的每一句话，我都在引文及文本族中寻找最佳的文本(“底本”)，并以此底本为基础，标出所有异文。底本中那些不得不加以改变的要素，则标注“取 x 而非 y：aaa 本”，表示底本中的"y"不如 aaa 本的"x"好。凡是有必要的地方，我都给出了简要的解释。

今天通行的王弼《老子注》是以十五、十六世纪的版本为基础的。正如前面谈到过的那样，与宋元的集注本中的王弼注相比，它们提供的只是次好的基质。大体上说，后者代表的不只是时代的早，而且是更好的文本保存状况。波多野太郎在其《老子王注校正》中，收集了各种中文版本和中日学者的批判性注释中的王弼《老子注》的读法，然而，他没有进而给出王弼《老子注》的批判性版本。

另一新的进路也同样由岛邦男开启。对于王弼注的每一部分，他都在宋元的集注中选择看起来品质最好的。尽管这一进路开放出了重构一种更好的王弼《老子注》版本的道路，但岛邦男的关注点在于《老子》，所以他没有进而建构王弼《老子注》的批判性版本，而只是留下了他发现的片断。下面重构的版本将试着填补这一空缺。这一版本放弃了迄今用作王弼《注》基础的那些文本，将自身建基于王弼《老子注》现存的最早文本之上。尽管这些刻印的文本也出自明代（绝大多数在《正统道藏》中），但它们的累积性质——许多注释被汇集进一个单个的文本，使得它不太可能依照某些后来的单行本来改动。对于每一注释，我的版本都选取看起来最佳的现存文本，并进而建构起一种批判性的文本。这一早期的核心文本群中的异文，被标注在脚注中。下列文本是最为重要的依据：

1．刘惟永，《道德真经集义》，《正统道藏》（《道藏索引》724）。这一巨编现存的只是第一部分，处理了《老子》第1～11章。它包含这些分章的王弼注的全文，而且通常保留了最好的文本。因此岛邦男以之为这些分章的底本。引作"刘惟永《集义》本"。

2．王雱，《道德真经集注》，收入《正统道藏》（《道藏索引》706）。此书编成于1070年，其中收入了唐玄宗注、河上公注、王弼注以及王雱本人（王安石之子）的注释全文。其中的王弼注文本没有刘惟永本好，但无疑优于明代的版本。王雱的文本是第12～81章的主要底本。引作"《集注》"。

3．李霖，《道德真经取善集》，收入《正统道藏》(《道藏索引》718)。有1172年金代的一篇序文，这一文本试图为《老子》的每句话找到它认为最完"善"的注释。有时选择的即是王弼注。引作"《取善集》"。

4．董思靖，《道德真经集解》，收入《正统道藏》(《道藏索引》705)。这一集注本最早出版于1246年，收入了某些王弼注的引文。引作"董思靖"。

5．《永乐大典》本。王弼注的一种本子被收入了编成于1403—1425年间的《永乐大典》。《永乐大典》的该部分现已不存，但四库全书《老子》的编者手里有该文本的第1～37章。他们标注出了该文本与他们自己的版本(基于张之象本)的所有差异。由于四库版的编辑水准颇高，我们可以假设这等于给了我们第1～37章的《永乐大典》版，同时假设那些没有差异的部分与四库版相同。引作"《永乐大典》本"。

6．《道德真经注》，收入《正统道藏》(《道藏索引》690)。这一王弼注的单行本有四卷。尽管这看起来是受了河上公注的安排的影响，但实际上是《道藏》的编辑路线决定的，它导致所有的卷数都翻了倍。该文本很接近张之象本。我们以"《道藏》本"来指称它。

7．张之象本。这一《四库》的编者认为出自万历时期的版本，可以回溯至《道藏》本，而且没有增加什么有意思的东西。《四库》的编者以它作为王弼《注》的整个文本的基础。正如它们在第38章注中指出的那样，对于第1～37章，他们用《永乐大典》本来核对，而由于《永乐大典》本的下部"无注"，他们只是简单地复制了张之象版。他们指出，"张之象所录王注脱误甚多，今无别本可校，姑仍旧文"。[①] 这实际上给了我们完整的张之象本。

有大量学术性文献讨论了王弼《老子注》。其中的绝大部分已由波多野太郎不辞辛劳地搜集起来了。通过校核，可以看到他的引文是精确

① 参见《老子》第38章编注。

的，因此，我不再给出每一条引文的来源。如果没有特别的标注，我们可以与其《老子王注校释》中相应的句子一道找到这些文献的来源。注释家的策略各不相同。有些人，如魏源（1797—1857年）①，处理文本不是文献性的，而是随意地补充他们觉得王弼可能或者应该写下的东西。其他一些人，如陶鸿庆②（1859—1918年）、东条一堂③（1778—1857年）和宇佐美灊水④（1710—1776年）贴近文本，并给出重要的建议。对于我这里建议的批判性文本而言，这些建议都是极有价值的，因为相当多的地方文本需要修订。对同一文本的不同版本的比较表明在何种程度上字形或字音的相似性促使誊写者不自觉地变更一个文本。在根据早期的现存记载之外的选择做出的改变我仍然相当慎重，因为有些修订也常常是因误解文本而产生的。《老子》1.5就是一个极好的例子，对文本的误解导致了相当多完全不必要的修订。

关于推论性翻译的说明

在本书第一编中，我试图勾勒出王弼的注释策略，并将它们与对同一文本的其他构造对照。这里对王弼《老子注》的翻译说明旨在为我自己的解读和翻译策略提供某些根据。

对于一个像《老子》这样的文本并没有所谓的首次解读。任何历史的读者都已经在不同的层次上接触到这一文本：通过有关其假想作者的最普通最含糊的信息，通过关于“道家”的传闻或阅读，通过出自文本的业已变成片断的箴言，或者最终，通过借注释或译文对该文本的阅读。我们时代的注释者常常有这样的假设：他要恢复一种被后来的读者和注者歪曲、误解的有着最原初意义的“原文本”。这一现代的态度有着相当

① 魏源，《老子本义》。
② 陶鸿庆，《读〈老子〉札记》。
③ 东条一堂，《老子王注标识》。
④ 宇佐美灊水，《老子道德真经王注老子道德经》。

长的中国世系。王弼对各家为适应自己的学说做出的错误构造作了有针对性的批驳,他声称自己重新发现了这一文本中包含和隐藏的哲学精华。而我们可能并不期望自己相信他的宣称,我们可能早已被告诫要放弃此类文本的某种“原意义”的概念,将其视为基本无用且不可用的启发式假设。即使通过某种魔法让《老子》的作者或作者们复活,并告诉我们他们的思想,他们无疑也对从一般的文化和哲学背景流入其文本的许多要素全无自觉;对于这一文本——通过不同时代、不同环境的不同读者和注者再界定、再活跃自身的文化焦点,他们的解释极有可能不会对理解有一丁点儿的助益;而且,最糟的是,他们的解释还可能表明他们的意义和意图,比起所有读者、注释者或译者已经达到的东西要肤浅得多。

注释者通常将其著述看做是在为文本服务的;相应的,他会示意比起他的注释来,文本属于更高的层次,甚至是古代圣人留下的经典文本。然而,这一等级关系并没有精确地描绘出《老子》与其注释者之间的关系。的确,《老子》的文本大体上是相同的,而注释者却往来纷纭。而每一个注释都试图固定文本的意义,以达到排除其他可能的以及已经出现的意义的程度。在这一意义的固定中,注释试图与文本合并。传统注释者的目标是给整个文本提供一种一致的解释。正如孟子已经解释过的那样,在这一一致的解释中,注释者试图把握作者想要说的东西,他的“意”,他将根据有效的证据验证这已经假设的意义,而且,如此有足够的文本材料支持,将使得整个文本归属于这一统一化的过程。在这一层次上,注释者,特别是如王弼那样以意义为导向的注释者,将根据这一核心意义重构整个文本材料。因此,我们看到注释者接管了文本的意义解释,并以此方式达到了高于文本本身的程度。由某个解读共同体造成的对注释者解释性宣称的接受水准,标志着融合的水平;我们有许多这样的例子,比如王逸的《楚辞注》,在这一注释里,注释取得了对某个给定文本的意义的千年来无从挑战的霸权。

与此同时,注释仍在主观和客观上与文本相分离,在鼎盛期后,它还可以被抛弃。从主观上看有这个分离，这是因为注释者知道他只是众多面对这一达到某种一贯理解的终极挑战的人之一，而且也知道他的构造与文本材料之间的距离：这促使他一再地强迫自己为在文本的整体意义与那些拒绝整合的段落之间建立媒介的方式做出更具创造性、更为复杂或者甚至是更为笨拙的努力。这可能时时导致他拒绝某个与统一体不协调的段落，由此将其区划为赝品。从客观上看也有这种分离，这是因为读者在容许注释者引领其阅读之后，可能会发现注释使用了太多补充的构造，在引导注释者的整体意义与文本表面之间的鸿沟仍然难以消化。在这种情况下，读者将丢开注释者，而非文本；他可能想要阅读其他的注释，让它来给他解释文本的意义。

对于《老子》，注释者面对的是大体上能背诵文本并且已经通过其他注释对它有所了解的读者。新的注释者与读者的交流不是从纯白无染开始的。他不仅要说服读者，而且在此过程中还必须推翻各种替代性的解释可能。

因此，这样一种注释的翻译者处身于捆绑之中。任何将中国文本转为现代汉语的翻译（无论是译成现代汉语、日文或西方语言），都将极大地减少文本在其漫长的理解史中获得的意义空间。这一意义空间不仅涉及到某些词汇（如"道"或"玄"）的意义，而且涉及到语法、修辞、隐含的主语和宾语以及没有在任何句子中表达出来但却浸染了整个文本的整体宗旨。在《老子》及许多其他具有经典地位的文本中，这一意义的历史空间是非常广阔的，正如前面对《老子》的几个分章的推论性翻译所表现的那样。第一步，注释的译者将不得不让自己接受注释的引导，将文本翻译成注释者想要的那种读法。这就意味着，对于这一翻译的读者而言，所有其他注释读法的有效性都将消失；如果王弼将"刍狗"读作"草和狗"，那么关于"刍狗"的礼仪性运用以及"刍狗"的隐喻意义的注释就完全被排除掉了。通过翻译对意义空间的减少也有牺牲者，即注释家。他的分析性贡献，他在历史的读者中间激起的震颤消失了，因为它只能根据那时有效的读解来衡量,并且在那时有效的文本整体意义的假设与文本单个句子的注释分析之间谋求应合。

在这种方式下,译者不得不给出某种同质的本文/注释的连续体,清楚地表现注释者在其整体意义设想的语境中所建议的解读某一给定句子或段落的方式。这正是我的翻译将要做的。尽管结果看起来容易,但这样的翻译实际上是一个极为困难的过程。绝大多数注释者没有将本文翻译成充分阐发的意义,而只是暗示某种读法。这一本文的读法不得不从注释的暗示中推论出来。同样,《老子》的译者也没有某种初次解读的纯白无染。某种特定的《老子》翻译和理解路线已经在晚近的两百多年间确定下来。在许多情况里,这些翻译甚至声称依据的是他们假设的"王弼本",但对注释者作为二手学者的总体轻视,阻止他们从王弼注中推论王弼的《老子》构造,尽管我不知道哪种文本对关于《老子》的意义及特定的哲学问题的汉语思考有更大的影响。对于一个要克服现有翻译的相当统一的嘈杂并进而走上通过一种中国注释家的指示"再发明"《老子》的崎岖道路的译者,需要具有高度创造的灵动性以及同样高度控制的强制性。从不时发现的我此前未能注意到的注释所要求的翻译和读法中,我痛苦地意识到在王弼、《老子》和我本人之间的三方谈判可能无法完满地达到。我仍然相信此处在帮助译文的读者理解意义的历史性原则、达到《老子》的一种具体的历史性意义以及得到比较《老子》注释家所建议的不同意义的手段方面有所贡献。

通过注释翻译文本的策略的不可避免的结果将是,在理想情况下,注释看起来是自明的和浅显的。以我的看法和经验,一种突显注释的哲学和分析成就的翻译是不可能的,因为一种探索性的注释与文本意义的特殊的流动性之间的复杂互动是不可复制的。没有摆脱窘境的途径。唯一让读者意识到注释者的实际努力和贡献的方式是以这样的方式翻译本文:给出注释可能建议的读法,但仍然提醒读者在他自己的自发理解与注释者架构起来的文本意义的桥梁之间的距离。

如果文本的翻译依循注释给出的方向，它将在同一过程中通过暗示翻译出注释对其他选择的拒绝，以及对构造某一给定段落的特定方式的建议。由于翻译无法让这些其他选择显然可见，而且由于王弼所针对的其他注释业已佚失，要定位和标注出我们手中的构造不仅是一种一贯的构造，而且同时是其他被拒绝的选择的埋葬地是非常困难的。一种理想的译文在每一个句子前将从一个无终结的括号开始，里面列出现存的其他读法并指出它们的优缺点，然后才给出新的构造的翻译。没有读者会愿意进入这样的解释学折磨中。

我们这里的翻译提供了两样东西：一种对后世所有注释者（无论是哲学还是宗教取向的）都产生了巨大影响的《老子》的特定历史构造；以及3世纪一个年轻的天才对《老子》的哲学探索及其意义的详尽阐释。

关于此前的翻译的说明

我的翻译并非是第一个。此前的三个译者 Paul Lin（1977）[①]、Ariane Rump（1979）[②]和 Richard Lynn（1999）[③]的译文都以现代通行的王弼《老子》本及注释为依据。Lynn 已经注意到了这一文本的一些问题，但基本上仍受限于波多野太郎收集的注释以及楼宇烈的版本。这些译者都没有注意到岛邦男的潜力巨大的著作。这标志着与我们这一工作的关键区别。由于没有尝试构造出一种批判性的版本，所有这些翻译也几乎没有参引各种抄本。

① Paul J. Lin, *A Translation of Lao Tzu's Tao Te Ching and Wang Pi's Commentary*, Michigan Papers in Chinese Studies，第 30 号，Ann Arbor：Center for Chinese Studies, The University of Michigan，1977 年。

② Ariane Rump 和 Wing-tsit Chan 译，*Commentary on the Lao Tzu by Wang Pi*, Monographs of the Society for Asian and Comparative Philosophy，第 6 号，Honululu：University Press of Hawaii，1979 年。

③ Richard J. Lynn, *The Classic of the Way and Virtue. A New Translation of the Tao-te Ching of Laozi as Interpreted by Wang Bi*, New York：Columbia University Press，1999 年。

前两种翻译是从王弼给有着固有意义的《老子》作注释的观念出发的。因此,他们相当随意地依附既存的《老子》翻译(比如 Rump,他用的是陈荣捷基本上与王弼注无关的翻译),他们将译文及王弼的注文附于其上。没有人试着通过王弼注推论出他的《老子》读法。这一方法论上的缺陷有着非常糟糕的结果,因为注释似乎是极为随机的,而且与文本的"意义"不相协调。Lynn 在这一领域已经取得了重要的进展。他的翻译是在推论性努力的方向上前进的,而且在很多地方做得相当成功。他没有澄清他的翻译策略,因此我们只能根据他的实际程序来判断。这导致了一种推论性翻译、对自古以来的读法的依附以及个人信念和偏见的混合品。

与此前众多翻译所做的那样,他会这样翻译《老子》第 5 章第 1 句:"天地不仁,它们以万物为草做的狗。"而此句的王弼注为:"天地不为兽生刍而兽食刍,不为人生狗而人食狗。"显然,王弼读的不是"草做的狗",而是"草和狗"。由于读者对此昧然无知,他们会奇怪王弼何以会写出如此愚蠢的注释来。总体上看,这一译文似乎缺乏对文本意义的历史的理解。

Lynn 固执地认为《老子》是一个给每个人提供如何行事的忠告的文本。无论这种看法对还是不对,都不是王弼解读这一文本的方式。如果说王弼的注释有一个隐含的读者的话,那就是统治者。王弼从《老子》中提炼出的对稳定统治的哲学基础的反思,不是对其他人讲得明白的。事实上,在王弼的解读中,整个《老子》中没有一个规定性的句子。Lynn 的翻译提供了出自某个解释传统(他对此未做批判性反思)的规定性句子。例如,对《老子》第 5 章王弼注,他这样翻译:"天地并不有意对万物有所作为,因此每一个事物有其所适用的东西,没有任何事物不受照料。只要你使用出自个人视野的恩惠,这就表明任事物自然的能力的不足。"尽管这给出了朴实的劝诫,但它是通过引入一个新的主语"你"做到这一点的,而王弼并没有给出这一主语。第二句只是简单地延续了前一句的主语，即天地，应译为："如果它们[即天地]让恩惠由它们自身[发起]，它们将无法任万物自己。"认为《老子》给每个人提供了明智行为的教说这一观点对于 Lynn 是如此确定，以至于他有时乐于丢开文本自己杜撰。《老子》第 8 章结尾的王弼注可以作为例子。此章的最后一句具体地罗列了上善（王弼将其读作道的别名）与水之间的相似性。注文为"言水皆应于此道也"。Lynn 的翻译读作"这是在说，人应该像水一样始终与道呼应"。在这里，Lynn 在一个脚注里警告读者他可能走得有点太远了。遗憾的是，他的翻译一再地受困于这一对王弼《老子》的教说性质的毫无根据而又确定不疑的信念。

三个译者都通过忽视我在前面分析过的《老子》和王弼共有的修辞特征来追随传统。① 尽管将这一风格特征视为我本人的幻想的怪异产物当然是 Lynn 的权利（在他的参考文献中列入了这一研究较早发表的版本），但出自《老子》本身、王弼及其同时代人乃至后世的景仰者的著述的大量证据提出了对他的反驳。甚至在《老子》第 22 章这样的场合下（在那里王弼公开表明了此章的链体风格），这位译者仍然选择忽视它们。这导致 Lynn 的译本在准确性上的实质缺失，因为一个分章内句子间的联系常常陷入它们传统的泥淖中。

翻译和学术分析并不必然关联在一起，许多学者都是在其中的一个领域更为擅长。对于王弼写作的这种哲学文本——其中创造了一种新的哲学语言，将翻译与分析分离开来就不太顺当了。据我所知，上面提到的这三位译者都没有深入研究过 3 世纪的哲学，特别是玄学。他们的导论仍然处于极为寻常的层次，其脚注表明对玄学讨论的生疏，而参考文献则更是令人惊讶地发现他们甚至不熟悉这一领域最好的著作，更不要说大量关于专门问题的论文了。尤其可悲的是最后提到的这一翻译，因为中国大陆在近 20 年来已经涌出了大量的专门研究。这一对玄学思

① 参见本书第一编第三章。

想的生疏有其代价。译者在他们所认为的“道家”共享的语境下解读王弼的哲学论辩。尽管这有时是有帮助的，但大多数时候它都最终模糊了王弼思想的明晰标志，根据“道家”（如果使用这个词有什么意义的话）概念消解了它。这三种译本对于理解一种《老子》的玄学性解读最终提供的只是些边边角角的帮助，因此它们也没有做到本来打算做的事——提供对《老子》的一种专门化、语境化的历史性解读，以区别于声称译出了《道德经》的“原”意的那种一般性的随意翻译。

我在此试图追寻另一道路：它包括一种文本的批判性重构和版本；一种试图通过深入王弼及其同时代人的哲学语境，给理解带来丰富性和具体性的翻译（通过将意义的“开放性”减少到最低而保持其可证伪性）；对王弼注所追寻的特定技巧和分析性策略的分析；以及最后，对我认为这一著作中阐发的核心问题的哲学分析。我对此前几种翻译的批评不应被视为对阅读它们的阻止。正好相反，我非常愿意鼓励读者将这些翻译与我本人的著述加以批判性的比较。无论最终的判断的是什么，这样一种比较都一定会给深入理解这些翻译所涉及的问题和它们的可靠程度带来帮助，对于一种将不得不与此类翻译并存而又不能根据文本掌握它们的分析来说，尤其如此。

王弼《老子注》

《老子注》第1章

[**本文**]

1.1　道可道，非常道。名可名，非常名。[①]（底本：傅奕古本）

可道之道，可名之名，指事造形，非其常也。其[②]不可道不可名

① 马王堆甲本此句作“道可道也，非恒道也。名可名也，非恒名也”。

② 刘惟永《集义》本、《永乐大典》本“其”作“故”。

也。(底本:《道藏》本)

1.2　無名,萬物[1]之始[2];有名,萬物之母[3]。(底本:马王堆甲乙本)

凡有皆始於無,故未形無名之時,則爲萬物之始。及其有形有名之時,則長之育之亭之毒之,爲其母也。言道以無形無名始成萬物。[4] 萬物以始以成而不知其所以然[5],玄之又玄也。(底本:刘惟永《集义》本)

1.3　常無欲,[6]以觀其妙。[7] (底本:傅奕古本)

妙者,微之極也。萬物始于微而後成,始于無而後生。故常無欲,空虛其懷,[8]可以觀其始物之妙。(底本:刘惟永《集义》本、《集注》本)

1.4　常有欲,[9]以觀其徼[10]。(底本:傅奕古本)

徼,歸終也。凡有之爲利,必以無爲用。欲之所本,適道而後濟。故常有欲,可以觀其終物之徼也。(底本:刘惟永《集义》本、《集注》本)

1.5　兩[11]者同出而[12]異名,同謂[13]之玄,玄之又玄,[14]衆妙[15]之門。(底本:傅奕、范应元本)

---

① 傅奕、范应元古本"萬物"作"天地"。"萬物"的证据有:王弼注为"萬物之始";又《老子》21.7王弼注为"以無名說萬物始";以及《史记·日者列传》和马叙伦。

② 取"始"而非"始也",依据于傅奕、范应元古本。

③ 取"母"而非"母也",依据于傅奕、范应元古本。

④ "萬物"二字,陶鸿庆据《老子》21.3王弼注"萬物以始以成而不知其所以然"增。

⑤ 取"所以然"而非"所以",同上。

⑥ 马王堆甲本"常無欲"作"恒無欲也",乙本作"恒無欲也"。

⑦ 马王堆甲乙本作"眇"。

⑧《永乐大典》本、《道藏》本"空虛其懷"作"空虛"。

⑨ 马王堆甲本"常有欲"作"恒有欲也",乙本作"恒又欲也"。

⑩ 马王堆甲乙本作"噭"。

⑪ 取"兩者"而非"此兩者",依据于马王堆甲乙本。"兩者"的证据为:王弼注为"兩者,始與母也"。

⑫ 马王堆甲乙本"同出而"作"同出"。

⑬ 马王堆甲乙本作"胃"。

⑭ 马王堆甲乙本"同谓之玄玄之又玄"作"同胃玄之有[乙本作:又]玄"。

⑮ 马王堆甲乙本作"眇"。

兩者,始與[①]母[②]也。同出者,[③]同出於玄也。異名,所施不同[④]也。在首則謂之始,在終則謂之母。玄者,冥也,默然無有也[⑤],始母[⑥]之所出也。不可得而名,故不可言同名曰玄,而言謂之玄者[⑦],取於不可得而謂之然也。謂之然,則不可以定乎一玄,若定乎一玄而已,[⑧]則[⑨]是[⑩]名,則失之遠矣。故曰玄之又玄也。衆妙皆從同[⑪]而出,故曰衆妙之門也。(底本:《集注》本)

[**译文**]

1.1　可以言说[⑫]的道不是永恒的道。　　可以命名的名不是永恒的名。

可以言说的道,是一个可指称的过程,　　可以命名的名,是一个被制造[⑬]的物形。

而不是[道和名]的恒常。因为[永恒者]是

不可言说　　不可命名的。

1.2　当[现在]尚未有

① 刘惟永《集义》本作"於"

② 取"母"而非"毋",依据刘惟永《集义》本、《永乐大典》本和《道藏》本。

③ 取"同出者"而非"出者",依据刘惟永《集义》本、《永乐大典》本和《道藏》本。

④ 取"不同"而非"不可同",依据《文選》李善注 11.12 下中的王弼引文;以及东条一堂。

⑤《文選》李善注 11.12 下作"元[=玄],冥嘿無有也"。

⑥ 取"母"而非"毋",依据刘惟永《集义》本、《永乐大典》本和《道藏》本。

⑦ 刘惟永《集义》本作"玄"。

⑧ 刘惟永《集义》本、《永乐大典》本和《道藏》本作"定乎一玄而已"。

⑨ 刘惟永《集义》本作"謂"。

⑩ 刘惟永《集义》本、《永乐大典》本和《道藏》本"是"作"是其"。

⑪ 刘惟永《集义》本、《永乐大典》本和《道藏》本作"門"。

⑫ 王弼在《老子微旨略例》2.7 有关这一段的讨论中用到了道的"言说"义。何晏的"道德论"有相同的读法,参见张湛《列子注》1.3.14 的引文:"夫道之而无语,名之而无名"。二者都追随严遵:"夫著于竹帛,镂于金石,可传于人者,可道之道也"。应该注意的是,严遵只在"传"诸后代的意义上将"道"读作书写的传达。引自李霖,《道德真经取善集》,1.1 上—下。

⑬ 根据《老子微旨略例》2.7,"形"指向"名"这个字,由此推知,"事"一定指向"道"。王弼写道:"故可道之盛,未足以官天地;有形之极,未足以府万物。"在《老子微旨略例》中,王弼实际上将《老子》1.1 中的"有名"当做"有形"了。

诸名时，[道]是万物之始。[1]		当[已]有诸名时，[道]为万物之母。
	一般来说，存在者都根始于无。[2] 这就是[道]在	
无名无形之时为万物之始。		待有形有名之时，[根据《老子》51.3]，道“让[万物]生长、发育、确定、完成”；[3][总之]，为其母的原因。
	这意味着道以其无形无名	
始生	和	完成
	万物。万物由其	
始生	和	完成，
	而不知它们由之[始和成]的是玄之又玄。	
1.3	因此，	1.4
在[万物][4][尚]无欲时，人们可以藉之察识[终极原则]之精妙。[5]		在[万物]一直有欲时，人们可以藉之[终极原则]之界限。

---

① 之所以使用“万物”一词，是因为它涵括生物、器物以及事件和诸如“名”之类的精神构造。在王弼的事物的秩序中，它是在有形的物和有名的事之上的一般性语汇。参见本书第三编第二章。

② 参见《老子》40.3 以及 21.8 的王弼注。

③ 参见《老子》51.4 及其王弼注。

④ 以万物作为“常无欲”的主语，依据在于《老子》34.2 王弼注“天下常无欲之时”对此节的指涉，这里，天下是万物在社会中的副本。

⑤ 根据《老子》34.2 王弼注，这同时也是“万物各得其所”之时。那里用于道的词是“小”。

"妙"是微细的极致。万物唯始于妙才能有成，唯始于无才能有生。因此，当恒常于无欲、欲望被空虚时，可以藉之察识道发始万物之妙。

"徼"意味着万物归复的终点。一般说来，事物之可以利用，是从无得来的。[①] 欲望的满足，是适应道的结果。因此，当"常有欲"时，可以察识"万物之徼"。

1.5

二者出于同一[根源]，而各有不同的名称。[我]将它们的共同[根源]指称为玄，玄而又玄，是

众

和妙

之门。

"二者"指的是始和母。"同出"意味着它们同出于玄。"异名"意味着它们引起的东西是不同的。

在开头[发挥作用]，[《老子》]称其为"始"。

在结尾[发挥作用]，[《老子》]称其为"母"。

"玄"，是深隐晦暗的，寂然而没有任何事物。

① 这是《老子》第11章最后一句"有之以为利，无之以为用"的意译，在注释中王弼将其译作"有之所以为利，皆赖无之以为用也"。

它使"始"和"母"出现。给这"玄"一个定义是不可能的;因此,[《老子》]不能说"同名曰玄",而只能说"谓之"。这个"玄"[字]是取自①[终极原则]不可称谓这个[方面]的。如果人们要称谓它,就不可以将其定义为"一玄"。如果人们将其定义为"一玄",这就成了定义,就远离标的了。② 因此,[《老子》]说"玄之又玄"。由于

众和

妙

都出于同一[根源],因此,[《老子》]说[它是]

"众

妙

之门。"

① 用于本质上不可定义的东西的侧面性描述的"取于"这个词,似乎是王弼的新语汇之一。他在《老子微旨略例》中大量地运用它来处理描述"所以"的特征的不同方式。参见《老子微旨略例》2.22。

② 楼宇烈沿承陶鸿庆的看法,认为这一段文本有误,并试图修订。楼宇烈为之加了标点。文本为:"不可得而名故不可言同名曰玄而言谓之玄者取于不可得而谓之然也谓之然则不可以定乎一玄若定乎一玄而已则是名则失之远矣"。一旦明白此注释是要解释何以用"谓"而非"名",那么,就根本没有修订的必要。楼宇烈的修订如下:"不可得而名,故不可言同名曰玄。而言[同]谓之玄者,取于不可得而谓之然也。[不可得而]谓之然则不可以定乎一玄而已。[若定乎一玄],则是名则失之远矣"。

［结构］

《老子》第1章具有隐蔽的链体风格的配置。它开始于两个平行的要素，其后是两对彼此间没有明确关联的平行要素，以及一个显然是总结性的非平行要素。然而，最初两个要素的主题，没有在其后的二分结构中承续下来，尽管我们可以相当容易地看出对子2和3之间的隐含关联。这可以以两种方式来描述：要么前两句是一对给出一个一般性陈述的c型句，要么此后的所有东西构成成对的c型句。由于第一个陈述被当成某个一般性陈述，而且它的组建性要素"道"和"名"并不构成王弼《老子》本中的其他二分系列的构建材料，我选择了前一种读法。这样，《老子》第1章的结构为：

	c		(1.1)
(c1)		(c2)	
a		b	(1.2)
a		b	(1.3,1.4)
	c		(1.5)

《老子注》第2章

［本文］

2.1 天下皆知①美之爲美，斯惡已；皆知善之爲善，斯不善已。② 故③有

① 范应元本"天下皆知"作"皆知"。

② 郭店甲本、马王堆甲乙本此句作"天下皆知美之［马王堆甲本缺'之'字］爲美［郭店甲本多'也'字］，惡已。皆知善，斯［马王堆甲本作'訾'，郭店甲本作'此'，其后增一'其'字］不善矣"。

③ 郭店甲本、马王堆甲乙本皆无"故"字。王弼注作"故不可得而偏舉也"，因此应当有"故"字。

無之相生①,難易之相成②,長短之相較③,高下之相盈④,音聲之相和⑤,前後之相隨。⑥(底本:傅奕古本)

美者,人心之所進樂也。惡者,人心之所惡疾也。美惡猶喜怒也,善不善猶是非也。喜怒同根,是非同門,故不可得而⑦偏舉⑧也。此六者,皆陳自然⑨不可偏舉之明數也。(底本:《集注》本)

2.2 是以聖人居⑩無爲之事,(底本:马王堆甲乙本、郭店甲本)

自然已足⑪,爲則敗也。(底本:刘惟永《集义》本、《集注》本)

2.3 行不言之教。⑫(底本:马王堆乙本、郭店甲本、傅奕古本)

智慧自備,爲⑬則僞也。(底本:刘惟永《集义》本)

---

① 郭店甲本、马王堆甲乙本作“生也”。

② 郭店甲本、马王堆甲乙本作“成也”。

③ 取“較”而非“形”,陆德明据王弼抄本改。郭店甲本、马王堆本作“刑也”。

④ 取“盈”而非“傾”,依据马王堆甲乙本。马王堆本作“盈也”。

我之所以倾向于“盈”而非傅奕和范应元本的“傾”,理由在于它与这一系列中的其他用语“相生”、“相成”、“相較”、“相和”和“相隨”更为呼应(它们都没有对抗的关系)。我要感谢彭浩先生的这一建议。王弼没有注释这一段落,也没有在其他地方引用过它,所以,并没有确定的证据。

⑤ 马王堆本作“意”。郭店甲本、马王堆本作“和也”。

⑥ 郭店甲本、马王堆本“前後之相隨”作“先後之相隋[郭店甲本写作‘墮’]恒[郭店甲本无‘恒’字]也”。

⑦ 取“不可得而”而非“不可”,依据的是《永乐大典》本。《道藏》本作“不可得”。“不可得而”的证据是:王弼在《老子旨略》中的标准用法,如“聽之不可得而聞,視之不可得而彰,體之不可得而知,味之不可得而嘗”;《老子》5.3 王弼注“不可得而窮”;《老子》14.3 王弼注“不可得定也”;等等。

⑧ 刘惟永《集义》本作“偏廢”。

⑨ 刘惟永《集义》本作“自然不”。

⑩ 傅奕古本、范应元古本作“處”。“居”的证据:《老子》17.1 王弼注“居無爲之事”。

⑪《永乐大典》本作“定”。

⑫ 王弼的注释“智慧自備爲則僞也”只与此句有关。因此,我将此后的“萬物作焉而不爲始,生而不有,爲而不恃”移到本章的下一句。在刘惟永《集义》本中,次序已经错了。

⑬ 桃井白鹿的文本作“言”。

2.4 萬物作焉而[1]不爲始,[2]生而不有,[3]爲而不恃[4],功成而不居[5]。(底本:范应元本)

因物而用[6],功自彼成,故不居也。(底本:刘惟永《集义》本)

2.5 夫唯[7]不[8]居,是以不[9]去[10]。(底本:马王堆乙本、郭店甲本)

使功在己,則功不可久也。(底本:刘惟永《集义》本、《集注》本)

[译文]

2.1 天下之人都知道使美成为美的不是别的,正是可厌的东西;都知道使善成为善的,正是不善的东西。这就是,有和无相互创生,难和易彼此成就,优点和缺点相互比较,高和低彼此

① 傅奕古本、郭店甲本作"作而"。"焉"字的证据在于《老子》17.1 注中这一段的引文。

② 马王堆乙本作"昔而弗始"。郭店甲本、马王堆甲本作"始也"。选择"不爲始"而非河上公传统的"不辭",是由《老子》17.1 的王弼注的长段引文为确证的。在《老子》38.1 的王弼注中似乎又引用了这一段落,而这一次的表述却是"不辭"。然而,这后一引文的语境颇为不同。王弼实际上用的是出自《老子》34.2 的一个句子。

③ 郭店甲本、马王堆甲乙本无"生而不有"一句。王弼没有直接注释这句話。他的文本所属的文本族在此是分裂的。王弼注将"功成而不居"读作一个独立的单元,作为此前所说东西的结果。此句并不严格地与前一句平行,但在本文中"生而不有"与"爲而不恃"是平行的。因此,我出于平行风格的修辞理由假定他的注释指涉的是一个拥有此句的文本。

④ 郭店甲本、马王堆甲本作"志也"。马王堆乙本作"侍也"。

⑤ 取"不居"而非"不處",依据在于王弼注;参见马王堆甲乙本的"弗居"。马王堆本作"成功而弗居也"。《永乐大典》本作"功成不居"。傅奕古本作"功成不處"。郭店甲本无"功"字。

⑥《集注》本作"而明"。

⑦ 傅奕古本、范应元本作"惟"。

⑧ 取"不"而非"弗",依据是王弼前面注释中的"不居";傅奕古本、范应元本、《永乐大典》本也同样。马王堆甲本无"不"字。

⑨ 取"不"而非"弗",依据的是傅奕古本、范应元本和《永乐大典》本。

⑩ 郭店甲本作"去也"。

补足，高音和低音相互和谐，前与后彼此跟随的原因。

“美”是人心所推扬和欣赏的。“恶”是人心厌恶和憎恨的。“美”与“恶”犹如“喜怒”。“善”与“不善”犹如“是非”。喜怒有相同的根本，是非有相同的来源，因此不可能单举[它们的一个方面]。[随后]这六对[陈述]都为“自然”中没有东西可以单独提举提供了证据。

2.2

居处无为的治事；

[其他存在者]的“自然”已经足够；干涉它将带来毁败。

这是就圣人

2.3

施行不言的教化的原因。

[其他人]智慧已经完备，干涉它就会引生伪装。①

2.4

[结果]万物成就，而[他]并不发始[它们]。

① 参见《老子》18.2 王弼注。在所有现存版本中，从“智慧”开始到“伪”结束的这一段注释，都被置于以“为而不恃”结尾的数句之后。由于上面的注释文句指涉的是“不言而教”，所以我将这句放在这里。将这一注文移至此处的结果是，句 2.4 与句 2.2、句 2.3 分别开来，成为一个 c 型句，以总结前面数行的两条思想链。

他创造但不占有[它们],		他影响[它们],却并不自恃。①
	[以致]功业成就,却并不将自己置于[它们当中]。	
	根据物的本性而使用,功业成于[物本身]。这就是[《老子》说]:不居的原因。	
2.5	正因为他不将自己置于[这些功业当中],所以它们也不会失掉。	
	如果[圣人]让这些功业都来于他自己,那么这些功业是无法长久保存的。	

[结构]

《老子》第2章在一个较长的一般性论述之后,有一个插入的隐蔽的链体结构。它的结构为:

	c	(2.1)
a	b	(2.2,2.3)
	c	(2.4)
a	b	(2.4,2.4)
	c	(2.4)
	c	(2.5)

① 将主语从"万物"转为"圣人"是由《老子》77.2的相同段落驱迫的,在那里,"圣人"是该句的主语。在《老子》10.9中,这两个片断都出现了,但在那里,注文明确以"事物"为主语。

《老子注》第3章

［本文］

3.1　不尚[1]賢，使民不爭。不貴難得之貨，使民不爲盜。不見可欲，使民心[2]不亂。（底本：傅奕古本）

賢，猶能也。尚者，嘉之名也。貴者，隆之稱也。唯[3]能是任，尚也曷爲？唯[4]用是施，貴之曷[5]爲？尚賢顯名，榮過其任，下奔而競，效[6]能相射[7]。貴貨過用，貪者竞趣，穿窬探篋，[8]沒命而盜。故可欲不見，則心無所亂也。（底本：刘惟永《集义》本）

3.2　是以聖人之治也，虛其心，實其腹。（底本：马王堆乙本）

心懷智而腹懷食，虛有智而實無知也。（底本：劉惟永《集義》、《集注》本）

3.3　弱其志，強其骨。（底本：马王堆乙本）

骨無志[9]以幹，志生事以亂。[10]（底本：刘惟永《集义》本、《集注》本）

---

① 马王堆甲乙本作“上”。

② 马王堆甲乙本作“民”。“心”字的证据是王弼注“心無所亂也”。

③ 取“唯能”而非“惟能”，依据《集注》本。参见刘惟永《集义》本的“唯用是施”。

④《集注》本作“而唯”。

⑤ 取“曷爲”而非“何爲”，依据《集注》本。陆德明《释文》与之相同。

⑥《集注》本作“競效”而非“競效”。《永乐大典》本作“爲而常校”。陆德明《释文》与之相同。

⑦ 波多野太郎引用的所有学者关于这一段的意见，都认为文本有缺蚀，因为“尚賢顯名”的构造并不明确，且在下一句的陈述中没有找到对应者，而且“沒命而盜”的对应者缺失了。第二个平行段落可以通过《北堂书钞》的一则引文得到验证。第一个问题可以用现存文本来解决——虽然不太雅训，第二个问题则更为重要。与“沒命而盜”平行的句子的残余，可能包含在陆德明《释文》和《永乐大典》本“校能相射”前面的句子“爲而常”中。这可能是一句诸如“作爲而爭”的话的片断，其结尾出现在“校能相射”之后。然而，这是颇具试验性的。因此，我依据的是在现存最早的版本。

⑧《集注》本“穿窬探篋”作“睹齎篋”。

⑨ 取“志”而非“知”：Wagner。参见本章的结构部分。

⑩ 在“弱其志”之后，陆德明《释文》有“心虛則志弱也，本無爲字”一句。《四库》的编者將“心虛則志弱”读作王弼注的佚文，将其收入，波多野太郎等承袭了这一做法。《释文》这句话的意思不甚明了，在它所附的《老子》文段中，似乎没有这一“爲”字缺失的可能。而且，这一段落的传抄质量较差，主要是“知”字的重复，如果将其写作“智”，在前面的注释中也使用过了。这就破坏了链体结构。因此我将“知”修订为“志”。其余的部分，我依据的是底本的读法。

3.4　常①使民無知無欲②。(底本：傅奕古本)

守其真也。(底本：刘惟永《集义》本、《集注》本)

3.5　使夫知者③不敢爲也④⑤。(底本：傅奕古本)

知者,謂知爲也。(底本：刘惟永《集义》本)

3.6　爲無爲,則無不治矣⑥。(底本：傅奕古本)

[**译文**]

3.1

[作为统治者]

不用荣耀推奖贤者来使百姓不争竞,

不过度欣赏难得的货物来使百姓不做强盗。

[总之,作为统治者]不陈示可欲之物,使百姓之心不流于混乱。⑦

"贤"犹如"能","尚贤"是推奖的用语。

"贵"是"格外重视"的用语。

只有能力承担这一[具体]职任的人,推奖他

只能用于这一[具体]用途的东西,为什么要

---

① 马王堆本作"恒"。

② 马王堆本作"欲也"。

③ 马王堆乙本作"知"。

④ 马王堆乙本作"不敢弗爲"。

⑤ 马王堆乙本作"爲而已"。范应元本作"爲也"。

⑥ 马王堆乙本作"治"。马王堆乙本略去"爲無爲"。

傅奕古本和范应元本传下的读法是"使夫知者不敢爲(也)爲無爲則無不爲矣"。我又一次选择了马王堆乙本的读法,因为在《老子》和王弼注中,"知者"这个词指的都是理解道的人(《老子》56.1,81.3);而且因为王弼在分析脉络上与之最为接近的严遵本也作"無不治"。由此,我只能采用马王堆乙本"治"的读法。

⑦ 在《老子》27.5的王弼注中引用了《老子》3.1,并以"圣人"为主语。这些句子在3.1中作为圣人所依循的一般原则来陈述;我在方括号中插入"圣人"作主语稍有过度解释之嫌。在《老子》27.5的注释中,王弼写道:"不尚贤能则民不争,不贵难得之货则民不为盗,不见可欲则民心不乱"。由于3.1中的"使"字在所有传本中都可以得到验证,我们就只能将引文中的"则"读为"使"字的解释。

的目的何在？ 如果在推奖贤者尊显荣名时，称赞超过了他们的职任，那些在下位者，就会急于争竞，与[那些被推奖的人]比较能力，相互超越。		格外重视它呢？ 如果对货物的重视超过了它们的用途，贪者将竞相趋向于它们，他们将[像孔子在《论语》17.10 中所说的那样]“穿窬探箧”，不顾性命地抢夺。
	这就是，[本文说：]不陈示可欲，则民心不扰乱的原因。	
3.2	这就是圣人的治理[技巧]在于	
空虚百姓之心而充实他们的胃口； 心包含知识，而腹包含食物。他空虚有知识的东西，充实无知识的东西。		
3.3		削弱他们的野心而强健他们的骨骼的原因。 骨骼没有野心就强壮。野心造生事端，因此导致混乱。
3.4	[以这种方式]他不断地鼓励百姓们变得	

	没有	
知识	和	欲望。
	[这意味着]他保全了他们的真质。[1]	
3.5	另一方面,他那些有知识的人不敢行动。	
	“知者”是那些有关于[如何]行事的知识的人。	
3.6	如果[他们]不事干涉,将没有事物不处于良好秩序中。	
	[那些有欲望的人也同样。]	

[结构]

《老子》第3章具有形式上的对平行体式的联结策略。王弼注释选定《老子》3.1的第三句作为前两句的总结,由此创造了一个基本的模式

a　　　　　b

　　　c

然而,将后面成对的句子分配到这一模式中并不容易:首先是因为我们找不到明显的联结模式;其次是因为王弼的注释带给我们一些混淆的信息,这也许是由于文本的错漏。他最终将a/b模式固定在其上的核心观念是《老子》3.4中的“知”和“欲”。然而,在他对3.2、3.3的注释

① 参见《老子》65.1王弼注:“愚谓无知守真,顺自然也(“愚”指的是[他们的]没有智识、保守真[质]。[这样一来],他们将顺随其自然)”。

的传世文本中，王弼所用的术语都是“知”。将预置的范畴加于某一文本总会有风险，既然联结模式在《老子》及王弼对它的构造中有着充分的文献支持，那么就像在这里这样，做一点偶而的修正似乎是不无理由的。我用“志”替换了“知”。《老子微旨略例》6.8 有一个将“盗”和“欲”联系起来的明确个案，它建立起了一种相当稳定的关联：一方面在对“难得之货”的“盗”与“志”、“欲”之间；另一方面在对声名的“竞”与“心”、“知”之间。问题还不止于此。文本继续在一系列非平行的句子中集中两个核心观念之一，在此即知识。这些必须被相应地读解为在《老子》的其他部分也常常见到的缺省结构。这为关于“欲”的论述制造了一个影子文本，以配合关于“知”的那些论述。关于这一点，我已经在方括号中指出了。《老子》第三章的结构：

a		b	(3.1，3.1)
	c		(3.1)
	c		(3.2)
a		b	(3.2,3.3)
a		b	(3.4,3.4)
	c		(3.5,3.6)

《老子注》第4章

［**本文**］

4.1　道沖[①]而用之又不[②]盈[③]，淵兮似[④]萬物之宗。挫其[⑤]銳[⑥]，解其

① 傅奕古本作“盅”。

② 马王堆乙本“又不”作“有弗”。

③ 傅奕古本作“滿”。“盈”的证据：王弼注“故沖而用之又復不盈”。另马王堆甲乙本作“盈也”。

④ 马王堆甲本“淵”作“潚”。另马王堆甲本“兮似”作“呵佁”，乙本作“呵始”。

⑤ 马王堆本“挫其銳”均作“銼其”。

⑥ 马王堆乙本作“兌”，甲本无“銳”字。

紛[1],和其光,同其塵,湛兮似[2]或存,吾不知其[3]誰之子[4],象帝之先。(底本:范应元本)

夫執[5]一家之量者,不能全家。執一國之量者,不能成國。窮力舉重,不能爲用。故人雖知萬物治也,治而不以二儀之道,則不能贍也。地雖形魄,不法于天,則不能全其寧。天雖精象,不法[6]于道,則不能保其精。"沖而用之",用乃不能窮。滿以造[7]實,實來則溢,故沖而用之,又復"不盈",其爲無窮,亦已極[8]矣。形雖大,不能累其體。事雖殷[9],不能充其量。萬物舍[10]此而求其主[11],主其安在乎?不亦"淵兮似萬物之宗"乎?銳挫而無損,紛解而不勞,和光而不汙其體,同塵而不渝其真[12],不亦"湛兮似或存"乎。[13] 存而不有,沒而不無,有無莫測,故曰"似存"。[14] 地守其形,德不能過其載。天慊[15]其象,德不能過其覆。天地莫能及之,不亦似"帝之先"乎?帝,天帝也。(底本:刘惟永《集义》本)

[译文]

4.1 通过向外泼洒而非填满的方式运用道:它是如此的深,仿如万物之先祖。它磨钝[万物]的锋锐,消解它们的纷乱,混合它们的光耀,与它们

① 马王堆乙本作"芬"。
② 马王堆乙本"兮似"作"呵佁"。
③ 马王堆甲本、傅奕古本无"其"字。"其"字的证据:《老子》25.1 王弼注"不知其誰之子";以及马王堆乙本。
④ 马王堆甲乙本"子"作"子也"。
⑤《集注》本"夫執"作"執"。
⑥《集注》本作"能"。
⑦《集注》本作"追"。
⑧《集注》本作"抑"。
⑨《集注》本作"繁"。
⑩ 取"舍"而非"捨",依据陆德明《释文》、《集注》本。
⑪《永乐大典》本"其主"作"其生"。
⑫《集注》本"渝其真"作"渝其冥"。
⑬《集注》本"不亦湛兮似或存乎"作"其然乎似或存乎"。
⑭ "存而不有,沒而不無,有無莫測,故曰似存"据《赵学士集解》1.8 下增。参见波多野太郎译注 4,页 63,楼宇烈,页 13,注 19,他们都没有接受这一片断。
⑮《集注》本"天慊"作"天協"。

同入尘土。它是如此的沉浸，仿若[自身]存在着。我不知道它是谁之子。它仿若帝之先辈。

总的说来，持有一个家庭的器量的人，不能保全他的家庭。[1] 持有一个国家的器量的人，不能保全这个国家。[总之，]穷尽其力量举起重物的人，不能运用这些事物。这就是一个人[统治者]即使有关于万物秩序的建立的知识，但不以[天和地][2]的二仪之道来实施，也将无法周全地为[万物]提供[秩序]的原因。地尽管有其质料性，如果不以天为法则[如《老子》25.12 所说]，也无法保全它的"宁"；天尽管有其灵性的本质，如果不能以道为法则，也不能保全它的"精"[如《老子》25.12 所说]。

以"冲而用之"的方式运用[道]，"用"才不能穷尽[如《老子》45.2所说]。而如果通过填满来创造充实，一旦充实达到了，也就会溢出。因此，以"冲而用之"的方式运用[道]，而又不填满，是由于[道]之不可穷尽已到极致[这一事实]。不论物形如何大，都不能牵累[道]的实体。不论事项如何繁巨，都不能穷尽它的器量。万物舍离"此"[具体的存在者]而求[它们的]主宰者，这个主宰者到哪里能找到呢[因为无物能牵累道]？这不正是[《老子》所说的]"渊兮似万物之宗"吗？

[万物]之锋锐被磨钝而[道]无所损耗，它们的纷乱被消解而[道]无所烦劳，与它们的光耀同和而实体不受染污，与它们同归尘土而实体不改其真[3]，这不就是[文本所说的]"湛兮似或存"吗？它持存而非有物，不在而非无物，它有无与否难以测度，因此[《老子》]说"似存"。[4]

---

① 参见王弼《周易注》"家人卦"，其中说："家人之义，各自修一家之道，不能知家外他人之事也"。

② 这指的是《老子》第 25 章的王"法地"、地"法天"。

③ 同一表达出现在《老子》50.2 和 55.3 的王弼注中。

④ 赵学士(1217)《道德真经集解》以外，其他版本都没有这个"存而……曰似存"的句子。这一传本并不太适合，因为注文中已经以《老子》本文中的引文做了总结，这里似乎是另一半解释的开始。然而，它与王弼的论断和语言一致。参见《老子》53.3—6 以及 70.5 和 77.2 的王弼注。波多野太郎和楼宇烈认为没有其他的传本证据的支持，所以没有采纳。

地保持其[物]形,[但]其德能不过是承载[万物]。天安于其象,[但]其德能不过是遮覆[万物]。[1]

[但由于]天地[已经]是任何人都无法企及的,[在这个意义上,][道]不是[正如文本所说的]"像帝之先"吗?[2] "帝"指的是天帝。

《老子注》第5章

[**本文**]

5.1　天地不仁,以萬物爲芻狗。(底本:傅奕古本)

天地任[3]自然,無爲無造,萬物自相治理,故不仁也。仁者,必造立施化[4],有恩[5]有爲。造立施化,則物失其真。有恩[6]有爲,則物不具存。物不具存則不足以備哉[7]。[8] 天地[9]不爲獸生芻,而獸食芻;不爲人生狗,而人食狗。[10] 無爲於[11]萬物,而萬物各適其所用,則莫不贍矣。若惠[12]由己樹[13],未足任也。(底本:《集注》本[14])

5.2　聖人不仁,以百姓[15]爲芻狗。(底本:傅奕古本)

聖人與天地合其德,以百姓比[16]芻狗也。(底本:《集注》本)

---

① 这一论述更为详尽地出现在《老子》第38章的王弼注中。

② 道先天地生的观点,也出现在《老子》25.1。

③ 刘惟永《集义》本作"在"。

④ 取"施化"而非"無施",依据刘惟永《集义》本。

⑤ 刘惟永《集义》本"有恩"作"有思"。"恩"的证据:《老子》17.3注"以恩仁令物"。

⑥ 刘惟永《集义》本"有恩"作"有思"。

⑦ 刘惟永《集义》本"備哉"作"備載"。

⑧ 缺文始于"物失其真":Wagner。

⑨ 刘惟永《集义》本"天地"作"矣地"。

⑩ 《集注》无"而人食狗",据刘惟永《集义》本补入。

⑪ 取"於"而非"然",依据刘惟永《集义》本。

⑫ 取"惠"而非"慧",依据刘惟永《集义》本和波多野太郎。

⑬ 取"樹"而非"猶",依据刘惟永《集义》本。

⑭ 《集注》本错误地将这一整段注释归为河上公注。河上公注释的原本这一部分的传承相当确定;同样,无论在形式还是在内容上,上述注文归为王弼注也是确定无疑的。事实上,《集注》本还犯了另外一个错误,它误将河上公注的相同部分归入唐明皇注;参见波多野太郎,页63。

⑮ 马王堆甲本作"省"。

⑯ 《永乐大典》本作"化"。

5.3　天地之間，其猶[1]橐籥乎[2]？虛而不掘[3]，動[4]而愈[5]出。(底本：傅奕古本)

橐，排橐也。[6] 籥，樂籥也。[7] 橐籥之中空洞，無情無爲，故虛而不得[8]窮屈，動而不可竭盡也。天地之中，蕩然任自然，故不可得而窮，猶若橐籥也。(底本：《集注》本)

5.4　多言[9]數窮，不如守中。[10] (底本：傅奕古本)

愈爲之，則愈失之矣。物避其慧，[11]事錯其言。其慧不齊，[12]其言[13]不理，必窮之數也。[14] 橐籥而守中[15]，則無窮尽。棄己任物，則莫不理。若橐籥有意於爲聲也，則不足以供[16]吹者之求也。(底本：刘惟永《集义》本)[17]

---

① 郭店甲本、马王堆乙本作“猷”。

② 郭店甲本、马王堆本作“與”。

③ 取“掘”而非“詘”，依据陆德明《释文》。郭店甲本、范应元本“掘”作“屈”。马王堆本“掘”作“淈”。

④ 马王堆甲本“動”作“蹱”，马王堆乙本作“勭”。

⑤ 取“愈”而非“俞”，依据陆德明《释文》、郭店甲本。

⑥ 慧琳《一切经音义》“橐排橐也”作“橐囊也”。“橐排橐也”据陆德明《释文》补。

⑦《文选・文赋》李善注“籥樂籥”作“籥樂器”。刘惟永《集义》本和《取善集》脱“橐排橐也籥樂籥也”。

⑧《取善集》作“能”。

⑨ 马王堆本、《文子》作“聞”。

⑩ 马王堆本“不如守中”作“不若守於中”。

⑪ 取“物避其慧”而非“物樹其惡”，Wagner 依据《老子》17.4 王弼注“不能法以正齊民，而以智治國，下知避之，其令不從，故曰侮之也”、10.4 注“能無以智乎，則民不辟而國治之也”以及18.2注“行術用明，以察奸僞，趣覩形現，物知避之”改。在 17.4 和 18.2 的王弼注中，“智慧”是一个普通的复名。

⑫ 取“其慧不齊”而非“不齊”，Wagner 依据与下一句“其言不理”的平行关系改。

⑬ 取“其言”而非“不言”，波多野太郎据“事錯其言”改。

⑭ 学者们都同意这一段文本有缺损。我的修订依据的是王弼注的另一段落。据波多野太郎的所引，桃井白鹿的修订将刘惟永《集义》本和《集注》本的“物樹其惡事錯其言不濟不言不理必窮之數也”变成“物樹其惠事錯其言其惠不濟其言不理必窮之數也”，这要求“其”的指涉物件的一种不加言明的转变，在前两句中指“物”本身，而在后两句中则指统治者的“言”。这是相当成问题的。

⑮ 取“守中”而非“守數中”：Wagner。

⑯ 陆德明《释文》作“共”。

⑰ 这段注释不甚明晰是学者们的共识。参见波多野太郎罗列的观点，页 70。李霖《取善集》(1.18 上)单独传下了一种以“王弼曰”开头的文本，它与现存的注释完全没有重叠之处，而是读作：“若不法天地之虛靜同橐籥之無心動不從感言不會機動與事乖故曰數窮不如內懷道德抱一不移故曰守中”。据我所知，岛邦男是唯一一位认为这段注释是真实的学者，而波多野太郎则认为它的腔调与王弼不协调，因此强烈地置疑(页 71)。事实上，它似乎出自一个强调个体的道的修养的文本环境。这显然是王弼的读法中缺少的侧面。参见本书页 430 注①。

[译文]

5.1 天地并不仁慈。对它们而言万物仿若草和狗。

天地让[万物]自然运作。它们

没有干涉

没有创造,

[其结果是,]万物的自发秩序和相互治理。①这就是[《老子》说]“天地不仁”的原因。仁慈的人必定要

创造、发起,

有所同情和干涉。

如果[天地]创造发起,存在者就会[因外来的

① 相似表述出现在《文子》3.8,其中《文子》引用了一句格言:“勿挠勿缨,万物将自清。勿惊勿骇,万物将自理。是谓天道也”。现存的早期注释都将“天地不仁”读为针对读者的某种隐含的假设的道说。严遵对此句注释曰:“天以高而清明,地以厚而润宁,阴阳交通,和气流行,泊然行无为,而万物自生,非倾心以为仁爱”。在严遵的解读中,读者的假设是天地创生万物,因此是极为“仁”慈的;针对这一假设,《老子》做出了惊人的论断:天地并不“仁”慈,它们通过让自然过程自己发生来创生所有事物。《想尔注》曰:“天地像道,仁于诸善,不仁于诸恶;故煞万物恶者,不爱也,视之如刍草如苟畜耳”。由此,这一注释针对的读者假设是天地建立公正。尽管文本相当明确地宣称天地视所有万物为草和狗,《想尔》仍引入了善者与恶者的区分。由引注释推论,本文应读作“天地[在建立公正时]不仁[于所有的万物]。[它们]以万物[中的某些东西]为刍狗”。《河上公注》采取了另一路线。在对第一句话的注释中,它写道:“天施地化,不以仁恩,性(读为“任”)自然也”。对于“以万物为刍狗”,它注释道:“天地生万物,人最为贵,视之如刍草狗畜,不责望其报也”。从这一注释推论,《老子》此句只能读作“[创生万物的]天地[对其中最高贵的也]不仁。[它们]以万物为刍狗”。对于王弼注,《老子》的隐含读者的假设与上面提到的三者都不同。在这里,天地试图让“万物自相治理”,以至于尽管事物间彼此有许多相互的关系,它们的秩序不是来自对它们自己的本性的干预,而是出于它们自己的本性。在这个意义上,草不是为了牛而创造的,但牛却要吃草。这样一来,这四个注释者就暗示了四种不同的关于读者心目中天地的假设,而《老子》的论述必须依据这些假设来解读。

强迫]失去其真[性]。

如果[天地]有所同情和干涉,存在者[因恩与为必然是偏]就无法以其完整性存在。存在者不能以其完整性存在,[天地]就不能完整地照料[所有事物]。①

天地不为牛创造草,而牛[却]吃草。它们不为人创造狗,而人吃狗。② 由于它们不干

① 刘惟永本的异文"备载"只有在将"备"换成"覆"的情况下才是可以接受的。"覆"和"载"分别对应天地的作用。

② 现代西方的翻译已经习惯性地将"刍狗"译为一个词汇。"草狗"出现于《庄子·天运篇》。根据这一段,草狗是制作来用于献祭的;它们在献祭的过程中被给予极大的尊崇,而在其后则被直接抛弃。除严遵外(他对这个词的解读未留存下来),想尔、王弼和河上公注都将其读作"草和狗"。对于想尔注和河上公注,"草和狗"代表某种完全没有价值的东西。而且,想尔注给出关于这个词的一个相当不同的故事。对"以万物为刍狗"句,想尔注曰:"圣人法天地,仁于善人,不仁恶人,当王政煞恶,亦视之如刍苟也。是以人当积善功,其精神与天通,设欲侵害者,天即救之。庸庸之人皆是刍苟之徒耳,精神不能通天。所以者,譬如盗贼怀恶不敢见部史也,精气自然与天不亲,生死之际,天不知也。黄帝仁圣知后世意,故结蒭草为苟,以置门户上,欲言后世门户皆蒭苟之徒耳;人不解黄帝微意,空而效之,而恶心不改,可谓大恶也"。在这种解读里,草狗不是献祭用的草狗,而是象征性的新设计——以无价值的材料制成的无价值的动物,以之作为完全无价值性的象征。上面引用的这些注释者似乎不太可能不知道《庄子》、《淮南子》等书中有关"草狗"的论述的存在。实际上,王弼手中即有一种《庄子》的抄本,而且常常引用。因此,这些注释者是熟知用于礼仪的"草狗",但又一致拒绝了此种选择的。事实上,如果将这一段读作是指礼仪性的草狗,《老子》这句话将不得不读为:"天地不仁,它们先是把万物当做某种非常珍贵的东西,然后又把它们当做无价值的东西抛弃"。据我所知,《老子》的其他部分没有任何一个论述可以证实天地在态度上有这样一种转变。因此,现代西方译者对"刍狗"的译法的选择,无论在文本的内证还是早期注释者的一致观点上,都是无根据的。王弼也接受了"草和狗"这一读法,但却给出了不同的解释。在他的解读中,它们显然是与其他事物[将食用它们的事物]相关联的东西,而这些其他事物有可能被看做天地的仁慈的受益者。他在此处将《老子》读作对此种假设的辩驳。

	预万物,万物皆各适其用,没有不得到供养的。如果[天地]让恩惠由自己[发起],它们就无法让[事物的自然]发挥作用。[1]	
5.2	圣人不仁慈。对他而言,百姓仿若草和狗。[正如《文言》对“大人”[2]所说],圣人“与天地合德”,以百姓为草和狗。	
5.3	天地之间的[空间]就像	
鼓	或	笛。
		[其声音]空虚而不可穷尽。
击打得越多,就会产生出越多的[声音]。		
“橐”,是指用来敲击的鼓。		籥,是指乐器笛子。
鼓	和	笛
	内部空虚。	

① “若惠由己树”也有文本作“若慧由己树”。这将只能在《老子》5.4 注的语境中来解读,在那里,与“树”相对的是“弃”,二者都以“慧”为对象。然而,这一关联似乎是人为的。

② 《周易》“文言”;参见《老子》77.1 王弼注中的同一引文,以及《老子》17.1 王弼注指涉《周易》中的“大人”的引文。《孟子》里也用过“大人”一词。尽管在某些情况下,它只是指某个重要的人,但他也常以与《文言》相似的方式使用它,如“大人者,正己而物正者也”。

		[笛]没有[偏爱某一音符的]情感。
[鼓]没有[创造某一特定声音]的作为。		
	这就是[正如文本指出的]	
		[笛]“虚”而不可穷尽；
[鼓]不断“敲”而不可穷竭的原因。		
	在天地之间的[空间]里，[所有事物]的自然都充分发挥。这就是[天地之间]像鼓和笛一样不可穷竭的原因。	
5.4	通过繁言，理性将最终走向穷途。这与持守中道是无法比拟的。	
	[统治者]越多干涉，[事物]就会越失[其真性]。	
	由于	
其他存在者躲避他的智慧，他的智慧不会带来和平；		治理事为淆乱了他的言辞，他的言辞不会带来治理。
	这[种多言多智]的理性，必将走向穷途。	
鼓	和	笛
	[对于声音无所偏执的]“守中”，因而不可	

穷尽。它们放弃自己，随任事物，因此没有一物不在秩序之中。如果

鼓　　和　　笛

有意于制造出[某个特定的]声音，它们将无法满足鼓手[和笛手]的要求。①

[**结构**]

《老子》第5章由5.1的天地与5.2的圣人之间的平行关系构成的总体结构是相当清楚的。句3和句4从肯定和否定两方面阐释天地以及圣人之德的原则，即以不偏的做法同时支持所有的存在者。"籥"和"橐"的隐喻讨论的是天地，而句4指的则是人事。然而，这两个句子在结构上却不是平行的。关于"籥"和"橐"的论述是二分的，而有关"多言"的论述却不是。此处无法建构链体结构。应该注意的是，在郭店《老子》甲本第23号简上，关于"籥"和"橐"的论述构成一个单独的分章，没有后面的句5.4，这一分章的开头和结尾都有分隔点。

然而，王弼将5.1关于天地以及5.4关于"多言"的直陈论述当做对隐含的二分命题的总结，进而在链体风格中将这些隐含的命题彼此关联起来。这样做的基础显然是这一假设：这些陈述是有其结构的，如果这结构无法直接看到，它就必须被明确出来。在5.3的"籥"和"橐"的论述与关于"多言"的非二分论述之间的过渡和关联远非明晰的。通过将5.4关于言辞的单个论述展开为一对二分的论述，王弼试图让一个以非常明确的关于天/地和圣人的平行论述结构开始的文本变得可以理解。这是我采用结构性转写的原因。然而，这是以王弼对他视为被压缩了的文本的展开为基础的，而非基于现存文本本身。

王弼对句5.3和5.4的注释有缺损，因此我们只能做出试探性的论

① 李霖，《道德真经取善集》，1.18上，加上了以"王弼曰"为开始的话，作为这一注释的延续。

断。然而,现存的要素似乎被充分地结构化了,它容许编辑残损段落的规则的建立。在王弼注中“为”和“造”构成了基本的区分。这一对概念被与有关“籥”和“橐”的论述并不严谨地联系起来。“橐”与“为”相联,但“造”与“籥”的关系则无从找寻。句4的联系则更具试探性。王弼在注释中似乎复制了一个简单的论述,以达成“言”与“慧”的二分论述。从他的其他文本看,这一对概念关联起来建构一个二分的组,似乎是必然的;但由于现存文本没有给出更多的线索,我在结构性转写中指出的联系无疑是试探性的。

《老子注》第6章

[**本文**]

6.1　谷[1]神不死,是謂玄牝。玄牝之門,是謂天地之[2]根。綿綿若存,[3]用之不勤。[4](底本:傅奕古本)

谷神,谷中央無谷[5]也。無形無影,無逆無違,處卑不動,守靜不衰,谷以之[6]成而不見其形。此至物也,處卑而不可得名,故謂之[7]玄牝[8]。門,玄牝之所由也。本其所由,與太極[9]同體,故謂之天地之根也。欲言存邪,則不見其形;欲言亡邪,萬物以之生。故曰[10]綿綿若存也。無物不

① 马王堆甲乙本作“浴”。

② 范应元本无“之”字。

③ 马王堆本“綿綿若存”作“緜緜呵若存”。

④ 马王堆本作“堇”。

⑤ 陆德明释文没有完整地引用王弼的“中央無穀”,只是引用了“中央無”三个字,然后给出了“無”的异文。易顺鼎认为王弼的注文就止于此。陆德明在《老子》的“穀”字下给出了一个注释,即“中央無者”。易认为这实际上是王弼的注。我不能同意易顺鼎“谷中央无穀”是不可理解的假设。王弼曾用过许多大胆的字眼来表达他的新思想,比如“无物”。

⑥《集注》本“以之成”作“以成”。

⑦ 取“謂之”而非“謂”,依据《集注》本。

⑧ 取“玄牝”而非“天地之根綿綿若存用之不勤”,依据张湛《列子注·天端》。

⑨ 取“太極”而非“極”,依据《列子注》。

⑩ 取“故曰”而非“故”,依据《列子注》。

成,用而不勞也,[1]故曰用之[2]不勤。[3]（底本:刘惟永《集义》本）

［**译文**］

6.1 谷之神是不死的。[我]称之为"玄牝"。玄牝所从出之门,[我]称之为天地之根。尽管难以捉摸,但它却始终存在。对它的运用是无法穷尽它的。

> "谷神"是谷中央非谷之处。它[即神]没有形状没有踪影[4],没有违逆和偏离,处于较低的位置[即谷中]而不移动,固守安静而不败坏。谷由它构成,但它并不现形。这是至高的存在者。[5] 它[尽管]位置低下,却没有办法定义它。这就是[《老子》只说]"谓之"玄牝的原因。"门",是玄牝的根基。[6] 它所根据的是与太极同样的实体,这就是[这个门]被[《老子》]称为"天地之根"的原因。想要说它存在,它却并不现形。想要说它不存在,万物却又由它而生。因此[文本]说:"绵绵若存"。没有任何事物不是[经由它]完成,但尽管被使用,它并不烦劳。这就是[文本]说:"用之不勤"的原因。[7]

《老子注》第7章

［**本文**］

7.1 天長地久,天地所以能長且久者,以其不自生,[8]（底本:傅奕古本）

---

① 《列子注》"無物不成用而不勞"作"無物不成而不勞也"。之所以拒绝《列子注》的读法,是因为这一异文打破了四字的句型。

② 《集注》本"用之"作"用而"。

③ 《集注》本"勤"作"勤也"。

④ 参见《周易》"观卦"王弼注:"神则无形者也"。

⑤ "至物"似乎是3世纪中叶的一个新词汇;它也出现于嵇康的"养生论"中:"夫至物微妙,可以理知,难以目识"。

⑥ 这看起来当然是一个令人不快的翻译。自然的翻译是玄牝由门中出现。然而,"由"这个字在王弼那里一直被用作"可能性的条件"。这一改变将一个宇宙生成论的概念转成了本体论概念。

⑦ 关于早期注释者对这一章的解读方式的比较性研究,参见本书第一编。

⑧ 马王堆本"自生"作"自生也"。

自生則與物爭，不自生則物歸也。（底本：刘惟永《集义》本）

7.2　故能長久[1]。是以聖人後其身[2]而身先，外其身而身存。[3] 不[4]以其無私邪[5]？故能成其私。（底本：傅奕古本）

無私者，無爲於身也。身先身存，故曰能成其私也。（底本：刘惟永《集义》本）

［译文］

7.1 天优越，		地持久。
天	和	地
	之所以能	
优越	和	持久，
	是因为它们不为自己的利益生存，	
	为自己的利益而生，就会与[其他]事物竞争。	
	由于它们不为自己利益而生，[其他]事物也就归附于它。	
7.2	因此能	
优越	和	持久。
	因此圣人	

① 取“久”而非“生”：岛邦男。所有王弼注之上的《老子》传世本都读作“故能長生”。但无论这里还是其他地方，王弼《注》都没有承续这一表达。从内容看，它显然适合河上公注的解释路线，尽管甚至想尔本都写作“长久”（《道藏》中的李荣本除外）。根据分析的系统，第二部分关于圣人的论述承接了天和地的两个独立特征。圣人在试图“身先”的方式中效仿天长，在试图“身存”的方式中效仿地久。因此，我赞同岛邦男的修订。

② 马王堆甲本“後其身”作“芮其身”。马王堆乙本作“退其身”。

③ 馬五堆乙本“外其身而身存”作“外其身而身先外其身而身存”。

④ 范应元本作“非”。

⑤ 马王堆本作“輿”。

<table>
<tr><td>置自身于背景,[以此达到]处身于众人之前。</td><td></td><td>抛弃他自身,[以此达到]他自身的长存。①</td></tr>
<tr><td></td><td>难道不是因为他没有私人的利益,因此能成就他的私利吗?
"无私"意味着无为于一己之身。因为他将</td><td></td></tr>
<tr><td>处身优越,</td><td></td><td>持身长久,</td></tr>
<tr><td></td><td>因此[文本]说:"能成其私"。②</td><td></td></tr>
</table>

[**结构**]

《老子》第 7 章是《老子》中许多分章的论辩的一个很好的例子。首先,它在天地等诸"大"中建构了一种模式,来解释读者熟知但并不理解其逻辑的圣人的行为模式。其次,它是以隐蔽的链体结构撰写的,这一结构将圣人的处身优越和其持身长久与他对天地的模仿关联起来。这一章的结构是:

Ⅰ	a		b	(7.1)
	a		b	(7.1)
		c		(7.1)
		c		(7.2)
Ⅱ	a		b	(7.2)
		c		(7.2)

① 王弼在《老子》41.4 注中引用了这两个段落,在《老子》28.1 的注中引用了后一段。

② 圣人的无私是读者的常识。参阅《论语集解》何晏对"子绝四"的解释:"述古而不自作,处群萃而不自异,唯道是从,故不有其身"。

《老子注》第8章

［本文］

8.1　上善若[①]水。水善利萬物而不爭[②]，處[③]衆人[④]之所惡。[⑤]（底本：傅奕古本）

人惡卑也。（底本：刘惟永《集义》本）

8.2　故幾於道矣[⑥]。（底本：傅奕古本）

道無水有，故曰幾也。[⑦]（底本：刘惟永《集义》本）

8.3　居善地，心善淵[⑧]，與善仁[⑨]，言善信，[⑩]政[⑪]善治，[⑫]事善能，動[⑬]善時。夫唯[⑭]不爭[⑮]，故無尤矣。[⑯]（底本：傅奕古本）

言水皆應於此道也。（底本：刘惟永《集义》本）

---

① 马王堆甲本作“治”。马王堆乙本作“如”。

② 马王堆甲本“不爭”作“有静”。马王堆乙本“不爭”作“有爭”。

③ 取“處”而非“居”，依据陆德明《释文》。

④ 马王堆甲本“衆人”作“衆”。

⑤ 马王堆乙本作“亞”。

⑥ 范应元本“道矣”作“道”。

⑦《集注》本“幾也”作“幾”。

⑧ 马王堆甲本作“潚”。

⑨ 范应元本作“仁”。马王堆甲本“與善仁言善信”作“予善信”。马王堆乙本“與善仁”作“與善天”。

⑩ 马王堆甲本无“言善信”。

⑪ 马王堆本“政善治”作“正善治”。

⑫ 李霖《取善集》此处引用了一条在其他传本中没有收录的注释：“爲政之善無穢無偏如水之治至清至平”。《取善集》的可靠性为这一事实所动摇：这是引自王弼的三段不见于他处的文段的第二段。从内容看，它与王弼的总体倾向一致。然而，如果王弼对本章最后一句的整段注释是真实的，主语将始终是“水”。而《取善集》给出的注释却假设了对于统治者的直接应用，这样一来，也就假设了注释里“人”作为主语。这似乎是一种后来的改变。因此，我赞同波多野太郎的观点，不将其收入王弼注中。

⑬ 马王堆甲本“動”作“踵”。

⑭ 取“唯”而非“惟”，依据马王堆本。

⑮ 马王堆甲本作“静”。

⑯ 马王堆本、范应元本“尤矣”作“尤”。“尤矣”的证据：严遵。

［译文］

8.1　最好的东西可以比拟为水。水的优越在于为万物之利而不与［它们］竞争，处身于众人所厌憎的位置。

其他人厌增低［位］。

8.2　因此［水］接近于道。

道是无。而水是一种存在者。因此［文本］说："几也"。[①]

8.3　［水］

处身位置上的优越在于［它的低］位。

内心的优越在于［它的］渊深。

给予的优越在于［它的］仁慈。

言辞的优越在于［它的］诚信。

政绩上的优越在于它的良好治理。

处理事务上的优越在于它的能力。

行动的优越在于它的合乎时宜。

一般地说，正因为它不［与其他事物］争竞，因此没有［对它］的怨责。

这意味着水与道的这些［品质］都相应。

《老子注》第9章

［本文］

9.1　持[②]而盈之，不若[③]其已。(底本：傅奕古本)

持謂不失德也。既不失其德，又盈之，勢必傾危，故不若[④]其已也。

---

① 在《系辞》下中，"几"字是在相同的意义上使用的。王弼在对《老子》32.1的注释中，说"朴""近于无有"，表达了相同的观念。

② 马王堆本"持"作"揎"。

③ 取"不若"而非"不如"：《老子》9.3王弼注"不若其已"。另有马王堆乙本和岛邦男本的支持。

④ 取"若"而非"如"：Wagner依据重构的本文及《老子》9.3王弼注改。这似乎是仅有的几处注释的文句需要据本文来修订的例子之一。

不若其已者,[1]謂乃更不如無德無功者也。(底本:刘惟永《集义》本)

9.2　揣[2]而銳[3]之,不可長保[4]。(底本:范应元本)

既揣末令尖,又銳之令利,勢必摧衄,故不可長保也。(底本:刘惟永《集义》本)

9.3　金玉滿室[5],莫之能守。[6](底本:傅奕古本)

不若其已。(底本:刘惟永《集义》本)

9.4　富貴而驕,自遺其咎。[7](底本:傅奕古本)

不可長保也。(底本:刘惟永《集义》本)

9.5　功遂[8]身退,[9]天之道[10]。(底本:马王堆乙本)

四時更運,功成則移。(底本:刘惟永《集义》本)

[译文]

9.1 通过维持[它]甚至对它有所增加,不会比什么也没有更好。

9.2 通过磨光[它]甚至使它更锐利,[统治者]并不长久地保护自己。

---

① 取“故不若其已也不若其已者”而非“不若其已”:Wagner 依据波多野太郎的猜测补入“也不若其已”,这是出于与 9.2 注“不可長保也”平行的需要。

② 傅奕古本“揣”作“敲”。马王堆乙本作“掜”。郭店甲本作“湍”。

③ 傅奕古本、陆德明《释文》作“梲”。马王堆本作“兌”。“銳”的证据:王弼注“又銳之”;《淮南子》;《文子》;严遵;纪昀在《四库提要》中指出所有古本都作“銳”,唯独陆德明《释文》作“梲”;岛邦男。

④ 马王堆甲乙本“保”作“葆也”。马王堆乙本“保”作“葆之”。

⑤ 马王堆甲本、郭店本“滿”作“盈”。陆德明《释文》“室”作“堂”。“室”的证据:陆德明《释文》引用的一种抄本;范应元明确指出他的王弼抄本和严遵本均读作“室”;马王堆本;郭店甲本;波多野太郎;岛邦男。

⑥ 马王堆乙本“莫之能守”作“莫之能守也”。马王堆甲本无“能”字。郭店甲本作“莫能獸也”。

⑦ 郭店甲本、马王堆本“自遺其咎”作“自遺咎也”。

⑧ 范应元本“功遂”作“功成名遂”。傅奕古本“功遂”作“成名功遂”。我赞同高明的意见,他指出王弼注中的“功成”是对“功遂”的翻译,而非引文(《帛书》262)。“功遂”的证据:郭店甲本;马王堆甲本(二者“遂”均作“述”);马王堆乙本;陆德明《释文》;《文子》;《汉书》。

⑨ 马王堆甲本“功遂身退”作“功述身芮”。

⑩ 郭店甲本、马王堆乙本“道”作“道也”。

“持”指的是[《老子》38.2所说]的“不失德”。已经不失其所得，而又进一步增加它，必会造成无可避免的倾覆境地。因此[如文本所说]“不若其已”。“不若其已”说的是更不如无功德的人。		既磨光尖端让它尖锐，以打磨使它锋利，必会让他遭受挫败。因此[如文本所说]：“不可长保”。
9.3	[相应地]，	
以金玉填满自己宫室的人，将无法保有[它们]。		9.4 已经富贵而又更加骄傲的人，将给自己带来灾祸。
[如上文所说]“不若其已”。		[如上文所说]“不可长保”
9.5	功业已经达成之后，就自我引退，这是天之道！	
	四季更替，[其中一者]的功业完成，就会移向[另一者]。①	

[结构]

《老子》第9章几乎有链体结构（IPS）的所有形式标志。句1和2在字数和结构上平行。句3和句4在字数上相等，而且都分为四个字的两块，但两个部分在语法上却并不平行。句5不平行于任何句子，而且其

① 参见《史记》79.2419：“四时之序，成功者去”。

“天之道”的宏大表述宣示出它是两个论辩串系的一般结论。然而，第一和第二组句子对之间的关联难以猜解，因为其间的关联像其他章一样，是“隐含”的。王弼用一种简单的技巧解开了这个谜：将句 1 的部分引置于句 3 下，句 2 的部分引置于句 4 下，这样就将两个对称的对子关联起来，并规定了我在译文中试图明确的解读策略。王弼的这一构造得到了郭店甲本的支持，该本在句 3 以“盈室”这一表达重复了句 1 的“盈”字，由此，至少句 1 和句 3 的关联是明确的。依据王弼注，此章的结构就是：

a　　　　　　　　b(9.1,9.2)

a　　　　　　　　b(9.3,9.4)

c (9.5)

刘殿爵认为句 1 的语汇指的是“持盈”之器，空则稳居其所，满则倾覆。他的翻译策略是将文本切割为箴言的片断，对任何可能的一贯论辩都没兴趣。王弼的解读策略正相反。

《老子注》第 10 章

［本文］

10.1　載營魄[①]抱[②]一，能無[③]離乎！（底本：范应元本）

載，猶處也。營魄，人之常居處也。一，人之真也。言人能處常居之宅，抱一清神，能常無離乎，則萬物自賓也。（底本：刘惟永《集义》本）

10.2　專[④]氣[⑤]致[⑥]柔，能若嬰兒乎！[⑦]（底本：傅奕古本）

專，任也。致，極也。言任自然之氣，致至柔之和，能若嬰兒之無所

① 马王堆乙本作“袙”。
② 傅奕古本作“褢”。
③ 马王堆乙本作“毋”。
④ 马王堆乙本作“槫”。
⑤ 范应元本作“炁”。
⑥ 马王堆乙本作“至”。
⑦ 取“能若嬰兒乎”而非“能如嬰兒乎”，依据王弼注以及岛邦男。马王堆本作“能嬰兒乎”。

欲乎,則物全而性得矣。(底本:刘惟永《集义》本)

10.3 滌[①]除玄覽[②],能無[③]疵乎!(底本:傅奕古本)

玄,物之極也。言能滌除邪飾,至於極覽,能不以物介其明疵其神乎,[④]則終與玄同也。(底本:刘惟永《集义》本)

10.4 愛民治[⑤]國,能無[⑥]以知[⑦]乎!(底本:傅奕古本)

任術以求成,運數以求匿者,智也。玄覽無疵,猶絕聖也。治國無以智,猶棄智也。能無以智乎?則民不辟而國治之[⑧]也。(底本:刘惟永《集义》本)

10.5 天門開[⑨]闔,能爲雌乎!(底本:傅奕古本)

天門,謂天下之所由從也。開闔,治亂之際也。或開或闔,經通於天下,故曰天門開闔也。雌,應而不唱[⑩],因而不爲。言天門開闔,能爲雌乎,則物自賓而處自安矣。(底本:刘惟永《集义》本)

10.6 明白四達,能無以爲[⑪]乎!(底本:傅奕古本)

言至明四達,無迷無惑,[⑫]能無以爲乎,則物自化矣。所謂道常無爲,

---

① 马王堆本作"脩"。

② 马王堆甲本作"藍"。马王堆乙本作"監"。

③ 马王堆甲本作"毋"。马王堆乙本作"毋有"。

④《集注》本"疵其神乎"作"疵之其神乎"。对刘惟永《集义》本读法的支持在于"介其明"与"疵其神"之间的平行关系。

⑤ 马王堆乙本作"栝"。

⑥ 马王堆乙本作"毋"。

⑦"知"字在注释中承续为"智"。这对于王弼来说并不常见。然而,只有陆德明《释文》提到过某种河上公写作"智",而没有其他文本传统记载王弼《老子》本此段写作"智"。我已经听任自己接受"智"是王弼对文本中的"知"字的解释,陆德明《释文》已经暗示此处的"知"的发音为"智"。王弼的解释的根据在于《老子》65.3"故以智治國國之賊也"。

⑧《集注》本"民不辟而國治之"作"民又僻而國治"。

⑨ 马王堆乙本作"啓"。

⑩ 陆德明《释文》作"昌"。"唱"的证据是《老子》68.2 王弼注"應而不唱"。

⑪ 马王堆乙本、陆德明《释文》"無以爲"作"無(毋)以知"。"能無以爲乎"的证据在于王弼注作"能無以爲乎"。

⑫ 取"無迷無惑"而非"無迷無迷無惑",依据刘惟永《集义》本。

侯王若能守，則萬物自化。[1]（底本:《集注》本）

10.7　生之，(底本:傅奕古本)

不塞其原也。(底本:刘惟永《集义》本)

10.8　畜之，(底本:傅奕古本)

不禁其性也。(底本:刘惟永《集义》本)

10.9　生而不[2]有，爲而不恃，[3]長而不[4]宰，是謂[5]玄德。(底本:傅奕古本)

不塞其原，則物自生，何功之有？不禁其性，則物自濟，何爲之恃？[6]物自長足，不吾宰成，有德無主，非玄而何[7]？凡言玄德者[8]，皆有德而[9]不[10]知其主[11]，出乎[12]幽冥者也[13]。(底本:刘惟永《集义》本)

[译文]

10.1[当统治者]持守在营地，抱守住他们的一[14]，能这样做不与它分离吗！

"载"类似"处"的意思。

10.2[当统治者]抟聚呼吸之气，增进柔弱，能够做到像婴儿一样吗！

"专"是"任"的意思。

① 刘惟永《集义》本"萬物自化"作"萬物自賓也"。"萬物自化"的证据:《老子》37.3"侯王若能守，萬物將自化"。

② 马王堆本作"弗"。

③ 马王堆乙本无"爲而不恃"。

④ 马王堆乙本作"弗"。

⑤ 马王堆乙本作"胃"。

⑥《集注》本作"情"。

⑦《集注》本作"如"。

⑧ 取"玄德者"而非"玄德"，依据《文选・东京赋》李善注。

⑨《文选・东京赋》李善注无"而"字。

⑩《集注》本作"又"。

⑪《文选・东京赋》李善注作"至"。

⑫《文选・东京赋》李善注作"于"。

⑬ 取"幽冥者也"而非"幽冥"，依据《文选・东京赋》李善注及陈景元《纂微》。

⑭ 见《老子》22.6，自然地"抱一"的人是圣人。

"营"是人恒常的居所。"一"是人的真[性]。[这句话]说的是:如果人能居处于他恒常的居所,"抱一"并净化他的精神,能恒常这样而不与之分离,则"万物自宾"。

"致"是极高程度的意思。[这句话]说的是:如果[统治者]能任由[其他事物]自然地呼吸,达到至柔之和,能让自己像婴儿那样无欲,那么物就能保全,而且实现其自己的本性。

10.3[当统治者]涤净玄深的感知,能使其没有瑕疵吗!

玄是事物的终极。[这句话]是说:如果[统治者]涤除邪恶和吹嘘,达到终极的知见,如果他能够不被其他事物玷污自己的明智,那么,他将会"终与玄同"(如《老子》56.7所说)。

"玄览""无疵"仿若[《老子》19.1所说的]"绝圣"。

10.4[当统治者]爱民治国,能不用其知识吗!

[作为统治者]运用诡计来追求结果,运用器械来探求[下层百姓]的秘密——这被称为"智"。

"治国无以智"仿若[《老子》19.1所说]的"弃智"。[统治者]能不用智吗!那么百姓将不规避[①]他,而国家

① 相近的表述也出现于《老子》5.2,17.4,18.2和49.5的王弼注;在那里"辟"作"避"。

将会得到治理。

10.5[当统治者]开合天之门,能为雌弱吗!

“天门”指的是天下所经由的。①“开阖”是秩序和混乱的阶段。[门的]或开或阖对天下具有无所不在的影响。这就是[文本说]“天门开阖”的原因。雌,呼应而不倡导②,因顺而不作为。[文本]的意思是:如果“天门开阖”而能“为雌”,那么,“其他事物”将自愿服从[如《老子》32.1所说],而且他的居处自能得安。

10.6[当统治者]理解四方[所有事物的进展],能没有个人的私利吗!

[这一段]的意思是:如果能成功地理解四方的所有事物,没有迷惑,且能没有个人的私欲,那其他事物将变得更好。这就是[《老子》第37章所说的]“道常无为”。如果侯王能持守[这一道之常],万物将自动地变得更好。

10.7[道]生万物,

即,不塞其原。

10.8 养育万物,

即,不禁其性。

10.9 它们生存,[道]没有[任何特殊的努力],

它们行动,[道]没有让它们依恃。

[总之,]它们成长,道

① “由从”一词也用于《老子》52.3的王弼注,在那里,王弼界定了“兑”和“门”这两个词:“兑,事欲之所由生;门,事欲之所由从也”。从这种用法可知,“由”是从属于“从”,而非与之平行的。

② 相近的表述出现于《老子》68.2王弼注。

并不加以主宰——这就是所谓“[从]玄[而来之]德”。①

不塞其原，则万物自然生生不已，有什么功绩可言？

不禁其性，则万物自然调顺，有何作为可依？

如果事物自动地长成，没有我的主宰而自足，它们有所得而没有主宰者，这不是玄的成就是什么呢？凡是玄德，都是指有德而不知其主宰者，其所得都出自玄和冥。

[**结构**]

《老子》第10章没有主语。在句1的注释中，“人”被插入作为“能”的主语。然而，在句6注中，“侯王”被引用作“能”的主语，这一节注释的首句“无迷无惑”在其对29.3的注释中再次出现，并且以圣人为主语。最后，在王弼对句9的注释中，出现了某个“吾”，作为此前句子的主语。

总地说来，王弼将此章读作对能给万物带来秩序的理想人物的描述。他的六种德能都是否定性的、无从捉摸的。它们确保他的行动惠及之人没有一个能识得他。这一观点是在句7.9中提出的，其中用“玄德”(源出于“玄”之德)来界定万物之“所以”的不可知性的悖论。这后一部分在《老子》第51章又逐字重复出现，在那儿，“生之”“畜之”的主语是

① 相同的表述逐字出现在《老子》51.4中，但在句10.7和10.8中的动词有主语。在《老子微旨略例》5.8中，王弼承续了整个这一段，作为解释道/玄关系的核心段落。参见本章的结构分析。

道。其中暗示的是，圣王将效仿道，与道一样不可识知。

第二个问题是第10章的结构。它显然有两个部分。前六个句子在语法结构上是平行的，每句以“能”字分上下两部分，除句1外，具有相同的字数。

其余是一个长句。我将首先处理这个句子。它以两个平行句（句7和句8）开始，每句两字，随后是三个平行的一组句子。王弼以同样平行的句子注释这三句中的前两句，他通过重复句7和句8的用词以及自己对它们的注释将这两句与前面的句7和句8关联起来。这给出了简单的链体次序abab。对第三个平行句的注释（“物自长足，不吾宰成”）与其他两句的注释不平行。这表明此句实际上是c型句，同时关联前面两组。这种将《老子》中第三个平行句读为c型句的做法是王弼的惯常做法，常常是由这第三句在结构上的细微偏差支持的，就像在《老子》第44章（句1～3）。这样，王弼的指示就给出了第二部分的清晰结构，即：

a　　　　　　　　　　(10.7)

　　　　　　　　　　b(10.8)

a　　　　　　　　　　(10.9)

　　　　　　　　　　b(10.9)

　　　　　c　　　　　(10.9)

对于第一部分，问题更困难。前六句通常是以ababab的次序分为三个对子，或具有相同结构abc的两组。王弼对句1的注释“万物自宾”和“能处常居之宅”在其句5注的结尾处再现，从而将二者关联起来。句1注中的“清神”被承续在句3注中，他将“涤除玄览”解释为“不疵其神”能力。这就构建了第一个串系1/3/5。根据王弼的注释，余下三句处理的是没有人为的干涉或检察下治理国家的问题。句2注中的“无所欲”在句6注中的“无以为”中得到承续；句4中治理国家的主题在句6注中出自《老子》第37章关于侯王的引文中延续。这样，我们就有了下面的次序和结构：

a　　　　　　　　　　(10.1)

　　　　　　　　　　b(10.2)

a　　　　　　(10.3)

　　　　　　b(10.4)

a　　　　　　(10.5)

　　　　　　b(10.6)

然而,王弼提供的线索仍是松散的,这一解释仍是贫乏的。

第三个问题是这一章的两个部分的关联。通过将“畜万物”而“不禁其性”与“万物自化”(与上述 2/4/6 串系相联)等同起来,王弼为已经在第一部分建立起来的 a、b 串系与第二部分的串系间提供了关联。这迫使我们把“生之”与 1/3/5 串系关联起来,尽管具体的联系还不明确。

这就给出了这样的整体结构:

a　　　　　　b(10.1、10.2)

a　　　　　　b(10.3、10.4)

a　　　　　　b(10.5、10.6)

a　　　　　　b(10.7、10.8)

a　　　　　　b(10.9、10.9)

　　　c　　　(10.9)

第四个问题是本章两个部分的逻辑关联,在马王堆抄本中也是这样关联的。根据王弼注,前六句在对理想治理者的描述中的共同点是,他没有积极的、肯定性的特征。他将通过不行使他手中的权力和手段、通过消除所有个人的欲望,达到社会整饬和个人身位保全的目标,而这种成就又被看作他自然的禀赋。

第二部分是出自《老子》第 51 章的缩减的引文。这一部分的宗旨是描述源于道的玄德。道生养万物,没有任何积极的、肯定性的因而也必然是偏狭的干预。

其结果是万物享有利益,而对其生存和秩序的最终原因一无所知。理想的治理者通过在自己与百姓的关系中效仿道与万物的关系来运作。因此,两个部分的关联就是玄德。第 10 章与第 51 章的表达的相同反映了自然与社会中一与众之间互动的动力机制的等同。对于王弼而言，《老子》给治理者提出了哲学性的告诫。因此，我想，第二部分必须被读作第一部分的否定性特征何以必要的理由。

《老子注》第11章

[本文]

11.1　三十幅共①一轂，當其無，有車之用②。(底本:傅奕古本)

轂所以能統三十幅者，無也。以其無，能受物之故，故能以寡統衆③也。(底本:刘惟永《集义》本)

11.2　挻④埴以爲器，⑤當其無，有器⑥之用⑦。鑿戶牖以爲室⑧，當其無，有室之用⑨。故有之以爲利，無之以爲用。(底本:范应元本)

木、埴、壁所以成三者，而皆以無爲用也⑩。言有之所以爲利，⑪皆賴無以爲用也。(底本:刘惟永《集义》本)

[译文]

11.1　三十根车辐共用同一车毂。但[后者]的无[与车辐的特殊性相对]是车的有用性的[根据]。

毂之所以能同时支持三十根车辐，是因为它[相对于车辐的特

---

① 马王堆乙本“共”作“同”。

② 马王堆乙本“用”作“用也”。

③ 取“以寡統衆”而非“以實統衆”，陶鸿庆据《周易略例》开头“夫衆不能治衆，治衆者，至寡者也”改。

④ 傅奕古本“挻”作“埏”。马王堆甲本“挻”作“然”。马王堆乙本“挻”作“燃”。“挻”的证据：陆德明《释文》。

⑤ 马王堆甲本“以爲器”作“爲器”。马王堆乙本作“而爲器”。

⑥ 马王堆本“器”作“埴器”。

⑦ 马王堆乙本“用”作“用也”。

⑧ 马王堆乙本脱“以爲室”。

⑨ 马王堆本“用”作“用也”。

⑩《永乐大典》本“用也”作“用”。

⑪ 取“言有之所以爲利”而非“言無者有之所以爲利”，依据波多野太郎，但他并无证据。证据在《老子》1.4注“凡有之爲利必以無爲用”，以及《老子》40.1注“有以無爲用”。

殊性]的无性。因为这个无性,[毂]能够承受不同的事物,因此能以最少统御众多。①

11.2　人们捏陶土做器皿。但器皿的无(器皿内部没有陶土从而可以容纳不同的东西)确保了器皿的有用性。人们凿门和窗建起房屋。但正是它们的无保证了房屋的有用性。因此,具体的事物确保它们是有利的,而无确保了它们的有用性。②

[轮、器和室]三者分别由木头、陶土和墙壁构成,但它们的有用性都依赖于无。[《老子》这一论述]的意思是:存在者为了要成为有利的,它们的有用性都依赖于无。

[**结构**]

第11章给出了三个例子,彼此都是平行的关系。最后一句中的结论建立起了一个一般性原则。其中没有链体结构。关于这一章的其他注释的比较分析,参见本书第一编。

《老子注》第12章

[**本文**]

12.1　五色令③人目盲④,五音令人耳聋,五味令人口爽,⑤驰骋田猎⑥

---

① 郑玄为这一注释奠定了基础。在对《周礼》"轮人"部分中"毂"的概念的注释中,他写道:"毂以无有为用也"。《周礼注疏》,39.269。孔颖达在其《老子疏》中用到了郑玄的注释。"统众"这个词,还出现在《老子》41.13的王弼注中。

② 参见《老子》1.4王弼注,那里的表达是"凡有之为利,必以无为用"。另见《老子》40.1的王弼注"有以无为用"。

③ 马王堆本"令"作"使"。

④ 马王堆甲本"盲"作"明"。

⑤ 马王堆甲本"五音令人耳聋五味令人口爽"作"五味使人之口哺五音使人之耳聾",而且位序被调至12.2的结尾。马王堆乙本"五音令人耳聾五味令人口爽"作"五味使人之口爽五音使人之耳□,"且位次被调至12.2的结尾。这里的次序是由王弼注"盲聾爽狂"的次序确证的。

⑥ 马王堆本"獵"作"臘"。

令[1]人心發狂，(底本：傅奕古本)

爽，差失也。失口之用，故謂之爽。夫[2]耳目心口皆順其性也。不以順性命，反以傷自然，故曰盲聾爽狂也。(底本：《集注》本)

12.2　難得之貨[3]令人行妨[4]。(底本：傅奕古本)

難得之貨，塞人正路，故令人行妨也。(底本：《集注》本)

12.3　是以聖人[5]爲腹不爲目，故去彼取[6]此。(底本：傅奕古本)

爲腹者，以物養己，爲目者，以目[7]役己，故聖人不爲目也。(底本：《集注》本)

［**译文**］

12.1　五色让人的眼睛变盲。五声让人的耳朵变聋。五味让人的味觉麻木。骑马打猎让人的心变得狂野。

> “爽”的意思是“差失”。失去了味觉之用，因此称之为“爽”。事实上，耳、目、心、口都符合［人的］本性。如果［像上述例子那样］不随顺真性［如《周易·说卦》所说，］[8]就会伤害［他的］自然。这就是［文本］说“盲聋爽狂”的原因。

12.2　［总之，］难得的东西让人的行为受阻。

> 难得的东西，阻塞人的正路。在这个意上，它们“令人行妨”。

---

① 马王堆本“令”作“使”。

② 《永乐大典》本、《道藏》本“失”作“夫”。

③ 马王堆甲本“貨”作“價”。

④ 马王堆本“令人行妨”作“使人之行方(仿)”。

⑤ 马王堆本“聖人”作“聖人之治也”。

⑥ 马王堆甲本“彼取”作“罷耳”。马王堆乙本“去彼取此”作“去彼而取此”。

⑦ 波多野太郎建议用“爲目者以物役己”来替代《集注》本的“爲目者以目役己”。在支持这一读法的《永乐大典》本等传本中，“以物養己”和“以物役己”之前的对称是可以被引据的。然而，对王弼的著述中“役”字用法的检讨，表明这个词被用于识知，如《老子》38.1 的王弼注中的“役其智力以營庶事”和“役其聰明”。因此，我接受了《集注》本的读法。

⑧ 在王弼那里，“性命”一词等同于“性”，指的是人和其他事物的永恒的本性。参见《老子》16.5 的王弼注，以及《周易·说卦》注：“昔者圣人之作易也，将以顺性命之理。”

12.3　因此圣人为人的肚子着想,而不为人的眼目着想;因此抛弃后者,而倾向于前者。

“为腹者”,以其他东西来喂养自己,“为目者”,让自己为眼睛所奴役。因此圣人“不为目”。

[**结构**]

《老子》第12章开始于五个平行的句子。王弼将第五个句子分开,插入了一个分立的注释。因此,这个一定指涉前四个句子,而且一定是将它们总结在难得之货毁败真性的一般性标题下。“难得之货”这一表达无论在本文和注释中都多次出现,如《老子》3.1和64.7。圣人不珍视此类货物,目的是不让百姓追求它们。由此我们只能推论出最后一部分关于圣人的文句的翻译策略。他讨论的不是自己,而是百姓。他照料他们的肚子,而不照料他们的眼睛。鼓励他们用其他东西来滋养自己,而不要像眼睛依赖对象那样依赖其他东西。这里的眼睛代表的是句2中的整个一组快乐。在《老子》3.2中,圣人“虚其[民之]心而实其[民之]腹”。句3中的“故”表明最后一句的内容是读者熟悉的,而且通过前面的句子,文本提供了这一熟悉的寓言的理由。

《老子注》第13章

[**本文**]

13.1　寵①辱若驚,貴大患②若身。何謂③寵④辱若驚⑤? 寵,爲下⑥得之

① 马王堆甲本作“龍”。马王堆乙本“寵”作“弄”。

② 马王堆甲本均作“梡”。

③ 马王堆甲本“何謂”作“苛胃”。马王堆乙本“謂”作“胃”。

④ 马王堆甲本作“龍”。马王堆乙本“寵”作“弄”。

⑤ 范应元本无“若驚”。

⑥ 马王堆本“寵爲下”作“龍(弄)之爲下”。郭店乙本、马王堆乙本“下”作“下也”。

若驚，失之若驚，是謂[1]寵[2]辱若驚。（底本：傅奕古本）[3]

寵必有辱，榮必有患。寵[4]辱等、榮患同也。爲下得寵辱榮患若驚，則不足以亂天下也。（底本：《集注》本）

13.2　何謂[5]貴大患若身？（底本：傅奕古本）

夫貴[6]，榮寵之屬也。生之厚必入死之地，故謂之大患也。人迷之于榮寵，返之於身，故曰大患若身也。（底本：《集注》本）

13.3　吾所以有大患者，爲吾有身[7]。（底本：傅奕古本）

由有其身也。（底本：《集注》本）

13.4　苟[8]吾無身，（底本：傅奕古本）

歸之自然也。（底本：《集注》本）

---

① 马王堆本作“胃”。

② 马王堆甲本作“龍”。马王堆乙本“寵”作“弄”。

③ 这一段落明确表明了王弼《老子》本所归属的文本族内部的紧密关系。尽管在个别字汇上有种种不同，但基本框架是大体相同的，与其他文本传统如《想尔》和《河上公》本的歧异更为明显了。《想尔》本作：“寵辱若驚貴大患若身何謂寵辱爲下得之若驚”，“爲下”前脱“若驚寵”三个字。《河上公》本作：“寵辱若驚貴大患若身何謂寵辱辱爲下得之若驚”，以“辱”字取代了“若驚寵”三字，以便让惊恐的东西被化约为朝廷的责辱。这一段落是少数几处让岛邦男受到批评的点之一。他关于王弼本更接近《想尔》和《河上公》本的假设，引导他摘去了“若驚寵”三字。然而，在他的著作出版时，马王堆抄本还未发现。马王堆本证明傅奕古本实际上代表了一个更早的传统。而郭店乙本则表明删去“若驚”的“寵爲下”，也是一种有根据的选择。

④ 取“寵”而非“驚”：陶鸿庆依据此注下文“寵辱榮患若驚”改。

⑤ 马王堆本作“胃”。

⑥ 取“夫貴”而非“大患”：Wagner。“故謂之大患也”的“之”字，预设了此前应该提到“貴”这个字。而通行本却并非如此。

⑦ 马王堆本作“身也”。

⑧ 马王堆本作“及”。郭店乙本“苟”作“返”。

13.5　吾[①]有何患[②]？故貴以[③]身爲[④]天下者，則[⑤]可以託[⑥]天下矣。(底本：范应元本)

無物可以[⑦]易其身，故曰貴也。如此[⑧]乃可以託天下也。[⑨]（底本：《集注》本）

13.6　愛以身爲天下者，則[⑩]可以寄天下矣[⑪]。(底本：傅奕古本)

無物可以[⑫]損其身，故曰愛也。如此乃可以寄[⑬]天下也。不以寵辱榮患損易其身，然後乃可以天下付[⑭]之也。(底本：《集注》本)

［译文］

13.1　［我作为统治者］施予宠和辱都［同样］惊恐。

什么叫做"宠辱若惊"

身居高位是一种大祸，只要［我］还有自身。

① 马王堆本、郭店乙本无"吾"字。

② 傅奕古本"患"作"患乎"。

③ 马王堆本作"爲"。

④ 马王堆本"爲"作"於爲"。

⑤ 马王堆本、郭店乙本"者則"作"若"。"者則"的依据：王弼注中的"此乃"翻译的是"者則"而非"若"。参照《老子》16.8—11，其中《老子》的"乃"在王弼注中被译为"則乃"，以及《老子》54.4中的"則"在王弼注中被译为"乃"。

⑥ 马王堆甲本"託"作"迈"。马王堆乙本"託"作"橐"。

⑦ 取"可以"而非"以"：东条一堂依据《老子》13.7 注"無物可以損其身"、17.6 注"無物可以易其言"以及 78.1 注"無物可以易之也"改。

⑧《永乐大典》本"此"作"如此"。依据是：《老子》13.7 注"如此乃可以寄天下也"。

⑨《取善集》无"如此乃可以託天下也"。

⑩ 马王堆本"者則"作"女"。

⑪ 马王堆甲本无"矣"字。

⑫《取善集》"可以"作"以"。

⑬《取善集》"寄"作"寄託"。

⑭《取善集》作"付"。依据是：这个词承接的是《老子》中的"寄"和"託"，"付"显然优于"傅"。

呢？我施予恩宠[1]，在下位者得到它们像得到某种惊恐的东西，失去它们像失去某种惊恐的东西，这叫做“宠辱若惊”。

有宠就一定有辱，宠辱相同。

有尊贵就有祸患，贵患一样。

如果在下位者获得

宠辱

贵患

都同样惊恐，那么他们将不会淆乱天下。

13.2

什么叫“贵大患若身”？“贵”是“荣宠”一类的范畴。“生之厚”[如《老子》50.2 所说]必然引向死的领域。因此，称其为“大患”。[其他]人误以为[这一

① 马王堆甲乙本都在“宠”字(在抄本里分别写作“龙”和“弄”)后面插入了“之”字。这个“之”字引出了施予的及物性，从而将圣王的施“宠”与“为下”分离开来：后者显然是下一句的主语，而非施“宠”的对象。尽管我没有找到王弼《老子》本有这一“之”字的文本证据，但他的读法在显然语法上与马王堆抄本相同。

高位]同于得到荣宠，必将[在妒嫉]中反对我本人。这就是[文本]说：大患若身的原因。

13.3

[它的意思是]，我之所以有大患，是因为我有自身。

由于他还持守其自身。

13.4

如果我没有自身，

将自身归于自然。

13.5

我会有什么祸患呢？

因此，因[无私地]将自身看作与天下等同而受到尊敬的人，可以以天下托付于他。

没有东西可以使他自身“改变”，因此[文本]说“贵”。一旦他做到这一点，就确实可以将天下托付给他。

13.6

因将自身看做与天下[等同]而受到珍爱的人，可以将天下交他负责。

[如果他像《老子》78.1那样效仿水的柔弱，]

没有东西可以减损他
自身，因此［文本］说
“爱”。一旦他可以做
到这一点，那就确实可
以将天下交他负责。
如果能不因宠辱荣患
改易和减损其本身，那
就确实可以将天下交
托给他。

［**结构**］

《老子》第13章的开头是以显见的链体结构写成的。前两个句子由“何谓”这一解释性的表达来承接，创造了一种明白可见的abab结构。在13.5的“故”字后面的结尾只承续了第一部分关于“身”的b串系。由于这些论述没有与之相应的关于“宠”的a串系的论述相匹合，而且由于王弼没有试图将两个关于“托寄”天下的结论句分开来分别系属于这两个串系，我们可以假定它们承担的以分代整结构(pars pro toto)的一般陈述(即c型句)的功能。因此，《老子》第13章的整个结构为：

		b	(13.1)
a			(13.1)
		b	(13.2,3,4,5)
	c		
	c		(13.6)

《老子注》第14章

14.1 視之[1]不[2]見名[3]曰微，[4]聽之不[5]聞[6]名[7]曰希，摶[8]之不[9]得名[10]曰夷[11]，此[12]三者不可致詰[13]，故混[14]而爲一。（底本：马王堆甲本）

無狀無象、無聲無響，故能無所不通無所不往。不可得而知，[15]更以我耳目體不知爲名，故不可致詰，混而爲一也。（底本：《集注》本）

14.2 一者，其上[16]不皦[17]，其下不味，[18]繩繩兮[19]不可名[20]，復歸於無物。是謂[21]無狀之狀，無物之象。（底本：傅奕古本）

---

① 取“視之”而非“視之而”，依据傅奕古本、范应元本。此句没有“而”的证据：《老子》23.1 王弼注引此章“聽之不聞名曰希”。

② 取“不”而非“弗”，《老子》14.2“不見其形”，傅奕古本、范应元本。

③ 取“名”而非“名之”，依据傅奕古本、范应元本。“名”的依据：《老子》23.1 注引此章为“聽之不聞名曰希”。然而，《文选 · 头陀寺碑文》李善注作“名之”。

④ 取“微”而非“聻”，依据马王堆乙本。傅奕古本、严遵本及陆德明《释文》“微”作“夷”。范应元本“微”作“幾”。“微”的依据：马王堆乙本；王弼在《老子微旨略例》中对“微”的界定是“微也者，取乎幽微而不可覩也”。它强调了不可见性。王弼对“夷”的界定是“平”：《老子》53.2“大道甚夷而民好徑”，王弼注曰“言大道蕩然正平”。参见《老子》41.4。

⑤ 取“不”而非“弗”：王弼 14.2、傅奕古本、范应元本。

⑥ 取“聽之不聞”而非“聽之而不聞”：傅奕古本，范应元本。理由参见注释①。

⑦ 参见注释③。马王堆乙本“名”作“命”。

⑧ 取“博”而非“捪”：傅奕古本、范应元本及陆德明《释文》。

⑨ 取“不”而非“弗”，参见注释②。

⑩ 参见注释⑦。

⑪ 傅奕古本、范应元本及陆德明《释文》“夷”作“微”。理由：参见注释④。在王弼的作品中，他使对体和味使用了不同的词汇，如《老子微旨略例》“體之不可得而知，味之不可得而嘗”。

⑫ 取“此三者”而非“三者”：傅奕古本、范应元本。所有现存本中，除马王堆外，均有“此”字。

⑬ 取“致詰”而非“至計”（马王堆本）：王弼注“不可致詰”；傅奕古本、范应元本及陆德明《释文》。

⑭ 取“混”而非“圂”：傅奕古本、范应元本、陆德明《释文》本。

⑮ 取“不可得而知”而非“不得知”：波多野太郎。理由：“不可得而”是王弼的典型句式；参照《永乐大典》本《老子》1.5 王弼注的“不得而知”。

⑯ 取“其上”而非“其上之”：马王堆本。

⑰ 马王堆甲本作“攸”。马王堆乙本“皦”作“謬”。

⑱ 取“其下”而非“其下之”：马王堆本。马王堆本“味”作“忽”。

⑲ 马王堆本“繩繩兮”作“尋尋呵”。

⑳ 马王堆甲本“名”作“名也”。马王堆乙本“名”作“命也”。

㉑ 马王堆本作“胃”。

欲言無邪，而物由以成。欲言有邪，而不見其形，故曰無狀之狀，無物之象也。（底本：《集注》本）

14.3　是謂惚恍。[1]（底本：孙盛《老子疑问反讯》）

不可得而定也。（底本：《集注》本）

14.4　迎之不見其首，隨之不見其後。[2] 執古[3]之道，可以[4]御今之有。（底本：傅奕古本）

古今雖異，其道常存。執之者，方能御物。[5]（底本：《取善集》）有，有其事。（底本：《集注》本）

14.5　以知[6]古始，是謂道紀。（底本：马王堆乙本）

無形無名者，萬物之宗也。雖今古不同，時移俗易，故莫不由乎此以成其治者也。故可執古之道，以御今之有。上古雖遠，其道存焉，故雖在今，可以知古始也。（底本：《集注》本）

［**译文**］

14.1　视而不见的东西，[我]称之为“微”。

听而不闻的东西，[我]称之为“希”。

抓而不得的东西，[我]称之为“夷”。

[视、听和触]这三者不可能达到对[此]的定义，因此，它是混沌的，是一。

无形无象，无声无响，因此它能够洞穿一切，达到一切。它是不

---

① 傅奕古本、范应元本“惚恍”作“芴芒”。马王堆乙本“惚恍”作“沕望”。对“恍”的支持：陆德明《释文》。

② 马王堆乙本“迎之不見其首隨之不見其後”作“隨而不見其後迎而不見其首”。

③ 马王堆本作“今”。

④ 范应元本、马王堆本“可以”作“以”。取“可以”的理由：《老子》47.1注“執古之道可以御今”。

⑤《道藏》本、《永乐大典》本脱“古今雖異其道常存執之者方能御物”。这一段话的真实的证据：《老子》47.1王弼注“道有大常，理有大致，執古之道可以禦今，雖處於今可以知古始”。《取善集》没有“有有其事”一句。

⑥ 傅奕古本、范应元本“以知”作“能知”。“以”的证据：王弼注“可以知古始”，在王弼《注》中，“可以”通常是用来翻译“以”的，参见《老子》42.3王弼注。

可知的，即使以我的耳目体，我也不知道给它怎样的命名。这就是[文本]说“不可致诘，混而为一”的原因。

14.2 这个一

——在上的侧面并不光亮；

——在下的侧面并不幽暗。

它是昧暗的，不可能命名。

它使[事物]复归于无物。[我]称此为没有形状的形状、没有物的表象。

想要说它不存在，事物都根据它得以成就。想要说它存在，它又不显露它的形状。因此[文本说]“无状之状，无物之象”。

14.3 [我]称此为“惚恍”。

即，是不可能定义的。

14.4 迎在上面，[我]看不到它的开始。

随在下面，[我]看不到它的结束。

在[今天]执守古之道，[圣王]可以统御当前的事情，

尽管古今不同，它们的道永恒持存。只有执古之道的人，才能统御事物。“有”指的是执政事物的发生。

14.5 由[当前的事情][圣王]可以认知最古老的开端，[我]称之为道的延续。

无形无名的东西是万物的宗祖。尽管古今不同，尽管时移俗易，没有[圣王]不是以这一[无形无名的东西]为根据而能成功治理的。① 因此，“执古之道，以御今之有”是可能的！尽管上古遥远，它的道仍持存。这就是尽管在今天生存，通过[今天的现实]认识最古

① 类似的论述也出现于《老子微旨略例》1.46，《老子》21.6、47.1和65.4的王弼注。

老的开始也是可能的原因。[①]

《老子注》第15章

[**本文**]

15.1 古之善爲道[②]者,微妙[③]玄通[④],深不可識[⑤]。夫唯[⑥]不可識[⑦],故强爲之容曰[⑧]:豫兮其若[⑨]冬涉川。[⑩](底本:傅奕古本)

冬之涉川,豫然若欲度,若不欲度,其情不可得見之貌也。(底本:《集注》本)

15.2 猶兮其若[⑪]畏四鄰[⑫]。(底本:傅奕古本)

四鄰合攻中央之主,猶然不知所趣向[⑬]也。上德之人,其端兆不可覩,意趣[⑭]不可見,亦猶此也。(底本:《集注》本)

---

① 同样的论辩出现于《老子微旨略例》1.46和韩康伯《系辞注》。

② 范应元本、郭店甲本作“士”。“道”字的证据:王弼在15.2注中将此章谈及的人界定为“上德之人”,而在第38章中,“上德之人”是“唯道是用”的。

③ 马王堆乙本作“眇”。

④ 马王堆乙本、郭店甲本作“達”。

⑤ 马王堆本、郭店甲本作“志”。

⑥ 取“唯”而非“惟”:马王堆本。

⑦ 马王堆本作“志”。

⑧ 范应元本无“曰”字。

⑨ 取“其若”而非“若”,马王堆本、《文子》。对于这一描述系列有各种早期异文存在,马王堆本以及《文子》中每一条都有“其”字。傅奕古本的前四条无“其”字,而在“敦”后面的三条中又纳入了“其”。范应元的前两条无“其”字,“儼兮”一条有,接下来一条又没有了,在后面两条,“其”字又出现了。郭店甲本除第一条外都有“其”字。王弼在注释中没有引用或翻译其中的任何一条。他的文本族的证据也不一致。我追随的是马王堆的模式。马王堆本“豫兮”作“輿呵”。

⑩ 马王堆乙本作“水”。

⑪ 取“其若”而非“若”:马王堆乙本、《文子》(郭店甲本作“其奴”)。马王堆乙本“猶兮”作“猷呵”。

⑫ 马王堆乙本“鄰”作“哭”。

⑬ 《永乐大典》本“趣向”作“趣向者”。

⑭ 取“意趣”而非“德趣”,陶鸿庆依据《老子》17.6注“猶然其端兆不可得而見也,其意趣不可得而覩也”改。

15.3　儼兮其若客[1]，渙兮其若冰[2]之將釋，[3]敦兮[4]其若樸[5]，曠兮其若谷，混[6]兮其若濁。[7]（底本：范应元本）

凡此諸若，皆言其容象不可得而形名也。（底本：《集注本》）

15.4　孰能濁以靜[8]之而徐清，[9]孰能安以動之[10]而徐生。[11]（底本：范应元本）

夫晦以理物，則得明。濁以靜物，則得清。安以動物，則得生。此自然之道也。孰能者，言其難也。徐者，詳慎也。（底本：《集注》本）

15.5　保此道者[12]不欲盈。（底本：傅奕古本）

盈必溢也。[13]（底本：《永乐大典》本）

15.6　夫唯[14]不盈[15]，是以[16]能蔽[17]而不成[18]。（底本：傅奕古本）

---

① 取"客"而非"容"：傅奕古本、马王堆本、严遵、郭店甲本。傅奕古本"儼兮其若客"作"儼若客"。马王堆乙本"儼兮"作"嚴呵"。

② 取"其若"而非"若"：马王堆本、《文子》(郭店甲本作"其奴")。取"冰"而非"氷"：傅奕古本。依据：严遵、岛邦男。

③ 傅奕古本"冰之將"作"冰將"。马王堆本"渙兮其若冰之將釋"作"渙呵其若淩澤"。

④ 马王堆乙本"敦兮"作"沌呵"。

⑤ 马王堆甲本作"梙"。

⑥ 取"混"而非"渾"：陆德明《释文》、傅奕古本。

⑦ 马王堆乙本"曠兮其若穀混兮其若濁"作"湷呵其若濁湛呵其若浴"(马王堆甲本"湷□□□□□□□若浴")。对"曠兮……混兮……"的支持：陆德明《释文》。郭店甲本没有"曠兮其若谷"一句。

《取善集》在此句后引用了这样一句王弼注的注文："王弼曰：藏精匿炤，外不異物波塵，故曰若濁"。我与波多野太郎的意见一致，无论是用语还是思想内容，将此归诸王弼都是不恰当的。

⑧ 取"靜"而非"靖"：王弼注"靜物"、马王堆乙本。傅奕古本"靜"作"澄靖"。

⑨ 马王堆本"孰能濁以靜之而徐清"作"濁而情(乙本'靜')之余(乙本'徐')清"。

⑩ 取"動之"而非"久動之"：王弼注"安以動物"、《永乐大典》本、马王堆本。

⑪ 马王堆本"孰能安以動之而徐生"作"女以重之余(乙本'徐')生"。

⑫ 马王堆本"保此道者"作"葆此道"。

⑬ 这一段注文在《集注》本中没有征引。《集注》本之后最古老的传本是《永乐大典》本。

⑭ 取"唯"而非"惟"：马王堆甲本。

⑮ 马王堆甲本"不盈"作"不欲□"。马王堆乙本脱"夫唯不(欲)盈"。

⑯ 范应元本"是以"作"故"。

⑰ 取"蔽"而非"敝"：王弼注"蔽，覆蓋也"、陆德明《释文》。马王堆乙本"蔽"作"襒"。

⑱ 范应元本"成"作"新成"。

蔽，覆盖也。[①]（底本：《永乐大典》本）

［译文］

15.1　古代那些精通道的人，微妙玄通，其深不可测度。由于他们的不可知，在不得已要描画他们的时候，［我］说：他们犹豫得仿若冬天过河。

冬天过河的人犹豫是否应该过，给人的印象是不可能了解他的意愿。

15.2　他们迟疑得像畏惧四邻。

如果四邻联合攻击中央的君主，他将是无从决定的，人们无法知道他会转向哪方。对于"上德之人"［如《老子》38.1 所说］，不可能从他的［外表］察知任何线索，[②]不可能猜度他的意向，与此是很相像的。

15.3　他们俨然的样子——像客；
他们脆弱的样子——像冰将要解冻；
他们敦厚的样子——像未雕琢的木块；
他们阔大的样子——像谷；
他们含混的样子——像浊水。

总起说来，这些"像"都是在说人们不可能"形名"他们的容止。

15.4　［如果不是他们，］谁能本身浑浊，通过使［事物］安静而逐渐给它们带来澄清？谁能本身安静，通过让［事物］运动而逐渐给［事物］带来生命？

一般地说，如果用晦暗来治理事物，就会带来澄明；如果用浑浊来安静事物，它们就会澄清。如果以安静来感动事物，它们就会得

---

① 这一段注文在《集注》本中没有征引。《集注》本之后最古老的传本是《永乐大典》本。

② 通过"兆"这个字，王弼将这一论述与《老子》20.4"我廓兮其未兆，如婴儿未咳"关联起来。

生——这是自然之道。[1] “孰能”指的是很难做到。“徐”指的是周详慎重。

15.5　保有此道的人不愿意填满[它]。

充满必然导致溢出。[2]

15.6　正因为不愿意填满,他将能蔽护[所有其他事物]而不成就[任何特殊的功绩]。

“蔽”是遮盖的意思。[3]

《老子注》第16章

[本文]

16.1　致[4]虛,極也。[5] 守靜[6],篤也。[7]（底本:范应元本）

言致虛,物之極也。[8] 守靜,物之真正也。（底本:《集注》本）

16.2　萬物並[9]作,（底本:傅奕古本）

動作生長也[10]。（底本:《集注》本）

---

① 我这里的断句与岛邦男不同。他在每一句的“物”字之前断句:“夫晦以理,物则得明,浊以静,物而得清”。我将“物”字读作《老子》文本中各句的“之”字的具体化,如“孰能浊以静之而徐清”。因此,在“物”字之后断句。

② 参见《老子》4.1 和 9.1 的王弼注。

③ “覆”这个字,用来解释文本中的“蔽”,所用的似乎是它在《老子》51.4 中的意思。

④ 马王堆本、郭店甲本作“至”。“致”的证据:王弼注。

⑤ 取“極也”而非“極”:马王堆本、《文子》。郭店甲本作“亙也”。

⑥ 傅奕古本作“靖”。郭店甲本“靜”作“中”。马王堆甲本“靜”作“情”。

⑦ 取“篤也”而非“篤”:马王堆乙本、郭店甲本及《文子》。马王堆甲本“致虛極也守靜篤也”作“至虛極也守情表也”。马王堆乙本作“至虛極也守靜督也”。

⑧ 取“極也”而非“極篤”:《文选・应吉甫晋武帝华林园集诗》李善注。《文选》“致虛物之”作“至虛之”。

⑨ 马王堆本“並”作“旁”。郭店甲本作“方”。

⑩ 取“生長也”而非“生長”:《文选・时兴诗》李善注。《文选・时兴诗》李善注“動作生長也”作“作生長也”。“動作”的证据:《老子》16.3 王弼注“萬物雖並動作”。王弼注中的“動作”暗示在他的《老子》本中也有“動作”一词,但没有支持这一可能性的文本传统。

16.3　吾以觀其復①。(底本:傅奕古本)

以虛靜觀其反復。凡有起於虛,動起於靜。故萬物雖並動作,卒復歸於虛靜,是物之極篤也。(底本:《集注》本)

16.4　凡②物芸芸③,各復歸於其④根。(底本:马王堆甲本)

根,始也。⑤ 各反其所始也。⑥ (底本:《集注》本)

16.5　歸根曰靜,⑦靜⑧曰復命,復命曰常。⑨ (底本:范应元本)

歸根則靜,⑩故曰靜。靜曰復命,故曰復命也。復命則得性命之常,故曰常也。(底本:《集注》本)

16.6　知常曰明也⑪。不知常,則⑫妄作凶⑬。(底本:王弼注)

---

① 马王堆本"復"作"復也"。郭店甲本作"居以須遉也"。

② 取"凡"而非"天":陆德明《释文》、傅奕古本、范应元本。郭店甲本作"天道圚圚"。

马王堆本和郭店本极强地支持"天物"的读法。由于陆德明明确给出"凡"作为王弼的读法,而又没有王弼本人的证据,我在此追随陆德明的读法。

③ 取"芸芸"而非"雲雲":马王堆乙本(作"秐秐"),傅奕古本、范应元本(作"䖺䖺")以及《文选·杂体诗》李善注。

④ 傅奕古本、范应元本"各復歸於其根"作"各歸其根"。"復歸於其根"的证据:《老子》16.3注"卒復歸於虛靜"。马王堆甲本"根"字处有缺文。

⑤ "根始也":Wagner依据慧琳《一切经音义》增。

⑥ 释慧琳(737—820年)《一切经音义》T.2128卷8页350上,引用王弼注文有"根始也"。这一注文在现存本中没有找到,也许本来是这一注释段落的部分。但这一段附于何处仍不清楚。参见波多野太郎,页74。

⑦ 马王堆乙本"歸根曰靜"作"曰靜"。

⑧ 傅奕古本"靜靜"作"靖靖"。

⑨ 马王堆本"靜曰復命復命曰常"作"靜是胃復命復命常也"。"靜曰復命"的证据:王弼注"歸根則靜故曰靜",而相应《老子》本文中有"曰",因此"靜則復命故曰復命也"表明,本文此处也有一个"曰"。

⑩ 李善《文选·杂体诗注》31.30下从《老子》16.3—16.5的王弼注中引用了一些要素(重构的王弼文本将被插入每一段异文之后):"凡有起於虛,動於靜(動起於靜),故萬物離並動作(萬物雖並動作),卒復歸於虛靜(脱略:是物之極篤也),各反其始(各反其所始),歸根則靜也(歸根則靜)"。

⑪ 傅奕古本、范应元本"明也"作"明"。

⑫ 马王堆本、傅奕古本、范应元本无"則"字。由于王弼引用本文的一贯性和可靠性,我相信在他的《老子》文本中一定有这个"則"。

⑬ 马王堆甲本"妄"作"帝帝"。马王堆乙本"妄作凶"作"芒芒作兇"。

常之爲物，不偏不彰，無皦昧之狀，溫涼之象，故曰：知常曰明也。知[①]此復，乃[②]能包通萬物，無所不容。失此以往，則邪入乎分，則物離其分[③]，故曰不知常，則妄作凶也。（底本：《集注》本）

16.7　知常容。（底本：傅奕古本）

無所不包通也。（底本：《集注》本）

16.8　容乃公。（底本：傅奕古本）

無所不包通，則乃至于[④]蕩然公平也。（底本：《集注》本）

16.9　公乃王。（底本：傅奕古本）

蕩然公平，則乃至於無所不周普也。（底本：《集注》本）

16.10　王乃天。（底本：傅奕古本）

無所不周普，則乃至于[⑤]同乎天也[⑥]。（底本：《集注》本）

16.11　天乃道。（底本：傅奕古本）

與天合德，體道大通，則乃至于[⑦]窮極[⑧]虛無也。（底本：《集注》本）

16.12　道乃久[⑨]。（底本：傅奕古本）

窮極虛無，得物之常，則乃至於不可[⑩]窮極也。（底本：《永乐大典》本）

16.13　沒[⑪]身不殆。（底本：傅奕古本）

---

① 取“知”而非“唯”：Wagner。“唯此復乃能……”一段与下面“失此以往則……”平行。“失”是动词，而“唯”不是。《老子》16.7为“知常容”，王弼注为“無所不包通也”。由此可知，16.6注中“包通萬物”的主体是知常者，而非常本身。这促使我取“知”而非“唯”。

②《永乐大典》本“復乃”作“復”。

③ 取“其分”而非“分”：陆德明《释文》。

④《永乐大典》本“于”作“於”。

⑤《永乐大典》本“于”作“於”。

⑥《永乐大典》本“也”作“均”。

⑦《永乐大典》本“于”作“於”。

⑧ 取“窮極”而非“極”：陶鸿庆依据《老子》16.12注“窮極虛無”改。

⑨ 马王堆乙本脱“久”字。

⑩ 取“不可”而非“不”：Wagner依据《老子》35.3注“用之不可窮極”以及40.2注“柔弱同道不可窮極”改。两个例子中，“道”都是主語。《集注》本脱“不”字。

⑪ 马王堆甲本“沒”作“沕”。范应元本“沒”作“歿”。

無之爲物，水火不能害，金石不能殘。用之於心，則虎兕無所投其爪角，兵戈無所容其鋒刃，何危殆之有乎？（底本：《集注》本）

［译文］

16.1	［由于事物］	
达到空虚是它们的终极，		执守宁静是它们的核心，①
	这就是说：	
达到空虚是事物的终极。		执守宁静是事物的真实条理。②
16.2	［即使当］万物都同时行动，	
“作”意味着出生和成长。		
16.3	我［与其他人相反］，通	

① 这一章不是以链体结构写成的。这里结构性转写只是用于在第一部分本文的概念与注释间建立直观的关联的目的。

② 在这一注释中，王弼用言指明他在用更精确的语法和字汇重新组织《老子》的表述，以降低多义性。因此，我们只能预期在这一注释中看到《老子》16.1 完整的内容和语法结构。结尾的“也”字标明至少第二句是“A,B 也”句型的定义句。通过平行关系，可以假定第一句也是同样。这使得“极”和“笃”成为动词性名词，致使我的翻译接受了马王堆甲乙本和《文子》中两句结尾的“也”作为王弼的文本（与傅奕和范应元的读法不同）。其可行性由 16.3 的注释中对《老子》16.1—3 的重述来确证。那里的“卒复归于虚静是物之极笃也”，以“复归……是……极笃也”证实了“A,B 也”的结构，并明确用“复归”替代了第一句中更为笨拙的“致”和“守”作为“虚”和“笃”之前的动词。大的文本传统对于王弼写出“言致虚，物之极笃”是没有说服力的。“笃”属于 16.1 的第二部分，不可能被用于第一部分的注释。李善的引文中没有“笃”字，作“言至虚之极也”，尽管它缺少必要的“物”字，但在这点上更具说服力，而且第二个字与第二部分的“真正”构成了一对。尽管没有办法补充这个字，李善的读法更好：“极”“笃”在 16.3 中的共同出现不是作为一个双字词，而是作为它们在 16.1 中分别使用的一个明确指示。“静”与“正”相联在《老子》45.6“清静为天下正”中有其印证。“正”这个字在《老子》中通常与干涉主义的治理方法相关，参见《老子》58.4，在那里，“正”的治理结果是用兵。在这个意义上，这个词与《荀子》中的用法相应，在那里它指与法一样的规范。《老子》45.6“清静为天下正”的论述被读作对传统的正的观念的反驳。在这一注释段落中，“真正”这一语汇是在它实际指向的《老子》45.3 的意义上使用的。

过这[虚静]来观察它
们所复归[的点]。
通过[它们的]
虚　和　静，
[我]观察它们的回复。
一般说来：
事物出于空虚，　运动出于静止。
因此，即使万物同时兴
作，它们最终都回复
虚　和　静，
这是事物的
终极　和　核心。

16.4　一般说来，尽管事物无尽的多样，它们中的每一个都将复归[共同的]根基。①

“根”意味着开始。即，每一事物都向回关联到发始它的东西。

16.5　[它们]复归其根基就意味着静。静意味着回复生命的赋予。回复生命的赋予意味着恒常。

一旦它们回转其根基，它们就②[达到]宁静。因此[文本]说“静”。一旦它们[达到]宁静，它们就会回复[它们原本的]生命赋予。因此[文本]说“复命”。一旦它们回复其原本的生命禀赋，它们就会得到它们的固有本性和生命禀赋的恒常[本质]。因此[文本]说“常”。

① “夫物芸芸，各归其根”这一段被与《庄子》中的“万物芸芸，各复其根”呼应起来。

② 在对55.6和55.7的注释中，王弼也将《老子》的“曰”读作“则”。在他对《老子》的注释中，他也将其翻译成“乃”。

16.6　具有关于这一恒常的知识意味着明。[①] 如果[统治者]不知道这一恒常者，而莽撞地行动，就会带来灾难性的后果。

恒常的[本质]既不偏颇也不彰显；它没有明亮或黑暗的外观，也没有温或凉的特征。因此[文本]说“知常曰明”。知道[②]这一恒常，[统治者]就能周普地通贯万物，无所不容。一旦他失去了这一[知识]，邪恶就会渗入[事物]的本分，[③]结果使事物偏离它们[禀赋的]地位。这就是[文本]说“不知常则妄作凶”的原因！

16.7　有关于恒常者的知识就会无所不容。

没有东西不在他的遮护通贯之下。

16.8　无所不容就会公正无私。

没有东西不在他的遮护通贯之下，他就有不可测度的[④]公正均衡。

16.9　公正无私就会有王者的[器量]。[⑤]

一旦有了不可测度的公正均衡，那么他就达到了无物不在其普

---

① 同样的段落也出现在《老子》55.6。参见对那段注释的翻译。王弼在《老子微旨略例》中的一段与这里的注释很接近的段落中讨论了“常”这个概念。

② 如果将“唯”修订为“知”无法接受，那么这个“此”就只能读作对“知常”的指称，而非止于“常”。那么译文将是“只有有这一[关于常的知识]，他才能”以及“一旦他不能具有这一[有关常的知识]”。

③ 王弼在《老子微旨略例》中插入了一段关于邪恶起源的论述。

④ “荡”这个词接近于孔子表达他对尧的崇敬时的用法：“荡荡乎民无能名焉”。王弼注释“荡荡”曰：“无形无名之称也”（《王弼集校释》，页 626）。

⑤ 奇怪的是，注释里没有在此处或下一注释中重复“王”字，而是在两处都用了“周普”。这将暗示王弼《老子》本作“周”而非“王”，正如马叙伦《老子校诂》建议的那样。波多野太郎引用劳健的主张：前一句的“容”和“公”押韵，后一句的“道”和“久”押韵，这就要求中间的句子也押韵，而“王”与“天”不押韵。波多野太郎因此建议用“全”代替“王”，因为它与“天”押韵；参见波多野太郎，《老子王注校正》，页 117。第二个解释站不住脚，因为，他所建议的新词在注释中没有出现；第一个解释，尽管有其优点，但也没有传本的支持，而且王弼没有明确主张在本文中有“周”字。在对《周易》“讼卦”的注释中，王弼将“王”与“公”关联起来（《王弼集校释》，页 251）。我因此保留了通行本的读法。

遍关心之下的程度。

16.10　有王者的[器量]就会有天的[器量]。

一旦达到无物不在其普遍关心之下，他也就达到了与天齐同的地位。

16.11　有天的[器量]就会[有]道。

一旦“与天合德”[如《周易·文言》关于大人所说][1]，并体现了道的无所不通，[2]那他就达到了极度[3]虚无的境地。

16.12　[有]道就会长久。

一旦他通达了终极的虚无，且获得了事物的恒常者，[4]那么他就达到了不可穷尽的终极。[5]

16.13　终其一生而没有危险。

无这东西，水火不能伤害，金石不能残损。如果它用于人心，就会“虎兕无所投其爪角，兵戈无所容其锋刃”[如《老子》50.2关于“善摄生者”所说的]。[对于这样一个人]，还可能有什么危险呢？

---

① 参见《老子》5.2王弼注：“圣人与天地合其德”。这里的“与天合德”是《文言》“与天地合其德”的某种缩略。

② 关于“体道”这个词，参见本书第一编。

③ 关于“穷极”的意思的研究，参见本书页505注③。它还出现在《老子》25.8和40.2的王弼注中，在这两个例子里，它都指“达到终极”或“通达至极”的意思。但在《老子》35.3王弼注“乃用之不可穷也”中，出现了我这里倾向的意思。

④ 可以找到将此处的“物”读成“道”的例子。张之象本给出了这一读法。在《老子》第52章最后一句，文本说：“[统治者]用其光，复归其明，无遗身殃，是谓袭常”，王弼注曰：“道之常也”。对于圣人而言危险和不幸的消失被与他在与道之常的一致中的存在关联起来，这是我们在这里所具有的语境。

⑤ 此处的文本并不完备，因此“穷极”一词的重复似乎并不合理。显然要解释的是“久”字。在这一假设下，张之象给出的读法是“至于不有极”。尽管比较早的文本更完善，这种读法(我认为它算是一种修订)也有不完善之处，因为“久”和“不有极”的关联在王弼的其他文本中无法看到。

《老子注》第 17 章

[本文]

17.1　大[1]上，下知有之。（底本：马王堆甲本）

大[2]上謂大人也。大人在上，故曰大[3]上。大人在上，居無爲之事，行不言之教，萬物作焉而不爲始，故下知有之而已。[4]（底本：《集注》本）。

17.2　其次，親而譽[5]之。（底本：马王堆甲本）

不能以無爲居事，不言爲教，立善施化[6]，使下得親而譽之也。（底本：《集注》本）

17.3　其次，畏之。（底本：傅奕古本）

不能復[7]以恩仁令物，而賴威權也。（底本：《集注》本）

17.4　其次，[8]侮之。[9]（底本：傅奕古本）

不能法以正齊民，而以智治國，下知避之，其令不從，故曰侮之也。（底本：《集注》本）

17.5　信[10]不足，焉[11]有不信[12]。（底本：马王堆甲本）

言從上也。夫[13]御體失性則疾病生，輔物失真則疵釁作。信不足焉，

---

① 傅奕古本、范应元本作“太”。“大”的证据：陆德明《释文》。参见下页注⑨。

② 取“大”而非“太”：Wagner。参见下页注⑨。陆德明《释文》引王弼注有“太”字。

③ 取“大”而非“太”：Wagner。参见下页注⑨。

④《永乐大典》本有“而已言從上也”。《老子》17.5 王弼注中“言從上也”重出，可知此处为衍文。

⑤ 取“親而譽”而非“親譽”：依据在于王弼注作“親而譽之”以及波多野太郎本。傅奕古本作“親之其此譽”。范应元本作“親之譽”。

⑥ 陆德明《释文》、《永乐大典》本作“行施”。“施化”的证据：《老子》5.1 王弼注“仁者必造立施化”。

⑦《永乐大典》本“能復”作“復能”。“能復”的证据：《老子》72.1 王弼注“威不能復製民”。

⑧ 范应元本无“其次”。

⑨ 马王堆甲乙本“其次侮之”作“其下母之”。

⑩ 傅奕古本、范应元本“信”作“故信”。

⑪ 取“焉”而非“案”：依据在于王弼注作“信不足焉”，以及傅奕古本、范应元本。马王堆乙本、郭店丙本作“安”。

⑫ 范应元本“信”作“信焉”。

⑬ 陈景元《纂微》无“夫”字。

則有不信,此自然之道也。已處不足,非智之所濟[①]也。(底本:《集注》本)

17.6　猶兮[②]其貴言也[③]。功成事遂[④]而百姓[⑤]皆曰[⑥]我自然。(底本:傅奕古本)

猶然[⑦],其端兆不可得而見也,其意趣不可得而覩也。無物可以易其言,言必有應,故曰猶兮其貴言也。居無爲之事,行不言之教,不以形[⑧]立物,故功成事遂,而百姓不知其所以然也。(底本:《集注》本)

[译文]

17.1　如果大人在上位,那些在下者[只]知道他存在。

大上说的是大人[《文言》中提到过的]。[⑨] 大人在上位,因此[《老

① 《永乐大典》本作“齊”。

② 马王堆乙本“猶兮”作“猷呵”。陆德明《释文》“猶”作“悠”。

③ 取“也”而非“哉”(范应元本作“哉”):依据在于王弼注作“其貴言也”;以及马王堆甲乙本、郭店丙本。

④ 马王堆甲乙本“功成事遂”作“成功遂事”。郭店丙本作“成事遂功”。

⑤ 取“而百姓”而非“百姓”:依据在于王弼注“功成事遂而百姓”;以及马王堆本。

⑥ 马王堆甲乙本作“胃”。“曰”的证据:郭店丙本、严遵。

⑦ 取“猶然”而非“自然”:桃井白鹿据《老子》15.2“猶兮其若畏四鄰”的王弼注“猶然不知所趣向也。上德之人,其端兆不可睹、意趣不可見”改。

⑧ 《永乐大典》本作“刑”。

⑨ 《周易》“乾卦”第五爻“飞龙在天,利见大人”。王弼注曰:“不行不跃,而在乎天,非飞而何?故曰‘飞龙’也。龙德在天,则大人之路亨也。夫位以德兴,德以位叙。以至德而处盛位,万物之睹,不亦宜乎”(《王弼集校释》,页212)。楼宇烈误将“之”解作“往”。

《文言》对此爻解读道:“‘九五曰:飞龙在天,利见大人,何谓也’?子曰:‘同声相应,同气相求。水流湿,火就燥,云从龙,风从虎。圣人作而万物睹,本乎天者亲上,本乎地者亲下,则各从其类也”(《王弼集校释》,页215)。

由此,《文言》就将第五爻中的大人界定为圣人。Wilhelm/Baynes将“利见大人”翻译为“去见大人有好处”,有命令的意味,不太适合。《文言》的“万物睹”实际上是在解释和翻译“利见”,因此只能译为:“[他们]见大人会有利益”。大人与圣人的等同反过来证明了出自《老子》2.2的引文,那里的主语是圣人。王弼将从《老子》17.1的大人到17.4中为其臣属轻视的统治者的下降的等级解读为《老子》第38章中的等级的平行者。在“上德”和“下德”之间标志出了质的不同。王弼在对“乾卦”第五爻的注释中以“至德”一词指称此种类型的统治者:“以至德而处盛位”。以这种方式,它也使王弼将《老子》17.1中的“大”与《老子》第38章中的“上德”相等同明确下来;他认为在此章中“大”指的是“大人”,并在注释中以出自《周易》的引文来描述,在《周易》的语境中,这一引文属于圣人。《周易》“乾卦”中另一归属于圣人的引文被用来评论《老子》5.2和77.1王弼注中的圣人,这确证了大人与圣人的等同。

子》说]“大上”。如果大人在上，“他采取无为的治理，施行不言的教化”。[结果是]万物兴作而他并不发始它们[如《老子》2.2关于圣人所说]。这就是[文本说]“在下者知道有他存在而已”的原因。

17.2　如果仅次于[大人]的人在[上位]，[那些在下者]将亲近并赞誉他。

[其次者]不能以无为治理，不言施教。建立善治，①推广道德教化，促使那些在下者“亲而誉之”。

17.3　如果再次者在[上位]，[那些在下者]将畏惧他。

不再能以恩和仁的方式来指令其他事物，而是依赖威和权。②

17.4　如果更次者在[上位]，[那些在下者]将轻慢他。

不能设立法律以一个正确的标准平等地对待百姓，③而是“以智治国”[如《老子》65.3中描述的“国之贼”]，④那些在下者知道如何规避他，从而使他的指令不被遵循。因此[文本]说“侮之”。

17.5　[总之]，由于[那些品级上低于大人的在上者的]诚信不足，[结果]是[在下者]缺乏诚信。

这就意味着：[那些在下者]追随在上者。⑤ 一个人控制自己的

---

① 王弼将《老子》17.2—17.4的下降等级读为《老子》第38章所建立的等级的近似者。“立善”一词被与“下德”的最高等级(那些用“仁”者)关联起来。这一等同关系由《老子》17.3注确证下来。

② “威权”这一表达在《老子》第38章的本文或注释中并没有出现。在下[illegible]注释中，这一治理技巧被描述为“法以正齐民”，与《老子》第38章注中所说的通过“义”和“礼”来统治正相呼应。

③ “法”和“正”这两个字共同出现在《老子微旨略例》以及其他一些注释对法家的驳斥中。将令人尴尬的“法以正”翻转为“以法正”可以承接《荀子》中“法正”这一用法(参见王先谦《荀子集解·性恶篇》：“故古者圣人以人之性恶，……故为之立君上之执以临之，明礼义以化之，起法正以治之”)，但它与后半句“以智治国”不平行。

④ 在《老子》第38章的注释中，王弼将以“前识”来统治的统治者等同为“竭其聪明”、“役其智力”的人。那样，人民就会学着狡猾地逃避他。这正是《老子》17.4王弼注的论辩。

⑤ 这一读法由《论语》13.4的潜在引文得到了强化，其中孔子给出了百姓将回应他们的统治者的态度三个论述：“上好礼，则民莫敢不敬；上好义，则民莫敢不服；上好信，则民莫敢不用情”。《老子》的论述类似，只是强调了统治者对百姓信用的缺乏的负面影响。

身体而错失其[本]性,就会生疾病。一个人支持存在者而错失其真[质],各种过犯就会[通过它们的活动]发生。[在上者的]诚信不足,则[在下者中]有不诚信者,这是自然之道。[统治者]自己处身的地位不足,不是通过智力可以治理的。

17.6 [大人在上位]是犹豫不决的!而且[那些在下者]珍视[他的]言辞。[如果以这种方式百姓]功成事遂,百姓都说"我自发地就是这样"。①

"犹兮"的意思是说,无法从[他的外表]找到任何线索,无法弄清他的意图[如《老子》15.2王弼注关于上德之人所说的]。② 由于没有任何存在者能够改易他的言辞,③[他]的言辞必被遵循。这就是[文本]说:"犹兮,其贵言"的原因。因为他"居无为之事,行不言之教"[《老子》2.2关于圣人所说],他并不通过"形"来建立事物。这就是功成事遂,而百姓不知这些[结果]由何而来的原因。④

《老子注》第18章

18.1 大道⑤廢,焉⑥有仁義。⑦(底本:傅奕古本)

---

① 与这最后一句平行的段落出现于《关尹子·三极章》:"圣人不以一己治天下,而以天下治天下。天下功归于圣人,圣人任功于天下。所以尧舜禹汤之治天下,天下皆曰自然"。

② "其端兆不可得而见"已被用于《老子》15.2王弼注用来描述"上德之人"在四邻合攻时的不可揣测。"兆"这个字取自《老子》20.4对婴儿的描述,"上德"一词取自《老子》第38章,禀有这一上德的人在那里被王弼等同为圣人。《老子》17.6结尾重复了这一注释的第一部分:"犹兮,其贵言也"。这意味着注释的第一部分只是解释《老子》文本的第一句,而并非解释此后的句子。然而,所有现存版本都置于此注的开头的"自然"一词(而非我建议的"犹兮"),只出现于后面这些句子的结尾,并且在这一注释的结尾才得到解释。因此,它的位置是不对的。此处的注释事实解释"犹兮"一词。

③ 这是解释本文中的"贵"字;以相似的方式,"贵身"一词在《老子》13.5注中得到的阐释。

④ 关于最后这一思想,参见本书第三编第二章。

⑤ 郭店丙本、马王堆甲乙本"大道"作"故大道"。郭店丙本、马王堆甲乙本都将第17和第18章读为一个整体。其中,它们由"故"关联起来,并且没有用这些抄本通用的形式标记(点)分隔开来。

⑥ 马王堆甲本作"案"。马王堆乙本、郭店丙本作"安"。

⑦ 范应元本"焉有仁義"作"有仁義焉"。

失無爲之事,更以施慧立善,道進物也。(底本:《集注》本)

18.2　智慧[1]出,焉[2]有大僞。[3](底本:傅奕古本)

行術用明,以察奸僞,趣覩形見,物知避之,故智慧[4]出則大僞生也。[5](底本:《集注》本)

18.3　六親不和,有孝慈;[6]國家昏亂,有[7]貞[8]臣[9]。(底本:傅奕古本)

甚美之名,生於大惡,所謂美惡同門[10]。六親,父子、兄弟、夫婦也。若六親自和,國家自治,則孝慈貞[11]臣不知其所在矣。魚相忘[12]於江湖之道失[13]則相濡之德生也。(底本:《集注》本)

［**译文**］

18.1　一旦[统治者]放弃了大道,就会以仁和义来[引导他的行动]。

> 一旦他失去了"无为"之事[据《老子》2.2,是圣人"所居"],他将以立善施慧的方式引导其他存在者。[14]

---

① 范应元本作"惠"。马王堆甲本作"知快"。马王堆乙本作"知慧"。

② 马王堆甲本作"案"。马王堆乙本作"安"。

③ 范应元本"智慧出焉有大僞"作"智慧出有大僞焉"。郭店丙本脱 18.2 整句。

④ 取"慧"而非"惠":陆德明《释文》。

⑤《永乐大典》本无"生也"。

⑥ 马王堆甲本"和有孝慈"作"和案有畜兹"。马王堆乙本作"和安又孝兹"。范应元本"慈"作"慈焉"。

⑦ 郭店丙本、马王堆甲乙本作"邦家(马王堆乙本:國家)閟(郭店丙:緍)亂安(馬王堆甲:案)有"。

⑧ 马王堆甲乙本、严遵、范应元本均作"貞"。王弼注之所以写作"忠臣",可能出于对"貞"字的避讳,正如范应元暗示的那样。"貞"字可以在《淮南子》中得到印象。

⑨ 范应元本作"臣焉"。

⑩ 取"同門"而非"内門":依据《永乐大典》本。

⑪ 取"貞"而非"忠":Wagner 依据范应元的论断改。

⑫ 取"魚相忘"而非"忘":依据《永乐大典》本。

⑬ 取"道失"而非"道":Wagner。所有学者都认为现存的文本读不通。陶鸿庆建议将"魚(相)忘於江湖之道则相濡之德生也"修订为"魚(相)忘於江湖,相忘之道失則不相濡之德生也"。这一修订似乎不够简约;简单地在"道"字后插入一个"失"字,就可以达到相同的读法,而较少地干预文本。郭象注《庄子·天运篇》"泉涸,魚相與處於陸,相呴以濕,相濡以沫,不若相忘於江湖"一段曰:"失於江湖乃思濡沫",参见《南华真经注》,5.26 上 1。

⑭ 统治者在治理社会的过程中所使用的哲学价值的逐级下降表中,这一表达式总是随着道的失去。参见《老子》5.1 和 17.2 王弼注。

18.2　一旦智慧出现于[统治者的行动],[在他的臣属中]就会有巨大的欺骗。

　　如果他施行诡计,运用他的智慧,来探察[百姓的]奸和伪,其结果是,其他人知道如何规避他。[1] 这就是[文本]说"智慧出则大伪生"的原因。

18.3　一旦不能让六亲和谐,则有孝慈产生。一旦国家昏乱,就会有忠臣出现。

　　真正美的概念出于极端的丑恶。这就是所谓"美恶同门"。[2] 六亲,即父子、兄弟、夫妇。若六亲本自和谐,国家本自整治,那么人们将不知道哪里有孝子忠臣。只有当"鱼相忘于江湖之道"已失,才有相濡以沫之德[如《庄子》所说]。

《老子注》第19章

[本文]

19.1　絕聖棄智[3],民[4]利百倍[5];絕仁棄義[6],民復孝慈[7];絕巧棄利,盜

---

[1] 有关统治者的监察手段与臣属的逃避之间的关系的更详尽的讨论,参见《老子微旨略例》关于邪恶起源的短论。另见本书第三编。

[2] 参见《老子》2.1王弼注。

[3] 马王堆甲乙本、范应元本作"知"。作"智"的证据:王弼注"聖智,才之善也";以及《老子》10.4王弼注"治國無以智,猶棄智也"。

[4] 马王堆乙本"民"作"而民"。

　　王弼以"人"为"令有所屬"中的"令"字的宾语,读作"令人有所屬"。在《老子》中,"令"的宾语是王弼文本族中的"民"。王弼用"人"而非"民",暗示在他的文本中作"人利百倍"、"人複孝慈"而非"民利百倍"、"民複孝慈"的可能性。这一选择出现在《想尔》传统的两种抄本,即《次解》本和《道藏》的李荣本中。因为王弼文本族中没有任何一种本子有此种选择,而且它也没有被陆德明和范应元标识为王弼文本的特征,我保留了文本中的"民"字。

[5] 马王堆甲本作"負"。

[6] 马王堆乙本"義"作"義而"。

[7] 马王堆甲本"孝慈"作"畜茲"。马王堆乙本作"孝茲"。

賊無有。此三者[1]以爲文而[2]未足[3]，故令之有所屬，[4]見素、抱[5]樸，少私寡欲[6]。（底本：傅奕古本）

聖智[7]，才之傑[8]也；仁義，行之大也；[9]巧利，用之善也。而直云云[10]絕，文甚不足，不令之有所屬，[11]無以見其指。故曰：此三者以爲文而未足。故令人有所屬，屬之于素樸寡欲。（底本：《集注》本）

［**译文**］

19.1　如果[统治者]绝圣弃智，那么百姓会得到百倍的利益。

如果[统治者]绝仁弃义，那么百姓就会复归孝慈。

如果[统治者]绝巧弃利，就不会再有盗贼。

这三者作为陈述仍不充分。

因此为了让[他的臣民]有所依循，

它将显示质素，

怀抱纯朴，

通过减少他的私利达到寡欲。[12]

圣智是才能中最杰出的。

---

① 范应元本"此三者"作"三者"。马王堆甲乙本作"此三言也"。郭店甲本作"三言"。

② 马王堆甲乙本、范应元本作"以爲文"。"而"的证据在于王弼注。

③ 取"足"而非"足也"：依据在于王弼注作"文而未足"，以及马王堆甲乙本。范应元本作"不足"。

④ 取"令之"而非"令"：马王堆甲乙本。王弼注"令人有所屬"是对"令之有所屬"的翻译。

⑤ 马王堆甲乙本作"袌"。

⑥ 马王堆甲乙本、《庄子・山木》"寡欲"作"而寡欲"。在更早的郭店甲本中无"而"字。

⑦《永乐大典》本作"聖人智"。

⑧ 取"才之傑"而非"才之善"：依据在于《老子微旨略例》"聖智，才之傑者也"。"傑"的证据：陆德明《释文》。

⑨ 取"仁義行之大也"而非"仁義人之善也"：依据在于《老子微旨略例》"仁義，行之大者也"。"行"的证据：陆德明《释文》。

⑩《永乐大典》本作"云"。

⑪ 取"不令之有所屬"而非"不令有所屬"：依据《永乐大典》本。"之"的证据：王弼在接下来的注释中说"故令人有所屬"。

⑫ 关于将第三条目分派给"巧利"的论辩，参见关于此章结构的分析。

仁义是行事之道中最善的。

巧利是器用当中最好的。

而直接说"绝",就陈述本身来说,是不
充分的。如果不让[这些臣民]有所依循,
将无法看到[这一"绝弃"]的宗旨。这就是
[文本说]:"此三者以为文而未足"的原因!因此
为了让百姓有所依循,他将这三者与素朴
寡欲关联起来。

[**结构**]

第19章结构的麻烦在于奇怪的结尾。① 在前三个"绝"、"弃"的系列之后,最后一句中的"见素、抱朴,少私寡欲"似乎在两个条目中确保了三个以"绝"、"弃"为主题的句子经由对立的方式得到承续,但此句却结束于一个四个字的不平行的片断。在《老子旨略》第四章中,王弼采用了这一段;他明确将"绝圣弃智"与"见素"、"绝仁弃义"与"抱朴"、"绝巧弃利"与"寡私欲"关联起来。在本义中,最后一句"少私"和"寡欲"各有两字。由于"见素"与"抱朴"也各有两字,最后一个条目实际上就必定包含两个片断,但这就使本章分成各有三个部分的两个平行的序列。在他的对这一章的注释中,王弼已经将"少私寡欲"约减为"寡欲"二字,以达成某个更平滑的三分系列——素朴寡欲。在《老子旨略》中,他把三个部分同化为相近的长度,以"见质素"为"竭圣智"的对立,"抱朴"为"兴仁义"的对立,"寡私欲"为"多巧利"的对立。由此可知,此章的最后一句被读作一个有其特定指涉(指治理者对"巧 "和"利"的弃绝)的单一的条目。本章的结构就包含两个三分的链体平行系列,由一个三者共享的句子分开("此三者以为文而未足。故令有所属"),这个句子在下面的图示中被标

① 关于此章及其修辞的分析,参见拙文"The Impact of Conceptions of Rhetoric and Style upon the Formation of the Early *Laozi* Editions: Evidence from Guodian, Mawangdui and the Wang Bi *Laozi*",页50—55。

志为 x 句：

a

b

c

x

a

b

c

《老子注》第 20 章

［**本文**］

20.1　絕學無憂。[1] 唯之與阿，相去幾何。[2] 美[3]之與惡，相[4]去何若。人之所畏，不可不畏。[5]（底本：傅奕古本）

下篇云"爲學者日益，爲道者日損"，然則學者[6]求益所能而進其智者也。若將無欲而足，何求於益？不知而中，何求於進？夫燕雀有匹，鳩鴿

① 自唐代以来，即有人认为此句当为第 19 章末句。无论是内容、语法的平行关系还是韵律，似乎都提供某种牢固的关联。现代学者如马敘伦、高亨和高明接受了这样的论断，并添加了新的论辩以为支持（高明，《帛书》，页 315）。郭店乙本中有第 20 章的第一部分。它并不依既有的章序接在第 19 章后面，因此混入是不可能的。第 20 章就是以此句为开始的。这为其他部分提供了论辩，并可以提醒我们中国文本传承的一贯性和品质，以及现代考证研究的脆弱。应该留意的是，在这个世纪里有大量将《老子》拆解为短小且不相连属的零碎以及在新的章序下编排文本的尝试。在我看来，郭店本极早的年代及其高度的统一性，似乎否证了这些尝试。

② 马王堆甲乙本"唯之與阿，相去幾何"作"唯與訶（乙本作'呵'）其相"。郭店本作"唯與可相去…… 美與惡相去"。尽管王弼注去除了"其"字，但它并不直接支持"之"。可能王弼的《老子》本与郭店和马王堆本一样，都没有"之"字。

③ 范应元本作"善"。

④ 马王堆甲乙本"美之與惡相"作"美與惡其相"。

⑤ 郭店乙本、马王堆乙本作"亦不可以不畏"。

⑥《永乐大典》本作"學"。

有仇,寒鄉之民,必知旜[①]裘。自然已足,益之則憂。故續鳧之足,何異截鵠[②]之脛?畏譽而進,何異畏[③]刑?唯阿美惡,相去何若,故人之所畏,吾亦畏焉。未敢恃之以爲用也。(底本:《集注》本)

20.2 荒兮[④]其未央哉!⑤ (底本:范应元本)

歎與俗相返之遠也。[⑥](底本:《集注》本)

20.3 衆人熙熙[⑦],若[⑧]享[⑨]太[⑩]牢,如[⑪]春登臺。[⑫](底本:傅奕古本)

衆人迷於美進,惑于榮利。欲進心競,故熙熙若[⑬]享太牢,如春登臺也。(底本:《集注》本)

20.4 我[⑭]廓兮[⑮]其未兆[⑯],如[⑰]嬰兒未[⑱]咳[⑲]。(底本:傅奕古本)

---

① 取"旜"而非"旃":陆德明《释文》。

② 取"鵠"而非"鶴":陆德明《释文》。

③ 取"畏"而非"異":《永乐大典》本。

④ 马王堆乙本"荒兮"作"望呵"。

⑤ 傅奕古本"未央哉"作"未央"。对"哉"的支持:马王堆乙本中的"未央才"。马王堆乙本"哉"作"才"。

⑥《永乐大典》本无"歎與俗相返之遠也"。

⑦ 马王堆甲乙本作"配配"。

⑧ 范应元本作"如"。对"若"的支持:陆德明《释文》,马王堆甲乙本。

⑨ 陆德明《释文》作"亨"。对"享"的支持:范应元本。马王堆甲乙本作"鄉"。

⑩ 马王堆甲乙本"太牢"作"於太牢"。

⑪ 取"如"而非"若":王弼注"太牢如春登臺也"。马王堆甲乙本"若"作"而"。

⑫ 范应元本"春登臺"作"登春臺"。

⑬《永乐大典》本"若"作"如"。

⑭ 取"我"而非"我獨":王弼注中没有提到"獨"字。对去除"獨"字的支持:马王堆甲乙本、《永乐大典》本、岛邦男、波多野太郎。

⑮ 取"魄兮"而非"廓兮":王弼注"我廓然無形之可名",陆德明《释文》。范应元本"廓兮"作"怕兮"。马王堆甲本"廓兮"作"泊焉"。马王堆乙本作"博焉"。

⑯ 马王堆甲本"其未兆"作"未佻"。马王堆乙本"其未兆"作"未垗"。

⑰ 取"如"而非"若":范应元本。对"如"的支持:王弼注"如嬰兒"。

⑱ 取"嬰兒未"而非"嬰兒之未":王弼注"嬰兒未能",马王堆乙本。

⑲《集注》本以及《永乐大典》本此处作"孩",而陆德明《释文》、范应元本和马王堆甲乙本都作"咳",尽管陆德明《释文》曾提到过某种文本作"孩"。然而,现存的王弼注之上的《老子》文本均作"孩"。因此,我假设王弼注中本来的"咳"字依据《老子》本文里已被变更的"孩"字做了调整。

言我廓然無形之可名，無兆之可舉，如嬰兒未[1]能咳[2]也。（底本：《集注》本）

20.5　儽儽兮[3]若[4]無所歸。[5]（底本：马王堆乙本）

若無所宅。（底本：《集注》本）

20.6　衆人皆有餘，我[6]獨若[7]遺。[8]（底本：傅奕古本）

衆人無不有懷有志，盈溢胸心，故曰皆有餘也。我獨廓然無爲無欲，若遺失之也。（底本：《集注》本）

20.7　我[9]愚[10]人之心也哉[11]！（底本：傅奕古本）

絕愚之人，心無所別析，意無所好欲。猶然，其情不可覩，我頽然若此也。（底本：《集注》本）

20.8　沌沌兮！[12]（底本：傅奕古本）

無所別析，不可爲名。[13]（底本：《集注》本）

20.9　俗[14]人[15]昭昭，（底本：陆德明《释文》）

耀其光也。（底本：《集注》本）

---

① 《永乐大典》本“嬰兒未”作“嬰兒之未”。

② 取“咳”而非“孩”：参见上页注⑲。

③ 取“儽儽兮”而非“纍呵”：陆德明《释文》、傅奕古本、范应元。

④ 取“若”而非“似”：王弼注“若無所宅”，范应元。马王堆甲本“如”作“若”。傅奕古本无“若”字。

⑤ 傅奕古本作“儽儽兮其不足以無所歸”。范应元本作“儽儽兮其若不足似無所歸”。范应元说王弼本与他此处给出的文本一致。

⑥ 范应元本“我”作“而我”。对“而”的否证：王弼注在重复“皆有餘也我獨廓然”时没有“而”字。

⑦ 马王堆甲本无“若”字。

⑧ 马王堆乙本无“我獨若遺”。

⑨ 范应元本“我”作“我獨”。

⑩ 马王堆甲本作“禺”。

⑪ 马王堆甲乙本“心也哉”作“心也”。

⑫ 马王堆甲本“沌沌”作“惷惷”。马王堆乙本作“湷湷呵”。

⑬ 《永乐大典》本作“明”。

⑭ 马王堆甲乙本作“鬻”。

⑮ 傅奕古本、范应元本作“俗人皆”。对范应元声称王弼本中有的“皆”字的否证：马王堆甲乙本。

20.10　我獨昬昬[1]。俗[2]人察察[3]，（底本：范应元本）

分别别析也。（底本：《集注》本）

20.11　我獨悶悶[4]。澹兮[5]其若[6]海。（底本：陆德明《释文》）

情不可覩。（底本：《集注》本）

20.12　飂兮[7]若[8]無所止。（底本：马王堆乙本）

無所繫縶[9]。（底本：《永乐大典》本）

20.13　衆人皆有以。（底本：傅奕古本）

以，用也。皆欲有所施用也。（底本：《集注》本）

20.14　我獨頑[10]且[11]鄙[12]。（底本：傅奕古本）

無所欲爲。悶悶昬昬，若無所識，故曰頑且鄙也。（底本：《集注》本）

20.15　我獨欲[13]異於人而貴食母[14]。（底本：马王堆甲本）

食母，生之本也。人者，皆棄生民之本，貴末[15]飾之華，故曰：我獨欲異於人。（底本：《永乐大典》本）

---

① 取"昬昬"而非"若昏"：王弼《老子》20.14注"悶悶昬昬若無所識"。这是王弼注提供的读法与整个文本族的读法的都不相同的唯一个案。《永乐大典》传下的文本为"我獨昬昬"。这一传统的可信性由这一事实得到了加强：即此种读法不同于河上公本的"若昏"或"如昏"，而总体说来，这些传统的现存文本都极大地受到了河上公本的蚀染。因此，我接受了毕沅提供的"昬昬"这一读法。岛邦男和波多野太郎也同样如此。马王堆甲本作"閒呵"，马王堆乙本作"若閩呵"。

② 马王堆甲乙本作"鬻"。

③ 取"察察"而非"皆察察"：此句与王弼《老子》20.9"俗人昭昭"相类，以及马王堆本。傅奕古本作"皆詧詧"。马王堆甲本作"蔡蔡"。

④ 傅奕古本、范应元本作"閔閔"。对"悶悶"的支援：王弼《老子》20.14注作"悶悶"。马王堆甲本作"閩閩呵"。马王堆乙本作"閩閩呵"。

⑤ 傅奕古本作"淡兮"。马王堆甲本作"物呵"。马王堆乙本作"沕呵"。

⑥ 范应元本作"若"。

⑦ 取"飂兮"而非"望呵"：陆德明《释文》。马王堆甲乙本作"朢呵"。傅奕古本、范应元本作"飄兮"。

⑧ 傅奕古本、范应元本作"似"。

⑨《集注》本作"繫縶"。对此处文本的支持：陆德明《释文》。

⑩ 马王堆乙本作"閌"。

⑪ 范应元本作"似"。马王堆甲乙本作"以"。

⑫ 取"鄙"而非"圖"：王弼注"頑且鄙"。马王堆甲本作"悝"。

⑬ 取"獨欲"而非"欲獨"：王弼注"我獨欲"，傅奕古本。

⑭ 傅奕古本作"貴食"。范应元本作"貴求食於母"。对"食母"的支援：王弼注"食母生之本也"。

⑮《集注》本作"未"。

[**译文**]

20.1 [《老子》说][1]:断绝学习将不会带来危害。“惟命是从”与“拒不服从”差别有多大?[2] 美与丑恶差别有多大?其他百姓所畏惧的,我也不能不畏惧。

[《老子》]下篇[48.1]说:“为学者日益,为道者日损”。因而,学习者追求的是提高和增进自己的知识。如果[我]自足,而没有[任何其他的]欲望,[我]还会追求什么增益呢?如何[我]没有知识而能击中关键,[我]还会追求什么知识上的进步呢?

事实上,燕雀有伴侣,鸠鸽有天敌,寒冷地域的居民,自然知道毛皮。[存在者的]自然本身已经足够,[3]如果要增添什么,必然会带来伤害。在这种意义上,续长凫的脚,与截短鹤的腿[4]有何区别?畏惧赞誉和劝进,与畏惧肉身的刑罚有何区别?“唯、阿、美、丑”,又有何区别?因此,别人所畏惧的,我也同样畏惧。不敢倚仗[那些别人畏惧的东西]为我所用。

20.2 [我是]如此的荒莽,无可穷尽!

他在感叹他与俗众的距离之远。

20.3 俗众[学者][5]是如此的兴奋,好像在参与太牢之祭,好像在春天登

---

① 此章有一个独特的发言者,即使用“我”来谈及自身的人。由于王弼假定此文本是由一个历史人物——老子写成的,在他的眼中,“我”是指老子就是自然而然的了。在眼下这一个案里,有趣的是,“我”在宣称自己无法辨识的同时,也指出了某种特定的缺陷:在说“我独欲异于人”时,暗示了这一愿望还没有充分实现。对整个言说者有以及隐含主语的相关问题,参见本书第一编。

② “唯/阿”这一对子的意义仍有争论。由“善/恶”对的出现,人们可以预期一种刺目的对照。马王堆甲本写作“訶”,此字在《说文》里被界定为“大言而怒也”。王弼没有给出指引。我假定他追随的是一种对照性的解读。

③ 同样的句子出现于《老子》2.2 王弼注。

④ 参见《庄子》:“长者不为有余,短者不为不足。是故凫胫虽短,续之则忧;鹤胫虽长,断之则悲”。另见《周易》“损卦”王弼注:“自然之质,各定其分,短者不为不足,长者不为有余,损益将何加焉?”(《王弼集校释》,页 421)。

⑤ 对“众人”一词的翻译,参见本书第一编。

上高台。

俗众[学者]为“美进荣利”所惑。志欲进取,心思奔竞,[1]这就是[文本说]“熙熙若享太牢,如春登台”的原因。

20.4　我却如此的空虚,没有[任何让别人了解我的]线索,就像婴儿还没有开始微笑。

这是说我空空然,无可名之形迹,无可举之征兆,仿若婴儿尚未能微笑之时。

20.5　[我]漫无目的的,好像没有回归之所。

仿若没有地方可以生活。

20.6　俗众[学者]都拥有太多,而唯独我好像失去了[一切]。

众人[学者]没有不有所关切、有所志欲的,这些东西充溢于他们的心胸。这就是[文本说]“皆有余”的原因。唯独我空虚,“无为无欲”,仿若我丢失了一切。

20.7　我——愚人的心!

绝对愚钝之人,心没有判别和分析,意没有偏爱和志欲。他无所决断的样子,[2]使他的情志无从了解。[文本的意思是说]:我的漠不关心达到了这个地步。

20.8　混沌呵,[我的内心]!

没有可用来判别和分析的,因此,不可能为它命名。

20.9　俗众昭然明亮。

---

① 这一注释中的两个部分似乎指向文本中道说的两个要素,即太牢和春登台。然而,我缺少关联相应部分的指标。

② 参见《老子》17.6中“犹然”一词的使用,以及王弼的注释。

他们让自己的光芒闪耀[与《老子》58.10的圣人的“光而不耀”相反]。

20.10　唯独我昏昏然。俗众[学者]常常作监察。

他们判别区分。

20.11　唯独我闷闷然。深浊的样子，仿若大海。

[我的]情志不可能了解。

20.12　风暴般地，好像没有东西能让[我]停下。

没有东西束缚我。

20.13　俗众[学者]都各有目标。

“以”，就是用的意思。他们都想要有所运用。

20.14　唯独我迟钝而愚蠢。

[我]无所欲无所为。我闷闷然，仿若不理解任何事物。这就是[文本]说：“顽且鄙”的原因。

20.15　唯独我与别人不同，而以“食母”为贵。

“食母”，即生命的根本。其他人都抛弃了给百姓生命的根本，而崇贵各种不重要的装饰性的奢华。这就是[文本]说：“我独欲异于人”的原因。

《老子注》第21章

[本文]

21.1　孔德之容，唯[1]道是從。（底本：范应元本）

孔，空也。唯[2]以空爲德，然後乃能動作從道。（底本：《集注》本）

---

① 傅奕古本作“惟”。

②《永乐大典》本作“惟”。

21.2 道之爲物[①],惟怳惟惚。[②](底本:李善《文选》“头陀寺碑文注”59.5.下8)

怳[③]惚,無形不繫之貌[④]。(底本:李善《文选》“头陀寺碑文注”59.5.下8)

21.3 怳[⑤]兮惚兮,其中有物;惚兮怳[⑥]兮,其中有象。[⑦](底本:王弼注)[⑧]

以無形始物,不繫成物。萬物以始以成而不知其所以然,故曰:怳[⑨]兮惚兮,其中有物,[⑩]惚兮怳[⑪]兮,其中有象也。(底本:《集注》本)

21.4 窈[⑫]兮冥兮,[⑬]其中[⑭]有精[⑮]。(底本:王弼注)

窈冥,深遠之歎。[⑯] 深遠不可得而見,然而萬物由之其可[⑰]得見,以定其真,故曰:窈兮冥兮,其中有精也。(底本:《永乐大典》本)

21.5 其精[⑱]甚真,其中有信。(底本:王弼注)

---

① 马王堆甲乙本“爲物”作“物”。

② 傅奕古本、范应元本“惟怳惟惚”作“惟芒惟芴”。马王堆甲本作“唯朢唯忽”。马王堆乙本作“唯朢唯沕”。“怳”的证据:陆德明《释文》。“惚”的证据:《永乐大典》本的王弼注。

③《永乐大典》作“恍”。

④《永乐大典》作“歎”。可能的反证据:《老子》21.4王弼注“窈冥,深遠之歎”。《集注》本无此句注释。

⑤ 取“怳”而非傅奕古本、范应元本的“恍”:依据《文选》“王简栖头陀寺碑文李善注”,59.5下;陆德明《释文》。参见《老子》21.2。

⑥ 同上。

⑦ 傅奕古本、范应元本此句作“芴兮芒怳兮其(范应元本无‘其’字)中有象芒兮芴兮其(范应元本无‘其’字)中有物”。

⑧ 王弼文本族中的所有本子都有此两句,但次序颠倒。现存的两种早期的王弼注相同,但似乎都有残损。与“恍”字的读法无关,很明显,这一片断预设了“物—象”这一次序。俞樾最早建议在王弼注“恍兮惚兮”的后面补充“其中有物”一句。这种观点为波多野太郎和岛邦男接受。事实上,“物—象”这一次序的文本传统是存在的,《想尔》本和《道藏》中的河上公本都是如此。因此,我在这里接受了王弼《老子》本与其文本族的极为罕见的相违。

⑨ 取“怳”而非“恍”:依据李善;陆德明《释文》。参见《老子》21.2。

⑩ “其中有物”,据俞樾增。

⑪ 取“怳”而非“恍”:依据李善;陆德明《释文》。参见《老子》21.2。

⑫ 傅奕古本、范应元本作“幽”。

⑬ 马王堆甲本“窈兮冥兮”作“瀿呵鳴呵”。马王堆乙本作“幼呵冥呵”。

⑭ 范应元本、马王堆甲本“其中”作“中”。

⑮ 范应元本“精”作“精兮”。马王堆甲本作“請”。马王堆乙本作“請呵”。

⑯《文選》“沈约钟山诗李善注”作“貌”。《集注》本作“欺”。

⑰《文選》“沈约钟山诗李善注”作“不可”。

⑱ 马王堆甲乙本作“請”。

信，信驗也。物反窈冥，則真精之極得，萬物之性定。故曰：其精甚真，其中有信。（底本：《集注》本）

21.6　自古及今，[1]其名不去。（底本：王弼注）

至真之極，不可得名。無名則是其名也。自古及今，無不由此而成，故曰：自古及今，[2]其名不去也。（底本：《永乐大典》本）

21.7　以閲從甫[3]。（底本：傅奕古本）

衆甫，物之始也。以無名閲[4]萬物始也。（底本：《取善集》）

21.8　吾何以知衆甫[5]之狀哉[6]？以此。（底本：马王堆甲本）

此，上之所云也。言吾何以知萬物之始，皆始[7]於無哉？以此知之也。（底本：《集注》本）

［**译文**］

21.1　与空虚之德［相应的］态度是唯一的服从道的做法。

“孔”即是空。只有以空为德的人，才能依照道来行动。

21.2　道这东西混沌含糊。[8]

---

① 马王堆甲乙本、傅奕古本、范应元本“自古及今”作“自今及古”。“自古及今”的证据：王弼《老子微旨略例》第一章“自古及今，其名不去”。要注意王弼的读法与整个文本族都不同。只有范应元提到过一个作“自古及今”的本子。否则就只能认为《老子微旨略例》的引文需要依其他《老子》本修改。在这两种注释版本中，《永乐大典》本似乎更可信。不仅因为它与《老子微旨略例》一致，而且因为此前一句“自古及今無不由此而成”在两个版本中都作“自古及今”。

②《集注》本“自古及今”作“自今及古”。

③ 马王堆本“以閲衆甫”作“以順衆仪”（乙本作“父”）。

④《集注》本、《永乐大典》本作“説”。

⑤ 取“甫”而非“仪”；依据《老子》21.7 王弼注。马王堆乙本作“父”。

⑥ 取“狀哉”而非“然”：陆德明《释文》。马王堆乙本作“然也”。傅奕古本、范应元本作“然哉”。

⑦《永乐大典》本作“萬物之始”。

⑧ “X 之为物”这一表达在各处都有“X 本身”的意思，后面跟着一个定义。王弼也以这种方式使用它，参见《老子》16.6 的“常”、16.13 的“无”和 32.1 的“朴”等处的注释。在此处，依据《老子》21.3 的王弼注，我们会遇到一个问题。在那里，王弼说道以无形和不系的方式“始物”、“成物”。对于事物的“始”和“成”，在这一章中没有直接的文本根据，因此我冒险将“道之为物”翻译成“道对物的作用”。然而，在王弼的定义中，道只是这一“始”和“成”的称谓，因此，这一信息已经包含在这个语汇中了。在《老子微旨略例》的开头“为物”还在“为物”、“为象”、“为音”、“为味”等的系列中被用于道，在那里，“为”明确意指“作为……”。

恍惚是[道]没有形状、无所束缚的样子。①

21.3 [道]混沌含糊,[但是]在它们之中仍有物。[道]含糊混沌,[但是]在它们之中有形象。

[道]通过无形来发始万物,通过无所束缚来成就存在者。万物由它发始和成就,但它们不知道这是从何而来的。② 这就是[文本]说:“恍兮惚兮,其中有物,惚兮恍兮,其中有象也”的原因。

21.4 [道]深远的样子,[但是]在它们之中有精华。

“窈冥”是对[道的]深远的感叹。③ 其深远不可察识,然而万物却以之为根本;这些可以通过确定它们真性的方式来察识④[,由此,道可以经由它们间接地识认]。这就是[文本]说:“窈兮冥兮,其中有精也”的原因。

21.5 它们的精华很真切,在它们之中有信实。

“信”是“信验”的意思。一旦存在者复归于窈冥,那么它们的终极的真质就得到了把握,万物的本性就得到了确定。这就是[文本]说:“其精甚真,其中有信”的原因。

21.6 从古到今,其[真正精华的]名字从未消失。

---

① 同一表达出现于《老子》32.1王弼注。

② 相同的两个步骤也出现于《老子》1.2王弼注。

③ 李善《文选注》22.28.b5引用了这一段落,只是将“叹”替换为“貌”;楼宇烈接受了这一异文,然而,他做得不够一贯,没有在《老子》21.2和20.2的注释中做相同的改动。在《老子微旨略例》第二章中,王弼自己谈及了人们因在表达道之美时的无助而“叹”。这促使我拒绝楼宇烈的建议。“深”和“远”两个词取自《老子》65.4“玄德深矣远矣”。作为“所以”的侧面的属性,它们出现于《老子微旨略例》2.24和2.26。

④ 上一译注中提到的李善的引文在这里有一处重要的异文,即“不可”作“其可”。我不认为这是王弼的文本。武断地说,这个论述只是在重复此前直接说过的,即深和远的不可察识。这对王弼来说是不正常的。根据王弼的哲学,我偏爱的读法与王弼的许多其他论述关联在一起,这些论述都是关于事物的“所以”,作为它们的可能性的条件,在它们当中并经由它们显现出来;参见本书第三编第二章。在王弼的构造中,《老子》这一句的主要目的是要明确,尽管道是不可察识的,但从出现在万物中的精和质中,它的某些侧面还是可以间接地辨识的。

终极的真不可命名。因此，“无名性”就是它的名。从古到今，没有东西不是根据于此。[1] 这就是[文本]说：“自古及今，其名不去”的原因。[2]

21.7　通过它[道之真精]，人们可以辨识众物的开端。[3]

“众甫”指的是事物的开端。通过[真质的]无名，人们可以辨识万物的开端。

21.8　我何以知道众物开端的情状呢？由此。

“此”指的是上面所说的东西。句子的意思是：我何以知道万物的开端开始于无呢？[4] 我是从[上面]这些知道的。

《老子注》第22章

[本文]

22.1　曲則全[5]。(底本：傅奕古本)

不自見其明，則全也。[6] (底本：《集注》本)

22.2　枉則正。[7] (底本：傅奕古本)

不自是，則其是彰也。(底本：《集注》本)

22.3　漥[8]則盈。(底本：傅奕古本)

---

① 这一表达常常出现在王弼的著述中，形式上会稍有变化。参见《老子》14.5，34.2，37.2，51.1和51.2等处的王弼注。

② 这里的“无名”是名词性的(有“没有定名”和“无名性”两层含义)，这有两个根据：其一，王弼将“无名”用作一个关联于道的名词。例如，在《老子》1.2注中，他说“道以无形无名始成万物”。其次，无名性是道的必然特性，不是某一天才出现的人或语言的缺陷。

③ 在《老子微旨略例》1.49—51，王弼以近似的方式注释了这句话。

④ 这个句子基于《老子》40.3，在王弼的著述中屡次出现；参见《老子》1.3王弼注。另见韩康伯，《系辞注》。有关分析，参见本书第三编第二章。

⑤ 马王堆甲本作“金”。

⑥《取善集》“全也”作“全”。

⑦ 马王堆甲本作“枉則定”。马王堆乙本作“汪則正”。

⑧ 马王堆甲乙本作“窪”。

不自伐,則其功有也。(底本:《集注》本)

22.4　蔽[1]則新。(底本:傅奕古本)

不自矜,則其德長也[2]。(底本:《集注》本)

22.5　少則得,多則惑。(底本:傅奕古本)

自然之道,亦猶樹也。轉多轉遠其根,轉少轉得其本。多則遠其真,故曰惑也。少則得其本,故曰得也。[3](底本:《集注》本)

22.6　是以[4]聖人抱[5]一爲[6]天下式[7]。(底本:范应元本)

一,少之極。式,猶則之也。(底本:《集注》本)

22.7　不自見故明,不自是故彰,[8]不自伐故有功,不自矜故長。[9]夫唯[10]不爭,故天下[11]莫能與之爭。古之所謂曲則全[12]者,豈虛言哉[13]?誠全[14]而[15]歸之。(底本:傅奕古本)

［**译文**］

22.1　隐藏导致完全。

> ［因此,正如《老子》22.7所说,圣人］"不自己表现其聪明,结果是其聪明就会整全"。

---

① 取"蔽"而非马王堆甲本、范应元本的"敝":依据陆德明《释文》。

②《取善集》"長也"作"長"。

③《永乐大典》本将这一段收入下一句的注释。

④ 傅奕古本无"是以"二字。

⑤ 马王堆甲乙本作"執"。傅奕古本作"褱"。

⑥ 傅奕古本、马王堆甲乙本作"以爲"。"爲"的证据:王弼注在"式猶則之也"中将"式"界定为一个动词。因此,"爲"只能在这个意义上读作"使",这就排除了"以爲"这种可能。

⑦ 马王堆甲乙本作"牧"。

⑧ 马王堆甲本作"不□視故明不自見故章"。马王堆乙本作"不自視故章不自見也故明"。

⑨ 马王堆甲乙本作"弗矜故能長"。

⑩ 取"唯"而非"惟":依据《老子》73.5王弼注。

⑪ 马王堆甲乙本无"天下"二字。

⑫ 马王堆乙本作"胃曲全"。

⑬ 范应元本作"言也哉"。马王堆乙本作"幾語才"。

⑭ 马王堆甲本作"金"。

⑮ 马王堆甲乙本无"而"字。

22.2　弯曲导致校正。

[因此，正如《老子》22.7 所说，圣人]“不自以为是，结果是他的正确就会彰显”。

22.3　低洼导致充盈。

[因此，正如《老子》22.7 所说，圣人]“不自我夸耀，结果是他的功绩就无可比拟”。

22.4　破旧导致更新。

[因此，正如《老子》22.7 所说，圣人]不自我赞扬，结果是他的德能就会成长。

[总之]

22.5 减少导致获得，

增加导致迷惑。

自然之道，就好像树一样。

越多的部分，距离根本就越远。

越少的部分，就会越[好]地得其本根。

增多，就会更加远离真[性]，因此[文本]说“惑”。

减少，就会得其本根，因此[文本]说“得”。

22.6

这一[最终的一般原则]是圣人抱持一，并以之作为帝国的模范。

一，是减少的极致。
法，就是"取法"的
意思。

22.7 [圣人追随第一句格言；因此]他不展示自己，并且因此
他的明智[得以完全]。

[圣人追随第二句格言；因此]他不自以为是，并且因此
[他的正确]得以彰显。

[圣人追随第三句格言；因此]他不自我夸耀，并且因此
[他的]功绩无可比拟。

[圣人追随第四句格言；因此]他不自我赞扬，并且因此
[他的德能]成长。

[一般说来]，事实上，正因为他不与任
何人斗争，天下也就没有能与他斗争的
人。① 古人所说的"曲则全"，难道是空
洞的废话吗？对于那些真正的整全者，
[天下所有人]都将归服。②

[结构]

此章的内在一致性已经困扰了许多注者。王弼运用链体结构的标准形式作为分析工具，提出了一种极其简单和一贯的读法。开头(22.1—22.4)给出的悖论有四个。随后的两句(22.5)很容易由其对立的结构被认作单独的一对，并因而理解为对第一系列的总结。在此，它们将被命名为x句和y句。22.6是关于圣人运用22.5的箴言陈述。我们在这儿称之为z句。它与接下来四个涉及具体应用的句子并不平行，

① 这个句子被完整地引用在《老子》73.5的王弼注中。

② 最后一句没有注释，而且难以理解。王弼通常在两种语境下使用"归"这个字，一是回归"一"或"本"，一是天下或万物归服于圣王。由于此处的上下文是圣人在自己的行动中用"自然之道"，似乎第二种读法更好些。

因此又构成了一个单独的一般陈述。接下来是22.7的四个句子，形式上与前四句相配合，其后是一个一般陈述句z，进一步将起首四句当做古人的习语，它的出现解释了圣人为何以某种特定的方式行事。22.7的最后部分通过承接I、II两部分(一般原则和圣人对它们的运用)的关系阐述了此章的一般宗旨。因此，我将其标志为第III部分。此章的结构可以在形式上转写如下：

Ⅰ	a							(22.1)
		b						(22.2)
			c					(22.3)
				d				(22.4)
					x		y	(22.5)
						z		(22.6)
Ⅱ	a							(22.7)
		b						(22.7)
			c					(22.7)
				d				(22.7)
Ⅲ						z		(22.7)

第24章以此章第II部分的四个子句展开，只是同一主张的否定性陈述而已。王弼使用了基本上相同的注释方法。

《老子注》第23章

[**本文**]

23.1　希[①]言自然。(底本：范应元本)

聽之不聞名曰希。下章言：道之出言，淡兮其無味也。視之不足見，聽之不足聞，然則無味不足聽之言，乃是自然之至言也。(底本：《集

① 傅奕古本作“稀”。

注》本)

23.2　故①飄②風不終③朝,驟④雨不終⑤日。孰爲此者?天地⑥!天地尚不⑦能久,而況⑧於人乎!(底本:前两句依据《老子》30.7王弼注,余下诸句依据范应元本)

言暴疾美興不長也。(底本:《集注》本)

23.3　故從事於道者,道者同⑨於道,(底本:傅奕古本)⑩

從事,謂舉動從事於道者也。道以無形無爲成濟萬物,故⑪從事于道者,以無爲爲居⑫,不言爲教,綿綿⑬若存,而物得其真。行道則與道同體,⑭故曰同於道。(底本:《集注》本)⑮

23.4　得⑯者同於得,⑰(底本:范应元本)

得,少也。少則得⑱,故曰得也。行得則與得同體,故曰同於得也。

---

① 马王堆甲乙本无“故”字。
② 马王堆乙本作“薊”。
③ 傅奕古本、范应元本作“崇”。马王堆甲乙本作“冬”。
④ 马王堆甲乙木、范应元本作“驟”。
⑤ 傅奕古本、范应元本作“崇”。马王堆甲乙本作“冬”。
⑥ 傅奕古本作“天地也”。
⑦ 马王堆乙本“孰爲此者天地天地尚不”作“孰爲此天地而弗”。
⑧ 马王堆乙本“而況”作“有兄”。
⑨ 马王堆甲乙本“於道者道者同”作“而道者同”。
⑩ 关于我与所有其他学者不同,保留了“道者”的重复的理由,参见本书页494注①。
⑪《取善集》无“故”字。
⑫ 取“居”而非《集注》本及《永乐大典》本的“君”:Wagner根据《老子》2.2“聖人居無爲之事”而取舍。
⑬ 取“綿綿”而非《集注》本及《永乐大典》本的“緜緜”:Wagner依据《老子》6.1王弼注取舍。《集注》本前后并不一贯,在《老子》6.1王弼注的引文中它用的就是“綿綿”。
⑭ 取“行道則與道同體”而非“與道同體”:Wagner依据与《老子》23.4注“行得則與得同體”以及23.5注“行失則於失同體”的平行关系取舍。
⑮ 服部悔庵引用过带有这一段王弼注的臧疏:“順教返俗所爲從於道兼忘衆累與虛空合體謂之同道道則應之”。我赞同波多野太郎的观点,即认为这一段不符合王弼注的风格。
⑯ 取“得”而非马王堆甲乙本的“德”:Wagner依据王弼注“得,少也”而取舍;傅奕古本亦作“得”。傅奕古本“得者”作“從事於得者”。
⑰ 取“得”而非马王堆甲乙本的“德”:Wagner依据王弼注“得,少也”而取舍;傅奕古本亦作“得”。
⑱《集注》本作“德”。

(底本:《永乐大典》本)

23.5　失[1]者同於失。(底本:范应元本)

失,累多也。累多則失,故曰失也。行失則與失[2]同體,故曰同於失也。(底本:《永乐大典》本)

23.6　同[3]於道者,道亦得之;[4]同[5]於得[6]者,得亦得之;[7]同[8]於失者,失亦得之。[9](底本:范应元本)

言隨其所行,[10]故同而應之。(底本:《永乐大典》本)

23.7　信不足,焉[11]有不信。[12](底本:傅奕古本)

忠信不足於上[13],焉有不信也。(底本:《永乐大典》本)

[译文]

23.1　[只有]听不到的[言辞]道说自然。

[正如《老子》14.1所说],"听之不闻名曰希"。在稍后一章[即《老子》第35章]说:"道之出言,淡兮其无味也。视之不足见,听之不足闻"。因此没有味道,没有打算听的言辞,是关于自然最高的道说。

23.2　因此旋风不能持续整个早晨,暴雨无法下一整天。[14]说到底是谁

---

① 傅奕古本"失者"作"從事於失者"。马王堆甲本"失"作"者"。

②《集注》本"則與失"作"則失與失"。

③ 傅奕古本无"同"字。

④ 马王堆甲乙本无"同於道者,道亦得之"。

⑤ 傅奕古本无"同"字。

⑥ 取"得"而非"德"(亦见于马王堆甲乙本)·Wagner依据《老子》23.4王弼注以及傅奕古本取舍。

⑦ 取"得亦得之"而非"德亦得之":傅奕古本。马王堆甲乙本"得亦得之"作"道亦德之"。

⑧ 傅奕古本无"同"字。

⑨ 马王堆甲乙本"失亦得之"作"道亦失之"。

⑩ 取"隨其所行"而非"隨行其所":陶鸿庆。

⑪ 范应元本无"焉"字。"焉"字的证据:王弼注"足於上焉"。

⑫ 马王堆甲乙本无"信不足焉有不信",参见《老子》17.5。

⑬ 取"上"而非"下":Wagner;参见本书页496注①②。

⑭ 王弼在《老子》30.7的注释中逐字引用了这一段落。那里他以飘风和暴雨来比喻以武力统治帝国,这样的统治会"不道""早已"。

让它们发生的呢？天和地！如果天地都不能使这些暴兴者持久，人又怎能[使有为之治持久呢]！

这是说猛烈的暴发可以出现，但不能持久。

23.3　因此，如果[圣人]要[依据]道来管理[所有]事务，他将使那些[实践]道的人等同于道，①

“从事”是指在[其]行动中“依据道来管理所有事务的人”。② 道通过其无形无为来成就和规范万物。这就是[正如《老子》2.2和2.3就圣人所言]“从事”于道的人，以“无为”为“居”，“不言”为“教”，[像《老子》6.1中的“天地根”那样]“绵绵若存”，万物因而得其真质的原因。

如果他们实践道，[圣人之治]将使他们与道同其本质。这就是[文本]说“同于道”的原因。

---

① 《淮南子》引用了通行本的“故从事于道者道者同于道”，而“道者”没有出现两次，这种读法得到了马王堆甲乙本的强化，而且受到许多学者(包括魏源、波多野太郎和岛邦男)的采纳。在现存的王弼注中，没有这一重复的直接印迹，但这一王弼本似乎已为河上公本叠加。与王弼《老子》本关联密切的傅奕本为这种重复的读法提供了非常明确的文本，不仅“道者”是重出的，而且“德者”、“失者”也同样如此。结果是意义的改变。然而，此章在整体上困扰于传写的问题，所有学者都做了大量的修订，由于本文与王弼显然对应不上。由于后面两个句子是“得者同于得”、“失者同于失”，我们就有了与“道者同于道”的严格平行。以此种方式来解读，第一部分“故从事于道者”将成为此后三个句子运作并且实际上可以在它们之前被重复的一般条件。这一读法将要求双重的证明，即第一部分的一般性在注释上的确证，以及文本或注释中明确三个句子实际上是在圣人从事于道的一般条件下才有意义的论述。23.3 注的第一部分提供了第一个证明，句子 23.6 提供了第二个证明。这里对“同”的动词性翻译(即译为“使等同于”)依循的即是这一思考线索。在注释中它是以“物得其真”为依据的，它表明圣人在其治理中实践道将会有这样的效果。

② “从事谓举动从事于道者也”这句话颇为奇怪，因为它实际上预设了本文中只有“从事”，然后才会以后面的话来解释。在解释中重复本文中的“从事”是可能的，但在定义中完整地重复“从事于道者”却是罕见的。“于道者”的传写是相当确定的，但马王堆甲乙本都没有“於道者”而只有“从事而”，然后就是“道者同于道”的系列。我不知道这是什么造成的，因为根据内容，“于道者”当然适合王弼的文本。也许是他手中的传本并无“于道者”，而他从其他抄本那里知道了这种传写，并以此种方式指明他同意这种解释？

23.4　他将使那些[实践]得[道]的人等同于得，

“得[道]”意味着“减少”[如《老子》22.5所说]，“减少导致获得”，因此[文本]说“得”。如果他们实践得[道]，[圣人之治]将使他们与得同其本质。[1] 这就是[文本]说“同于得”的原因。

23.5　他将使那些[实践]失[道]的人等同于失。

“失[道]”意味着负累的增加。如果负累增加，人就失去[道]。[2] 这就是[文本]说“失”的原因。如果他们实践失去道，[圣人之治]将使他们与失同其本质。这就是[文本]说“同于失”的原因。

23.6　那些等同于道的人，亦将得道；

那些等同于得的人，亦将得德；

那些等同于失的人，亦将获得“失”。

这意味着：他随他们的行为调整。因此他使他们以与他们相应的方式等同于[道、得或失]。[3]

---

① 注释中并没有明确“得”和“失”的宾语。从与《老子》22.5的明确的平行中，我假设此处“得”的对象与那里相同，即“本”或“真”（在此章里对应“道”这个词）。

② “失”的宾语通过与22.5的平行关系得到确定。“少”与“多”相对，减“少”的结果是“得”，增“多”的结果是“惑”；这是由人们远离其根本导致的。尽管王弼在这里使用了不同的术语，他仍是以得本或失本这一对照来展开的，因此“失”的宾语必须从第22章移过来。

③ 这一翻译并不完善。王弼用“言”宣告一种“翻译”进入了更为明确的语言，在其中绝大多数原文的成分可以直接看到。这里却不是这样。陶鸿庆建议将“随其所行”读作“随行其所”似乎相当合理，然而，《集注》和《永乐大典》所载的此种具有显见问题的文本表明编者仍相信他们手中的抄本，而不是改变文本，这样做也许会使它更加不可理解。而且，陶的修订马上带来另一问题，即“故”字变成多余的了。在这一构造中，它没什么意义。陶本人注意到了这一点，并建议删去它。这一章在传写上有极多的异文，甚至在王弼《老子》本的文本族内部也是如此。我的读法可以做到在王弼思想内部的一贯性，但并没有解决这一章中的所有麻烦。

23.7 如果[治理国家的人]信誉不足,那么[他的臣民]将失去信用。①

如果在上位者诚信不足,那么在下者也将缺少诚信。②

[**结构**]

此章的第一部分 23.1 和 23.2 给出了以无言和无为而非以无法持久的暴力手段治理天下的理由。王弼通过在其《老子》第 30 章注中引用飘风和暴雨作为以暴力统治的说明,呈示了他是怎样解读飘风和暴雨的所指的。第二部分阐述的是依道治天下的圣人的治理。其结果是所有的存在者都依循其本性。这一部分的结构是由开头和结尾两个一般性的、相互关联的陈述(在这里被称为 z 句)构成的一种明显的平行阶梯结构。

	z		(23.1)
	z		(23.2)
	z		(23.3)
a			(23.3)
	b		(23.4)
		c	(23.5)
a			(23.6)
	b		(23.6)

① 此句与《老子》17.5 相同。前半句的隐含主语是统治者,后半句是居下的百姓。这个句子是对统治者与其臣属之间变化的关系的原因的总结性陈述,这一变化实则是统治者道德品质败坏的结果。在注释中所用的"忠信"一词在《老子》第 38 章中以相同的次序出现。除了将此句直接与关于圣人依道行事的句子相对照外,我看不出其他的可能:圣人依道而行,其结果是万物各得其真性(对于某些东西,如《老子》第 5 章中的草和狗是被吃掉;而对于另外一些东西,如牛和人则是吃掉别的东西),得者得之,失者失之。然而,如果如最后一句所说,居于上位的统治者缺乏"信"用,他的臣下也会如此。对于"信"字的分析,参见本书第三编第二章。

② 将"下"字改为"上"字这一极端的做法由与《老子》17.5 的直接平行决定的。《老子》中有大量将社会性存在之"真性"的得或失归罪于在上位者的品质的论述。如果按原有文本,这句话不仅在上下文中没有意义,而且与我们已经建构起来的对王弼评价直接矛盾。

c　　(23.6)

z　　　　(23.7)

《老子注》第24章

[本文]

24.1　企①者不立。(底本:王弼注)

物尚進則失安,故曰企者不立。(底本:《集注》本)

24.2　跨者不行。② 自見者不明,自是者不彰,③自伐者無功,自矜者不長。其於④道也⑤,曰餘⑥食贅行。(底本:傅奕古本)

其唯於道而論之,若郤⑦至之行,盛饌之餘也。本雖美,更可薉也。本雖有功,而自伐之,故更爲疣⑧贅者⑨也。(底本:范应元本)

24.3　物或惡⑩之,故有道者不處。⑪ (底本:范应元本)

[译文]

24.1　有高立脚点的[统治者]⑫不会站得[牢固]。

---

① 范应元本作"跂"。马王堆甲乙本"企"作"炊"。

② 马王堆甲乙本无"跨者不行"。

③ 马王堆甲乙本"自見者不明,自是者不彰"作"自視者[马王堆甲本无'者']不章,自見者[马王堆甲本缺]不明"。

④ 取"於"而非"在"(马王堆甲乙本):王弼注"其唯於道而論之"以及范应元本。

⑤ 马王堆甲本无"也"字。

⑥ 马王堆甲乙本作"粽"。

⑦《永乐大典》本作"卻"。

⑧ 陆德明《释文》、《永乐大典》本作"肬"。

⑨《文选》李善注40.14下6无"者"。

⑩ 马王堆乙本作"亞"。

⑪ 马王堆甲乙本"故有道者不處"作"故有欲者弗[马王堆甲本缺]居"。傅奕古本"處"作"處也"

⑫ 此章与第22章有许多相同的内容,但它讨论的不是圣王,而是不能持守那一章里勾勒出的原则的统治者。他(如24.3中所举的郤至)并不一定是拥有王那样高地位的统治者,但基本的关系是一与众的关系,统治者与其臣属的关系是这方面的极端。马王堆甲乙本通过将此章在置于第21章和第24章之间,都强调了这两章的关联。在这两章中勾画出来的动力机制只有在居上位者和他的臣属之间运作。

[效仿他的模式],其他事物[他的臣民]①将向往更多的进展,结果使[他]失去了[他的]安全。这就是[文本]说“企者不立”的原因。

24.2 大跨步的[统治者]无法前进。自我展示的[统治者]并不明智。自以为是的[统治者]无法彰显[他自己的正确]。自夸的[统治者]将不会有无可比拟的成就。自我表扬的[统治者]将不会有[自己的德性]成长。② 我称这些对待道的[态度]是

“余食”	和	“赘行”。
	根据道来判断,[这些态度就像]	
是盛馔的剩余,尽管[食物]根本上是可口的,[其余食]则会腐烂。		郤至的行为。③尽管[郤至]根本上是有功绩的,而自夸其功,就成了赘疣。④

24.3 [上述否定性结果得以发生的机制是]其他存在者也许会讨厌他。因此有道之人不会选择[这些行为过程]。

① “物”这个词取自24.3,它明确指出如果统治者做这里勾画出的事,“其他事物”将厌弃他。

② 除了这一系列的首句,其他人都是《老子》22.7中关于圣人的论述的反面。王弼在他对《老子》22.1—4的注释中翻译了这些论述。我在括号中添加的那些,即取自这些翻译。

③ 见《左传》“成公十七年”:“晋侯使郤至献楚捷于周,与单襄公语,骤称其伐。单子语诸大夫曰:温季其亡乎!位于七人之下,而求掩其上,怨之所聚,乱之本也。多怨而阶乱,何以在位?《夏书》曰:怨岂在明?不见是图。将慎其细也。今而明之,其可乎?”杜预注曰:“言郤至显称己功,所以明怨咎”(《春秋经传集解》,页770)。事实上,针对郤至及其家族的怨恨达到了这种程度:一年后他被杀掉。此章不包含链体结构。这里的结构性转写只是要突显文本与注释的关系。

④ 显然《老子》的文本本身在这里没有链体结构,但王弼注从文本中摘取了两个词,并以平行的风格展开它们,这就将此后的本文转变为一般性的论述。

《老子注》第25章

［**本文**］

25.1　有物[1]混[2]成，先天地生。（底本：傅奕古本）

混然不可得而知，而萬物由之以成，故曰混成也。不知其誰之子，故先天地生。（底本：《集注》本）

25.2　宋兮寞兮，[3]獨立而不改[4]。（底本：傅奕古本）

宋寞，[5]無形體也，無物之匹，故曰獨立也。返化終始，不失其常，故曰不改也。（底本：《永乐大典》本）

25.3　周行而不殆，[6]可以爲天地[7]母。（底本：范应元本）

周行無所不至，而免殆[8]，能生全大形也，故可以爲天地[9]母也。（底本：《集注》本）

25.4　吾不[10]知其名[11]，（底本：范应元本）

名以定形，混成無形，不可得而定，故曰不知其名也。（底本：《集注》本）

25.5　字之[12]曰道，（底本：王弼《老子微旨略例》）

夫名以定形，字以稱可言。道取於無物而不由也。是混成之中，可

---

① 郭店甲本作“䖝”。

② 马王堆甲乙本作“昆”。

③ 马王堆甲本“宋兮寞兮”作“繡呵繆呵”。马王堆乙本作“蕭呵漻呵”。

④ 郭店甲本“而不改”作“不亥”；这表明没有“而”的文本（如想尔本）是一种古本。马王堆乙本“改”作“玹”。

⑤ 取“宋寞”而非“寂寞”：陆德明《释文》。《集注》本作“寂寥”。

⑥ 马王堆甲乙本、郭店甲本无“周行而不殆”。

⑦ 傅奕古本、郭店甲本“天地”作“天下”。

⑧《永乐大典》本作“危”。

⑨《永乐大典》本“天地”作“天下”。

⑩ 马王堆甲乙本、郭店甲本作“未”。

⑪ 马王堆乙本“名”作“名也”。

⑫ 傅奕古本、范应元本“字”作“故強字”。取“強”字的证据在于《韩非子》。马王堆甲乙本、郭店甲本无“故強”。

言之稱最大也。(底本:《集注》本)

25.6　強[1]爲之名曰大。(底本:王弼注)

吾所以字之曰道者,取其可言之稱最大也。責其字定之所由,則繫於大。大有繫,則必有分,有分則失其極矣。故曰:強爲之名曰大。(底本:《集注》本)

25.7　大曰逝[2],(底本:范应元本)

逝,行也,不守一大體而已,周行無所不至,故曰逝也。(底本:《集注》本)

25.8　逝[3]曰遠,遠曰返[4]。(底本:傅奕古本)

遠,極也。周無所不窮極,不偏於一逝[5],故曰遠也。不隨於所適,其體[6]獨立,故曰返[7]也。(底本:《永乐大典》本)

25.9　道[8]大,天大,地大,王[9]亦大。(底本:傅奕古本)

天地之性,人爲貴,而王是人之主也。雖不職大,亦復爲大,與三匹,故曰王亦大也。(底本:《集注》本)

25.10　域[10]中有四大,(底本:王弼注)

四大,道天地王也。凡物有稱有名,則非其極也。言道則有所由,有所由然後謂之爲道。然則是道,稱中之大也,不若無稱[11]之大也。無稱不

① 郭店甲本、马王堆甲乙本“強”作“吾強”。
② 马王堆甲乙本作“筮”。
③ 马王堆甲乙本作“筮”。
④ 郭店甲本、马王堆乙本和范应元本作“反”。
⑤《集注》本作“所”。
⑥《集注》本作“志”。
⑦ 取“返”而非“反”:《集注》本。
⑧ 范应元本“道”作“故道”。
⑨ 取“王”而非“人”:王弼注“王亦大也”。“王”的证据:郭店甲本、马王堆甲乙本。郭店甲本“道大天大地大王亦大”作“天大地大道大王亦大”。
⑩ 郭店甲本、马王堆甲乙本“域”作“國”。
⑪《集注》本“稱”作“自”。

可得而名,曰域也。[1] 道天地王皆在乎無稱之內,故曰域中有四大者也。(底本:《永乐大典》本)

25.11 而王處其一[2]焉[3]。(底本:傅奕古本)

處人主之大也。(底本:《集注》本)

25.12 人法地,地法天,天法道,道法自然。(底本:傅奕古本)

法謂法則也。人不違地,乃得全安,法地也;地不違天,乃得全載,法天也;天不違道,乃得[4]全覆,法道也;道不違自然,方乃[5]得其性,法自然也[6]。法自然者,在方而法方,在圓而法圓,於自然無所違也。自然者,無稱之言,[7]窮極之辭也。[8] 用智不及無知,而形魄不及精象,精象不及無

---

① 惠达《肇论疏》414.a.b.2 作"凡物名有稱無非其極也言道無有一有所由所由然後謂之爲道然則道是稱之大不若無稱之大也無名不可得而稱謂之域"。这一文本的传承显然有残损,此处可见"則"被写作"無"的双重误写,以及整个文本的不可理解。然而,仍能看出惠达手中的本子与通行本非常接近。

② 范应元本"處其一"作"居其一"。郭店甲本、马王堆甲乙本"處其一"作"居一"。"處"的证据:王弼注"處人主之大也"。

③ 取"焉"而非"尊":郭店甲本,马王堆甲乙本和范应元本。

④《集注》本"得"作"能"。

⑤ 取"方乃"而非"乃":《集注》本。在这最后一步与前面几者之间有一质的差别,这一差别从"得其"到"得全"的改变中公布出来。因此我建议保留"方",尽管有关"方"与"圓"的句子的相近,不排除文本混淆的可能。

⑥ 添加"法自然也":陶鸿庆。

⑦《文选》李善注 11.3 下 8"自然者無稱之言"作"自然者無義之言"。"無稱"的证据:《老子》25.10王弼注"然則是道稱中之大也不若無稱之大也無稱不可得而名曰域也道天地王皆在乎無稱之內"。

⑧ 释法琳(572—640 年)在其《辩正论》中提到了这一段。包含这一引文的部分出现在两个不同的地方,即释道宣的《广弘明集》和《辩正论》的单行本中。《广弘明集》的版本更好,至少它明确指出这一引文是对王弼注的总结,而非逐字引文。这段引文为:"王弼之[云]言天地王[之]道並不相違故稱法也自然無稱窮極之辭"。接下来一句是"道是智慧靈知[巧]之號",实际上是法琳从王弼的论辩中引出的结论,即道是用于最高智慧和洞见的词,但仍受"自然"的控制。尽管这一段承续了王弼注中的要素,如"違"的概念,而且其他诸句也紧密呼应,如"自然者無稱之言窮極之辭也"作"自然無稱窮極之辭",但接下来一句并不是总结的部分,因此在王弼注中并无根基。这一引文最早是在洪颐宣《读书丛录》中指出的。出于上述原因,我赞同波多野太郎以此句为伪的意见。

形,有儀不及[1]無儀,故轉[2]相法也。道順[3]自然,天故資焉;天法於道,地故則焉;地法於天,人故象焉。所以爲主,其一之[4]者,主也。(底本:《永乐大典》本)

[译文]

25.1　有一个物出自于混沌。它出生于天地之先。

[这个物是]混沌而不可察知,但万物都以它们为根基而成就。这就是[文本]说"混成"的原因。[如《老子》4.1 所说],"不知其谁之子"。这就是[文本]说"先天地生"[与《老子》4.1"象帝之先"的论述相类]的原因。

25.2　它是空虚寂静的。[5] 它独自站立而不改变。

"宋""寞"是无形体的意思。没有任何事物是它的相伴者,因此[文本]说"独立"。离开变化,从始到终,它不会失去其永恒的[本质]。[6] 因此[文本]说"不改"。

25.3　它四处周行而没有危险。

可以把它看作天地之母。

---

①《集注》本"及"作"如"。

②《集注》本"轉"作"道"。

③《集注》本"順"作"法"。"順自然"的证据:《老子》27.1, 37.1 和 65.1 王弼注。

④《集注》本"其一之者主也"作"其一者主也"。

⑤ 在对《论语》7.6 的注释中(《王弼集校释》,页 624),王弼以与此处相同的方式描写道的"寂然无体"。对"寂"这个词的使用确证了通行本的读法,因为"宋"字与"寂"字其实是可以互换的。

⑥"返化终始,不失其常"的翻译并不确定。在我的译文中,"返化"与"终始"被分划开来,这在四字句中(如王弼的那些句子)至少是十分罕见的。"返化"一词在严遵那里有某些先例,但对此处并无帮助。我将其读作对 25.8 中"反/返"这个词的某种暗示和解释,注曰:"不随于所适,其体独立,故曰返也"。在那一语境里,我没有看到其他释译这个字的方式。由于这一关联,我倾向于将 25.8 中的"返"读作同一文本族的另一传统中的"反"字。王弼此处对这个词的解释在此没有像通常那样与对"所以"的反、复和归等术语关联起来。"常"字是在《老子》16.6 王弼注中被界定的。

“它周行”——没有一处它不能到达，但能规避危险——能完整地保存[它的]大[①]形，这就是[文本]说“可以为天下母”的原因。

25.4　我不知道它的名字。

名是用来界定形的。“混[而]成”者和“无形”者[如《老子》41.14关于大象所说的]，不可能定义。[②] 这就是[文本]说：“不知其名”的原因。

25.5　我给它的称谓是“道”。

事实上，名是用来界定形的，而“字”则是某种用来指称可言说者的东西的。[③] 道这个“字”是取自[④]没有事物不以之为根基[这一方面的]。[⑤] 这是关于“混成”者的可道说的称谓当中最大的。

25.6　[只有]在勉强给它造一个名字的时候，我才说“[它是]大”。

我之所以给它“道”这个“字”是因为这是关于它的可说的称谓中最大的。如果人们太关注确定这个“字”的理由，就会将[道]系缚于大。如果大有所牵系，它就必然有特殊性，而一旦它有了特殊性，它的绝对性就失去了。这就是[文本]说“强为之名曰大”的原因。

25.7　“大”意味着“逝”。

“逝”是“行”的意思。它不能持守一个单个的大体并停留在那里，而是“周行”[用《老子》25.3的说法]，没有一处不能到达。因此[文本]说“逝”。

---

① “大形”一词在王弼的著述中没有再出现过。王弼经常使用“大”这个词来描述与相对的尺寸对立的绝对规模。这里正是如此。

②《老子》14.3王弼注对“一”的寂寞本性使用了相同的表述。

③ 关于名和称的不同，参见《老子微旨略例》，以及本书第三编第一章。

④ 对于“取于”这个词在王弼那里的技巧性使用，参见本书第三编第一章。

⑤ 王弼的这一核心句子也出现于《老子微旨略例》5.6。

25.8 “逝”意味着“远”。

“远”意味着“返归[其永恒本性]”。

“远”是“穷极”的意思。它“周行”无处不穷极,不能偏滞于一个单一的“逝”。因此[文本]说“远”。它不依随它偶然所到之处,它的实体“独立”[如《老子》25.2 所说]。这就是[文本]说“返”的原因。

25.9 道大,

天大,

地大,

王亦大。①

[正如孔子在《孝经》中所说]:“天地之性人为贵”,②而王是人类的君主。尽管[王]不是地位性地大,他“也”是大,而与其他三者相配。这就是[文本]说“王亦大”的原因。

25.10 在域中有四个大者,

这四个大者是

道

天

地

和王。

一般说来,事物中有名有称的,不是其极致。说到“道”,就预设了[这个词]有根基。只有作为[这个词]有根基的结果,人们才能谈到它是“道”。“道”只是称谓中的最大者,但比不上无称之大。无称

① 傅奕和范应元都将“人亦大”读作“王亦大”。尽管王弼在他此处的注释中引用了“王亦大”,但在某些罕有的情况下,引文会因叠置的文本而改变。王弼注释以《孝经》中的引文开始,它讨论了人作为最尊贵的存在,然后将王界定为人之中的最高者。这一论辩似乎支持了王弼的《老子》此处读作“人”的假设。然而,这一引文及其隐含论辩的目的不同。王弼试图解释的是何是王不是“大”,而只是“亦大”。他之所以“亦大”,是因为天地将最高的禀赋赋予了人,而王是人类的宗主。他不是固有的大,而是由此禀赋而来的“亦大”。

②《孝经注疏》,9.5,页 1。

不可以命名，因此称之为“域”。道、天、地、王都在无称之域内。这就是[文本]说“域中有四大”的原因。①

25.11　而王处其中之一。

他处于人类君主的大。

25.12　人效法地。

地效法天。

天效法道。

道效法自然。

“法”是“效法”的意思。

[能成为王的]人不偏离于地，结果能完整地保持

[他地位的]安全——这是“法地”的意思。

地不偏离于天，结果能完整地“载”物——这是“法天”的意思。

天不偏离于道，结果能完整地“覆”物——这是“法道”的意思。②

道不偏离于自然，结果成就了[万物的]本性——这就是“法自然”的意思。效法自然意味着在方的东西中，就以方为范型，在圆的东西中，就以圆为范型，因此对自然没有任何的违背。自然是无称的词，穷极的言语。③

---

① 波多野太郎建议删去这一引文后面的“者”字。然而，王弼有时也会在此类情况下加“者”；参见《老子微旨略例》1.42“所谓‘自古及今，其名不去’者也”，或《老子》59.3王弼注“故曰‘早复谓之重积德’者也”。

② 关于地载万物、天覆万物的常见语，参见《中庸》。

③ “无称”一词将自然与道区别开来，后者是“称中之大”。韩康伯的《系辞注》在王弼的意义上使用了这个词，在注释“易有太极”一句时，他写道：“太极者，无称之称，不可得而名，取有之所极，况之太极者也”（《王弼集校释》，页553）。“穷极”一词在王弼的著述里以两种颇为不同的模式出现。在《老子》35.3，40.2和16.12注中，它显然是一个动词，意指“穷尽”。在这个意义上，道是“不可穷极”的。我们还在《列子》中见到了这个词：“千变万化，不可穷极”。在其他地方它似乎是一个有着正面意义的词，以道为主语的“完全穷尽”。比如在《老子》25.8王弼注中，“远”被解释为“极也，周无所不穷极”。最后，它还作为在“穷极虚无”（《老子》16.12王弼注）这样的表达中的一个动词，它意指达到某种终极目标。我的翻译是以这两个共同要素为基础的。

[统治者]运用知识不如无知。

物质形体[地]不如精微之象[天]。

精微之象[天]不如无形者[道]。

有两仪[阴阳]不如无仪[自然]。

因此它们依次相互效法。

道顺应自然,①

因此天以它为资源。

天取法于道,

因此地以它为范型。

地取法于天,

因此人以它为榜样。

至于[某个人]如何成为[全人类]的君主——统一②

他们的人就是君主。

[结构]

王弼将25.2开始的一组句子读作一个系列句,这一系列句以倒序承接在25.—25.8句中。这一关联通过第二个系列句(25.6—25.8)下面的注释明确出来,其中直接引用了第一系列的相应段落。这一关联是有说服力的,但其中仍有不平衡之处:"逝"和"远"在第一个系列中只有一个相应的句子。这一连续性将25.1、25.4和25.5三句归入一般陈述句范畴,它们彼此呼应得很好。对于第I部分,它给出了这样的次序:

I		c	(25.1)
	1		(25.2)
		2	(25.3)

① 相同的表述见《老子》37.1王弼注。

② 陶鸿庆建议将此段改为"王所以为主,其主之者一也",但我不认为这是必须的。在《老子》42.1注中,王弼写道:"百姓有心,异国殊风,而王侯得一者主焉"。这里的"一之"一词没有地理学或精神上的统一的意思,而是本身即能通过无为来阻止"众"离开其自然位置的必然的统一。

3　(25.3)

c　(25.4、25.5)

3　(25.6)

2　(25.7、25.8)

1　(25.8)

25.9 以后的道、天、地和王的连续性相当明确、可靠，而且与前面倒序的平行阶梯结构无关。它也有一种倒序的平行阶梯结构：

Ⅱ　1　(25.9)

2　(25.9)

3　(25.9)

4　(25.9)

c[域中有四大]　(25.10)

4　(25.11)

3　(25.12)

2　(25.12)

1　(25.12)

注释以隐含的系列(始于"用智")重申了后一阶梯结构，从而添加了一个新的层面。因此，对 25.12 的注释就有了这样的形式：

c

4

3

2

1

4

3

2

1

c[故转相法也]

1

2

3

4

c[所以为主]

《老子注》第 26 章

[本文]

26.1,26.2 重爲輕[①]根,静[②]爲躁[③]君。(底本:范应元本)

凡物輕不能載重,小不能鎮大。不行者使行,不動者制動,是以重必爲輕根,静必爲躁君也。(底本:《集注》本)

26.3 是以君子終[④]日行,不離[⑤]輜[⑥]重。(底本:范应元本)

以重爲本,故[⑦]不離。(底本:《永乐大典》本)

26.4 雖[⑧]有榮觀[⑨],宴處[⑩]超然[⑪]。(底本:范应元本)

不以經心[⑫]也。[⑬](底本:《集注》本)

---

① 马王堆甲本作“巠”。

② 马王堆甲本作“清”。傅奕古本“静”作“靖”。

③ 马王堆甲乙本作“趮”。

④ 马王堆甲本作“衆”。马王堆乙本“終”作“冬”。

⑤ 马王堆甲乙本、傅奕古本“不離”作“不蘺(马王堆乙本:遠)其”。略去“其”的证据:陆德明《释文》。

⑥ 马王堆甲乙本作“甾”。

⑦《集注》本无“故”字。

⑧ 马王堆甲本作“唯”。

⑨ 马王堆甲乙本“榮觀”作“環官”。“榮觀”的证据:陆德明《释文》。

⑩ 马王堆甲乙本“宴處”作“燕處”。“宴處”的证据:陆德明《释文》。

⑪ 马王堆甲乙本“超然”作“则昭[马王堆甲本:□□若]”。

⑫ 取“經心”而非“經心之”:张之象本。

⑬《永乐大典》本无“不以經心也”。

26.5　如之何[1]萬乘之主，而以身輕於天下。[2] 輕[3]則失本，躁[4]則失君。（底本：范应元本）

輕不鎮[5]重也。失本爲喪身也，失君謂失君位也。（底本：《永乐大典》本）

［译文］

26.1 重是轻的根基。		26.2 静是躁的主宰。
	对于一般存在者来说，	
轻不能承载重，小不能压制大。		［自己］不动的东西控制［其他东西］的动作。
	因此	
“重”必定是“轻”的根本。		“静”必然是“躁”的君主。[6]
	因此君子	
26.3 虽然终日行军而不离辎重。		26.4 虽然［敌］营有瞭望塔仍能平静超然。
他以重为根本，因此不离。		他不让自己受到他们的迷惑。
26.5	万乘之主以自己的身命轻且［躁］于天下，其后果是什么呢？	

[1] 马王堆甲乙本“如之何”作“若何”。

[2] 马王堆甲乙本“輕天下”作“輕［马王堆甲本：𦈢］於天下”。“於”的证据：“輕”被读为比较性的，以便后面可以接“輕不鎮重也”这一注释。比较性的用法暗示了“於”字。岛邦男主张用“於”字，但没有注意到马王堆甲乙本的读法。

[3] 马王堆甲本作“𦈢”。

[4] 马王堆甲乙本作“趮”。

[5] 《集注》本作“真”。

[6] 在对《周易》“恒卦”上爻的注释中，王弼讨论了相同的问题，他写道：“夫静为躁君，安为动主。故安者，上之所处也；静者，可久之道也。处卦之上，居动之极，以此为恒，无施而得也”。

[待天下]以轻，就失去根本。		[待天下]以躁，就失去君位。
	轻[躁]不能压制重[静]。[1]	
“失本”意味着危及自身。		“失君”意味着失去君主的位置。

[**结构**]

《老子》第26章是有着最显见的链体风格的近乎经典的一篇；关于细节的分析，参见本书第一编第三章。句26.3中的“重”字承续了第一句的相同语汇，26.4中的“超然”则间接地与第二句中的“静”关联起来。最后两句又回复到前两句的用语“轻”和“躁”。只有一处不规则的地方，它出现在26.5的第一句话。这个句子中的用语“轻”似乎与左侧的串系关联在一起。然而，这个句子没有平行的对应者，因此是一个同时指向两个串系的一般性论述。“轻”是“轻”和“躁”的省略结构。这一章分三段，第一段提出了普遍性的原则，第二段是圣人/君子对这一普遍性原则的运用，第三段则是不能施行这一普遍原则的统治者的后果。《老子》第26章整个结构为：

Ⅰ	a		b	(26.1,26.2)
Ⅱ		c		(26.3“是以君子”)
	a		b	(26.3,26.4)
Ⅲ		c		(26.5)
	a		b	(26.5,26.5)

① 在括号中增加的词是由这句话的结构位置以及它所指向句5的开头引生的。相关解释，参见此章的结构部分。

《老子注》第 27 章

［**本文**］

27.1　善行者無徹迹[1]。(底本:傅奕古本)

顺自然而行,不造不始,故物得至而無徹[2]迹也。(底本:《集注》本)

27.2　善言者無瑕謫[3]。(底本:傅奕古本)

順物之性,不別不析[4],故無瑕[5]謫,各得其所也。[6](底本:《永乐大典》本)

27.3　善數者不用[7]籌策。[8](底本:马王堆乙本)

因物之[9]數,不假形也。(底本:《永乐大典》本)

27.4　善閉者[10]無關楗[11]而不可開[12],善結者[13]無繩[14]約而不可解[15]。(底本:傅奕古本)

因物自然,不設不施,故不用關楗[16]繩約而不可開解也。此五者皆言

---

① 马王堆甲本作"勶"。马王堆乙本作"達"。范应元本作"轍"。陆德明《释文》"迹"作"跡"。

② 取"徹"而非"轍":陆德明《释文》。

③ 马王堆甲乙本作"適"。

④《集注》本作"折"。

⑤《集注》本作"取"。

⑥ 取"各得其所也"而非"可得其門也":Wagner。所有的注者都认为此章有缺陷。桃井白鹿建议将"門"写作"所"。从与《老子》27.2 的平行关系着眼,会有正确的方向。在这一语境中,王弼对事物的恰当位置写作"各得其所也"。另见《老子》34.2, 36.2 和 61.8 王弼注。王弼用的其他选择是"性"、"德"、"本"、"真"或"極","門"并没有在这样一种构造中出现在其他地方。

⑦ 傅奕古本、范应元本"不用"作"無"。马王堆甲本"不用"作"不以"。"不用"的证据:王弼注中的"不假"。

⑧ 取"籌策"而非"檮饮":陆德明《释文》。马王堆甲本"籌策"作"檮箖"。

⑨《集注》本"物之"作"是乎"。

⑩ 范应元本无"者"。

⑪ 取"關楗"而非"關鍵":陆德明《释文》。马王堆甲本作"闉籥"。马王堆乙本作"關籥"。

⑫ 范应元本无"而不可開"。马王堆甲乙本"開"作"啓也"。

⑬ 范应元本无"者"字。

⑭ 马王堆乙本作"纆"。

⑮ 范应元本无"而不可解"。马王堆甲乙本"解"作"解也"。

⑯《集注》本作"揵"。

不造不施,因物之性,不以形制物也。(底本:《集注》本)

27.5 是以聖人常①善救②人而③無棄人。(底本:马王堆乙本)

聖人不立形名,以檢於物,不造進尚④,以殊棄不肖,輔萬物之自然而不爲始,故曰無棄人也。不尚賢能,則民不爭;不貴難得之貨,則民不爲盜;不見可欲,則民心不亂。常使民心無欲無惑,則無棄人矣⑤。(底本:《永乐大典》本)

27.6⑥ 是謂襲明。⑦ 故善人⑧,不善人之師⑨。(底本:范应元本)

舉善以師不善,故謂之師矣。(底本:《集注》本)

27.7 不善人⑩,善人之資⑪。(底本:范应元本)

---

① 取“常”而非“恒”:陆德明《释文》,傅奕古本,范应元本。

② 取“救”而非“怵”:傅奕古本,范应元本。

③ 傅奕古本、范应元本“而”作“故人”。对“人”的否证:王弼注“故曰無棄人也”。“而”的支持:王弼注“聖人……輔萬物之自然而不爲始故曰無棄人也”。

④ 取“尚”而非“向”:楼宇烈。“尚”指的是“尚賢”。尽管这一联系在当下的文本语境中有很好的支持,人们还宁愿指向“難得之貨”的“貴”而非“進”。

⑤《集注》本“矣”作“心”。

⑥ 波多野太郎删去了“常善救物故無棄物”一句。王弼没有注释此句。陆德明《释文》也没有给出有关这一句的任何读法。而且它们的内容也没有在王弼的其他部分得到承续,相反,圣人救人则出现在其他地方。此外,还有大量关于没有此八字的抄本的记述。《道德真经集注》的编者王雱以此为重构王弼注的重要依据,他指出有种抄本无“常善救物”等八字。波多野太郎引用了写在河上公注的某个古抄本空白处的旁注,其中指出王弼本无“常善救物”八字。马王堆本通过提供了某种极精简的版本“物無棄財”,这种读法有《淮南子》的两处引文为证,此两处引文分别为“物無棄財”和“物無棄物”。然而,这些预设了《老子》27.5 应为“人無棄人”,傅奕古本和范应元本就是这样,但马王堆本却并非如此。与此同时,载于《古逸丛书》版王弼《老子注》开头的写于 1115 年的晁说之序里有一奇怪的记述,宣称:王弼不知道“常善救人故無棄人常善救物故無棄物”实际上不仅出现于河上公本,而且也载于古本中;这可以从傅奕得到证实。然而,傅奕古本和范应元本都有两句,这意味着晁指的肯定是一种我们没见过的傅奕本。从这一记述看,晁的版本里似乎包含了已经确证的句子。由于没有相应的注释以及各种记述的淆乱,我依据波多野太郎的建议,将此句从王弼《老子》本中删去。值得留意的是,“是謂襲明”一句也没有注释。但由于它处于论辩的结尾,倒符合王弼一般不注解一段论述之结论的做法。

⑦ 马王堆甲本“明謂襲明”作“是胃愧明”。马王堆乙本作“是胃曳明”。

⑧ 傅奕古本“善人”作“善人者”。

⑨ 马王堆乙本“不善人之師”作“善人之師”。

⑩ 傅奕古本“人”作“人者”。对“者”的否证:王弼注“不善人善人之所取也”。

⑪ 马王堆乙本“資”作“資也”。马王堆甲本“資”作“齎也”。

資,取也。善人以善齊不善,以善棄不善也,故不善人,善人之所取也。(底本:《集注》本)

27.8 不貴其師,不愛其資[1],雖智[2]大迷[3]。(底本:傅奕古本)

雖有其智,自任其智,不因物,於其道必失,故曰:雖智大迷。[4](底本:《集注》本)

27.9 是[5]謂要妙。[6](底本:范应元本)

[译文]

27.1 善于让[其他事物]行动的人不[提供]任何[让它们遵循]的[指导性]轨迹。

[他让它们]随顺自然而行事,既不创造也不发始。因此[其他]存在者能够获得成功,而没有[他留下的]"[指导性]的轨迹"。

27.2 善于对[其他事物]有所言说的人并不[指出][让它们避免的]缺陷。

他随顺[其他存在者]的本性,既不区别也不分析。[7] 因此,由于他"没有[在其他存在者中所指的]缺陷",[其他事物]各得其所。

27.3 善于计算[其他存在者]的人并不用筹策。

他因循事物的数目,而不借用筹策这样的[外在]的形状。

27.4 善于锁[门]的人不用锁,然而[门]却无法打开。善于系缚的人不

---

① 马王堆甲本"資"作"齎"。

② 取"智"而非"知"(亦见于马王堆甲乙本、范应元本):王弼注"雖智大迷"。马王堆甲乙本"雖智"作"唯智乎"。

③ 马王堆乙本"迷"作"眯"。

④ 陆德明《老子道德经音义》引用了出自王弼注的一个片断中的语词,"所好"、"裕"和"長",而这段注释肯定是附于27.4—27.9这一段的。但此段注释已经散佚。

⑤ 傅奕古本"是"作"此"。

⑥ 马王堆甲乙本"謂要妙"作"胃眇要"。

⑦ 相同的语汇出现于《老子》20.7王弼注。

用绳结,然而[系缚]无法打开。

他因循其他事物的自然,既不设立也不施为。因此他虽然不用锁的关键和绳结,[锁和门]却都不能打开。这五个论述说的都是他的不创造、不施为。他因循其他事物的本性,不以[特殊的]形状来控制它们。①

27.5　因此圣人常善于救人,而不弃绝任何人。②

圣人不建立形名给其他事物强加约束。他不通过推奖和尊荣来区分、弃绝无能的人。他"辅万物之自然"[如《老子》64.9所说]而"不为始"[如《老子》2.4所说],这就是文本说"无弃人"[如《老子》3.1所说]的原因。"不尚贤能",因此百姓不争斗;"不贵难得之货",因此,百姓不为盗贼。[总之],"[他]不[让他们]见可欲",因此"民心不乱"。"[他]常使民无欲"[如《老子》3.4所说]不惑,因此"无弃人"。

27.6　我称此为"袭明"。因此[圣人]

让善的人做不善的人的老师,

他举拔善者作不善者的老师。因此[文本]称他们为"师"。

27.7　让不善的人做善的人的资源。③

① 王弼常以不同的表达重复道说这最后一句。参见《老子》17.6王弼注:"[圣人]不以形立物";王弼注《老子》36.2"国之利器不可以示人"曰:"利器,利国之器也。[统治者]唯因物之性,不假刑以理物,器不可睹,而物各得其所,则国之利器也"。

② 此注的最后一部分逐字征引在《老子》49.3王弼注中。

③ 王弼在《老子》28.6注中对此句做了意译:"圣人因其分散,故为之立官长,以善为师,不善为资,移风易俗,复归于一也"。

"资"是"取"的意思。[1]善者以他们[自己]的善在不善者当中保持秩序,而不是以他们的善弃绝不善者。[2] 因此不善者为善者所取。

27.8

不崇贵[不善人]的老师,

[但他]

不厚爱[善人]的资源。[3]

即使[对于有知识的人],如果那样做,也将是很大的错误。

虽然有知识,但任意地运用他的知识,而不是在[管理事物时]因循它们的[本性],他将必定会失败。这就是[文本]说"虽智大迷"的原因。

---

① 王弼这里对"资"的解释依据的是郑玄的《孝经注》,参见《孝经注疏》,2:2548下;另见《老子》49.5王弼注。

② 陶鸿庆、易顺鼎以及波多野太郎和楼宇烈者建议在"以善弃不善也"前面插入一个"不"字。这将否绝公认的两个最好的本子(即《集注本》和《永乐大典》本)的读法,而且只能翻译为"不以他们[自己的]善拒弃那些不善者"。然而,善者不是圣人,而是由圣人设置的官员。在他们的领域里,不善的确是要被拒弃和惩罚的;参见本书第三编第三章。

③ 根据《老子》28.6(其中明确指涉了此章)王弼注,一旦事物接受了它们的分化,圣人就设立官员和教师来教化它们。然而,这些制度的唯一目的是帮助事物回返作为它们的本根的一。他因此将回避王弼在《老子》27.5注中描述的机制。这一语境使得我们只能这样来翻译;由此,圣人不贵其师、不爱其资,因为二者只会导致大的竞争和混乱。

27.9　　　　　　　　这就是所谓的"要妙"。

[结构]

《老子》第27章具有链体风格的所有构件——两个平行的句子后面有一个单个的论述,接下来是另外两个平行的句子,随后由"是以圣人"引入一个新的部分。一般性原则在句6中与那个定义一起被道说出来,后面的两组句子从用语上看显然是链体式的。尽管句6之后的部分毫无疑问属于链体风格,但我在整个第一部分中无法看到链体风格的要素。在王弼的注释中我也找不到任何有助于将句1、2和4之间的两对关联起来的东西。事实上,王弼将这五个论述总括为"此五者皆言"。我们只能假设王弼也无法找到其间的联系。从27.6开始,其结构为:

	c		(27.6)
a		b	(27.6,27.7)
a		b	(27.8,27.8)
	c		(27.8)
	c		(27.9)

《老子注》第28章

[本文]

28.1　知其雄,守其雌,爲天下谿[1]。爲天下谿[2],常[3]德不離,[4]復歸於[5]嬰兒。(底本:傅奕古本)

雄,先之屬;雌,後之屬也。知爲天下之先者[6],必後也,是以聖人後

---

① 马王堆甲本作"溪"。马王堆乙本作"雞"。
② 马王堆甲本作"溪"。马王堆乙本作"雞"。
③ 马王堆甲乙本作"恒"。
④ 马王堆甲本"常德不離"作"恒德不雞恒德不雞"。马王堆乙本"常德不離"作"恒德不離恒德不離"。
⑤ 马王堆甲本无"於"。
⑥《永乐大典》本作"也"。

其身而身先也。谿不求物而物自歸之，嬰兒不用智，而合自然之智。（底本：《集注》本）

28.2　知其白，守其黑，[1]爲天下式。（底本：傅奕古本）

式，模[2]則也。（底本：《集注》本）

28.3 爲天下式，常[3]德不忒[4]。（底本：傅奕古本）

忒，差也。（底本：《集注》本）

28.4　復歸於無極。（底本：傅奕古本）

不可窮也。（底本：《集注》本）

28.5　知其榮[5]，守其辱，爲天下谷[6]。爲天下谷[7]，常德乃足，[8]復歸於樸。[9]（底本：傅奕古本）

此三者言常反終後乃德全其所處也。下章云[10]：反者道之動也，功不可取，常處其母也。（底本：《永乐大典》本）

28.6　樸[11]散則爲器，聖人用之[12]則爲官長。（底本：傅奕古本）

樸，真也。[13] 真散則百行出，殊類生，若器也。聖人因其分散，故爲之立官長，以善爲師，不善爲資，移風易俗，復歸[14]於一也。（底本：《集注》本）

---

① 参见本页注⑨。

② 陆德明《释文》作“摸”。

③ 马王堆甲乙本作“恒”。

④ 马王堆甲乙本作“貣”。马王堆甲乙本“常德不忒”作“恒德不貣恒[马王堆甲本缺]德不貣”。

⑤ 马王堆甲本作“日”（高明释）。

⑥ 马王堆甲乙本作“浴”。

⑦ 马王堆甲乙本作“浴”。

⑧ 马王堆甲乙本“常德乃足”作“恒德乃足恒德乃足”。

⑨ 在马王堆甲乙本中，句28.2—4的次序是顛倒的“知其日守其辱爲天下浴爲天下浴恒德乃足恒德乃足複歸於朴知其白[马王堆甲本無“白”]守其黑爲天下式爲天下式恒德不貣恒德不貣複歸於無極”。

⑩《集注》本无“云”字。

⑪ 马王堆甲本作“楃”。《一切经音义》353 上“樸”作“璞”。

⑫ 马王堆甲乙本无“之”字。

⑬《一切经音义》353 上“金璞”中“樸，真也”作“璞，真也”，但《一切经音义》386 下“鲁璞”中作“樸，真也”。

⑭《永乐大典》本“復歸”作“復使歸”。

28.7　大[①]制無割。[②]

大制者,以天下之心爲心,故無割也。(底本:《集注》本)

[译文]

28.1　知道作为[天下]之雄的人,他[必须]保持为雌,将成为全天下的溪谷。[③] 作为全天下的溪谷,他将永久地得到它[④]而不与[一]分离,他将让[其他事物]再一次回复到婴儿的状态。

雄,属于先的类别;雌,属于后的类别。知道如何作天下之先的人,必持身于后。因此[如《老子》7.2所说],圣人"后其身而身先"。"谷"不渴求其他事物;而其他事物自愿服从于它。婴儿不运用知识,但却符合自然的知识。[⑤]

28.2　知道作为[天下]之白的人,他[必须]保持其为黑,他将成为全天下的范型。[⑥]

---

① 马王堆甲乙本"大"作"夫大"。范应元本"大"作"故大"。

② 岛邦男推断取后这一句以及王弼注实际上是下一章的首句。证据在于 Pelliot MS2462 中颜师古对《玄言新记明老部》的注释,其中有这样的区分,而且指出应插入 29.3 中。这一证据对我没有说服力,因为很明确,《老子》29.3 注仅仅指涉《老子》29.3 本文。

③ 此句的译文以及 28.2 的译文中的逻辑关联的根据在于《老子》41.6 王弼注;参见本页注⑤。

④ 这里的"德"只能译作"得";参见本页注⑤。

⑤ 王弼通过一条直接的引文将第一句与《老子》第 7 章关联起来。相近的段落还出现于《老子》第 66 章。谷有雌的低位,处于低位,所有事物将自愿地趋向它。在《老子》32.4,同样的解释也被给予道:它像"江海"一样,所有的溪水都自愿地流归,原因就在于身处低位;《老子》61.3 中的"大国"也一样,它们处下,因此所有人都归服于它,所谓"天下之牝"。通过下一句的"不离",王弼将此文本与《老子》10.1 关联起来:"载营魄抱一,能无离乎!""能"字促使我假设王弼在此将"德"读作"得",正如他通常所做的那样。之所以在括号中插入"一",是由于《老子》28.6 注中明确提到了"一"。根据《老子》10.1 注,这一能力的结果是万物将不招而来归,注曰:"载,犹处也。营魄,人之常居处也,一人之真也。言人处常居之宅,抱一清神,能常无离乎?则万物自宾也"(《老子》32.1)。由此,在我们的文本中"为天下谿"的主语就是知道如何成为"天下之雄"的圣人,万物流归于他就像流归溪谷一样。最后一句话的主语和宾语是由下面《老子》28.6 的王弼注决定的,在那里,圣人在事物分散以后,"复使[万物]归于一"。"使归"一词直接与 28.1 中的"复归于婴儿"联系起来。因此,这句话的主语是具有所有圣人品质的人,因此明确地建立起了这一关联的王弼注,就有了可靠的语境支持。

⑥ 参见《老子》41.7 王弼注,"知其白,守其黑,大白然后乃得"。

“式”是“模则”的意思。[1]

28.3　作为全天下的范型，他将永久地得到它而不与[一]相背。

“忒”是偏“差”的意思。

28.4　并且[他]让[其他事物]再一次回复到无限定的状态。

即不可穷尽。

28.5　知道作为[天下最]荣耀的人，他[必须]保持为最羞辱的人，他将成为天下的低谷。作为天下的低谷，他将永久地得到充足[2]，将使[其他事物]再一次回复到朴的状态。

这三个论述说的是：[圣人]在回返于[无]的过程完成后，将会得到它，并充分保全他的地位。在后面的分章中[即《老子》40.1，老子]说“反者道之动”。[圣人对于其他事物的特殊]的功绩不可以执取，因为他总是托身于[这些功绩之]母。[3]

28.6　朴一旦分散，它们[即存在者]将成为器物。在使用它们的过程中，圣人为[它们]设立了官长。[4]

“朴”即是“真”。真一旦分散，各种行为的风格就会出现，不同的类别[5]也会诞育。这些就像器物一般。为了回应[全天下的百姓]

---

① 关于相近的定义，参见《老子》22.6王弼注。

② 王弼没有注释“足”这个字。它出现在《老子》这类的句子中：“知足者，富也”（《老子》33.3）。

③ 王弼此处谈到的“为功之母”，在《老子》第38章注和39.3注中均被提到。第38章注曰：“故苟得其为功之母，则万物作焉而不辞也，万物存焉而不劳也”。

④ 王弼将“为官长”译为“为之立官长”。“为”似乎被翻译了两次，一次译作“立”，一次译作“为之”。

⑤ “百行”没有在王弼著述的其他地方出现。从其他典籍的对这个词的使用看，我们可以推论这个词指的是各种不同的行为，而非各种不同的职业。“殊类”一词在《老子》58.2和59.1注中也出现了。在59.1中，农夫在其田地中“去其殊类”，使“归于齐一”，这被当做“治国事天”的模范。似乎这两个词都指向社会中超越统治者与人民的简单二分的社会等级的发展。

的职分已经分散这一事实,[1]圣人有目的地为他们建立了官长。“以善为师”,以“不善为资”[如《老子》27.6、27.7 所说],改变他们的习惯,更易他们的风俗,是让他们回复于一的方法。

28.7　大制者[即圣人]没有[任何]割裂。

大制者,以天下的心为他[自己]的心。这就是[文本]说“无割”的原因。[2]

《老子注》第 29 章

[本文]

29.1　將欲取天下而爲之者[3],(底本:傅奕古本)

爲,造爲也。(底本:《集注》本)[4]

29.2　吾見其不得已。夫天下,神器也[5]。(底本:傅奕古本)

神,無形無方也。器,合成也。無形以合,故謂之神器也。(底本:《集注》本)

---

① 在王弼的术语中,“分”是个别事物在一种前定和谐中的特殊命运。在这个意义上,它被等同于“真”,比如在《老子》5.1 的王弼注中。参见《老子》16.6 王弼注,在那里,统治者“失其[对]常[的了解]”的结果是“物离其分”。对这一段落的另一种解读,参见《王弼集校释》,页 39 注 9。我的读法有《老子》5.1 注中的相同思想和语言的确证,在那里,(假设中的)天地积极干涉的结果是“物失其真”。

② 关于设立国家官职的整个过程,参见《老子》32.3 王弼注。

③ 马王堆甲本“爲之者”作“爲之”。

④ 这一注释未收入《永乐大典》中。此注的真实性的证据在于《老子》29.3 王弼注中的“物有常性而造爲之”。

⑤ 取“神器也”而非“神器”(傅奕古本和范应元本):马王堆甲乙本。“也”的证据:王弼注将“天下神器”作为一个完整的句子。

29.3　不①可爲②也。爲之③者敗之，執之④者失之。（底本：傅奕古本）

萬物以自然爲性，故可因而不可爲也，可通而不可執也。物有常性，而造爲之，故必敗也。物有往來，而執之，故必失矣。（底本：《集注》本）

29.4　凡物⑤或行或隨⑥，或歔⑦或吹⑧，或強或羸⑨，或挫⑩或隳⑪，是以聖⑫人去甚，去奢⑬，去泰⑭。（底本：傅奕古本）

凡此諸或，言物事逆順反覆，不施爲執割也。聖人達自然之性⑮，暢萬物之情，故因而不爲，順而不施，除其所以迷，去其所以惑，故心不亂而物性自得之也。（底本：《集注》本）

［译文］

29.1	想要	
执取天下	而且	干预它的人， “为”意味着造为。

---

① 马王堆甲乙本作“非”。

② 马王堆甲乙本“爲”作“爲者”。

③ 取“爲之”而非“爲”：马王堆乙本。“爲之者”的证据：《老子微旨略例》第二章“爲之者則敗其性”。要注意的是，《云笈七签》中的引文无“者”字。

④ 取“執之”而非“執”：马王堆乙本。“執之者”的证据：《老子微旨略例》第二章：“執之者則失其原矣”。要注意的是，《云笈七签》中的引文无“者”字。

⑤ 马王堆甲乙本“凡物”作“物”。范应元本“凡物”作“故物”。“凡”的证据：王弼注“凡此諸或言”。

⑥ 马王堆乙本“隨”作“隋”。

⑦ 取“歔”而非“噤”：陆德明《释文》。马王堆甲本“歔”作“炅”。马王堆乙本“歔”作“熱”。陆德明《释文》无“或行或隨”。

⑧ 马王堆乙本作“碰”。

⑨ 取“羸”而非“剉”（傅奕古本和范应元本）：陆德明《释文》。马王堆乙本无“或強或羸”。

⑩ 取“挫”而非“培”（傅奕古本和范应元本）：陆德明《释文》。马王堆甲本“挫”作“坏”。马王堆乙本“挫”作“陪”。

⑪ 取“隳”而非“墮”（傅奕古本和范应元本）：陆德明《释文》。马王堆甲本“隳”作“撱”。

⑫ 马王堆甲本作“聲”。

⑬ 马王堆甲乙本作“大”。

⑭ 马王堆甲本作“楮”。马王堆乙本作“諸”。马王堆甲乙本此“奢（楮）”和“泰（太）”的顺序颠倒。

⑮ 取“性”而非“至”：严灵峰，《老子微旨例略后叙》，页8，根据《老子微旨例略》：“故其大歸也，論太始之原以明自然之性，演幽冥之極以定惑罔之迷。因而不爲，順而不施。”

29.2 我看到他无法做到。

事实上,天下是神器。

神是“没有形状”[①]和方所的。[②]“器”是由[其他东西]组合而完成的东西。用无形的东西来合成,这就是[文本]称之为“神器”的原因。

29.3 要干预[和执取]它是不可能的![③]

干预它的人,将毁灭它。

执取它的人,将失去它。

万物以自然为本性。因此

可以因应而不可造为。

可以通达而不可执取。

物有恒常的本性,造为

---

① 参见《老子》41.14“大象无形”和《周易》王弼注所讲到的“神”“无形”。

② 参见《周易·系辞》“神无方”。

③ 这个句子是由对链体风格规则的知识传达出来的解读策略的极好例证。除了《文选注》和《文子》中的引文外(这两处引文添加了另一个关于“执”的平行句),这个句子在其他所有的传本中都是单独的句子。在以链体风格写成的一章中,它成为一个同时讨论“取/执”和“为”这两个串系的c型句。这一结构位置的结果是,“为”字改变了意义,成为一个同时包涉“为”和“执”的词。王弼注通过将“不可为”展开为关于“为”和“执”的双重论述,使这一点明确下来。另一种可能是(正如易顺鼎建议的那样):王弼的文本的确有《文选注》中所载的第二个句子,当然这种可能性并不大。

它们，必然会导致它们毁灭。

存在者有来有往，执滞它们，必然会导致它们的丧失。

29.4

一般说来，存在者[随着它们的本性]或是走在前面，或是跟随在后；或是吸气，或是吐气；或是强，或是弱；或是受挫，或是颓败。因此圣人去除奢侈和极端。

总地说来，所有这些“或”的意思都是：事物时逆时顺，反反复复，而不

造始或干预，

执滞或割断。

圣人理解[存在者的]的自然之性，明白万物的情感。因此他因应而不作为，顺适而不造始。他[只是]除去那些可能导致它们迷惑的东西。[1] [在他的引

① 在《老子》20.3注中，王弼用了“迷”和“惑”两个词，前者对应“美进”，后者对应“荣利”。

领下他们][跟《老子》
3.1 中圣人指导下的
百姓一样]“心不乱”,
存在者的本性也就自
然地实现了。

[**结构**]

《老子》第29章具有显见的链体风格的一些较弱的要素,它围绕着“为”和“执/取”以 ab cc ba c 的顺序组织起来。这给出了如下的整体结构:

a		b	(29.1,29.1)
	c		(29.2)
	c		(29.2)
		b	(29.3)
a			(29.3)
	c		(29.4)

《老子注》第30章

[**本文**]

30.1 以道佐人主[1],不以[2]兵強於[3]天下。[4](底本:马王堆乙本)

以道佐人主,尚不可以兵強於天下,況人主躬於道者乎!(底本:《集注》本)

30.2 其事好還。(底本:傅奕古本)

---

① 傅奕古本、范应元本和郭店甲本“主”作“主者”。对“者”字的否证:王弼注“以道佐人主尚不可以”没有重复这个“者”字。

② 郭店甲本“不以”作“不谷以”。

③ 傅奕古本、范应元本“強於天下”作“強天下”。对“於”字的支持:王弼注“強于天下”,王弼《老子》30.4注“不以兵力取強於天下也”以及30.7注“喻以兵強於天下者也”。

④ 这一句是少有的几处王弼本不仅与马王堆本一致而且与河上公本一致的地方之一。

爲治[1]者務欲立功生事，而有道者務欲還反無爲，故云其事好還也。（底本：《集注》本）

30.3　師之所處[2]，荊棘[3]生焉[4]。[5]（底本：傅奕古本）[6]

言師，凶害之物也。無有所濟，必有所傷，賊害人民，殘荒田畝，故曰：荊棘生也。（底本：《集注》本）

30.4　故善[7]者，果而已矣[8]，不[9]以取強矣[10]。（底本：马王堆甲本）

果猶濟也。言善用師者，趣以濟難而已矣，不以兵力取強於天下矣。（底本：《集注》本）

30.5　果而勿矜，果而勿伐，果而勿驕，[11]（底本：傅奕古本）

吾不以師道爲尚，不得已而用，何矜驕之有也。[12]（底本：《集注》本）

30.6　果而不[13]得已，果而勿強。[14]（底本：傅奕古本）

言用兵雖趣功果濟難，然時故不得已，當復用者，但當以除暴亂，不遂用果以爲強也。（底本：《集注》本）

---

① 《永乐大典》本作“始”。对“治”的支持：陆德明《释文》。

② 马王堆甲本作“居”。

③ 马王堆甲本“荊棘”作“楚枋”。

④ 马王堆甲乙本“生焉”作“生之”。

⑤ 取“師之所處荊棘生焉”而非“師之所處荊棘生焉，大軍之後必有凶年”：马王堆甲乙本。去除“大軍之後必有凶年”的证据：王弼没有注释此句，岛邦男。对于这一段落的文本历史，参见徐慧君、李定生《文子要诠》，郭店甲本没有此处讨论的段落。陆德明释文有“大軍……凶年”一句。

⑥ 显然，傅奕古本为此处的文本提供了某种相当脆弱的关联。然而，马王堆甲乙本均有残损。缺损处的大小表明其中没有“大軍之後必有凶年”一句，但现存的片断中包含许多假借字，因此它们不足以用作底本。

⑦ 取“故善”而非“善”：傅奕古本、范应元本。对“故”的支持：王弼注将“善”与《老子》30.1中的“師”关联起來。

⑧ 范应元本、郭店本“而已矣”作“而已”。

⑨ 取“不”而非“毋”：王弼注“不以兵力取強於天下也”，傅奕古本、范应元本、郭店甲本。

⑩ 取“矣”而非“焉”：王弼注。范应元本、郭店甲本作“強”而非“強矣”。

⑪ 马王堆甲乙本作“果而毋驕果而毋矜果而毋□□”。对现在语序的支持：王弼注“何矜驕之有也”。郭店甲本的次序爲“癹(伐)—喬(驕)—稐(矜)”。

⑫ 陶鸿庆的修订变动较大：“吾本以道爲尚，不得已而用師，何矜驕之有也”。

⑬ 马王堆甲乙本作“毋”。

⑭ 马王堆甲乙本“已果而勿強”作“已居是胃果而不強”。

30.7　物壯則[①]老，是謂[②]不道，不道[③]早[④]已。（底本：范应元本）

壯，武力暴興，[⑤]喻以兵強於天下者也。飄風不終朝，驟雨不終日，故暴興必不道，早已也。[⑥]（底本：《永乐大典》本）

［译文］

30.1　［只］以道的方式来辅佐君主的人，不以军队的方式在天下强加暴力的［统治］。

对于［只是］以道来辅佐君主的人，以武力强加暴力于天下已是不可能的事，何况对于那些自己就躬行于道的君主呢！

30.2　在他的处理中，他［更］乐于竟相归还。

治理国家[⑦]的人努力要建立功业、成就事物，［但如《老子》第31章中提到的］“有道者”则努力要［全天下］复归于［一］，复归于他自己就在实践的无为。[⑧] 这就是［文本］说“其事好还”的原因。

30.3　军队停驻的地方，［只会］生长荆棘。[⑨]

这意味着军队是凶恶有害的。他们不会给任何事物带来秩序，而是一定会给某些东西带来伤害。他们戕害百姓，使田亩荒芜，这就是［文本］说“荆棘生”的原因。

30.4　因此，善于用［兵］的人，只是使事情做到而已。他不会以军队来取强。

---

① 马王堆甲乙本作“而”。

② 马王堆甲乙本“謂”作“胃之”。

③ 傅奕古本“不道不道”作“非道非道”。

④ 马王堆甲乙本作“蚤”。

⑤《集注》本“興”作“興也”。

⑥《集注》本中的整个注释段落归于王雱。

⑦“为治者”与“有道者”相对，似乎是王弼发明的一个新词。

⑧“务欲还反无为”必须被读作与前一句“务欲立功生事”严格平行的句子。“务欲”是一个动词，有“立功”和“生事”两个宾语。同样，“还反”和“无为”也必须被读作两个宾语。“还反”是圣人使天下复归于一的行动。

⑨ 马王堆、想尔、马叙伦和岛邦男等本都没有“大军之后必有凶年”，王弼也没有注释此句。关于这一段落的文本历史，参见李定生、徐慧君，《文子要诠》，页6。

“果”的意思是成“济”。[上面的句子]说的是：善于用兵的人，其目标只是济渡乱难而已，而不是要用武力的方式强加暴力于天下。

30.5　[以武力的方式]做到，他不会自夸；[以武力的方式]做到，他不会炫耀；[以武力的方式]做到，他不会骄傲。

如果我[统治者][1]不以武力的方式竞争，而是[如《老子》第31章所说][只是]不得已而使用武力，那么，又有什么可夸耀的呢？

30.6　[总之]，[以武力的方式]做到，对他而言只是不得已。这意味着以此方式让事情做到，而不是强加暴力的[统治]。

这意味着虽然运用武力，他的目标只是使事物做成并济渡乱难；只是由于情势之故不得已要用到这种方式。他只想要除去暴乱，不会以此强加暴力[的统治]。

30.7　如果一个存在者成长壮人，它将[迅速]衰老。我称此为“不道”。“不道”的东西，将迅速消忘。

“壮”意指武力的疾速强盛。[这个词]是对以武力强加暴力于天下的比喻。[正如《老子》23.2所说]：“飘风不终朝，暴雨不终日”。这就是[文本]说疾速的强盛就是“不道”，将会“早已”的原因。

《老子注》第31章

[本文]

31　夫佳兵者，不祥之器。物或惡之，故有道者不處。是以君子居則貴左，用兵則貴右。兵者，不祥之器，非君子之器。不得已而用之，恬澹爲上，故不美也。若美必樂之，樂之者是樂殺人也。夫樂殺人者，不可以得志於天

① 此处文本中“吾”的突然引入，迫使我将其翻译为“某个人”。关于这个词在《老子》中的用法，参见本书第一编第三章。

下矣。故吉事尚左,凶事尚右,是以偏將軍處左,上將軍處右。言居上勢,則以喪禮處之;殺人衆多,則以悲哀泣之;戰勝者,則以喪禮處之。

[说明]

这一章没有现存的王弼注。然而,它被征引在《老子》30.5 王弼注及其他部分的注释中。《集注》在这一章下引用了王弼的话:"疑此非老子之作也",这个论述也被征引在董思靖的《道德真经集解》中。晁说之于1115 年在其《鄜畤记》中写道:"弼知'佳兵者不祥之器'至于'战胜以丧礼处之'非老子之言"。这段话被收入四库本王弼《老子注》的一篇序言中。波多野太郎汇集了这些论述。马叙伦在其《老子校诂》中认为此章有王弼注文混入本文的情况,并由此做出了一些重构的尝试。这一说法及尝试为马王堆本否定,因马王堆出土的两种《老子》本都有此章文字。由于没有王弼的注释,我不打算翻译这一章,而只是给出文本以供参考。然而,除前面已经提到的《老子》第 30 章的王弼注外,王弼注中另一可能出自此章的引文是《老子》63.1 王弼注中的"恬淡"一词。当然,从内容看,这个词似乎与《老子》35.3 的关系更为密切。王弼可能认为此章有缺蚀,只是部分可用。

《老子注》第 32 章

[本文]

32.1 道常①無名,樸②雖③小,天下莫能臣也④。侯王⑤若能守⑥,萬物

① 马王堆甲乙本作"恒"。

② 马王堆甲本作"楃"。

③ 马王堆甲乙本作"唯"。

④ 取"臣也"而非"臣":陆德明《释文》。马王堆乙本作"而天下弗敢臣"。马王堆甲本中的空缺有长度相同。郭店甲本作"天地弗敢"。

⑤ 取"侯王"而非"王侯":陆德明《释文》、郭店甲本、马王堆甲乙本。

⑥ 郭店甲本、马王堆甲乙本、范应元本作"守之"。对"之"的支持:王弼《老子》10.6 注"所謂道常無爲侯王若能守則萬物自化",此句引自《老子》37.3。

將自賓。(底本:傅奕古本)

道無形不繫,常不可名。[1] 以無名爲常,故曰道常無名也[2]。朴之爲物,以無爲心也,亦無名。故將得道,莫若守樸。夫智者可以能臣也;勇者可以武使[3]也;巧者可以事役也;力者可以重任也。樸之爲物,憒然不偏,近於無有,故曰莫能臣也。抱樸無爲,不以物累其真,不以欲害其神,則物自賓而道自得矣[4]。(底本:《集注》本)

32.2　天地相合以降甘露[5],民[6]莫之令而自均焉[7]。(底本:傅奕古本)

言[8]天地相合,則甘露不求而自降;我守其真性無爲,則民不令而自均也。(底本:《集注》本)

32.3　始制有名,名亦既有,夫亦將知止,知止所以不殆。(底本:傅奕古本)

始制,謂樸散始爲官長之時也。始制官長,不可不立名分以定尊卑,故始制有名也。過此以往,將爭錐刀之末,故曰:名亦既有,夫亦將知止也。遂任名以號物,則失治之母也,故知止所以不殆也。(底本:《集注》本)

32.4　譬[9]道之在天下[10],猶川谷[11]之與江海也。(底本:傅奕古本)

川谷之不[12]求江[13]與海,非江海召之,不召不求而自歸者也[14]。行道

---

① 《取善集》"道無形不繫常不可名"作"道無形故不可名"。

② 《取善集》作"名"。

《取善集》直接在这一章首句"道常無名"之后引用了这一注释片断。由于它没有引用这一注释的其他部分,我们没有理由推断此处的《老子》本和王弼注有不同的分段。

③ 《永乐大典》本作"使"。

④ 《永乐大典》本作"也"

⑤ 郭店甲本、马王堆甲乙本"以降甘露"作"以俞甘洛"。

⑥ 范应元本作"人"。

⑦ 范应元本作"均"。

⑧ 《取善集》无"言"字。

⑨ 马王堆甲本作"俾",马王堆乙本、郭店甲本作"卑"。

⑩ 马王堆乙本、郭店本"天下"作"天下也"。

⑪ 马王堆乙本、郭店本"猶川谷"作"猷小[郭店甲本作'少']浴"。

⑫ 《永乐大典》本无"不"字。

⑬ 取"江"而非"水":《永乐大典》本。

⑭ 取"也"而非"世":陶鸿庆。

於天下者,不令而自均,不求而自得,故曰猶川谷之與江海也。① (底本:《集注》本)

[**译文**]

32.1　道之常是无名性。② 尽管朴可能是小的,天下却没有人能使之臣服。如果侯王能保持它,万物将自愿地如客人般服从[他们]。

道没有形状和系缚。③ [它的]常无法命名;[因此]以无名性为它的常。这就是[《老子》说]“道常无名”的原因。朴这东西是以无为心的。[它]也是无名的。因此,如果[统治者]想要获得道,就没有比保持素朴更好的方式了。事实上,智者可以因为他的能力而受到役使,勇者可以因为他的孔武有力而被起用,巧者可以为事务所累,有力者可以为载重所任。[然而],朴这东西含混无偏,近乎没有[任何特殊的方面]。这就是[文本]说“莫能臣”的原因。如果[侯王]能[像《老子》19.1 中所说的那样]“抱朴”无为,他们将不会因[具体的]事物而使真性被束缚,因欲望而使他们的精神受到伤害;而其他“事物”将自动地“宾服”,而道也会自动地实现。

32.2　[以同样的方式]随着天地的和谐,将诱使甘露下降,百姓在没有任何人的命令的情况下,自动地均平。

这说的是:作为天下和谐的结果,甘露将不求而自动降临。作为我[即圣王]保持[其他事物的]真性和无为的结果,百姓将在没有

① 岛邦男在强思齐《道德真经玄德纂疏》中找到了此章的另一注释:“王弼曰此舉喻言道不居一天下今將在天下法譬之猶川谷之與江海川穀爲末以喻於有名江海是本以喻於無名川谷從何而來從江海而來今日欲歸何處還複歸於江海有名從何而來從無名而來今日攝化衆生欲歸何處還歸於無名河海若無川欲則無以滿川谷若無江海則無以流無名若無有名則無以顯有名若無無名則無以出江海猶(=由)川谷故所以滿無名由有名故以顯”。我认为将此注归于王弼是错误的。参见本书页 532 注①。

② “常”这个词被王弼当做一个单独的名词;参见《老子》47.1 王弼注:“道有大常”,16.12 注:“得物之常”,以及 52.9 的“道之常”。在 16.6 王弼注中,它被单独地界定:“常之为物,不偏不彰,无皎昧之状,温凉之象”。《老子》55.6 注中给出了相同的定义。

③ “无形”和“不系”与道的关联也出现在《老子》21.2 和 21.3 注中。

任何施令的情况下自动地均平。[①]

32.3 作为社会治理的开端,[圣人将]有名。一旦有了这些名,[圣人]又知道[如何]为[随后的发展]设定终止点。[只有]了解[如何]设定终止点,才会使[我]摆脱危险。

“始制”指的是[《老子》28.6提到的]“朴散”及[圣人——《老子》28.7中的“大制”]“立官长”之时。始制官长,不可能不设立名号和等级来确定尊卑。这就是[文本说]“始制有名”的原因。超过这一限度,将会出现[《左传》提到的]“争锥刀之末”的情况。[②] 这就是[文本说]“名亦既有,夫亦将知止”的原因。用名来标记事物的结果是导致“治之母”的失去。这就是[文本说]“知止所以不殆”的原因。

32.4 [我]把道在天下的作用,比喻为溪流和江海的关系。

溪流不追求[流入]江海,[它们流入江海]也不是因为江海召唤它们;后者不召、前者不求,溪流自动地流归[江海]。如果天下践行道,[③]天下将在没有任何人的命令的情况下自然有序,天下没有任何努力而道自然而然地实现。这就是[文本]说“犹川谷之与江海”的

---

① “我”作为这个句子的主语的突然出现留下了两种可能。它可以被读作用于“我,比如,侯王”的一个一般性的用语,这样的用法较为罕见,因为此处似乎没有替换的必要。它也可以被读作主题变换的一个标志。在下一注释中,王弼回指到《老子》28.6,其文为:“朴散则为器,圣人用之则为官长”。行动的主体是圣人。因此,我相信这里的主体必须被转换。有两个证据。32.1中的“若”字在王弼的《老子》解读中被读作虚拟语气,暗示情况并非如此。因此,侯王至少在《老子》和王弼的时代没有发挥他们潜在的积极作用。此处的句子与天地和谐的句子并置。在中国政治哲学的理解中,天地总是和谐的,因此这一平行关系的代理者只能是侯王总应该是的圣人。这带来了另一个改变。“我守其真性”这句话中的“其”只能指其他事物。在《老子》3.4“常使民无知无欲”注中,王弼曰:“守其真也”。

② 《春秋左传正义》,43:2044下。

③ “世行道于天下者”是所有传本中都有的,意思是圣人守百姓之真。我依据陶鸿庆,将“世”改作“也”。如果用“世”字,此句将读作:“如果道代代践行于天下……”。这一读法可以从《老子》32.1的复数词那里找到支持——“侯王若能……”,也许暗示了数代人。然而,我没有在王弼的著述中找到此类渐次回复道的思想的回声。因此,我追随了陶鸿庆的琐碎修订。

原因。[①]

《老子注》第33章

[**本文**]

33.1　知人者智[②]也，自知者[③]明也。（底本：傅奕古本）

知人者，有智[④]而已矣，未若[⑤]自知者，超智之上也。（底本：《集注》本）

33.2　勝[⑥]人者有力也，自勝[⑦]者強也。（底本：傅奕古本）

勝人者有力而已矣，未若自勝者，無物以損其力。用其智於人，未若用其智於己也。用其力於人，未若用其力於己也。明用於己，則物無避焉；力用於己，則物無巧焉[⑧]。（底本：《集注》本）

33.3　知足者富也，（底本：傅奕古本）

知足者[⑨]自不失，故富也。（底本：《集注》本）

33.4　強行者有志也[⑩]，（底本：傅奕古本）

---

① 《纂疏》在这里给出了一则归于王弼名下的额外的注释。这一注释主张"有名"与"无名"的相互依赖。溪水出于江海又归于江海；有名出于无名又归于无名。这种存在与存在者相互依赖以及二者之间循环运动的观念，并非王弼哲学的部分，而是钟会的哲学——他也著有《老子注》，其注文仍有长段的引文存在。关于他的《老子》解读的例子，参见本书第一编第四章。我假设《纂疏》这一多出的注释出自钟会或某个与其哲学相近的人。就我所知，现存的归于钟会名下的注释引文中，不包括这一有趣的片断。

② 马王堆甲乙本、范应元本作"知"。

③ 马王堆乙本"自知者"作"自知"。

④ 取"有智"而非"自智"：波多野太郎。对"有智"的支持：王弼《老子》33.2注"勝人者有力而已矣"。《永乐大典》本作"智"。

⑤ 《永乐大典》本无"未若"。

⑥ 马王堆乙本作"朕"。

⑦ 马王堆乙本作"朕"。

⑧ 取"巧"而非"改"：Wagner。服部南郭建议以"攻"取代"改"。《永乐大典》本无"力用於己則物無改焉"。

⑨ 《永乐大典》本"知足者"作"知足"。

⑩ 取"也"而非"矣"：马王堆甲乙本、傅奕古本、范应元本。

勤能行之，其志必獲，①故曰：強行者有志矣。（底本：《永乐大典》本）

33.5　不失其所者久也，（底本：傅奕古本）

以明自察，量力而行，不失其所，必獲久長矣。（底本：《集注》本）

33.6　死而不亡②者壽也。（底本：傅奕古本）

雖死而以爲生之道不亡，乃得全其壽。身沒而道猶存，況身存而道不卒③乎！（底本：《取善集》）

［译文］

33.1 了解他人的人［统治者］是聪明的。了解自己的人［统治者］是明智的。

了解他人的人仅只是聪明而已；不如了解自己的人。了解自己的人远在聪明之上。

用智于他人，不如用智于自己。

智力用于自己，则其他事物不会逃避。

33.2　战胜其他人的人［统治者］有力量。战胜自我的人［统治者］是强于［行道］的。④

战胜他人的人仅只是有力而已；不如战胜自己的人。对于后者，没有东西能损耗他的力量。

用力于他人，不如用力于自己。

力量用于自己，则其他事物不会取巧。

①《集注》本作"穫"。

② 马王堆甲乙本作"忘"。

③《集注》本作"存"。

④ 参见句4注以及此章结尾的结构分析。将主语定为统治者的理由在下一注释中，在那里，王弼说其他事物的"避"以及它们的"巧"。二者在其他地方都被描述为政治监察和干预的后果；参见《老子微旨略例》6.27，以及《老子》17.4、18.2和65.3王弼注。括号里增加的"行道"的理由，见《老子》33.4王弼注。

33.3 知足的人[统治者]富有。

知足的人，自然无所失去，这就是[文本说]“富”的原因。

33.4 能勉力行道的人[统治者]是有意志的。

[《老子》41.1 说，“上士闻道，勤能行之”，王弼注曰：“有志也”(如33.3 所说)]。勤能行[道]，他的意志必会达成。这就是[文本]说“强行者有志”的原因。

33.5 能不从自己的位置迷失的人，将长久地占据[它]。

用智力来检讨自己，

考量自己的能力而后行动，

因此“不失其所”，必然会使[他的地位保持]长久。①

33.6 尽管[他本人]会死，但[却不认为道]会消失的人，将会长寿。

设若一个人尽管本身会死，而认为生活之道不会消亡，那么他就会设法保持其年命。在

① “久”这个词取自本文，在此被王弼通过重叠解释为“久长”。我相信这与《老子》17.1 的“久长”不同，在那里，“长”被读为 zhang，意为“优越”。

身体死后，道仍持续；
何况身体尚存，道怎会
终结呢？

［结构］

《老子》第33章有与链体结构相关的形式上的标志。句1和2中的两个对子是彼此平行的，唯一的差别是“有力”是两个字而“智”则只有一个字。句3和句4以同样细微的差别彼此平行。句5和句6字数相同，并且结尾的用字“久”和“寿”关联紧密。但它们的语法有很大的不同，尤其是在王弼的读法中。将第一个句子对与第二个句子对关联起来的唯一明确的标志是句4中的“强”字，它与句2中的同一用语相关。然而，文本和注释都没有给出将句1和句3关联在一起的明确标志。在句2的注释中没有注解“强”字。这个字在句4的注释中也是通过《老子》第41章的引文被界定为“勤能”。这里有两种可能的策略：或者将句4中的定义读成与句2中的“强”字根本不同的东西，并放弃在连续的结构之外有所发现的企图；或者将句4中“强”字的意义转输给句2。由于句5，我选择了后一策略。对这一句的注释以平行的方式直接承续了句1和句2的术语，表明它是指涉前面两个串系的一般性论述。句6也作为一般性论述出现。句5指的是圣王地位的稳固，句6指的是他个人的生存。因此，《老子》第33章的整体结构如下：

a　　b　　(33.1,33.2)
a　　b　　(33.3,33.4)
　c　　(33.5)
　c　　(33.6)

《老子注》第34章

[本文]

34.1　道氾[1]兮[2]，其可左右也。[3]（底本：马王堆乙本）

言道氾[4]濫，無所不適，可左右上下周施而用，則無所不至也。（底本：《永乐大典》本）

34.2　萬物恃之而[5]生而不辭，[6]功成而不居[7]，衣被萬物而不[8]爲主，故常[9]無欲[10]，可名於[11]小矣[12]。（底本：傅奕古本）

萬物皆由[13]道而生，既生而不知其所由[14]，故天下常無欲之時，萬物各得其所，而[15]道無施[16]於物，故可[17]名於小矣。（底本：《永乐大典》本）

---

① 取"氾"而非"渢"：王弼注、陆德明《释文》。傅奕古本、范应元本作"大道"。对"大"的否证：王弼注仅作"道氾"，陆德明《释文》亦仅著录了"道氾"而无"大"字。相反的主张：《文选·刘孝标辨命论》李善注引用的王弼注中的这一段有"大"字。范应元本作"道氾氾"。傅奕古本作"道汎汎"。对"氾"字重复的否证：王弼注、陆德明《释文》、马王堆乙本。

② 取"兮"而非"呵"：傅奕古本、范应元本。

③ 傅奕古本、范应元本"左右也"作"左右"。

④《集注》本作"汎"。

⑤ 取"而"而非"以"：王弼注"由道而生"，《文子》。

⑥ 马王堆甲乙本无"萬物恃之而生而不辭"。

⑦ 范应元本"而不居"作"不名有"。马王堆甲乙本"功成而不居"作"成功遂事(乙本缺二字)而弗名有也"。

⑧ 马王堆甲乙本"衣被萬物而不"作"萬物歸焉而弗"。

⑨ 马王堆甲乙本"故常"作"則恒"。

⑩ 马王堆甲乙本"欲"作"欲也"。

⑪ 范应元本作"爲"。

⑫ 马王堆甲乙本"小矣"作"小"。

⑬《文选·刘孝标辨命论》李善注作"得"。

⑭ 取"所由"而非"由所"：《集注》本。

⑮ 取"而"而非"若"：Wagner。因为随后的"故"意思是"因此"，与王弼《老子》34.3注相类，因此这里的"若"不合语法。

⑯《集注》本无"施"。

⑰ 取"故可"而非"故"：Wagner依据与34.3注"故可名於大"的平行关系校定。

34.3　萬物歸之而不知[①]主，可名[②]於[③]大矣[④]。(底本：傅奕古本)

萬物皆歸之以生，而力使不知其所由，此不爲小，故復可名於大矣。(底本：《永乐大典》本)

34.4　是以聖人之[⑤]能成大[⑥]也，以其[⑦]不爲大也，[⑧]故能成大[⑨]。(底本：马王堆乙本)

爲大於其細，圖難於其易。[⑩](底本：《集注》本)

[译文]

34.1　道泛滥呵！因此往左和往右同样是可能[用]的。

这说的是：道泛滥到了没有地方不能抵达的地步。它可以上下左右周普地运用，没有地方它到不了。[⑪]

34.2　万物依赖于它[道]而得生，但它并没有任何辞令。事功都[经由它]才成就，但它却不居功。它衣泽万物而不作[它们的]主宰。因此，[当每一事物]常无欲之时，它可以在小中被命名；

万物都是在道的基础上被创生的，尽管它们[在这一基础上]出生，但它们并不知道它们以什么为根基。[⑫] 因此，[如《老子》1.3 所

---

① 马王堆甲乙本"之而不知"作"焉而弗爲"。对"知"的支持：王弼注。

② 马王堆乙本作"命"。

③ 范应元本作"爲"。

④ 马王堆甲乙本"大矣"作"大"。

⑤ 傅奕古本无"之"。

⑥ 傅奕古本"成大"作"成其大"

⑦ 范应元本"聖人之能成大也以其"作"聖人以其"。傅奕古本、范应元本、陆德明《释文》作"其終"。

⑧ 陆德明《释文》、傅奕古本、范应元本"不爲大"作"不自爲大"。对"自"的否证：王弼注没有将这一段落与圣人持身于背景、只是在问题还细小的时候有所作为关联起来，因此在注文中没有"自"这个字的呼应者。

⑨ 傅奕古本、范应元本"成大"作"成其大"。

⑩ 陆德明《释文》"於其易"作"於易"。

⑪《王弼集校释》，页 86，注 1，指出了与《庄子》59/22/44 的一个段落的相似，在那里给出了这一点的详尽的解释。

⑫ 这是王弼思想中经常出现的主题；参见《老子》1.2，17.1，17.6 和 21.3 的王弼注。

说],在天下“常无欲”之时,万物各得其恰当之所,而道无所作为,因此[正如文本所说]:“可名于小”。[1]

34.3　万物都归返于它,但不知道[它们的]主宰,它又可以在大中被命名。

尽管万物的每一个都复归于它而被创生,但导致它们的那个力并不让它们知道它的根基,这不是“小”。这就是[文本]又说“可名于大”的原因。

34.4　因此——[就]圣人能完成大[业]而言——通过不对[那些已经是]大[的事物]有所作为,因此能成就大[业]。

[正如《老子》63.3就圣人所说]“为大于其细,图难于其易”。

《老子注》第35章

[**本文**]

35.1　執大象者[2],天下往,(底本:傅奕古本)

大象,天象之母也,不炎不寒,不溫不涼,[3]故能包通[4]萬物,無所犯傷,主若執之,則天下往也。(底本:《集注》本)

35.2　往而不害,安平泰[5]。(底本:傅奕古本)

無形無識,不偏不彰,故萬物得往而不害妨也。(底本:《集注》本)

---

① 根据王弼对《老子》1.3的解读,当无欲之时,可以察识道之“妙”。

② 郭店丙本、马王堆乙本“大象者”作“大象”。马王堆甲本缺损处的尺寸表明这里缺失了一个“者”字。

③ 取“不炎不寒不溫不涼”而非“不寒不溫不涼”:Wagner依据《老子旨略》“若溫也則不能涼”以及《老子》41.14王弼注“不炎則寒”改,这两句话表明溫凉、炎寒是对子。在通行本中以三元素构成的句子是不太可能的。

④ 取“通”而非“統”:Wagner依据《老子》16.7王弼注“無所不包通也”以及《老子旨略》“包通天地”改。

⑤ 郭店丙本、马王堆甲乙本作“大”。

35.3　樂與餌，過客[①]止。道[②]之出言[③]，淡兮[④]其無味也。[⑤] 視之不足見[⑥]，聽之不足聞[⑦]，用之[⑧]不足既[⑨]。（底本：傅奕古本）

言道之深大。人聞道之言，乃更不如樂與餌，應時感悦[⑩]人心也。樂與餌，則能令過客止，而道之出言，淡然無味，視之不足見，則不足以悦其目；聽之不足聞，則不足以娱其耳。若無所中然，乃用之不可窮極也。（底本：《集注》本）

［**译文**］

35.1 如果［统治者将］执守大象，［那么］天下［将会］来归于［他］。[⑪]

大象是天象之母。[⑫] 它既不热也不冷，既不温也不凉。因此能抱拥和通达万物，无所侵犯和毁伤。只要统治者能执守它，天下就会来归于他。

35.2　［天下］来归于他而没有损害，［将会是］最理想的安和平。

［他将是］无形且不可辨识的，［他个人的喜好］既不偏离也不彰显。[⑬] 因此万物得以来归而不相妨害。

35.3　音乐和甘香的食物会让过往的客人停下。［但是］，关于道的言辞

---

① 马王堆甲乙本作“格”。

② 郭店丙本、马王堆甲乙本“道”作“故道”。

③ 马王堆甲乙本“言”作“言也曰”。

④ 马王堆甲乙本作“呵”。

⑤ 取“味也”而非“味”：王弼《老子》23.1 注中的引文、郭店丙本、马王堆甲乙本。对“道之出言淡兮其無味也”的支持：王弼《老子》23.1 注“下章言道之出言淡兮其無味也”。

⑥ 马王堆甲乙本“見”作“見也”。

⑦ 马王堆甲乙本“聞”作“聞也”。

⑧ 郭店丙本“用之”作“而”。

⑨ 郭店丙本、马王堆甲乙本“既”作“既也”。

⑩ 陆德明《释文》作“説”。

⑪ “如果……那么”这样的读法是以此处的注释和《老子微旨略例》1.31 为根据的，通过插入“则”，也使得这一条件性的关联明确化了。

⑫ “天象”在传写中是稳定的。这个词指日月星等天体。由于它没有在王弼著述的其他地方出现，波多野太郎认为应该作“天下”。在这里，指涉《老子》28.3 的“天地”似乎更有可能。

⑬ 参见《老子》16.6 王弼注。

淡而无味，看它，它没什么值得看的；听它，它也没什么值得听的；而运用它，又不可能穷尽它。

这[一段文本]是在解释道的深和大。当其他人听到关于道的言辞时，这些言辞的确不能像音乐和甘香的食物那样能即时地感悦人心。音乐与甘香的食物能让过客止步，但“道之出言”，淡然无味。“视之不足见”，就意味着无法娱悦人的眼睛；“听之不足闻”，就意味着无法娱悦人的耳朵。好像没有东西在其中似的，它的“用”不能“穷极”。

《老子注》第36章

[**本文**]

36.1　將欲翕①之，必固②張之；將欲弱之，必固③強之；將欲廢④之，必固⑤興⑥之；將欲奪⑦之，必固⑧與⑨之。是謂⑩微明。（底本：傅奕古本）

將欲除強梁，去暴亂，當以此四者。因物之性，令其自戮，不假刑爲大，以除強物也，⑪故曰微明也。足其張，令之足，而又求其張，則衆⑫所翕⑬也；翕⑭其張之不足，而攻⑮其求張者，愈益而已反危。（底本：《永乐

---

① 陆德明《释文》作“偷”。马王堆甲本作“拾”。马王堆乙本作“偷”。对“翕”的支持：王弼注，《集注》本。

② 马王堆甲乙本作“古”。

③ 马王堆乙本作“古”。

④ 马王堆甲乙本作“去”。

⑤ 马王堆甲乙本作“古”。

⑥ 马王堆甲乙本作“與”。

⑦ 范应元本作“取”。

⑧ 马王堆甲乙本作“古”。

⑨ 马王堆甲乙本作“予”。

⑩ 马王堆甲乙本作“胃”。

⑪ 取“強物”而非“將物”：Wagner。《集注》本无“不假刑爲大以除將物也”。

⑫《集注》本作“象”。

⑬ 取“翕”而非“歙”：《集注》本。

⑭ 取“翕”而非“與”：Wagner。参见下页注①。

⑮ 取“攻”而非“改”：服部南郭。

大典》本)①

36.2　柔之勝剛,弱之勝強,②魚不可脱③于淵,國④之⑤利器不可以示⑥人。(底本:傅奕古本)

利器,利國之器也⑦。唯⑧因物之性,不假刑⑨以理物,器不可睹,而物各得其所⑩,則國之利器也。示人者,任刑也。刑以利國則失矣。魚脱於淵,則必見失矣。利國器而立刑⑪以示人,亦必失也。⑫(底本:《永乐大典》本)

[译文]

36.1　想要让它们压缩,一定要扩张它们;想要让它们削弱,一定要使它们强大;想要让它们废顿,一定要兴盛它们;想要从它们那里夺取,一定要先给予它们。我称此为"[对于]微[之]明"。

[依据《老子》42.3的"不得其死"]如果[统治者]想要除去强梁暴乱,应该以上述这四种方式。因循事物的本性,让它们自我毁灭,而不是借助于刑罚的扩大来除掉强暴之物。这就是[文本]说"微明"的原因。

---

① 此处的底本很难选择,因为《集注》本有一处缺损和一处明显的传写错误,而《永乐大典》本虽更完整,但又将"翕"依据本文的"歙"做了调整。我选取了更完整的版本。所有的注释者都认为这一注释有残损,并提出了各种修订意见。我认为波多野太郎的论述更具说服力,即最后一段是要阐明统治者如何适应暴者,令其自毁。在这一假设的基础上,除了将"歙"改为"翕"外,我只接受了一处额外的修订:将"改"改为"攻"。其结果是,文本通畅可解,尽管它并不理想。

② 马王堆甲本作"柔弱勝強"。马王堆乙本作"柔弱朕強"。

③ 取"脱"而非"侻":陆德明《释文》。马王堆甲本作"不脱"。马王堆乙本作"説"。

④ 取"國"而非"邦":王弼注"國之利器也"。

⑤ 马王堆甲乙本无"之"。

⑥ 马王堆甲本作"視"。

⑦《集注》本作"器"。

⑧《集注》本"唯"作"以唯"。

⑨《集注》本作"形"。

⑩《集注》本作"性"。

⑪《集注》本作"形"。

⑫《集注》本作"矣"。

如果[强暴者]的扩张已经满足，[有微明的统治者]又促使他们渴求超过这一满足[程度]的扩张，他们将为[嫉妒其权力的]众人所压缩；[相反]，如果[统治者]压缩那些在此扩张中[已经]不足的人，而[以刑罚的方式]攻击那些渴求扩张的人，那么他越是这样做，越会给自己带来危险。

36.2 [这就是]柔弱之胜刚强。鱼不能脱离深渊，对国家有利的工具不能用来向百姓示威。

"利器"是有利于国家的器物。如果[统治者]只是顺应事物的本性，而不借助刑罚来管理事物，那样一来，[治理]之器就不可能被察识，但事物仍然各得其所，这才是[真正的]"国之利器"。"示人"的意思是应用惩罚的意思。如果惩罚用于国家之利，就会带来失败。如果鱼脱离渊泉，必定会死，[而如果不自显，无人看得到它，它就会安全]。同样，[作为]有利于国家的器具，如果[统治者]设立刑罚来宣示于百姓，将不可避免地失败。

《老子注》第37章

[本文]

37.1 道常無爲，[①](底本：傅奕古本)

顺自然也。(底本：《集注》本)

37.2 而無不爲。[②] (底本：傅奕古本)

萬物無不由之[③]以始[④]以成[⑤]也。(底本：《集注》本)[⑥]

---

① 马王堆甲乙本"常無爲"作"恒無名"。郭店甲本作"互亡爲也"。

② 郭店甲本、马王堆甲乙本无"而無不爲"。

③ 取"由之"而非"由爲"：陶鸿庆。

④ 取"始"而非"治"：东条一堂依据《老子》1.2王弼注"道以無形無名始成萬物"改。

⑤ 取"成"而非"成之"：陶鸿庆。

⑥ 此段文本有残损，是学者的共识。

37.3　侯王[1]若能守[2]，萬物將自化，化[3]而欲作，吾[4]將鎮[5]之以無名之樸。[6]（底本：《老子》10.6 王弼注“侯王若能守，萬物將自化”；后两句依据本句的王弼注）

化而欲作，作欲成也。吾將鎮之以[7]無名之樸，不爲主也。[8]（底本：《集注》本）

37.4　夫[9]亦將無欲[10]。（底本：陆德明《释文》）

無欲競也。（底本：《集注》本）

37.5　無欲[11]以靜[12]，天下[13]將自正[14]。（底本：范应元本）

［译文］

37.1　道之常是无为的，

顺应［事物的］自然。[15]

37.2　而又无所不为。

万物无不基于［道］而始而成。

37.3　侯王如果能持守［道之常］，万物将自动地改［善］。尽管有此变

① 傅奕古本、范应元本“侯王”作“王侯”。

② 马王堆甲本“若能守”作“若守”。马王堆甲乙本、郭店甲本、傅奕古本作“守之”。郭店甲本作“能守之”。

③ 马王堆甲本“化化”作“悬悬”。

④ 郭店甲本无“吾”。

⑤ 马王堆乙本作“阗”。

⑥ 马王堆甲本作“楃”。

⑦《永乐大典》本无“以”。

⑧《集注》本将此则注释置于 37.4 的首句之后，然而，这一片断没有插入《老子》王弼本。

⑨ 马王堆甲乙本、范应元本“夫”字之前作“無名之樸”。

⑩ 傅奕古本、范应元本作“不欲”。马王堆甲乙本作“夫將不辱”。对“無欲”的支持：王弼注“無欲競也”。郭店甲本作“知足”。

⑪ 取“無欲”而非“不欲”：参见前面的文本注。马王堆甲乙本作“不辱”。郭店甲本作“知足”。

⑫ 傅奕古本作“靖”。马王堆甲本作“情”。

⑬ 郭店甲本“天下”作“萬物”。马王堆甲乙本作“天地”。

⑭ 郭店甲本作“定”。

⑮ 相同的表达出现于《老子》25.12 注。

化,欲望也将[在其中]兴起,我[即圣人]将以无名之朴来镇静它们。

"化而欲作"的意思是"欲望形成"。"吾将镇之以无名之朴"的意思是[《老子》34.2中所说的]"不为主"。

37.4 同时将让它们无欲。

即,没有竞争的欲望。

37.5 因为无欲,它们将安静,天下将自我整饬。

《老子注》第38章

[本文]

38.1 上德不德,是以有德。(底本:傅奕古本)

有德則遺其失,不德則遺其得。(底本:范应元本)①

38.2 下德不失德,是以無德。上德無爲而無不②爲③,下德爲之而無以

① 这一句只出现在范应元本中。波多野太郎是唯一将其作为真实的王弼注的人。尽管我在王弼著述的其他部分没有看到直接相应的句子,但我赞同波多野太郎的观点,因为其论辩风格与王弼一致。

② 马王堆甲乙本作"以"。

③ 马王堆甲乙本作"爲也"。

爲[1]，上仁爲之而無以爲[2]，上義[3]爲之而有以爲[4]，上禮爲之而莫之應[5]，則攘臂而扔[6]。故失道而[7]後德，失德而後[8]仁，失仁而後[9]義，失義而後[10]禮。夫禮者，忠信之薄[11]而亂之首也。前識者，道之華[12]而愚之首也[13]，是以大丈夫處[14]其厚，不處其薄，[15]處[16]其實，不處[17]其華，故去彼[18]取此。（底本：傅奕古本）

德者，得也。常得而無喪，利而無害，故以德爲名焉。何以得德？由乎道也。何以盡德？以無爲用。以無爲用，則莫不載也。故物，無焉，則

---

① 马王堆甲乙本无“下德爲之而無以爲”。

② 马王堆甲乙本“爲”作“爲也”。

③ 马王堆乙本作“德”。

④ 马王堆甲乙本“爲”作“爲也”。

此处“無不爲”和“無以爲”这两个关键的表述有残损之处，即使在王弼《老子》本所归属的文本族中也是如此。对于上德之人，《韩非子》、严遵、傅奕和范应元都读作“無不爲”，而马王堆甲乙本均作“無以爲”，河上公本与之相同。王弼注此处通过“上德之人……能有德而無不爲不求而得不爲而成”确定了语境，其中重复了《老子》本文中的三个核心要素，即“上德”、“無不爲”和“不爲”。正如我这里提示的，李善全文引用了此段王弼注。对于下德之人，《道藏》和武英殿本均作“有以爲”，而傅奕和范应元均作“無以爲”。马王堆本完全删去了这句话。王弼注作“下德爲之而有以爲”。然而，范应元引用的王弼注却作“無以爲”。这一论辩的合理性由这一事实得到确证：王弼接下来立即解释了“無以爲”的意思。在王弼看来，《老子》首先是在上德与下德之间做了基本的区分，进而他概述了下德的等级。下德中最高等级的是“上仁”，在《老子》本文中被界定为“爲之而無以爲”。因此，我推断王弼本写作“爲之而無以爲”。

⑤ 马王堆乙本“應”作“應也”。

⑥ 傅奕古本作“仍”。对“扔”的支持：陆德明《释文》，王弼注“則攘臂而扔之”。马王堆甲乙本作“乃”。

⑦ 马王堆甲本“故失道而”作“故失道失道矣而”。

⑧ 马王堆乙本作“句”。

⑨ 马王堆乙本作“句”。

⑩ 马王堆乙本作“句”。

⑪ 马王堆乙本“薄”作“泊也”。

⑫ 马王堆甲乙本“華”作“華也”。

⑬ 取“首也”而非“始”：王弼注“道之華而愚之首”。这是从与“亂之首”一句的平行关系中推论出来的。对“首也”的支持：马王堆甲乙本。

⑭ 马王堆甲乙本作“居”。

⑮ 马王堆甲本“其厚不處其薄”作“其厚而不居其泊”。马王堆乙本作“□□□居其泊”。

⑯ 马王堆甲乙本作“居”。

⑰ 马王堆甲乙本作“居”。

⑱ 马王堆甲本作“皮”。马王堆乙本作“罷而”。

無物不經；有焉，則不足以全其生。[①] 是以天地雖廣，以無爲心；聖王雖大，以虛爲主。故曰：以復而視，則天地之心見，至日而思之，則先王之主[②]覩也。故滅其私而無其身，則四海莫不瞻，遠近莫不至，殊其己而有其心[③]，則一體不能自全，肌骨不能相容。

是以上德之人，唯道是用，不德其德，無執無用，故能有德[④]而無不爲。不求而得，不爲而成，故雖有德而無德名也。下德求而得之，爲而成之，則立善以治物，故德名有焉。求而得之，必有失焉；爲而成之，必有敗焉。善名生則有不善應焉，故下德爲之而無[⑤]以爲也。無以爲者，無所偏爲也。[⑥] 凡不能無爲而爲之者，皆下德也，仁義禮節是也。將明德之上下，輒舉下德以對上德，至於無以爲，極下德[⑦]之量，上仁是也。是及於無以爲而猶爲之焉，爲之而無以爲，故有有爲[⑧]之患矣。本在無爲，母[⑨]在無名，棄本而適其末，舍母[⑩]而用其子，[⑪]功雖大焉，必有不濟，名雖美焉，僞亦必生。不能不爲而成，不興而治，則乃爲之，故有弘普博施仁愛之者，而愛之無所偏私，故上仁爲之而無以爲也。愛不能兼，則有抑抗[⑫]正

---

① 取“全”而非“免”。

这句话颇为困难。王弼在后文引用《周易》“復卦”来阐释。对于“復卦”的彖传，王弼注释道：“然則天地雖大，富有萬物，雷動風行，運化萬變，寂然至無是其本矣。故動息地中，乃天地之心見矣。若其以有爲心，則異類未獲具存矣”。大量语词表达的无非是这一论述：只有在不被具体化、特殊化的情况下，道才能护持所有的存在者。其中“全”的作用相当明显；参见《老子》25.12、40.3 和 45.6 王弼注。因此，我建议将“免”修订为“全”。

② 张之象本作“至”。

③ 取“其心”而非“心”：张之象本。

④《取善集》中对“上德不德是以有德”的注文引作“上德之人唯道是用不德其德無執無用故能有德”。

⑤ 取“無”而非“有”：范应元本，参见上页注④。对“無”的支持：王弼注“上仁及於無以爲”，以“上仁”为“上德”的最高形式。

⑥ 范应元本“故下德爲之而無以爲也無以爲者無所偏爲也”作“下德爲之而無以爲者無所偏爲也”。

⑦ 张之象本“下德”作“下德下”。

⑧ 取“有有爲”而非“有爲爲”：中国科学院，《中国历代哲学文选》2.301。

⑨ 取“母”而非“毋”：张之象本，参见王弼注下文“棄本舍母”。

⑩ 陆德明《释文》“棄本”作“舍本”。对“棄本”的支持：王弼注“捨其母而用其子棄其本而適其末”。

⑪ 取“棄本而適其末舍母而用其子”而非“棄本捨母而適其子”：陶鸿庆依据王弼注“捨其母而用其子棄其本而適其末”改。如果不修订的话，王弼注里就没有承续“棄本”的句子了。

⑫ 取“抑抗”而非“折抗”：张之象本。陆德明《释文》作“亢”。

直①義理②之者，忿枉祐直，助彼攻③此，物事而有以心爲矣。故上義爲之而有以爲也，直不能篤④，則有斿⑤飾修文而禮敬之者，⑥尚好修敬，校責往來，則不對之間，忿怒生焉。故上禮爲之而莫之應，則攘臂而扔之⑦。夫大之極也，其唯道乎？自此以往，豈足尊哉！故雖德盛業大，富有⑧萬物，猶各有其德⑨，而未能自周也。故天不能爲載，地不能爲覆，人不能爲贍⑩，雖貴⑪以無爲用，不能全⑫無以爲體也。不能全⑬無以爲體，則⑭失其爲大矣，⑮所謂失道而後德也。以無爲用則得⑯其母，故能己不勞焉，而物無不理。下此已往，則失用之母。不能無爲，而貴博施，不能博施，

---

① 张之象本作“真”。

② 取“義理”而非“而義理”：《中国历代哲学文选》。

③ 取“攻”而非“功”：张之象本。对“攻”的支持：句子中的“助彼攻此”，“攻”与“助”相对。

④ 取“篤”而非“售”：张之象本。

⑤ 陆德明《释文》的一个抄本以及张之象本作“遊”，而陆德明自己选的是“斿”。

⑥ 取“則有斿飾修文而禮敬之者”而非“則有斿飾修又禮敬之者”：Wagner 依据与“愛不能兼則有抑抗正直而義理之者”之间的平行关系，以及张之象本“又”作“文”校改。

⑦ 取“扔”而非“仍”：陆德明《释文》，张之象本。

⑧ 张之象本“富有”作“富而有”。

⑨ 张之象本“有其德”作“得其德”。

⑩ 取“贍”而非“瞻”：陆德明《释文》。张之象本无“而未能自周也故天不能爲載地不能爲覆人不能爲贍”。这一段落的真实性由陆德明《释文》对此段中的“贍”字的注释来证明。

⑪ 取“雖貴”而非“萬物雖貴”：Wagner。万物不可能是“贍”的宾语，因为它打破了平行关系。它也不可能是主语，因为是四大而非万物以无为用。

⑫ 取“全”而非“捨”：Wagner，参见本页注⑮。证据：韩康伯《系辞》注“聖人雖體道以爲用，未能全無以爲體，故順通天下，則有經營之迹也”。

⑬ 取“全”而非“舍”：Wagner，参见本页注⑮。

⑭ 取“則”而非“也”：张之象本。

⑮ “不能舍無以爲體也”的读法不可理解。在“大之極”的意义上，只有道才“大”；这意味着天、地和王只在为道所用之时才可以谓之为“大”。然而，就它们只在某一特定方面为“大”而言，它们是受限的，如天可以“覆”万物，但却不能像地那样“載”万物。因此，我们不得不预期一个标识出“大之極”与其他诸大之间区别的论述。《中国哲学史教学资料选集》（两汉隋唐时期）的编者注意到了这个问题。他们建议将“捨”读作“舍”，进而将其解读为“居住”。这样就将王弼著述中通常用作“捨棄義”的“捨”理解成了完全相反的意思。他们由此建议将“捨無以爲體”理解为“即以道爲體”。尽管我认为这在训诂学上是无法接受的，但他们的论辩倾向是可取的。对于我自己的猜测，我建议回向韩康伯。韩康伯接续王弼的《周易注》，撰写了《系辞》等《易传》的注释。其中，他大量地运用了王弼的概念，而且经常引用王弼的话。我这里用于修订“舍無”的“全無”，即出自韩康伯《系辞注》上（见《王弼集校释》页 541）。

⑯ 取“得”而非“德”：古屋昔阳。

而貴正直，不能正直，而貴飾敬，所謂失德而後仁，失仁而後義，失義而後禮也。夫禮之[①]所始，首於忠信不篤，通簡不暢，責備於表，機微爭制。夫仁義發於內，爲之猶僞，況務外飾而可久乎！

故夫[②]禮者，忠信之薄而亂之首也。前識者，前人而識也，即下德之倫也。竭其聰明以爲前識，役其智力以營庶事，雖得其情，姦巧彌密，雖豐其譽，愈喪篤實。勞而事昏，務而治穢[③]，雖竭聖智而民愈害。舍己任物則無爲而泰，守夫素樸，則不須[④]典制。耽[⑤]彼所獲，棄此所守，故曰：前識，[⑥]道之華而愚之首。故苟得其爲功之母，則萬物作焉而不辭也；萬事存焉而不勞也。用不以形，御不以名，故仁義可顯，禮敬可彰也。夫載之以大道，鎮之以無名，則物無所尚，志無所營，各任其真[⑦]，事用其誠，則仁德厚焉，行義正焉，禮敬清焉。棄其所載，舍其所生，用其成形，役其聰明，仁則僞焉，[⑧]義則[⑨]競焉，禮則[⑩]爭焉，故仁德之厚，非用仁之所能也；行義之正，非用義之所成也；禮敬之清，非用禮之所濟也。載之以道，統之以母，故顯之而無所尚，彰之而無所營[⑪]。用夫無名，故名以篤焉；用夫無形，故形以成焉。守母以存其子，崇本以舉其末，則形名俱有而邪不生，大美配天而華不作。故母不可遠，本不可失。仁義，母之所生，非可

---

① 取"之"而非"也"：服部南郭。
② 取"夫"而非"失"：张之象本。支持：王弼《老子》本上文。
③ 取"穢"而非"薉"：陆德明《释文》。
④ 取"須"而非"順"：大槻如电。
⑤ 取"耽"而非"聽"：陆德明《释文》。
⑥ 取"故曰前識"而非"識"：服部南郭。
⑦ 取"真"而非"貞"：服部南郭。
⑧ 取"仁則僞焉"而非"仁失誠焉"：服部南郭。总本的支持：与其后句子的平行关系。对"僞"的支持：《老子微旨略例》"爲仁則僞成也"。
⑨ 取"則"而非"其"：樓宇烈。
⑩ 取"則"而非"其"：樓宇烈。
⑪ 取"營"而非"競"：Wagner。在平行句中"顯之而無所尚"中的"顯"与"尚"是从前面的句子"故仁義可顯禮敬可彰也夫載之以大道鎮之以無名則物無所尚志無所營"中承续而来的。通过相似关系，涉及"事"的平行句应该用的是"彰"和"營"。通行本作"彰之而無所競"，意味着"競"是"營"的误写。

以爲母;形器,匠之所成,非可以爲匠也。舍其母而用其子,棄其本而適其末,名則有所分,形則有所止。雖極其大,必有不周;雖盛其美,必有患憂。功在爲之,豈足處也。(底本:《集注》本)

［**译文**］

Ⅰ.

38.1　有最高德性的人不[拘守他的]德[即其具体形实]。① 因此他拥有德。

因为"有"德他就超越了失其[德];

因为"无"德他就超越了得其[德]。

38.2

有较低德性的人不失德。因此他无德。

上德之人无所作为,而又无所不为。

下德之人有所作为,但并没有不可告人的动机。

Ⅱ.

(第Ⅱ和Ⅲ部分必须被读作我们写在右边的"下德"这一范畴的描绘性的细目)

有上仁之人干预[其他事物],但没有隐密的动机。

---

① 译者注:Wagner 将"德"译为"receipt/capacity",是他对王弼的这一概念的理解性翻译。如回译为中文,即"所得/所能"。而在具体的行文中,实在无法表达。故径以"德"或"得"来翻译。

有上义之人干预[其他事物],而有隐密的动机。

有关于礼的最高[知识]的人干预[其他事物],但没人重视[他的命令],他将卷起袖子用暴力[强迫]。

Ⅲ.

因此,道一旦失去以后,

[统治者将使用上]德;

[上]德一旦失去以后,[统治者将使用上]仁;

[上]仁一旦失去以后,[统治者将使用上]义;

[上]义一旦失去以后,[统治者将使用上]礼。

Ⅳ.

[然而],一般说来,

礼是忠和信变得薄弱[的结果],[因此]是乱的开始。

前识是道成为某种[外在的]装饰的[结果],[因此是]愚昧的开始。①

因此大人[即圣人]②

居处于[忠和信之]厚,而不居处于[它们的]薄。

居处于[道之]实,而不居处于[道已成为]华[的情况]。

因此他拒绝后者,而执取前者。

① 关于礼和前识的这两个句子是严格平行的。第一句的“薄”指的是诚和信变薄;同样,第二句的“华”肯定是指道的“装点”,即道变为某种外在的、装饰性的东西。“愚”在此处被读作班固《汉书》《古今人表》中“愚人”。最著名的例子是商纣王。参见班固,《汉书》,页889。

② 关于将大人与圣人等同,参见本书页470注⑨。

Ⅰ.

德就是得[德]的意思。①他恒久地得到[它]而不失去;有[从它而来的]利而没有[从它而来的]害。因此以德作为它的名称。人们通过什么方式来得其德呢?通过以无作为其有用[性的基础]。一旦以无作为其有用[性的基础],将没有[事物]会不存续。因此,如果某种东西[对于其他存在者]是无,那就会没有东西不经由它;[而]如果它[对于其他存在者]是[一个特殊性的]有,那就会无法完整地保全自己的生命。这就是

天地虽然广大,却以无为[其]内心。

圣王虽然博大,却以虚空为[其]原则的原因。

因此[《周易》]

① 将"德"界定为"得",即从道那里获得的能力,这一传统是很古老的。参见《庄子·天地》:"物得以生谓之德";《韩非子·解老》:"德者得身";贾谊,《新书》:"所得以生谓之德"。王弼在《老子》51.2注中,重复了这一定义。

说

如果在[事物]的“复”中找寻，可以见到“天地之心”。

如果思考在冬至这天[先王“闭关”使“商旅不行这回事]，那么先王的指导性原则就会[自己]显白起来。①

[此处开始了新的一对对立，这一对子以主导《老子》38.1 和 38.2 的对子为基础]

如果他[统治者]灭除私欲而且无我，四海之内都将仰视他，无论远处还是近处的人都将来归。

如果他突显他的自我，而且保有其偏好，他将不能保持一己之身的完整，并且无法让他的肌肉和骨骼彼此相容。

因此

有上德的[统治者]唯道是用，不以其德为[任何特殊的]德。②他无所执，无所用，因此能有其德而“无不

有下德的[统治者]通过争竞而获得，通过有为而成就，他立善来治理事物。因此他有德之名。争竞而获得，必然

① 两条引文都指向《周易》“复卦”。第一句话引自该卦彖传最后一句：“复其见天地之心乎”；第二句出自整卦的象辞部分：“先王以至日闭关”。材料完整引用如下：

复其见天地之心乎！

王弼注曰：复者，反本之谓也。天地以本为心者也。凡动息则静，静非对动者也；语息则默，默非对语者也。然则天地虽大，富有万物，雷动风行，运化万作，寂然至无是其本矣。故动息地中，乃天地之心见也。若其以有为心，则异类未获具存矣。

雷在地中，复。先王以至日闭关，商旅不行，后不省方。

方，事也。冬至，阴之复也；夏至，阳之复也。故为复，则至于寂然大静。先王则天地而行者也，动复则静，行复则止，事复则无事也。

② 相同的表达也出现在《老子》41.6 王弼注。

为”。他不争竞但仍能获得,他无所为但仍能成就。[1] 这就是尽管他“有德”,却没有“德”的名称的原因。

会有所失去;有为而成就,必然会有所毁伤。[总之],一旦善名出现,不善的名也会响应。这就是[文本]说:“下德为之而无以为”的原因。[2]“无以为”是没有偏为的意思。

Ⅱ.

凡是对[事物]不能无干预而有所干预的人,都属于下德之人。仁义礼节都是这[下德]的形式。为了澄清上德与下德的[根本区别],[文本]直接将下德与上德对比起来。上仁可以达到“无以为”,因此它充分实现了下德的潜能。[上仁之人]可以做到“无以为”,但他仍是有为的。他有所为,但没有隐密的动机,因此有有所作

①《荀子》中有相同的表述。《荀子·天论》:“不为而成,不求而得。夫是之谓天职”。

② 括号中最好的行动是从“下德”的最高形式,即“上仁”那里推论出来的。上仁“无以为”,而接下来一类就是“有以为”了。

为的拖累。

本在于无所作为。

母在于无可命名。

放弃根本而随逐枝末，无论功业有多大，都必有不能达到和完成的。

放弃[1]其母而运用其子，无论名号多美，伪也随之而生。

如果[统治者]不能

不作为而成就，

不兴造而治理，[2]

那么他必定对[其他事物]有所干预。

因此将有人以弘普博施之仁来爱护[其他事物]，而这种爱没有偏私或个人利益，这就是[文本]说“上仁为之而无以为”的原因。

由于爱不能周普，因此将有人以正直之义抑[某些人]、抗[某些人]来治理[其他事物]，憎恶邪曲之人、护卫正直之士，支持后者攻击前者，有目的地干涉事物。这就是[文本]说“上义为之而有以为”的原因。

[用义的]正直不能笃厚，因此将有人以游饰修文之礼来让[其他事物]敬畏。他将极度地强调对服从的培养，并处理最细节的人际关系，[人们]一旦不回应他，就会心生愤怒。

这就是[文本]说：“上义为之而莫之应，则攘臂而扔之”的原因。

Ⅲ.

事实上，只有道是至大者。自此以下，哪里值得尊崇呢？因此，即使[如《系辞》关于大人/圣人所说]“德盛业大”，“富有万物”，也仍是各得其所得，而不能[跟道一样]周普(《老子》15.3)。

因此，能[遮覆万物]的天不能载物；[能负载万物]的地不能覆物，[能治

① 王弼通常写作“舍”，而非“捨”，陆德明《音义》可为支持；参见《老子》39.3，42.1，49.5，52.2，53.2和57.4王弼注。

② 关于此处“兴”字，参见《老子》30.7王弼注。

理万物的]人不能供养万物。① 尽管[它们]极其重视以无作为为有用性的[根基],它们不能完全"化为无"并以无作为为它们[自己的]的本质。由于它们不能完全"化为无"并以无作为为它们[自己的]本质,它们将失去它们的大[在道大这一意义上的绝对的大]。②
这就是[文本]所说的"失道而后德"。由于[大一]以无为用,他就得到了[这一用之]母。因此他能够不劳累自己,而使无一物不得到治理。

自此以下,就失去了用之母。[统治者]不能做到无为,而是以[仁爱的]博施为贵。

一旦不能[以仁]博施,他们将以[义之]正直为贵。

一旦不能[实践义之]正直,他们将以外在的敬畏为贵。

这就是[文本在说]

"失[上]德而后[上]仁,

失[上]仁而后[上]义,

失[上]义而后[上]礼"的意思。

Ⅳ.

事实上,礼的开端在于真和信的为笃实,通达简约不[再]明确,外在[形

① 这一论辩与《老子》4.1王弼注有关,在那里,王弼讨论了天、地和王,它们要完成其功业,必须以高一层次的存在为范型。"故人虽知万物治也,治而不以二仪之道,则不能瞻也。地虽形魄,不法于天则不能全其宁;天虽精象,不法于道则不能保其精"。

② 从《系辞》韩康伯注推论而来,《王弼集校释》,页542:

显诸仁,藏诸用。

衣被万物,故曰显诸仁;日用而不知,故曰藏诸用。

鼓万物而不与圣人同忧。

由之以化,故曰鼓万物也。圣人虽体道以为用,未能全无以为体,故顺通天下,则有经营之迹也。

盛德大业,至矣哉!

夫物之所以通,事之所以理,莫不由乎道也。圣人,功用之母,体同乎道,盛德大业所以能至。

富有之谓大业。

广大悉备故曰富有。

日新之谓盛德。

体化合变故曰日新。

式]上的事物成了最重要的东西，专在琐碎的细节起纷争。仁义出于内心，而施行它们仍会[产生]伪，何况注意于外在的修饰，怎么可能长久呢！这就是[文本]说："夫礼者，忠信之薄而乱之首"的原因。"前识"的意思是，先于他人而有知识，因此属于"下德"的范畴。①

如果[统治者]

竭尽其智力来达到前识，那么即使他得到了某些情实，但巧伪也会因此而更为隐密。

用其聪明以经营繁多的事务，即使提高了声望，但真和诚会受到更大的损害。他越是勤劳，事务越是昏乱。

他越是努力，治理越是荒废。

即使他竭尽

智慧 和 知识，

[如《老子》第 19 章所说]，百姓受到的伤害只会更多。放弃自己[如帝舜那样]，②因任事物，将无为而事事泰然；保持素朴，他将不需要典章制度。沉迷

① 本文中关于礼和前识的句子是平行的，但在这里的处理却相当不同。由于王弼对曹魏政权所施行的政府监管的负面影响的特别关注，假定讨论上的不合比例不是由于文本传写，而是由于对相应题材的关注程度不同就是合理的了。

② "舍己"这一表达也出现于《老子》5.4 王弼注；这个词可以回溯至《尚书》4.22 下"舍己从人"。另见《孟子·滕文公下》。

于前者的获得，拒弃后者的持守，因此[文本]说："前识，道之华而愚之首"。因此，如果[统治者]获得了功之母，[1]

就会"万物作焉而不辞"[如《老子》2.4所说]，[2]

万事存续而不劳。[3]

他不通过物的形体来用物，

不通过事的名来管理事务。

因此

他的仁义可以发显，

他的礼敬可以彰明。

如果他确实

以大道来承载它们，

并"镇之以无名"[如《老子》37.3所说]，[4]

[其他]事物将没有慕尚的东西，

志欲将无所经营，

于物则各任其真性，

于事则各用其真质，

就会仁德笃厚，

行义端正，

礼敬清明。

---

① "为功之母"是王弼创造的一个新词。它也出现在《老子》39.3注，以及《老子微旨略例》中。

② 尽管此处这一句似乎与《老子》2.4有关，但实际上它的主旨是取自《老子》34.2注关于道的一个论述，其中给出了"不辞"这一表达。

③ 为了在以链体风格写成的段落中建立平行的串系，王弼有时不得不出于系统的目标构造某条"伪引文"。《老子》中用来呼应万物的关于万事的句子。此句就是这样一个构造。

④ 这是一条引文与一个平行的幻影相呼应的又一个例子。

[然而],如果他

舍弃承载[事物],用事物已成之形体,

创生[事物]的东西,建立事务的明晰,①

就会仁德成为伪善,

行义成为争竞,

礼敬成为纷争。

因此

仁德的笃厚并非运用仁而产生的,

行义的端正并非运用义而成就的,

礼敬的清纯并非运用礼而实现的。

以道来承载,以母来控御,

[统治者]将让

[他的仁义发显]而[其他事物]无所慕尚;

[他对礼敬的了解彰明]而[其他事物]无所经营。任用无名,名将由此而正。

任用无形,形将因此而成。

如果

保守母以维持其子,

崇尚根本以举持其枝末,

就会

形　　和　　名

① "聪明"一词在上面统治者运用前识一段的开头出现过。在那里,它指的是统治的"智",处于左侧的串系中。从与前一句的平行关系看,此处的"聪明"显然是指事,而非物。平行风格的常规——用于不同句子中的同一语汇表明它们属于同一串系,在这里并不适用。

都完整地保持而没有
邪恶兴起，

它们的[功业]之大，　　　　　　　　　　　　名号之美，

将与天相匹配[1]而浮
华不生。
因此[统治者]应该

不远离其母，

不失其根本。

仁义出自母，不可以将
仁义视为母。有形的
器物由工匠制造，不可
以将器物当做工匠。[2]
然而，如果[统治者]

拒绝事务之母而任用
其子，

舍弃[事物]之根而操
为于其枝末，

那么，对名而言，会有

① “配天”在《老子》68.5以不同的形式出现于不同的语境中。我没有看到将那里的“配天”的主语移置到当前这一语境中的可能性。与“形与名”的平行，使得此句一定是指涉具体事物的。关键词“大”和“美”在这一章后面的文段中被以一种平行的构造来使用：“本在无为，母在无名；弃本而适其末，舍母而用其子。功虽大焉，必有不济；名虽美焉，伪亦必生”。这将“功”与有关“形”的串系关联起来。这一模式在此注后面的文段这两个词的再次出现中得了确证。

② 这两个句子颇为淆乱。它们从“母”和“形”两个串系中承续了语汇。然而，正如王弼在这一章的前面论辩的那样，“母”不仅是仁义的基础，而且是礼敬的根基，因此，此处这个句子一定是链体风格中常会出现的以分代整结构(pars pro toto)。第二个句子似乎从左边的串系承续了“形”字，但在那里，恰当的词不是“匠”而是“道”。因此我假定这两个部分讨论的是某个一般性的洞见，即特殊的形和名的“所以”不能混淆于这些形，因为正是“所以”的非特殊性，才使得它成为不同现象的基础。王弼关于罪恶起源的理论，参见《老子微旨略例》第六章，以及本书第三编第三章。

让其特殊化的东西；

对形而言，会有限制它的东西。即使穷尽其大，也有东西不能包纳；

名虽然美到极端，必会有忧患之处。

[总之]只要功业依赖于有为，[对于本文中提到的大人/圣人]哪里值得居处呢？

[**结构**]

《老子》第38章包含四个依照不同的风格范式的部分。第Ⅰ部分是在"上德"与"下德"的相互对立中以显见的链体风格写成的。它的形式是：

Ⅰ	a	b	(38.1,38.2)
	a	b	(38.2,38.2)

第Ⅱ和第Ⅲ部分是由每部分包括三个片断的平行阶梯构成的。每一部分的对应片断显然是关联在一起的。这两个系列的关键语汇构成了逐次下降的"下德"的子目。然而，第Ⅲ部分具有四个这样的片断，因为它开始于"失道"，这本身不是"下德"的一个部分，而是"上德"的部分。因此这两个部分只能被读作"下德"的细目；第Ⅳ部分的第一句除外，因为它描述的是从"上德"到"下德"的过渡。

Ⅱ (a) (b)

2

3

4

Ⅲ　　1

　　　　2

　　　　　　3

　　　　　　　　4

第Ⅳ部分回复到第Ⅰ部分的二元结构，然而讨论的是“下德”的政治策略，即礼和前识。它从下德的角度界定了政治策略的领域。它是由显见的链体结构写成的。由于它不是以与第Ⅰ部分同样的要素为基础的，所以我将使用 x、y 和 z 来标示它。它具有这样的形式：

x　　　　y

　　z　　　（那就是为什么大人……）

x　　　　y

　　z

王弼的注释基本上依循了本文的链体安排。《老子》第 38 章是链体风格所能达到的极为复杂的三维结构性和论辩性安排的范例。

这一章被读作政治堕落的历史和逻辑过程而非结构。阶梯结构的运用很适合这一目的。与此同时，分段的方式使它一方面可以标举上德与下德之间的品质上的不同，另一方面可以标举出德与乱之间的不同，如第Ⅳ部分那样。政治秩序通过三个阶段从道经过第Ⅱ和第Ⅲ部分的各种价值取向的政治策略，直到由缺乏任何价值的社会礼仪和狡诈的统治手段达到的强力的维持。

《老子注》第 39 章

［本文］

39.1　昔之得[①]一者，（底本：傅奕古本）

---

① 马王堆乙本作“昔得”。

昔,始也。一[1],數之始而[2]物之極也。各是一物,所以[3]爲主也。物各得此一以成,既成而舍一以居成,居成則失其母,故皆裂發歇竭蹶[4]也。(底本:《集注》本)

39.2　天得一以清,地得一以寧,神得一以靈,谷[5]得一以[6]盈,[7]王侯[8]得一以爲天下貞[9],其致之一也。[10](底本:傅奕古本)

各以其一致此清寧靈盈貞[11]。(底本:《集注》本)

39.3　天[12]無以[13]清將恐裂[14],(底本:傅奕古本)

用一以致清耳,非用清以清也。守一則清不失,用清則恐裂也。故爲功之母,不可舍也。是以皆無用其功,恐喪其本也。(底本:《集注》本)

---

① 《世说新语·言语篇》刘孝标注 AA20a 作“一者”。对“者”的否证:《文选·游天台山赋李善注》“一數之始”。

② 《世说新语·言语篇》刘孝标注无“而”字。

③ 取“物所以”而非“物之生所以”:《世说新语·言语篇》刘孝标注,慧达《肇论疏》8341.16。

④ 取“蹶”而非“磩”:陆德明《释文》、《老子》39.4 注。

⑤ 马王堆甲乙本作“浴”。

⑥ 马王堆乙本无“以”字。

⑦ 删去“萬物得一以生”:马王堆甲乙本、严遵、岛邦男。参见本书页 565 注①。

“萬物得一以生”不符合王弼的论辩,因为它讨论的只是“諸大”能够应对“衆”的整体。王弼《老子》本没有此句。马王堆甲乙本亦无,这表明有某个文本传统无此句。它也不载于严遵的《指归》。王弼注的编撰中尚存此句缺失的痕迹。《老子》第 39 章的《集注》本只罗列了五个动词,都指涉诸“大”。而没有后来版本(如张之象本)中指涉“萬物”的动词,如“灭”。《老子》39.2 的《集注》本载有一个指涉万物的动词“生”,但它出现在结尾,而没有出现在这一次序中与“萬物”相应的位置。我因此删去了这一句。

⑧ 马王堆甲乙本作“侯王”。对“王侯”的支持:韩康伯《周易系辞注》中此句的引文,参见楼宇烈《王弼集校释》Ⅱ.557。

⑨ 马王堆甲乙本作“正”。对“貞”的支持:王弼注。马王堆甲本“以爲天下貞”作“而以爲正”。

⑩ 马王堆乙本“其致之一也”作“其至也”。马王堆甲本作“其致之也”。对“一”的支持:王弼注“各以其一致此”。

⑪ 取“盈貞”而非“貞盈生”:Wagner。由“貞盈”转为“盈貞”:张之象本。《世说新语·言语篇》刘孝标注“清寧靈盈貞”作“清寧貞”。

⑫ 马王堆甲乙本作“胃天”。

⑬ 马王堆甲乙本作“毋已”。

⑭ 马王堆乙本作“蓮”。

39.4　地①無以②寧將恐發，神③無以④靈將恐歇，谷⑤無以⑥盈將恐竭，⑦王侯⑧無以⑨爲貞而貴高⑩將恐蹶⑪。故⑫貴以賤爲本，高⑬以下爲基，是以⑭王侯⑮自謂⑯孤寡不穀⑰，是⑱其以賤爲本也，非歟？⑲ 故致⑳數譽㉑無譽㉒，不欲㉓琭琭㉔若玉，珞珞㉕若石。（底本：傅奕古本）

清不能爲清，盈不能爲盈，皆有其母以存其形，故清不足貴，盈不足多，貴在其母，而母無貴形。貴乃以賤爲本，高乃以下爲基，故致數譽，乃無譽也。玉石琭琭珞珞㉖，體盡於形，故不欲也。（底本：《集注》本）

［**译文**］

39.1　存在者之所得中［最］古的是一。

① 马王堆甲本作“胃地”。
② 马王堆甲乙本作“毋已”。
③ 马王堆甲本作“胃神”。
④ 马王堆甲乙本作“毋已”。
⑤ 马王堆甲本作“浴”。
⑥ 马王堆甲乙本作“毋已”。
⑦ 马王堆甲乙本和岛邦男无“萬物以生將恐滅”，参见本书页 565 注①。马王堆甲乙本“竭”作“渴”。
⑧ 马王堆甲本“王侯”作“胃侯王”。马王堆乙本作“侯王”。
⑨ 马王堆甲乙本作“毋已”。
⑩ 马王堆甲乙本“爲貞而貴高”作“貴以高”。
⑪ 取“蹶”而非“蹷”：陆德明《释文》。
⑫ 马王堆甲本“貴”作“必貴而”。马王堆乙本作“必貴”。
⑬ 马王堆甲乙本“高”作“必高矣而”。
⑭ 马王堆甲乙本“是以”作“夫是以”。
⑮ 马王堆甲乙本“王侯”作“侯王”。
⑯ 马王堆甲乙本作“胃”。范应元本作“稱”。
⑰ 马王堆甲乙本作“槖”。
⑱ 马王堆甲乙本“是其以賤”作“此其賤”。
⑲ 马王堆乙本“賤爲本也非歟”作“賤之本與非也”。
⑳ 马王堆乙本作“至”。
㉑ 马王堆甲本作“與”。马王堆乙本作“輿”。对“譽”的支持：陆德明《释文》、王弼注。
㉒ 马王堆甲本作“與”。马王堆乙本作“輿”。
㉓ 马王堆甲乙本“不欲”作“是故不欲”。
㉔ 陆德明《释文》、范应元本作“琭琭”。马王堆乙本作“禄禄”。
㉕ 取“珞珞”而非“落落”：陆德明《释文》。马王堆甲乙本作“硌硌”。
㉖ 陆德明《释文》、张之象本作“珞珞”。

“昔”即是“始”的意思。一是数的开端，物的极致。在[下面提到的天、地、神等]每一个案中，这些[大]的存在者都是由一掌控的。这些存在者中的每一个都是通过获得一而成就的，[1]但[如果]一经成就，就舍弃一而居于其成就的形式中，其结果是失其母，这就是[文本说]裂、发、歇、竭、蹶的原因。

39.2 天得到了一，它就会由之而清。

地得到了一，它就会由之而宁。

神得到了一，它就会由之而灵。

谷得到了一，它就会由之而盈。

王侯得到了一，它们就会由之而成为天下的标准。

正是一带来了这些结果。

各自都由此一而得

清

宁

灵

盈

贞。

39.3 如果天不能由一而清，就有撕裂的危险。

天用一来成就清，不是用清来成就清。只要它持守住一，清就不会失去。如果[为了得到清]而用[其内在之]清，就有撕裂的危险。这就是成就这些功业之母不能被舍弃的原因。这就是所有不

---

[1] 关于“一”控制“众”的作用，参见本书第三编第二章。这一段已经得到了相当多的讨论。在刘孝标《世说新语注》和惠达《肇论疏》413.b中此句引作“各是一，物所以为主”。然而，楼宇烈等人错误地依照此句改变了文本。他们假定开头的“物”字指的是“万物”，而我认为他指的实际上是此章下面提到的“物”，诸如天地之类。然而，这些都是“一”对“众”的情况，因此“成”必须被译作一个及物动词。

用[母]之功[而是用其自身的品质]的存在者,处于丧失其根本的危险中的原因。

39.4　如果地不能由一而宁,就有动摇的危险。

　　如果神不能由一而灵,就有停息的危险。

　　　　如果谷不能由一而盈,就有穷竭的危险。

　　　　　　如果王侯不能由一而成为标准,而因此尊贵崇高,就有颠覆的危险。①

因此贵以[表现为]贱为根本,高以[表现为]下为基础。② 因此王侯称自己为"孤"、"寡"和"不彀",难道不正是以[表现为]贱为根本吗?因此引生众多声誉的东西本身是无声誉的,③[王侯]并不希望被磨光得像玉、被切割得如石。

清不能带来清,盈也不能带来盈。上述种种都有其母来保持它们[特定的]外形。因此,清并不值得尊贵,盈并不值得视为丰裕。值得尊贵的是母,而母没有尊贵的外形。因此,贵的确以贱为根本,高的确以下为基础。因此[文本]说"致数誉无誉"。磨光的玉和切割的石头,其本质完全实现于[其]形体之上,这就是[文本]说[侯王]"不欲"的原因。

[**结构**]

这一章是以显见的链体风格写成的。在其核心有两个明确的平行阶梯,由两个一般性论述架构而成。事实上,这些都指向阶梯系列的要素之一,即侯王。很清楚,这一章的目的在于使第1句中的原则可以为侯王所用。其结构为:

---

① 这一序列具有押韵的骈联模式。"清"、"宁"、"灵"、"盈"、"贞"与"裂"、"发"、"歇"、"竭"、"蹶"一样,都是同韵的字。

② 关于王弼的侯王必然的公共表现的理论,参见本书第三编第三章。这两个句子在《老子》40.1的王弼注中是以相反的次序征引的。

③ 参见《庄子》:"至誉无誉"。

c (39.1)

1 (39.2)

2 (39.2)

3 (39.2)

4 (39.2)

5 (39.2)

c (39.2)

1 (39.3)

2 (39.4)

3 (39.4)

4 (39.4)

5 (39.4)

c (39.4)

c (39.4)

《老子注》第40章

［**本文**］

40.1 反者道之動，[①]（底本：王弼注）

高以下爲基，貴以賤爲本，有以無爲用。此其反也。動皆之[②]其所無，則物通矣。故曰：反者道之動也。（底本：《集注》本）

40.2 弱者道之用。[③]（底本：傅奕古本）

柔弱同通，不可窮極。（底本：《集注》本）

40.3 天下之物生於有，有生於無。（底本：傅奕古本）

天下之物，皆以有爲生。有之所始，以無爲本，將欲全有，必反於無

① 郭店甲本、马王堆甲乙本"反者道之動"作"反也者道之動也"。

② 张之象本作"知"。

③ 郭店甲本、马王堆甲乙本"弱者道之用"作"弱也者道之用也"。

也。(底本:《集注》本)

[译文]

40.1 以否定性对立面的方式行动的人[即圣人]是[依照]道来运动的人。[①]

[正如《老子》39.4 所说],“贵以贱为本,高以下为基”,[总之]存在者将无当做[使它们]有用的东西,[②]这就意味着以其“否定性对立面”的方式行动。[圣王]只要运动,都朝向[③][他实际身份的]无,事物将[都]由[道]来通贯。因此[文本]说“反者道之动”!

40.2　弱的人[圣人]是运用道的人。

柔弱以同的方式通贯[其他事物],不会使[人]被穷竭。[④]

40.3　天下的存在者在[存在者的]领域有[其]生命,而存在者是在无中有[其]生命的。

天下的存在者[都]以[它们在]存在者[的领域的存在]为生命,[但]存在者的开始,却以无为根本。[⑤] 要保全存在者的完整,必须[如圣人所做的那样]回返于无。

《老子注》第 41 章

[本文]

41.1　上士聞道,勤能[⑥]行之。(底本:范应元本)

① 此句被引用于《老子》28.5 注中。那里的主语是圣人。此处对“反”的复杂翻译是以《老子》28.5 注及此处的语境为根据的。其核心观念是拥有高位和无尽财富的统治者必须公开运作否定性对立来稳定社会,并保全其生命和地位。相关的分析,参见本书第三编第三章。

② 关于“有以无为用”这一表达,参见《老子》11.2 王弼注。在那里,它被翻译为“皆赖无以为用”。

③ “动皆之……”这一奇怪的表达取自《老子》50.2,在那里,那些求生之厚的举动都朝向死地。

④ 参见《老子》43.2 王弼注:“虚无柔弱,无所不通”。

⑤ 这一表达成为王弼本体论的一个常见表达。参见《老子》1.2 王弼注:“凡有皆始于无”。

⑥ 取“勤能”而非“勤而”:《老子》33.4 王弼注“勤能行之其志必獲故曰强行者有志矣”。对“勤能”的支持:郭店乙本、马王堆乙本“堇能”。出自《想尔》文本族的三个抄本(《郭煌李荣本》、《天宝神沙本》和《次解本》)也写作“勤能”。郭店乙本、马王堆乙本作“堇能”。傅奕古本作“而勤”。

有志也。(底本:《集注》本)

41.2　中士聞道,若存[1]若亡。下士聞道而[2]大笑[3],不[4]笑不足以爲道[5]。故[6]建言有之曰[7]:(底本:傅奕古本)

建猶[8]立也。(底本:张之象本)

41.3　明道若昧[9],(底本:《老子》58.10 王弼注)

光而不耀。(底本:《集注》本)

41.4　夷道若[10]纇[11],(底本:傅奕古本)

纇,坳也[12]。大夷之道,因物之性,不執平[13]以割物,其平不見,乃更反若纇坳[14]也。(底本:《集注》本)

41.5　進道若[15]退。[16](底本:傅奕古本)

後其身而身先,外其身而身存。(底本:《集注》本)

41.6　上德若谷[17],(底本:傅奕古本)

不德其德,無所懷也。(底本:《集注》本)

---

① 郭店乙本"若存"作"昏"。

② 郭店乙本、马王堆乙本无"而"字。

③ 郭店乙本、马王堆乙本作"笑之"。因严遵本作"笑之",岛邦男认为王弼《老子》本亦作"笑之"。

④ 郭店乙本、马王堆乙本作"弗"。

⑤ 郭店乙本作"道矣"。

⑥ 郭店乙本、马王堆乙本作"是以"。

⑦ 郭店乙本无"曰"。

⑧《集注》本作"由"。

⑨ 郭店本"若昧"作"女孛"。马王堆乙本作"如費"。

⑩ 马王堆甲本作"如"。

⑪ 取"纇"而非"類":陆德明《释文》。

⑫ 陆德明《释文》作"内"。

⑬ 张之象本作"平"。

⑭ 陆德明《释文》作"内"。

⑮ 马王堆乙本作"如"。

⑯ 范应元本和马王堆乙本颠倒了41.4和41.5顺序。对"夷道……進道"这一次序的支持:郭店乙本、《汉书·张衡传》里引文。

⑰ 郭店乙本、马王堆乙本"若谷"作"如浴"。

41.7　大白若[1]黵[2]，(底本:傅奕古本)

知其白，守其黑，大白然後乃得。(底本:《集注》本)

41.8　廣德若[3]不足，(底本:傅奕古本)

廣德不盈，廓[4]然無形，不可滿也。(底本:《集注》本)

41.9　建德若[5]偷[6]，(底本:傅奕古本)

偷，匹也。建德者，因物自然，不立不施，故若偷匹。(底本:《集注》本)

41.10　質真若渝[7]。(底本:范应元本)

質真者，不矜其真，故渝。(底本:《集注》本)

41.11　大方無隅[8]，(底本:《老子》58.7王弼注)

方而不割，故無隅也。(底本:《集注》本)

41.12　大器晚[9]成，(底本:傅奕古本)

大器成天下，不持全别，故必晚成也。(底本:《集注》本)

41.13　大音希[10]聲，(底本:范应元本)

聽之不聞名曰希，不可得聞之音也。有聲則有分，有分則不宫而商矣。分則不能統衆，故有聲者，非大音也。(底本:《集注》本)

41.14　大[11]象無形[12]，(底本:傅奕古本)

---

① 郭店乙本、马王堆乙本作“如”。

② 郭店乙本、马王堆乙本作“辱”。对“黵”的支持：王弼注。

③ 郭店乙本、马王堆乙本作“如”。

④ 取“廓”而非“霩”：张之象本。

⑤ 郭店乙本、马王堆乙本作“如”。

⑥ 取“偷”而非“媮”：王弼注“偷匹也”。

⑦ 傅奕古本“渝”作“輸”，郭店乙本作“愉”。

⑧ 郭店乙本、马王堆乙本作“禺”。

⑨ 郭店乙本作“曼成”。马王堆乙本作“免”。

⑩ 傅奕古本作“稀”。对“希”的支持：王弼注，《老子旨略》“爲音也則希聲”。郭店乙本作“祇聖”。

⑪ 郭店乙本、马王堆乙本作“天”。

⑫ 马王堆乙本作“刑”。

有形則亦[1]有分，有分者，不溫則涼[2]，不炎則寒，[3]故象而[4]形者，非大象。（底本：《集注》本）

41.15 道隱[5]無名。夫唯[6]道，善貸[7]且善成[8]。（底本：范应元本）

凡此諸大[9]，皆是道之所成也。在象則爲大象，而大象無形；在音則爲大音，而大音希聲。夫道，物[10]以之成而不見其形[11]，故隱而無名也。貸之非唯供[12]其乏而已。一貸之則足以永終其德，故曰善貸也。成之不加[13]機匠之裁，無物而不濟其形，故曰善成。（底本：《集注》本）

［译文］

41.1 上士闻听到道，他会竭尽全力来施行它。[14]

即，“有［行道］的［意］志”［如《老子》33.3 关于“强行者”所说］。

41.2 中士闻听到道，［他不确信］到底它存在与否。而下士闻听到道，他极力嘲笑它。如果他不嘲笑，它就没资格被当做道。因此［我］立言说：

“建”就仿如“立”。

---

① 取“则亦”而非“则”：《文选·颜延之应昭宴曲水作诗》李善注 20.30a6。

② 取“涼”而非“炎”：《文选·颜延之应昭宴曲水作诗》李善注。

③《文选·颜延之应昭宴曲水作诗》李善注无“不炎則寒”。

④《文选·颜延之应昭宴曲水作诗》李善注作“者”。

⑤ 马王堆乙本作“褒”。

⑥ 取“唯”而非“惟”：王弼的引文、马王堆乙本。

⑦ 马王堆乙本作“始”。

⑧ 傅奕古本作“成”。对“善成”的支持：王弼注“故曰善成”、马王堆乙本。

⑨ 取“大”而非“善”：东条一堂。证据：王弼注的上下文为“在象則爲大象而大象無形在音則爲大音而大音希聲”。

⑩ 取“夫道物”而非“物”：《文选·颜延之应昭宴曲水作诗》李善注 20.30a7。

⑪ 张之象本“其形”作“其成形”。对“成”的否证：《文选·颜延之应昭宴曲水作诗》李善注的王弼注引文为“不見形”。《文选·颜延之应昭宴曲水作诗》李善注“其形”作“形”。

⑫ 陆德明《释文》作“恭”。

⑬ 张之象本作“如”。

⑭ 王弼注《老子》33.4“强行者有志也”曰：“勤能行之，其志必获，故曰强行者有志矣”，其中有《老子》41.1 的引文“上士闻道，勤能行之”；而《老子》41.1 一句的注释则带有出自《老子》33.4的引文“有志也”。这一表达承续了《论语》7.6 中的“志于道”。

41.3　[圣人]的启明之道仿如黯昧。

[根据《老子》58.10,圣人]“光而不耀”。

41.4　[圣人]的坦平之道仿如坑洼。

“纇”即“坳”。[圣人]之道带来的极度公平,是要因顺事物之性[①],而非通过“割”物固执均平[的理想][《老子》28.7说“大制无割”]。由于他建立均平的[行动]不可见,反而像“不公平”的样子。

41.5　[圣人]的前进之道仿如后退。

[依照《老子》7.2,圣人]“后其身而身先,外其身而身存”。

41.6　[圣人]的至德仿如山谷。

他不将自己的德当做[任何特殊的]德,并没有任何个人的私欲。[②]

41.7　[圣人在天下的功业]的大白仿如昏昧。

“知其白,守其黑”[如《老子》28.2所说],然而才能达至“大白”。[③]

41.8　[圣人]的广阔德行仿如不足。

[他]的德行之广不会填满。它空廓无形,[④][因此]是不可能填

① “大夷之道”这个词似乎没有在其他地方出现过。然而,“夷”与“平”的等同使得它成为某个更熟悉的表达:“大平之道”或“太平之道”。对《老子》这一段的解释承续了出自《老子》27.4的论辩,其中列举了圣人所依循的箴言。在那里,逐字出现了“因物之性”这一表达。

② 这里王弼没有在《老子》中找到适合他目的的引文,因此他使用了一个他在《老子》第38章注中创造的表述。在注释“上德不德,是以有德”时,他说:“是以上德之人,唯道是用,不德其德,无执无用,故能有德而无不为,不求而得,不为而成,故虽有德而无德名也”。圣人为谷的结构在《老子》28.1注中得到了讨论,尽管那里用的词不是“谷”而是“谿”。

③ 在《老子》28.2中,结论性的表述是“为天下式”。

④ “廓然无形”出现于《老子》20.4注中,在那里,圣人自述曰:“我廓兮其未兆,如婴儿未咳”,对此王弼注曰:“言我廓然无形之可名,无兆之可举,如婴儿未能咳也”。

满的。

41.9 [圣人]建立[事物]的德行仿如寻常。

“偷”即“匹”的意思。[1]“建德”之人,因顺事物的自然,无所建立,无所造施,[2]因此就仿若寻常一般。

41.10 [圣人]的素朴真质仿如肮脏。[3]

素朴真质的人,不夸耀他的真质。[4]这就是[文本说]“渝”的原因。

41.11 大方没有边角。[5]

[正如《老子》58.7 所说:“圣人]方而不割”。这就是[文本说]“无隅”的原因。

41.12 大器在恰当的时候完成。

在成就天下的过程中,大器并不完全经历所有的特殊性。[6]这就是[如文本所说],必然“晚成”的原因。

41.13 大音没有声调。

---

① 王弼将“偷”界定为“匹”,令很多学者颇为困扰,包括宇佐美灊水、马叙伦、波多野太郎和楼宇烈。然而,文本的传承是稳定的,甚至这一文本族之外的文本也是如此。事实上,在一个文本片断中这两个词是重叠的。在《论语》8.2 中,孔子曰:“故旧不遗,则民不偷”。何晏《论语集解》将其解释为“偷薄”,其意义与“匹”有相通之处。

② 这一句又承续了《老子》27.4 的用词和论辩:“善闭者无关键而不可开,善结者无绳约而不可解”。注释曰:“因物自然,不设不施”。

③ 王弼使用以“真”字为宾语的“渝”,其意义总是“污染,弄脏”的意思。参见《老子》4.1, 50.2, 55.3 注;另见《老子》70.5 注。

④ 通过“矜”这个词,王弼指涉了《老子》22.7, 24.2 和 30.5 等处关于圣人“不矜”的论述。

⑤ 语法上的变化决定了此处翻译策略的变化。后四句讨论的都是“大”的现象。尽管对这一系列句的第一句的注释仍直接将其关联于圣人,余下的句子却并非如此。形式上的平行必须优先于看似连续的圣人主题。“方”被当做及物动词,是由与《老子》58.7, 8 和 9 等句的平行决定的,在那里,“方”的同类词都只能译为及物动词。

⑥ 陶鸿庆将此处的“全别”改作“分别”,这一改法无论是参照王弼的语言还是思想,都是可行的。

[如《老子》14.1所说]“听之不闻名曰希”。它是不可听闻的声音。如果有声调，就有特殊性，有了特殊性，它将不是商就是宫。[1] 有特殊性就不能统包所有众多的[声调]。因此，有音调的，就非大声。[2]

41.14　大象没有形状。

有形状，就有了特殊性。有特殊性的东西就会不温则凉、不炎则寒。因此有了形状的象，就不是大象。[3]

41.15　[总之，所有这些“建言”说的都是]道隐藏而且无名。[然而]，事实上，只有道善于给予、善于成就。

总地说来，这些大都是道所构成的。在象中，[道]是大象，但“大象无形”；在声音中，[道]是大音，但“大音希声”。至于道，事物由[道]完成，但它们看不到它的形状；这就是[文本说]“隐而无名”的原因。

[道]给予它们，不只是补充其不足而已，而是它的一次供给就足让它们的德能充分实现。这就是[文本]说“善贷”的原因。[道]成就事物，不是提供机匠的[特殊]的裁剪，但没有一个东西不因它而成形。这就是[文本]说“善成”的原因。

[结构]

《老子》第41章包括三个部分：从开始到41.2的“建言”为第一部分，此下一直到41.14的一系列建言为第二部分，41.15的总结是第三部分。问题在于第二部分的那些建言。一共12句。后四句形成了形式上

---

① 同样的论辩也出现在《老子微旨略例》1.18。

② 句13和14在《后汉书》所载的郎顗的一份奏折中被作为《老子》的话来引用，不过次序是颠倒的。他用《论语》13.10来解释它，在《论语》的那句话中，孔子声称如果他得到任用，会做到三年有成。值得注意的是，这样的引文是以相当琐碎的方式引用的——出现在2世纪奏章的修辞中作为一般性的箴言与孔子的话关联起来获得解释，而不是关注它们原本出现于其中的语境。

③ 参见《老子》35.1：“执大象者，天下往”。王弼注曰：“大象，天象之母也。不炎不寒，不温不凉。故能包通万物，无所犯伤。主若执之，则天下往也”。

独立的一组。余下的八句都有“若”字。可以预想这八句构成了具有平行的阶梯关系的两组，而这两组又被以相同的次序承续到最后讨论诸“大”的四句中。关于前两组的平行关系的证据相当完善，在我看来是无可辩驳的。41.3 中的“明”在注释中被与政府的探究行为关联起来，这种行为常常受到王弼的抨击。对应的 41.7 中的“白”指的是同一现象。第二对，即 41.4 和 41.8 通过注释松散地关联起来；41.4 指涉的是一个说圣人“无私”的段落，而 41.8 中的“盈”可能是指《老子》45.2 中的“大盈”，根据王弼，这意味着“随物而与，无所爱矜”。然而，这一关联并不十分牢固。41.5 和 41.9 之间的关联同样是松散的，以内容和位置为依据。最后一对，即 41.6 和 41.10 又是通过前一句注释中的“不德其德”与后一句注释中“不矜其真”关联起来的。这两个系列之间的关系还有一个问题，即它们看上去或多或少是彼此重复的。与其他各章相比较，王弼没有给出这两组之间的结构性关联的线索。而对这两组与第三组之间的关系，更是压根儿未曾谈及。本文中找不到关联的证据，注释也没什么帮助。然而，从结构上看，所有的指标都表明其间应该有这样的关联。我已经指出了困惑所在，希望其他学者能够给出解答。就我能够确定的，此章的结构如下：

<table>
<tr><td>x</td><td></td><td></td><td></td><td>(41.1)</td></tr>
<tr><td></td><td></td><td>y</td><td></td><td>(41.2)</td></tr>
<tr><td></td><td></td><td></td><td>z</td><td>(41.2)</td></tr>
<tr><td></td><td></td><td>c</td><td></td><td>(41.2)</td></tr>
<tr><td>1</td><td></td><td></td><td></td><td>(41.3)</td></tr>
<tr><td></td><td>2</td><td></td><td></td><td>(41.4)</td></tr>
<tr><td></td><td></td><td>3</td><td></td><td>(41.5)</td></tr>
<tr><td></td><td></td><td></td><td>4</td><td>(41.6)</td></tr>
<tr><td>1</td><td></td><td></td><td></td><td>(41.7)</td></tr>
<tr><td></td><td>2</td><td></td><td></td><td>(41.8)</td></tr>
</table>

3		(41.9)
	4	(41.10)
1		(41.11)
2		(41.12)
3		(41.13)
4		(41.14)
c		(41.15)

《老子注》第 42 章

［**本文**］

42.1　道生一,[1]一生二,二生三,三生萬物。萬物負陰而褏陽,沖[2]氣以爲和。人[3]之所惡,唯[4]孤寡不穀[5],而王侯[6]以自稱[7]也。故物[8]或損[9]之而益,或[10]益之而損[11]。(底本:傅奕古本)

萬物萬形,其歸一也。何由致一,由於無也。由[12]無乃一,一可謂無?

---

① 《文选·游天台山赋》李善注(2.25 下)引用了如下王弼注:“王弼曰一數之始而物之極也謂之爲妙有者也欲言有不見其形則非有故謂之妙欲言無物有之以生則非無故謂之有也斯乃無中之有謂文妙有也”。第一句是《老子》39.1 王弼注的逐字引文,而“妙有”一词不见于王弼其他著述,可能是佛教语汇;这一文本的其他部分也不太可能是王弼的注释。

② 马王堆甲本作“中”。范应元本作“盅”。

③ 马王堆甲本“人”作“天下”。

④ 取“唯”而非“惟”:王弼引文。

⑤ 马王堆甲乙本作“橐”。

⑥ 马王堆甲乙本“王侯”作“王公”。

这里,《老子微旨略例》和王弼《老子》注之间有一个潜在的细微冲突。在《老子微旨略例》中,王弼以“明侯王孤寡之義,而從道一以宣其始”来指涉此段。在这一段中,通过文本族和注释“得一者王侯主焉”暗示了“侯王”与“王侯”的相对。

⑦ 马王堆甲本作“名”。范应元本作“謂”。

⑧ 马王堆甲本作“勿”。

⑨ 马王堆甲本作“敗”。马王堆乙本作“云”。

⑩ 马王堆甲本无“或”字。从缺损部分的长度看,马王堆乙本可能也没有这个字。

⑪ 马王堆甲本作“敗”。马王堆乙本的次序为“或益之而損或損之而益”。马王堆乙本“損”作“云”。

⑫ 《集注》本作“因”。

已謂之一,豈得無言乎?有言有一,非二如何。有一有二,遂[①]生乎三。從無之有,數盡乎斯,過此以往,非道之流。故萬物之生,吾知其主。雖有萬[②]形,沖氣一焉。百姓有心,異國殊風,而王侯得一者主焉。[③] 以一爲主,一何可舍?愈多愈遠,[④]損則近之,損之至盡,乃得其極。既謂之一,猶乃至三,況本不一,而道可近乎?損之而益,豈虛言也。(底本:张之象本)

42.2　人之所教,亦我教人[⑤]。(底本:严遵《指归》本)[⑥]

我之教人[⑦],非強使人從之也,而用夫自然。舉其至理,順之必吉,違之必凶,故人相教,違之必自取其凶也,亦如我之教人勿違之也。(底本:《集注》本)

42.3　強梁[⑧]者不得其死,吾將以爲教父[⑨]。(底本:傅奕古本)

強梁則必不得其死,人相教爲強梁,則必如我之教人不當爲強梁也。舉其強梁不得其死以教耶,若云[⑩]順吾教之必吉也。故得其違教之徒,適可以爲教父也。(底本:张之象本)

---

① 《集注》本作"子"。

② 《集注》本作"主"。

③ 取"而王侯得一者主焉"而非"而得一者王侯主焉":陶鸿庆。证据:王弼《老子》10.6 注"所謂道常無爲侯王若能守則萬物自化"。这里的"若能"支持我们的读法。

④ 《集注》本"一何可舍愈多愈遠"作"一何可今先多愈遠"。

⑤ 取"教人"而非"教之":马王堆甲本、傅奕古本、范应元本。马王堆甲本"人之所教亦我教人"作"故人□□□夕議而教人"。傅奕古本、范应元本"人之所教亦我教人"作"人之所以教我亦我之所以教人"。

⑥ 这是罕有的几处王弼的文本族中没有文本与王弼注相应的个案之一。因此,我援引了严遵本,因为王弼在许多方面可以回溯至严的传统。傅奕古本、范应元本在"人之所教"后面加上"我"的可能,为注释中"人相教"排除。而插入"以"使之变成"人之所以教"的选择又被注释中"我之教人"直接否定。底本中"亦我教之"的可能则被"亦我教人"排除。而"教人"的选择则有马王堆甲本、傅奕古本和范应元本的支持。

⑦ 取"我之教人"而非"我之":陶鸿庆。

⑧ 马王堆甲本"強梁"作"故強良"。

⑨ 取"教父"而非"學父":王弼注"可以爲教父也"。

⑩ 《集注》本"以教耶若雲"作"以教即吉云"。

［译文］

42.1　道产生一。① 一产生二。二产生三。三产生万物。万物［或］负载阴［或］抱持阳，但它们将虚空之气作为它们谐和的［因素］。人们憎厌的是孤、寡和不毂，而侯王用这些［语汇］来自称。这就是事物或者因减少而增加，或者因增加而减损的原因。

万物万形，它们所要回归的是一。以何者为根基才能导致一呢？以无为基础。在无的基础上才有一，可以称一为无吗？已经称之为一了，②怎么可能还无言呢？已经有言和一，怎么可能无二呢？一旦有了一和二，三也就自然产生了。从无而出的数字，到此［即三］而止。超过这个点以外的，就不再属于道的范围了。③ 这就是关于万物的产生，个人④能够知道它们的主宰。尽管有各种不同的形状，它们的"冲气"却是一。百姓有其［不同的］志欲，⑤不同的国家有不同的风俗，而那些得到一的王侯成为［它们］的宗主。⑥ 由于他们以一为［事物的］宗主，怎么能舍弃一呢？他们拥有的越多，越是远离［于一］；⑦越是减损自己，则越是接近它。如果减损到了穷尽，它们也将得到自己的终极。从一说起，还到了三，如果本不是一的，怎

---

① 李善《文选注》引用了《老子》39.1王弼注的第一句，随后是一段关于佛家语汇"妙有"的论述；这段论述受到王弼的极大影响，但并非出自王弼之手。详见本书第三编第一章。

② 楼宇烈将此句断为："由无乃一，一可谓无？已谓之一，岂得无言乎？"我觉得这样的断句是正确的。岛邦男在"已"和"谓"之间加了一个句号。

③ 这一论辩是从《庄子》中承续而来的："天地与我并生，而万物与我为一。既已为一矣，且得有言乎？既已谓之一矣，且得无言乎？一与言为二，二与一为三。自此以往，巧历不能得，而况其凡乎？故自无适有以至于三，而况自有适有乎！"王弼可能接触过那个时代唯一的《庄子》抄本；参见本书第一编第一章。此处的基本论断是至三为止是"道之流"的领域，由此而下才是万物疆域的开始。

④ 此处用于"个人"的汉字是"吾"。关于这个词的使用，参见本书第一编第四章。

⑤ "有心"一词以"有其心"的形式出现于《老子》38.2注。那里的语境表明"有"不能读作"具有"，而是要在某种较强的意义上读作"持守"。

⑥ 现存各抄本均作"而得一者王侯主焉"。此句与《老子》39.2有关："王侯得一以为天下贞"。在《老子》39.4中，着重点在于何以王侯借以自指的那些词暗示了他们与一的关联。

⑦ 这一论述从《老子》22.5和此处的王弼注中了承续了一个论断。

么可能近于道呢？[《老子》说]“损之而益”，这难道是虚言吗？

42.2 其他人教导的东西，我也教给其他人。

我教导其他人，不是要强迫让他们服从，而是任用[他们的]自然。[我]标举最高的秩序原则[教导他们]，顺从它，他们将得到幸运，违逆它，他们将得到灾祸。因此他人相互教导，违背它所引生的自取的不幸，就像我教导他们不要违背它一样。①

42.3 强梁之人不会得[自然的]的死亡。我打算以他们为教师。

强梁之人必然不得其[自然的]死亡。他人相互教导要做强梁，就必定如我教导别人不要做强梁之人一样。指出强梁之人不得其[自然的]终结，这就是在说顺从我的教导必然得到幸运。因此以违背我教导的人作老师，是正好恰当的做法。

《老子注》第43章

[本文]

43.1 天下之至柔，馳騁於②天下之至③堅，無有④入於無間。⑤（底本：范应元本）

氣無所不入，水無所不出。⑥（底本：《集注》本）

---

① 这一章中前面的句子与余下的两句之间的关联并不明晰，王弼也没有做出澄清。此处的“我”显然是指圣人。两个部分之间的关联一定在于前一部分最后的结论句：“故物或损之而益，或益之而损”。

② 马王堆甲本作“于”。马王堆乙本“馳騁於”作“馳騁乎”。傅奕古本“馳騁於”作“馳騁”。

③ 马王堆甲本作“致”。

④ 取“無有”而非“出於無有”：王弼《老子》43.2注“無有不可窮，至柔不可折”将“無有”与“至柔”作为一个对子。

⑤ 将“無有入於無間”收入《老子》43.1：Wagner。支持：王弼注承续了“入”字，而43.2注没有专门讨论“無有入於無間”，而是将它与“至柔”同等对待了。

⑥ 张之象本“出”作“出於經”。

43.2　吾[①]是以知無爲之有益也[②]。(底本:傅奕古本)

虛無柔弱,[③]無所不通,[④]無有不可窮,至柔不可折。[⑤] 以此推之,故知無爲之有益也。[⑥] (底本:《集注》本)

43.3　不言之教,無爲之益,天下希及[⑦]之矣[⑧]。(底本:傅奕古本)

夫孰能過此哉![⑨] (底本:《集解》本)

[**译文**]

43.1 天下最柔弱的东西驰骋于天下最坚硬的东西。

无所有者穿透无间隙者。

气无处不入。

水无处不出。

43.2

由这些我得知无为的益处。

虚无

和柔弱

没有东西不能通贯。

无所有者不可穷尽。

至柔弱的东西不可折断。

① 马王堆甲本作"五"。
② 范应元本"益也"作"益"。
③《取善集》"虛無柔弱"作"柔弱虛無"。
④《集解》本无"虛無柔弱無所不通"。
⑤《集解》本"無有不可窮至柔不可折"作"至柔不可折無有不可窮"。
⑥《集解》本"知無爲之有益也"作"知無爲之道有益於物"。
　　董思靖《集解》本将此注插入到 43.3 之后,并以我插入到 43.3 后的句子结尾。
⑦ 马王堆甲本"及"作"能及"。
⑧ 范应元本"及之矣"作"及之"。
⑨ 此句不见于《集解》本。

	[老子]以此来推测,这这就[《老子》说]"知无为之有益"的原因。
43.3	不言的教化,无为的益处,天下极少有人能达到。
	[即是说],谁能超过此呢?

[**结构**]

王弼为前两句构造了内容上的平行关系,并没有语法、字数上的平行关系相呼应。因此,这一章不是以链体结构写成的。而之所以对其做结构性转写,只是要以王弼的方式在视觉上关联相关的段落。

《老子注》第44章

[**本文**]

44.1　名與身孰親?(底本:傅奕古本)

尚名好高,其身必疏。(底本:《集注》本)

44.2　身與貨孰多?(底本:傅奕古本)

貪貨無厭,其身必少。(底本:《集注》本)

44.3　得與亡孰病?(底本:傅奕古本)

得名利[1]而亡其身,何者爲病也?(底本:《集注》本)

44.4　是故[2]甚愛必大費,多藏必厚亡。(底本:傅奕古本)

甚愛不與物通,多藏不與物散。求之者多,攻之者衆,爲物所病,故

---

① 取"名利"而非"多利":魏源。"多利"只涉及"貨"。由于此一句为总结句,故应指涉"名"和"貨"两方面。

② 郭店甲本、马王堆甲本无"是故"。

大費厚亡也。(底本:《集注》本)

44.5　知[①]足不辱,知止不殆,可以長久。(底本:傅奕古本)

[译文]

44.1 当声名与人身关联起来时,[②][二者]谁更亲呢?

[当然是名]。[③]

崇尚声名和高位,必然会忽视自身。

44.2 当货财与人身关联起来时,[二者]谁更多呢。

[当然是货]

无厌足地贪恋货财,必然会贬损自身。

44.3

获得[更多的声名货财]与失去[自身],何者会导致[自己的]不幸?[当然是其他人对名和货的嫉妒]。

[这就意味着],如果一个人获得了名利,而亡失了己身,何者更造成不幸呢?

因此

44.4 过分迷恋[声名]就会不可避免地导至极大的浪费;

太迷恋[声名]就意味

过多收藏[财货]就会不可避免地导致巨大的缺失。

太贪恋[货财]就意味

① 郭店甲本、马王堆甲本"知"作"故知"。

② "身"这个词既指"身体"也指"身份"。此处这两种含义都有。

③《老子》中所有的"孰"都被王弼读作一个修辞的提问:不一定要阐说其答案,因此这一答案被认为是自明的。因此,在三个以"孰"开头的提问之后,紧跟着一个"是故"。

着与其他人没有交流。		着没有将它们分散给他人。
	因此[,尽管如此,]	
那些在他[迷恋声名的人]后面希求的人很多		攻击他[即多藏者]的人众,
	正是其他事物给他带来了麻烦。因此[文本说]	
“大费”		“厚亡”。
44.5	[结果,正是]	
		知足者不会取辱。
知止者不会危殆。		
	[以这种方式才]可能	
优越	和	持久。

[**结构**]

《老子》第44章是以带有常见变式abba隐蔽的链体风格写成的。详尽的分析已在本书第一编中给出。范应元在其《老子道德经古本集注》中曾详细说明了这一章内部的联系。他对这一篇隐蔽的链体风格的解决是原本就是极好地建立起来的。《老子》第44章的结构中包含一个倒置的abba。其结构为:

a		b	(44.1,44.2)
	c		(44.3)
a		b	(44.4,44.4)
		b	(44.5)
a			(44.5)
a		b	(44.5,44.5)

《老子注》第 45 章

［本文］

45.1　大成若缺，其用不弊。①（底本：傅奕古本）

随物而成，不爲一象，故若缺也。②（底本：张之象本）

45.2　大盈若沖，③其用不窮④。（底本：前半句依据王弼注；后半句依据傅奕古本）

大盈充足，隨物而與，無所愛矜，故若沖也。（底本：《集注》本）

45.3　大直若⑤屈，⑥（底本：《老子》58.9 王弼注）

隨物而直，直不在一⑦，故若屈也。（底本：《集注》本）

45.4　大巧若⑧拙，（底本：傅奕古本）

大巧因自然以成器，不造爲異端，故若拙也。（底本：《集注》本）

45.5　大辩若訥。⑨（底本：傅奕古本）

大辩因物而言，已⑩無所造，故若訥也。（底本：张之象本）

---

① 郭店乙本、马王堆甲本作“幣”。

②《集注》本此处给出了不同的注释：“學行大成常如玷缺謙則受益故其材用無困弊之時”。岛邦男将其当做唐玄宗的注释。张之象本有陆德明《释文》的确证，它引用了“不爲”一句，而此句没有出现在《集注》的文本当中。

③ 傅奕古本、范应元本“大盈若沖”作“大滿若盅”。对“大盈”的支持：王弼注、马王堆甲本、马王堆乙本。马王堆甲本“沖”作“温”。马王堆乙本“若沖”作“如沖”。

④ 马王堆甲本作“窮”。

⑤ 马王堆甲本作“如”。

⑥ 取“屈”而非“詘”：王弼注、陆德明《释文》。

⑦《取善集》“在一”作“在己”。对“在一”的支持：与《老子》45.1 王弼注“隨物而成不爲一象”平行；《老子》58.9 王弼注“以直導物令去其僻而不以直激拂於物也所謂大直若屈也”引用了含有“直”的这段，指向某些统一的标准而非某些人“自己”的标准。然而，服部南郭和波多野太郎支持“在己”。

⑧ 马王堆甲本作“如”。

⑨ 马王堆甲本“大辩若訥”作“大贏如炳”。马王堆乙本这一片以七字空缺，后接一个“絀”字。这意味着乙本多出一个四字的句子。郭店乙本“大辩若訥”作“大成若詘”。

⑩《集注》本作“已”。

45.6 躁[1]勝[2]寒[3],靜[4]勝熱[5],知清靜[6]爲[7]天下正。(底本:王弼注,"知"字从傅奕古本)

躁罷[8]然後[9]勝寒,靜無爲以勝熱,以此推之,則清靜爲天下正也。靜則全物之真,躁則犯物之性,故唯[10]清靜,乃得如上諸大也。(底本:张之象本)

[**译文**]

45.1 大成的[标志]是看似散乱,对它的运用不会使它残破。

它随事物而成就,不只是某一单个的象,因此[文本说]"若缺"。

45.2 大盈的[标志]是看似空虚,对它的使用不会使它穷尽。

大盈者充足。随事物而给予,而不[格外]爱恋和尊贵任何东西。因此[文本说]"若冲"。

45.3 大直的[标志]是看似弯曲。

依随事物而校直,直不在于某个唯一的标准,因此[文本说]"若屈"。

45.4 大巧的[标志]是看似笨拙。

大巧依随[事物的]自然来造成器物,而不造为特殊的特性。因此[文本说]"若拙"。

45.5 大辩的[标志]是看似失口而说。

大辩依随事物来道说,自己无所创造,因此[文本说]"若讷"。

---

① 郭店乙本、马王堆乙本作"喿"。马王堆甲本作"趮"。
② 马王堆乙本作"胅"。
③ 郭店乙本作"蒼"。
④ 马王堆甲本作"靚"。郭店乙本作"青"。傅奕古本作"靖"。
⑤ 马王堆甲本作"炅"。
⑥ 取"知清"而非"清":傅奕古本、范应元本。对"知"的支持:王弼注"以此推之"。马王堆甲本"知清靜"作"請靚"。傅奕古本作"靖"。
⑦ 马王堆甲本"爲"作"可以爲"。傅奕古本、范应元本"爲"作"以爲"。
⑧《集注》本无"罷"。
⑨《集注》本"後"作"後能"。
⑩ 取"唯"而非"惟":《集注》本。

45.6 躁[的结果是]寒[之极]，

静[的结果是]热[之极]。

[我]知道纯粹的安静是天下的规定者。

躁结束后寒将达到极端；

静和无为是使热达到极端的手段。

由此推知，[正如文本所说]：[只有统治者的]“清静为天下正”。

静会完整保持事物的真质。

躁会侵害事物的本性。[1]

因此只有[达到]清静[2]的[人]才能真正得到上面提到的诸大。

[结构]

在对《老子》45.6 的注释中，王弼将本文中关于“静”和“动”的两个句子展开为以链体风格结构起来的注释。而在《老子》的文本本身，却并没有链体因素的出现。

《老子注》第 46 章

[本文]

46.1　天下有道，却[3]走馬以糞[4]。（底本：范应元本）

---

① 在注解《老子》60.1“以治大国，若烹小鲜”时，王弼曰：“不扰也。躁则多害，静则全真”。

② 在《老子》72.1 注中，王弼针对统治者的正确行为使用了“清静”一词。

③ 傅奕古本作“卻”。对“卻”的支持：陆德明《释文》。

④ 傅奕古本作“播”。对“糞”的支持：陆德明《释文》。

天下有道，知足知止，無求於外，各修其內而已。故却[1]走馬以治田糞也。[2]（底本：《集注》本）

46.2　天下[3]無道，戎馬生於郊。（底本：傅奕古本）

貪欲無厭，不修其內，各求於外，故戎馬生於郊也。（底本：《集注》本）

46.3　罪莫大於[4]可欲，[5]禍[6]莫大於[7]不知足，咎莫憯於欲得，故[8]知足之足[9]常[10]足矣。（底本：傅奕古本）

［**译文**］

46.1　天下有道之时，战马被退回来[运输]粪肥。

天下有道之时，[圣王]"知足""知止"[如《老子》44.5 所说]，对外在的[事物]无所欲求，而是每人都照料其内部的事务。因此[文本说]"却走马"以经营田亩的粪肥。

46.2　天下无道之时，战马会生于郊外。

贪婪不知厌足，不修治其内部，而各自欲求于外，[11]这就是[文本说]"戎马生于郊"的原因。

---

① 张之象本作"卻"。

②《文选·张景阳七命》李善注"天下有道知足知止無求于外各修其內而已故卻走馬以治田糞也"作"天下有道修於內而已故卻走馬以糞田"。

③ 马王堆乙本无"天下"。

④ 郭店甲本"大於"作"厚乎"。马王堆乙本无"於"。

⑤ 陆德明《释文》无"罪莫大於可欲"。陆补充说河上公本有此段。王弼本的文本族的所有其他本子，均有此段。岛邦男接受了它。郭店甲本"可欲"作"甚欲"。

⑥ 马王堆甲本作"𥚃"。

⑦ 郭店甲本作"㾓"。

⑧ 郭店甲本无"故"。

⑨ 郭店甲本"足"作"爲足"。

⑩ 马王堆甲本作"恒"。郭店甲本作"此亙"。

⑪ 王弼此处用的语言"修其内"也许表明，他不仅是在说国家以及国家间的事情，而且将关于用马的论述读作照料个人内在生活的隐喻。然而，关于个人内在生活的修养的语言在王弼著述的其他地方并没有出现。

46.3　罪莫大于[统治者让百姓见]可以被欲求[的东西]。[1] 祸殃莫大于[统治者]不知道满足[而炫示其财货的富有]。灾难莫大于[统治者]欲求得到[声名]。[2] 因此[统治者]知道自足的满足,是恒久的满足。

《老子注》第47章

[本文]

47.1　不出[3]戸,以[4]知天下;不窺[5]牖[6],以[7]知[8]天道。(底本:《老子》54.7王弼注"所謂不出戸以知天下",后半句依据马王堆甲本)

事有宗而物有主,途雖殊而其歸同[9]也,慮雖百而其致一也。道有大常,理有大致,執古之道,可以御今,雖處於今,可以知古始,故不出戸窺[10]牖而可知也。(底本:《集注》本)

47.2　其出彌[11]遠,[12]其知彌[13]尟[14]。(底本:范应元本)

無在於一,而求之於衆也。道,視之不可見,聽之不可聞,搏之不可得,如[15]其知之,不須出戸,若其不知,出愈遠愈迷也。(底本:张之象本)

---

① "可欲"一词出现于《老子》3.1。在那里它是一个用于社会身份和物质财富的综合性语词。因此,《老子》46.3开头的三个句子就不仅是一个系列,而且有前面是一个一般句、随后是两个特殊句的结构。

② 这一部分没有注释。我假定"知足"指的是物质性的财货,而"欲得"的对象则是社会性的声名。在《老子》44.5中,物质性财货和社会性声名是欲望的两个败坏的对象。

③ 马王堆甲乙本"出"作"出於"。对"於"的否证:王弼注"不出戸"。

④ 傅奕古本、范应元本"以"作"可以"。对"以"的支持:王弼《老子》54.7注"以知天下"。

⑤ 取"窺"而非"規於":王弼注"窺牖"、陆德明《释文》。范应元本作"闚"。

⑥ 陆德明《释文》"牖"作"羑牖"。

⑦ 傅奕古本、范应元本"以"作"可以"。对"以"的支持:与"以知天下"的相类。

⑧ 范应元本作"見"。

⑨ 张之象本"而其歸同"作"而同歸"。对"而其歸同"的支持:与下一句"而其致一"的类似。

⑩ 张之象本作"闚"。

⑪ 马王堆乙本作"籋"。傅奕古本作"𨙹"。

⑫ 马王堆乙本作"遠者"。

⑬ 马王堆乙本作"籋"。傅奕古本作"𨙹"。

⑭ 王弼注一般将"尟"译为"少"。對"尟"的支持:傅奕古本。

⑮《集注》本作"去"。

47.3　是以聖人不行而知，不見而名，(底本:傅奕古本)

得物之致，故雖不行而慮可知也；識物之宗，故雖不見而是非之理可得而名也。(底本:《集注》本)

47.4　不[1]爲而成。

明物之性，因之而已，故雖不爲而使之成矣。(底本:《集注》本)

[**译文**]

47.1[只有当]不出于户外，[人们才有]认知天下的手段；		[只有当]不窥视窗外，[人们才有]认知天道的手段。[2]
	因为	
事事有其原则，		物物有其主宰。[3]
	[正如孔子在《系辞》中所说]	
"途虽殊而其归同"，道有它的"大常"。		"虑虽百而其致一"。[4]秩序性原则有它的"大致"。[5]
	[正如《老子》14.4所说]："执古可以御今"，尽管处于当下，"可以	

① 马王堆甲本作"弗"。

② 根据王弼注，括号里的"只有当……"是由47.2证明的。如果只用"当……"句子语义还是太模糊，而如果用"只有通过……(only by)"又太过粗糙，因为它将暗示任何人只要不出户窥牖就会理解天道。然而，正如我们在《老子》49.5王弼注中看到的那样，圣王不仅要不出户，而且还得闭目塞听，以免为环绕他的各种社会事务蒙蔽。

③ 参见《老子微旨略例》开头以及《老子》49.5王弼注，在那里，"宗"和"主"的颠倒的。"理"字可以溯源至《系辞》，其中提到了"天下之理"。

④ 这一引文并非逐字引文。原文为："子曰：天下何思何虑？天下同归而殊途，一致而百虑"(《系辞》)。韩康伯对此句的注释将其与《论语》4.15"吾道一以贯之哉"关联起来。王弼在《老子微旨略例》1.16中提到同一段落。

⑤ 关于"理"的观念，参见本书第三编第二章。

知古始”。

这就是[文本说]

“不出户”

“窥牖”

可以认知[天下和天道]的原因。

47.2　人们走出来越远，他们认知的就越少。

[这是因为]无[作为“宗”和“主”]在于一，而[出户窥牖的人]却在众多的事物中寻求。[根据《老子》14.1]，道“视之不可见，听之不可闻，搏之不可得”。如果人们明了此[道]，不需要走出户外；如果不明了此[道]，走出来越远，就会越迷惑。

47.3　因此圣人

不出行于外而有知。

不看见[对象]而能命名。

他知得存在者的终点；因此即使不“出户”，也可以知道他们的关切所在。

他理解事物的原则；因此即使“不看到[他们]，也可能给是非之理以[恰当的]命名。

47.4　[总之]，圣人不对[它们]作为而成就[它们]。[1]

由于他明了存在者的本性，只是因顺它而

[1] 王弼在注释《周易》“临卦”第五爻时引用了这个句子，参见《王弼集校释》，页313。这是一个阴爻居于君位的例子，这种情况常常被王弼看作最佳的组合。王弼注曰：“不忌刚长，而能任之。委物以能，而不犯焉，则聪明者竭其视听，知力者尽其谋能；不为而成[如《老子》47.4所说]，不行而至矣[如《系辞》上对圣人之神性所说]！大君之宜，如此而已；故曰：‘知临，大君之宜，吉’也”。在《老子》38.1王弼注中引用此段来道说“上德”之人。

已。这就是[文本说]
即使“不为”,也可以让
它们[自我]成就的
原因。

[**结构**]

《老子》第47章是以隐蔽的链体风格写成的。对本章做结构分析的障碍在于用于两个串系的术语不一贯。“主”和“宗”在《老子》49.5的王弼注中出现在相反的位置上,这表明它们是可以互换的。因此“宗”字在47.3注中的再次出现并不意味着这一文本必须与上面一个“宗”字有共同的指涉(即“事”)。事实上,因为“理”这个词,我已将第二段安排在了另一侧。然而,这又造成了另一窘境。在47.1注中与“理”字一同出现在右侧的“大致”与47.3注中的“致”是否相同并不清楚,而后者只能放在左侧。我不得已将47.3的“致”字读作一个一般性的语汇,与47.1注中引用的《系辞》语句中的“归”可以互换使用。我对此章结构的[尝试性]的读法是:

a		b	(47.1,47.1)
	c		(47.2)
a		b	(47.3,47.3)
	c		(47.4)

《老子注》第48章

[**本文**]

48.1　爲[1]學者日益,(底本:《老子》20.1王弼注)

務欲進其所能,益其所習。(底本:《集注》本)

---

[1] 郭店乙本无“爲”字。

48.2　爲[①]道者日損[②]。(底本:《老子》20.1 王弼注)

務欲反虚無也。(底本:《集注》本)

48.3　損之又[③]損之[④],以至於[⑤]無爲[⑥],無爲則[⑦]無不爲。(底本:傅奕古本)

有爲則有所失,故無爲乃無所不爲也[⑧]。(底本:《集注》本)

48.4　其[⑨]取[⑩]天下者[⑪],常以[⑫]無事。(底本:《老子》57.1 王弼注)

動常因也。(底本:《集注》本)

48.5　及其有事[⑬],(底本:《老子》57.1 王弼注)

自已造也。(底本:《集注》本)

48.6　又[⑭]不足以取天下矣[⑮]。(底本:《老子》57.1 王弼注)

失統本也。(底本:《集注》本)

[**译文**]

48.1　为学之人[统治者]日日增进。

他致力于追求增加他的能力和学识。

---

① 马王堆乙本作“聞”字。

② 马王堆乙本“損”作“云”。郭店乙本作“員”。

③ 郭店乙本作“或”。马王堆乙本作“有”。

④ 郭店乙本、马王堆乙本无“之”。

⑤ 郭店乙本无“於”。

⑥ 郭店乙本“爲”作“爲也”。

⑦ 郭店乙本、《庄子・知北游》作“而”。

⑧《取善集》无“也”。

⑨ 傅奕古本“其”作“將欲”。范应元本“其”作“將”。

⑩ 范应元本“取”作“取於”。

⑪ 马王堆甲本作“也”。马王堆乙本无“者”。

⑫ 马王堆甲乙本“常以”作“恒”。

⑬ 马王堆乙本“事”作“事也”。

⑭ 范应元本无“又”。《集注》本《老子》57.1 王弼注中无“又”字,而张之象本有。由于张之象本《老子》48.5 王弼注没有“又”,因此不能推断《老子》57.1 王弼注中的引文依此文本做了调整。由于在傅奕古本以及马王堆乙本中占用一个字元的空缺(“及其有事也□□足……”,然而高明将这两处空缺读为一个字,《帛书》,页 57),我们有理由推断张之象本对《老子》57.1 的读法更可取,而王弼《老子》本则读作“又不足”。

⑮ 取“天下矣”而非“天下”:傅奕古本。范应元本无“矣”。

48.2　为道之人[统治者]日日减损。

他致力于追求回返虚和无。

48.3　损而又损,达到无为。[只有得到]无为,才能无所不为。

只要有为,就会有所失去。因此文本说"无为"才能无所不为。

48.4　他之获得天下,是因为他总是不从事[治理]的行为。

[即]他的行为永远因顺[事物的本性]。①

48.5　一旦他从事于[治理]事务,

即,一旦他自己造为[此类治理行动]。

48.6　他将没有资格取得天下。

即,他将失去将每一事物统合起来的根本。

《老子注》第49章

[本文]

49.1　聖人無常②心,以百姓③心④爲心。(底本:傅奕古本)

動常因也。(底本:《集注》本)

49.2　善者吾⑤善之,不善者吾⑥亦善之。(底本:傅奕古本)

各因其用,則善不失也。(底本:《集注》本)

---

① 王弼对《老子》49.1给出了完全相同的注释。

② 马王堆乙本作"恒"。

③ 马王堆乙本作"省"。

④ 马王堆甲乙本、范应元本"心"作"之心"。对"之"的否证:王弼《老子》54.6"以天下百姓心觀天下之道也"。

⑤ 马王堆甲本无"吾"。

⑥ 马王堆甲本无"吾"。

49.3　德[1]善矣[2]。(底本:范应元本)

無棄人也。(底本:《集注》本)

49.4　信者吾[3]信之,不信者吾[4]亦信之,德[5]信矣[6]。聖人之在天下[7],歙歙[8]焉,爲天下渾[9]心焉[10],百姓皆注[11]其耳目焉[12]。(底本:范应元本)

各用聰明。(底本:《集注》本)

49.5　聖人皆孩之[13]。(底本:范应元本)

皆使和而無欲,如嬰兒也。夫天地設位,聖人成能,人謀鬼謀,百姓與能[14]。能者與之,資者取之,能大則大,資貴則貴。物有其宗,事有其主,如此則可冕旒充[15]目而不懼於欺,黈纊塞耳而無戚於慢,又何爲勞一身之聰明,以察百姓之情哉! 夫以明察物,物亦競以其明應之;以不信察物,物亦競以其[16]不信應之。夫天下之心不必同,其所應不敢異,則莫肯用其情矣。甚矣,害之大也,莫大於用明矣。夫在智則人與之訟,在力則人與之爭。智不出於人而立乎訟地,則窮矣;力不出於人而立乎爭地,則

① 傅奕古本作"得"。对"德"的支持:尽管马王堆甲乙本此处都有空缺,但马王堆乙本有后面关于"信"的段落,而且在那儿写作"德信"。

② 马王堆乙本作"也"。

③ 马王堆乙本无"吾"。

④ 马王堆乙本无"吾"。

⑤ 傅奕古本作"得"。

⑥ 马王堆甲乙本作"也"。

⑦ 马王堆乙本"天下"作"天下也"。

⑧ 马王堆甲本"歙歙"作"愴愴"。马王堆乙本作"欱欱"。

⑨ 傅奕古本"渾"作"渾渾"。

⑩ 马王堆甲本无"焉"。"焉"有《老子》49.5的王弼的确证。

⑪ 马王堆甲本"注其"作"屬"。

⑫ 取"耳目焉"而非"耳目":王弼注"百姓各皆注其耳目焉",马王堆甲本。

⑬ 取"孩之"而非"咳之":王弼注"吾皆孩之而已"。对"孩之"的支持:陆德明《释文》提到某个抄本里读作"孩之"。

⑭ 取"能"而非"能者":《集注》本。

⑮《集注》本作"垂"。

⑯《集注》本无"其"。

危矣。未[1]有能使人無用其智力乎[2]已者也。如此,則已以一敵人,而人以千萬敵已也。若乃多其法網,煩其刑罰,塞其徑路,攻其幽宅,則萬物失其自然,百姓喪其手足,鳥亂於上,魚亂於下,是以聖人之於天下,歙歙焉,心無所主也,爲天下渾心焉,意無所適莫也。無所察焉,百姓何避?無所求焉,百姓何應?無避無應,則莫不用其情矣。人無爲舍其所能而爲其所不[3]能,舍其所長而爲其所短,如此,則言者言其所知,行者行其所能,百姓各皆注其耳目焉,吾皆孩之而已。(底本:张之象本)

[译文]

49.1 [作为]圣人[我]没有恒久的心。而是以百姓的心为心。

[即]行为总是因顺[事物的本性]。[4]

49.2 对于善者,我善[用]他,对于不善者,我也善[用]他。

依据他的用处来行事,这样一来,善的[要素]就不会失去。

49.3 [我]由此获得了善的[最佳运用]。

[根据《老子》27.5,"圣人常善救人",因此]

---

① 《集注》本"未"作"未有能使人無用智者未"。参见本书页 598 注③。

② 《集注》本作"於"。

③ 《集注》本作"否"。

④ 王弼对《老子》48.4 给出了完全相同的注释。

"无弃人"。[1]

49.4

值得信任的人，我相信他。那些不值得信任的人我也相信。由此［我］得到了［最高的］信。

［作为］圣人［我］时而以此方式、时而以另外的方式在天下［生存］。［我］是天下的浑沌之心。［结果］，百姓都能最好地使用它们的耳目。

［这意味着］每个人都运用其智力。

49.5

［而］我使他们都变成婴儿。

［这就是说我］让他们谐和无欲，仿若婴儿。[2]［根据《系辞》］"天地设立［存在者］的位置，［作为］圣人［我］

① 王弼对《老子》27.5中的这句话的注释为："圣人不立形名以检于物，不造进尚以殊弃不肖。辅万物之自然而不为始，故曰无弃人也"。

② 王弼从《老子》第10章和第55章中提取了他对婴儿本性的解释。他以"无欲"来注释《老子》10.2"能若婴儿乎"中的"婴儿"观念。在《老子》55.1中使用的是"赤子"一词。对"含德之厚，比于赤子也"一句，王弼注释曰："赤子无求无欲，不犯众物，故毒螯之物，无犯之人也"。在《老子》55.5中这一婴儿的特征是达到了"和之至"。在这两个例子里，婴儿都不是百姓的范型，而圣王的范型。

成就[它们的]功能[，使之各得其所]。[在所有的行动中]，我与其他人商量，与精灵商量，我赋予百姓以各种德能”。① 对于能者，[我]给予他们能力；对于有资历者，[我]取他们[作为官吏]。如果[前者]的能力大，他们就成为大[而我并不尊荣他们]。[后者的]资历显赫，就让他们显赫[而我并不偏爱他们]。

① 王弼没有注释《系辞》。这一段的翻译必须迎合叙述的角色——以第一人称道说的圣人；而且还要迎合引文所用的语境，它极大地受制于此后的句子。波多野太郎以及其他学者提到了韩康伯的《系辞注》以及孔颖达的《疏》；韩注被视为王弼脉络的著述。在我看来，从韩注和孔疏中推论出的翻译与此处语境的任何可能的解读都不相容。现征引《周易正义》的相关段落于下：

天地设位，圣人成能。

韩注：圣人乘天地之正，万物各成其能。

孔疏：正义曰：天地设位者，言圣人乘天地之正，设贵贱之位也。圣人成能者，圣人因天地所生之性，各成其能，令皆得所也。

人谋鬼谋，百姓与能。

韩注：人谋，况议于众以定失得也；鬼谋，况寄卜筮以考吉凶也。不役思虑而失得自明，不劳探讨而吉凶自著，类万物之情，通幽深之故，故百姓与能，乐推而不厌也。

孔疏：正义曰：谓圣人欲举事之时，先与人众谋图，以定得失；又卜筮于鬼神以考其吉凶，是与鬼为谋也。圣人既先与人谋、鬼神谋，不烦思虑与探讨，自然能类万物之情，能通幽深之理，是其能也，则天下百姓亲与能。人乐推为王也。自此以上，论易道之大，圣人法之而行。

尽管第一句的解读或多或少与王弼此章的语境相联，第二句却没什么关系。首先，在王弼那里没有提到最有能力的人为王的提倡；其次，孔颖达删除了韩康伯注的政治性解读，它仍然是指统治者用智力手段肃清反对和怨恨。

[这样]物有其宗，事有其主[而没有扭曲]。[①] 如果真能这样，[圣王]就能

让冠冕的珠串遮住眼目而不担心被欺骗；

让黄色的枕头塞住耳朵而不担心被亵慢。[②]

而且，[统治者]发挥一己的智力来探察百姓的情感，其目的何在呢？事实上，如果

以自己的见识来伺察他人，他人也将竞相以其见识来回应。

以自己的不信任来伺察他人，他人也将竞相以不信来回应。

实际上，天下[人民]之心不必与[统治者]同一，而他们对[统治者]的回应却不敢不同[因为我的控制网络的无孔不入]，这就意味着没人愿意用其[本身]自然的情感。的确是呵！对事物的危害，莫过于[统治者]运用其

---

① 的确，这一段落很困难，因为前面《系辞》的段落决定了它的部分语汇和内容，但又并不清晰。我试图提供一种一贯的、可以证伪的翻译，但我也知道文本可能存在残损。

② 皇帝的冕旒等物被描述为有助于他忽视异端和丑闻的手段。波多野太郎搜集了许多关于这些东西的参考材料。

智力！事实上，[正如《淮南子》所说][统治者]

“在智则人与之讼”，由于[我自己的智力]并未超越于[众]人之上，而又处身于诉讼之地，我将会失落。②

“在力则人与之争”。①由于[我自己]力量并未超越于[众]人之上，而又处身于纷争之地，我就危险了。

[在这种条件下]，我不再有可能阻止其他人对我运用他们的

智

和

力。③

这样一来，我就是单独与其他人相敌对，他人则是以千万人来与我相敌对。如果真地

使法网繁密，阻塞他们

使刑罚增多，攻击他们

① 出自《淮南子》14.138的这条引文同样必须被整合进这一注释的“我”叙事中。王念孙认为“在智”和“在力”应该替换为《淮南子》中的“任智”和“任力”(《读书杂志》，卷3页51)，这一主张为波多野太郎和楼宇烈所承续。没有抄本支持这一看法，无论是《淮南子》还是王弼注。王弼注的遣辞证明至少在王弼的时代，《淮南子》的文本的确读为“在智”和“在力”。

② 这一论述可溯源至《论语》12.13：“子曰：听讼吾犹人也，必也使无讼乎”。现存的文本中没有王弼的注释。在何晏的《论语集解》中的注释强调在诉讼之前问题已经被解决了。这同样也是王弼在其《周易》“讼卦”注中引用此句的方式，注曰：“无讼在于谋始”(《王弼集校释》，页249)

③ 这一句同样溯源至《淮南子》14.138.10，紧跟在上述引文之后：“未有使人无智者，有使人不能用其智于己者也；未有使人无力者，有使人不能施其力于己者也”。《集注》传下的文本更接近于《淮南子》。这一接近使得波多野太郎和楼宇烈假定它保留了《淮南子》的某种更古的读法，尽管《集注》的文本与《淮南子》还是有细微的差别。正如楼宇烈正确地强调的那样，王弼的论辩实际上不同于《淮南子》，这可以从王弼注的下一句话得到证实。通行本很适合这一论辩，而无论是《集注》本还是以它为基础的两个修订本，都只有在做过某些没有抄本根据的改变之后才能达到这一点。因此，我相信没有必要做出改动。

的捷径，

的隐私，

万物将失他们的自然，百姓将[因刑罚]而失去他们的手足。就会[如《庄子》对统治者使用其智力的结果所说]"鸟乱于上"，"鱼乱于下"。[1] 这就是[文本说]"圣人之于天下，歙歙焉"，其心无恒定的主宰，"为天下浑心焉"的原因。其志意"无适""无莫"[正如《论语》所说]。[2]

[我]没有什么可伺察的，百姓何须躲避？

[我]没有什么要欲求的，百姓何须酬答？

由于[百姓]

不[以智力]躲避，

不[以不信]酬答我，

他们中间没有人不用其[自然的]情感。没有人会放弃他所能做的，而去做他所不能做的；放弃他所擅长的，而去做他不擅长的。

---

① 《庄子》的整段话为："上诚好知而无道，则天下大乱矣。何以知其然邪？夫弓弩毕弋机变之知多，则鸟乱于上矣；……故天下每每大乱，罪在于好知"。

② 《论语》4.10："君子之于天下也，无适也，无莫也，义之与比"。

这样一来，人们就会说
他们知道的，做他们能
做的。[总之]，百姓皆
"注其耳目"，而我"皆
孩之"而已。

[**结构**]

《老子》第49章是以隐蔽的链体风格的形式要素写成的。关于善者与信者的讨论，与圣人在世界中的作用之间的关系，并不是直接可见的。然而，平行结构要求这样的关联，而且王弼的注释也给出了这样的关联。此章的结构为：

	c		(49.1)
a		b	(49.2,49.3,49.4)
a		b	(49.4,49.4)
	c		(49.4)
	c		(49.5)

《老子注》第50章

[**本文**]

50.1　出生入死。(底本:傅奕古本)

出生地，入死地。(底本:《集注》本)

50.2　生之徒十有三，死之徒十有[1]三，而[2]民之[3]生生，而[4]動[5]皆[6]之

① 马王堆乙本作"又"。
② 范应元本无"而"字。对"而"的支持:王弼注"十分有三耳而民生……"。
③ 马王堆甲乙本无"之"字。
④ 马王堆甲乙本无"而"字。
⑤ 取"動"而非"動動":范应元本;马王堆甲乙本这里都是单个动词。马王堆甲本作"勭"。
⑥ 范应元本无"皆"。

死地，亦[1]十有三。夫何故[2]？以其生生之厚[3]也[4]。蓋聞善攝[5]生者，陸[6]行不遇[7]兕[8]虎，入軍不被甲兵[9]。兕無所投[10]其角，虎無所錯[11]其爪[12]，兵無所容其刃。夫何故也[13]？以其無死地焉[14]。（底本：傅奕古體）

十有三，猶云十分有三分。取其生道，全生之極，十分有三耳。取死之道，全死之極，十分亦[15]有三耳。而民生生之厚，更之無生之地焉。善攝生者，無以生爲生，故無死地也。器之害者莫甚乎戈兵，獸之害者莫甚乎兕虎，而令兵戈無所容其鋒刃，虎兕無所投[16]其爪角。斯誠不以欲累其身者也，何[17]死地之有乎？夫蚖蟺[18]以淵爲淺，而鑿[19]穴其中；鷹鸇以山爲埤[20]，而增巢其上。矰繳不能及，網罟不能到，可謂處於無死地矣。然而卒以甘餌，乃入於無生之地。豈非[21]生生之厚乎？故物苟不以求離其本，

---

① 马王堆甲乙本作“之”。
② 马王堆甲乙本“故”作“故也”。范应元本“哉”。
③ 马王堆甲乙本无“之厚”。
④ 马王堆乙本作“也”。
⑤ 马王堆甲乙本作“執”。
⑥ 马王堆甲乙本作“陵”。
⑦ 马王堆乙本作“辟”。
⑧ 马王堆甲本作“矢”。马王堆乙本作“𧰲”。
⑨ 马王堆乙本“甲兵”作“兵革”。
⑩ 马王堆甲本作“椯”。
⑪ 取“错”而非“措”：陆德明《释文》、范应元本。马王堆甲本作“昔”。
⑫ 马王堆甲乙本“蚤”。
⑬ 范应元本“故也”作“哉”。
⑭ 范应元本无“焉”。
⑮ 张之象本“十分亦”作“亦十分”。
⑯ 取“投”而非“措”：王弼《老子》16.13注“虎兕無所投其爪角兵戈無所容其鋒刃”。“措”字似乎出自《老子》的某个文本传统。然而，根据陆德明《释文》，王弼《老子》本读作“錯”。
⑰ 取“何”而非“向”：张之象本。
⑱ 陆德明《释文》“蚖蟺”作“黿蚖蟺”。对“蚖蟺”的支持：与“鷹鸇”的平行关系。
⑲ 陆德明《释文》作“襲”。
⑳ 陆德明《释文》作“埤”。
㉑ 取“非”而非“弗”：张之象本。

不以欲渝其真,雖入軍而不可害[1],陸行而不可犯也。赤子之可則而貴信矣。(底本:《集注》本)

[**译文**]

50.1(对子1:生与死)

[他们]

出于生　　[而]入于死。

[这说的是他们]

出自有生的领域,　　却进入死的领地。

50.2 生的追随者有十分之三,　　死的追随者也有十分之三。[2]

百姓求生,然而在他们所有的行动中又走向死的领域,这是为什么呢?[3]因为他们太过求生了。

(对子2:猛兽与武器)

有人听说善于保护生命的人

在陆地行走不会撞见犀牛和老虎,　　进入战场不会受到武器的伤害。

这是[因为]

---

① 取"可害"而非"害":Wagner依据与"不可犯"的平行关系校改。

② 在《老子》76.1中,又一次提到"生之徒"和"死之徒":"坚强者,死之徒也;柔弱者,生之徒也"。结果,那些坚强者将使用暴力以强加他们的意欲,但他们不会获胜,因为正如王弼所说,数量众多的他人将共同反对这样的人,并将其推向灭亡。

③ 这一段落得到的相当多的讨论,有各种各样修订的意见。根据王弼的注释,很明显"生之徒"和"死之徒"这两组都没有什么问题,真正麻烦的是以鹰和海龟来比喻的那些人,"处于无死地",但为甘饵所诱,最终"入于无生之地"。正是这一组在文本中得到了认真的检讨。

犀牛找不到可以顶撞的地方,老虎找不到可以用爪牙之处。

武器也找不到可以插入锋刃的地方。

为什么会这样呢?因为这样的人是没有死地的。

(对子 1)

“十有三”是十分有三分的意思。

把握有生之道,完整地保全生命的人,占十分之三;

把握取死之道,完全成就死亡的人,也占十分之三。

而百姓“生生之厚”,却反而走向无生的地域。

(对子 2)

“善摄生者”,不以生命为生命,这就是[如文本所说]他“无死地”的原因。

器具中有害的,莫过于刀剑长矛。

野兽中有害的,莫过于犀牛和老虎。

而能让

刀剑长矛的锋刃无处

施加，

让犀牛和老虎的爪角无处放置的人，

确实能不以欲望束缚其身，他有什么死地呢？事实上，

对于蚖鳝而言，[甚至]深渊也太浅，它们在那里挖掘巢穴。

对于鹰鹯而言，[甚至]高山也太低，它们在那里筑巢。

羽箭达不到，

渔网也够不着，

可以说它们处身于"无死地"了。[1] 然而突然因为甘香的诱饵而进无生的领域，难道不是因为他们求生之厚吗？因此只有当

事物不因为贪求而离开其根本，

不因为欲望而染污其真质，

即使"入军"也不会受到伤害。

"陆行"也不会受到侵犯。

[那么只有]赤子[如

① 讨论鹰和海龟的部分分别以链体风格写成，但并没有被整合进这一部分居主导地位的 a/b 串系中。因此我把它们错开排列。

《老子》55.1 中的"含德之厚者"]是可以模仿而且尊敬其信用的。[1]

［结构］

《老子》第 50 章包括两个部分，都是以明显的链体风格写成的。第一部分有这样的结构：

a		b	(50.1)
a		b	(50.2,50.2)
	c		(50.2)

第二部分的结构为：

	c		(50.2)
a		b	(50.2,50.2)
a		b	(50.2,50.2)
	c		(50.2)

两部分都围绕不同的对子展开。

《老子注》第 51 章

［本文］

51.1 道生之[2]，德畜之，物形之[3]，势[4]成之。(底本；傅奕古本)

物生而後畜，畜而後形，形而後成。何由而生？道也。何得而畜？

① 此处的"信"字指涉的是《老子》21.5："其精甚真，其中有信"，根据王弼注，"其"指的是事物。因此它们在万物之"所以"在它们当中作为其真质的意义上，于自身承载了"信"。详见本书第三编第一章。

② 马王堆甲本"之"作"之而"。

③ 马王堆甲乙本"之"作"之而"。

④ 马王堆甲乙本作"器"。

德也。何因[1]而形？物也。何使而成？勢也。唯因也，故能無物而不形；唯使[2]也，故能無物而不成。凡物之所以生，功之所以成，皆有所由。有所由焉[3]，則莫不由乎道也。故推而極之，亦至[4]道也。隨其所因，故各有稱[5]焉。（底本：张之象本）

51.2　是以萬物莫不[6]尊道而貴德。（底本：傅奕古本）

道者，物之所由也。德者，物之[7]所得也。由之乃得，故[8]不得不尊；失之則害，故不得不貴也。[9]（底本：张之象本）

51.3　道之尊[10]，德之貴[11]，夫莫之爵[12]而常[13]自然[14]，故[15]道生之、畜[16]之、[17]長之、育[18]之、亭之、毒之、蓋之、覆之。[19]（底本：范应元本）

---

① 取“因”而非“由”：陶鸿庆依据王弼下一句“唯因也故能無物而不形”校改。

② 取“使”而非“勢”：Wagner 依据与“唯因也”的平行校改。

③《集注》本无“有所由焉”。

④《集注》本无“志”。

⑤《集注》本作“道”；对“稱”的支持：陆德明《释文》。

⑥ 马王堆甲乙本无“莫不”。

⑦《集注》本无“之”。

⑧ 取“故”而非“故曰”：《集注》本。对“曰”的否证：在王弼注里，“故曰”这种表达形式总是引入《老子》的一段逐字引文。而此段下面无引文。

⑨ 取“由之乃得故不得不尊失之則害故不得不貴也”而非“由之乃得故不得不失尊之則害不得不貴也”：陶鸿庆。

⑩ 马王堆乙本“尊”作“尊也”。

⑪ 马王堆甲乙本“貴”作“貴也”。

⑫ 马王堆甲本作“时”。马王堆乙本作“爵也”。

⑬ 马王堆甲乙本作“恒”。

⑭ 马王堆甲乙本“自然”作“自然也”。

正如《四库》的编者指出的那样，张之象本给出的注释为“命並作爵”，但它是“命/爵”的异体字的标注，而非注释。

⑮ 马王堆甲乙本无“故”。

⑯ 取“畜”而非“蓄”：马王堆甲乙本、傅奕古本。

⑰ 傅奕古本“畜之”作“德畜之”。对“德”的否证：马王堆甲乙本，《老子》1.2 王弼注中的论辩，其中两处都把生成过程归于道，而没有提到“德”的作用：“凡有皆始於無故未形無名之時則爲萬物之始及其有形有名之時則長之育之亭之毒之爲其母也言道以無形無名始成萬物”。

⑱ 马王堆甲本作“遂”。

⑲ 马王堆乙本“蓋之覆之”作“養之複之”。对“蓋”的支持：徐坚《初学记》9.206 中的王弼注引文。由此可证初唐的王弼《老子》本中有“蓋”字。

……亭謂品其形，毒謂[①]成其質[②]……各得其庇蔭[③]，不傷其體矣。[④]（底本：前半句，《初学记》；后半句，《集注》本）

51.4　生而不有，[⑤]爲而不恃[⑥]，（底本：傅奕古本）

爲而不有。（底本：《集注》本）

51.5　長而不[⑦]宰，是[⑧]謂[⑨]玄德。（底本：傅奕古本）

有德而不知其主也。出乎幽冥，[⑩]故謂之玄德也。[⑪]（底本：《集注》本）

［译文］

51.1　道创生它们。

作为它们的所得［道］养育它们：

作为物［道］让它们成形。

作为形势［道］让它们充分实现。[⑫]

事物创生以后，它们

---

① 取"……亭謂品其形毒謂"而非"謂"：徐坚《初学记》中的王弼注引文以及《文选·刘孝标辨命论》李善注 54.16a4。

② 张之象本作"實"。对"質"的支持：徐坚《初学记》中的引文以及《文选·刘孝标辨命论》李善注 54.16a4。

③ 陆德明《释文》作"廕"。

④ 从《初学记》的片断看（它与通行本关系密切），我们注意到这一注释原本相当长，注解了出现在文本中的所有概念。这是少数几处通行本王弼注有显见残损的地方之一。

⑤ 马王堆甲本"不有"作"弗有也"。

⑥ 马王堆甲本"不恃"作"弗寺也"。

⑦ 马王堆甲本"勿宰也"。马王堆乙本作"弗宰也"。

⑧ 马王堆甲本"是"作"此之"。

⑨ 马王堆乙本作"胃"。

⑩ 张之象本作"冥"。

⑪ 张之象本作无"故謂之玄德也"。

⑫ 前四句的严格平行关系暗示了一种阶梯结构。然而，本章是通过道与德的基本区分来运作的。从王弼此处的注释，我们知道他没有把这四句的平行关系读作它们相同的语法结构的指标。这些句子的隐含主语和隐含宾语都是变化的。在王弼以及其他哲学家的术语中，"物"和"势"都是在道的基础上获得其德能的。在这里，"势"的作用与其他地方的"事"的作用一样。因此，在此章的结构转写中它们作为"德"的子目出现。这种读法由王弼《老子》1.2注中对此章的引用以及《老子》10.7的自我重复得到了强化。这里建议的安排决定了整章的安排。

得到		
	畜养。得到畜养之后，获得形体。	获得形体之后，才充分实现。
它们是在什么基础上被创生的呢？[在]道的[基础上]。		它们从什么东西得到畜养呢？[它们的]德。
	它们因什么成形呢？物。	什么使它们充分实现呢？形势。
	由于[道]只是因顺，因此无物不成形。	由于[道]只导致[形势]充分实现，因此没有事物不得到完成。
		一般说来，
	物之所以创生，	功业之所以成就，都有其根基。由于它们都有某种东西作为根基，也就没有任何事物不是根据于道的了。因此，如果从它们推论到极端， 也将达到道。依据它被[视为]根基的东西，而有不同的名号。①
51.2	因此万物没有不	
尊崇道	并	贵重德的。

① 参见《老子微旨略例》5.1，在那里王弼发展了启发式语汇的理论。

道是万物的根基。[1] 在[前者]的基础上，它们才得到[后者]。[2] 因此它们不能不“尊”道。

德是万物由[道]而得到的。[3] 失去[它们的德]会伤害它们；因此它们不能不“贵”德。

51.3 道的尊崇

和

德的贵重，

没有人来赐予而恒久[产生事物的]自然。

因此道

创生[万物]，

养育[万物]：

让其生长，滋养它们；

区别它们，完成它们；

保护它们，遮覆它们；[4]

……

“亭”说的是分别形体。

“毒”说的是成其本质。

……

每个事物都得到庇护，不会伤及其实体。

---

① 王弼的“道者物之所由”同乎是《庄子》“且道者万物之所由也”的逐字引文，但这是他经常重复的基本哲学假设之一。

② 这是《老子》38.1 王弼注中“何以得德，由乎道也”的简短形式。

③ 关于“德”和“得”的等同，参见本书页 549 注①。

④ 这一段在《老子》1.2 王弼注被引用到了。很可能王弼《老子》本这句话根本就没有“德”字，与马王堆甲乙本、范应元本以及出自想尔注的文本族的两个抄本一样。参见岛邦男，页 162。然而，“生之”后面的句号仍是必要的，句子主语和宾语的变化也是同样。

51.4 [但]当[事物]获生之时,[道]并没有[特别的努力]。

当[事物]作为之时,[道]并不让[它们]依附于它。①

[即]当它们作为之时,[道在它这一方面]没有[任何特殊的努力]。②

51.5

[总之],它们成长之时,[道]并不主宰它们,这被称作“玄德”。

[事物]有德,但并不知道它的主宰。因为[它们的德]出自幽冥。这就是[文本说]“玄德”的原因。③

[结构]

《老子》第51章基本上是以显见的链体风格写成的。在51.4中,这一关联是通过诉诸其他关联显明的地方的平行格式建立起来的。此章的结构如下:

a			b	(51.1,51.1)
		b1		(51.1)
			b2	(51.1)
	c			(51.2)
a			b	(51.2,51.2)
a			b	(51.3,51.3)
	c			(51.3)
a			b	(51.3,51.3)

① 同一对句子被用于《老子》10.9。“而”后面主语的变化是从王弼在那里的注释推论出来的。

② 关于这一注释片断的可靠性,还存有疑问。

③ 参见王弼对《老子》10.9中的相应段落的注释,二者几乎是一样的。

a　　　　　　　　　　b　　(51.4)

c　　　　　　　(51.5)

《老子注》第52章

［本文］

52.1　天下有始，可[①]以爲天下之母。（底本：傅奕古本）

善始之，則善養畜之矣。故天下有始，則可以爲天下母矣。[②]（底本：《集注》本）

52.2　既[③]得其母，以知其子；既知其子，[④]復守其母，沒[⑤]身不殆[⑥]。（底本：傅奕古本）

母，本也。子，末也。得本以知末，不舍本以逐末也。（底本：《集注》本）

52.3　塞其兑[⑦]，閉其門，[⑧]（底本：傅奕古本）

兑，事欲之所由生。門，事欲之所由從也。（底本：《集注》本）

52.4　終[⑨]身不勤[⑩]。（底本：王弼注）

無事永逸，故終身不勤。（底本：《集注》本）

52.5　開[⑪]其兑[⑫]，濟[⑬]其事，終身不救[⑭]。（底本：傅奕古本）

不閉其原而濟其事，故雖終身，不救。（底本：《集注》本）

---

① 马王堆甲乙本、范应元本无“可”字。对“可”的支持：王弼注“則可以爲天下母”。

② 张之象本没有此段注释。

③ 马王堆甲本作“既”。

④ 马王堆甲本无“既知其子”。

⑤ 范应元本作“歿”。

⑥ 马王堆乙本作“佁”。

⑦ 马王堆甲本作“閱”。马王堆乙本作“境”。

⑧ 郭店乙本“塞其兑閉其門”作“閉其門賽其兑”。

⑨ 马王堆乙本作“冬”。

⑩ 马王堆甲乙本作“堇”。

⑪ 马王堆甲乙本、郭店乙本作“啓”。

⑫ 马王堆甲本作“悶”。马王堆乙本作“境”。

⑬ 马王堆乙本作“齊”。郭店乙本作“賽”。

⑭ 马王堆乙本作“棘”。

52.6　見小曰明，守柔曰強。（底本：傅奕古本）

爲治之功不在大。見大不明，見小乃明。守強不強，守柔乃強也。（底本：《集注》本）

52.7　用其光，（底本：傅奕古本）

顯道以去民迷[1]。（底本：张之象本）

52.8　復歸其明，（底本：傅奕古本）

不以明[2]察也。（底本：《集注》本）

52.9　無[3]遺身殃[4]。是謂襲常。（底本：傅奕古本）

道之常也。（底本：《集注》本）

［译文］

52.1　由于天下有其开端，这［也］可以被当做天下之母。

善于开启［天下］，也将善于维持和养育［天下］。这就是［文本说］"天下有始"，就"可以为天下之母"的原因。[5]

52.2　一旦［统治者］获得了［天下］之母，来理解其子；同时，如果已经理解了其子，他将反过来保守［天下之］母，那样，他就会终生没有危险。

"母"就是根"本"。"子"即枝"末"。获得根本，以理解枝末，而不是舍弃根本来追逐枝末。

52.3　如果他阻塞［天下的］出口，而且关闭其门户，

"兑"是行动的欲望从中出现的根基。"门"是行动的欲望所经

① 《集注》本无"迷"字。

② 取"以明"而非"明"：Wagner。此句"不以明察也"承续了王弼多次提到的一个表达，参见《老子》49.5章注中的"以明察物"或18.2注中的"行術用明以察奸僞"。这些平行句让我们倾向于插入"以"字。

③ 马王堆甲本作"毋"。

④ 马王堆甲乙本作"央"。

⑤ 王弼一贯主张道同时生、养万物。因此，"德"被减约为一个表达事物在道的基础上所获"得"的东西的名词。此处的论辩在《老子》1.2王弼注以及此前一章中有其呼应。

由的。①

52.4 他将终其一生不[必]劳碌。

没有事为[需要照管],他[可以]恒久退隐。因此[文本说]“终身不勤”。

52.5 如果他开启[天下的]出口,而经营[天下的]事为,他将终其一生不免于[劳碌和危险]。

不关闭[行动的欲望]的根源,而试图经营[天下的]事为,因此[如文本所说]“终身不救”。

52.6 [对于统治者],彰显微小意味着明达。② 持守柔弱意味着强。

[一个统治者]行动和治理的功绩不在于大。彰显伟大的不是明,而彰显细小的才是明。固守强悍的并不强,“守柔”之人才强。

52.7 如果[统治者]运用其明达,

即[如果他]为了去除百姓的迷惑来彰显道。

52.8 回反其智力,

[如果他]不运用智力来伺察[其他事物]。③

---

① “门”在《老子》及王弼的著述中指事物的出口。这就将事物入口的观念留给了“兑”,在这里,是指进入身体。在对《老子》65.3的注释中,王弼引用上面《老子》的段落。在那里,门和兑关闭的对象是“民”。在这里,它对应的是天下。在《老子》56.3中,有相同的段落出现。那里的注释和语境暗示了相同的解读。我没有在别处找到“事欲”这个词。在王弼的著述中,“事”通常与“物”相对。事和物共同组成万物。“事”主要包括非物质性的但又非常真实的事物,诸如社会身份和声望。“事”这个词在下一句以及《老子》52.5中又单独出现。因此“事欲”一定是“对事的欲望”。由于这里的事似乎是社会竞争中的那些,我在译文中使用了“行动”一词。

② 统治者所处的地位是“大”,但他的公共姿态却只能是小。“小”这个词本身就与道相联,同时也用来界定“朴”。在《老子》32.1中,“朴”是用于圣王的公共姿态的标准语汇。

③ “不明察”是王弼注中屡屡提到的统治者的错误行为的否定形式;参见《老子》49.5注中的“以明察物”,或《老子》18.2注中的“行术用明,以察奸伪”。因此“明”这个词不能译作前面“见小曰明”的“明”。

52.9　不给自身带来祸殃。我称此为“袭常”[即与常一致]。

[即,与]道之常[一道,如《老子》32.1中提到的]。

《老子注》第53章

[**本文**]

53.1　使我介然[1]有知[2],行于大道,唯[3]施[4]是畏。(底本:范应元本)

言若使我可介然有知,行大道於天下,唯施爲[5]是畏也。(底本:《集注》本)

53.2　大道甚夷而[6]民[7]好徑[8]。(底本:王弼注)

言大道蕩然正平,而民猶尚舍之而不由,好從邪徑,況復施爲以塞大道之中乎。故曰:大道甚夷而民好徑。(底本:《集注》本)

53.3　朝甚除,(底本:《老子》53.4王弼注)

朝,宮室也。除,潔好也。(底本:《集注》本)

53.4　田甚蕪,倉甚虛。(底本:王弼注)

朝甚除,則田甚蕪倉甚虛矣[9]。設一而衆害生也。(底本:《集注》本)

53.5　服文采,帶利劍,厭[10]飲[11]食,貨[12]財有餘,是謂盜夸[13]。盜夸,[14]非

① 马王堆甲本“介然”作“摞”。马王堆乙本无“然”字。
② 马王堆甲本“知”作“知也”。
③ 傅奕古本作“惟”。
④ 马王堆乙本作“他”。
⑤ 张之象本“爲”作“爲之”。
⑥ 范应元本“夷而”作“徺”。
⑦ 马王堆甲乙本、范应元本“民”作“民甚”。
⑧ 马王堆甲本作“解”。马王堆乙本作“僻”。对“徑”的支持:陆德明《释文》。
⑨ 张之象本无“矣”。
⑩ 取“厭”而非“猒”:陆德明《释文》。
⑪ 马王堆乙本无“飲”字。
⑫ 马王堆乙本“貨”作“而齎”。
⑬ 马王堆本作“桍”。
⑭ 范应元本无“盜夸”。对重复“盜夸”的支持:陆德明《释文》;马王堆甲乙本上的空缺的大小都暗示两个本子中重复了“盜夸”两字,尽管高明看到的空缺比马王堆汉墓帛书整理小组的要小。

道也哉。(底本:《集注》本)

凡物不以其道得之,則皆邪也。邪則盜也。貴而不以其道得之,竊位也。竊則夸也。[1] 故舉非道以明非道,則皆盜夸[2]也。(底本:《集注》本)

[译文]

53.1　如果我[作为圣王]能够将[天下之]有知约减到无意义的程度,而且让[它]行走于大道,我唯一惧怕的事情是我[还]有所施为。[3]

> 这说的是:假设我可以约束[天下之]有知,而使大道盛行于天下,我唯一担心的是我[仍]对[天下]有所干涉、有所施为。

53.2　[我之所以这样说是看到了这样的事实]:大道如此平坦,而百姓好走捷径。[4]

> 这说的是:大道广大平正,而百姓仍然拒绝遵从。他们宁愿追随邪僻曲径。何况[我]又有所施为,阻塞大道的中央呢!这就是[文本]说"大道甚夷而民好径"的原因。

53.3　如果朝堂非常洁整,

---

① 取"邪則盜也貴而不以其道得之竊位也竊則夸也"而非"誇而不以其道得之盜誇也貴而不以其道得之竊位也":Wagner。张之象本无"盜夸也貴而不以其道得之"。所有的学者都认为通行本需要修订。唯一重要的异文是《集注》本,作"邪則盜也誇而不以其道得之竊誇也貴而不以其道得之竊位也"。楼宇烈提出了这样的修订:"邪則盜也,夸而不以其道得之竊夸也,貴而不以其道得之,竊位也"。这种修订的显见弱点在于它是由三个没有本文的术语和结构基础的句子构成的;通过保留了"夸"的第一位置,它去除了"服文采""帶利劍"的贵与"厭飲食""貨財有餘"的富之间的平行关系,在本文里,"盜"和"誇"这两个字(而非三个字)被直接关联起来。在将"貴"用作"物"的平行语上,我承继了《集注》的传统,并且在第二句结尾补充了"邪則盜也"的对等句"竊則夸也"。

② 取"夸"而非"誇":张之象本。对"夸"的支持:陆德明《释文》。

③ 唯一在其整体性上处理"天下"的人是统治者,因此,统治者是隐含的主语。在语法上,受约束的知识是统治者本人的知识,这是可能的。但在注释《老子》3.2"是以圣人之治也,虚其心,实其腹"时,王弼写道:"心怀智而腹怀食,虚有智而实无知也"。此处的宾语显然是"民",正如王弼在此章注释及下章注中所确证的那样。

④ 这一论辩是说百姓如此好从曲径,尽管能够减少其知识令其遵从大道,但统治者这一面的任何微小的干预都会导致他们走向邪径。

“朝”即“宫室”。“除”即“整洁”。

53.4　田地将遍布荒草，仓廪将完全空虚。

宫室过于整洁的结果是：田地遍布杂草，仓廪完全空虚。[我]照料一件[事物]，而使众多危害随之后生。

53.5 穿着有文饰的衣服，佩带锋利的宝剑，

贪于饮食，财货有余，

这些被称作

盗夺和

[虚]夸。

盗夸非道。①

一般说来，

事物不通过道的方式获得，都是邪僻的。以邪僻[的方式获得]，就是盗。

如果身处尊贵的[地位]，而不是以道的方式获得的，那就窃位。窃位而居的人就是[虚]夸。

因此[文本]强调“非道”，来讲明非道的每一事物，只是

盗

① 这一再说明某种“干预”，如让其宫室过分整洁，会导致的社会灾难和冲突。

和夸　　　　　　　　　　而已。

［结构］

本章到最后一句话之前，都是依顺序写成的。最后一句话则是在“盗”和“夸”的基础上以链体风格写成的短章。因此，整章的结构为：

	c		(53.1)
	c		(53.2)
	c		(53.3,53.4)
	c		(53.5)
a		b	(53.5,53.5)
		b	(53.5)
a			(53.5)
	c		(53.5)

《老子注》第54章

［本文］

54.1　善建者不拔。(底本:傅奕古本)

固其根而後營其末，故不拔也。(底本:《集注》本)

54.2　善抱[①]者不脱[②]。(底本:傅奕古本)

不貪于多，齊其所能，故不脱也。(底本:《集注》本)

54.3　子孫以[③]祭祀不輟[④]。(底本:马王堆乙本)

子孫傳此道以祭祀，則不輟也。(底本:《集注》本)

① 取“抱”而非“褏”:范应元本。对“抱”的支持:王弼《老子微旨略例》6.30写作“抱樸”。

② 范应元本作“挩”。对“脱”的支持:王弼注。郭店乙本作“兑”。

③ 傅奕古本、范应元本无“以”字。对“以”的支持:王弼注“傳此道以祭祀”。郭店乙本“以”作“以其”。

④ 取“輟”而非“絕”:王弼注“則不輟也”、陆德明《释文》、傅奕古本、范应元本。郭店乙本作“屯”。

54.4　修[①]之身，其德乃真；修之家，其德乃有餘[②]。（底本：马王堆乙本）

以身及人也。修之身則真，修之家則有餘，修之不廢，所施博[③]大。（底本：《集注》本）

54.5　修之鄉，其德乃長；修之國[④]，其德乃豐[⑤]；修之天下，其德乃博[⑥]。故以身[⑦]觀身，以家觀家，以鄉觀鄉，以國觀國，（底本：马王堆乙本，脱文据傅奕古本补）

彼皆然也。（底本：《集注》本）

54.6　以天下觀天下。（底本：马王堆乙本）

以天下百姓心，觀天下之道也。天下之道，逆順吉凶，亦皆如人之道也。（底本：《集注》本）

54.7　吾何[⑧]以知天下之然哉[⑨]，以此。（底本：马王堆乙本，脱文据傅奕古本补）

此，上之所云也。言吾何以得知天下乎？察己以知之，不求於外也，所謂不出戶，以知天下者也。（底本：《集注》本）

［**译文**］

54.1　善于建[基]的人不会被拔起。

巩固其根本然后营理其枝末。[⑩] 这就是[文本说]“不拔”的原因。

---

① 取“修”而“脩”：王弼注、傅奕古本。

② 取“乃有餘”而非“有餘”：王弼注“則有餘”，“則”是对“乃”的翻译。对“乃有餘”的支援：《文子》。傅奕古本、范应元本作“乃餘”。郭店乙本作“又舍”。

③《取善集》、张之象本作“轉”。对“博”的支持：王弼《老子》38.2 注“不能無爲而貴博施”。

④ 郭店乙本、马王堆甲本、傅奕古本、范应元本作“邦”。

⑤ 取“豐”而非“夆”：傅奕古本、范应元本。

⑥ 傅奕古本作“溥”。范应元本作“普”。

⑦ 取“故以身”而非“以身”：傅奕古本、范应元本。马王堆甲本无“故”字。

⑧ 傅奕古本、范应元本作“奚”。对“何”的支持：王弼注“吾何以得知天下乎”。

⑨ 取“哉”而非“兹”：傅奕古本、范应元本。

⑩ 关于“本”、“末”等词，参见本书第一编第五章。

54.2　善于抱持[一]的人不会让[任何东西]被夺走。

不贪求更多，而是照管其所能。① 这就是[文本说]“不脱”的原因。

54.3　子子孙孙以检讨自己[的方式作]，[此道]就不会被中断。

如果子孙以检省其自身传承此道，那么此道将“不辍”。②

54.4　就[我]个人而言，追随此[道]，[我从道]所得才是真正的[精质]。就[我]的家族而言，追随此[道]，[我的家族从道]的所得才盈余。

[文本]从一己之身进而及于他人。为自身而修进[此道]，结果是自身将实现其真[性]。为自己的家族修进[此道]，结果是自己的家族将有盈余。只要人能修进它而不废止，它的影响将越来越博大。

54.5　就我的乡里而言，追随此[道]，由此而来的所得才优越。就我的国家而言，追随此[道]，由此而来的所得才丰饶。就天下而言，追随此[道]，由此而来的所得才广大。因此，从[致力此道的一己之]身来理解[所有]人；从[致力此道的人的]家族来理解[所有]家族；从[致力于此道的人的]乡里来理解[所有的]乡里；从[致力于此道的人的]国家来理解

---

① 《老子》中出现的“抱”字有两个重要的对象——“朴”(19.1)和“一”(22.6)。由于注释解释说他“不贪于多”，那么“抱”的隐含宾语可能是两者中的任何一个，因为它们是相关的。

② 此处的《老子》文本为“子孙以祭祀不辍”，翻译为“子孙祭祀不断”，这是绝大多数译者选择的意思。这一翻译没有解释“以”字，而且似乎完全没有看到它与此前句子的显见关联。王弼将54.3读作讨论此前两句的一个一般性的论述。在他的注释中，“此道”直接指前面的论述。那么，祭祀怎么样呢？他在注释中没有解释“祭祀”一词的意义。然而，在54.7注中，他说“察已以知之，不求于外也”。从人自身到整个世界的链条在此章中确是给出了，但文本中没有“察已”的对应者。因此，我们就发现了在文本中没有得到注释的“祭祀”，以及注释中没有文本对应的“察已”。我的论点是，二者是同一的。在《尚书》和《春秋繁露》“祭义”第七十六中，“祭”实际上被解释为“察”。后者作“祭者，察也”。意思是“以善鬼神之谓，善乃逮不可闻见者，故谓之察”。王弼一定是将“祀”读作“已”的异体字。此后的文本从如何检察自身来理解和治理世界的角度展开。“察已”一词也出现在《周易》“观卦”王弼注中：“故观民之俗，以察已[之][道]；百姓有罪，在于一人”(《王弼集校释》，页317)。

[所有的]国家。

其他的[即乡、国等]也都[跟我]一样。

54.6 从[致力于此道的人民的]天下来理解全天下。

以天下百姓的志欲来理解天下之道。天下之道在逆、顺、吉、凶这些方面，如人之道一样。[①]

54.7 我从何得知天下是这样子呢？通过这些。

“此”是指上面所述。这说的是：我通过什么设法认知天下呢？通过检讨自己的方式，而不是向外面寻求[这样的认识]。这就是[《老子》47.1 所说的]“不出户”以“知天下”。

《老子注》第 55 章

[本文]

55.1 含德之厚者，比[②]於赤子也[③]。蜂蠆虺蛇[④]不[⑤]螫[⑥]，猛獸[⑦]攫鳥[⑧]

① 对于其他因素，如个人、家庭和乡里，都有其他的对应者。而天下却没有。王弼注试图在他的解释中解决这一弱点，他为天下添加了两个属性，由此在二者之间有一个差别。这一注释的第二句承续自《老子》73.5：“天之道，不争而善胜，不言而善应”。王弼注释后一部分曰：“顺则吉，逆则凶，‘不言而善应也’”。类似的思想在《老子》第 38 章注中也出现过。参见本书页 552 注①。在那里，王弼引用了“复卦”的彖辞“复其见天地之心”。相应地，此处的注释将自身纳入王弼的思想，因此波多野太郎罗列的一些注者的怀疑——这一段落可能伪造的，也就成了无根之论。

② 取“比”而非“比之”：马王堆甲乙本、郭店甲本、范应元本。

③ 郭店甲本、马王堆甲乙本无“也”字。

④ 取“蜂蠆虺蛇”而非“蜂蠆”：陆德明《释文》、范应元本。马王堆甲本作“逢㑥蜾地”。马王堆乙本作“蠭癘虫蛇”。

⑤ 马王堆甲乙本作“弗”。

⑥ 马王堆乙本作“赫”。

⑦ 马王堆甲乙本、范应元本无“不據”。

⑧ 郭店甲本、马王堆甲乙本作“攫鳥猛獸”。

不[1]搏[2]。(底本:傅奕古本)

赤子無求無欲,不犯衆物,故毒螫[3]之物,無犯之[4]人也。含德之厚者,不犯於物,故無物以損其全也。(底本:《集注》本)

55.2 骨弱筋柔[5]而握固。(底本:傅奕古本)

以柔弱之故,故握能堅[6]固。(底本:《集注》本)

55.3 未知牝牡之合[7]而全作[8]。(底本:傅奕古本)

作,長也。無物以損其身,故能全長也。言含德之厚者,無物可以損其德、渝其真,柔弱不爭而不摧折,皆若此也。(底本:《集注》本)

55.4 精之至也。終[9]日號而不嗌[10],(底本:马王堆乙本)

無爭欲之心,故終日出聲而不嗌[11]也。(底本:《集注》本)

55.5 和之至也。知[12]和曰常,(底本:傅奕古本)

物以和爲常,故知和則得常也。(底本:《集注》本)

55.6 知常[13]曰明,(底本:傅奕古本)

不皦不昧,不溫不涼,此常也。無形不可得而見,故曰知常曰明。[14](底本:《集注》本)

55.7 益生曰祥,(底本:傅奕古本)

---

① 马王堆甲乙本作"弗"。
② 马王堆乙本作"捕"。郭店甲本作"扣"。
③ 张之象本作"蟲"。
④ 取"之"而非"於":张之象本。
⑤ 取"骨弱筋柔"而非"骨筋弱柔":马王堆乙本。
⑥ 张之象本作"周"。
⑦ 马王堆乙本作"會"。
⑧ 取"全作"而非"朘作":王弼注"作長也……故能全長也",陆德明《释文》。郭店甲本、马王堆乙本作"朘怒"。
⑨ 取"終"而非"冬":王弼注、陆德明《释文》、马王堆甲本、傅奕古本、范应元本。
⑩ 取"嗌"而非"嗄":王弼注"而不嗌也",《集注》本的注曰"王弼本嗄作嗌"。陆德明《释文》、范应元本作"嗄"。马王堆甲本作"发"。傅奕古本"不嗌"作"嗌不𡂈"。范应元本"不"作"嗌不"。
⑪ 张之象本"嗌"作"嗄"。
⑫ 郭店甲本、马王堆甲本无"知"。
⑬ 郭店甲本、马王堆甲本作"和"。
⑭ 取"不可得而見故曰知常曰明"而非"不可得而見曰明":宇佐美灊水依据王弼《老子》16.6注校订。

生不可益,益之則妖[①]也。(底本:《集注》本)

55.8 心使氣則[②]強。(底本:傅奕古本)

心宜無有,使氣則強。(底本:《集注》本)

55.9 物壯則[③]老,謂[④]之不道。不道早[⑤]已。[⑥](底本:傅奕古本)

[**译文**]

55.1 拥有全德的[统治者]就像婴儿:蜂、蝎和毒蛇不会叮咬他,猛兽和猛禽不会捕捉他。[⑦]

婴儿无欲无求,[因此]不会冒犯[其他]众多的事物。因此是毒虫不会冒犯的人。拥有全德的[统治者],不冒犯其他事物。因此没有东西能损害他的整全。

55.2 [婴儿的]筋骨柔弱而握拳牢固。

正是因为柔弱,才会握固。

55.3 对于男女之会无知但能完整地兴作,

"作"是成长的意思。由于没有东西会损害他的身体,因此他能完整地成长。这意味着:对于有全德的人,没有东西可能损伤其德,染污其真。[⑧] [婴儿][筋骨]柔弱,与[其他事物]没有争斗,但那些[没有什么能]折断的[筋骨]都像他一样。

55.4 这是精纯的极至。[⑨] 整天哭而不嘶哑,

---

① 张之象本、陆德明《释文》本作"夭"。

② 郭店甲本、马王堆甲乙本、范应元本作"曰"。对"則"的支持:王弼注"使氣則強"。

③ 马王堆甲本作"即"。

④ 马王堆甲乙本作"胃"。

⑤ 马王堆乙本作"蚤"。

⑥ 郭店甲本无"不道早已"。

⑦ 根据此章最后一句注,我们插入"统治者"作为隐含的主语。从这一注释看,很明显,"含德之厚,比于赤子"的对立面是暴力的统治者。

⑧ 同一表述出现于《老子》4.1 和 50.2 王弼注。

⑨ 王弼将"精"与事物的真正内核关联起来,后者又被关联于道;参见《老子》21.5 王弼注,在那里,"精"被解释为"真精"。

它无争斗欲求之心,因此尽管整天出声,它也不会嘶哑。

55.5 这是和谐的极至。知和意味着[有]常。

事物以和谐为恒常。因此知和就会得常。

55.6 知常意味着明达。

既不明亮也不暗昧,既不温也不凉,这就是常。① 它没有形体,不可能看到。因此[文本]说"知常曰明"。②

55.7 [而对于一个统治者而言]过度的厚爱生命意味着灾祸。

求生不可过度,如果过度,就会夭亡。

55.8 让心运用气意味着暴力。③

心应该没有[特殊的志欲]。如果使气,就将成为暴力。④

55.9 如果某个事物变得强壮,它就会[很快]衰老。我称之为"不道"。"不道"的东西会迅速终结。⑤

《老子注》第56章

[本文]

56.1 知者⑥不言也⑦。(底本:傅奕古本)

---

① 王弼在《老子微旨略例》1.6关于"万物之宗"的论述使用了类似的语言。

② 在《老子》16.6中有同样的表述:"知常曰明;不知常,则妄作,凶"。王弼注曰:"常之为物,不偏不彰,无皎昧之状,温凉之象,故曰知常曰明也"。

③ 此章的两个部分具有直接平行的可能。"使气"可以与婴儿终日哭相联,"益生"可以与婴儿之柔弱相联。然而,在现存的王弼注中,并没有这一关联的标示。因此,在这一阶段,唯一确定的论述可能是从句7以后,描述的是错误的态度。尽管与婴儿"得常"、无所犯伤的相似,句7以后所描述的那些会"早死"。

④ 王弼将这一注释与《老子》42.3相联:"强梁者不得其死"。

⑤ 同样的段落出现于《老子》30.7。在那里,王弼的注释为:"壮,武力暴兴,喻以兵强于天下者也。飘风不终朝,骤雨不终日,故暴兴必不道,早已也"。

⑥ 郭店甲本"知者"作"智之者"。

⑦ 郭店甲本、马王堆甲乙本"不言也"作"弗言"。

因自然也。(底本:《集注》本)

56.2　言者[1]不知也[2]。(底本:傅奕古本)

造事端也。(底本:《集注》本)

56.3　塞其兑[3],閉其門,[4](底本:傅奕古本)

含守質也。(底本:《集注》本)

56.4　挫[5]其鋭[6],解其紛,(底本:傅奕古本)

除爭原也。(底本:《集注》本)

56.5　和其光,(底本:傅奕古本)

無所特顯,則物物無偏爭也。[7](底本:《集注》本)

56.6　同其塵[8],(底本:傅奕古本)

無所特賤,則物物無偏耻。[9](底本:傅奕古本)

56.7　是謂[10]玄同。不[11]可得而親,亦不可得而踈[12]。(底本:傅奕古本)

可得而親,則可得而踈[13]也。(底本:《集注》本)

56.8　不可得而利,亦不可得而害。(底本:傅奕古本)

---

① 郭店甲本"言者"作"言之者"。

② 郭店甲本、马王堆甲乙本"不知也"作"弗知"。

③ 马王堆甲本作"閟"。马王堆乙本作"垝"。

④ 郭店甲本"塞其兑閉其門"作"閔其逸賽其門"。

⑤ 马王堆甲本作"坐"。马王堆乙本作"銼"。对"挫"的支持:陆德明《释文》。

⑥ 马王堆甲本作"閲"。马王堆乙本作"兑"。郭店甲本"挫其鋭"作"副其畲"。

从《老子》4.1看,"挫其鋭"与"解其紛"构成了一对。此处的文本和注释的切入点错了。

⑦ 张之象本"物物無偏爭也"作"物無所偏爭也"。

⑧ 马王堆甲本作"墼"。

马王堆甲乙本和郭店甲本56.3—56.6有不同的次序,"塞其兑閉其門挫其鋭解其紛和其光同其塵"作"塞其兑閉其門和其光同其塵挫其鋭解其紛"。

⑨ 张之象本"物物無偏耻也"作"物無所偏恥也"。

《老子》56.5和56.6注中"物物"的重复,排除了传写错误的可能。读如原句,文本通畅可解。张之象本似乎想要顺畅"物物"的怪异,是一种后来的修订。

⑩ 郭店甲本、马王堆甲乙本作"胃"。

⑪ 郭店甲本、马王堆甲乙本"不"作"故不"。

⑫ 取"踈"而非"疏":王弼注、范应元本。

⑬ 张之象本"踈"作"疎"。

可得而利，則可得而害也。（底本：《集注》本）

56.9　不可得而貴，亦不可得而賤[1]。（底本：傅奕古本）

可得而貴，則可得而賤也。（底本：《集注》本）

56.10　故爲天下貴。（底本：傅奕古本）

無物可以加之者[2]。（底本：《集注》本）

［**译文**］

56.1　有知的[统治者]不言说。[3]

他因顺[事物的]自然。

56.2　言说的[统治者]就无知。

他创制特殊的治理行为。

56.3　如果[统治者]堵塞[其他事物的]出口，关闭它们的门户，

[以便它们]包含和保守其素朴的[真性]。[4]

56.4　挫钝它们的锋锐，解除它们的纷扰，

[即]去除争斗的根源。

56.5　混和它们的光耀，[5]

如果[在他看来]没有东西是特别显耀的，那也就没有人有任何特别要争竞的东西。

---

① 马王堆甲本作"淺"。

② 张之象本作"也"。

③ 此章的基本对立还是在于"物"与管理它们的统治者之间。从句3起，文本讨论的是圣王的策略，其原则在56.1注中已经阐明。句6中的"同其尘"在《老子》70.5注中被直接用于圣人。句10中的"贵"也出现于《老子》70.4的相同语境中。

④ 同样的句子出现于《老子》52.3。其中"其"指的是天下。此处的"其"在某种更一般的意义上指向56.6和56.6注中提到的"物"。

⑤ 最后两个对子也出现在《老子》4.1中，在那里，这些句子论及的是道本身是诸大（包括圣人在内）的范型。

56.6　与它们同入尘土，

[在他看来]没有东西是特别低贱的，那也就没有人有任何特别要以之为耻的东西。

56.7　我称此为“[与]玄[相]同”。
因此[其他事物]
不能亲近[他]也不能远离[他]。

如果可以亲近[他]，那也就可以远离[他]。

56.8　不能利于[他]也不能伤害[他]。

如果能够有利于[他]，也就能够伤害[他]。

56.9　不能尊荣[他]也不能贬低[他]。

如果能够尊荣[他]，也就能够贬损[他]。

56.10　因此他是天下[最]尊贵的。

没有事物可以给他添加任何东西。

[结构]

在最初两个对反的句子之后，有三对语法上平行的短句，每句三个字。在句 7 的开头由一个同时指涉这三者的非平行的句子来总结。句 7“是谓”后面是另外三对严格平行的句子，由句 10 的非平行的总结句给出结论。这样我们就有了平行阶梯式的隐蔽的链体风格的形式指标。王弼只在一处将两组关联在一起：通过在其对第一组最后一句以及第二组最后一句的注释中使用同一个字“贱”，建立了二者的关联。然而，一旦指出了平等关系，在各组的第一和第二句中看到同样的关联并不困难。此章的形式结构为：

c	(56.1)
c	(56.2)

x			(56.3)
	y		(56.4)
		z	(56.5,56.6)
	c		(56.7)
x			(56.7)
	y		(56.8)
		z	(56.9)
	c		(56.10)

《老子注》第57章

［**本文**］

57.1　以正[1]治[2]國[3],以奇[4]用兵,以無事取天下。(底本:范应元本)

以道治國則國平,以正治國則奇兵[5]起也,以無事則能取天下也。上章云:其取天下者常以無事,及其有事,又不[6]足以取天下也。故以正治國,則不足以取天下,而以奇用兵也。夫以道治國,崇本以息末。以正治國,立辟以攻末。本不立而末淺,民無所及,故必至於奇用兵也。(底本:《集注》本)

57.2　吾何[7]以知[8]其然哉[9]! 以此[10]。夫天下多忌諱而民彌[11]貧[12],民

① 傅奕古本作“政”。
② 郭店甲本、马王堆甲乙本作“之”。
③ 郭店甲本、马王堆甲本作“邦”。
④ 马王堆甲乙本作“畸”。
⑤ 张之象本作“正”。
⑥ 张之象本“不”作“又不”。
⑦ 取“何”而非“奚”:马王堆甲乙本。
⑧ 郭店甲本、马王堆甲乙本无“知”后面的“天下”。
⑨ 郭店甲本作“也”。马王堆甲乙本“哉”作“也哉”。
⑩ 郭店甲本、马王堆甲乙本无“以此”。
⑪ 傅奕古本作“䌝”。
⑫ 郭店甲本作“畔”。

多利器而[1]國家[2]滋[3]昏。(底本:范应元本)

利器,凡所以利己之器也[4]。民強則國家弱。(底本:《集注》本)

57.3　民[5]多智慧[6]而邪[7]事滋[8]起。(底本:傅奕古本)

民多智慧則巧僞生,巧僞生則邪事起。(底本:《集注》本)

57.4　法物滋章[9]而[10]盜賊多有。(底本:范应元本)

立正欲以息邪而奇兵用,多忌諱欲以止貧者也[11]而民彌貧,多利器[12]欲以強國者也而國愈昏[13],皆[14]舍本以治末,故以致此也。(底本:《集注》本)

---

① 傅奕古本无"而"。

② 马王堆甲本"國家"作"邦家"。郭店甲本"國家"作"邦"。

③ 马王堆甲本作"茲"。郭店甲本作"慈"。

④《取善集》无"也"字。

⑤ 郭店甲本、马王堆甲本作"人"。

⑥ 取"智"而非"知":王弼注、范应元本。马王堆甲本、郭店甲本"智慧"作"知"。

⑦ 取"邪"而非"衺":王弼注。

⑧ 马王堆甲本"邪事滋"作"何物茲"。郭店甲本作"戠勿慈"。

⑨ 郭店甲本"法令滋章"作"法勿慈章"。马王堆乙本作"□物茲章"。对"章"的进一步支持:王弼《老子微旨略例》"息淫在乎去華不在茲章"。此处"去華"暗示王弼在这里读作"法物"。

⑩ 郭店甲本、傅奕古本无"而"字。

⑪ 取"止貧者也"而非"耻貧":Wagner 接受了藤泽东畡以"止"易"耻"的提法,并添加了"者也"以与"強國者也"匹配。

这一注释部分显然有残损。首先,关于"正"、"多忌諱"和"多利器"的句子都在此章中得到了承续,却没有关于民多"智慧"的句子。另外,我们可以推断,关于民多智慧的句子其实是此前两个句子的总结和结果。第二,"昏"后面的"多"显然放错了位置。它可能是讨论民多智慧的句子的残余,如果确有这样的句子的话。第三,现有三句话之间的平行关系是相当怪异的。在下一句"多利器欲以強國者也而國愈昏"中,此句中的"者也"通过将"多利器"而非统治者设为主语,使得"強"成为主要的动词,而非从属于"愈昏"一词。"者也"这个词与此前两个句子都不平行,尽管二者有平行的模式。这三种可能:要么将有关利器的句子中的"者也"删去;要么假定这是一种更古的读法,而将它加上;要么如我所做的那样,只在有关"多忌諱"的句子中加上"者也"二字。我没有在此注释的第一句中加上"者也",是因为我将它读作对此处的构架展开的最后阶段的直接解释:"法"和"物"既多,盗贼益盛,而最终将诉诸武力。

⑫ 取"多利器"而非"利器":Wagner。

⑬ 取"昏"而非"多昏":Wagner。

⑭ 取"皆"而非"多皆":波多野太郎。陶鸿庆"多"读为"弱"的提法从王弼《老子》57.2 注将"国家滋昏"注解为"国家弱"得到某些支持。

57.5　故[1]聖人之言云[2]:我無爲[3]而民自化,我好靜[4]而民自正,我無事而民自富,我欲無欲[5]而民自樸。[6]（底本:《集注》本）

上之所欲,民從之速也。我之所欲唯無欲,而民亦無欲而自樸也。此四者,崇本以息末也。(底本:《集注》本)

[译文]

57.1　以正来治理国家的[统治者]将以狡诈来用兵。

[只有]以无事的方式[治理国家]的人才能取得天下。

以道来治国,国家就会太平。

"以正治国",奇狡的用兵就会兴起。

[如果]以"无事"来[治理]国家,[统治者]就会"取天下"。

前面的分章[即《老子》第48章]说:

① 取"故"而非"是以":傅奕古本、范应元本。郭店甲本"故"作"是以"。
② 取"云"而非"曰":严遵、傅奕古本、范应元本。傅奕古本、范应元本无"之言"。
③ 马王堆甲本"無爲"作"無爲也"。
④ 傅奕古本作"靖"。
⑤ 取"我欲無欲"而非"我欲不欲":王弼注"我之所欲唯無欲"。傅奕古本、范应元本"我欲無欲"作"我無欲"。
⑥ 郭店甲本"我無爲……我好靜……我無事"作"我無事……我亡爲……我好靜"。

从此处王弼注"我之所欲唯無欲"可知,他的《老子》本一定不是傅奕古本和范应元本的"我無欲"。唯一适用于"欲"的双重使用的是马王堆乙本和郭店甲本,作"我欲不欲"。然而,这一版本中的"不欲"与王弼的"無欲"不相应。因此,我推断他的《老子》本结合了其文本族中的诸多特征。标志此文本的核心特征的实际上是"欲"字,我选用了在这方面最接近王弼的马王堆乙本作底本。而对"之言"的选择,则基于马王堆乙本与王弼本此句相近的假设上,另外与王弼的文本族有着某种松散关联的严遵本也有"之言"二字。将马王堆乙本的"曰"(郭店甲本也如此)转为"云",则以严遵本、傅奕古本和范应元本的相同为根据。

“取天下者常以无事”，

及其有事，又不足以取天下”。

因此

如果[统治者]“以正治国”，他将没有资格“取天下”，而会“以奇用兵”。

事实上，

以道治国的[统治者]将崇重根本以安置枝末。

“以正治国”的[统治者]将建立刑罚来攻击枝末。如果根本不能很好地确立，枝末将会浮浅，百姓将无所依附。因此必将导致“以奇用兵”。

57.2

我是如何知道是这样的呢？通过如下的现象：

事实上，
——天下越多禁忌，
百姓
越贫穷；
——百姓拥有的有利

的器具越多，国家越昏乱；

“利器”即所有对自己有利的器物。如果百姓变强，国家将削弱。

57.3　——[由于统治者的策略]百姓增进其知识，邪僻的行为越多；

一旦[由于统治者的策略]导致“民多智慧”，巧伪将随之产生。一旦巧伪产生了，“邪事”将兴起。

57.4　——[总之]，[统治者]陈示的美丽的东西越多，盗贼将越多。

[即][统治者]建立标准是为了消除邪僻，而[结果是]“奇兵用”。“多忌讳”是为了消除贫穷，而[结果是]人民却更加贫穷。“多利器”是为了强盛国家，而[结果是]国家更加昏乱。这些[努力]都

是在舍弃根本而追逐枝末。因此导致了这些。

57.5

因此，圣人有言：

——我[作为统治者]无为，则百姓自然转化得[更好]；

——我崇尚安静，则百姓将自我校正；

——我无所事为，则百姓将自然富有。

——[总之]，我想要无欲，则百姓自然素朴。

统治者所欲求的，会很快为百姓所追随。我[作为圣王]想要的只是无欲，那么百姓也将无欲，而自己变得素朴。这四句话是要崇重根本以息止枝末。

[结构]

《老子》第57章的宏观结构相当清楚。句1和句2设置了两个选择，接下来是一个一般性的问句“吾何以知其然”。然后是三个平行的句子，和看似接近而实际上并不平行的句4，区别在于它没有其他三句的开头都有的受益人[即“民”]。这4句(或3加1句)详细说明了何以“以正治国”的统治者最终会用强力来强加这一一般规则。“故圣人之言云”开始了另一组的四个句子，详细说明了在开头用“以无事取天下”的论述来指明的正确的治理方式。这四句中前三句也是严格平行的。第四句同样以严格的平行结构传写下来，但必须依照王弼注改为马王堆乙本和《老子》64.7的读法。这样一来，我们又有了一个3加1句。两组的最后一个句子肯定是总结句，我将其分别指定为**X**和**Y**。至此，我们就有了如下的结构：

a	b	（57.1,57.1）
c		（57.2）
a		
1，		（57.2）
2，		（57.2）
3，		（57.3）
X		（57.4）
	b	
1，		（57.5）
2，		（57.5）
3，		（57.5）
Y		（57.5）

问题从这儿开始。在其他分章中，完全可能在王弼注的基础上将两个系列的相应片断关联起来，以达到在特定内容上的严格平行，而不仅是数字和一般内容上的平行。在我看来，这一章的王弼注的传本并不完善。第　句的注释重复，而且在论辩上也很糟糕，不是王弼的典型风格。第4句的注释也是这样，该注释以某种随意的方式从此前的文本中承续了不同的要素，而没有注释其他要素，比如该注释依附的这一句。在本文中有一个单独的标示暗示了一个关联，即第一个系列中的“民弥贫”与第二系列中的“民自富”的对照。然而，它们在系列中的位置是不同的，前者在第一位，后者在第三位。对于剩下二者，我无论从这一章还是从其他出现了相同语汇的分章都细绎不出将它们结合起来的明确标准。

因此我们留下了一个在字数的平行关系上和宏观秩序上相当严格、但在骈连的细节上相当松散的结构。

《老子注》第 58 章

［本文］

58.1　其政[1]悶悶[2]，其民惇惇[3]。（底本：王弼注）

言善治政者，無形無名，無事無正[4]可舉，悶悶然卒至於大治，故曰其政悶悶也。其民無所爭競，寬大惇惇[5]，故曰：其民惇惇[6]也。（底本：《集注》本）

58.2　其政[7]察察[8]，其民[9]缺缺[10]。（底本：前两个字据傅奕古本，其余据王弼注）

立刑名，明賞罰，以檢奸僞，故曰：其政察察[11]也。殊類分析，民懷爭競，故曰：其民缺缺。（底本：《集注》本）

58.3　禍兮[12]福之所倚，[13]福兮[14]禍之所伏。孰知其極，其無正也。[15]（底

---

① 马王堆乙本作“政”。

② 马王堆乙本作“闅闅”。傅奕古本、范应元本作“閔閔”。

③ 取“惇惇”而非“淳淳”：《纂微》关于王弼本的记述。马王堆乙本作“屯屯”。傅奕古本、范应元本作“偆偆”。

“惇惇”一词是少数几处王弼注依据所附之《老子》本改变的例子之一。从内容看，陈景元《纂微》中的读法最符合王弼的注释。

④ 张之象本作“政”。

⑤ 取“惇惇”而非“淳淳”：《纂微》关于王弼本的记述。

⑥ 取“惇惇”而非“淳淳”：《纂微》关于王弼本的记述。

⑦ 马王堆甲乙本作“正”。

⑧ 傅奕古本、范应元本“察察”作“詧詧”。

⑨ 马王堆甲本作“邦”。

⑩ 马王堆甲本“缺缺”作“夬夬”。

⑪ 取“其政察察”而非“察察”：宇佐美灊水依据《老子》58.1 王弼注与“其政悶悶”的平行校订。

⑫ 马王堆甲本“禍兮”作“䄍”。马王堆乙本没有“兮”的空位。

⑬ 马王堆乙本无“禍兮福之所倚”。

⑭ 马王堆甲乙本无“兮”。

⑮ 取“也”而非“邪”：马王堆乙本。范应元本作“邪”。《集注》本关于王弼《老子》的记述写作“邪”。

本:傅奕古本)

言誰知善治之極乎?唯無正可舉,無形[1]可名,[2]悶悶然而天下大化,是其極也。(底本:《集注》本)

58.4　正復爲奇,(底本:王弼注)

以正治國,則便復以奇用兵矣,故曰正復爲奇。(底本:《集注》本)

58.5　善復爲妖[3]。(底本:傅奕古本)

立善以和物[4],則便復有妖佞之患也。[5](底本:《集注》本)

58.6　民[6]之迷[7]也[8],其日固已[9]久矣。(底本:《周易》〈明夷〉九三王弼注)

言民[10]之迷惑失道固久矣,不可便正善治以責。(底本:《集注》本)

58.7　是以聖人[11]方而不割,(底本:傅奕古本)

以方導物,令[12]去其邪,不以方割物,所謂大方無隅。(底本:《集注》本)

58.8　廉而不劌,[13](底本:傅奕古本)

廉,清廉也。劌,傷也。以清廉清民,令去其污,[14]不以清廉劌傷於物也。(底本:《集注》本)

---

① 取"形"而非"刑":张之象本。

② 张之象本"唯無正可舉無形可名"作"唯無可正舉無可形名"。

③ 取"妖"而非"祅":王弼注"妖佞之患"。

④ 张之象本"物"作"萬物"。

⑤ 取"則便復有妖佞之患也"而非"則便復有妖妖佞之患也":波多野太郎。张之象本作"則便復有妖之患也"。

⑥ 傅奕古本作"人"。

⑦ 马王堆乙本作"悉"。

⑧ 范应元本无"也"。

⑨ 马王堆乙本、傅奕古本无"已"。

⑩ 取"民"而非"人":Wagner 依据王弼引文校改。《集注》本和张之象本均写作"人"。我认为是注释依此读法做了调整。

⑪ 马王堆乙本无"聖人"。

⑫ 取"令"而非"舍":陆德明《释文》。

⑬ 马王堆乙本"廉而不劌"作"兼而不刺"。

⑭《取善集》、张之象本"令去其污"作"令去其邪令去其污"。

58.9　直而不肆[①],(底本:傅奕古本)

以直導物,令去其僻,而不以直激拂[②]於物也。所謂大直若屈也。(底本:《取善集》)

58.10　光而不燿[③]。(底本:《老子》41.3 王弼注,傅奕古本)

以光鑑其所以迷,不以光照求其隱匿[④]也。所謂明道若昧也,此皆崇本以息末,不攻而使復之也。(底本:《集注》本)

[译文]

58.1　其治理隐密[不可见]的[统治者],将使他的百姓厚重。

这说的是:善于治理的[统治者]无形无名,没有事为和标准可以标举出来。[他的治理]"闷闷"的样子,[但]最终却达到了大治。这就是[文本]说"其政闷闷"的原因。他的百姓没有什么东西可以争竞,宽大厚重。这就是[文本]说"其民惇惇"的原因。

58.2　其治理力求监察的[统治者],将看到他的百姓的分裂。

他建立刑名、颁布奖惩来控制奸伪,故曰"其政察察"。[百姓]的不同类别被分别割裂,[以致]百姓关切于竞争。这就是[文本]说"其民缺缺"的原因。

58.3　如果[在这种方式]祸之上的确有福所依,福之下的确有祸潜伏,谁知道[善于治理的]最高形式是什么呢?它是没有标准的。

这[最后一句]的意思是:谁能知道什么是善于治理的最高形式呢?只有无标准可以举出,无形体可以命名,"闷闷"的样子,而天下极大程度地[向更好]转变——这就是最高形式。

58.4　[统治者用来统治的]标准将进而导致[用兵的]狡诈。

① 马王堆乙本作"绁"。

②《集注》本、张之象本作"沸"。对"拂"的支持:陆德明《释文》。

③ 陆德明《释文》作"耀"。

④ 张之象本作"慝"。对"匿"的支持:陆德明《释文》。

[正如《老子》57.1所说]“以正治国”就会“以奇用兵”。因此[文本]说“正复为奇”。

58.5　[作为统治者治理工具的]善将进而导致邪恶。

立善以和谐万物，接下来他就将经受邪恶的祸患。①

58.6　[另一方面]，人民的迷惑已经[的确]有很长时间了。

这是在说百姓迷惑失道已经很久了。不能简单地说以正和善的[方式]来治理。②

58.7　因此圣人为方而不割伤[他人]。

通过方来引导其他事物，去除它们的邪恶，但他并不以方的方式来割伤他人[《老子》41.11所说的“大方无隅”]。

58.8　为廉而不损害[他人]。

“廉”是清廉的意思。“劌”是伤害的意思。用清廉来使百姓纯净，让他们去除[对其真性的]染污，而不是以清廉的方式伤害其他事物。

58.9　正直而不凌人。

他用正直来引导他人，让他们去除邪僻，而不是以正直来震动和压制其他事物。这就是[《老子》45.3]所说的“大直若屈”。

58.10　[他]明达而不伺察。

通过明达来澄清迷惑[百姓的]东西，而不是以其明达来伺察[百姓的]隐私。这就是[《老子》45.3]所说的“明道若昧”。这都是崇重根

---

① “妖”这个字在王弼《老子注》中只出现过一次。王弼用于“邪恶”的标准语汇是“邪”。在其《周易注》中，王弼谈到了“妖邪之道”。因为这个原因，我在当下这一语境里采纳了这一意义。

② 波多野太郎和楼宇烈都假定这一注释片断是残损的。在我的译文中给出的思想并没有在王弼现存著述的其他地方出现过。然而，它与王弼的思想是协调的。因此我使用了它；参见本书第三编第三章。

本以息止枝末，而不是攻击[其他事物]来让它们回复[本根]。

《老子注》第59章

[本文]

59.1　治人事天莫如[1]嗇。（底本：傅奕古本）

莫如[2]，猶莫過也。嗇，農也[3]。夫農人之治田，務去其殊類，歸於齊一也。[4] 全其自然，不急其荒病，除其所以荒病。上承[5]天命，下綏百姓，莫過於此。（底本：《集注》本）

59.2　夫唯[6]嗇，是以早[7]復[8]。（底本：马王堆乙本）

復[9]常也。（底本：《集注》本）

59.3　早復[10]謂之[11]重積德。（底本：王弼注）

唯重積德，不欲鋭速，然後乃能使早復[12]其常，故曰早復[13]謂之重積德者也。（底本：《集注》本）

59.4　重積德則無不克，無不克則莫知其極。（底本：傅奕古本）

---

① 取“如”而非“若”：王弼注“莫如猶莫過也”，陆德明《释文》。

② 张之象本作“若”。

③ 取“農也”而非“農”：Wagner。

④ 岛邦男和楼宇烈的标点均为“嗇，農夫”。在王弼注中此类 A = B 句中总是出现的“也”字在这里并没有出现。王弼接下来用“農人”而非“農夫”使这种读法更具疑问。“夫”后面的句子具有典型地以“夫”引出的一般性陈述的标志，意为“一般而言”。我假定王弼将“嗇”解读为“节省”，而将他的注释立基于“嗇”的标准用法（意为“耕种”），而在早期注释家看来，后者源出于前者。

⑤ 张之象本无“於”。

⑥ 傅奕古本、范应元本作“惟”。

⑦ 取“早”而非“蚤”：王弼注、陆德明《释文》、傅奕古本、范应元本。

⑧ 取“復”而非“服”：范应元关于他手中抄本的记述、王弼注、陆德明《释文》。王弼《老子》是此处读作“復”的唯一一种古本。许多宋代的版本和注释都如《集注》本采用了这种读法。

⑨ 张之象本“復”作“早服”。

⑩ 郭店乙本、马王堆乙本、傅奕古本、范应元本作“服”。

⑪ 郭店乙本、马王堆乙本“謂之”作“是胃”。

⑫ 张之象本作“服”。

⑬ 张之象本作“服”。

道無窮也。(底本:《集注》本)

59.5　莫知其極可以[1]有國。(底本:傅奕古本)

以有窮而涖國,非能有國也。(底本:《集注》本)

59.6　有國之母,可以長久。(底本:傅奕古本)

國之所以安謂之母。重積德,是唯圖其根,然後營末,乃得其終也。(底本:《集注》本)

59.7　是謂[2]深根[3]固柢[4]長生久視之道[5]。(底本:傅奕古本)

［译文］

59.1　在治理人、服事天上,没有东西比得上"啬"。

"莫如"就是没有东西比得上的意思。"啬"是指农耕。事实上,农夫照料田地,一定要去除不同类别的[植草],让它们整齐为一。他们维持[田地的]自然,不是通过烦劳于荒芜,而是通过去除导致荒芜的东西。[对于]上承天命来绥服百姓的[统治者],没有东西能比得上[啬]。

59.2　事实上,只有通过"啬",[统治者]才能让[百姓]尽快地回复。

[即]回复于常。[6]

59.3　[统治者]让他们尽快回复,这被描述为强调德的积累。

只有重视积累德性,而不求快速地增加,才能使[百姓]尽早回复他们的常,这就是[文本]说"早复谓之重积德"的原因。

59.4　如果强调德的积累,就会没有东西不在其控制之下。如果没有东西不在其控制之下,那么[百姓]中就没有人会知道他的完美。

---

① 范应元本"可以"作"则可以"。
② 马王堆甲乙本作"胃"。
③ 马王堆甲本作"槿"。
④ 马王堆甲乙本作"氐"。
⑤ 马王堆甲乙本、郭店乙本"道"作"道也"。
⑥ 关于王弼"复"的观念,参见本书第三编第二、三章。

[之所以如此,原因在于]道的无可穷尽。

59.5 没有人知道他的完美,他就可能拥有国家。

以可以穷尽的[道]来管理国家,将不能拥有国家。

59.6 获得了国之母,他就会长久。①

给国家带来安平的根据被称为母。强调积德意味着只关注[天下的]根本,然后才管理枝末。[这样做],[依随此道]的[统治者]将真的达到其[自然的]终结。

59.7 我称此为深植根本、巩固基础、延长生命并拓展视野之道。

《老子注》第60章

[本文]

60.1 以治大國②,若烹③小鮮④。(底本:傅奕古本)

不擾也。躁則多害,靜則全真。故其國彌大,而其主彌靜,然後乃能廣感⑤衆心矣。(底本:《集注》本)

60.2 以道蒞⑥天下⑦,其鬼不神。(底本:范应元本)

治大國則若烹小鮮,以道蒞天下,則其鬼不神也。(底本:《集注》本)

60.3 非其鬼不神⑧,其神不傷人⑨。(底本:傅奕古本)

---

① 关于这些语汇的另外意义,参见《老子》7.1译文。
② 范应元本"國"作"國者"。
③ 马王堆乙本、范应元本作"亨"。对"烹"的支持:陆德明《释文》。王弼《老子》60.2注"若烹小鲜"。
④ 范应元本作"鳞"。对"鲜"的支持:陆德明《释文》。
⑤ 张之象本作"得"。
⑥ 马王堆乙本作"立"。傅奕古本作"莅"。
⑦ 傅奕古本"天下"作"天下者"。
⑧ 马王堆甲乙本"神"作"神也"。
⑨ 马王堆甲乙本"人"作"人也"。范应元本作"民"。

神不害自然也。物守自然,則神無所加,神無所加,①則不知神之爲神也。(底本:《集注》本)

60.4 非其神②不傷人③,聖人亦不傷人④。(底本:傅奕古本)

道洽則神不傷人,神不傷人則不知神之爲神。道洽則聖人亦不傷人,聖人不傷人則亦不知聖人之爲聖也。猶云非獨⑤不知神之爲神,亦不知聖人之爲聖也。夫恃威網以使物,治之衰也。使不知神聖之爲神聖,道之極也。(底本:《集注》本)

60.5 夫⑥兩不相傷,故⑦德交歸焉。(底本:傅奕古本)

神不傷人,聖人亦不傷人。聖人不傷人,神亦不傷人。故曰:兩不相傷也。神聖合道,交歸之也。(底本:《集注》本)

[**译文**]

60.1 [在]管理大国中,[圣王的行动]仿佛在煎小鱼。

[即]他不担忧。躁就会导致很多的危害,静就会保全它们的真[质]。⑧ 因此国家越多,君主越安静,然后他对众人之心的影响才会越广泛。

60.2 [但]如果他以道的方式治理天下[而不只是一国],它的鬼[不将自己显示为积极的]精神。

[意即]"治大国"就"若烹小鲜";"以道莅天下"就"其鬼不神"。⑨

① 取"神無所加"而非"神無加":张之象本。
② 马王堆甲本作"申"。
③ 马王堆甲乙本"人"作"人也"。范应元本作"民"。
④ 马王堆甲乙本"不傷人"作"弗傷也"。范应元本作"民"。
⑤ 张之象本无"非獨"。
⑥ 范应元本无"夫"。
⑦ 范应元本作"則"。
⑧《老子》45.6 王弼注曰:"静则全物之真,躁则犯物之性"。
⑨ 注释在两个句子中都插了"则"字,只是为了澄清第一部分和第二部分之间的关系。内容仍是难以捉摸的。

60.3 不[只]它的鬼[不将自己显示为积极的]精神,它的神[也]不伤害人民。

神不伤害自然。因为事物保持其自然,神无可增加。而如果神无可增加,[百姓]也就不知道神之为神了。

60.4 不[只]它的神不伤害人民,圣人[自己]也不伤害人民。

如果依据道[来治理天下],就会“神不伤人”;而如果“神不伤人”,[人民]就不知道神之为神。如果依据道[来治理天下],就会“圣人亦不伤人”;而如果“圣人亦不伤人”,[人民]就不知道圣之为圣。[《老子》]仿佛在说:[他们]不仅不知道神之为神,也不知道圣之为圣。事实上,依杖权威之网来驱使事物,是[国家]治理的衰落;使百姓不知道神圣之为神圣,是道的极致。

60.5 事实上,[神和圣人]二者都不伤害[人民]。因此它们在[使百姓]回归[本根]的过程中相互作用①。

由于神不伤害人民,圣人也不伤害人民。由于圣人不伤害人民,神也不伤害人民。因此[文本]说“两不相伤”。神与圣人统合于道,他们“交”会以使[百姓]“归”于“本根”。

《老子注》第61章

[本文]

61.1 大國②下,流③也④。(底本:王弼注)

江海居大而處下,則百川流之;大國居大而處下,則天下流⑤之。故

---

① 此处的“得”在《老子》第38章王弼注“德者得也”的意义上,被译作“得”。

② 马王堆甲本“國”作“邦者”。傅奕古本、范应元本“國”作“國者”。

③ 傅奕古本、范应元本“下流”作“天下之下流”。

④ 傅奕古本、范应元本无“也”字。

⑤ 《取善集》作“歸”。

曰大國下流也。(底本:《集注》本)

61.2　天下之所[1]交[2]也[3]。(底本:范应元本)

天下之[4]所歸會也。(底本:《集注》本)

61.3　天下之牝[5]也[6]。(底本:傅奕古本)

靜而不求,物自歸之[7]。(底本:《集注》本)

61.4　牝常[8],以靜[9]勝[10]牡,以其靜,故爲下也。[11](底本:范应元本)

以其靜,故能爲下也。牝,雌也。雄,躁動貪欲;雌常,以靜,故能勝雄也。以其靜,復能爲下,故物歸之也。(底本:《集注》本)

61.5　故[12]大國[13]以下小國,(底本:马王堆乙本,缺文据傅奕古本补)

大國以下,猶云以大國下小國。(底本:《集注》本)

61.6　則取[14]小國。(底本:马王堆乙本)

小國則附之。(底本:《集注》本)

61.7　小國以下大國,則取於[15]大國。(底本:马王堆乙本)

大國納之也。(底本:《集注》本)

61.8　故[16]或下以取,或下而取。(底本:马王堆甲本)

---

① 马王堆甲乙本无“所”。

② 马王堆甲本作“郊”。

③ 傅奕古本无“也”字。

④《取善集》、张之象本无“之”。

⑤ 范应元本作“牲”。对“牝”的支持:陆德明《释文》。

⑥ 取“牝也”而非“牝”:马王堆乙本。对“也”的支持:与61.2的平行关系。马王堆甲乙本颠倒了这两个句子,分别作“天下之牝天下之郊也”和“□□□也天下之交也”。

⑦ 张之象本“之”作“之也”。

⑧ 马王堆甲乙本作“恒”。

⑨ 马王堆甲本作“靚”。傅奕古本作“靖”。

⑩ 马王堆乙本作“朕”。

⑪ 马王堆甲乙本“以其靜故爲下也”作“爲其靜也故宜爲下也”。

⑫ 马王堆甲本无“故”。

⑬ 马王堆甲本作“邦”。

⑭ 傅奕古本“取”作“取於”。

⑮ 范应元本无“於”。

⑯ 傅奕古本无“故”。

言唯脩[1]卑下,然後乃各得其所。(底本:《集注》本)

61.9 大[2]國[3]不過欲兼[4]畜人,小國[5]不過欲入事人。兩者各得[6]其所[7]欲,則[8]大者宜爲下。(底本:"各"字之前据傅奕古本,之后据王弼注)

小國脩[9]下,自全而已,不能令天下歸之;大國修下,則天下歸之,故曰:各得其所欲,則大者宜爲下也。(底本:《集注》本)

[译文]

61.1 如果一个国家,[尽管]是大国,降低自己,[所有其他的国家]将流[向]它。

江海[尽管]广大,而处于低位,结果百川流向它。大国[尽管]广大,如能处于下位,天下将流向它。[10] 这就是[文本]说"大国下流"的原因。

61.2 它[将成为]天下流汇

① 张之象本作"修"。

② 马王堆乙本"大"作"故大"。马王堆甲本有"故"字足够的空缺。

③ 马王堆甲本"國"作"邦者"。马王堆乙本"國"作"國者"。

④ 马王堆乙本作"並"。

⑤ 马王堆甲本"國"作"邦者"。

⑥ 马王堆甲本"兩者各得"作"夫皆得"。

⑦ 马王堆甲乙本无"所"字。

⑧ 傅奕古本"則大者"作"故大者"。

⑨ 张之象本作"修"。

⑩ 在语法上,两个句子都是由"则"连接起来的。然而,江和海是以这种方式自然地组织起来的,而大国要在持守谦卑的形象上模仿江海则需要做出自觉的努力。

的点。

它将是天下会归之所。

61.3　它[将成为]天下之雌。

[像雌那样]守静和无欲，其他事物将自愿地服从它。[1]

61.4　雌有恒久性，它通过静来胜过雄。因为它安静，所以处于下位。

因为它安静，所以能处下位。“牝”即雌。雄躁动多欲，雌有恒久性，安静，因此能胜过雄。如果[大国]也能因为安静而处于下位，所以其他事物会归向它。

61.5　因此，

如果大国以低于小国的方式行事，

“大国以下”仿佛说以大国的身份来对小国采取低的姿态。

61.6　就会获取小国。

小国就会依附它。

---

① 参见《老子》28.1注及32.4注的类似思想。雌的形象与《老子》6.1注中的“低位”关联起来。

61.7		如果小国卑身来服事于大国，它们将为大国所得。
		大国将接纳它们。
61.8	因此	
或者[大国]卑其身来获得；		或是[小国]卑其身而被获得。
	这说的是：只要[大国]以谦卑和低下的[姿态]修养自己，它们将[如下文所说]“各得其所”。	
61.9 大国想要的无非是兼管照料其他[的国家]；		小国想要的无非是加入并服事大国。
	事实上，为了使二者各自得到它们想要的，[不是小国而是]大[国]理应采取低的姿态。	
		小国采取低姿态，只能达到自我保全，而不能让全天下归服。
而如果大国采取低姿态，天下就会归服。		
	这就是[文本]说“各得其所欲，则大者宜为	

下”的原因。

[结构]

《老子》第 61 章有一个以显见的链体风格写成的部分，其结构为：

	c		(61.1)
	c		(61.2)
	c		(61.3)
	c		(61.4)
a		b	(61.5/6;61.7)
a		b	(61.8;61.8)
a		b	(61.9;61.9)
	c		(61.9)

《老子注》第 62 章

[本文]

62.1　道者，萬物之奧[①]也[②]。(底本：傅奕古本)

奧，猶暖[③]也。可得庇蔭之辭。(底本：张之象本)

62.2　善人之所[④]寶[⑤]。(底本：傅奕古本)

寶以爲用也。(底本：《集注》本)

62.3　不善人之所保[⑥]。(底本：傅奕古本)

保以全也。(底本：《集注》本)

---

① 马王堆甲乙本作“注”。

② 范应元本无“也”。

③《集注》本作“愛”。对“暖”的支持：陆德明《释文》。

④ 马王堆甲乙本无“所”。对“所”的支持：王弼注“寶以爲用也”将“寶”读为动词，对应一种“所”字结构。

⑤ 马王堆甲乙本“寶”作“璨也”。

⑥ 马王堆甲本“保”作“璨也”。马王堆乙本“保”作“保也”。

62.4　美言可以市[①]，尊[②]行[③]可以加於[④]人。（底本：王弼注，后半句中的“尊行”，王弼注与傅奕古本一致）

言道無所不先，物無有貴於此也。雖有珍寶璧馬，無以匹[⑤]之。美言之則可以奪衆貨之賈，故曰：美言可以市也。尊行之則千里之外應之，故曰可以加於人也。（底本：张之象本）

62.5　人之不善[⑥]，何棄之有。[⑦]（底本：傅奕古本）

不善當保道以免放。[⑧]（底本：张之象本）

62.6　故立天子置三公[⑨]。（底本：傅奕古本）

言以尊行道也。（底本：《集注》本）

62.7　雖有拱[⑩]璧以先駟[⑪]馬，不如[⑫]坐而[⑬]進此道[⑭]。（底本：范应元本）

此道，上之所云也。言故立天子，置三公，尊其位，重其人，所以爲道也。物無有貴於此者，故雖有拱抱寶璧以先駟馬而進之，不如坐而進此道也。（底本：《集注》本）

62.8　古之所以貴此道[⑮]者何也[⑯]？不曰[⑰]以求得[⑱]，有罪以免邪[⑲]？故

---

① 傅奕古本、范应元本“市”作“於市”。
② 马王堆乙本作“奠”。
③ 傅奕古本作“言”。
④ 马王堆甲乙本“加於”作“賀”。
⑤《集注》本作“正”。
⑥ 马王堆甲本“善”作“善也”。
⑦ 马王堆甲本“何棄之有”作“何棄也□有”。
⑧《集注》本作“倣”。
⑨ 马王堆甲本作“卿”。马王堆乙本作“鄉”。
⑩ 取“拱”而非“珙”：王弼注、陆德明《释文》、傅奕古本。马王堆甲本“拱”作“共之”。
⑪ 马王堆甲乙本作“四”。
⑫ 马王堆甲本作“善”。马王堆乙本作“若”。
⑬ 取“坐而”而非“坐”：王弼注“不如坐而進此道”，马王堆甲乙本。傅奕古本无“坐而”。
⑭ 马王堆甲乙本无“道”字。
⑮ 马王堆甲本无“道”。
⑯ 范应元本无“也”。
⑰ 马王堆甲乙本作“胃”。
⑱ 取“以求得”而非“求以得”：王弼注“以求則得求”。
⑲ 马王堆甲本作“輿”。马王堆乙本作“與”。

爲天下貴。(底本:傅奕古本)

以求則得求,以免則得免,無所而不施,故爲天下貴也。(底本:《集注》本)

［译文］

62.1　道是遮覆[所有]万物的东西。

“奥”就是暖的意思。表达可以得到庇护的意思的语汇。①

62.2　善人所宝贵的。

宝贵它的目的是要用它。

62.3　不善人所保护的。

“保”意味着通过它获得保全。

62.4　[如果某人]以欣赏来言说[道],它[甚至]可以在市场上[卖]。[如果]处于尊可以影响他人。

这是在说:没有任何东西道在其中不是优越的。事物中没有东西尊贵于此[道]。虽有珍宝和拱璧驷马[如下文所说],都不可以比拟它。如果[善人]以

62.5　人们中的不善者怎么能拒绝[道]呢?

不善必须保守道来免于[惩罚]。

---

① 同样的表述出现在《老子》51.3 注对“道生之畜之长之育之亭之毒之”的解释中。

漂亮的言辞说到它，它可以超过[市场上]所有东西的价格。这就是[文本]说“美言可以市”的原因。“尊行之”，则千里之外的人会响应他。这就是[文本]说“可以加人”的原因。

62.6

[因此]有意设立天子而且配置三公。

这是在说为了以尊位来施行道。

62.7

即使有[环抱之大的]璧玉置于驷马之前，还是不如[他们]坐其[职位]而推进此道。

“此道”指上文所说的[《老子》62.1～62.3]。这是在说：“立天子置三公”，来尊贵[前者]之位，崇重[后者]，是为了行道。没有任何东西比道优越，即使有珍贵的璧玉[其大环抱]置于驷马之车前，也不如“坐”而“进此道”。

62.8

古人之所以尊贵此道的原因何在？他们不是在说：

[如果善者]以[道]的方式欲求，他们将会得到；

而那些有罪责的人以[道]的方式免于[惩罚]。

因此为天下所尊贵。

[善者]以[道]来求[志]，则得到所追求的[志]。

[不善者]以[道]来免于[惩罚]，就能避免。

没有东西是[此道]不能施为的。因此它是天下[最]尊贵的。

[**结构**]

《老子》第62章包括一些标志链体风格的形式要素。在62.2和62.3中的“善人”和“不善人”被设置为一个对子，理由是在62.8古人对道的崇贵中这个对子似乎又重现了。62.5指涉“不善者”。它没有单立的资格，因为进一步的论辩并不建立在它的基础上。而另一方面，它又不在形式上平行于62.4，尽管根据内容将62.4的论述与“善者”关联起来是说得通的。我就是这样做的，尽管毫无疑问这里没有遵循链体风格的形式要求。更糟的是，62.4本身包含了一个我在此章的其他地方没有看到呼应的平行对子，因为62.6的王弼注只承续了“尊行”这一要素，而没有涉及“美言”——如果此句注释开头的“言”不是“美言”朽蚀后的遗留的话。因此我的结构分析只能是试验性的，随之而来的结果是：译文也并不真的完满。

	c		(62.1)
a		b	(62.2,62.3)
a		b	(62.4,62.5)
	c		(62.6)
	c		(62.7)
	c		(62.8)
a		b	(62.8,62.8)
	c		(62.8)

《老子注》第63章

［**本文**］

63.1　爲無爲,事無事,味無味[1]。(底本:傅奕古本)

以無爲爲居,以不言爲教,以恬淡爲味,治之極也。(底本:《集注》本)

63.2　大小[2]多少,報怨以德。(底本:傅奕古本)

小怨則不足以報,大怨則天下之所欲誅。順天下之所同者,德也。(底本:《集注》本)

63.3　圖難乎於其易,爲大乎於[3]其細,[4]天下之難事必作[5]於易,天下之大事必作[6]於細,是以聖人終[7]不爲大,故能成其大。夫輕諾者必寡信,[8]

① 马王堆甲本作“未”。
② 郭店甲本“小”作“少之”。这一文本在63.3中进一步延续为“多易”。抄本似乎错了行。
③ 马王堆乙本无“於”。
④ 马王堆乙本“細”作“細也”。
⑤ 马王堆甲本“難事必作”作“難作”。
⑥ 马王堆甲本“大事必作”作“大作”。
⑦ 马王堆甲本作“冬”。
⑧ 马王堆乙本“輕諾者必寡信”作“輕若□□信”。

多易者[1]必多難，是以聖人猶[2]難之。（底本：傅奕古本）

以聖人之才，猶尚難於細易，況非聖人之才，而欲忽於此乎？故曰：猶難之也。（底本：《集注》本）

63.4　故終無難矣。[3]（底本：傅奕古本）

惟其難於細易，故終無難大之事。[4]（底本：《取善集》）

［译文］

63.1

［圣人］施为无为，从事无事，品味无味。[5]

［正如《老子》2.2所说］［圣人］"以无为为居"，"不言为教"，以恬和平淡为滋味，[6]这是［创建］秩序的极致。

63.2

对于［怨恨］的大小多少，他以［他的］德性来回报怨恨。

小的怨恨不值得报复。如果是大的怨恨，那么天下都想要诛灭［这个

① 马王堆乙本无"者"。

② 马王堆甲本作"猷"。

③ 马王堆甲本"終無難矣"作"冬於無難"。马王堆乙本的空缺与甲本的文本有相同的尺寸。郭店甲本无"矣"。

④ 这一注释只收入《取善集》中，但符合王弼的思想和语汇。

⑤ 主语圣人是通过《老子》2.2和2.3引入的，注释将前两句与之关联起来。那里的文本是："是以圣人居无为之事，行不言之教"。在《老子》17.1王弼注中，这一论述又被引用来刻画大人。

⑥ 这句话似乎与《老子》中的两个论述关联起来。"恬淡"一词在《老子》中只出过一次，在《老子》第31章，王弼没有注释这一章，甚至有某些传统假定此章是伪造的。那里的句子谈论的是大人对动用武力的厌恶："恬淡为上，故不美也"。然而，这里专门指涉的似乎是《老子》35.3："道之出言，淡兮其无味也"。

罪人]。[他]随顺天下一致同意的东西,就意味着[文本所说的]“德”。

63.3 [他]在事情还易于[解决]时谋划[最后是]艰难的事情。

他在事情还很微细的时候运作[最后是]巨大的东西。

因为天下的难事一定兴起于容易[解决的麻烦],

因为天下的大务一定兴起于细事。

因此[甚至]圣人也只是通过不对那些已经庞大的[事务]起作用,最终才能成就自己的大。[对于难也同样]。①

事实上,

轻易许诺的人,必定缺少诚信。②

对很多事都看得太轻的人必定会有很多的困难。

① 这个句子没有对应者。尽管它显然指的是右边关于“大”的串系,因此它承担着以分代整结构(pars pro toto)的功能。这已经被反映在了翻译之中,因为这句话的结构位置暗示了第二个影子句“终不图难,故能缺其难”。王弼的注释正是从这一影子句的假设展开的。

② 此句与其余的句子的关联对我并不清晰,而且王弼注没有提供任何指南。然而,第二部分显然与有关“难”的部分相关,因此,由于没有更好的选择,我不得不权且将这一段分派给讨论诸“大”的串系。

因此圣人甚至将[小问题]当做困难。[对于信也同样]①
甚至以圣人的天赋,仍将[事情]
在其还细微
容易的时候
视为
重要的和
艰难的。
何况没有圣人的天赋,而又轻视这些的人呢?
这就是[文本]说"犹难之"的原因。

63.4　因此他才始终没有困难。②
只是因为他在麻烦尚
微细
且易于[解决]之时
就处理它们,因此他最终没有
艰难
繁巨的
事务[要解决]。

[结构]

《老子》第 63 章是以链体风格写成的。它的特点是以分代整结构

① 这一句同样是以分代整结构(pars pro toto)。它的影子句为:"多轻诺者必寡信,是以圣犹重之"。

② 这一句也是以分代整结构(pars pro toto)。王弼就是这样处理的,他补充了隐含的引文。

(pars pro toto)在一般性结论中的广泛运用(三次)。句 3 的前四句之间的关联是明确的。其结尾的两对之间以及与此前建立起的串系间的关联则有些薄弱。其整体结构为:

	c		(63.1)
	c		(63.2)
a		b	(63.3,63.3)
a		b	(63.3,63.3)
		b	(63.3)
a			(63.3)
	c		(63.3)
	c		(63.4)

《老子注》第 64 章

[**本文**]

64.1　其安①易持②,其未兆③易謀④。(底本:傅奕古本)

以其安不忘危,其存⑤不忘亡,謀之無功之勢,故曰易也。⑥(底本:张之象本)

64.2　其脆⑦易泮⑧,其微⑨易散⑩。(底本:前半句据陆德明《释文》,后

---

① 郭店甲本、马王堆甲本“安”作“安也”。

② 郭店甲本、马王堆甲本“持”作“持也”。

③ 范应元本作“洮”。郭店甲本作“兆”。

④ 郭店甲本“謀”作“悔也”。

⑤ 取“其存”而非“持之”:波多野太郎。对“其存”的支持:王弼《老子微旨略例》“夫存者不以存爲存以其不忘亡也安者不以安爲安以其不忘危也故保其存者亡不忘亡者存安其位者危不忘危者安”。

⑥ 这一文本未收入《集注》本。

⑦ 范应元本作“脆”。郭店甲本作“霾也”。

⑧ 傅奕古本、范应元本作“判”。郭店甲本作“畔也”。

⑨ 郭店甲本作“幾也”。

⑩ 郭店甲本作“彳戔也”。

半句据傅奕古本）

雖失無入有，以其微脆之故，未足以興大功，故易也。此四者，皆說慎終也。不可以無之故而不持，不可以微之故而弗散也。無而弗持則生有焉，微而不散則生大焉，故慮終之患如始之禍，則無敗事。（底本：《集注》本）

64.3　爲之乎[①]其未有[②]，（底本：傅奕古本）

謂其安未兆也。（底本：《集注》本）

64.4　治之乎[③]其未亂。（底本：傅奕古本）

謂[④]微脆也。（底本：张之象本）

64.5　合抱[⑤]之木生[⑥]於毫[⑦]末，九成之臺起[⑧]於累[⑨]土，千里之行[⑩]始[⑪]於足下。爲者[⑫]敗之，[⑬]執者失[⑭]之。（底本：范应元本）

當以慎終除微，慎微除亂，而以施爲治之，形[⑮]名執之，反生事原，巧辟滋作，故敗失也。（底本：张之象本）

---

① 郭店甲本作“於”。

② 郭店甲本“未有”作“亡又也”。

③ 郭店甲本作“於”。

④《集注》本“謂”作“謂閉”。

《集注》本很可能保留了此处某句话的痕迹，它与前面的注释严格平行。然而，我无法从一个不可理解的“閉”字细绎出这一要素。

⑤ 傅奕古本作“襃”。

⑥ 马王堆乙本作“作”。高明将马王堆乙本上的此字读作“生”。

⑦ 取“豪”而非“豪”；马王堆甲乙本。“毫”字在《老子微旨略例》中出现过，“善力舉秋毫”。

⑧ 马王堆甲乙本作“作”。郭店甲本作“甲”。

⑨ 马王堆甲本作“羸”。马王堆乙本作“纍”。

⑩ 马王堆甲乙本“千里之行”作“百仁之高”。

⑪ 马王堆甲本作“台”。

⑫ 马王堆乙本、郭店甲丙本“爲者”作“爲之者”。

⑬ 郭店甲本有一章包含此章至“足下”之前的第一部分。它将今本第64章的其余部分置于以“爲知者敗之”开头的另一章。郭店丙本也包含这半章。

⑭ 郭店甲本作“遠”。

⑮《集注》本作“刑”。对“形”的支持：王弼《老子》25.5注“聖人不立形名以檢於物”，38.1注“崇本以舉其末則形名俱有而邪不生”。

64.6　是以聖人無爲[1]故無敗[2]，無執[3]故無失[4]。民之從事[5]，常[6]於其幾成[7]而敗之。[8]（底本：傅奕古本）

不慎終也。（底本：《集注》本）

64.7　慎終如始，[9]則[10]無敗事矣[11]。是以[12]聖人欲不欲，不[13]貴難得之貨[14]。（底本：傅奕古本）

好欲雖微，爭尚爲之興；難得之貨雖細，貪盜爲之起也。（底本：《集注》本）

64.8　學不學[15]以[16]復衆人之所過。（底本：王弼注）

不學而能者，自然也。喻[17]于不學者過也。故學不學，以復衆人之所過。（底本：《集注》本）

64.9　以[18]輔萬物之自然而不[19]敢[20]爲也。（底本：傅奕古本）

---

① 马王堆甲本“爲”作“□也”。
② 马王堆甲本“爲”作“敗□”。
③ 马王堆甲本“執”作“執也”。
④ 马王堆甲本“失”作“失也”。
⑤ 马王堆甲乙本“事”作“事也”。
⑥ 马王堆甲乙本作“恒”。
⑦ 马王堆甲本“幾成”作“成事”。
⑧ 郭店甲本“民之從事常於其幾成而敗之”作“臨事之紀”，郭店丙本作“人之敗也亙於其𠭁成而敗之”。
⑨ 马王堆甲本“慎終如始”作“故慎終若始”。马王堆乙本“慎終如始”作“故曰慎冬若始”。郭店丙本“如”作“若”。
⑩ 郭店甲本作“此”。
⑪ 范应元本无“矣”。
⑫ 郭店甲本无“是以”。
⑬ 马王堆甲乙本“不”作“而不”。
⑭ 马王堆甲本作“䁤”。
⑮ 郭店甲本“學不學”作“教不教”。
⑯ 马王堆甲本作“而”。马王堆乙本、郭店甲丙本、范应元本无“以”。对“以”的支持：王弼注。
⑰ 陶鸿庆作“睮”。
⑱ 马王堆甲乙本作“能”。郭店丙本“以”作“是以能”。郭店甲本“以”作“是故聖人能”。
⑲ 马王堆甲本、郭店甲丙本作“弗”。
⑳ 郭店甲本作“能”。

［译文］

64.1　只要［他］安于其位，这一安全易于维持。只要［某一危险］还没有征兆，就易于谋划戒备。

因为［正如《系辞》所说，圣王］“在安全中不忘危险的预兆”，“持存中不忘毁亡的可能”。谋划戒备于无［需］努力的形势，这就是［文本］说“易”的原因。①

64.2

只要［某种威胁］还很柔弱，它就易于击破。只要［某种威胁］还很微细，它就易于消散。

尽管威胁从无到有，因为它们还“微”“脆”，不需要付出很大的努力。这就是［文本说］“易”的原因。

这四个论述说的都是

① 从《系辞》的段落中也可以辨识出此句的主语。在《系辞》中作为主语的君子实际是作为圣人的范型来运作的，因为他的责任是整个社会。为了避免术语上的混淆，我插入圣王作为这些句子的一般主语。在其《老子微旨略例》中，王弼将这一思想发展为一种一般性的本体论论辩；参见《老子微旨略例》4.1。《老子》64.1 被间接地引用在《老子》73.8 王弼注中。

"慎终"。①

[对于统治者而言],不能因为没有[当下的危险]就不维持[他地位的安全]。如果没有[当下的危险]就不维持[安全],那么[这样的危险]就会发生。

不能因为[威胁]还很小就不消散它。如果在[威胁]很小的时候不消散它,[威胁]将变得巨大。

因此,如果体察到最终的祸患只是[小的]不幸极端发展,就会没有失败的行动。

64.3　他[因此]在[危险]尚未出现时有所作为。

这说的是他还安稳,[危险]还"未兆"。

64.4 他[因此]在[微弱的扰动]还没有发展为混乱时治理。

这说的是[扰动]尚且"微""脆"。

64.5

环抱粗的树木始生于毫末。九层的高台开始于一捧土。千里的行军开始于脚下。[然而,对于那些错过了"易"为的时刻而试图用更强硬的方法的统

① 尽管王弼讨论了"四"个句子,但他实际上通过第一句的注释将它们组织为两个对子。然而,两对中的相应部分又被关联起来,但这很难看出。

治者，通常是]

[在危险已经出现之时]，干涉它们就会带来毁败。①

[在混乱已经发生之时]，执守它们就会失去其他[事物]。

人应当“以慎终”来消除细小的[威胁]，以慎微来消除混乱，而

如果其他[事物]由施为来治理，反而创造了[治理]行为的根由。

如果其他[事物]由形和名来执持，狡诈和规避就越来越多。

因此[文本说]“败”和“失”。

这就是圣人

64.6不干涉则不毁败，

不执守则不失去的原因。

[但]其他人从事[他们的]事业，总是在几乎完成之时毁败它们。

即，百姓不知慎终。

64.7

慎重地对待最终的结果，就像对待开始那样，就会没有失败的行动。因此圣人欲求没有欲望，不崇贵难得的货物。

① 同样的句子出现于《老子》29.3，那里王弼有一段长注，是此处注释以及我的译文的基础。

	[百姓的]欲求和偏好虽然细微,但竞争由它们而出现。难得的财货虽然细小,但[百姓的]贪婪和盗窃却因之而起。
64.8	他学习不学,[只是]为了纠正众人的过度。
	不经由学习而能的,[出自]自然。超过这一不经过学习[而获得的能力],就是过度。因此[文本说圣人]"学不学,以复众人之所过"。
64.9	以促进万物的自然,而不敢有为。

[**结构**]

第一部分的结构被王弼注释为明确的链体结构。然而,前两个句子又被细分为两个分句,分别指涉统治者的社会等级和身命。它们构成了一个从属的链体格栅。

从句5中间开始,出现了另一个以"为"和"执"为核心的二分结构。它们与此章第一部分的对子不应合。然而,第一和第二部分形成了一个对照。第一部分描述了圣王容"易"且及时的行动,第二部分则描述了在事情已发展为灾难后试图有所挽救的笨拙努力。然而,在"为"与威胁尚未发生或"执"与事情尚在"微""脆"之间没有可见的关联,因此两部分的两组串系无法关联起来。因此我决定将第二部分当做c型句的细分。此章结构为:

Ⅰ	a				b	(64.1,64.2)
	a				b	(64.3,64.4)
Ⅱ			c			(64.5)
		c1		c2		(64.5,64.5)
		c1		c2		(64.6,64.6)
			c			(64.6)
			c			(64.7)
			c			(64.7)
			c			(64.8)
			c			(64.9)

《老子注》第 65 章

［**本文**］

65.1　古之[1]善[2]爲道者,非以明民[3],將以愚之[4]。(底本:傅奕古本)

明謂多見巧詐,散[5]其樸也。愚謂無知守真,順自然也。(底本:《取善集》)

65.2　民[6]之難治[7],以其多智[8]也。(底本:《老子》65.3 王弼注)

多智巧詐,故難治也。(底本:《集注》本)

---

① 马王堆甲本"古之"作"故曰"。

② 马王堆甲乙本无"善"。

③ 马王堆甲本"民"作"民也"。

④ 马王堆甲乙本"之"作"之也"。

⑤《集注》本、张之象本作"蔽"。对"散"的支持:王弼《老子》32.3 注"始制謂樸散始爲官長之時也";《老子微旨略例》"樸散真離",二者都回溯至《老子》28.6"樸散則爲器"。在王弼的作品中,没有"樸"与"蔽"联用的地方。

⑥ 马王堆乙本"民"作"夫民"。

⑦ 马王堆乙本"治"作"治也"。

⑧ 马王堆乙本"多智"作"知"。傅奕古本作"多知"。范应元本作"知多"。

65.3　故以智治[1]國,國[2]之賊也[3]。(底本:王弼注)

智猶術[4]也。[5] 民之難治,以其多智也。當務塞兑閉門,令無知無欲。而以智術動民,邪心既動,復以巧術防民之僞。民知其術,隨防[6]而避之,思惟密巧,姦僞益滋,故曰:以智治國,國之賊也。(底本:《集注》本)

65.4　不以智[7]治[8]國,國[9]之福也[10]。常[11]知此兩者,亦稽式也。能[12]知[13]稽式,是[14]謂[15]玄德。玄德深矣遠矣。(底本:"式也"之前据傅奕古本,此后据王弼注)

稽[16],同也。今古之所同,則不可廢。能知稽[17]式,是謂玄德,玄德深矣遠矣。(底本:张之象本)

65.5　與物反矣[18],(底本:傅奕古本)

反其真也。(底本:《集注》本)

---

① 马王堆甲乙本"智治"作"知知"。

② 马王堆甲本"國國"作"邦邦"。

③ 范应元本"賊也"作"賊"。

④ 取"術"而非"治":Wagner 依据下文"以智術動民"校改。

⑤ 删去"以智而治國所以謂之賊者故謂之智也":Wagner。

所有的注释者均赞同此处传下的文本有残损。陶鸿庆给出了最为系统的重构:"智猶巧也以智巧治國乃所以賊之故謂之賊也"。这只是对某些语言材料做了重新安排,而并没有建立起一个一贯的文本。以"巧"代"治"没能接上"以智術動民"这一表达中的线索。与波多野太郎和楼宇烈一样,我并不赞同这一修订。在这残损段落中的"賊"字作为下一句"福"的反义词,可能被解释过了。然而,关键的句子似乎丢失了。因此我建议整个部分截断于此,因为这一论辩与我开始的地方直接相关。

⑥ 取"隨防"而非"防隨":陶鸿庆。

⑦ 取"智"而非"知":王弼《老子》65.3 注,《文子》。

⑧ 马王堆甲乙本"智治"作"知知"。

⑨ 马王堆甲本"國國"作"邦邦"。

⑩ 马王堆甲乙本"福也"作"德也"。

⑪ 马王堆甲乙本作"恒"。范应元本无"常"。

⑫ 马王堆甲乙本作"恒"。范应元本无"能"。

⑬ 范应元本"知"作"知此"。

⑭ 马王堆甲本作"此"。

⑮ 马王堆甲乙本作"胃"。

⑯《集注》本作"楷"。

⑰《集注》本作"楷"。

⑱ 马王堆乙本作"也"。

65.6　乃復至於①大順。(底本:傅奕古本)

[译文]

65.1	那些古时候善于为道的人	
不是试图启蒙百姓，		[而是试图]让他们愚昧。
“明民”指的是对[他们]显示狡诈和欺骗，破碎其素朴。		“愚”指的是[他们的]没有智识、保守真[质]。[这样一来]，他们将顺随其[他们的]自然。
65.2	百姓之所以难以治理，是因为他们智慧的增加。 随着智识增多，机巧诈智[随之而来]，因此“难治”。	
65.3	因此	
以智力来治理国家是国之贼。		65.4　不以智力来治理国家，是国家的福祉。
	人们应该知道这二者[即“古之善为道者”“非以明民、将以愚民”]是[所有时代]共同的规则。能知道这些共同规则的人，我称	

① 马王堆乙本“乃復至於”作“乃至”。

之为[有]玄德。玄德既深且远。①

[65.3 注]

“智”就仿佛“术”。[正如《老子》65.2 所说],“民之难治,以其多智”。[统治者]必须[如《老子》52.3 和56.3 中所说]“塞其兑、闭其门”,让他们[如《老子》3.4 所说]“无知无欲”。而如果[统治者]以智力和邪术的方式诱动百姓,他们的邪心将被触动。如果他再以巧诈来防禁百姓的欺伪,百姓知道他的巧诈,由此而阻碍和规避。[统治者的]狡诈越多,百姓的奸伪越甚,这就是[文本]说“以智治国,国之贼”的原因。

① 这一段是在《老子》第 10 章的语境下解读的,在那里,圣王被描述为运作玄德的人。通过“玄德”一词,就与《老子》第 51 章王弼注的运作类同起来。关于深和远的解释,参见《老子微旨略例》2.24 和 2.26。

[65.4 注]
“稽”是“同”的意思。这是古今共有的规则,[1]不能废止。[对于统治者]来说,“能知稽式,是谓玄德,玄德深矣远矣”。[2]

65.5　　他将让其他事物归复,归复其真[质]。

65.6　　[它们]将达到大顺[于道]。

[**结构**]

《老子》第65章是以链体风格写成的。第一句构成了一对反义词,这对反义词在关于国家的“贼”和“福”的论述中再一次承续下来。其后的论述在技术上只是讨论了“古之善为道者”的传统中的治理,但由于它们没有平行的部分,它们给出的一定是两个串系的缺省性总结。这一章的结构为:

	c		(65.1)
a		b	(65.1,65.1)
	c		(65.2)
a		b	(65.3,65.4)

---

① 对于这一有关古代获得的洞见的持续有效性的论辩,参见《老子》14.4和14.5:“执古之道,可以御今之有。以知古始,是谓道纪”。王弼注曰:“无形无名,万物之宗也。虽今古不同,时移俗易,故莫不由乎此以成其治者也。故可执古之道,以御今之有。上古虽远,其道存焉,故虽在今可以知古始也”。

② 这一逐字重复本文而没有任何解释性内容的情况,一定意味着此处的注释已经缺损。我们可以设想在[丢失的]解释后面紧跟着以“故曰”开头的逐字引文,或者在这些逐字引文中间插有这一[丢失的]解释。

c	(65.4)
c	(65.5)
c	(65.6)

《老子注》第66章

[本文]

66.1　江海所以能[1]爲百谷[2]王者，以其善下之[3]也[4]，故[5]能爲百谷王。是以[6]聖人[7]欲上民[8]，必以其言下之；欲[9]先民[10]，必以其身後之。是以聖人處之上[11]而[12]民弗重[13]，處之前[14]而[15]民弗[16]害也。[17] 是以[18]天下樂

---

① 郭店甲本无“能”。
② 郭店甲本、马王堆甲乙本作“浴”。
③ 郭店甲本“以其善下之也”作“以其能爲百浴下”。
④ 郭店甲本、马王堆甲本、范应元本无“也”。
⑤ 郭店甲本、马王堆甲乙本“故”作“是以”。
⑥ 郭店甲本无“是以”。
⑦ 马王堆甲乙本“聖人欲”作“聖人之欲”。
⑧ 马王堆甲乙本“民”作“民也”。
⑨ 马王堆甲乙本“欲”作“欲也”。
⑩ 马王堆甲乙本“民”作“民也”。
⑪ 马王堆乙本“是以聖人處之上”作“故居上”。郭店甲本作“其在民上”。
⑫ 郭店甲本无“而”。
⑬ 郭店甲本作“厚”。马王堆甲乙本“重”作“重也”。
⑭ 马王堆甲乙本“處之前”作“居前”。郭店甲本“處之前”作“其才民前也”。
⑮ 郭店甲本无“而”。
⑯ 取“弗”而非“不”：Wagner 依据范应元本校改，此种修订与郭店甲本、马王堆甲乙本相一致。
⑰ 马王堆甲本“是以聖人處之上而民弗重處之前而民不害也”作“故居前而民弗害也居上而民弗重也”。郭店甲本“是以聖人處之上而民弗重處之前而民不害也”作“聖人之才民前也以身後之其才民上也以其言下之其才民上也民弗厚也其才民前也民弗害也”。

马王堆本与整个文本传统并不一致。“上/下”这一对子中的“上”在“處之上”中被承续下来，而“先/後”对子中的“先”却没有，而是变成了“處之前”。郭店甲本与此点一致。
⑱ 郭店甲本、马王堆甲乙本无“是以”。

推[1]而不[2]厭，[3]不[4]以其不爭[5]，故天下莫能與之爭。[6]（底本：傅奕古本）

［译文］

这一章没有王弼的注释，它的文本在王弼现存的著述中也未见征引，包括在其他讨论同一喻象的段落的注释中，比如28.1、32.4。我在韩康伯的《系辞注》中找到了一则引文，并在第49章译注4中给出了这则引文的译文。陆德明提到了这一章的王弼《老子》本，但没有引用注释中的要素。没有关于王弼以此章为伪作的记载，而且从内容看，它与王弼对《老子》的解读相当配合。由于它没有什么难题，我这里给出一种最简单的翻译以供参考。

66.1

江海之所以能成为众多溪谷的宗主，正在于它们善于自处于卑下。

这就是圣人

想要居于百姓之上，就必须在他的言辞上自处于卑下；

想要优先于百姓，就必须在身位上自处于他们的后面的原因。

这就是圣人

置身于百姓之上，而百姓并不认为他的［地位］重要；

优先于百姓，而百姓不会危害［他的身命］的原因。

① 郭店甲本作“進”，马王堆甲本作“隼”，马王堆乙本作“誰”。
② 郭店甲本、马王堆甲乙本作“弗”。
③ 取“厭”而非“猒”：马王堆甲本、范应元本、陆德明《释文》。马王堆乙本作“猒也”。
④ 马王堆甲本作“非”。郭店甲本无“不”。
⑤ 马王堆甲本“不爭”作“無諍與”。马王堆乙本作“無爭與”。郭店甲本作“不靜也”。
⑥ 郭店甲本作“諍”。郭店甲本作“靜”。

这就是天下都乐于推
进[他]而没有任何抱
怨,正因为他不争竞,
所以天下没有人能够
与他争竞的原因。

[**结构**]

此章是以显见的链体风格写成的。其结构为:

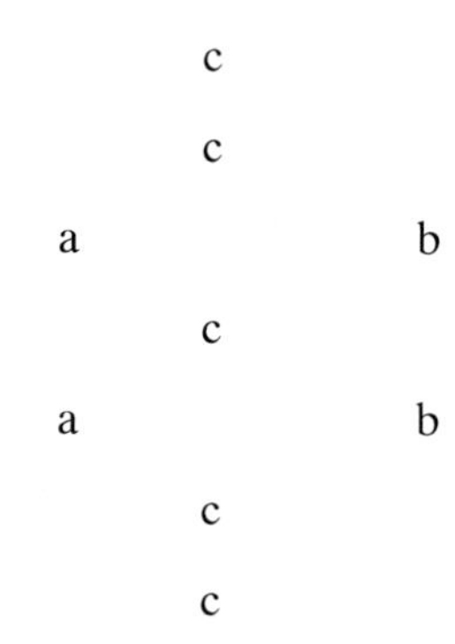

郭店甲本和马王堆乙本在中间都具有 abba 的次序。

《老子注》第 67 章

[**本文**]

67.1 天下皆謂①我②大似不肖。③ 夫唯④大,故似不肖⑤。若肖,久矣其

---

① 马王堆乙本作“胃”。

② 取“我”而非“吾”:马王堆乙本、《老子》67.2。由于王弼在此处的注释中没有重复“我”字,这个例证并不完全可靠。在其他地方圣人提及自己时,王弼给出的字通常是“我”。

③ 马王堆乙本“大似不肖”作“大而不宵”。

首句的传写很有趣。傅奕古本和范应元本作“吾大”,马王堆乙本作“我大”,但所有老的传本,包括河上公本,都没有“道”字。这种传写只出现于《道藏》版王弼注和以张之象本、浙江本为底本的《四库》本当中。《集注》本等宋本已经给出了唐玄宗注中的“我道”这一读法。因此,我认为“道”字是在这一时期被引入《老子》的。

④ 取“唯”而非“惟”:马王堆乙本、陆德明《释文》。

⑤ 马王堆甲本“似不肖”作“不宵”。马王堆乙本“夫唯大故似不肖”作“夫唯不宵故能大”。

細也夫。[1]（底本:“若”字之前据傅奕古本,其后据王弼注）

久矣其細,猶曰其細久矣。肖則失其所以爲大矣,故[2]曰:若肖,久矣其細也夫[3]。（底本:《取善集》）

67.2　我[4]有三寶[5],持而寶[6]之。一曰慈[7],二曰儉[8],三曰不敢爲天下先。夫慈[9]故能勇,（底本:范应元本）

夫慈,以陳則勝,以守則固,故能勇也。（底本:《集注》本）

67.3　儉[10]故[11]能廣,（底本:傅奕古本）

節儉愛費,天下不匱,故能廣也。（底本:《集注》本）

67.4　不敢爲天下先故能爲成[12]器[13]長。（底本:范应元本）

唯後外其身,爲物所歸,然後乃能立成器,爲天下利,爲物之長也。（底本:《集注》本）

67.5　今舍[14]其慈[15]且勇,（底本:范应元本）

且猶取也。（底本:《集注》本）

---

① 马王堆甲本“若肖久矣其細也夫”作“若宵細久矣”。马王堆乙本“若肖”作“若宵”。

②《集注》本“故”作“故夫”。

③《集注》本“也夫”作“也”。

④ 马王堆甲乙本“我”作“我恒”。傅奕古本作“吾”。

⑤ 马王堆甲本作“葆”。马王堆乙本作“垛”。

⑥ 马王堆甲本无“持而寶”。马王堆乙本“持而寶之”作“市而琛之”。

⑦ 马王堆甲乙本作“茲”。

⑧ 马王堆甲乙本作“檢”。

⑨ 马王堆乙本作“茲”。

⑩ 马王堆乙本作“檢”。

⑪ 马王堆乙本作“敢”。

⑫ 傅奕古本“爲成”作“成”。对“爲”的支持:王弼注“爲天下利”,马王堆甲乙本。

⑬ 马王堆甲本作“事”。

⑭ 傅奕古本作“捨”。对“舍”的支持:陆德明《释文》。

⑮ 马王堆甲乙本作“茲”。

67.6 舍其儉[1]且廣,[2]舍其後且先,則死矣[3]。夫慈[4],以陳[5]則勝[6],(底本:"矣"字之前据马王堆乙本,其后据《老子》67.2 王弼注)

相慜而不辟[7]於難故勝[8]也。(底本:张之象本)

67.7 以守則固。天將救[9]之,以慈衛之。[10](底本:第一句据《老子》67.2 王弼注,后两句据傅奕古本)

[译文]

67.1

天下每个人都说我[圣王]大,[11]似乎与[任何其他东西]都不可比拟。事实上正因为大,才不可比拟。如果它可以比拟,很长时间以来就小了。[12]

"久矣其细也"的意思就是"其细也久矣"。如果[我的大]是可以

---

① 取"儉"而非"檢":傅奕古本、范应元本。

② 马王堆甲本无"舍其儉且廣"。

③ 马王堆甲本"則死矣"作"則必死矣"。傅奕古本、范应元本"則死矣"作"是謂入死門"。我选择"則"基于这样的假設:如果本文中有"死門"这样的词,王弼一定会注出來。

④ 马王堆甲乙本作"茲"。

⑤ 马王堆乙本作"單"。

⑥ 马王堆乙本作"朕",傅奕古本、范应元作"正"。

⑦ 取"辟"而非"避":陆德明《释文》。

⑧《集注》本作"正"。这种文本根据它本身对《老子》67.6 结尾处的读法上的偏爱而调整了王弼注。

⑨ 马王堆甲乙本作"建"。

⑩ 马王堆甲乙本"以慈衛之"作"如以茲垣之"。

⑪ 以圣王为这些句子的主语是以句 4 王弼注对《老子》7.2 的指涉为依据的。在那里,圣人"后其身"、"外其身",在此注中使用同样的语汇;其次,在同一注释中出自《系辞》的引文,其主语也是圣人。

⑫ "不肖"这个词有双关意。它的意思是"不像",而同时又是一个与"贤"对立的词素。文本具有这两重意思。我的括号试图使这一双关意明确。

比拟的，它将失去它所
以为大的根据。这就
是[文本]说“若肖，久
矣其细也”的原因。

67.2　我有三件珍宝。我保有
并珍爱它们。

第一件叫做“慈”；

第二件叫做“俭”；

第三件叫做“不敢为天下先”。

事实上，正因为[我的]慈，[我才]能勇敢；

“慈”，正如[《老子》67.6 和 67.7 所说]“以陈则胜，以守则固”，因此“能勇”。

67.3　正因为[我的]俭，[我才]能广大；

[如果作为统治者]能节俭并减少浪费，天下将无所缺乏。因此“能广”。

67.4　正因为“不敢为天下先”，[我才]能成就器物并为君长。

只有[如《老子》7.2 所说]“后其身”、“外其身”，才能成为其他事物所归服的，

才能[如《系辞》所说]“建立和成就[天下的]器物”，并成为事物的君长。①

67.5　如果今天的[统治者]

舍弃“慈”而抓取“勇”，

① 引文出自《系辞》，与《周易》通行本只有一处细小的差异。通行本为“以为天下利”，而王弼注中的文本是“为天下利”。《系辞》中的完整引文为：“备物致用，立成器以为天下利，莫大乎圣人”。韩康伯没有注释此段。重要的是，在《老子》第 67 章中“大”所指涉的东西在《周易》的文段中也出现了。

“且”是“取”的意思。[1]

67.6 舍弃“俭”而抓取“广”，

舍弃“后”而抓取于“先”，

他们将死去。

事实上，

只要人们在战场上遵守“慈”就会战胜；

因为［如果用“慈”，士卒］相互照料，并躲避艰难，因此会“胜”。

67.7 如果人们在防守时遵守“俭”就会牢固。天想要拯救某个人，就会以“慈”来保卫他。［同样适用于“俭”和“不敢为天下先”］

［**结构**］

《老子》第67章是以显见的链体风格写成的。与通常的二分结构不同，这里包含了三个要素，并以平行阶梯的形式重复了三次。开始于句6的关于“慈”的最后一个论述，是典型的以分代整结构(pars pro toto)。只论断了三个要素中的一个，但对所有三者都有效，因此它被置于c型句的位置。余下的隐文本被我标记在最后的括号中。此章的整体结构为：

	c		(67.1)
	c		(67.2)
1			(67.2)
	2		(67.2)
		3	(67.2)
1			(67.2)

① 此处的注释读为“且犹取也”。这意味着“且”只能译为动词，比如“取”。

2 (67.3)

3 (67.4)

1 (67.5)

2 (67.6)

3 (67.6)

c (67.6)

c (67.7)

(1

2

3)

《老子注》第68章

［本文］

68.1　古之[①]善爲士者不武[②]，(底本：范应元本)

士，卒之帥也。武，尚先陵人也。(底本：《集注》本)

68.2　善戰[③]者不怒。(底本：范应元本)

後而不先，應而不唱，故不在怒。(底本：《集注》本)

68.3　善勝[④]敵者不[⑤]與[⑥]，(底本：马王堆乙本)

不與爭也。(底本：《集注》本)

---

① 马王堆甲本无"古之"。马王堆乙本"古之"作"故"。

② 傅奕古本"武"作"武也"。

③ 马王堆乙本作"單"。

④ 取"勝"而非"朕"：马王堆甲本、傅奕古本、范应元本。

⑤ 取"不"而非"弗"：王弼注"不與爭也"，傅奕古本，范应元本。

⑥ 傅奕古本、范应元本作"爭"。对"與"的支持：王弼注。

68.4 善用人者爲之下。是謂[1]不爭[2]之德，是謂[3]用人之力[4]。（底本：傅奕古本）

用人而不爲之下，則力不爲用也。（底本：《集注》本）

68.5 是謂[5]配[6]天，古之極也。（底本：傅奕古本）

［**译文**］

68.1 古时候那些

善于做将官的人不孔武。

“士”是兵卒的统帅。“武”的意思是崇尚率先凌压他人。

68.2 那些善于战斗的人不怒。

他们持身于后［像《老子》7.2 中的圣人那样］，而不［急于］向前，他们呼应而不领唱［如《老子》10.5 中圣人效仿的雌那样］。因此，不在于“怒”。

68.3 ［这是因为］

善于战胜敌人的人不参与。

即不参“与”争斗。

68.4 善于用人的人自处于其下。

我称此［“不与”］为不争之德。

① 马王堆甲乙本作“胃”。
② 马王堆甲本作“諍”。
③ 马王堆甲乙本作“胃”。
④ 马王堆甲乙本无“之力”。
⑤ 马王堆甲乙本作“胃”。
⑥ 马王堆甲本无“配”。马王堆乙本作“肥”。

我称此［“为之下”］为
用他人之力。
用人而不持身于卑下，
那么［他们的］力量将
不为你所用。[①]

68.5　　我称这两种［德能］为
配天［之德］。它们是
古代［功业的］极致。

［**结构**］

《老子》第68章是以隐蔽的链体风格写成的。第一句中的“士”与“善用人者”之间的关系有待推论。这一章有一些特殊的方面。

● 第二组句子实际上给出了第一组句子的理由，却没有任何明确的标志。

● 三个“是谓”事实上指向的是三个不同的对象，因此必须每一次做不同的翻译。对此章的详尽分析，参见本书第一编的相关论述。

● 其中有abba的顺序。

此章的结构为：

a		b	（68.1，68.2）
		b	（68.3）
a			（68.4）
		b	（68.4）
a			（68.4）
	c		（68.5）

① 这一段注释很困难。学者们假定“不争之德”与“用人之力”之间的平行关系，这就决定了对此处本文的翻译只能是“这就是所谓的使用他人的能力”。然而，这种平行关系是表面上的。作为“不争之德”的基础的“不与”，出自前一句“善胜敌者不与”的后半句；而“用人”则依据“善用人者为之下”的前半句。为了在二者之间建立系统，上述注文就要承接对应要素，即“人之力”。一旦建立起了二者间的不平行关系，此段注释就可以相当轻松地读解了。

《老子注》第69章

［本文］

69.1　用兵①有②言曰：吾不敢爲主而爲客，不敢進寸而退③尺，是謂④行無行，攘無臂，執無兵，扔⑤無敵⑥。（底本："是謂"之前据傅奕古本，其后据王弼注）

行謂行陳也。言以謙退哀慈不敢爲物先用戰，猶行無行、攘無臂、執無兵、扔⑦無敵也。言⑧無與之抗也。（底本：张之象本）

69.2　禍⑨莫大於無⑩敵，⑪無敵則幾亡吾⑫寶⑬。（底本：傅奕古本）

言吾哀慈謙退，非欲以取強無敵於天下也。不得已而卒至於無敵，斯乃吾之所以爲大禍也。寶，三寶也，故曰：幾亡吾寶。（底本：《集注》本）

69.3　故抗⑭兵相若⑮，則哀者勝矣。⑯（底本：傅奕古本）

---

① 范应元本"兵"作"兵者"。
② 马王堆乙本作"又"。
③ 马王堆甲本作"芮"。
④ 马王堆甲乙本作"胃"。
⑤ 取"扔"而非"仍"：陆德明《释文》。马王堆甲乙本作"乃"。
⑥ 马王堆甲本"敵"作"敵矣"。范应元本"執無兵扔無敵"作"扔無敵執無兵"。
在"是謂行無行"之后，《集注》本和张之象本给出了一种奇怪的注释"彼遂不止"。它已经被并入到现代的版本当中。正如波多野太郎指出的，这一注释片断似乎是从河上公注中逐字移过来的。然而，它被整合进了一个完整的句子"彼遂不止爲天下賊……"中。根据传统的安排，王弼注在"扔無敵"之后接有"行謂行陳也"，这显然是对"行無行"的注释。我因此删去了这一句，并重新安排了此处的《老子》文本，以符合王弼本人的提示。
⑦《集注》本作"仍"。
⑧《集注》本"無有"作"無"。
⑨ 马王堆甲本作"覜"。
⑩ 范应元本作"輕"。对"無"的支持：王弼注"卒至於無敵……"。
⑪ 马王堆甲本"莫大於無敵"作"莫於於無適"。
⑫ 马王堆甲本"無敵則幾亡吾"作"無適斤亡吾吾"。
⑬ 马王堆甲本"寶"作"葆矣"。马王堆乙本作"琛矣"。
⑭ 马王堆甲本作"稱"。
⑮ 范应元本作"加"。
⑯ 马王堆乙本"則哀者勝矣"作"而依者朕□"。

抗,舉也。若[①],當也。哀者必相惜而不趣利避害,故必勝。(底本:《集注》本)

［**译文**］

69.1 那些[真正懂得如何]用兵的人有许多格言,它们是:“吾不敢为主而为客;不敢进寸而退尺”。

[我]称此为不行军的行军,不拉手臂的攘臂,没有兵器的执兵,没有敌人的投掷。

“行”说的是行军于战场。说的是:[作为指挥]以谦退哀慈以及“不敢为物先”的态度[《老子》67.2 中的“三宝”]用于战争,就好像“行无行、攘无臂、执无兵、扔无敌”一样,意思是没有东西与之对抗。

69.2 [另一格言是]:“祸莫大于无敌,无敌则几亡吾宝”。

这说的是:我“哀慈谦退”,不是想要[如《老子》30.4 所说的那样][②]“取强”并“无敌于天下”。不得已而最后达到“无敌”,我将此视为大的灾难。“宝”即[《老子》67.2 所说的]“三宝”。因此[文本]说“几亡吾宝”。

69.3 因此,当兴起的军队彼此遭遇,那些[相互]哀悯的军队会获胜。

“抗”是兴“举”的意思,“若”是相“当”的意思。哀兵一定相互怜惜,不追逐利益,躲避患害,因此必胜。[③]

---

① 张之象本作“加”。对“若”的支持:《集注》本作“若”,尽管它的《老子》本文作“加”。

② 《老子》30.4 王弼注曰:“果,犹济也。言善用师者,趣以济难而已矣。不以兵力取强于天下矣”。

③ 同一论辩见《老子》67.6 注。

《老子注》第70章

[本文]

70.1　吾言甚[①]易知[②]、甚[③]易行[④],而人莫之能知[⑤]、莫之能行[⑥]。(底本:傅奕古本)

可不出戶窺牖而知,故曰甚易知也。不爲[⑦]而成,故曰甚易行也。惑於躁欲,故曰莫之能知也。迷于榮利,故曰莫之能行也。(底本:《集注》本)

70.2　言有宗,事有主。[⑧](底本:傅奕古本)

宗,萬物之宗也;主[⑨],萬事[⑩]之主也。(底本:《集注》本)

70.3　夫唯[⑪]無知[⑫],是以不我[⑬]知[⑭]。(底本:马王堆乙本)

---

① 马王堆乙本无"甚"。

② 马王堆甲乙本"知"作"知也"。

③ 马王堆乙本无"甚"。

④ 马王堆甲乙本"行"作"行也"。

⑤ 马王堆甲乙本"知"作"知也"。

⑥ 马王堆甲乙本"行"作"行也"。

⑦ 取"不爲"而非"無爲":Wagner 依据《老子》47.4 引文校改。

⑧ 马王堆甲本"言有宗事有主"作"言有君事有宗"。马王堆乙本"言有宗事有主"作"言又宗事又君"。

对于这一片断,王弼注的最早资料对我们毫无帮助,它们都与"君"与"事"关联起来。王弼在《老子微旨略例》中提到这一段说"言不遠宗事不失主"。由此可知,王弼的读法是"事有主"。在49.5注中,王弼又一次使用了这对句子的模式,说"物有其宗事有其主"。尽管此处"言"让位给了"物",但"事有其主"仍是完整的。因此我推断王弼注已经被其他传统中的读法改变。《集注》本和张之象本中的现存读法仍能体现这种变化。通行的形式是"宗萬物之宗也君萬物之主也"。从第一句中"宗"的重复,可以预期第二句中"君"的重复。第一个"主"为"君"取代,第二个却没有。

⑨ 取"主"而非"君":Wagner 依据《老子微旨略例》校改。

⑩ 张之象本"萬事"作"萬物"。

⑪ 傅奕古本、范应元本作"惟"。

⑫ 取"知"而非"知也":傅奕古本、范应元本。

⑬ 傅奕古本、范应元本作"吾"。

⑭ 傅奕古本、范应元本"知"作"知也"。

以其言有宗事有主[1]之故，故有知之人，不得不知之也。（底本：《集注》本）

70.4　知我[2]者希[3]，則我貴矣。（底本：范应元本）

唯深也，故知之者希也。知我益希，我亦無匹，故曰：知我者希，則我[4]貴也。（底本：《集注》本）

70.5　是以聖人被[5]褐而懷[6]玉。（底本：傅奕古本）

被褐者同其塵，懷玉者寶其真也。聖人之所以難知，以其同塵而不殊，懷玉而不顯[7]，故難知而爲貴也。（底本：《取善集》）

［**译文**］

70.1　　我［老子］的言辞［以及行动］

很容易理解　　也　　很容易践行。

　　但其他人［仍然］

不能够理解　　也　　不能够践行。

可以［像《老子》47.1中所说的那样］“不出户”　　［如《老子》47.1所说的］[8]“不为而成”，这

---

① 取“主”而非“君”：Wagner依据《老子微旨略例》校改。

② 马王堆乙本无“我”。马王堆甲本有“我”的空缺。

③ 傅奕古本作“稀”。对“希”的支持：王弼注。

④ 张之象本“我”作“我者”。

⑤ 范应元本作“披”。

⑥ 马王堆甲乙本作“褱”。

⑦《集注》本、张之象本作“渝”。

⑧ 在《老子微旨略例》中，王弼引用了这段话：“《老子》之书，……言不远宗，事不失主”。因此，这里的“我”是老子本人。另一方面，王弼在此处的注释中所用的《老子》中的要素出自以圣人为主语的段落。在《老子》47.3中的相关段落为：“是以圣人不行而知，不见而名”。《老子》47.4王弼注曰：“明物之性，因之而已，故虽不为而使之成矣”。由于在本章的最后一句中出现了圣人，因此，在“我”与圣人之间是有着微细的差别的，对于王弼来说，尽管老子基本上属于圣人的范畴，但仍稍低于孔子。

“窥牖”而理解,这就是[文本]说“甚易知”的原因。		就是[文本]说“甚易行”的原因。
[其他人]迷惑于躁欲,因此[文本]说“莫之能知”。		[其他人]陷溺于荣利,因此[文本]说“莫之能行。[1]
70.2[我的]言辞有宗主。		[我的]行为有主导。
“宗”是万物的原则。		“主”是万事的主导。
70.3	事实上,只有那些没有理解力的人不能够理解我。[2]	
	正是因为他的	
言辞有其原则,		行为有其主导,
	因此有理解力的人,不会不理解他。	
70.4	理解我的人越少,我就越是尊贵。	
	[正如《系辞》关于圣人所说的][3]“唯深也”,因此很少有人能理解我。理解我的人越少,我就越无可比拟。这	

① 这两个论述与《老子》20.3几乎完全一样:“众人迷于美进,惑于荣利”。译文中的“其他人”即那里的“众人”。关于他们,参见本书第一编第四章。

② 对于《老子》第70章的修辞结构的详尽分析,参见本书第一编第三章。

③ 王弼这里指涉的《系辞》文段为:“夫《易》,圣人之所以极深而研几也。唯深也,故能通天下之志;唯几也,故能成天下之务”。

	就是[文本]说"知我者希,则我贵也"的原因。
70.5	这就是圣人穿着粗布衣服而怀抱宝玉的原因。"被褐"也就是[《老子》4.1所说的]"同其尘。""怀玉"的意思是宝爱其真[性]。圣人难知的原因在于"同尘"而不殊异,"怀玉"而不显扬。因此他难以理解而尊贵。

[**结构**]

《老子》第70章是以显见的链体风格写成的。句3～句5中的"知"是"知"和"行"的以分代整结构(pars pro toto)。此章具有如下的结构:

a		b	(70.1,70.1)
a		b	(70,1,70.1)
a		b	(70.2,70.2)
	c		(70.3)
	c		(70.4)
	c		(70.5)

《老子注》第 71 章

[本文]

71.1　知不知，尚矣；不知知，[1]病矣。（底本：傅奕古本）

不知知之，不足任，则病矣。（底本：《集注》本）

71.2　夫唯病病，是以不病；聖人[2]之不病[3]，以其病病[4]，是以不病。[5]（底本：傅奕古本）

病病者，知所以爲病。[6]（底本：《集注》本）

[译文]

71.1　如果[统治者]知道他不[应该][用]知，他将得到尊崇。如果[统治者]不知道知[不宜用]，他将陷入麻烦。

如果[统治者]不知道知不适合任用，那么他将陷入麻烦。[7]

71.2　事实上，只有当[统治者]认识到麻烦是[由用知而起，而应该避免]的，他才会没有麻烦。圣人之所以没有麻烦，是因为他[在这个意义上认识到了]麻烦[是由知而起，是可能避免的]。因此他将没有麻烦。

"认识到麻烦之为麻烦"的人理解麻烦出现的原因。

---

① 马王堆甲本"不知知"作"不知不知"。

② 马王堆甲乙本"夫唯病病是以不病聖人"作"是以聖人"。

③ 马王堆乙本"病"作"□也"。

④ 马王堆乙本"病"作"病也"。

⑤ 两种文本传统："是以聖人之不病以其病病是以不病"以及这里给出的文本，事实上都出现于王弼《老子》本的文本族，前者出现在马王堆本，后者出现于傅奕古本和范应元本。由于王弼《老子》本通常与傅奕本更近，所以我选择了这一文本。这一选择有注释的支持，它似乎承续了整个论述，而非圣人对它的运用。

⑥ 这一注释未出现于别处。它的内容似乎是真实的。

⑦ 以圣人为主语，根据在于对运用知识作为统治工具的频繁诋毁上；参见《老子》65.3 注及 10.4 注。

《老子注》第72章

［**本文**］

72.1　民不畏威[1]，則大威[2]將至[3]矣。無[4]狎[5]，其所居；無[6]厭[7]，其所生。（底本：王弼注）

清靜[8]無爲謂之居，謙後不盈謂之生。離[9]其清靜[10]，行其躁欲；棄其謙後，任其威權，則物擾而民僻[11]。威不能復製民[12]，民不能堪其威，則上下大潰矣，天誅將至。故曰：民不畏威，則大威將至[13]。無狎[14]其所居，無厭其所生，言威力不可任也。（底本：张之象本）

72.2　夫唯[15]不[16]厭[17]，（底本：马王堆乙本）

不自厭也。（底本：《集注》本）

72.3　是以不[18]厭。（底本：马王堆乙本）

不自厭，是以天下莫之厭。（底本：《集注》本）

---

① 马王堆甲乙本“畏威”作“畏畏”。
② 马王堆乙本作“畏”。
③ 取“將至”而非“至”：王弼注“天誅將至”，马王堆乙本，马王堆甲本在“則”和“矣”之间有四字的空缺，因此可以容下“將”字。无论是《集注》本还是张之象本，王弼注中的引文已经按《老子》本文而改变。
④ 马王堆甲乙本作“毋”。
⑤ 马王堆甲本作“閘”，马王堆乙本作“伻”。
⑥ 马王堆甲乙本作“毋”。
⑦ 取“厭”而非“猒”：陆德明《释文》。
⑧ 取“靜”而非“淨”：《集注》本。对“清靜”的支持：《老子》45.0。
⑨《集注》本作“雖”。
⑩ 取“靜”而非“淨”：《集注》本。对“清靜”的支持：《老子》45.6。
⑪ 陆德明《释文》作“辟”。
⑫《集注》本作“良”。
⑬ 取“將至”而非“至”：Wagner。参见本页注③。
⑭《集注》本作“狹”。
⑮ 傅奕古本、范应元本作“惟”。
⑯ 取“不”而非“弗”：王弼注。傅奕古本、范应元本作“無”。
⑰ 取“厭”而非“猒”：陆德明《释文》。
⑱ 傅奕古本、范应元本作“無”。

72.4　是以聖人自知而不自見也[1]，（底本：马王堆乙本）

不自見其所知，以耀光行藏[2]也。（底本：《集注》本）

72.5　自愛而不自貴也[3]，（底本：马王堆乙本）

自貴則物狎[4]厭居生。（底本：张之象本）

72.6　故去彼[5]取此。（底本：傅奕古本）

［译文］

72.1　当人民不畏惧［统治者］的权威时，那么大威就将来到。[6] ［只有］

没有轻率会使［统治者］安居。

没有压制会使［统治者］保住身命。

做到“清”、“静”和“无为”称为“居”。

保持“谦”[7]、“后”和“不盈”叫做“生”。[8]

如果［统治者］

离开清和静而施行其躁欲，

放弃他的“谦”和“后”而运用他的权威和权力，

那样一来，

其他事物就会扰乱，

而且百姓会变得邪僻。

---

① 傅奕古本、范应元本无“也”。

② 张之象本作“威”。

③ 傅奕古本、范应元本无“也”。

④《集注》本作“狭”。

⑤ 马王堆甲本作“被”。马王堆乙本“彼”作“罷而”。

⑥ 王弼引用这一句话时没有“矣”字。根据他的文本族的成员的压倒性证据，我加入了“矣”字。楼宇烈此处给出的断句是不准确的。

⑦ 王弼将《老子》第67章的“三宝”之一“俭”翻译为“谦”；参见《老子》69.2王弼注。

⑧ 我没有找到以这种方式使用“生”字的直接材料。然而，在《老子》7.2中，圣人在“后其身”和“外其身”中效仿天地。对圣人而言结果是“身先”和“身存”，而对天地而言结果则是“长”和“久”。

	一旦	他的权威不[再]能控制人民，
	而且[一旦]	
人民不[再]能承受他的权威，		
	上下都会陷入极大的混乱：天[对统治者]的诛罚就将来到。因此[文本]说："民不畏威，则大威将至"！	
"无狎，其所居"，		"无厌，其所生"，
	这样说的意思是不应该运用权威的力量。	
72.2	事实上，只有在不压制的情况下，	
	即他自身不压制。	
72.3	他才不会被压制。[轻率也如此]	
	他自身不压制，因此天下没有人会压制他。	
72.4	这就是圣人自己拥有知识，而他并不自我表现的原因。	
	不自我显示他所知道的，以明达[其他人的]	

	居位或退隐。①	
72.5	他自爱而不抬高自己。 当他抬高自己的时候, 其他事物就会	
轻忽并		压制
	[他的]	
"居"	和	"生"。
72.6	因此他拒绝后者而采 取前者。	

[**结构**]

《老子》第72章具有某些链体风格的形式要素。72.1中有着相同的语法的平行句子由句4和句5所接续。然而,从王弼的注释看(尤其是72.5注),很明显他是将这两个句子读作同时指涉72.1中的两个串系的。根据王弼注,我们就有了72.1中的一个二分的结构(这一二分结构在许多其他分章中都有其呼应),后面是一串c型句。因此尽管在这一章内没有"链接",但与其他分章的对子之间仍存在链接的关系。这对于句72.2和72.3注释中的定义尤为重要。它们承续了72.1的b句中的要素"厌"。通过被插入到链体的基本框架中,它们没有与之平行的句子倒在某种有相应的隐文本的以分代整结构中(pars pro toto)赋予了它们c型句的位置,对于这些隐文本,我在括号中明确地指出了。此章的结构为:

c		(72.1)
a	b	(72.1,72.1)
c		(72.2,72.3)
c		(72.4)
c		(72.4)

① "耀"字和"光"字在《老子》和王弼的著述中被联在一起使用。根据《老子》58.10,圣人"光而不耀",对此王弼注曰:"以光鉴其所以迷,不以光照求其隐匿也。所谓'明道若昧'也"。

《老子注》第73章

［本文］

73.1　勇於敢[①]則殺,(底本:傅奕古本)

必不得其死也。(底本:《集注》本)

73.2　勇於不敢[②]則活[③]。(底本:傅奕古本)

必濟[④]命也。(底本:《集注》本)

73.3　此兩者或利或害。(底本:傅奕古本)

俱勇而所施者異,利害不同,故曰:或利或害也。(底本:《集注》本)

73.4　天之所惡[⑤],孰知其故?是以聖人猶難之。[⑥](底本:傅奕古本)

孰,誰也。言誰能知天意邪?其唯聖人也。[⑦] 夫聖人之明,猶難於勇敢。況無聖人之明而欲行之也。故曰:猶難之也。(底本:"夫"字之前据《张湛列子力命篇注》页206,其后据张之象本)[⑧]

73.5　天之道不爭[⑨]而善勝[⑩],(底本:傅奕古本)

夫[⑪]唯不爭,故天下莫能與之爭。(底本:《集注》本)

73.6　不言而善應,(底本:王弼注)

---

① 马王堆甲本"敢"作"敢者"。
② 马王堆甲本"敢"作"敢者"。
③ 马王堆甲乙本作"栝"。
④ 张之象本作"齊"。
⑤ 马王堆乙本作"亞"。
⑥ 马王堆乙本无"是以聖人猶難之"。

岛邦男认为"是以聖人猶難之"不是汉代《老子》的部分,而是在唐以前被收入文本的(页209)。这一论断得到了马王堆本的支持,二者都没有这句话。另一方面,这一段落属于王弼《老子》本的证据也很牢固。张湛《列子注》引载了指涉圣人的话,而陆德明《释文》则给出了此段落中的两个词的发音。

⑦《集注》本、张之象本"能知天意邪其唯聖人也"作"能知天下之所惡意故耶其唯聖人"。
⑧《集注》本中无此条注释。
⑨ 马王堆乙本作"單"。
⑩ 马王堆乙本作"朕"。
⑪ 张之象本作"天"。对"夫"的支持:此处的注释是《老子》22.7的一句逐字引文,其中有"夫"字。

順則吉，逆則凶，不言而善[1]應也。(底本：张之象本)

73.7　不[2]召而自來，(底本：傅奕古本)

處下則物自歸。(底本：《集注》本)

73.8　坦然[3]而善謀。(底本：王弼注)

垂象而見吉凶，先事而設誡[4]，安而不忘危，未兆[5]而謀之，故曰[6]：坦[7]然而善謀也。(底本：张之象本)

73.9　天網[8]恢恢，[9]踈[10]而不失。(底本：傅奕古本)

[译文]

73.1　如果某人勇于敢[为]，他将被杀掉。

73.2　如果某人勇于不敢[为]，他将活下去。

[正如《老子》42.3就"强梁"所说]"必不得其死"。

必定完成他[赋得]的身命。

73.3　这两者，

一者有利，

另一者有害。

二者都是勇，但它们的

① 《集注》本作"臨"。
② 马王堆乙本作"弗"。
③ 傅奕古本、范应元本作"默然"。马王堆甲本"坦然"作"彈"。马王堆乙本"坦然"作"單"。对"坦"的支持：范应元的注释中和《集注》版王弼注中有"坦"字，陆德明《释文》也指出文本为"坦"。
④ 取"誡"而非"誠"：《集注》本。
⑤ 取"兆"而非"召"：《集注》本。支持：《老子》64.1"其未兆易謀"。
⑥ 《集注》本作"日"。
⑦ 取"坦"而非"繟"。
⑧ 马王堆乙本作"罔"。
⑨ 马王堆乙本作"経経"。
⑩ 取"踈"而非"蹟"：《老子》56.7。马王堆乙本作"疏"。

效果不同。它们在

利

和害 的方面不同。因此[文本]说“或利或害”。

73.4 谁知道天厌憎[某些东西]的原因呢？[当然只有圣人]。因此圣人仍认为[依照最初两句话来实践]是很困难的。

“孰”即是“谁”。[1] 这话的意思是“谁能知道天的意志呢？只有圣人”。事实上，即使有圣人明智仍认为“勇”“敢”很难，何况没有圣人的明达，而想要实行它呢？因此[文本]说“犹难之”。

73.5 [当圣人实践]天之道时，他将不争竞而善于获胜；

[正如《老子》22.7 所说]“夫唯不争，故天下莫能与之争”。

---

① “孰”意味着一种修辞性设问，其答案被认为是自明的；参见本书第一编第四章。

73.6 不言说而能被很好地依循；

追随[他的教化]会带来幸运，背离它们会带来不幸，这就是“不言而善应”。①

73.7 不召唤，而让[其他事物]自动地归来；

如果他自处于低位，其他事物将自动地归服于他。

73.8 坦然平易而又善于谋划戒备。

[正如《系辞》所说“天]垂象而见吉凶”[“圣人象之”]，在事情尚未发生之前而[他]有所警告。[正如《系辞》对圣人所说]“安而不忘危”，[又如《老子》64.1所说]“未兆”而“谋之”。② 这就是[文本]说“坦然而善谋”的

---

① 圣人“行不言之教”[《老子》2.3]。在《老子》第42章中讨论了这一教说的特点，对于“人之所教，我亦教人”，王弼注曰：“我之教人，非强使人从之也，而用夫自然，举其至理，顺之必吉，违之必凶。故人相教：违之必自取其凶也，亦如我之教人勿违之也”。

② 类似的论辩也出现于《老子微旨略例》4.1及《老子》64.1王弼注。

原因。

73.9　　　天网广大，[它的网孔]虽然宽，但没有任何东西会丢失。

[**结构**]

《老子》第73章的开头是以隐蔽的链体风格写成的短章，接下来是一条单线的思想展开。其结构为：

a		b	(73.1,73.2)
		b	(73.3)
a			(73.3)
	c		(73.4)
	c		(73.5)
	c		(73.6)
	c		(73.7)
	c		(73.8)
	c		(73.9)

《**老子注**》**第74章**

[**本文**]

74.1　民[①]常[②]不畏死，如之何其以死懼之。[③] 若使[④]民常[⑤]畏[⑥]死，而[⑦]

① 马王堆乙本“民”作“若民”。
② 马王堆乙本“常”作“恒且”(高明读作“畏”)。
③ 马王堆甲本“如之何其以死懼之”作“奈何以殺愳之也”。
④ 马王堆甲乙本无“使”。
⑤ 马王堆乙本“常”作“恒且”。
⑥ 马王堆甲本作“是”。范应元本“常畏”作“而畏”。
⑦ 马王堆甲本“而”作“則而”。

爲奇[①]者吾得[②]而殺之，孰[③]敢也[④]。（底本：傅奕古本）

詭異亂真[⑤]謂之奇也。（底本：《取善集》）

74.2　常[⑥]有司殺者殺，而[⑦]代[⑧]司殺者殺，是代大匠斵[⑨]。夫代大匠斵者[⑩]，希[⑪]不傷[⑫]其手矣[⑬]。（底本：傅奕古本）[⑭]

爲逆者，順者[⑮]之所惡忿也。不仁者，仁者之[⑯]所疾也，故曰：常有司殺也。（底本：《集注》本）

［译文］

74.1　由于人民常常不惧怕死，怎能用死亡［的威胁］来让他们惧怕呢？即使人民可能被变得常常惧怕死，而且［统治者］能够将那些犯有暴行的杀掉，但谁敢［执行呢］？［没人敢］。[⑰]

奇诡怪异，淆乱真［质］，叫做“奇”。

---

① 马王堆甲本无“奇”。马王堆乙本作“畸”。

② 马王堆甲本“得”作“將得”。范应元本“得”作“得執”。

③ 马王堆甲乙本“孰”作“夫孰”。

④ 马王堆甲乙本作“矣”。范应元本无“也”。

⑤《集注》本、张之象本作“群”。

⑥ 马王堆甲乙本“常”作“若民□□（乙本作‘恒且’）必畏死則恒”。

⑦ 马王堆甲乙本“殺而”作“夫”。范应元本无“而”。

⑧ 马王堆甲本作“伐”。

⑨ 马王堆甲本“斵”作“斵也”。

⑩ 马王堆甲乙本“者”作“者則”。

⑪ 取“希”而非“稀”：马王堆乙本，范应元本。范应元本“希”作“希有”。

⑫ 取“不傷”而非“不自傷”：马王堆甲乙本、范应元本。

⑬ 马王堆乙本无“矣”。

⑭ 此处注释给出的提示太少，使得我们无法在傅奕古本和马王堆本之间做出选择。我选用了通常与王弼《老子》本更近的文本。

⑮ 取“爲逆者順者”而非“爲逆順者”：服部南郭。

⑯ 取“不仁者仁者之”而非“不仁者人之”：Wagner 依据与“爲逆者順者”的平行关系校改。

⑰ 在“某人”的意义上使用“吾”，在《孟子》之类的经典中已有出现。如《孟子》中的“老吾老以及人之老，幼吾幼以及人之幼”。《老子》这一段的通行翻译都假定最后一部分的“孰”指的是那些犯罪者。这种读法的麻烦在于缺少与此后部分的关联；后面部分是在讲由统治者亲自处死恶徒最终会伤及统治者自身。

74.2　[因为]总是有[死刑执行者]来执行死刑。[然而]，事实上，代替执行死刑的人来行刑，是代替大匠切割[木头]。而代替大匠切割的人，极少有不伤及自己手臂的。

> 那些犯逆之人，将为随顺者憎恨和厌恶；那些不仁的人，将为仁者嫉恶[而且这些人将自动地执行此类暴民的死刑]。因此[文本]说“常有司杀者”。[1]

《老子注》第75章

[本文]

75.1　民[2]之饑者[3]，以其上[4]食稅[5]之多也[6]，是以饑。民之難治者，[7]以其上之[8]有爲[9]也，是以難[10]治。民之輕[11]死者[12]，以其上求[13]生生[14]之

---

① “大匠”与《老子》72.1中的“大威”一样，似乎都是在指天。从此处的注释看，很明显，处死恶徒应该由人民中的仁者来执行。那样，这些百姓就是天的副本。

② 马王堆甲乙本作“人”。对“民”的支持：王弼注“民之所以僻”。

③ 马王堆甲乙本作“也”。

④ 马王堆甲乙本作“取”。

⑤ 马王堆甲本作“逸”。马王堆乙本作“跷”。

⑥ 马王堆乙本无“也”。

⑦ 马王堆甲乙本“民之難治者”作“百姓之不治也”。

⑧ 马王堆甲本无“之”。

⑨ 马王堆甲乙本“有爲”作“有以爲”。

⑩ 马王堆甲乙本作“難”。

⑪ 马王堆甲本作“巠”。

⑫ 马王堆甲本无“者”。马王堆乙本作“也”。

⑬ 马王堆甲乙本无“上”。范应元本无“上求”。对“上求”的支持：王弼注“民之所以僻治之所以亂皆由上不由其下也”，“皆”字暗示这是涉及上面提到过的所有事项的例子。

⑭ 马王堆甲乙本“生生”作“生”。

厚也,是以輕[1]死。夫唯[2]無以生爲貴者,[3]是賢於[4]貴生也[5]。(底本:傅奕古本)

言民之所以僻,治之所以亂,皆由上,不由其下也。民從上也。[6](底本:《集注》本)

[**译文**]

75.1 人民没有收获[7]是由于统治者食税太多。因此他们得不到收获。

人民难于统治是因为统治者有为。因此他们难于统治。

[总之],人民看轻死亡是因为统治者追求生的完满。因此他们轻死。事实上只有不以生为贵的人,比贵生之人更有价值。

这是说:

人民之所以邪僻,

治理之所以混乱,

都是以[统治者]的行为为基础,而不是以在

① 马王堆甲本"輕"作"巠"。

② 取"唯"而非"惟":马王堆甲乙本。

③ 马王堆甲乙本"無以生爲貴者"作"無以生爲者"。范应元本亦无"貴"字。范应元本"以生爲貴"作"以爲生"。

④ 马王堆甲乙本无"於"。

⑤ 马王堆甲乙本无"也"。

⑥ 在《集注》本中,这一注释后面有另一陈述:"疑此非老子之所作"。在董思靖《道德真经集解》中,相同的陈述被引用为"此章疑非老子所作"。这不可能出自王弼的手笔。他给出了这一章,而且还以与《老子》及他本人的注释相合的方式解读了它。

⑦ 注释说百姓变得邪"僻"表明,对"饥"的通常翻译,如"饥饿"已不适用。根据《墨子》5/5/10,"五谷不丰谓之饥",这个词更多的是指饥馑的原因,而非饥馑本身。

下位者的行为为基础
的。人民[只是]效仿
统治者的先例。[1]

[**结构**]

《老子》第75章缺少构成一套链体结构的最低限度的句子。然而，三个平行的句子没有被王弼读作三个同等的句子。他能指出这一事实：以"夫"开头的第四个非平行的句子承续的只是第三句的语汇，因此将其标示为一般性论述的部分，与最初两个分别讨论生活的物质侧面和社会侧面的句子相对。这样一来，王弼就通过暗示将第三和第四句集合在一起，从而对前两句给出了某种注释。尽管这看上去有点学究气，关键点在于第三句的身份以及与之有关的解读策略的变化。在这里，我是以括号中的"总之"来标明的。在王弼的解读中，这一章就有了如下的结构：

a		b	(75.1,75.1)
	c		(75.1)
	c		(75.1)

《**老子注**》第76章

[**本文**]

76.1　人之生也柔弱，其死也堅強[2]。萬物草木[3]之生也柔脆[4]，其死也

① 董思靖《道德真经集解》在此处加上了一条注释："王弼曰：此章或非老子所撰"。此章的问题在于太过愚钝，没有像某些文本传统那样将所有社会灾难和动乱的谴责都加到统治者身上。从王弼的注释看，它的文本似乎依循的是最为激进的路线。

② 马王堆甲本"堅強"作"蓞仞賢強"。马王堆乙本作"脑信堅強"。

③ 取"萬物草木"而非"草木"：马王堆甲乙本、范应元本。

④ 马王堆乙本作"椊"。范应元本作"胞"。

枯槁[1]。故[2]堅強者[3]死之徒也[4],柔弱[5]者[6]生之徒也[7]。是以[8]兵強者[9]則滅,[10](底本:傅奕古本)

强兵以暴於天下者,物之所惡。故必不得終焉。[11](底本:"者"字之前据《集注》本,此后据《张湛列子黄帝篇注》)

76.2 木強則折[12]。(底本:《张湛列子黄帝篇》)

物所加也。(底本:《集注》本)

76.3 故[13]強大[14]居[15]下,(底本:马王堆乙本)

木[16]之本也。(底本:张之象本)

76.4 柔弱居[17]上。(底本:马王堆乙本)

枝條是也。(底本:《集注》本)

---

① 马王堆甲本"枯槁"作"棟薨"。马王堆乙本作"棟槁"。
② 马王堆甲乙本"故"作"故曰"。
③ 马王堆乙本无"者"。
④ 范应元本无"也"。
⑤ 马王堆甲本"柔弱"作"柔弱微細"。
⑥ 马王堆甲乙本无"者"。马王堆甲本"柔弱"作"柔弱微細"。
⑦ 范应元本无"也"。
⑧ 马王堆甲本无"是以"。
⑨ 马王堆甲乙本、范应元本无"者"。对"者"的支持:王弼注"強兵以暴於天下者"。
⑩ 取"兵強則滅"而非"兵強者則不勝":《列子·黄帝篇》张湛注中的王弼注引文。对"滅"的支持:《文字·道原》、《淮南子·原道》。

傅奕本以及文本族的其他成员都将此本文读作"不勝"而非"滅"。由于这一章讨论的是死与双重意义上的强的关系,这一"不勝"无疑低于统治者的"滅"。王弼注强调以暴力统一天下的人会"爲物所惡",这就意味着他们会一起来结果他。这种读法还得到了张湛《列子注》中的古老异文的确证。我采纳的正是这种读法。这就迫使我们接受"滅"的读法,尽管它只在《淮南子》和《文子》等早期文本的引用中传承下来,而没有任何一个现存的本子采用这种读法。

⑪《集注》本、张之象本"惡故必不得終焉"作"惡也故必不得勝"。
⑫ 马王堆甲本作"恒"。马王堆乙本作"兢"。傅奕古本、范应元本"則折"作"共"。对"折"的支持:《文子》,《淮南子》。
⑬ 马王堆甲本无"故"。
⑭ 傅奕古本"強大"作"堅疆"。
⑮ 傅奕古本作"處"。范应元本作"取"。
⑯《集注》本作"大"。
⑰ 傅奕古本、范应元本作"處"。

［译文］

76.1	当人们	
活着的时候，他们柔弱；		死了以后，他们坚硬。[1]
	［同样的方式］，当万种生灵[2]和草木	
活着的时候，他们柔脆；		死了以后，他们就枯槁了。
	因此，	坚硬是死的伴随者，
柔弱是生的伴随者。		
	因此，如果［统治者运用］暴力的军事［行动］，他就会灭亡。	
	那些［运用］暴力的军事［行动］强加其霸权于天下，其他事物都会厌憎他，因此他将不得善终。	
76.2	树木坚硬，它们将会折断。	
	这一［折断］是由其他事物造成的。	
76.3	因此	强大的东西居于下位。这指的是树的根。

① “强”这个词指的是侵犯和不屈服这两种意义上的暴力。此章中，这两种意思都有；对于死者，是不弯曲的僵硬；接下来用于武力，则是侵犯性的暴力。

② 傅奕和严遵的本子这里都没有“万物”。然而，范应元和马王堆甲乙本有这两个字。因此，没有取舍的根据。“万物”在此与草木相对，因此一定是动物，而非通常所说的万物。

76.4 柔弱的东西居
于上位。
这指的是枝条。

［**结构**］

《老子》第76章是以显见的链体风格写成的。在文本的安排上符合其形式结构，即开头一句以及句4和句5中死者与生者相对的结构。在这种意义上，此章的结构为：

a		b	(76.1,76.1)
a		b	(76.1,76.1)
		b	(76.1)
a			(76.1)
	c		(76.1)
	c		(76.2)
		b	(76.3)
a			(76.4)

然而，其中有第二种结构：它根据生死将人与草木的状况对立起来。关于这两个主体的论述在同一种论述同时用于二者的意义上也是平行的。根据内容，则此种结构是主导性的。由于在纸上不可能做三维的排列，它们只能在一种分立的格式中描述这一结构。为了清楚起见，我给条目编了序号，并附了对应的列表。

人		一般性论述		树	
1a	2b			3a	4b
			5b		
		6a			
7a				8b	
			9b		
		10a			

1. “人之生”。2. “[人]之死”。3. “草木之生”。4. “[草木]之死”。5. “坚强”。6. “柔脆”。7. “兵强”。8. “木强”。9. “强大”。10. “柔弱”。

《老子注》第77章

[**本文**]

77.1　天之[1]道,其猶[2]張弓者歟[3]? 高者抑[4]之,下者舉之,有餘者損[5]之,不足者補之。天[6]之道,損[7]有餘以[8]補[9]不足,人之道則不然[10],(底本:傅奕古本)

與天地合德,乃能包之如天之道。如人之量,則各有其身,不得相均如。唯[11]無身去[12]私乎自然,然後乃能與天地合德。(底本:《集注》本)

---

① 马王堆甲本“天之道”作“天下□□”。
② 马王堆乙本“其猶”作“酉”。
③ 马王堆甲本“者歟”作“者也”。
④ 马王堆甲乙本作“印”。
⑤ 马王堆甲本作“敗”。马王堆乙本作“云”。
⑥ 马王堆甲本“天”作“故天”。
⑦ 马王堆甲本作“敗”。马王堆乙本作“云”。
⑧ 取“以”而非“而”:王弼《老子》77.2注“損有以補無”。
⑨ 马王堆乙本作“益”。
⑩ 马王堆乙本无“則不然”。马王堆甲本在“不然”之前有一处空缺,如它与马王堆乙本字数相同的话,那么就有一个“則”的位置。
⑪ 张之象本作“惟”。
⑫ 取“去”而非“无”:陆德明《释文》。

77.2 损[1]不足以[2]奉有[3]餘。孰[4]能損[5]有[6]餘以[7]奉不足於天下者，[8]其唯[9]道者乎？[10] 是以聖人爲而不恃[11]，功成而不[12]居[13]，其[14]不欲見賢邪[15]。（底本：傅奕古本）

言誰[16]能處盈而全虛，損有以補無，和光同塵，蕩而均者，其唯[17]道也。是以聖人不欲示其賢，以均天下。（底本：张之象本）[18]

［译文］

77.1　　　　　　　天之道——它真地就

---

① 马王堆乙本作“云”。

② 马王堆乙本作“而”。

③ 马王堆乙本作“又”。

④ 马王堆乙本“孰”作“夫孰”。

⑤ 马王堆甲乙本无“損”。对“損”的支持：王弼注“言唯能處盈而全虛損有以補無”。

⑥ 马王堆乙本作“又”。

⑦ 取“以”而非“而”：王弼注“損有以補無”，范应元本。

⑧ 马王堆甲本“以奉不足於天下者”作“而有以取奉於天者乎”。马王堆乙本“以奉不足於天下者”作“而□□奉於天者”。范应元本作“以奉天下”。

⑨ 取“唯”而非“惟”：马王堆乙本、范应元本。

⑩ 马王堆乙本“其唯道者乎”作“唯又道者乎”。

此处王弼《老子》本的重构是艰难的。我选择傅奕古本为底本基于如下理由。“孰能損有餘以奉不足於天下者”以“译文”“唯能處盈而全虛損有以補無和光同塵”的方式在注释中得到了承续。此处的关键句是“損有以補無”，这与傅奕古本最相契合。马王堆本中没有的“損”字，由注释中的“損有”和严遵本来证实。范应元本中的“以奉天下”无法应合注释中“補無”的“無”字，而“不足於天下”似乎可以做到。马王堆本中“天下”作“天”似乎也不行，因为天不太可能被认为是需要“補”足的。马王堆乙本和范应元本的“有道者”不为注释“唯其道也”所支持，必须颠倒为“其唯道也”才能应合现存的版本。从注释可知，文本中“道”后面的“者”不能被读作对有道之人的指涉，而指的是道本身。王弼用“和光同塵”回指到《老子》第4章，在那里，讨论的主题是道而非圣人。这是东条一堂以“有道者”替代“道”的建议不能被接受的原因。

⑪ 马王堆乙本“不恃”作“弗又”。

⑫ 马王堆乙本作“弗”。

⑬ 马王堆乙本“居”作“居也”。范应元本作“處”。

⑭ 马王堆乙本“其”作“若此其”。

⑮ 马王堆甲乙本作“也”。

⑯ 取“誰”而非“唯”：桃井白鹿。

⑰ 取“其唯”而非“唯其”：《老子》本文“其唯道者乎”。

⑱《集注》本中没有这一段。

仿若张开弓箭的人！

[弓箭]高的部分他压制，　　低的部分他举高，

[换言之]

有余的他减损，　　不足的他补足。

天之道，

减损有余的，　　而增补不足的，

人之道却不是这样。

只有[如《文言》所说的那样]“与天地合德”[1][的圣人]，才能如天道所做的那样“包容它们[即天地]”[庄子语]。如果某个人只具有人的度量，就会有个人的私己，无论如何不能彼此公平。只有无个人的私我而且在[他的]自然中就去除了自己的私欲的人，才能“与天地合德”。

77.2　　[人之道]减损

[已经]不足的，　　来奉养[已经]有余的。

天下谁能够

减损有余的　　来奉养不足的呢？

只有道。因此圣人作为但不倚靠[其他事物]；[他的特殊]功业得以成就而他却不自居，[2]这是因为他不愿意显示[他的]德能。

这说的是：谁能居处在

---

① 同一引文出现在《老子》5.2王弼注，将圣人与大人等同起来，见《老子》17.1王弼注。

② 这两个关于圣人的论述也出现于《老子》2.4。

过度之中而保全其虚空，减损其所有的东西来补充其所无的东西，"和光""同尘"[于其他事物]，广大且公平——只有道！因此圣人不想显示他的德能，以便能均平地统治天下。①

[结构]

《老子》第77章是以显见的链体风格写成的。《老子》77.2中关于圣人的句子的结构暗示它有三个部分，其中两个是平行的——某种abc结构。然而，无论在本文还是在注释中，我都没有找到任何关于怎样将它的前两句("圣人为而不恃"、"功成而不居")与已经建立起来的a/b串系关联起来的线索。因此我将这两个句子置入c型句的范畴。《老子》第77章具有如下结构：

	c		(77.1)
a		b	(77.1,77.1)
a		b	(77.1,77.1)
c			(77.1)
a		b	(77.1,77.1)

① 此处的两种翻译选择是由文本传统给出的。其中一种选择是：被谈及的是道本身，圣人效仿道。这将假设"唯道"这一读法。另一种选择是：被谈及的是"有道者"。王弼用"唯道乎"指涉文本中的"唯道者乎"，这似乎表明他的读法是"唯道"。在王弼注中重复的论述一方面是指《老子》56.5和56.6中的圣人，另一方面是指《老子》4.1中的道；因此从这一交叉引用中，我们得不出任何结论。而且，77.2注开头的宏大语言更适合道。足够有趣的是，77.2中关于圣人的对子也出现于《老子》2.4，但在那里有不同的作用。在2.4中，第二句"功成而弗居"是总结前面对子的一般句，而在77.2中，二者共同构成一个平等的对子。

	c		(77.1)
a		b	(77.2,77.2)
a		b	(77.2,77.2)
	c		(77.2)
c			(77.2)

《老子注》第78章

［本文］

78.1 天下莫柔弱於水，而攻堅強者莫之能先①，以②其無以易之也。(底本：傅奕古本)

以，用也。其謂水也，言用水之柔弱，無物可以易之也。(底本：张之象本)③

78.2 柔④之勝⑤剛⑥，弱之勝強⑦，天下莫不⑧知，莫⑨之能行⑩。故⑪聖人之言云⑫：受國⑬之垢⑭，是謂⑮社稷之主；受國⑯之⑰不祥，是謂⑱天下

① 马王堆甲本“先”作“□也”。
② 范应元本无“以”。对“以”的支持：王弼注“以用也”作为注释出现在对“其”的注释之前。
③《集注》本中没有这条注释。
④ 马王堆乙本作“水”。
⑤ 马王堆乙本作“朕”。
⑥ 马王堆乙本“剛”作“剛也”。
⑦ 马王堆乙本“強”作“強也”。
⑧ 马王堆乙本作“弗”。
⑨ 马王堆乙本“知莫”作“知也而□”。
⑩ 马王堆甲乙本“行”作“行也”。
⑪ 马王堆乙本“故”作“是故”。范应元本“故”作“是以”。
⑫ 马王堆甲乙本作“云曰”。范应元本“聖人之言云”作“聖人言”。
⑬ 马王堆甲本作“邦”。
⑭ 马王堆甲乙本作“詬”。
⑮ 马王堆甲乙本作“胃”。
⑯ 马王堆甲本作“邦”。
⑰ 范应元本无“之”。
⑱ 马王堆甲乙本作“胃”。

之王[①]。正言若反[②]。(底本:傅奕古本)

[译文]

78.1 天下没有东西比水更柔弱,而对于要攻击坚强的[统治者],没有东西能超过[这些特征]。[如果他]以[水的特性]来行动,将没有东西能够改变他。

"以"是"用"的意思。"其"指的是水。[整段话]的意思是:如果[统治者]运用水的柔弱,将没有任何东西可以改变他。[③]

78.2 柔胜刚,弱胜强,天下没有人不知道,却没有人能付诸实行。这就是圣人的话说:"[只有]承受一个国家的屈辱的人,才称之为社稷之主;[只有]承受全天下的不祥的人,才称得上天下之王",直白的话,看起来好像悖论的原因。

《老子注》第79章

[本文]

79.1 和[④]大怨,必有餘怨。(底本:傅奕古本)

不明理其契,以致大怨已至,而德以[⑤]和之,其傷不復,故必[⑥]有餘怨也。(底本:《集注》本)

---

① 取"王"而非"主":马王堆甲乙本、范应元本。范应元本"王"作"王也"。

② 马王堆甲乙本、范应元本"反"作"反也"。

③ 在《老子》13.5注中,王弼说圣人"无以易其身",这部分地算作《老子》上述文句的引文。《老子》78.1结尾的"之"从技巧上看指的是水,但通过将圣王与水的特征等同,它也指圣王本身。从《老子》13.6注看,"易"这个词的意思是"变更",或者甚至是"变形";在那里,"易"和"损"之间被建构起了某种平行关系。这两个词在这一注释中甚至以双字词出现。在同样的意义上,它出现于《老子》17.6王弼注中。因为圣人的"无言"之教,"无物可以易其言,言必有应"。陈荣捷、刘殿爵等人的翻译似乎没有什么根据。

④ 马王堆乙本作"禾"。

⑤ 张之象本无"以"。

⑥ 张之象本无"必"。

79.2　安[①]可以爲善？是以聖人執左契，[②]（底本：傅奕古本）

左契者[③]，防怨之所由生也。（底本：《集注》本）

79.3　而不[④]責於人，故有[⑤]德司契[⑥]，（底本：傅奕古本）

有德之人，念思其契，不令[⑦]怨生而後責於人也。（底本：《集注》本）

79.4　無德司徹[⑧]。（底本：傅奕古本）

徹，司人之過也。（底本：《集注》本）

79.5　天[⑨]道無親，常[⑩]與善人。（底本：傅奕古本）

［**译文**］

79.1　［即使有人］已经解决了某个极大的仇怨，必然有余下的仇怨。

［大怨］由于［不明理其契］而产生之后，［即使］用德[⑪]来解决它，但［已经造成的］伤害不再能复原，这就是［文本说］“必有余怨”的原因。

79.2　［这样的做法］怎么能够被视为善呢？［不能］。因此圣人执“左契”［表示具有债权］，

执持“左契”［而不在索求偿还时被呈示出来］是防止怨恨发生的根本。

79.3　而不要求［欠债者］偿还。因此有德者关注［他那部分］契约，

---

① 马王堆甲本作“焉”。

② 马王堆甲本“聖人執左契”作“聖右介”。马王堆乙本作“芥”。

③《取善集》、张之象本无“者”。

④ 马王堆甲乙本“不”作“不以”。对“以”的否证：王弼《周易·颂卦》注“有德司契而不責於人”。

⑤ 马王堆乙本作“又”。

⑥ 马王堆甲本作“介”。马王堆乙本作“芥”。

⑦ 张之象本作“念”。

⑧ 马王堆甲乙本作“勶”。

⑨ 马王堆甲本“天”作“夫天”。从马王堆乙本空缺空间的大小看，不太可能有“夫”。

⑩ 马王堆甲本作“恒”。

⑪ 这指涉的是《老子》63.3：“大小多少，报怨以德”。王弼注曰：“小怨则不足以报，大怨则天下之所欲诛。顺天下之所同者，德也”。换言之，圣人不报复。

有德的人关切的[只是]他[那部分]契约。[这样一来],他就使怨恨不会出现,然后才要求他人偿还。

79.4 而无德者则关注于发现。

“彻”的意思是关注他人的过错。[1]

79.5 天道没有偏爱。它总是向善者施予。[2]

《老子注》第80章

[**本文**]

80.1 小國[3]寡民,(底本:傅奕古本)

國既小,民又寡,尚可使反古,況國大民衆乎?故舉小國而言也。(底本:《集注》本)

80.2 使民有[4]什伯[5]之器而無用[6],(底本:傅奕古本)

言使民雖有什伯之器,而無所用之,當何[7]患不足也。(底本:《集注》本)

80.3 使民重死而不[8]遠徙。(底本:傅奕古本)

使民[9]惟身是寶,不貪貨賂,故各安其居,重死而不遠徙也。(底本:《集注》本)

① 这两个句子被王弼给予了足够的重视,以致被收入到《老子微旨略例》2.44中勾勒出的《老子》核心架构中。
② 在这一章中注释文本的糟糕传写,使得无法做出推论的解读。
③ 马王堆甲本作“邦”。
④ 马王堆甲本无“民有”。马王堆乙本无“民”。
⑤ 马王堆甲乙本“什伯”作“十百人”。对“什伯”的支持:王弼注“什伯之器”。
⑥ 取“無用”而非“不用也”:王弼注“而無所用”,马王堆甲乙本“毋用”。马王堆甲乙本作“毋”。
⑦ 张之象本“用之當何”作“用何”。
⑧ 马王堆甲乙本无“不”。
⑨ 取“使民”而非“使民不用”:Wagner。“不用”是从前面的注释中转移过来的。

80.4　雖有舟輿，[1]無所乘之。雖[2]有甲兵，無所陳之。使民[3]復結繩而用之，至治之極，民各[4]甘其食，美其服，樂其俗，安其居，[5]鄰國[6]相望，[7]雞狗[8]之聲相聞，使[9]民至老死[10]不相[11]往來。（底本：傅奕古本）

無所求欲。[12]（底本：《集注》本）

［**译文**］

80.1　如果在人民很少的小国，如果国家小，而且人民少，尚且可以让它回复到古时候的状态，[13]更何况国家大人民众的情况呢？因此［文本］举小国［为例］来讨论。

80.2　人民被诱导到［即使他们］拥有什佰

80.3　人民认为死很重要，而且不远徙

---

① 马王堆甲本“雖有舟輿”作“有車周”。马王堆乙本作“又周車”。

② 马王堆甲乙本无“雖”。

③ 陆德明《释文》作“人”。对“民”的支持：王弼《老子》80.3 注“使民”，马王堆甲本。

④ 马王堆甲乙本无“至治之極民各”。

“至治之極民各”一句只载于傅奕古本和范应元本。王弼在《老子注》中两次用到“治之極”：63.1 注“以無爲爲居以不言爲教以恬淡爲味治之極也”，以及 58.3 注“言誰知善治之極乎”。在这两处，它可能都指向《老子》本身的一个表达。而唯一有这一表达的就是上面这句。因此我选择接受它作为王弼《老子》本的部分。

⑤ 取“樂其俗安其居”而非“安其居樂其業”：马王堆甲乙本。对这一次序及用字的佐证：严遵。

⑥ 马王堆甲本“鄰國”作“覣邦”。马王堆乙本作“哭國”。

⑦ 马王堆甲本作“墅”。

⑧ 取“狗”而非“犬”：马王堆甲本、范应元本。对“狗”的支持：严遵《指归》。

⑨ 马王堆甲乙本无“使”。

⑩ 范应元本“死”作“死而”。

⑪ 取“相”而非“相與”：马王堆甲乙本、范应元本。

⑫ 张之象本“求欲”而非“欲求”。

⑬ 对于这一“反古”的解释，参见下页注①。

兵士[集体所用的]器具而不去运用它们[的地步]。		在外。
这是在说：如果诱导人民尽管有什佰之器，而根本没有什么用处，还担心什么不足呢？		如果诱导人民只珍爱自己的身命，不贪于财货，各自安居，“重死而不远徙”。
80.4	[即他们被诱导得]	
		尽管有舟和车而绝不乘坐，
尽管有武器而不去列阵出战，		
	[总之]如果能诱导人民回复到[上古]结绳而用的状况，那将是治理的极致！[1] 人民各自享受	
他们的食物和衣服，		安居而乐俗，
	尽管相邻的国家彼此可以望见，可以彼此听到鸡犬之声，人民却直到老死而不[通过商或战]来往。	
	他们没有任何欲求的	

① 在第一句注释中《老子》文本没有提到的“反古”，通过《系辞》中“结绳”出现的语境而获得了解释。因此，从王弼的视野出发，我将这一《系辞》的引文收入到本文的括号中，因为王弼无疑假设《老子》在暗指这一段落。

东西。

［**结构**］

《老子》第80章是以隐蔽的链体风格写成的。形式的要素给出标示。句2和句3平行，只有极小的差异。句4的前两句也是同样。讨论“结绳”的第三句单立，表明它是一个c型句。句2中提到的武器在句4的第二个句子的“甲兵”那儿得到了承续；句3中的“徙”由句4的第一个句子中的“舟车”承续。至于句4中的总结句后的四个平行的短句，第二对显然是在讨论“不徙”，而第一对讨论的一定是对由复杂的武器的滥用而引起的“不足”的忧。我假设甚至后面两个句子也可以分派开来，但由于没有注释，我不会这样做，因为关联太弱了。“邻国”讨论的可能是潜在的交战双方，动物声音的接近讨论的可能是邻国间贸易的诱惑。此章的结构为：

	c		(80.1)
a		b	(80.2,80.3)
		b	(80.4)
a			(80.4)
	c		(80.4)
a		b	(80.4)
	c		(80.4)

《老子汼》第81章

［**本文**］

81.1　信言不美，（底本：傅奕古本）

實在質也。（底本：《集注》本）

81.2　美言不信。知者不博，（底本：第一句据傅奕古本，第二句据马王堆乙本）

本在樸也。（底本：《集注》本）

81.3 博者不知。善者不多[1],(底本:马王堆乙本)

極在一也。(底本:《集注》本)

81.4 多[2]者不善。[3] 是故聖人[4]無積,(底本:马王堆乙本)

無私自有,唯善是與,任物而已。(底本:《集注》本)

81.5 既以爲人己愈[5]有,(底本:傅奕古本)

物所尊也。(底本:《集注》本)

81.6 既以與[6]人[7]己愈[8]多,(底本:傅奕古本)

物所歸也。(底本:《集注》本)

81.7 天[9]之道,利而不害。(底本:傅奕古本)

動常生成之也。(底本:《集注》本)

81.8 聖[10]人之道,爲而不[11]爭。(底本:傅奕古本)

順天之利,不相傷也。(底本:《集注》本)

---

① 傅奕古本、范应元本作“辯”。

② 傅奕古本、范应元本作“辯”。

③ 傅奕古本、范应元本“知者不博博者不知善者不多多者不善”作“善言不辯辯言不善知者不博博者不知”。对“知/善”次序的支持:严遵。

现存的本文和注释的安排差强人意。首先,次序不够规则。关于“美言”的两个句子都有注释,而下一注释却出现在第二对以及第三对的第一句之后。标准格式似乎应是每一对子的前一句有注,而后一句只要反过来运用一下就可以了。我因此重新安排了通行的次序,将“美言不信”后面的“本在樸也”插入到下一句“知者不博”之后。第二个问题是“極在一也”无论与它紧接着的句子还是与那个部分的其他句子都关联不起来。马王堆乙本“善者不辯”作“善者不多”。这一定也是王弼本的句子,而“極在一也”一定在此句之后。接下来的问题是三个对子之间的关系。由于它们是三个,而又没有其他的三组句子,这样一来,它们就可以分解为链体结构,即二加一的结构,其中的一是一般性陈述。唯一有资格作为另两者的总结的对子是涉及“善者”的对子。马王堆乙本恰好将这一句置于三个对偶句之后。马王堆甲本在这个地方已经残破,但从剩余的碎片看,它显然与马王堆乙本有相同的次序。

④ 取“是故聖人”而非“聖人”:傅奕古本、范应元本。对“是故”的支持:严遵。

⑤ 马王堆乙本、范应元本作“俞”。对“愈”的支持:陆德明《释文》。

⑥ 马王堆乙本作“予”。

⑦ 马王堆乙本“人”作“人矣”。马王堆乙本、范应元本作“俞”。

⑧ 马王堆乙本、范应元本作“俞”。

⑨ 马王堆乙本“天”作“故天”。

⑩ 马王堆乙本无“聖”。

⑪ 马王堆乙本作“弗”。

［**译文**］

<table>
<tr><td>81.1</td><td>可信的话不华美，
关键在于［素朴的］
本质。</td><td></td><td></td></tr>
<tr><td>81.2</td><td>华美的话不
可信。</td><td></td><td>［真正有］知识的人不
广博，
根本在于素朴。</td></tr>
<tr><td>81.3</td><td></td><td>善的人不追求数量，
终极在于一。</td><td>广博的人并不［真］知。</td></tr>
<tr><td>81.4</td><td></td><td>追求数量的人不善。
因此圣人没有积累。
由于没有自己的私欲，
他自然地拥有事物。
他只是给予善者，让自
己因任其他事物。</td><td></td></tr>
<tr><td>81.5</td><td></td><td>因此他的行动为了他
人，而自己所拥有的却
越多。
即他为其他事物尊崇。</td><td></td></tr>
<tr><td>81.6</td><td></td><td>因此通过给予他人，自
己获得的越多。
即他是其他事物归向
的人。</td><td></td></tr>
<tr><td>81.7</td><td></td><td>天之道，有利［于事物］
而无害。
它的运动总是创生和</td><td></td></tr>
</table>

成就它们。

81.8 圣人之道，作为而不争竞。

他随顺天的利益，不会伤害其他[事物]。

[**结构**]

《老子》第81章的开头有一个以链体模式行文的部分。三个平行的双句分成由第三级加以总结的两个串系，但其余的部分没有明显的链体结构。在以“圣人”开头的断裂之后，我们会期待一个承续此前论述并适用于同一链体模式的结构。然而，在这一个案里，这一断裂后面的两个平行句(句5和句6)与断裂前的两个双句之间的关联对我而言是不可索解的。王弼没有给出此类关联的暗示。事实上，他自己对句4的注释承续了后两句的两个核心概念，即“与”和“任物”(在句5的《老子》本文中作“为人”)。这表明王弼将此看作相当薄弱的关联，并在最初的论述与“圣人无积”之间解读句5和句6。我仍然假设这一章的结构上有更多的东西，但没有找到线索。就目前可理解的，此章的结构为：

a/a		(81.1,81.2)
	b/b	(81.2,81.3)
c		(81.3—81.8)

第三编

语言哲学、本体论和政治哲学

导　言

王弼不太喜欢那些属于既有的思想流派的哲学家(他们根据自己学派的教说解读圣人的思想遗产)。他当然不会认为将自己描述为归属某一学派是正当的。像他的许多同代人和敬慕者一样,他宁愿别人通过其探索的对象来界定他,通过他所作的贡献来评判他。他的最重要的发现是万物之所以(That-by-which)的内在固有的"玄",而他的主要贡献在于看到:这一"玄"不是人类思维和语言在界定某些极端深刻的东西的能力上的可悲限制,而是所以然本身的根本特征。

所以这个概念是从王弼在《老子旨略》的明确论述中抽取出来的:

夫

物之所以生　　　　　　功之所以成①

王弼没能把"所以"这个词名词化,但他用这一中性的表达回避了对某些过分确定的旧有概念的使用。我决定追步他的踪迹,避免使用必须重新界定的西方哲学概念,而是采用"所以"这一笨拙但却相当准确的名词。

所以与万物间的关系是一与众的关系。这被视为治理者在其与百

① 引文的全文及翻译,参见本书第二编第三章。

姓的本来不稳定的社会关系中依循的普适性的、稳定的模式;随之而来的问题是:“所以”的这一根本特征(即“玄”)怎样才能由圣人实施,将玄学从纯粹的存在哲学转向政治哲学和实践哲学。当王弼以及其他人的解释从5世纪起在南朝被当做指定的太学读物时,它们没有被隶属在某些既有的或经过改造的学派名下(如“道家”或今天时而用到的“新道家”),而是由它们探索的对象来界定,并因此而称为“玄学”——对“玄”的学术探索。[①] 王弼的玄学是这里的主题。

在旨在为此分析获取一个坚实基础的漫长探索之后,我们开始这项研究。这一探索的成果结集为两卷:其中的一卷包含王弼的《老子》本文、注释以及现存《老子旨略》的主要片断的批叛性版本和推论性译文;[②] 另一卷则分析王弼作为一个注释者的技艺。[③] 在这种方式下,我觉得我已竭尽所能为自己和读者提供这样的资料:它使得一种关于王弼哲学的根基牢固的批评性对话成为可能。它也有助于使当下的研究更为简洁,因为许多关于文本训诂和推论性翻译的常常令人心烦的困难细节在这两卷中已经讨论过了。这里用的文本常常与通常所说的“王弼本”(遗憾的是,它恰恰并非真正的王弼本)有实质的差别,而对文本的翻译也依据我在那两卷中所做的分析和解释。我诚恳地请求读者在找寻更多细节性资料时参阅这两卷。

作为“所以”(或万物的可能性的条件)的一个根本特征的“玄”的发现,似乎拒绝了任何关于“所以”的深入的讨论,并标志着推论性哲学的终结。王弼将这个问题当做不容轻易解答的哲学问题。这一卷的第一章处理王弼对面向“玄”的定义性语言的必然失败的分析,他对圣人的语言运用以及他们关于其不可靠性的告诫的分析,随之而来的是它们的指引的权宜性,以及适于理解它们的解读策略。

---

① 参见本书第一编。
② 参见本书第二编。
③ 参见本书第一编。

尽管“所以”之“玄”拒绝定义性界定，语言仍能给出关于其特征的意义丰富的启迪性陈述。第二章研究王弼从《老子》的论述中发展和转化出的本体论。王弼将对所以而言“必然”为真的东西（它使得所以能够成为万物之可能性的条件）的彻底探寻与对《老子》、《周易》（特别是《系辞》和《文言》）以及《论语》的有效论述的极其细致和深入的解读结合起来。他的观点较少受“纯哲学”旨趣引导，而是更多地受政治哲学领域的趣味（在本卷的分析的结果中）引导——这是一个他与他所分析的文本（至少就他对它们的解读而言）共享的方向。王弼用来勾勒“一”与“众”之间关系的系统方法以及“一”成为“众”之“一”而非“众”中的“一”的诸条件，为他的政治哲学提供了基础。

王弼将“一”与“多”之间的一般逻辑转译为对人类社会管理的规范性指引，其中治理者效法“一”的难以穷尽的特征，以获致整个共同体政治-社会秩序的稳定以及他个人尊位的保全。依据《老子》的方法，他将理想的治理者——圣人描述为能按此标准生活的人。与“一”与“众”之间稳定的本体论关系相反，在历史和社会中关系在根本上是不稳定的。在对《老子》极其细致的解读中，王弼细绎出对政治共同体的动力学极其复杂的理解，并描画了圣人效仿“所以”的方式，它自己就足以阻止政治共同体爆发混乱和内战。《老子》写于一个动荡的时代——战国。王弼也生活在汉分裂为三国的时代——为争夺霸权而战事连绵。为某个秩序未曾崩溃的理想的过去勾画出维持国家秩序的理想治理者，是很容易的。但一个政治上彻底腐败的共同体，以及古代圣人回归的希望早已被放弃的地方是什么样的情形呢？从《老子》的为数不多的、片断的思想中获取指引，并用其他与同一哲学问题相关的文本提出的论断作补充，王弼发展出了一套仿效“所以”的公共的治理操作，其原创性乃至现代性令人震撼，它还同时表现出了对处于政治强制下的共同体的动力学的敏锐理解。

自从汤用彤的先驱性研究以来，出现了许多以汉语写就的关于玄学的概括性研究，但几乎没有对个别作品和作者的细节性研究。由于在许多场合，训诂学的问题甚至还没有展开，这些总体看法无法使自己基于一个前驱工作的基体之上，而是在无法在个别的问题和文本上花费太多时间的情况下，通过检讨所有他们认为重要的东西来进行研究。

细节化的研究与此类总体研究的关系是相当复杂的，而且在许多场合，未能占有全部事实的大胆构架可以用来聚焦和引导细节研究；而在其他一些场合，某个单独的细节研究能使探索多年的一致见解颠覆。这里的研究显然落入了细节研究的领域，而并不试图对玄学给出概括性的处理。与此同时，它希望通过对一个极其复杂的历史材料的细致分析达到宽泛的结论，而且我宁愿以这样的想法自我陶醉：这些也许竟是我们这个时代的政治科学家和哲学家会感兴趣的。

第一章　识别“所以”：《老子》和《论语》的语言

对理解史的渴求

从冯友兰提出将中国哲学史分为两个大的时代，即子学时代（从先秦至淮南王刘安）和经学时代（始于董仲舒而终于康有为），至今已有数十年了。没有人怀疑汉初的转变在中国哲学中的重要性，即使不同意冯友兰将此后的中国哲学概括进一个单一的范畴。冯的理由是：“自此而后，朝代虽屡有改易，然在政治经济社会各方面，皆未有根本的变化。”[1]他把这两个阶段建立在那时流行的欧洲哲学史的模式之上，在这一模式下，柏拉图和亚里士多德等哲学家的短暂时代之后，随之而来的是数百年的经院哲学。由此，他就将对欧洲经院哲学的总体蔑视（它绝大部分是“以旧瓶装新酒”）转移到了中国的经典注释传统之上，它们被归入二手思想的标签下。然而，中国没有发展出西方哲学从笛卡尔开始的第三个、同时也是全新的时期，而只是在与西方近代哲学遭遇后才有了这样的发展。

---

① 冯友兰，《中国哲学史》，上海：商务印书馆，1934 年，页 492。

这样，冯就引入了一种非常特殊的、主要在清教国家中发展出来的欧洲哲学史观：强调元文本和原创性对正统（“天主教的”）传统和注释的破坏。在对这些东方人想象的直接输入中，冯友兰的经学时代就只是“以旧瓶装新酒”，因此不值得过多地关注。因此，冯友兰用了一整卷来讲述子学时代的三百多年，而经学时代的两千多年也只用了一卷。在这种眼光下，经学时代的中国思想在本质上是二手的、没有生命力的。其证据是：哲学对古代经籍的从属关系在这个时代偏爱的形式——注释中显现出来。

由于主要依据一种政治上强制的正统性来看待经学时代的开端，无论是冯友兰还是后来著名的中国哲学史家都未能深思写进两个时代转折或与之相关的精神变迁的历史悲观主义。也许是因为对经学时代的这种引进的贬黜，几乎没有什么关于这一时代的哲学家的郑重研究曾着意于他们与经典的关系。而且，尽管从 20 世纪初以来，我们已经被卷入关于所有事物（从文学到日食）的中国“历史”当中，但却连一部简单的中国注释文献的历史也没有写出来，更不用说这类专注的研究了，比如理解和解释学的历史，或学者阶层精神内部变迁的历史，这一阶层着力去理解的不是世界、存在或他们自己的思想，而是他人（他们被拔高到不可启及的圣人阶次）留下的晦涩启示。

这样的研究将超越皮锡瑞[①]（1850—1908 年）等学者搜集的关于经学史的轶闻性记载，超越石田公道[②]描述的注释形式的线性发展，也超越由冯友兰以及最近的余敦康[③]收集的关于经典隐含意义以及处理它们的方式的少数抽象引文；它们将汇入一度曾由加贺荣治[④]开启但未得到继

① 皮锡瑞，《经学历史》，北京：中华书局，1981 年版；以及《经学通论》，上海：商务印书馆，1936 年。

② 石田公道，“中國に於けるる注释書の發達”，北海道武藏女子短期大學紀要 4：1—71（1971）。

③ 冯友兰，《中国哲学史》，上卷，页 20；余敦康，《何晏王弼玄学新探》，济南：齐鲁书社，1991 年，页 144。

④ 加贺荣治，《中国古典解释史 · 魏晋篇》，东京：Keiso 出版社，1964 年。

续的庞大计划——真正地去研究各种注释及相关著述，研究它们的技艺、隐含的预设和确定的哲学观念。

由于在这项研究中，我关注的是这样一位《老子》的注释者：他不仅是一个漫长注释史的部分，而且还在与其先驱者进行着某种鲜活的交流和竞争，因此，我只能提供这一历史背景的某些概况，对此保持清醒的认识，并热切地期望某些对此有更好训练的学者能用一项充分、深入的研究来迅速代替这一概况。

这里没有提出一种对理解史的肤浅的提纲（它也涉及文本断代的问题），而是通过王弼本人的观点来描述这一传统。他不是哲学史家，而是哲学家。由各种早期文本如《庄子》、《老子》、《论语》或《周易》提供的选择没有以一种历史的或者历史逻辑的秩序进入他的思想世界，而是作为共时的思想选择和对哲学问题的可能解决。因此，我将试着对他明确知道且深入思考过（或者已由其任意支配）的那些选择作一系统的揭示。我将把《论语》、《老子》、《周易》、《庄子》、《春秋》和《左传》置入第一类，这些是他明确提及并且是那个时代有教养的年轻人课程的一部分；而将《文子》、《淮南子》或《尹文子》这样的文本置入第二类，这些很可能在他的藏书中并且是他读过的，但这一点（即他了解它们）只能从暗示和偶尔未标明的引文中推论出来。

共识：圣人思想的不可言说

子曰："书不尽言，言不尽意。"[1]

这一《系辞》里著名的常见征引的论述不是关于书写和言说语言的不准确性的一般论述。紧跟在这一句之后的是一个反问："然则圣人之意，其不可见乎？"因此，孔子这句话中的"意"指的就是圣人的思想。"圣

[1] 《周易引得》，《系辞》。

人”是为数极少的个体，他们的出现必须被视为一个有世界意义的大事。他们因其对给世界和社会以秩序的终极事物（常以“道”来命名）的洞见而获得进入这一范畴的资格。孔子（被视为这些圣人中的最后一个）说：这一洞见不能在言说中被充分地表达，同样也不能在书写的字符中完全表达出来。①

王葆玹曾指出孔子这句话不是一个全新的论断，而是在《系辞》的上下文中对某个广为接受的真理的确认。② 实际的论辩在这一段之后，它处理的是《周易》用来回避言说和书写的困境的方法。对此，我们将在后面详细讨论。由此，孔子这句话更为明确的译文应该是：

> 夫子说：“[的确，]书写无法充分表达[圣人关于道]的言说，而言说也无法表达[圣人关于道的]思想。”

《系辞》的这一段话并没有给出关于言说和书写语言的缺陷的理由，仅仅是通过对某个广泛持有的假设的再确认。《老子》也是同样。《老子》中的那些论述同样是众所周知的。对于“道”，《老子》说（在王弼的解读中）：“道可道，非常道。”[1.1]而《老子》第41章以这样一个干脆的论述作结尾：“道隐无名”。在32.1中，《老子》重复了对道的无名的描述：“道常无名”（译为：道之常是无名性）。在这些陈述中，《系辞》中对书写和言说语言所做的区分被混淆在“名”这一共用的语汇中。

---

① 通常认为《系辞》这一文本成于西汉，但在马王堆汉墓中对这一文本的发现已经证实它更可能是战国晚期的作品。一直有学者强调《系辞》与所谓道家传统的密切关系，这一关系最后又得到了陈鼓应的细致研究；参见陈鼓应，“《易传·系辞》所受《老子》思想的影响”，《哲学研究》1:34—42，52(1989)；“《易传·系辞》所受《庄子》思想的影响”，《哲学研究》4:51—58(1992)；“《彖传》与老庄”，《老庄新论》277—293；“《易传》与楚学齐学”，《道家文化研究》1:143—156(1992)；“论《系辞》传是稷下道家之作——五论《易传》非儒家典籍”，《道家文化研究》2:355—365(1992)。王葆玹，“从马王堆帛书本看‘系辞’与老子学派的关系”，《道家文化研究》1:175—187(1992)；他主要证实了陈鼓应的假设，并通过通行本与帛书本的比较就《系辞》的形成提供了重要的信息——今本《系辞》的部分在帛书本中出现在题为“易之义”的文本当中。

② 王葆玹，《正始玄学》，页322。

圣人因其对“道”的知识而能够在社会中发挥“道”在作为一个整体的宇宙中所发挥的作用。结果，语言在处理“道”时遇到的麻烦在涉及圣人的问题时又一次出现。《论语》(在王弼的解读中)相当明确地谈到了语言在“命名”和界定圣人时的缺陷。它记述孔子的话说：

> 大哉尧之为君也！巍巍乎！唯天为大，唯尧则之。荡荡乎，民无能名焉。①

这里的“大”意味着“绝对”、“无法衡量”，因此也“无法界定”。对于天和道也是一样。结果，尧作为圣人，只有天本身才能衡量，是语言无法界定的。孔子在他的同代人和后来的景仰者的眼中，也是如此。在王弼的解读中，《论语》9.2 这样开头：

> 大哉孔子，博学而无所成名。②

王弼注曰：“譬犹和乐出乎八音乎，然八音非其名也！”在这一语境里，孔子成了无法界定的。他本人的自陈也如此：“莫我知也夫”，这一段以自我描述“知我者其天乎”结尾。③ 与《庄子》中被归于老聃的陈述“知者不言”相同，孔子本人最终宣称“予欲无言”，在回答他的学生“子如不言，则小子何述”这一由震惊而生的问题时，他说：

> 天何言哉？四时行焉，百物生焉。天何言哉？④

从王弼对这一段的注释中，我们可以看到它对于王弼对圣人言说的理解的枢纽作用。王弼注曰：

> 予欲无言，盖欲明本。举本统末，而示物于极者也。夫立言垂教，将以通性，而弊至于湮；寄旨传辞，将以正邪，而势至于繁。既求

---

①《论语引得》，台北：正文，1996 年，8.19；参见楼宇烈，《王弼集校释》，下卷，页 626。

②《论语引得》，9.2；《王弼集校释》，页 626。

③《论语引得》，14.35。

④《论语引得》，17.17。

道中不可胜御[1],是以修本废言,则天而行化。

以淳而观,则天地之心见于不言;寒暑代序,则不言之令行乎四时,天岂淳淳者哉?[2]

王弼使我们明确,孔子这句话是一个听之任之的叹息。他可能想要无言,但实际上却终日在言说,而且他知道自己不得不这样。由于事后回顾的优势,王弼可以正确地指出:孔子的"教化"中的洞见承受着反复无常的诠释和变化着的应用环境的双重危险。充分地意识到了语言可能是哲学表达不可靠的媒介,但同时又承认它是不可替代的,孔子不断地言说和行动。因此,这一陈述就成了孔子本人的一个警告:他的话不应该被具体为某种教科书的教条;它同时也是在指导如何把握夫子的言行。然而,"以淳而观",对万物真正意义上的"御"是不能通过干涉(即言说)达到的。

对于王弼的《老子》,体道的圣人同样轻视语言。"大上,下知有之。"[17.1](译为:如果大人在上位,那些在下者[只]知道他存在)"古之善为道者,微妙玄通,深不可识。"[15.1]

由此,这些文本中就贯穿着这样一个共识:圣人之道不能仅仅用语言来表达。这里假设经典中已经意识到了这一问题,而在继续使用它的过程中回避语言的局限,则成了圣人的用力所在。

彻底的立场

上面提到的陈述是辩护性的。它们在承认圣人思想的不可表达的同时,推荐了替代性策略,或者将其纳入那些其结构必须被看作此类替

---

① 我读过的所有版本都断作"既求道中,不可胜御"。这好像无法理解。我将"御"读作"求"和复合形容词"不可胜"的宾语。在后来佛教的翻译中,有这种用法;但我相信在王弼的时代已经有这样用的了。当然,我无法证实这一点。

② 楼宇烈,《王弼集校释》,页633。

代性策略的文本。尽管现有材料不容许我们重构这些辩护性陈述在其中发生的讨论界域，但《庄子》中某些可能出现稍晚的现存材料所主张的，可能是关于“道”的不可言说的最初命题，它构成对已经建立起来的替代性策略的反击。

第一段材料出自《庄子》“外篇”的《天运篇》，Graham 将其组合进“老聃与孔子的对话”当中：

> 孔子谓老聃曰：“丘治《诗》《书》《礼》《乐》《易》《春秋》六经，自以为久矣，孰知其故矣，以干七十二君。论先王之道，而明周召之迹，一君无所钩用。甚矣，夫人之难说也，道之难明邪？”①

这一论辩之所以定为“晚出”，主要在于它预设了对此问题先已存在的讨论。② 达到往圣之道的困难已经被经验到了。六经已经被描述为获得“道”的一种方式。《庄子》这一段反对这种方式——它的可能性主要是由儒宣扬的；《庄子》讽刺性地让儒的最高权威孔子自己坦白他在这种努力中的挫败。在这段话中，孔子将六经界定为周召之“迹”。导致这些“迹”的是“先王之道”，周公和召公追随先王之道并将其载入六经遗留下来。在与七十二君的对话中，孔子没有从这些“迹”的构造中推论出先王之道，而是以先王之道来照亮这些还存在的迹的意义。这预设了他明了先王之道，而且这一知识使得他可以赋予这些迹以意义。他对先王之道的了解究竟是因为他本人就是圣人，还是研习六经的结果，无从得知。但很明显，他最终打算用六经为指南，使君主们“有所钩用”。尽管孔了熟知六经，但他并没有办法说服那些君主。原因在于，尽管“迹”在，“道”

---

① 《庄子集释》，北京：中华书局，1982 年，页 531。我之所以提到 Graham 对《庄子》的各部分的重组，只是因为有许多学者都援引它。我认为这一重组在方法论上有致命的弱点，因此无法接受他的结论。

② 这一段里提到了六经，这被当做它成于汉代的一个明显的标记。这样的断言是必须抛弃的，因为我们在郭店楚简中明确看到这样的提法。参见荆门市博物馆，《郭店楚墓竹简》，北京：文物出版社，页 195“语丛”1。

仍难以阐明。老聃回答道：

> 幸矣！子之不遇治世之君也。夫六经，先王之陈迹也，岂其所以迹哉？今子之所言，犹迹也。夫迹，履之所出，而迹岂履哉？[①]

老聃的陈述从其起源和解释这两个视角描述了六经。的确，在孔子的话中，它们是先王的迹。然而，孔子致力于阐明这些迹，从而为治理者提供某些浸透了“道”的可理解的东西。这些努力遭遇了挫折，于是孔子明白了先王之道与他们在六经中留下的迹的语言构造之间的关系，并不像他原来设想的那样接近。老子接续了这一思想，并将其引向自然的结论。他主张导致这些迹的先王之治已经不可避免地失去了。这些迹是“陈”的，就像《素问》中的“陈气”，是病人要想痊愈就必须“排出”的东西。[②] 这些迹不能用作某些超越它们自身的东西的指南。通过在口头的解释中将自己依附于他细致研究过的写定的经典，孔子使自己依附于先王之事的“陈”的部分——空洞的痕迹。(《庄子》这里选用的喻象对于这一段落并不恰当。当老子说：“夫迹，履之所出，而迹岂履哉”时，他实际上提示了这样的思想：履可以通过对迹的细致研究来发现。)然而，“道”不是履，不是任何可以清晰界定的东西，接下来老子对“道”的运作的描述明确了这一点。因此，我们必须针对陈述中实际的用词来解读老子这一陈述中的意旨。这一段落接受了六经为先王之道的迹的主张。而且它是在书写语/言说语/意义这一《系辞》中为人熟知的等级序列下运作的。但通过主张“道”的不可捉摸，它否定了以谈论这些迹作为达至此道的一种方式的可能性。

《庄子》的第二段材料也出自外篇，Graham 认为此段与内篇“相关”。其文如下：

> **译文**：世上珍重道的[形式]是书写形式。由于书写形式不过是[写

---

① 《庄子集释》，页 532。

② 《黄帝内经素问》，北京：人民卫生出版社，1978 年，页 262。

下的]言说语，因此言说语有某些被珍重的东西。在言说语中被珍重的是意。而意有其关涉所及的东西。意所关涉的东西无法用言说来传达；但因为[意的对象]，世上珍重[指明意]的言语以及传承它们的书写形式。尽管世上珍重它们，我仍然觉得它们不值得珍重，因为[书写语]被珍重，并不意味着[道]得到了珍重。

[**原文**：世之所贵者书也。书不过语，语有贵也。语之所贵者意也。意有所隧。意之所隧者，不可以言传也。而世因贵言传书。世虽贵也，我犹不足贵也，为其贵非其贵也。故视而可见者，形与色也。听而可闻者，名与声也。悲夫，世人以形色名声为足以得彼之情。夫形色名声不足以得彼之情，则知者不言，言者不知。而世岂识之哉？]①

Graham 将关键语"为其贵非其贵也"译为"因为其中被看重的并不是贵重的东西"②，Watson 则译为"世上当做贵重的东西并无真正的价值"③。二人都将句子中的两个"其"与同一名词"语"相联，区分了两个"贵"的不同语法功能（分别为动词和名词）和意思。我本人的翻译也承认"其贵"的重复是文字的游戏，但我认为两个"其"指向不同的对象——第一个"其"指整个论断开头的"书"，第二个"其"指这些东西最终所关涉的道。在这种意义上，此句当为"为其[书]贵非其[道]贵"。在此前的几个句子中，文本作出了如下这些论断：书写文字只是在复制言说语，言说语只是在意指思想，思想本身则指向在下文中被称为"彼"的某种无法命名的东西。

文本的论述处理的不是一般性语言，而是针对世人附加在实际上"不可以言传"的道上面的书写、言说和思想形式。论述的第二部分是对第一部分的普遍化。我们不仅是在处理有特殊性的语言，而且也在处理

---

①《庄子集释》，页 488。

② Graham，*Chuang-tzu：The seven Inner Chapters and Other Writings from the Book Chuang-tzu*，页 139。

③ Watson，*The Complete Works of Chuang-tzu*，页 152。

由特殊性刻画的所有感觉的对象。这一特殊的世界根本“不足以得彼之情”,因此“知[彼]者不言”。

在《系辞》中已为人熟知的书写语/言说语/圣人的思想这一等级序列,在此进一步展开为这一论断:思想关涉的是某种本身即不可言传的东西——与前述段落中的观点相近,都否认了通过先王的书写痕迹达至“彼”的可能。《系辞》只是主张圣人的思想不能通过言语来穷尽,而这两个《庄子》段落却强调根本无法通过言语和书写“传”达这一思想的内容;由于“知[圣人之道]者不言”,“世岂识之?”

下一段落与前者直接相关,二者的主题相互关联:

> 桓公读书于堂上。轮扁凿轮于堂下。释椎凿而上,问桓公曰:“敢问公之所读者何言邪?”公曰:“圣人之言也。”曰:“圣人在乎?”公曰:“已死矣。”曰:“然则君之所读者,古人之糟魄已夫。”桓公曰:“寡人读书,轮人安得议乎?有说则可,无说则死。”轮扁曰:“臣也以臣之事观之。凿轮徐则甘而不固,疾则苦而不入。不徐不疾,得之于手,而应于心,口不能言。有数存焉于其间,臣不能以喻臣之子,臣之子亦不能受之于臣。是以行年七十而老凿轮。古之人与其不可传也死矣。然则君之所读者,古人之糟魄已夫。”①

这一对话的主要观点与上引《庄子》段落相合。书写形式只是言说语的一种可怜的记录,不过是古代圣人的“糟魄”——“先王之陈迹”的另一种表达而已。他们的道“不可传”;被他们带入了坟墓。然而,与轮扁本人一样,由于古代的圣人得有此道,得道无疑还是可能的。但它不能通过教和学、写和读等语言中介获得。只有通过轮扁这一段以及其他段落中描述的精神实践和习练才能达到。《庄子》这几个段落都认为不可能通过遗留在六经中的“糟魄”达至道。

然而,在上引《庄子》的段落中,这正是孔子和桓公尝试去做的。通

① 《庄子集释》,页488。参见《淮南子逐字索引》,香港:商务印书馆,1992。

过讥讽从先圣的糟魄——六经中推论出道的尝试，以及通过在《系辞》的系列中添加一个遥远的终极层面——思之所及，《庄子》构成了对这一假设最难应付的攻击。然而，《庄子》反对的是一直持续到公元前3世纪末的共同假设，即六经（还有《老子》）是以极其复杂的方式编撰的一种特殊的文本，这些文本设法给那些知道如何解读它们的人提供对道的某种洞见。

发展解读策略

王弼注释并撰写略例的三种文本（即《老子》、《周易》和《论语》）都或隐或显地、反复强调语言以及认识在“命名”、界定终极事物时的缺陷。

《周易》包含经和传两部分。前者包括带有彖、象和卦爻辞的卦象；后者包括被王弼插入正文中的、对经中陈述附加的注释，以及《系辞》这样仍然独立成篇的解释性文献。总体说来，经的部分更为古老，与占卜直接相关；而传的部分则是解释性和哲学性的。[①] 作为一种书写的构造，《周易》大量地运用了非语言手法，如卦画/结构的（六爻、三爻）或关系的（爻的位置及彼此间关系的动力学）手法。用来解释不同卦象的字句在语法和术语系统上是混淆的，充满了暗示和隐喻。其特定的意义建立在与卦象（或一既定陈述所指的爻）的非语言结构语境的复杂交织之上。与此同时，卦爻辞的固定和明确，又足以引起深不可测的系统思想的印象。《周易》的沉默结构和文本表面都可以被解读为对语言或书写表达缺陷的含蓄注释，以及对替代性的、更为复杂的表达形式的探索。因此，这些方法的实际运用暗示了关于语言在处理此类不可捉摸的复杂事物上的局限的隐含理论。紧接在上面引自《系辞》上的段落之后的是一个关于《周易》用来绕过这一问题的特殊策略的论述：

① 余敦康，《何晏王弼玄学新探》，页183。

子曰:书不尽言,言不尽意。然则圣人之意,其不可见乎?子曰:圣人立象以尽意,设卦以尽情伪。系辞焉,以尽其言。变而通之以尽利,鼓之舞之以尽神。①

这两个论述有极高的权威性,因为"子"通常被认为是孔子。② 整个段落不是关于语言的一般陈述,而是关于作为"圣人之意"的表达方式的《周易》语言的陈述。然而,夫子的第二个论述使整个《周易》复杂的语言和非语言结构成为回避在表达圣人之意时的书写和言说局限的尝试。因此,《周易》作为整体实际上就是圣人之意。在"传"(尤其是《系辞》)的描述中,《周易》的编码是基于宇宙的编码的,因此,《周易》里包含宇宙运作的全部秘密。有足够的语言来证明从《周易》的宇宙论解读到本体论解读的转变。总之,《周易》中描述的圣人之意关注的唯一主题是值得圣人思考的道,而且道在宇宙和社会中都有其作用。

在《系辞》这一段中,夫子的第一个关于书写和言说语以及圣人之意的论述并不与第二个论述中圣人采取的一系列克服语言局限的方式完全相合。③ 立象是为表达圣人之意;"系辞"是为了充分地表达圣人的言语。但在第一个论述中既没有与"设卦以尽情伪"相对的部分,也没有与最后两句"变而通之"和"鼓之舞之"相对的部分。

因此,《周易》将它自己的表达形式描述为洞见到并接受了语言无法充分表达圣人之意的结果。它接受了这一洞见,并声称自己实际上是这样一种结构:能在尊重这一规则的同时,又通过不同语言和符号的使用回避它。这里指出所"系"之辞——卦辞和爻辞(用来指明卦象和各爻的内容)能够"尽"圣人之言;而象(卦的具体形式)则能"尽"圣人之意。《系

① 《周易引得》,台北:正文,1966。参见 Peterson,"Making Connections:'Commentary on the Arrached Verbalizations' of the Book of Change",*HJAS*42:1:98(1982)。

② 王葆玹,《正始玄学》,页 322。

③ 这两个论述本来可能并不是联在一起的。由于它们通过"言"和"意"共享同一主题,就被早期编者放在了一起。王弼实际上只是讨论了相应的要素,而忽略了其他的东西。

辞》指出，这些所“系”之辞应该能够充分表达圣人之言，但通常的写作却不能；但它并没有给出理由。象或象征与圣人之意的关联也同样如此。《周易》的象和卦爻辞都在一个等级序列中有超越其自身的指涉点：从所“系”之辞导向言说语，从言说语导向象，从象导向圣人之意。

所“系”之辞并不意指它们所说的东西，它们并不界定一个既定的对象，也不是与它们的对象相互决定，而是超出自身指向“言”①，它们只从这一指涉获得它们的内涵。这些所“系”之辞与通常的书写陈述的区别在于“系”，因此在结构上表明它们有其超越自身的指涉点。通过这一相互作用，它们能够以最简约的方式展开一种更为复杂的表达形式，以唤起口头表达的丰富性。这些言说语也不界定其对象，而是指向和阐明更为细练的表达形式——象；象本身也不是在界定，而是作为最终的指示者，指向意义之所在，它不是从自身而是从这一相互作用中获得其内涵的。以这种方式，在直接的书写语言和最终的目标——思想之间，发展出了一个四层的表达结构，结果是：这一在《周易》显见的语言和非语言结构中并不始终出现的思想得到了完“尽”的表达。

《周易》没有将自己描述为一部包含本文和由一系列注释者添加的一个或多个注释层的典籍。这一也许可以被视为包含不同文本层（较晚的文本层注释较早的文本层）的文本——其意义已不可获知或其指向必须被调整到新的关涉上，在《系辞》中被描述为一系列圣人贡献的历史创造，其最终产品使得他们能充分表达自己没有直接置入象征、言说或书写等不适当媒介中的思想。

那时被普遍接受的预设是：古代圣人共享相同的思想和目标。② 由于这个原因，确定哪个圣人的思想载入这个或那个段落中就全无必要了。他们可以用一个集合名词“圣人”来指称，无所谓单数或复数。通过

① 第二个陈述中的“言”的所指相当含糊。它既可能指“彖传”（解释卦辞）和“象传”（解释爻辞）。也可能指卦辞和爻辞。

②《孟子》，IV. II. ii1—4。

将《周易》的结构和内容与这一“圣人之意”关联起来,《系辞》建构了该文本的统一性,这在文本的表面是没有证据的。

因此,《系辞》关于《周易》技艺的自我指涉的陈述同时就是有关其复杂结构的理由的陈述,并且是读者如何看待和处理这一结构的指南(要避免不恰当的具体化)。它提醒读者文本表面具有多层指涉的特点,统一于深层的思想;由于与意义有三重的间隔,直接可见的文本本身是不可靠、琐碎和无意义的。它提醒读者牢记书写和言辞无法表达圣人之意,而只有将特定形式的书写、言辞和象征当做权宜的、微不足道的和指涉性的,才能了解这一圣人之意。这一对《周易》表达形式以及圣人的总体表达形式的解释,有其重要的结果。在将这些表达界定为圣人的表达时,它们充满了完全独立于渗透在文本表面中的细枝末节的高深寓意。与此同时,它们为专家敞开了处理这类高深问题的窗口。当这一构造通过挣脱对表面文本的系缚为注释者提供了更多自由时,它也通过要求一种对圣人表达整体的、统一的、自然的解释,建构了必需且严格的框架;它还给读者获知圣人之意添加了沉重的责任和挑战,在具体操作中排除了所有的随意性。在《论语》16.8 中,孔子本人就要求敬畏圣人之言。孔子说:

> 君子有三畏:畏天命,畏大人,畏圣人之言。

大人在《乾》卦《文言》中被等同为圣人。三畏的原因在于三者都难以测度。王弼同时代的长者何晏对最后一句注释道:

> 深远不可易知测,圣人之言也。[1]

皇侃(488—545 年)在疏解这一段落时说:“理皆深远,不可改易也。”[2]在这一解读中,由于主题的艰深和语言的窘境,圣人留下的言辞即

---

[1] 《论语集解》,四部备要本,上海:中华书局,1930 年,16.8。
[2] 皇侃,《论语义疏》,载《丛书集成》,上海:商务印书馆,1937 年,页 234。

使对君子也是一项可敬畏的挑战。然而,这些文本包含和表达了由圣人发现的真理却是毋庸置疑的。

虽然《论语》里包含孔子关于圣人的论述,但它主要是孔子及其部分弟子的言行的记录。它的数百条轶闻和格言式的互不关联的短篇,可能又是对描述圣人的所思和所体时语言局限性的含蓄注解。一种系统的、定义性的描述必然与下面这一规则冲突:孔子是像《系辞》里的圣人之意一样不可定义的;因此,暂时性的、暗示性的、矛盾的陈述和轶闻也许可以被解读为语言不能在整体上定义他的暗示。① 这一隐含的形式和结构层次又从关于语言在处理圣人及圣人之意时的缺陷的明确论述(其中某些论述已征引于上)中得到补充。

《论语》的形式就成了以非定义的、指涉的方式使用语言来处理统一的、不可定义的主题——圣人及圣人之意的另一种尝试。孔子本人为这一形式确立了原则。他宣称自己"述而不作";可以猜测,在他所传承的东西中有极大的多样性。与此同时,他又对曾子(曾子显然正在对夫子教化的多样性发表言论)说:"吾道一以贯之"。夫子表面的作为同样是不可靠的;它们不是从彼此的关系中,而是从超越它们自身的共同指涉点(即圣人和圣人所体的道)获得节奏和逻辑的。

孔子仍然要言说和行动,因为似乎没有其他可行的表达方式。他没有著书,这一"不作"是他关于语言和哲学的最详尽的论述。但人们认为他以某种方式重新整理了将要成为经典的东西,以便将它们转变为哲学的路标。正如唐杨士勛在其《穀梁注》疏解中所说:"仲尼所修谓之经。经者,常也,圣人大典,可常遵用,故谓之经。"②孔子在不同经典极大的形式多样性中宣称思想的统一性,他评论《诗经》说:"《诗》三百,可以一言

① 参见拙文,"Die Unhandlicheit des Konfuzius",载 Assmann,Weisheit. *Archaologie der Literarischen Kommunikation III*(Munchen: Fink Verlag,1991),455—464。

② 杨士勛,《春秋穀梁传注疏》,载阮元,《十三经注疏》,北京:中华书局,1987 年,页 2365 上;石田公道,"中國に於ける注释書の發達",北海道武藏女子短期大學紀要 4:4(1971),误将这一论述引为《穀梁传》本文。

以蔽之。”

然而，他的学生总是对他实际意指的东西与他的言行似乎暗示的东西之间的不同印象深刻。夫子会对同一问题给出极为不同的回答；他完全拒绝界定他的语汇；而且他的个性似乎总让学生们觉得他有所保留，以至于他们会问他的儿子孔子燕居时的言论，而且，正如子贡所做的那样，他们还强调只能得到供自己精读的“文章”，而无法听到深藏在圣人心中的关于“性与天道”的领会。

关于这一段的恰当解读的争论表明了读者和注者让该文本从属于阐释的压力。在皇侃的《论语集解义疏》中，整个段落为：“子贡曰：夫子之文章，可得而闻也；夫子之言性与天道不可得而闻也已矣。”何晏将第一句注释为：“章，明也。文彩形质著见，可以耳目循。”由此，何晏通过将文与章分离，并将后者读作动词而偏离了汉代的解读。因此，第一句话只能读作：“夫子之文彰明，[故]可得而闻。”这些“文”[范型]，无论是以何晏的方式还是以郑玄的方式(将文章二字联在一起)解读，都被视为六经的指称——这同时也是皇侃的观点。①

对于子贡这样的人来说，由圣人汇集的六经是明白可读的。第二句强调了与第一句的不同：关于“性与天道”的言说，即使是子贡也不得与闻。这一定是指夫子的“言”。依据皇侃的解读，“言即文章之所言”。因此，夫子之言只能译作“夫子之言所关涉的……”，亦即，像皇侃所“译”的：“六籍所言之旨”。该句的后半部分“性与天道”被何晏解释为“人性与天道”，一般看来，两者都是隐微不显的，因此，即使是子贡也无从察知。这句话的翻译是：“[但]夫子[在这些文中]谈及的，[即]人性与天道，[我是]完全无法察知的。”子贡看到了传承下来的文本，但要把握它们指向的深隐精微的道似乎是不可能的。

---

① 对这一段落最详尽且合理的讨论，见蜂屋邦夫，“言盡意と言不盡意論”，*Toyo bunka kenkyusho kiyo* 86：122(1981)。另见刘宝楠，《论语正义》，载《诸子集成》，上海：上海古籍出版社，1990年，页98。

然而，对这一段还有其他两种解读，其中的一种显然早于何晏。钱大昕(1728—1804 年)曾经提到过："一说'性与天道'，犹言'性与天合'也。"他给出了几个《后汉书》、《三国志注》中引用的管辂别传以及《晋书》中的例子。[1] 这将带来这样的翻译："[但]夫子关于[其]本性与天道相合的言论，是无法听闻[=理解]的。"第三种解读是在颜师古《后汉书注》对从前解读的批评中发现的，它将"性"等同为副词性的"自然"："云《论语》云云，谓孔子不言性命及天道，而学者误读，谓孔子之言性，自然与天道合。"[2]最后这种解读似乎与何晏、王弼之后的玄学思想相当一致。我们已经看到，在玄学开始兴盛之前，读者们在寻找《论语》中能够解释孔子如何使用语言、指导读者超越表面达到更深层面的段落。子贡无法理解这些深奥意旨的告白，被当做对后人的警告——在他们的道路上有着怎样可怕的障碍。

通过收载夫子看似琐碎的事件和议论，并通过这些内容提升到不易察知的智慧层面，《论语》可以被视为这样一种自觉的尝试：通过冲决语言的界限、拓展远远超越简单言辞的话语方式，带出关于难以捉摸的对象的洞见。作为圣人行为的记录，它将孔子本人关于语言的论述转译为文本结构的手段。《论语》中关于孔子及其教化的不可定义性的明确论述，也是让读者持续关注文本缺席的核心的指引。然而，对于孔子的弟子，尤其是对于后世的注者，表面随意的微光使得它成为一项艰难的事业。

与此同时，《论语》可能只是一次笨拙无力的尝试：试图保存随着最后一个圣人的去世不可挽回地丢失了的痕迹。对圣人天启的终结比任何人都备感沮丧的班固(卒于公元 92 年)，以这样的话作为其《汉书·艺文志》的开头：

---

① 钱大昕，《潜研堂文集》，载《潜研堂集》，上海：上海古籍出版社，1990 年，页 120。

② 引自刘宝楠，《论语正义》，页 99。

> 昔仲尼没而微言绝，七十子丧而大义乖。故《春秋》分为五，《诗》分为四，《易》有数家之传。战国从衡，真伪分争；诸子之言，纷然淆乱。至秦患之，乃燔灭文章，以愚黔首。汉兴，改秦之败，大收篇籍，广开献书之路。迄孝武世，书缺简脱，礼坏乐崩，圣上喟然而称曰："联甚闵焉。"于是建藏书之策，置写书之官，下及诸子传说，皆充秘府。①

首先，"微言"的天启中断了；随后，大义也乖离了；最后，文本本身也遭到了毁灭。遗留下来的和重新搜集起来的书简被败坏了。从武帝开始，汉朝廷尽力搜集尚存的文献，成帝（前32—前8年在位）进而让专家在刘向及其子刘歆的指导下编辑整理它们。但当班固公开地赞扬这些帝王的做法，并提到刘向在编校完每一本书以后，都要对其"指意"加以总结时，他所生活的时代里对经典的竞争性注释的出现在他的描述中促成了一种巨大的空缺：班固根本没有提到圣人天启的"大义"已经得到的复原，或者出现了能够自己阐发"微言"的人。在他看来，汉代的学者虽然以六经为依据，但他们显然不能宣称对孔子的"微言"有哪怕是一般的理解。

在相同的脉络中，试图在白虎观会议上通过朝廷的支持复原部分丢失的大义的汉章帝，在公元83年的诏书中感叹根本无法触及圣人微言的危险：

> 五经剖判，去圣弥远，章句遗辞，乖疑难正，恐先师微言将遂废绝，所以重稽古、求道真也。②

在这段引文的后面，"微言"这一语汇被扩展为完全的"微学"，这里

---

①《汉书》，北京：中华书局，1964年，30：1701。参见拙文"Twice Removed from the Truth: Fragment Collection in 18th and 19th Century China"，载G. Most, *Aporemata...*, Gottingen: Vandenhoeck and Ruprecht, 1997年。值得注意的是，这一段常被用来证明秦焚书"以愚黔首"，但我认为，这是背离具体语境的误读。

②《后汉书》，北京：中华书局，1965年，页145。

指口语表达——包含所有的语境以及与其他因素如腔调、姿势的相互作用在内的复合体，书写形式最多是它遥远、笨拙的相关者。通过班固广为阅读的论述，微言这一语汇成了孔子言说的标准属性；在上面两个例子中，这一语汇都被用于孔子隐微难明的口头表述。也许还可以引用《吕氏春秋》和《淮南子》记载的关于白公和孔子之间对话的一则轶事，其中这个语汇指圣人间使用的一种超越言象的表达。① 可见，早在西汉末年，早期关于完全理解圣人教化的乐观主义已经让位于他真正的教化业已遗失的感觉，而"章句"的林立与其说是对此遗失的治疗，不如说是其症候的表现。

通过其81篇分立的短章，《老子》也重复了其他两个文本结构的关键特征。每一章都重新开始，采取另一视角或例证。除了这一对作为圣人言说的一种工具的定义性、系统性语言含蓄的说明以外，《老子》在对语言在处理终极事物上的能力的评价是最明确的。这些论述已为人熟知。

《老子》本身并不受这一纯粹否定性的描述的限制。在《老子》中，"谓"(即[我给 x]的称呼为)这一表达使用了33次。有24处的标准形式是"是谓"(即这一 x[我]称呼为 y)后面接一个陈述。这33处中的大多数(准确说是25处)，在"谓"的表达后面有一个关于"所以"或体现它的圣人的特性的陈述。在许多场合，"谓"后面接着"玄"字或类似的表达，只是要指明有待考虑的对象的隐秘和深奥，它们是不能由"名"来界定

① 参见陈奇猷，《吕氏春秋校释》，上海：学林出版社，1990年，18：1168。它出现在《淮南子逐字索引》，香港：商务印书馆，12：105.20和《列子集释》，北京：中华书局，1985年，8：249。我这里的叙述依据的是《吕氏春秋》："白公问于孔子曰：'人可与微言乎？'孔子不应。白公曰：'若以石投水，奚若？'孔子曰：'没人能取之。'白公曰：'若以水投水，奚若？'孔子曰：'淄渑之合者，易牙尝而知之。'白公曰：'然则人不可与微言乎？'孔子曰：'胡为不可？唯知言之谓者为可耳。'白公弗得也。知谓则不以言矣，言者谓之属也。求鱼者濡，争兽者趋，非乐之也。故至言去言，至为无为"。在这种解读中，孔子将真正的"微言"等同为想要不使用语言来传达意义的那些方式。这一轶闻是在讨论圣人之间无言的传达的语境出现的。此篇开首曰："圣人相谕不待言，有先言言者也"，18.1167。

的。从这一记录中，王弼有了将“谓”这个语汇的自觉运用归给《老子》的论据。与“名”(定义)相对，“谓”是一种不要求从整体上界定对象的言说方式。王弼将把《老子》中“谓”的实际用法推展为他的语言哲学的核心特征，声称在这一过程中，他只是在明确《老子》隐含的洞见。《老子》25.4 在论及 25.1 中提到的“有物混成”时说：“吾不知其名”，“字之曰道”，“强为之名曰大”。“字”这个语汇可以当做“谓”来用。以这些只是“言说的方式”为条件，《老子》实际上使得用语言的方式对道的丰富表达成为可能。然而，应该提到的是，《老子》并不是绝对始终一贯地强调“谓”与“名”之间的差别。[①]

《老子》进而再次详细阐明了用于“混成”者的语言的尝试性质。“夫唯不可识，故强为之容曰：豫兮其若冬涉川，犹兮其若畏四邻，俨兮其若客，涣兮其若冰之将释，敦兮其若朴，旷兮其若谷，混兮其若浊。”(15.1)

除了这些通常讲出的“言说的方式”，对于终极事物，《老子》还使用了大量隐喻的和(/或)象声的语言，来表明它们的浑沦、无法依靠语言来达到的意蕴。对于道和体现道的圣人根本上不可翻译的表达，诸如“宗兮寞兮”(25.2)、“渊兮”“湛兮”(4.1)、“绵绵若存”(6.1)、“夷”“希”“微”(14.1)、“犹兮”(17.6)和“恍兮惚兮”“窈兮冥兮”(21.3、4)，在王弼的解读中，都并入到对不可定义性的一般表达中。王弼是有证据的，因为在上面引证的《老子》15.1 以及 14.2“一者……绳绳兮不可名”中给出了这一基本的定义。所有这些丰富的象声辞、隐喻、结构、句法和权宜的表达都是以《系辞》中阐发的书写和言说无法穷尽圣人之意的假设为基础的。在王弼本中，《老子》第 35 章以这样的话结尾：

> 乐与饵，过客止。道之出言，淡兮其无味也，视之不足见，听之不足闻，用之不可既。

---

① 参见《老子》14.1，34.2 和 34.3 对“名”的使用；王弼对这一问题的解决参见 21.6 注。“名”与“谓”的不同最早是由墨家提出的。参见 Harbsmeier，*Science and Civilization in China*，卷 *VII. 1*，*Language and Logic*，Cambridge：Cambridge University Press，1998 年，页 332。

译为：

> 音乐和甘香的食物会让过往的客人停下。[但是]，关于道的言辞淡而无味，看它，它没什么值得看的；听它，它也没什么值得听的；而运用它，又不可能穷尽它。

这些明确的论述和实际的语言手段也必须被读作关于处理该文本的恰当方式的指导，因为所有的否定都不会导致失语。对陈述和语汇的权宜性质的不断提示，是为动摇读者对表面文本的可信性自发的确信和依赖，从而迫使他走向不同的解读策略；虽然各种表达方法有种种差异，但对于上引《系辞》的段落中的阐发来说，这一点在原则上都是相同的。

王弼注释过的三个文本，全都暗示并明确指出用特殊的语汇定义和认识道及体现道的圣人是不可能的。与此同时，它们都没有选择放弃语言作为表达道的途径，没有选择令人敬畏的沉默作为唯一恰当的回应①，尽管有人提供了这样的选择。它们发展出了特殊的语言、结构和叙述方法，来唤起和指向那本身拒绝定义的东西。《周易》、《论语》和《老子》在3世纪当然被看作是最具哲学性的文本，但它们没有被看作在它们所提难题的解决上是无可比拟的。无论是文本结构还是明确的议论（上面详细讨论过的），都被呈示在其他文本中。

孔子编辑六经的故事使得它们成为处理同一深隐难测的对象的进一步尝试，尽管它们在表面上通常混乱或琐细。可以《春秋》和《诗经》为例。在三个较早的流派中，《春秋》被构造为针对另一文本（即一本关于官方记录规则的手册）背景的写作。王弼去世的几十年后，杜预（222—284年）在其《春秋左传注》序中将这一观点系统化了。② 这本有关规则

① 参见唐君毅对于作为一种哲学陈述的沉默的提点，参见《中国哲学原论》，“道论篇”，台北：学生书局，1986年，页223。

② 杜预，“《春秋》序”，载阮元，《十三经注疏》，北京：中华书局，1987年，页1703。对于《公羊传》注释策略的详尽研究，参见 Joachim Gentz, Das Gongyang zhuan. *Auslegung und Kanonisierung der Fruhlings- und Herbstannalen*, Wiesbaden: Harrassowitz, 2001。

的手册似乎原本就没有，但它的规则却能从《春秋》的正统做法和有关礼的文献如《周礼》、《礼记》中推论出来。

因此，《春秋》的明确论述就只是其文本结构的一个部分；文本中描述了某些不应该描述的事情，而其他预期中的事情却未被述及。有些通常会以某种方式谈及的事情，却以另一种方式谈到。这些对“规则手册”的偏离暗示我们：仅仅靠表面的文本很难得出实事的意义。在另一种解读策略中，《春秋》是在某种关于阴阳/五行关系的幻想著述的基础上被解读的，它容许（甚至是要求）将文本强制性地转译为宇宙论的玄想。

传说中的孔子对《诗经》的编辑，以及其他关于他解读这些诗歌的轶事，导致了一种体现于《诗大序》中的解释策略；它同样将文本表面的象征结构视为对同样以“混成”之道为基础的不同的社会-政治思想和意义层面的一系列指涉。[①] 总之，六经的整体被视为在文本表面上不可靠的，只能依据它指涉的某些更高的思想和意义（其复杂性使言说和书写的简单概括落空）来理解。

关于六经的语言的明确论述是对流行观念的系统化或者回应，而非全新的观点。在外交或辩论的语境下以从文本表面中可以推论出来的并非当然的意义来引用《诗经》或《周易》，可以在《论语》、《孟子》、《国语》和《左传》等文献中找到明确的材料支持。能超越文本表面理解这一话语层面，被视为真正的学者的标志。当子贡听到孔子陈说“贫而乐，富而好礼”的格言，而引用了《诗经》“如切如磋，如琢如磨”的诗句时，他认为这个诗句指向同样的品质。在原来的语境里，这行诗句的表面文本似乎是在描述情人的美。子贡能脱离这一表面文本，将它的可能意义指向君

① 尽管在中文世界中有这样的重要性，《大序》在批判性学术研究中并没有引起足够的注意。近来的相关研究，参见 Steven Van Zoeren, *Poetry and Personality. Readings, Exegesis, and Hermeneutica*（Stanford: Stanford University Press, 1991）; Hermann-Josef Rollicke, *Die Fahrte des Herzens. Die Lehre vom Herzensbestreben*（*zhi*）*im Grossen Vorwort zum Shijing*（Berlin: Reimer, 1992）; Haun Saussy, *The Problem of a Chinese Aesthetic*，第 3 章。

子，这赢得了孔子的赞扬："赐也，始可与言《诗》已矣。"[1]子贡的引证可以从共同接受的《诗经》解读策略中、从以保留语境的方法将整首诗读作君子自我修养的隐喻的可能性中获得正当性。

然而，这些文本向经典的转化也开启了将它们当做关于某种特定状况的格言库的道路——对个别陈述的去语境化，通过将其插入新的语境改变其意义。这在《孟子》中引生出关于一个段落的整体意义与具体措辞之间关系的变换。它创造出对后世注家至关重要的准则：当他们在表面文本中遇到似乎不可能的论断，或者甚至是某些似乎并不符合他们对六经意义的整体假设的段落时，可以用这一准则来解决。

咸丘蒙用《尚书》中的一段来质疑六经的意义整体，在那一段里，舜看到他的父亲在那些北面朝之的官员当中，因而"其容有蹙"，这表明他并未将自己的父亲视为臣属。咸丘蒙随后引用了《诗经·小雅》中的《北山》(据《吕氏春秋》说，这首诗可能是舜自己作的[2])："普天之下，莫非王土；率土之宾，莫非王臣。"由此可知，舜的父亲确是舜的臣属。这将使六经陷入彼此矛盾之中。

孟子在回答中为这些诗行重新设置了语境："是诗也，非是之谓也。[它的本意是：]劳于王事，而不得养父母也。曰：此莫非王事，我独贤劳也(这两句意为：这是所有臣子都应该尽责的王事，而唯独我用一己之贤明服事其劳。)"[3]事实上，咸丘蒙漏掉了"大夫不均，我从事独贤"这句诗，它正好证明了孟子的解读。通过这样将文本重新插回到它原本的语境，可以推知舜不可能是作者；而"莫非王臣"这个核心句子的意义是专指其他对王负有责任的"大夫"。在这首诗本来的语境中，某个大夫在抱怨他独力承担王的所有职责，咸丘蒙的解读是不合理的。

---

① 《论语》1.15。另见《论语》3.8 孔子与子夏关于《诗经》另一段的讨论。

② 《吕氏春秋校释》，1：802。另见《吕氏春秋校释》，注 12，认为咸丘蒙以及《淮南子》中其他以类似的解读对此诗的引涉表明舜执政的故事在战国时期已经广泛传播。

③ 《诗经》，北京：中华书局，1987 年，页 463。

《孟子》进而阐述了解释《诗经》的原则：

> 故说《诗》者，不以文害辞，不以辞害志。以意逆志，是为得之。如以辞而已矣，云汉之诗曰："周余黎民，靡有孑遗"，信斯言也，是周无遗民也。①

这个例子仅仅处理了第二种可能的错误，即在字面上理解文句。《孟子》的汉代注者赵岐（108—201年）指出，这首诗的本意是"志在忧旱。灾民无孑然遗脱不遭旱灾者"（意为：此诗的宗旨在于忧心于天旱，百姓没有一个免于旱灾的侵害）。因此，"靡有孑遗"这一表达就是文学的夸张。逐字的引用它将错失或"害"它的本意。我们可以假设文对辞的关系也同样。某个单个的字，尤其是汉字，不应该妨碍句子的一贯性。②

但人们如何"以意逆志"，才能获致对它的理解呢？在《孟子》中，这个"意"是谁的"意"并不完全清楚。它是编码在这诗本身中的某种一般的"意义"吗（人们只能从对"志"的研究中、从对诗句的一般"意义"的研究中将它提炼出来，而它的内容又是在单个字的全部意义的基础上被构造出来的）？赵岐本人明确地将"意"界定为研究这诗的学者的"意"。他说："人情不远（意即：不同人的情志区别并不大），以己之意，逆诗人之志，是为得其实矣。"③这一解读得到了"意"应该"逆"诗的本意（志）这一观念的支持，它暗示了某种诗内诗外的相合。

孟子设想了一个非常复杂的"得"《诗经》中诗歌的"本意"（志）的过程。从根本上讲，着眼于单个的字有损害句子整体意义的不可靠性。而着眼于单个的句子对于理解整首诗同样是不可靠的。而且

---

① 焦循，《孟子正义》，载《诸子集成》，上海：上海书店，1990年，9.377；另见 J. Legge, *The Chinese Classics*, *The Works of Mencius*（Hong Kong: Hong Kong University Press, 1960），Ⅱ. 353。

②《孟子正义》的赵岐注，9.377。

③《孟子正义》之赵岐注。

"志"本身是不会明白道出的。单个的字并没有固有的意义，它的具体意义是从它在整个句子（反过来又是由单个字组成的）的上下文中的合理作用得出的。句子也没有固有的意义，它的确切意义是从整个"志"的上下文中得出的。因此读者必须经历这一解释学循环：在字和句的基础上构建完整的"志"，然后再反过来根据"志"解读句子、根据句子解读单个的字。

孟子讨论的是《诗经》，但他的议论不是以它作为一种包含圣人之思的文本为转移，而是建立在抒情性表达的结构之上的：与哲学性表达一样，抒情性表达通过在指向自身之外的过程中消失于其特性的种种方法来讨论它缺席的主题。在平实的语汇中，孟子的论述要求读者在对意义的寻求中不要依赖表面的措词。孟子概述的指南——从字到句再到"志"的有层次的推移，与《系辞》关于《周易》的编码（用附加的句子、言辞、象征以及圣人之思）论述颇为一致。赵岐强调了这一对等关系，他将孟子的"文"读作"引以兴事"的"文章"，而将"辞"读作"诗人所歌咏之辞"，由此将"文"和"辞"分别等同为"书写"和"言说"。①

赵岐还给出了一个学者用来解码其他文本的策略（假定他是用这一策略编码他自己的文本的）与他的读者在解码这些文本时发展出的策略之间潜在关联的极好例证。事实上，他应该享有在列奥·施特劳斯关于马基亚维利《君主论》的研究中闻名的那种方法的发明权。施特劳斯写道：

> 我们必须遵照他［马基亚维利］自己所认为是权威可信的那些诠释规则，来阅读他的著作。鉴于他对那些规则本身，从来没有明言阐发过，所以我们就必须观察，他在阅读自己心目中的圭臬之作的时候，是如何运用那些规则的。由于他所推崇的作者，首先是李维，所以我们就必须特别注意，他是如何来阅读李维的。他阅读李

①《孟子正义》之赵岐注。

维的方式,对于我们把握他自己写作的方式,可能会有所帮助。[1]

赵岐在其《孟子注》序中告诉我们孟子"尤长于《诗》《书》"。[2] 孟子著名的论述"吾于《武成》,取二三策而已矣",表明尽管他精通这一文本,但并不喜欢它;当他说"尽信书不如无书"时,他对《书》提出了与对《诗》相同的解读技术。[3] 对于孟子本人的写作,赵岐指出:

> 孟子长于譬喻。辞不迫切,而意已独至。其言曰:"说《诗》者,不以文害辞,不以辞害志。以意逆志,为得之矣。"斯言殆欲使后人深求其意以解[《孟子》]其文,不但施于说《诗》也。[4]

赵岐从孟子读《诗经》的策略中提炼出自己解读《孟子》的策略。他将孟子的编码系统与《系辞》上书/言/意的三分组合关联起来,因此将孟子的论述中分开的"志"和"意"合并为一,他声称他自己的注释策略是以孟子关于《诗经》的言论为基础的。赵岐还照顾到了孟子并不写诗这一事实,尽管他"长于譬喻"。以孔子自魏反鲁编辑《诗》、《书》、《易》和《春秋》为榜样,

> 孟子退自齐梁,述尧舜之道而著作焉,此大贤拟圣而作者也。七十子之畴,会集夫子所言,以为《论语》。《论语》者,五经之錧鎋,六艺之喉衿也。孟子之书,则而象之。[5]

正如我上面指明的那样,在《论语》的许多论述以及它的形式中,都警告了语言的缺陷;这使它成为像《诗经》一样无从捉摸而又重要的表

---

① Strauss, *Thoughts on Machiavelli*(Glencoe:Free Press,1959),页 29。关于这一策略的另一运用,参见田汉对关汉卿《窦娥冤》的解释,见拙著 *The Contemporary Chinese Historical Drama*:*Four Studies*(Berkeley:University of California Press,1990),页 29。中译参见申彤译,《关于马基雅维里的思考》,译林出版社,2003 年 12 月,页 29—30。

② 赵岐,《孟子题辞》,见焦循,《孟子正义》,页 4。

③ 焦循,《孟子正义》,页 565;Legge, *The Chinese Classics*,页 479。

④ 赵岐,《孟子题辞》,见《孟子正义》,页 11。

⑤ 同上书,页 8。

达。通过为《孟子》提出《诗经》和《论语》这双重典范，重申了这两种表达形式在结构上的相同点。

在孟子的言论中隐含的对那些以文辞害“志”的人的批评，在赵岐针对陷入同一圈套的《孟子》读者的斥责中承续下来：

> 今诸解者，往往摭取而说之，其说又多乖异不同。①

《孟子》关于《诗经》中的语言与意义的议论被董仲舒等《春秋》解释者沿用。孟子对《诗经》的语言的分析还是比较技术和实用的，而《庄子》中的一段文字则从哲学的角度看待语言的问题。它没有重复前面引用过的《庄子》中的论述：无论如何都不能从书写语导向道。这段文字出自“杂篇”中的“外物”章。在汉末到唐初的这段时间里，这一片断（在王弼赋予它的特定意义中）成为有关言辞和思想的关系的影响最广的论述之一。尽管上面引用过的《庄子》段落在将所有圣人关于道的语言表达都当做糟粕来拒斥时颇为快意，但它们没能解释它们本身恰是圣人之道的文字表达的部分这一事实。下面这一段开始讨论这一困难：

> 筌者所以在鱼，得鱼而忘筌；蹄者所以在兔，得兔而忘蹄；言者所以在意，得意而忘言。吾安得夫忘言之人而与之言哉？②

在后世的解读中，这一论述将书写和言说形式总括在“言”的范畴中（在其他的例子中，如《系辞》首句“书不尽言”中，二者是被分开的），并使它们与“意”对照。事实上，该论述并没有将六经或某些其他文本当做一个圈套，从最后一句看，它显然指的是口头表达。“意”在这里又一次作为整个过程的目的出现，这与《庄子》“世所贵者书也”一段不同，在那一段里，“意”只是那回避具体化的终极之物的最微妙的指示者。这一文本是一系列片断的部分，没有直接的上下文来建构文本设想的那种“意”。

---

① 赵岐，《孟子题辞》，见《孟子正义》，页 11。

② 《庄子引得》75.26.48。Graham，*Chuang-tzu*，页 190；Watson，*The Complete Works of Chuang Tzu*，页 302。

然而,《庄子》的一般语境以及此书和其他著述中关于言意的讨论的特定语境,又一次强烈地暗示我们,它关涉的是阐述道的困境。尽管这一段没有像《系辞》的第二句(“立象以尽意”)那样彻底,它仍在言与“在意”、“得意”之间建立了某种关联。

筌与鱼的意象暗示了两者之间的根本不同,以及语言在此过程中的纯工具性。筌是被设计来捕鱼的,这就意味着对鱼的本性的某些领会必然被考虑在这一设计中。与此同时,筌与鱼并非同类;它并不像鱼,而只是一种捕捉与它本身完全不同的东西的工具。这不同于《系辞》的论述中书写语与言说语之间的关系。

应该记住的是,道不是鱼和兔,尽管像它们一样不确定和难以捉摸。即使在被圈套捕捉住以后,道也不能被放进篮子带回家。这是“忘”进入的地方。

这一论述在现实中看起来是合理的。一旦鱼已捕到,人们可能会忘掉筌,它已经发挥了它的作用。但在这种意义上,人们也可能不会忘掉筌;忘与不忘与已捕到鱼这件事毫无关系。然而,由于道不是鱼,在捕到的这“鱼”以后,人们手中真正有的用来把握、界定和描述的东西仍然是“筌”。因此,对“筌”的忘就跟得道与用筌同等重要。只有通过“筌”才能把捉道,只有通过“忘筌”人们把捉的才是道而非“筌”。《庄子》没有展开这一论辩(这将由王弼来完成),但从最后一句我们可以推断:它的作者充分地意识到,对言筌的忘是对它们的成功使用的一个本质的而非偶然的部分。与此同时,与道的持恒的非具体化相对的言筌的存在,使之成为心灵作为一种观念和话语的对象来把握的东西的自然候选者。因此,找到这样的人是极为困难的:在讨论终极之物时始终意识到语言的工具性,理解只有在语言的消失中,它的无从捉摸的对象才会显现自身。因此,《庄子》绝望地追问:“吾安得夫忘言之人而与之言哉?”

与其他陈述不同,这一段落开启了一条出于沉默的道路——这是有关道的表达的唯一形式。应该记住的是，沉默同样是一种特定的言说行为，只有在对隐含在有关道的问题中的那种可能性（即道的问题可以由具体言辞和语汇来回答）的拒绝中才有意义。最著名的例子是维摩诘回应文殊师利的提问时的“狮子吼”式的缄默。① 在这种意义上，沉默而非简单的言语的缺失，是对言说的罗网的一种特定的解脱，它属于《系辞》和《庄子》这一论述中描述的其他“出路”。结果，沉默不是为“后来的”、更复杂的非界定性语言的使用所替代，而是关于道的可能的言说行为之一。

然而，各种观点之间的差异仍然重要。《系辞》声称：一种技术的发明可以通过书写加结构表达来穷“尽”圣人之意，而没有进入对用来达到这一圣人之意的工具上发生了什么的讨论。王弼将把《庄子》鱼筌一段与《系辞》的论述联系起来，从而将前者转变为关于解读经典的论述。②

《庄子》这些关于语言的论述是分析性的。但是作为有关语言的潜能的研究，它们转化为《庄子》本身对语言的做法（用它的故事、寓言和玄论不断动摇读者对手中文本的有效性和可靠性的信赖）的哲学基础；对引导《庄子》的语言用法的策略的领会反过来为解读这一文本（由关于并非鱼的道的书写和语言组成的文本）提供了策略。③《庄子》中有两种观点，二者都将在后面的讨论中用到。对于解读《庄子》，现在讨论的这一段落更重要，因为它表明有关道的言语表达是可能的，但只对那些在使用言语的过程中、忘掉所有那些言语指向的超出其自身的东西异质性特

---

①《维摩诘所说经》，t.475.551。

② 参见本章最后一节引证的《周易略例》。

③ 有必要提到的是，《庄子》中包含语言及论辩手段的区分，而且据说这一区分也为《庄子》本身所用，参见 Graham，*Chuang-tzu*，25ff.，106，一个取自《庄子》第 25 篇的段落，据 Graham 所说，此段与“内篇”有关；另见该书，页 283，一个取自“天下篇”的段落。由于这些段落中提出的语汇似乎没有被后来的著作承续，考虑到我描述的是一个 3 世纪讨论的起源，我也就不打算在这里讨论了。

征的人而言，才是可能的。

《文子》和《淮南子》从一种不同的角度接续了这一问题。《文子》曰：

> 老子曰：夫事生者，应变而动。变生于时，知时者无常之行。故"道可道，非常道；名可名，非常名"。书者言之所生也，言出于智，智者不知，"非常道也"。"名可名"，非藏书者也。"多闻数穷，不如守中"。①

在后面的论述中，《文子》引用了《老子》第19和20章"绝圣弃智"、"绝学无忧"的著名论述。在《文子》的这一段落中，"智者"显然对于道的"非常"性完全无智，而那些"知时者"却理解这一本质。这一段落接受了书/言/意的三重组合，但只是将其作为一条死路。道的本质是无常和变化的，因此名只是权宜的，与时代环境相符合。这里引入了两个因素：一种针对那些主张社会问题的解决方法只能出自包含在古书（尤其是经书）里的古老治理的人的辩驳；以及一种与董仲舒这样的思想家以及《淮南子》有关的更为宇宙论的理解，即季节和天体星辰的变化不断改变行为的环境，因此没有固定的标尺可以被建立起来。这一思想还提示了上面给出的《老子》第1章首句的翻译。在这一议论中，道本身永恒地变化，因此可以在任何给定的时刻以确定的方式描述，但没有定义可以有效地贯穿时间中的变化。因此，语言的问题被极大地分散了。《文子》在第2卷又回到了相同的思想，其中有针对有学识的读者的更明确的议论：

> 老子曰：赈穷补急则名生，起利除害即功成。世无灾害，虽圣无所施其德；上下和睦，虽贤无所立其功。故至人之治，含德抱道，推诚乐施，无穷之智，寝说而不言。天下莫之知。贵其不言者，故"道

① 李定生、徐慧君编，《文子要诠》，上海：复旦大学出版社，页38。《文子逐字索引》，香港：商务印书馆，1992年，1/2/24。"多闻数穷"没有以引入《老子》引文的标准形式——"故"来标记。这句话出自《老子》5.4；《淮南子》和王弼读为"多言"，而《文子》和马王堆本都读作"多闻"。

> 可道，非常道也；名可名，非常名也”。著于竹帛，镂于金石，可传于人者，皆其粗也。三皇五帝三王，殊事而同心，异路而同归。末世之学者，不知道之所体一，德之所总要，取成事之迹，跪坐而言之，虽博学多闻，不免于乱。[①]

在那些有真知的人与有知的书蠹之间的区分并不容易维持，因为对他们用的是同一语汇。如果将上引第一段《文子》的文本与《淮南子》中的近似的平行段落比较，这会变得很明显：

> 王寿负书而行，见徐冯于周。徐冯曰：“事者应变而动，变生于时，故知时者无常行。书者，言之所出也。言出于知者，知者藏书。”于是王寿乃焚书而舞之。故《老子》曰：“多言数穷，不如守中。”[②]

在这一文本中，“知时者”、有“无穷之智”者（用《文子》的话说）与“智者”之间的区分并没有予以明确。然而，在“知者藏书”这一句中有这一区分的残迹，这句话只在这些知者并无真知的情况下才有意义，而且得到了《老子》引文的确证。刘殿爵似乎没有意识到《文子》中的平行段落，依据《淮南子》中这一故事的读法，提出了一种根本的改变，即在“藏”字前面加“不”，从而将“知者藏书”转为“知者不藏书”。[③] 考虑到《淮南子》并无歧异的文本传统以及此处的《老子》引文，这样的做法并无理由。《淮南子》有意用另一《老子》引文作为这一故事的结尾。《淮南子》的这一段落实际上确证了孙星衍（1753—1818 年）更早的论断：《淮南子》从《文子》中抽取了很多部分。[④]《淮南子》中给出的对话看起来好像辩论早已完成了。真实的故事是王寿焚书并围着火堆跳舞，这个火堆是他摆脱

---

① 《文子要诠》，页 61。Cleary, *Further Teachings of Lao-tzu: Understanding the Mysteries. A Translation of the Taoist Classic Wen-tzu*（Boston：Shambhala，1991），页 29。

② 《淮南子逐字索引》12/110/17。

③ 《淮南子集释》，卷 1，北京：中华书局，1962 年，页 405。

④ 孙星衍，《问字堂集》，《岱南阁集》，台北：艺文，1971 年，页 4；“文子序”，载孙星衍，《问字堂集》，2.1 下。参见《文子要诠》，页 5。

了早期作为书蠹的生存(没有认识到道的无常本性决定了他的书中不可能包含任何有真正价值的东西)的标志。该段落以书、言和“知者”之意这一熟悉的三重组合展开。通过指出“事者应变而动”,它动摇了书本可能的有效性:书中包含的只能是对这一变化中的某一刻的思考,对其他时刻没有价值。这里仍然有真正的“知者”可以理解的道,但它的本质是无常的,无法固定于永恒有效的书写当中。

下面《文子》的段落中,针对作为一种永恒有效的语言的经书的辩驳更加明确。此段可以用链体风格转写:

治国有常,而利民为本;	政教有道,而令行为右[古]。
苟利于民,不必法古;	苟周于事,不必循俗。

故圣人

法与时变,	礼与俗化。
	衣服器械,各便其用;
法度制令,各因其宜。	

故

变古未可非,	而循俗未足多也。

诵先王之书,不若闻其言。闻其言,不若得其所以言。得其所以言者,言不能言也。故“道可道,非常道也;名可名,非常名也”。故圣人所由曰道,犹金石也,一调不可更。事犹琴瑟也,曲终改调。法制礼乐者,治之具也,非所以为治也。故[如《庄子》所说]:“曲士不可与论至道者。訩窌于俗,而束于教也。”①

言说语和书写语的二分在此获得了一种新的意义。言说语指向某种给定的境况;书写语则通过将论述永恒化而去除它们的语境,以便使它们获得远远超出其实际应用范围的有效性。使圣人“言”的“所以言”是不可名状的,“言不能言也”。原因是没有超越现实的不变的存在者,

①《文子要诠》,页192。

有的只是阻止赋予它以不变之名的无常性。在任何一个给定的时刻，它都可以被界定并转译为应时的行动。然而，正如在鼓与石的比较中表明的那样，它有某些不变的音质，贯穿于任何时刻演奏的任何特定的音调中间。

这一段落在《淮南子》中也有一个近似的平行段落，该段落有《文子》这一文本的所有要素：一般论述，圣人对它的运用，在关于圣人的书与言的第一段中的结论，以《老子》第1章的引文结尾，并与乐器作了比较；但它用例子对所有这些因素作了说明。在给出了变化的礼仪的某些例子以后，《淮南子》写道：

是故，礼乐未始有常也。

故圣人制礼乐，而不制于礼乐。

治国有常，而利民为本；　　政教有经，而令行为上。

苟利于民，不必法古；　　苟周于事，不必循旧。

夫夏商之衰也，不变法而亡。

三代之起也，不相袭而王。

故圣人

法与时变，　　礼与俗化。

衣服器械，各便其用；

法度制令，各因其宜。

故

变古未可非　　而循俗未足多也。

百川异源，而皆归于海；百家殊业，而皆务于治。王道缺而《诗》作；周室废，礼义坏，而《春秋》作。《诗》、《春秋》，学之美者也，皆衰世之造也。儒者循之，以教导于世，岂若三代之盛哉！以《诗》、《春秋》为古之道而贵之，又有未作《诗》、《春秋》之时。夫道其缺也，不若道其全也。诵先王之诗书，不若闻得其言；闻得其言，不若得其所以言。得其所以言者，言弗能言也。故“道可道者，非常道也”。

接下来，《淮南子》回到关于变革法、礼的必要性的最初议论，它描述了周公根据不同的情况的三种截然不同的行为：先是“能子”，而后“能武”，最后“能臣”。《淮南子》将对周公的观察普遍化，总结道：

故圣人所由曰道，所为曰事。道犹金石，一调不更；事犹琴瑟，每弦改调。故法制礼义者，治人之具也，而非所以为治也。故仁以为经，义以为纪，此万世不更者也。若乃人考其才，而时省其用，虽日变可也。天下岂有常法哉？当于世事，得于人理，顺于天地，祥于鬼神，则可以正治矣。①

关于语言，这两个文本有两个命题是共同的。第一个命题是：圣人决定特定的时刻、特定的语境中什么是有效的规律的基础是无法阐述出来的，因此也不会在经书中的书写文字中发现。第二个命题是：经书是落后于时代的，因为其中能找到的只是好古者的兴趣。《淮南子》增加了第三个命题：经书实际上是一个衰败的时代的产物，也许是阻止更进一步衰败的尝试。真正值得仿效的，应该是产生《春秋》或《诗》之前的那个时代。

这两个文本针对的是一种与儒相关的对立文本。儒者宣称他们掌握的文本是社会秩序唯一有效的基础，他们意图将他们文本和经典阐释的专门工作建构为所有事物（政治、伦理及哲学）的基础。两个文本都主张，尽管有某种基本的“气质”保持不变，实际的政治措施应该适应时代的变化。古代圣人的制度通过被描述为根据宇宙和季节的变化而变化获得了它们的有效性，而书写语永恒性的宣称则被拒斥为好古癖，是对一个实际上远非理想的时代的无知的怀旧。

① 《淮南子逐字索引》13/121/1。

《淮南子》视为靶子的对立文本可能是有好古倾向的《春秋公羊传》或《春秋穀梁传》，然而，董仲舒的《春秋繁露》试图以某种文本解读（经过充分的讨论以说服其他人）的规则，来整合新兴的汉王朝对一种统一的制度的阐释性需求。他主张经书的有效性是政治哲学的基础，但通过强调这些文本的"难"读，为文本分析制造了更大的灵活性。例如，他说《春秋》，"其辞体天之微，故难知也"。[1] 面对一个指出《春秋》中的前后矛盾的问难者，董仲舒说：

> 所闻诗无达诂，易无达言，春秋无达辞。[2] 从变从义，而一以奉天。[3]

译为：

> 《诗》没有明晰的话，《易》没有明晰的言，《春秋》没有明晰的辞。人们[只能]追随变化和意义，并统一[它们]从而使行为依照天的[命令]。

在这一论辩中，董仲舒丝毫没有动摇经典文本的权威性。它的作用正好相反。通过"事各顺于名，名各顺于天"[4]这一直截了当的论述，他明确地指出：圣人所用的深微的概念比现实本身更接近存在者的终极原因——天，"名则圣人所发天意"。[5] 因此，他们的研究——经典文本的阐释，提供了达至真理的唯一通道。

确定某一文本的意义构造是一个艰难的过程。董仲舒不是在讨论各种注释——文本与读者之间的相互作用产生的不稳定性，而是文字、

① 董仲舒，《春秋繁露》，四部丛刊本，上海：商务印书馆，1929—1934，3.19下。

② 同上书，3.19上。文本的传承相当一致，不过四部丛刊中的武英殿本的编者将"话"改为"诂"、"言"改为"占"。但在第三个语汇"辞"上却没有做此种文字整饰的努力。"辞"显然与"话"和"言"处于同一层面，而与"诂"和"占"不相干。

③ 同上书。结尾是"奉人"，而据余敦康猜测应作"奉天"，《何晏王弼玄学新探》，页151。

④ 董仲舒，《春秋繁露》，卷10，"深察名号"第35。

⑤ 同上书，卷10，"深察名号"第35。

言辞和句子的文本表面固有的不稳定性。他指出:“《春秋》之论事,莫重于志”。[①] 这一“志”是那些历史人物的“志”,在其行为中不一定能看到。根据《公羊传》和董仲舒的论述,《春秋》会因某人未能阻止“弑君”或未能为报仇而处死弑君者(他本应这样做),而书此人“弑”。

> 古之人有言曰:“不知来,视诸往。”今《春秋》之学也,道往而明来者也。[②]

这就是编码于《春秋》中的“天之微”,它使得《春秋》如此的“难知”。语言的表面对于愚人而言显得平淡无味:“弗能察,寂若无”。而对于那些能够把握这一复杂表达的人,每一个字都富有意义:

> 能察之,无物不在。是故为《春秋》者,得一端而多连之,见一空而博贯之,则天下尽矣。[③]

显然,《春秋》的学者将要讨论的不仅是文本表现出的面相——端,而且是它通过通常意料中的描述或语汇的空缺而“未写出”的意义。董仲舒为此引入了“空”这一语汇。这一文本的在场和缺席的二重化(是所有三种《春秋》的传统,即《公羊》、《穀梁》和《左传》的基础),极大地提高了读者同一化文本内容的可能。在另一段落中,董仲舒在某些细节上描述了解释《春秋》的艰辛过程,它使读者能够完全“读出”以及删略某些段落:

> 《春秋》论十二世之事,人道浃而王道备。法布二百四十二年之中,相为左右,以成文采,其居参错,非袭古也。是故论《春秋》者,合而通之,缘而求之,五其比,偶其类,览其绪,屠其赘,是以人道浃而

---

① 董仲舒,《春秋繁露》,卷1“玉杯”第2。关于“志”作为由《春秋》权威化了的一个汉代法律范畴,参见 Benjamin E. Wallacker,“The Spring and Autumn Annals As a Source of Law in Han China”,*Journal of Chinese Studies*2:1:59—72(1985)。

② 董仲舒,《春秋繁露》,卷3,“精华”第5。

③ 苏舆,《春秋繁露义证》,北京:中华书局,1992,页97。

王法立。[1]

在其神圣权威上解读这一文本的过程受制于均质的、可用的知识的需求。正如余敦康所说,这引起了相当"粗暴的"对文本的干预[2]:始于在场和缺席文本的二重化,终于一种掌控模式的建立——偏离于此的给以批评,重复的加以删节。文本的意义与"天定"变化的关联意味着,解读《春秋》的困难不在于终极之道的不可言说,而在于文本必须在变化的语境中起作用,并必须不断地据之来调整。其中没有终极的统一意义,只有恒常的变化模式,从中汲取有关未来的教训。以一种更为普遍化的方式,董仲舒从孟子对《诗经》语言的处理中得到暗示,并将它用于《春秋》:

> 辞不能及,皆在于指。

译文:

> 言辞不能达到这一点[,即表达《春秋》关于战争的根本正义的复杂思想],所有的一切都在于[《春秋》]所指向的。

在这种意义上,"见其[《春秋》]指者,不任其辞。不任其辞,然后可与适道矣。[3]"由此,要通达《春秋》中体现的道,就不能系缚于提供这一通道的言辞。王弼将进一步展开这一接近《庄子》鱼筌之辨的思想。

我们因此为王弼呈示了如下选择:

- 最极端的观点——主张经书的语言没有也不可能提供任何达至圣人之意的通道。
- 强调书写、言说、象征以及思想的指涉性质的观点——将各种规避界定性语言的局限的复杂方式归入经书。
- 宣称变化或无常是道本身的一个特征的观点——因此,对道的不

① 董仲舒,《春秋繁露》,卷1,"玉杯"第2。
② 余敦康,《何晏王弼玄学新探》,页153。
③ 苏舆,《春秋繁露义证》,北京:中华书局,1992,页50。

变意义的好古者的寻求源出于对道的本质的误解;正确的理解将导致适应时代和环境需要的经典解读。尽管后一种解读也强调理解经书的困难,并反对好古者对它们的误解,但它没能为经书的形式以及随之而来的理解它们的困难提供哲学上的理由。通过董仲舒对这一观点的拥护,这种解读与两汉时期的许多经学的政治运用紧密相连。通过将问题由语言转至道本身,它同时也将关注点转离语言,以致在汉代文献中关于语言能否把握圣人之意的理论讨论颇为罕见。

随着汉王朝的结束,朝廷的支持从董仲舒开启的、在东汉得到延续的视角转移开来[①],先秦诸子及其讨论得到了复兴。[②] 然而,与此同时,许多重要的变化也发生了,这些变化使这一复兴成为一个新的开端。

● 汉代的宇宙论将对统一的世界系统的探索置于既定的程式中,它将通过一种共同的机械论来解释自然与社会的运作。

● 这种机械论被认为是制作经典的圣人所完全了解的,因此,可以从对这些经书的解读中提炼出来。

● 经书成为真理的主要来源,因此,对它们的正确解读变得无比重要。

● 各种旨在为经典提供统一解释的尝试(有时甚至直接由朝廷干预,如公元 79 年的白虎观会议),实际上导致了不同的、基于更复杂构造的内部极不一致的阐释,同时导致了大量文本变体以及谶纬文本(它们都宣称包含了圣人真正的或隐秘的教说)。这些文本变体的繁盛,在训诂学上动摇了这一探究路线。汉王朝的终结则在政治上动摇了它。

---

① 参见 Tjan Tjoe Som, *Po Hu T'ung: The Comprehensive Discussions in the White Tiger Hall. A Contribution to the History of Classical Studies in the Han Period*, 卷 1(Leiden: Brill, 1949),页 167 注 626。

② 许抗生,"论魏晋时期的诸子百家学",《中国哲学史研究》3:31—42(1982)。

曹魏时期关于语言与圣人之意的讨论

这一新的关于语言的讨论承续了先秦的讨论。然而，在先秦时代，语言本身极少成为专题，而只限于随机性的评论；汉代终结以后，语言依照两汉赋予经典的那种极端重要性而得到重新的考量。我们现在可以看到以更为理论和系统的方式钻研语言表达圣人之意的能力的种种努力。抒情诗的领域里也有相同的发展，第一篇超越文学的实际应用来探讨艺术的成分的论文也出现于同一时期。

《庄子》和《周易》中概述的观点率先重出表面。大概是在226年魏文帝朝结束以前①，在著名的颍川荀氏（荀子的后裔）的子弟中发生的一场争论被记述进何劭的"荀粲（约212—240年）传"中：

> 粲诸兄弟并以儒术论议，而粲独好言道②，常以为子贡称夫子之言性与天道，不可得闻，然则六籍虽存，固圣人之糠秕。
>
> 粲兄俣难曰："《易》亦云圣人立象以尽意，系辞焉以尽言，则微言胡为不可得而闻见哉？"粲答曰："盖理之微者，非物象之所举也。今称立象以尽意，此非通于象外者也③，系辞焉以尽言，此非言乎系表者也；斯则象外之意，系表之言，固蕴而不出矣。"④

正如我们在别处已经详细引证的那样，《论语》本身已经记录了孔子的弟子的忧虑：孔子真正的教化是他们无法达到或无法理解的。荀粲只

---

① 这一年代是以何劭《荀粲别传》的事实为根据的，其中，在这一争论的记述之后，何劭叙述了公元227年发生的一个事件，参见刘孝标，《世说新语注》，IV.9。

② 这里的"好言道"提到了"道家"，在刘孝标《世说新语注》(4.9)的同一段落中，这句话为"能言玄远"。

③《三国志》裴注的所有版本这里都写作"通于意外"。考虑到下一句为"象外之意"，此处似应作"通于象外"。杨慎《丹铅杂录》从类书中收集了有趣的珍闻，其中引用了孙盛的今散佚的《晋阳秋》，里面给出了这一正确的读法。王葆玹最早发现了这一材料，见《正始玄学》，页325。

④ 何劭，《荀粲别传》，见《三国志》裴注，2.319。

提到了最著名的例子——“夫子之言性与天道”。对于他来说，这是唯一实质性的论题。他将子贡的评论阐释为孔子关于这些问题的思考不能用语言来传达，因此将它与有关语言表达圣人之意的能力的问题关联起来。事实上，对他来说，子贡的论述以经典的“权威性”证明了：已经充分意识到了语言的缺陷的圣人，不会将他对关键问题的思考写下来。这一节议论甚至比《庄子》最偏激的段落（如轮扁的故事，即使这个故事也描述了达至道的另一通路）还要极端。而且，荀粲的议论具有编码于圣人本身的行为中的洞见的力度。

他的兄长荀俣没有否认“性与天道”是最重要的问题。然而，他依服“儒术”，即通过汉代盛行的阴阳五行系统阐释经典的技术。他的另一位兄长——荀顗（205—274年），在面对钟会的辩难时为这一阐释《周易》的系统辩护——钟会反驳郑玄而主张“《易》无互体”。① 这一对“儒术”的依服意味着荀俣与荀顗一样，都是在宇宙论的模式里解说“性与天道”，其中，“天道”是指上天对福庆和灾祸的预兆。

兄弟二人都同意宇宙或存在（而非道德或礼仪的细节）的奥秘是圣人之意的核心。荀俣用“微言”一词指称圣人的这些教化，回到了前面讨论过的班固的悲叹。对他来说，儒术有能力把握圣人的微言。他用《周易》的一则引文对抗荀粲引自《论语》的经典论述，即《系辞》中关于构设《周易》的结构的目的即在于充分表达圣人微言的论述；因此，他们的研究是达至道的恰当进路。他重申了《系辞》中关于《周易》的形式的主张，并将其推展到其他经典之上。

荀粲以他本人论辩的威信反驳说：“立象”、“系辞”的结构，尽管比简单的书写语言有更高的复杂性，但仍束缚于“象”中所用的对象以及“辞”中所用的语汇的限制，因此不能表达“理之微”。“性与天道”分别讨论人类世界与宇宙的传统观念，在此被并入“理”这一语汇中——它描述了自

---

①《晋阳秋》，引自《三国志》裴注，2.319。

然与社会的实际秩序安排及其依据的不可捉摸的原则。① 作为秩序性原则，它必然是“超越”它所整秩的东西的，因此不能被它们完全地表象。因此，它是“微”——稍后的“玄”的前身。这些文本一直被读作礼仪、道德和历史的指南，在一个预设了自然与社会之间呼应关系的系统中运作；而在此，它们被重组为对存在根基的探寻，它们看似乏味的形式源于它们自觉回避语言在表达这一主题上的缺陷的尝试。

荀俣对《系辞》的引证是辩护式的。它退而指出：这一经典是这些高深的思想的主要资源，并为将这一文本作为哲学著作来解读留下了空间；同时坚定地拒斥经典不能提供通达终极真理的进路的观念。荀粲的第二个论述强化了唯一实质性的主题是整秩万物的原则这一观念，但它似乎封闭了所有通过阅读经典达至这一原则的通路。这将他置于某种不可知论的立场，比《庄子》还要极端。② 然而，何劭“荀粲传”的另一处引文不是“独好言道”，而是“能言玄远”，这一论述为《世说新语》重述。③ 显然，他是能够对这一“玄远”之道或“理”有所谈论的，因此要用到关于道的表达的某些形式。荀粲是第一个宣称他本人的“微言”可以比拟圣人之意的人吗？

对像王弼这样的哲学家的哲学格言和论述使用“微言”这一语汇的资料可以回溯至4世纪。例如，《晋书》说：

> 尚书令卫瓘，朝之耆旧，逮与魏正始中诸名士谈论，见广而奇之，曰：“自昔诸贤既没，常恐微言将绝，而今复闻斯言于君矣。”④

在卫瓘看来，正始的名士可以自己创造这类“微言”。汉成帝和班固提到过的微言将绝的危险一直存在。相同的思想和语汇可以在王敦(266—324年)为著名的“玉人”卫玠撰写的赞颂中看到：

---

① 关于理这个词的详尽讨论，参见本书第三编第二章。

② 荀粲可能不知道《庄子》，此书在当时并不常见。

③ 何劭，《荀粲别传》，引自刘孝标，《世说新语注》，IV.9。

④《晋书》，第4册，北京：中华书局，1974，页1243。

昔王辅嗣吐金声于中朝，此子今复玉振于江表，微言之绪，绝而复续。[1]

这里所用的表达——王弼之吐“金声”与卫玠之“玉振”，出自孟子对作为集大成者的孔子的赞誉。金属的乐器在乐序的开头确定音调，而以玉石的乐器来成乐。孔子以相同的方式含括了圣人的始和成。[2] 王敦没有宣称王弼或卫玠与孔子相当，但宣称二人合在一起也许可以用他们的微言充当这一角色。

尽管汉代的著者宣称圣人口头的哲学表达——“微言”的传承在圣人死后就终结了，他们中的绝大多数仍暗示有关它的记忆在某种程度上还是鲜活的，以至于这一洞见的根本消失还只是一种“危险”。另一方面，学者们赞誉正始时期，宣称关于终极之道的“微言”在这一时期被道出，也许可以跟圣人的睿智相比。在这一思考线索中，圣人的洞见能够保持鲜活的唯一途径是重新创制它们——通过圣人所用的那些形式（超越所有措辞的“微言”，即“清言”或“清谈”）。王葆玹令人信服地指出：这些短时间内突然出现的口头哲学在魏晋时期之所以比论文或注释更受青睐、并给它的作者带来更大的声誉的原因，可以在这里找到。[3] 孔子没有著述，但通过“微言”传达了他的洞见。魏晋的学者追随了他的轨迹。

对传承这些洞见的链条（通过对这类微言的重述或原创）已经断绝或可能断绝、这些洞见有可能完全消失的忧虑从未间断。我们可以在汉成帝改进经典的不确定理解的努力，以及班固著录解释经典的著作的努力中看到这一忧虑，并在王敦和卫瓘对正始学者的才能以及那些模仿他们创制“微言”的人的欣悦中看到它的复活。正如本书其他地方表明的那样，他们对作为历史性的重要事件的圣人的赞誉，没有阻止 3—4 世纪

① 《卫玠别传》，引自刘孝标，《世说新语注》，8.51。

② 焦循，《孟子正义》，页 397。

③ 《正始玄学》，页 329。

杰出的青年玩味于这样的念头:他们自己的思考可能具有同样的历史性的重要性,而且他们中间的某个人有达到圣人阶次的资格,宣示一种新的太平之制。[1] 王葆玹引用的一些资料表明,这一时期的名士不仅认为自己达到了班固人物表中第二等级,有时甚至认为他们自己在许多方面与孔子本人是同等的。[2]

我们从这些稍晚的资料回到荀粲的论述。他并没主张"理之微"是绝对不可传达的,他只是强调《系辞》里描述的《周易》的构造不可能洞穿"超象""超言"之域。现存史料将荀粲当成第一个如此高傲自许的人:敢于宣称自己可以获得经典无法传达的圣人的洞见,用他自己的话说,即"玄远"。荀粲的重要性在于用一种激进的极端主义界定了新的困境,即语言在处理万物的本体论基础方面的困难。这并不仅仅是关于语言界限的叹息,也不是对圣人洞见的神秘性的评论;他关于"理之微"的论述标示着从先秦时期的智慧话语到曹魏时期的哲学话语的转变。在以一种哲学方式界定了问题之后,他进而否弃了一直以来被视为达至圣人洞见的唯一进路的资料——经典。他强烈地质疑经典传承下来的书写记录("圣人之糠粃")提供达至圣人思想的精要的进路的能力。作为他自己的议论的结果,他本人不得不将"论"和"注释"排除在哲学探索的恰当形式之外。

正如何劭所记,他的"能言者所不能屈"[3]的极端立场,为哲学思考的一种新的、大胆的形式开启了道路。它同时增加了处理"圣人之糠粃"的论和注释的压力,要证明从这些"糠粃"确实可以获得本体论洞见,而且不能再局限于字义注解或宇宙论玄想。

然而,绝大多数后来的学者都不像荀粲那样绝对。魏晋时期从事创发"微言"的"名士"只是将它们视为谈论、研究和思考新的哲学问题的几

---

① 参见本书第一编第一章。

②《正始玄学》,页327。

③ 何劭,《荀粲别传》,引自刘孝标,《世说新语注》。

种可能方式中的一种。他们中间的所有人基本上都撰写过“论”及注释。其中有些人,如何晏尝试服食“五石散”——也许是为提高创制此类“微言”的能力;这些“微言”大都被汇集起来,最终收存于《世说新语》。[①] 有些人还运用玄言诗或风景诗[②]、绘画[③]、书法[④]、音乐或手工艺作为哲学探索的方式,而“啸”更成为最终极、最简约的哲学表达方式——它甚至否认了“微言”被阐发出来的可能。[⑤]

然而,对于在这一争论之后不过 20 余年的时间里写作的王弼而言,荀粲关于圣人之意的精要、经典传承这一精要的能力以及通过与圣人之言相配的“微言”来重新洞识这一精要的三重极端主义,构成了对他解读《周易》、《论语》和《老子》的计划的严峻挑战;这是一种比“儒术”更大的挑战,“儒术”至少还同意经典充分表达了圣人之意,尽管在王弼看来,他们误解了这些经典。

荀粲与那个时代许多著名的学者关系密切,其中包括傅嘏(205—255 年)、裴徽(盛年约在 230—249 年)以及夏侯玄(209—254 年),而在荀粲死后,所有这些人都与王弼进行过讨论。在关于经典语言的思考的发展中,夏侯玄发挥了先驱的作用。作为曹魏家族的戚属,他也与司马氏有姻亲的关系。他本人的名(玄)及字(太初)同样具有哲学的意味。他被列在 230—250 年间最杰出的学者中间。《晋诸公赞》称,夏侯玄撰有一篇《道德论》[⑥],这一标题应该被看作一个通用的标题。《晋诸公赞》给出了以此为题的短论的一个列表,这一列表始于夏侯玄、阮籍,然后跳至乐广(253—304 年)和刘谟那一代。由此我们可以推断夏侯玄的短论

---

① 参见拙文,“Lebensstil und Drogen im chinesischen Mittelalter”,*T'oung Pao* LIX:79—178(1973)。

② 汤用彤,“魏晋玄学和文学理论”,《中国哲学史研究》1:37—45,1980 年。这篇论文启发了相当多的中国大陆学者沿这一路向从事研究。另见,《正始玄学》,页 350。

③ 袁济喜,《六朝美学》,北京:北京大学出版社,页 96。

④ 参见《正始玄学》,页 347—349。

⑤ 参见《正始玄学》,页 334—356。

⑥《晋诸公赞》,引自刘孝标《世说新语注》,4.12。

写于何晏的同名短论之前（何的《道德论》大约写于247年）。其他地方没有关于阮籍撰写《道德论》的记载，这里所说的可能是指他对《老子》和《周易》的解释——《通老论》和《通易论》，二者都可以确定为正始时期的著述。[①] 由此可知，夏侯玄的短论一定早于阮籍、何晏和王弼的那些著述，撰成于235—247年间。无论是这一文本（下面的引文即从中引出）的年代，还是它的标题，都无法确定。从内容看，它很可能撰于230年代。这一引文存于张湛《列子注》关于“仲尼章”的注释中，在那里，孔子描述了唯一能成为圣人的人：

> 西方之人，有圣者焉。不治而不乱，不言而自信，不化而自行，荡荡乎民无能名焉。[②]

孔子的最后一句话是《论语·泰伯》对“其治配天”的“尧”的赞誉的逐字引文。通过将这一文本重新分派给出自西方的圣人，通过明确他的纲领，《列子》为已被埋葬在堆积于对尧（作为文明奠基者）的赞誉中的这一《论语》段落引出某种潜能。出自夏侯玄《道德论》的节录（这段文字讨论的显然是《论语》的那段话）引证如下：

> 天地以自然运；　　　　圣人以自然用。
> 　　　　自然者，道也。道本无名，故
> 老氏曰：强为之名，　　　　仲尼称尧：荡荡无能名焉。
> 下云[③]巍巍成功，则强为之名，取世所知而称耳。
> 岂有名而更当云“无能名焉”者邪？夫唯无名，故可得遍以天下

① 丁冠之，“阮籍”，载方立天等编，《中国古代著名哲学家评传续编》，页91—132。

② 《列子》，4.121。

③ 引文是以链体风格写成的，并附以《列子》取自《论语》的句子。因此主要的目标是解释这一关于圣人的句子。然而，夏侯玄在与《老子》中关于“道”的陈述的平行中解释它。结论显然只是针对圣人的，但正如这一部分“强为之名”这一出自《老子》的表达所证明的那样，它实际上指道以及圣人。这就是我将后面的句子当做“以分代整”（pars pro toto）结构，并将其写作同时指涉a和b两个串系的c型句的原因。

之名而名之。然岂其名也哉?

惟此是喻,而终莫悟,是观泰山崇崛而谓元气不浩芒者也。①

夏侯玄建立了“自然”的概念,作为调节自然界与社会的那些力量(即天、地和圣人)的“所以”。《论语》、《周易》和《老子》中都有关于圣人以天为范型的论述,但这里描述的天与圣人对自然的平行用法所具有的系统性的说服力,标示着一个新的开始——系统性哲学的尝试。术语系统的混淆(其中,“自然”被等同为“道”,二者又对应于荀粲的“理之微”)既是沿正常的阐释哲学问题的道路的探索的特征,也是根本上不容许固定的命名的特定问题结构的特征。

与荀粲不是出于对道家的迷恋而是出于对超越各家的道的关注而批评“儒术”一样,夏侯玄将孔子和老子视作共有关于自然的同样洞见的哲学家。他轻易地将出自《论语》及《老子》的引文并置起来,以一者来解释另一者。以这样的方式,他也拒绝了荀粲关于经典的绝对主义论述,因为如果恰当地解读并除去它们一直以来被迫入的解释性结构,经典显然能提供正确的本体论洞见。至少《论语》和《老子》使用的语言在一种自觉的意识下是非界定性的。因为它的不同名,任何“世所知”的名都是合法的。夏侯玄关于这一题材的更详细的论述现已不存,但从这一简短的引文中可以提炼出对这些文本的解读策略,它将把这些文本的洞见带入语言的本质,并考虑它们随后的策略。经典远非仅是“圣人之糠粃”,对于那些能解读它们的人而言,经典是细心构造的哲学文本。它们给出被意指的东西的一种观念,就像泰山之巅可以传达元气的无边广大的观念一样。

在同一注释段落中,张湛引用了何晏《无名论》的一段节录。传记资料和文献学资料没有列出何晏以这一标题为题目的文本。它一定出自《道德论》,即何晏在听过王弼对《老子》的解释之后,决定毁弃自己的《老

① 《列子》,4.121。

子注》，将其写成关于“道”和“德”的两篇短论；这表明这两篇短论写于247年或稍前。[①]

Ⅰ为民所誉则有名者也，		无誉，无名者也。
Ⅱ		
	若夫圣人	
名无名	誉无誉，	
谓无名为道[《老子》25.5“字之曰道”]，则夫无名者可以言有名矣；		无誉为大[25.6“强为之名曰大”]，无誉者可以言有誉矣。
	然则与夫	
可誉		可名者，
	岂同用哉？	

Ⅲ

此比于无所有，故皆有所有矣。而于有所有之中，当与无所有相从，而与夫有所有者不同。同类无远而相应，异类无近而（不）相违。[②] 譬如阴中之阳，阳中之阴，各以物类自相求从，夏日为阳，而夕夜远，与冬日共为阴，冬日为阴，而朝昼远，与夏日同为阳，皆异于近而同于远也。详此异同而后无名之论可知矣。凡所以至于此者，何哉？夫道者，惟无所有者也。自天地已来皆有所有矣。然犹谓之道者，以其能复用无所有也。故（虽）处有名之域，而没其无名之象，由

① 对于细节的论辩，参见《正始玄学》，页131。

② 由冯增铨、姜宏周、陆学艺根据后面平行的句子提出的猜测，参见“何晏”一文，载方立天，《中国古代著名哲学家评传续编》，2.75。

以在阳之近(远)[①]体,而忘其自有阴之远类也。[②]

夏侯玄和何晏的两段节选显示了一种共同的讨论框架。它们共享同一本体论程式:圣人的救世形象,以及许多他们认为与这一讨论相关的文本,而且它们有共同的解释学问题——如何解读这些文本。我们将主要关注这一方面。

何晏从在界定性语言与对圣人所用的权宜名称(正如《列子》及《论语》所宣称的,圣人不能用名称来界定,因而是非具体的、无名的)之间建立根本的区别开始。在关于圣人之"名"的讨论中,何晏通过指涉《老子》的论述,同样以圣人与道的对等关系展开分析。他建立了两个领域——一个可以评定誉和名的领域,以及一个无法运用誉和名的领域。圣人从开始即被界定为无名无誉之人。然而,这两个领域不是截然分开的,因为所有的词都属于具体的领域;在表面上,对圣人以及贤人的描述之间的不同难以察觉,尽管这一区别是根本的。这正是伴随着经典解读的问题。经典在表面看来相当乏味,足以招致某种平直的解读。尽管关于圣人和道的这些词也出现在关于琐屑的、可界定的问题的相同的词语环境中,但它们是根本不同的。前者说的是不可言说者,而后者说的是可以界定的东西。它们需要不同的解读策略。

---

① 这两个猜测是由内容迫使的;冯增铨等提出的断句是在"象"后面加一逗号,这似乎并没有提供一个合法的、意义丰富的文本。

② 张湛,《列子注》,4.121。遗憾的是,杨伯峻没有编校这一注释中引用的文本,而冯增铨的编校则不够严谨。绝大多数学者都在这一段遇到了麻烦。贺昌群,《魏晋清谈思想初论》,上海:商务印书馆,1946年,页66,以及唐长孺,《魏晋南北朝史论丛》,北京:三联书店,1978年,页324;二者都在"象"以后断句,而没有给出进一步说明。而且续以夏侯玄文章的摘录。陈荣捷翻译了整个段落,参见 *A Source Book in Chinese Philosophy*,页324。"此比于无所有,故有所有矣"一段翻译如下:"就好像'无所有',因而有一切。然而在'有所有'中,人们应与'无所有'一致;而且与那些'有所有'的人不同"。从后面对阴阳与属于同一范畴的东西关系的类比中,可知这一段不是要给出道德劝诫,而是在讨论这一事实:尽管道显现于"有所有",但仍与无名相关。这里,"皆异于近而同于远"一句译为:"它们尽管近,却不同;远,却相类",尽管从语脉看,似乎是它们与近的相异而与远的相同。这就改变整段话的意思,是在说明何以道在具体事物中间,却没有失去其无任何具体性的特征。"故处有名之域"一句,陈荣捷的译文难以理解。

何晏在此展开了一组双层的比较。他先是对比了可名与不可名之间的关系与他这里提出的新的哲学概念“无所有”和“有所有”之间的本体论关系。然后，他又将这二者之间的关系与“夏日”和“冬昼”以及“夏夕”和“冬日”之间的关系作了对比。第二组对比更容易破解，我们便从这儿开始。夏夕接近夏日，夏日是阳。然而，夏夕非但不属于阳，反而与冬日属于同一范畴，冬日是阴。对于冬昼和夏日也一样，二者都属于阳。以同样的方式，天地以及圣人属于具体的存在者，是“有所有”，但它们能履行它们在存在者中的作用：通过“从”或“用”在此被界定为道的“无所有”，通过在实际上成为与周围的具体存在者不同的“类”。

遗憾的是，最后一句被窜乱了。这一句读作：

> 故处有名之域而没其无名之象，由以在阳之近体，而忘其自有阴之远类也。

我已经提供了我的修订。这些修订不是基于抄本或其他引文的证明，而是基于文本的逻辑。何晏的文本本身在与语言“斗争”，试图创造一种表达新思想的工具。因此，这类猜想甚至不能依靠语汇、论辩或语法模式的标准用法。如果我们同样从易到难来入手，我们将先考虑此句的第二部分。第二部分强调：由于本性属于阴的夏夕与属阳的夏日如此接近，它的属阴的本性是容易被忘掉的。同样，由于无名（圣人等）语言性地处于可界定者之中，它的无名和不可界定的真正本性就容易被忽忘（或“没”，如果我们以“没”字的本意来翻译它）。

何晏因此暗示了语言中的歧裂。界定性语言属于“有所有”的领域，而权宜性的语言暗示了“无所有”的极端“他者”（Otherness）性质。他发现了“有所有”的根基可能被“忘”和“没”的原因，即尽管它全部不同，无论在语言上还是在存在层面上，它都只能处于具体存在者压倒性的在场中。这一事实也解释了对圣人编码的信息的误解，以及对万物玄默根基的忘却。

王弼之前的玄学家的文本鲜有留存。从我们研究的少数片断中，似乎在王弼加入其中时，绝大多数重要的问题已经被发展出来，或正在发展的过程中。何晏或夏侯玄这样资深的学者中没有任何人创造出有其自身社会影响的系统或学派教义，因此，那几年中盛行着一种相当独特的思想的开放性，在其中，王弼这样大胆的新进者有了机会。

王弼非常熟悉那个时代的哲学争论，并继承了许多新观念。然而，他将这些过渡性的、仍然空洞的新观念发展为极其复杂的、细节化的而且逻辑一贯的分析。我们这里关注的是他有关《老子》的写作。事实上，他关于《老子》结构的短论——《老子微旨略例》，基于对这里用到的哲学表达形式的恰当理解，创造了一种解读这一文本的专门的策略。王弼假设《周易》是以相当不同的方式展开的，因此他对《周易》结构的分析处理的是不同的问题(尽管并非全无关联)。然而，王弼语言理论的阐述几乎完全基于《周易略例》的一个部分，他在其中发展了《庄子》“鱼筌”比喻。①至今还没有相关的研究关注他阐明《老子》和《论语》中的哲学表达并将其整合进《周易略例》的议论中的更为系统的尝试。

王弼主要关注的不是一般的语言理论，而是圣人以及老子用来处理那些超越语言边界的问题的特殊方式。因此，他的分析不是无意义的练习，而是将这些文本从仅仅被当做“圣人之糟粕”的处境中挽救出来、使之成为可以理解的哲学文本的尝试。

孔子文本的结构性矛盾：谈玄

王弼为之撰写注释和结构分析的那些文本(《论语》、《老子》和《周易》)都不断地明确论述对道或圣人的认识以及借以命名的语言的缺陷。

① 楼宇烈，《王弼集校释》，页609。

尽管有对其主题的不可捉摸性的洞见，这些文本仍在尝试和努力中展开。孔子是不可界定或“命名”的，但《论语》却是一部有关他的著作。《老子》声称无论是道还是圣人都是无法界定的，但又不断地谈论它们。在上引《系辞》的段落中，《周易》被描述为通过包含在卦象关系中最精心结构的沉默命题来规避语言在表达圣人之意上的缺陷的尝试。

每一孔子文本（王弼将三者都读作孔子文本）分别关注一个特定的存在者领域或特定结构，借以洞察它们共同的玄默对象。正如在本书第一编讨论“经典的系统”的章节中详细分析过的那样，在王弼以及许多他的同代者的解读中，整个经典系统都是这样的。① 《尚书》和《春秋》以文献和历史为材料；《诗经》以抒情诗为材料；《周易》在卦象中构造它的语言；《论语》和《老子》讨论圣人及其体现的原则。王弼分析的文本都有由独立的短小章节构成这样的结构特征，这一结构被王弼读作对线性系统话语的局限性的共同洞见的反应。

由于假定了道与圣人的玄奥和不可捉摸，对它们进行讨论的实质意义就有待质疑了。是什么刺激迫使哲学家关注它们呢？在赞叹尧之广大“民无能名焉”之后，孔子在《论语·泰伯》中继续说道：“巍巍乎，其有成功也。”这里并置在一起的尧的民无能名与巍巍之成功之间，可能有更深的哲学关联。显然，尧有创立社会秩序的功绩，因此，弄清楚他如何达到这样的成功就既迫切同时也非常困难了。同样，玄奥的道被假设为基础——万物之“宗”。在混乱的时代里理解圣人和道的重要性、迫切性，就与横亘在这一理解之途中的困难成正比。

万物之“所以”的不可名的逻辑推演

王弼以下面的论辩作为《老子旨略》的开篇：

---

① 参见本书第一编第二章。

夫

物之所以生，	功之所以成，
必生乎无形，	由乎无名。

无形无名者，万物之宗也。①

左右两个串系各涉及存在者的两个大的领域。第一领域是物质的领域，第二个领域包括社会过程——通常被指称为“事”，这里的“功”是从中派生出来的。二者共同形成“万物”。在随后的段落中，王弼进一步从《老子》中引用了零散的论述，插入他对万物之“宗”的不可捉摸的系统讨论中：

不温不凉，	不宫不商。
	听之不可得而闻，
视之不可得而彰，	
体之不可得而知，	味之不可得而尝。

故其

为物也则混成，为象也则无形，	为音也则希声，为味也则无呈。

故能为品物之宗主，

包通天地，靡使不经也。②

在这一段落中，王弼将散置于《老子》各处的命题组织进一条严格的、统一的论辩链条中。他揭示出《老子》在这些不同的关涉万物之“所以”的段落中使用的术语系统，隐含着沉默的深层结构。《老子》的确在不同的地方提到了四种感官能力对于把握道的无能，它还假定万物被分为两个领域，对不同的领域，它使用了不同的语汇。但《老子》中并没有像这里这样将两个系列配合并组织进一个认识论命题的点。

---

① 王弼，《老子微旨略例》。参见本书第二编第三章。

② 译者按：上述两则引文的详细翻译，参见本书第二编第三章。

王弼这里提出了两个命题：万物之宗主的无形和无名，以及这一宗主之所以能成为无限多样的万物的宗和主，恰是因为它没有特征和名号，因此是感觉官能无法觉知的。第二个主张标示了一种戏剧性的进展。这一宗主的不可定义性不是沮丧的神秘叹息的理由，而是被描述为随其作为万类宗主的作用必然会有的东西。这一不可定义性不是语言和认识的缺陷的一种作用，而是本体论差异本身的结构的功能。

然而，王弼需要证明何以"物"必然生于"无形"，"功"必然基于"无名"。在随后的段落中，他通过一种对相反命题的归谬法提供了这一证明：

若温也则不能凉矣，　　宫也则不能商矣。
形必有所分，　　声必有所属。
故［如《老子》第41章所说］
象而形者，非大象也；　　音而声者，非大音也。[①]

王弼通过温/凉和宫/商这样反义的极端，阐明万物的特性是它们可以被认识和定义的基础。因此，两大存在者领域（二者是相对的，而各自内部又由对反者构成）的"宗""主"一定没有这类特殊的特性。如果这一"宗""主"专门创生这些存在者中的一类，他将受缚于这种特定性，不再可能产生相反的一类。由此而来的结论是：第一句中提到的"所以"必须被标示为没有任何存在者的任何具体特征，以便能成为所有存在者的宗主。这一议论基于一个单一的前提，即某个"一"是万物的始基。

因此，语言超越它指示和界定具体存在者的范围去处理万物之"宗"时必然的无能，就不是基于语言的某些缺陷，而是基于万物之"所以"与这些万物本身的本体论差异。

王弼的基本观点类似于夏侯玄和何晏，然而，王弼详细阐述并证明

① 译者按：此则引文的详细翻译，参见本书第二编第三章。

了他们洞察到的这一差异。王弼将《老子》的论述视为是以某种可证明的哲学洞见为基础的。然而，他的论辩本身不是从《老子》演绎出来的，也不是由它自身逻辑的严谨和有力之外的任何权威支撑的。

有关万物之“所以”的有局限但足够可靠的命题可能性的演绎

在与裴徽的著名对话中（发生于 243 年前后，因此在其撰写《老子注》之前），王弼道出了极端的论述：“圣人体无，无又不可以训，故不说也。”“无”这个词在王弼的思想里是表现“所以”的绝无特殊性的概念。与此同时，王弼嘲笑《老子》无休止地谈论无：“故恒言其所不足”。[①]王弼暗示圣人有其他的表达方式。在真正深入探究了《老子》以后，王弼发现这一文本已经清楚地意识到了陷阱，而它在役使语言来表达哲学洞见方面做了尝试。从《老子注》中可以看出，在与裴徽讨论时粗糙和莽撞的论述变得纯熟了，因为王弼本人的事业聚焦在挽救语言上——通过对《老子》这样的文本中重要的哲学洞见的推演，挽救作为一种有局限但又不可或缺的哲学表达方式的哲学语言。

王弼这一关于语言在本体论讨论上的生命力的论断同样不是以《老子》对语言的实际运用的权威性为基础的。这一生命力必须植根于同时也阻止语言界定“所以”的那种本体论关联。那么，在万类中，指示“所以”的可能性的条件是什么呢？

王弼在《老子旨略》中继续写道：

然则，

四象不形，则大象无以畅；　　五音不声，则大音无以至。

大象和大音的概念作为引自别处的“建言”与道一起出现于《老子》第 41 章：

① 参见本书第一编第四章。

[建言有之曰:……]

大音希声,

大象无形。

[这就是说:]

道隐无名,夫唯道

善贷且善成。①

王弼注曰:“凡此诸大,皆是道之所成也。在象则为大象……在音则为大音”。《老子》这里重复了无形无名的道的双重特性:在作为万物之“所以”的同时,“善贷且善成”。因此,万物与作为万物的“所以”的道之间有某种相互作用。道不是作为一个超越其他存在者的单独存在者(如天地)而“存在”,它只是作为存在者的宗或主而存在。因此,它在万物多样的特性中而且通过它们“畅”和“至”。在某种意义上,它“依靠”具体存在者的特殊性,以便作为它们“无”特殊性的“所以”;没有具体存在者,它将“无以”“畅”和“至”。

这一相互关系的结果既是本体论的也是认识论的。万物,就其存在而且以某种秩序化的方式存在,显示了它们的“所以”的印迹。万物的“所以”不是作为万物之一,而是作为它们的根本差异出现的。

存在者自身是被结构的。其中有“大”的存在者,只在某一个方面是特殊的,如天——它“覆”万物,或地——它“载”万物。它们的特殊性的缺乏使得它们可以在所有具体存在者上发挥作用。它们本身的特殊性程度越低,它们就越接近超越所有特殊性的东西。但也有更低次序的存在者,在与更特殊的多样性存在者的关系中,重复“所以”与万物之间关系的基本特征。

王弼因此为何以可能从具体的、可界定的存在者中认识这一“所以”提供了一个本体论的理由。这一认识不能以第一序列的语言,即定义性

① 译者按:这则引文的详细翻译,参见本书第二编第三章。

的语汇和语法严密的论述，而是以第二序列的语言，这种语言以试验性的、启发性的以及语汇上不可靠的方式言说。在王弼的解读中，他注解和分析的文本包含的存在者以及知识/知觉/语言领域相当系统地闪现着这一“所以”的隐秘印迹。它们被读作指向一个无可捉摸的中心的权宜标示。这将系统的论文排除在哲学的有效形式之外。《老子》和《论语》的文字结构及其简短独立的论述，《周易》的形式化组织以及结构、象征和语言表达的复杂层次，被读作一种自觉的尝试：建立一种可行的、尽管技术上不可靠的言说“所以”的方式，焦点在于《论语》和《老子》。

孔子文本在可知的存在者结构中发现的“所以”的印迹：对反与否定

王弼发现孔子文本对两种不同的对立类型（对反和否定）作了哲学上的运用。《论语·述而》说：

> 子温而厉，威而不猛，恭而安。

王弼注曰：

> 温者不厉，厉者不温；威者必猛，猛者不威；恭则不安，安者不恭，此对反之常名也。若夫温而能厉，威而不猛，恭而能安，斯不可名之理全也。[1]

《论语》这里以矛盾的语汇描述孔子。王弼称这些“名”是“对反之常名”。这些语汇彼此对反，它们标志着偏离某个想象的零中点的两极。它们不可能被同时用在同一人身上。然而，《论语》把它们用于孔子。在描述孔子的复杂形象上表面看来相当简单的做法，这里被读作一种第二序列语言中的表达。

王弼反驳那些他视为肤浅的既往注释，认为《论语》中这一简单的陈

[1] 王弼，《论语释疑》，见楼宇烈，《王弼集校释》，页624。

述中隐含着易于忽视的哲学洞见。孔子的形象被描述在彼此排斥的语汇中。正常的定义话语的法则在孔子个人面前崩溃了。《论语》的这一陈述的隐含目的可能就是公布这种崩溃,或者可能是孔子弟子心目中一种无法消解的困惑的记录——他们注意到他们在用同质的语汇描述夫子时的无能为力,而且无法理解他们的语言崩溃的原因。孔子是一个超越具体名的界定范围的圣人。上引句子的表达不是来自对语言的成功运用,而是在矛盾的形式中这一努力的崩溃。根据王弼的注解,在描述孔子时界定性语言的崩溃告诉读者夫子已经达到"不可名之理全"——这一表述也适用于夫子所体现的道。同一语言的瓦解也公布于《老子》中对道同时使用"大"和"小"(如第 34 章)以及许多彼此排斥的更为复杂的概念。王弼在其《老子微旨略例》中仔细地讨论了它们。[1]

王弼将其定义为"对反"的这类对立的发现,开启了对另一种甚至更重要的类型的发现。当反义命题在圣人身上的同时出现打破了认识和语言的逻辑而且在此过程中呈示了圣人的本性以及他体现的原则时,在一种派生的而且可识别的形式中,第二种类型的对立重复了"所以"与万物之间关系的结构。

在注释《周易》的《复》卦时,王弼写道:

> 复者,反本之谓也。天地以本为心者也。凡动息则静,静非对动者也;语息则默,默非对语者也。[2]

动静和语默不是在同一层次上、在对反的方向上偏离某个零中点的反义词。它们是由其对立点的所有可能的特殊性的缺席界定的。然而,语默和动静之间的关系不是静态的。动出自静而又"自然"地回归静。动是多样的,而且可以具体界定的,而静是动的单纯缺席,因此是不能具体或正面界定的。对于默和语也是同样的。这些对子中,都有一方既是

① 关于文本和译文,参见本书第二编。

② 王弼,《周易注》,见楼宇烈,《王弼集校释》,页 336。

起点，又是归向点。与另一方的特殊性和多样性相对，它是无规定性和简单的。它本身并不“存在”，而只是作为具体化形式的否定性的根基。在一个可观察的和具体的层面，这些对子重复了“所以”与万物之间的关系，这就是用于这些文本中的默和静指示这一“所以”的本性的原因。[1]通过他的注释，王弼向读者表明，这些不是谈及不可说者的毫无意义的尝试，而是哲学论断的语汇，这些语汇基于对可见的存在者结构中“所以”的印迹的检讨。有关“所以”的命题的指示性而非界定性的本质，也在王弼的解释中得到了证明。默和静都是只有在其对立面的产生和消失中才可以窥见的。将他的考察与他原来的主题（即天地由之产生又复归于它的“本根”）的否定性对立相联，王弼在上引《复》卦注之后写道：

> 然则天地虽大，富有万物，雷动风行，运化万变，寂然至无是其本矣。故动息地中[如此卦《象》传所说“雷在地中复也”]，乃天地之心见也[如此卦《彖》传所说“复其见天地之心乎”]。若其以有为心，则异类未获具存矣。[2]

天地属于只由一个特征标示的“大”的存在者范畴，因此它们非常“接近”于“所以”的完全否定性。由于它们不偏私于任何一种存在者，所以能“富有”所有的万物。它们的根“本”在这里被界定为“寂然至无”，在雷归复地中（即具体存在者的多样显现的消失中）的过程中变得可见。

王弼以“凡”字开始他关于动静语默的论述。在他的语言中，这表明它是一个不局限于所注释段落的普遍陈述。然而，我们不会局限于这一段落。在概述了框架以后，我现在可以更详细地举证在对“所以”的描述中源出于否定性对立的语言的极为广泛的使用。王弼没有让这种关系流于含混，因此将大量命题收聚于一个单一的论辩。

这一文献举证意在为一个论断提供支持。这些例子将证实王弼关

① 关于“静”，参见《老子》16.1 和 26.1；关于“默”，参见《老子》73.6。
② 王弼，《周易注》，载楼宇烈，《王弼集校释》，页 337。

于孔子文本的基本统一体作为借助存在者领域内的各种结构指向同一"所以"的众多尝试的假设。通过对它们的解释，王弼试图证明它们有某种共同的程式和领会。

《老子》第26章说：

重为轻根，　　　　　　　　静为躁君。

王弼注解为：

凡物，
轻不能载重，小不能镇大；　　　　不行者使行，不动者制动。
是以
重必为轻根，　　　　　　　　静必为躁君也。[①②]

在这一章的特定语境中，左边的串系讨论的轻重是指"重"辎与"轻"旅之间的关系，辎重以给养和装备形成军旅的"根"基。这里没有进入对第二个关于静躁的串系的政治方面的讨论，显然在这两个例子中，《老子》都被读作是以否定性对立来运作的，尽管在形式上，它们并不完全符合这一模式。这一对应是通过将这一对立用于实际生活境况来达到的，其中辎重为军旅提供的资力。因此，《老子》说："圣人终日行，不离辎重。"在其他许多陈述中，王弼发现了相同的模式。《老子》第25章第一句中的"混成"者，事实上是另一类型的否定性对立。它标示出两极之间的想象的零点，在此是透明的和完全不可测知的。王弼注释道："混然不可得而知，而万物由之以成。"

《老子》第41章中"大音希声"的陈述被王弼阐释为：

[正如《老子》第14章所说]："听之不闻名曰希。[大音]，不可得闻之音也。有声则有分，有分则不官而商矣。分则不能统众，故

① 参见本书第一编第四章。

② 译者按：此则引文的详细翻译，参见本书第二编第三章。

有声者非大音也。"①

译文：

[如《老子》14.1所说]"听之不闻名曰希"。它是不可听闻的声音。如果有声调，就有特殊性，有了特殊性，它将不是商就是宫。有特殊性就不能统包所有众多的[声调]。因此，有音调的，就非大声。

"希"字意指"难以"，这里指"不可得闻"的"不"，王弼将其读作对所有可能的特殊音调的否定；只有在这种否定性的意义上，大音能够包纳可能的具体音调。在这一语境中，"大"是超越大/小这一反义词的局限的。对《老子》这一章中的其他命题——"大象无形"等，王弼也是以同一方式解读的。在这一语境中，王弼还可以提到孔子关于"中"的命题；在《中庸》里，"中"成为儒家伦理学的基石。②

依据《老子》第15章，在直接的语言中描述"古之善为道者"(即古代的圣人)是不可能的。《老子》使用了一种真正雪崩式的比喻，所有的比喻都指向两极中间的零点。这些圣人"豫兮其若冬涉川"，"犹兮其若畏四邻"(不表露他将趋向的一方而使其他几方得到遏制)，"俨兮其若客"，"涣兮其若冰之将释"，"敦兮其若朴"，"旷兮其若谷"，"混兮其若浊"。王弼对此注释道：

凡此诸若，皆言其容象不可得而形名也。

在《论语·泰伯》中已经碰到的赞誉，如"荡荡"、"巍巍"以及孔子弟子关于孔子的许多陈述，属于相同的范畴。王弼以一种特有的技巧将它们内聚为一种单一的意义：不能将任何具体的形和名指派给道或圣人。③

在所有这些例子的底层作为它们共同要素的关系是"一"与众(即简

① 译者按：此则引文的详细翻译，参见本书第二编第三章。

② 贺昌群，《魏晋清谈思想略论》，页62。我认为他是最先指出无的玄学观念与"中"的观念的相似性的。《老子》5.4是一个例证。

③ 对于这一术语内爆的技巧，参见本书第一编第三章。

单的非具体化的"一"与特殊存在者的多样性)的关系。《老子》中的许多段落被依据"一"与众的模式解读为明确地讨论"所以"与万物的关系。

根据王弼本,《老子》11.1 的文本为:

> 三十幅共一毂,当其无,有车之用。

王弼注释曰:

> 毂所以能统三十幅者,无也。以其无,能受物之故,故能以寡统众也。

译文:

> 毂之所以能同时支持三十根车辐,是因为它[相对于车辐的特殊性]的无性。因为这个无性,[毂]能够承受不同的事物,因此能以最少统御众多。

据王弼的解读,这一洞见决定了《周易》中众多卦象的特征——其中总有某一爻统治其他诸爻。[①] 因此,《周易》的结构暗示了与《老子》和《论语》的陈述同样的洞见。

这样,王弼就通过他的注释发现并引出了他所分析的文本的整体结构、语言和比喻,这些是由在反映和显示"所以"与万物关系的现实中找寻结构的尝试呈报出来的。他是在否定性对立的使用、两极中间的零点以及一般地在所有"一"与众之间的关系中找到那些结构的。这些印迹向他证明:这些文本是为规避定义性语言的陷阱而撰写和创制的,同时试图阻止哲学性表达崩陷为神秘的沉默。因此,这些文本为那些肯读它们的人提供了一条哲学道说的可能路径;它们呈示"微言",尽管不得不承认它们的论断的试验性和探索性。王弼并没有将自己局限于提点和解释这些实际的语言用法;他还试图在一种全新的探索中将它们概念化。

---

① 王弼,《周易略例》,"明象",见楼宇烈,《王弼集校释》,页 591;另见本书页 448 注①。

把握“所以”的特征

尽管王弼将“无”看作他分析的文本中真正的哲学问题，这些文本和王弼本人都重复了以“名”来考察这一主题的不可能性。《老子》和《论语》包含着近似的、指示性的陈述，为王弼阐明了“所以”的各个侧面。它们通过否定性语汇的运用达到这一目的，但这些否定性语汇在否定某些具体事物所滞留的具体性的同时还有认识的功用。

王弼将有关“所以”和圣人的大量否定性陈述减约为少数基本方面。他指出，这些特征的每一个都“各有其义，未尽其极也”。[①] 为了在描述这些特征与定义的行为之间作出区分，王弼创造了另一表达——“取于”。[②]

在《老子》1.5 注中，王弼讨论了“玄”字：

> 玄者，冥也，默然无有也，始母之所出也，不可得而名，故不可言同名曰玄，而言谓之玄者，取于不可得而谓之然也。谓之然，则不可以定乎一玄。若定乎一玄而已，则是名，则失之远矣。

王弼用“取于”这个新词强调了这一语汇后面的表达的准备和权宜的性格。在对《老子》25.5“字之曰道”的注释中，王弼写道：

> 夫名以定形，字以称可言。道取于无物而不由也。是混成之中，可言之称最大也。

由此，“所以”的两个特征出现了，即所有存在者皆以之为基础的特征——道，以及不可辨识的特征——玄。正如已经呈示过的那样，这两个特征互为条件。《老子》中以看似随意的风格用在“所以”上的其他语汇，都被王弼系统地组织进这两个特征的从属范畴。在《老子微旨略例》

---

① 王弼，《老子微旨例略》2.28；参见本书第二编。

② 这一表达见于《庄子》中孔子的一个论述，见《庄子集释》，22.763。然而，郭象的注表明，这里“取于是者也”这句话只能理解为“从此引申出”。

中，王弼写道：

<table>
<tr><td>夫道也者，取乎万物之所由也。</td><td>玄也者，取乎幽冥之所出也。</td></tr>
<tr><td></td><td>深也者，取乎探赜而不可究也。</td></tr>
<tr><td>大也者，取乎弥纶而不可极也。</td><td></td></tr>
<tr><td>远也者，取乎绵邈而不可及也。</td><td></td></tr>
<tr><td></td><td>微也者，取乎幽微而不可睹也。</td></tr>
<tr><td colspan="2">然则</td></tr>
<tr><td>道、</td><td>玄、</td></tr>
<tr><td></td><td>深、</td></tr>
<tr><td>大、</td><td>微、</td></tr>
<tr><td>远之言，</td><td></td></tr>
<tr><td colspan="2">各有其义，
未尽其极者也。</td></tr>
<tr><td>然则弥纶无极，不可名细；</td><td>微妙无形，不可名大。</td></tr>
<tr><td colspan="2">是以篇云[25.5 和 1.5]：</td></tr>
<tr><td>字之曰道，</td><td>谓之曰玄。</td></tr>
<tr><td colspan="2">而不名也。[①②]</td></tr>
</table>

王弼主张《老子》中用于“所以”的不同侧面的语汇具有试验性和探索性；它们“取于”“所以”的这个或那个特征。由于它们不是定义性的名，可以无需考虑定义的规则，即相互排斥的性质不能同时被归于同一主体。“所以”必须在一方面被描述为“大”，另一方面被描述为“小”。

① 《老子微旨例略》，2.21。参见本书第一编第三章。

② 译者按：此则引文的详细翻译，参见本书第二编第三章。

这一论断本身重复了王弼《老子》分析的惯常结构。他展开了一个推论完整的理论性的、系统的论辩，用一个以“是以”开头的句子作总结，并收结于一个对《老子》的做法的描述。在这里，《老子》所说的“所以”的两个主要特征“道”和“玄”，在王弼的分析中只是以试验性的、非定义性的方式(“字之曰”和“谓之曰”)被描述的。于是，王弼用最后几句话暗示他上面展开的所有论辩都是老子熟知的，这就是他使用这些表达的原因。王弼只是让《老子》的论述底层的隐含逻辑变得明确和可以理解罢了。

王弼进而从《老子》中提炼出用于这些不同种类的论述的术语系统，将传统的定义称为“名”、探索性的字号称为“称”或“谓”。这些语汇在他之前已经存在，只不过处于一种相当随意和不确定的状态。[①] 在现存记载中，夏侯玄是第一个以明显不同的方式使用它们的人，其使用方式与王弼类似。在上引的短论中，夏侯玄写道：“下云‘巍巍成功’，则‘强为之名’，取世所知而称耳。”从夏侯玄的表述看，“称”此时显然还未固定下来，仍需解释。而且，夏侯玄没有提出一个一般性的陈述，只是注解了孔子的言说方式。王弼又一次将这些语汇转变成清晰界定的哲学概念，将《老子》中的大量语汇约减为一个单一的语词。

就在上引段落之前，王弼在《老子微旨略例》中写到了“名”。我下面将从这一以链体风格写成的段落中单独抽取涉及“名”的句子串：

名之不能当/名必有所分/有分则有不兼/不兼则大殊其真。[②]

最后一句排除了“名”作为把握“所以”之“真”的适当工具的可能，因

① 汤用彤曾以《尹文子》的开头作为前例，但那里二者的并列只不过是两个词出现在同一句话里而已。参见《尹文子》，王启湘，《周秦名家三子校诠》，北京：古籍出版社，1957 年，页 22。在刘廙《政论》中这两个词也以同样模糊的方式出现，见汤用彤、任继愈，《魏晋玄学中的社会政治思想略论》，上海：上海人民出版社，1956 年，页 12 注释 5。另见 Harbsmeiser, *Science and Civilization*，页 355。甚至在王弼之后，仍有这样模糊的用法，欧阳建在其“言尽意论”中就是在同义下使用“名”和“称”的，参见《艺文类聚》卷 3，页 541。

②《老子微旨例略》，2.12。

为它必然“大殊其真”。

关于探索性的“称”，王弼在另一句子串中说道：

称之不能既/称必有所由/有由则有不尽/不尽则不可以名。

涉及“名”和“称”的两个串系之间严格的平行关系，似乎表明了一种论辩上的平行，从而从可接受的哲学话语中将名和称这两种选择排除掉了。然而，两个论辩的具体内容差别甚大，而且尽管链体风格在呈显平行结构上有很大的作用，但在这里却更多地成了妨碍，这里两个串系的内容显然是不平行的。

两个串系最重要的差别在于：名必然会“大殊其真”，而称只是无法穷“尽”“所以”的特征。因此，尽管称没有为名提供证明，它们还是通过阻止哲学家陷入不可知论，从而建立了哲学的可能性。

王弼从《老子》和《论语》中的各种因素中发展出“称”。他以这样的话作为《老子》25.5“字之曰道”的注释的开头：

夫名以定形，字以称可言。

“可言”这一表述是对《老子》第1章“可道”的翻译。王弼将“字”、“谓”和“言”合并为一个理论性概念——“可言之称”。在这种意义上，他在《老子》25.5注中称道为“可言之称最大”。然而，这一最大的“可言之称”仍是一个危险的构造，因为它可能激起道被系缚于“大”的观念。在下面一句的注释中，王弼写道：“责其字定之所由，则系于大”。因此分析不能依靠并“责”于道这一语汇，它只是“取于”“所以”的一个方面的权宜手段，与《老子旨略》中的其他“言”一样：“然则道、玄、深、大、微、远之言，各有其义，未尽其极也。”在对《老子》25.10的注释中，王弼用一个极端的论述标划了这些称的限界：

凡物有称有名，则非其极也。言道则有所由，有所由然后谓之为道。然则是道，称中之大也，不若无称之大也。

译文：

> 一般说来，事物中有名有称的，不是其极致。说到“道”，就预设了[这个词]有根基。只有作为[这个词]有根基的结果，人们才能谈到它是“道”。“道”只是称谓中的最大者，但比不上无称之大。

这里，王弼做了三件事。首先，他排除了根据名思考“所以”的可能。其次，他以称为道说“所以”的特征的试验性、探索性的方式，这一方式使语言性的哲学表达、因此也使作为离散工作的哲学成为可能。第三，他试图通过一再强调这些探索性的字号必然的试验性，反对将它们取作名的一般倾向。

新术语“称”也被用于描述有关圣人的“可言之称”。即使在“称”实际上只是一个中文字符的时候，王弼仍将它视为有关“所以”的某个特征的完整字号(即使是缩节的)。

《论语·泰伯》这样论及尧：

> 大哉，尧之为君也。巍巍乎，唯天为大，唯尧则之。荡荡乎，民无能名焉。

王弼注曰：

> 圣人有则天之德。[1] 所以称唯尧则之者，唯尧于时全则天之道也。荡荡，无形无名之称也。夫名所名者，生于善有所章而惠有所存。善恶相须，而名分形焉。若夫大爱无私，惠将安在？至美无偏，名将何生？故则天成化，道同自然，不私其子而君其臣。凶者自罚，善者自功；功成而不立其誉，罚加而不任其刑。百姓日用而不知所以然[如《系辞》所说]，夫又何可名也！[2]

“荡荡”这个词初看起来似乎是一个拒斥性的词汇。王弼的注释指

---

① 这一论述指涉《周易》“乾卦”《文言》“夫大人与天地合其德”。王弼，《周易注》，载楼宇烈，《王弼集校释》，卷1，页217。

② 王弼，《论语释疑》，载楼宇烈，《王弼集校释》，页626。

明，正是这一“无限”（被解释为对万有无所偏私的“大爱”）使得社会自我管理的机制能实现其潜能。本来被读作对所有具体特征的否定的词，在这一否定中转而成为描述圣人之治的正面的手法。对于王弼，“荡荡乎”这一陈述指向一种治理的策略，因此是用于圣人之道的某个方面的合法的语汇（尽管是“不可靠”的）。

通过结尾对《系辞》的引用，王弼为其论断调动了该文本的权威性。尽管《周易》本身是以不同的方式编码的，而且没有言及道或无，但《系辞》显然还是包含了直接的哲学段落，这些段落与《老子》一样，陷入了同一哲学困境。事实上，王弼这里指涉的《系辞》段落提出了类似的论断：

> 一阴一阳之谓道。仁者见之谓之仁，知者见之谓之知，百姓日用而不知。故君子之道鲜矣。①

《系辞》使用了与《老子》相同的方法：指出它的术语系统的试验性。“一阴一阳之谓道”，依据对其有所“见”的人的个人强调，它又可以被称为“仁”或“知”。仁者或知者显然把捉到了“所以”的某些特征。普通人（“百姓”）没有这样的品质。尽管“日用”，却对保障他们生活秩序的东西一无所知。在《系辞》和《周易》的其他部分（如乾卦《文言》）中，“君子”一词通常被用为圣人或大人的同义词。《系辞》通过反复使用“谓”，指明它的语言的试验性，而且最后一句关于君子（圣人或大人）之道的“不可把捉”，明确地道出了这一点。借用《论语》和《周易》的权威性，王弼可以指出适用于宇宙秩序的“所以”的那些论断，也适用于社会秩序。

王弼没有让自己局限于在特定注释中的嵌入，也没有局限于举例说明名与称之间的不同。为了避免混淆，我一直简单地主张“称”必须被理解为“探索性的称谓”，但还没能提供证明。在《老子微旨略例》中，王弼写下的一段话，必须被解读为中国哲学史上处理本体论语言问题的第一次系统（且相当复杂的）尝试：

---

①《周易经得》，《系辞》上，40.4。

名也者，定彼者也；　　称也者，从谓者也。

名生乎彼；　　称出乎我。

随着名（界定某一对象、出自该对象的特殊性质的定义）与称之间这一根本差别的建立，王弼为更细致地处理这些探索性的称谓开启了道路：

故

涉之乎无物而不由则称之曰道，　　求之乎无妙而不出则谓之曰玄。

众出乎道，　　妙出乎玄。

生之畜之，不禁不塞，通物之性，道之谓也。

生而不有，为而不恃，长而不宰，有德而无主，玄之德也。

玄，谓之深者也。

道，谓之大者也。[1]

因此，“称”出自探询的主体的“求”和“涉”。由此而生的称谓的特性，不是由“所以”的特性，而是由主体的推测决定的。由于他们只从这一特殊的推测呈显“所以”，这些探索性的称谓没有也不能形成一个无矛盾的称谓的系统。在王弼注释的那些文本（即《论语》、《周易》和《老子》）的假想作者的心中，清楚地意识到了这一点。

王弼在《老子》中发现了关于“所以”的两个重要称谓，它们详细阐明了“所以”既显现又不可捉摸的特征，这使得“所以”既成为圣人之意的真正主题，同时又拒绝认知性的把握。所谓的“道”，是涵盖“所以”作为万物的存在根据的这一特征的称谓；所谓的“玄”，则是涵盖作为万物的始基不能共

① 译者按：上述引文的翻译，参见本书第二编第三章。

有万物的任何特性，因而在认知和语言上不可捉摸这一特征的称谓。

这些称谓的优点是它们容许关于“所以”的相互排斥的论述并立，这一做法可能受到有逻辑“必然性”的规则的驳难。哲学主体不会在某个人的论点的逻辑客观性中消失，而是通过其推测的特殊性显现在论点中。

王弼对本体论的认知方面的探究，有许多重要的暗示：

首先，在它的“必然”结论的合理推论中，它建立起了作为可能的哲学洞见的唯一来源的哲学性的“涉求”主体。经典文本不依靠其本身的权威，而是依靠它们与每个探究“所以”的特征的“主体”都“必然”会达到的“洞见”相一致而被接受的。因此，在调动圣人以及尊崇的经典传统的权威以支持他本人的学说时，王弼将哲学上自主的主体的理性作为圣人之意的有效性的唯一真正的试金石（尽管是以对经典的极端谨慎的解释性注释为形式）。

其次，在承认《老子》、《论语》和《周易》中反复强调的有关辨识“所以”的不可能性这一洞见的同时，他本人的注释为这些论断提供了哲学上的合理基础，并在此过程中改变了它们的意义。阻止对“所以”的完全认识（而且只留下了间接的、神秘的做法作为识辨“所以”之路）不是人类心智和语言的无能，而是作为无的“所以”的必然结构。与此同时，“所以”不具有独立的存在领域，用现代的话说，它只是作为存在者的存在，因此，它的踪迹可以在存在者中找到。

第三，最为重要的是，王弼在同意荀粲的论断的同时，他挽救了作为最重要的哲学来源的圣人的遗产，并为某种本体论建立了根基。他对语言的探究在明确勾画其论述的可能有效性的同时，为一种存在哲学建立了可能性。与此同时，这一探究扭转了荀粲的论断。对圣人留下的文本的解读，必须由他们本人关于他们使用的语言和象征的性质的提示来指导。解读中产生的错误不是它们语言的不适当导致的，而是由于学者们拒绝接受插在这些文本中的那些关于正确解读策略的指示的引导。相反，学者们依循他们自己缺少反省的偏好。王弼对种种系统的《老子》误读的批驳，已详论于前。[1] 换言之，如果这些文本中给出的指示得到遵循，它们本身就成了似乎已经遗憾地消失了的“微言”。因此，王弼将这些文本重新插入一种文化的氛围，在其中，认知和表达的言说及非语言形式作为本体论思想的中介，优先于书写语。

尽管我曾承诺在本书中不对王弼的《周易》解读作详尽的分析，但我无法对《老子注》之后王弼关于哲学语言的理论的发展避而不谈：这一发展对后世的思想者有着非常重要的影响，也无法回避他对《庄子》筌鱼之喻的重新解读。有必要记起的是，《庄子》没有真正地探讨对筌蹄的“忘”的意义和重要性。只是在最后一句“吾安得夫忘言之人而与之言哉”中，它指明“忘”并非附带性的，而是实质性的。这是王弼进入的点，它合并了上面讨论过的《庄子》和《系辞》的段落。我将完整地征引相关的部分。

对象[《周易》之象]的解释

夫象者，出意者也；

言者，明象者也。

尽意莫若象，

尽象莫若言。

言生于象，故可寻言以观象；

象生于意，故可寻象以观意。

意以象尽，

象以言著。

故言者所以明象，得象而忘言；

象者，所以存意，得意而忘象。

犹

① 参见本书第一编。

蹄者所以在兔，得兔而忘蹄；

筌者所以在鱼，得鱼而忘筌也。

然则，

言者，象之蹄也；

象者，意之筌也。

是故，

存言者，非得象者也；

存象者，非得意者也。

象生于意而存象焉，

则所存者乃非其意也；

言生于象而存言焉，

则所存者乃非其言也。

然则，

忘象者，乃得意者也；

忘言者，乃得象者也。

得意在忘象，

得象在忘言。

故立象以尽意，

而象可忘也；

重画以尽情，

而画可忘也。①

译文：[《周易》的]卦象是传达[某一卦]的意义的，[卦辞和爻辞的]言辞是解释[某一卦的]卦象的。没有比卦象更好的"穷尽"[某卦]的"意义"的方式；也没有比[卦辞和爻辞的]言辞更好的穷尽[某

① 王弼，"周易略例"，载楼宇烈，《王弼集校释》，页609。在《系辞》上中，这里的"尽情"本作"尽情伪"。王弼自觉地将链体风格的法则加于这一段，将三个字"尽情伪"减约为两个字"尽情"，从而达到与前一句"尽意"的严格对称。

卦]卦象的方式。[卦辞和爻辞]的言辞出自[某一]卦象，这就是探究言辞可以明察卦象的原因。卦象出自[某一卦]的意义，这就是探究卦象可以明了[某卦]意义的原因。由于卦意由卦象穷尽，卦象由言辞明著，因此，言辞只是解释卦象的，一旦把握了卦象，就要忘掉言辞；而卦象只是传达[某一卦]意义的，一旦把握了卦的意义，就要忘掉卦象。就好像蹄是抓兔子的工具，一旦抓到了兔子，就该忘掉蹄；筌是抓鱼的工具，一旦抓到了鱼，就该忘掉筌。因此，言辞是卦象的“蹄”，卦象是卦意的“筌”。这就是那些持留在言辞上的人并非把握了卦象的人，持留在卦象上的人并非把握了卦意的人的原因。卦象源出于卦意，但一旦持留在卦象上，所持留的并不是卦意；言辞源出于卦象，但一旦持留在言辞上，所持留的并不是卦象。因此，只有那些忘掉了卦象的人，才会真的把握卦意；忘掉了言辞的人，才会真的把握卦象。把握了卦意与否，在于忘掉卦象；把握了卦象与否，在于忘掉言辞。因此，[《周易》]通过建立卦象来穷尽意，但卦象可以忘掉；重叠卦画来穷尽实际的处境，而卦画可以忘掉。

王弼这里从对孔子文本的某种解读(此种解读将这些文本减约为某一学派的特定教说)的辩驳推进到了一种更激进、也更哲学化的立场。在他的解读中，这一比喻将关于语言对于圣人之意的纯粹工具性的理论陈述与对“忘”掉用以“得意”的工具的必要性的洞见结合起来。不能做到这一方面以及随之而来的对被物质化的表面措辞的依附不仅将扰乱理解，而且会在根本上使理解变得不再可能。他的论述进而普遍化到圣人使用的所有表达方式：“得意”在于“忘”和背离这些工具和标志，而只有在这一忘和背离中，人们才能把握这些工具和标志所指向的东西。作为解读策略的基础，这意味着除了圣人指向的东西以外，别的都无关紧要。在这一方面，解读必须严格遵循和探求文本中给出的暗示；然而，表面文本的所有其他方面都只是对这些文本写作和传承的目的的歪曲，将结束于对这些文本的所及的“忘”中。

佛教将佛陀的语言视为“方便”——借以将听众引向超言的领会，这一理论与上述讨论关联起来，并给了它更为广阔的视野。在王弼死后的数个世纪里，竺道生和僧肇等佛学思想家广泛地运用玄学概念，王弼对《庄子》这则故事的解读成为关于佛学语言本质的基本参考，并且自此，所有涉及鱼筌/兔蹄的哲学语言最终被化简为“蹄筌”，用以指圣人关于道的语言的工具性和必然的标志性格。王弼已将这一比喻转变为处理圣人遗产的明确的、一般的解释学策略。

第二章 王弼的本体论

分析的架构

汤用彤是第一位断言汉代思想与魏晋玄学之间根本差异的学者，他指出（以在括号中插入英文的方式）：汉代哲学家探讨的是“宇宙之论”（Cosmology or Cosmogony），而王弼等魏晋学者追寻的则是“存存本本之真”（Ontology or Theory of Being）。在发表于1940年的“魏晋玄学流别略论”一文中，他写下了一段设定了近年来众多著述和文章的路向的文字，值得完整地征引和注解如下：

> 溯自扬子云（公元前53—公元18年）以后，汉代学士文人即间尝企慕玄远。凡抗志玄妙者[1]，“常务道德之实，而不求当世之名。阔略杪小之礼，荡佚人间之事”[2]。（冯衍《显志赋》）“逍遥一世之上，睥睨天地之间。不受当世之责，永保性命之期”[3]。（仲长统《昌言》）

① 冯衍，《显志赋》，《后汉书》，第18下，页1001。
② 同上书，页985。
③ 仲长统，《昌言》，《后汉书》，第39，页1644。

则其所以寄迹宅心者，已与正始永嘉之人士无或异。而重玄之门，老子所游。谈玄者必上尊老子。故桓谭（公元前43—公元28年）谓老氏其心玄远与道合。[①] 冯衍“抗玄妙之常操”，而“大老聃之贵玄”[②]。傅毅言“游心于玄妙，清思于黄老”[③]。（《七激》）仲长统“安神闺房，思老氏之玄虚”[④]。则贵玄言，宗老氏，魏晋之时虽称极盛，而于东汉亦已见其端矣。

然谈玄者，东汉之与魏晋，固有根本之不同。桓谭曰：“扬雄作玄书，以为玄者天也，道也。言圣贤著法作事，皆引天道以为本统。而因附属万类王政人事法度。”[⑤]亦此所谓天道，虽颇排斥神仙图谶之说，而仍不免本天人感应之义，由物象之盛衰，明人事之隆污。稽察自然之理，符之于政事法度。其所游心，未超于象数。其所研求，常在乎吉凶。（扬雄《太玄赋》曰：“观大《易》之损益兮，览老氏之倚伏。”[⑥]张衡因“吉凶倚伏，幽微难明，乃作《思玄赋》”[⑦]。）魏晋之玄学则不然。已不复拘拘于宇宙运行之外用，进而论天地万物之本体。汉代寓天道于物理。魏晋黜天道而究本体，以寡御众，而归于玄极（王弼《易略例·明象章》）；忘象得意，而游于物外。（《易略例·明象章》）于是脱离汉代宇宙之论（Cosmology or Cosmogony）而留连于存存本本之真（Ontology or Theory of Being）。汉代之又一谈玄

① 桓谭，见严可均，《全上古三代两汉三国六朝文》，引自《文选注》，北京：中华书局，页551下。

② 冯衍，《显志赋》，《后汉书》，第18下，页1001。有趣的是，此句前面一句是“嘉孔丘之知命兮”，这表明将孔子与老子并置已经广为接受。

③ 傅毅，《七激》，见严可均，《全上古文》，页706，引自《艺文类聚》。该文是一篇讽刺明帝不尊崇贤才的对话。这一句话出自第一个告病归隐的谈话者。

④ 仲长统，《昌言》，见《后汉书》，第39，页1644。

⑤ 桓谭，《新论》，引自严可均，《全上古文》，页551下。

⑥ 扬雄，《太玄赋》序，见严可均，《全上古文》，页408上。

⑦ 张衡，《思玄赋》，载《后汉书》，第49，页1914。张衡并非真的在思考哲学问题。此句引文前面的一句话说：“衡常思图身之事”。

> 者曰:“玄者,无形之类,自然之根。作于太始,莫之与先。”①(张衡《玄图》)此则所谓玄,不过依时间言,万物始于精妙幽深之状,太初太素之阶。其所探究不过谈宇宙之构造,推万物之孕成。及至魏晋乃常能弃物理之寻求,进而为本体之体会。舍物象,超时空,而研究天地万物之真际。以万有为末,以虚无为本。夫虚无者,非物也。非无形之元气,在太始之时,而莫之与先也。本无末有,非谓此物与彼物,亦非前形与后形。命万有之本体曰虚无,则无物而非虚无,亦即物未有时而非虚无也。②

汤用彤阐述了如下重要观点:

- 汉代的哲学思考发展了宇宙论,其共同点在于对时空内的原初物理因的探寻。甚至在扬雄将这一终极原则定义为“玄”而且以更为微妙的方式对之进行了描述以后,仍有越来越多的思想家处于这一立场之内。

- 魏晋的玄学家迈出了朝向本体论的重要步骤。他们将“无”界定为万物的本体。

汤用彤的框架已成为绝大多数超越训诂学和观念学的中国学者的研究范式。他的研究成果在“百家争鸣”时期的前后(1957 年和 1962 年)被重印,此后,中国大陆的哲学研究完全被政治分析取代。③ 20 世纪 80

① 张衡,《玄图》,载严可均,《全上古文》,页 779 上。接下的文字是:“包含道德,构掩乾坤,橐籥元气,禀受无原”。

② 汤用彤,“魏晋玄学流别略论”[1940],载《魏晋玄学论稿》(1957 年),《汤用彤学术论文集》,页 233。

③ 政治性解读的一个例子是侯外庐对玄学的处理,参见《中国思想通史》,卷 3,北京:人民出版社,1957 年。另见汤用彤、任继愈,《魏晋玄学中的社会政治思想略论》,上海:上海人民出版社,1956 年,页 194;以及“汤用彤著译目录”,载汤用彤,《汤用彤学术论文集》,北京:中华书局,1983 年,页 419。按汤用彤先生《魏晋玄学论稿》1957 年版的“小引”,这一在汤用彤、任继愈名下出版的有政治性的魏晋玄学解读,是以汤先生的《玄学与政治理论》的研究稿为基础,“任继愈同志根据原有讲演提纲,用新观点加以研究写成”。此书在编辑《汤用彤全集》时,未被收入《全集》和“汤用彤著译目录”之内。

年代初，这些研究成果再次被重印，而其他一些此前未曾刊印的研究成果也首次刊出（如他草成的玄学与文学之间关系的研究成果）①，自此，一些学者承续了他的基本范式——现在被明确界定为宇宙论向本体论转变的范式，而且他们在许多细节上丰富了这一范式。② 甚至偶尔的批评也没有动摇这一基本范式（如冯友兰 1986 年的批评）；冯辩驳说：王弼等人实际上没有在宇宙论和本体论之间作出如汤用彤所断言的那样明确的区分。③

然而，学者们主要关注的是在这一框架中填加可以找到的而且常常是稀缺的材料，研究玄学的不同方面和流派。我认为还没有学者曾反省这一哲学问题：这里的“本体论”的所指何在，或者对将古希腊的演变框架移到 3 世纪的中国时的种种困境引起重视。

而且，在汤用彤关于的王弼的文章中，也存在着许多问题。

● 汤用彤从他对早期欧洲哲学的研究中提取了从宇宙论到本体论发展的基本历史学框架，在早期欧洲哲学中，这一过程被描述为从前苏格拉底对宇宙终极物的寻求向亚里士多德形而上学的转变。亚里士多德本人曾宣称在他之前的哲学家只是自然哲学家，而他本人是第一个言及存在的。④ 事实上，汤用彤提到过“王氏形上之学”。⑤ 尽管欧洲的历史模式为考察汉魏转变的重要性提供了有趣的、强烈的刺激，但很明显，

---

① 汤用彤，“魏晋玄学和文学理论”，《中国哲学史研究》1:37—45(1980)。

② 参见王葆玹，《正始玄学》，济南：齐鲁书社，1987 年；许抗生等，《魏晋玄学史》，西安：西安师范大学出版社，1989 年；余敦康，《何晏王弼玄学新探》，济南，齐鲁书社，1991 年；王晓毅，《中国文化的清流——正始之音》，北京：中国社会科学出版社，1991 年，以及许多参加 20 世纪 80 年代玄学会议的其他学者。汤用彤的《魏晋玄学论稿》在台北以他的字——汤锡予之名出版。牟宗三（汤用彤的学生之一）接受了中国哲学史的三阶段说：先秦诸子、魏晋玄学和宋明理学，但他没有将汉魏之际的转变概念化。参见牟宗三，《才性与玄理》，台北：学生书局，1985 年。

③ 冯友兰，“魏晋玄学贵无论关于有无的理论”，《北京大学学报》（哲学社会科学版）：1:11—18(1986)。参见陈来的反证，“魏晋玄学的‘有’‘无’范畴新探”，《哲学研究》9:51(1986)。

④ 参见 Wallace，*Outlines of the Philosophy of Aristotle*。汤用彤将其译为“亚里士多德哲学大纲”，《学衡》17—19(1923)，见《汤用彤学术论文集》，页 127。

⑤ 汤用彤，“魏晋玄学流别略论”，页 236。

汤用彤所描述的汉代"Cosmology 或 Cosmogony"——就其强调天人相类以及随之而来的管理人类社会的尝试,与前苏格拉底的原子论者对宇宙终极事物的寻求毫无共同之处。我们可以推断:无论是所面对的问题,还是对这些问题的回答,在亚里士多德的形而上学与玄学思考之间都存在着同样大的差别。

● 汤用彤没有解释他用"Ontology"意指什么,而且他用的中文语汇也没有给出更多的解释。在那个时代发表的研究中,汤用彤没有用过既有的"本体论"一词①,尽管它出现于 20 世纪 40 年代在昆明和伯克利的讲课笔记中(汤一介编)。② 在上引文章中,他的术语系统仍是变动的;例如本体被译为"实体"③或"实在"④,他对"Ontology"的中文解释"留连于存存本本之真",是以《系辞》的话为基础的旧词新用,必须被翻译为"关注使存在者存在,使其根于其根的真"⑤。在完成于 1943 年的另一研究中(到 1957 年才发表),汤用彤还使用了其他语汇,分别以"构成质料"和"本体存在"指"Cosmology"和"Ontology"。⑥ 他给这一语汇的唯一清楚的提示是:魏晋玄学家不再找寻存在者的终极的"外在"生成因,而是探求深植于存在者的存在中的终极原则。尽管汤用彤的范式被学者们泛泛地解释为宇宙论/本体论转变,学术的关注点并没集中在"Ontology"所指为何以及在何种程度上王弼的哲学思考可以适用于这一语汇的问题。

---

① 参唐敬杲,《新文化辞书》,上海:商务印书馆,1931 年,页 707;这一辞书中已有"本体论"的条目。

② 汤用彤在 1942、1943 年在西南联大讲授魏晋玄学的课程。在 1947—1948 年间,他在伯克莱加州大学讲授同一课程。这些讲稿当时没有发表,后来由汤一介从汤用彤本人的笔记和学生的听课笔记中重构。在"崇有玄学与向郭说"中汤用彤明确以"本体论"一词指Ontology,见汤用彤,《理学・佛学・玄学》,北京:北京大学出版社,1991 年,页 345。很可能这一文本依据的是英文本,而且根本没有相应的中文词。

③ 汤用彤,"魏晋玄学流别略论",页 235。

④ 同上文,页 239。

⑤ 同上文,页 233。另见楼宇烈,《王弼集校释》,页 545,《系辞》上。

⑥ 汤用彤,"言意之辨",《魏晋玄学论稿》,页 214。

其他一些与汤用彤的论述没有交流的学者(首先是 A.C. Graham)主张一种语言学上的决定论,断言在这一"本体论"中所有的"有"和"无"等词根本无法讨论本体论问题。他们主张,分别意指"有"和"没有"的"有""无",与"存在"(to be)的语言学结构不相称。① 这一论断不是对实际的哲学资料的深入研究的结果,而是源自对 Lee Whorf 等人提供的论断的一般考察,这些论断即使是在语言学的领域里也并非不可动摇。正如玄学家的许多新的论述策略以及旧词新义表明的那样,他们非常清醒地意识到语言的局限,而且意求找寻新的探索途径。汤用彤本人的方式也同样,他力图用一套新的汉语语汇来表达他的看法和研究结果。

我将给王弼一个开放的场域来呈示他的论辩,而且不会在一开头就基于玄想来决定他能够或不能够说出什么。因此,我将首先试着以能使他本人的声音显露出来的详尽的文献证据,提出王弼哲学思考的逻辑和结构。接下来,我将试着将王弼的思考置入早期中国观念的背景。最后,我将在对现有的王弼玄学的概念化模式的批判性讨论中提出我自己的发现。

王弼对"所以"的探究

王弼以基本上相同的方式开始他对《老子》和《周易》的结构分析。在他看来,《老子》(明确地)和《周易》(含蓄地)讨论的都是唯一重要的问题,即万物之"所以"的必然特征。这一语汇的优点在于,既可以清楚地指明主题,又没有以"实体"和"存在"这类词汇解读中国材料时带来的偏见。

《老子微旨略例》的第一节结束于"无形无名者,万物之宗也"。《周易略例》的第一部分"明象",在开头论述卦象的六爻:"夫众不能治众,治

① Graham,"'Being' in Western Philosophy Compared with Shih/Fei and Yu/Wu in Chinese Philosophy", *Asia Major*, n.s., 7:79—112(1959)。

众者,至寡也;夫动不能制动,制天下之动者,贞夫一者也。”因此,“彖”是“统论一卦之体,明其所由之主者也”①。

通过对这两个文本的分析,王弼设置了一种新的哲学步调。早期哲学家关于存在者的根源和始基做过许多评注,但由于王弼,这成了唯一重要的哲学问题。实际上,他通过这两个文本对这一问题的讨论表明,这个问题一直以来都是唯一重要的问题;它是圣人及仅次于他的老子思考的核心,但他们的洞见已被淹没在各家宗派性的意见中。

他的探寻的特定步调是开放性的。王弼没有假定一种万物的绝对始基,然后推演出一套宇宙论或本体论。他的探究是归纳性的,追问的是万物之“所以”的“必然”特征。在他的著作中,“所以”既不是通过启示、神密的领会和习俗来界定的,也不是政府的正统所强加的。因此,有关“所以”的本质特征的问题是开放性的。这一在核心的极端开放性标志着中国哲学史上的一个革命性的转折点。年轻且带着蔑视偶像的骄傲的王弼,在一个溃乱的王朝及其同样溃乱的世界观的碎片中一个枢纽的时刻降生,并利用这一短暂的喘息时机探索一种推论性哲学,这种哲学依靠论辩而非智慧的权威或教师的地位来为自己辩护。此类两种世界秩序之间的喘息时机的瞬间是罕见的。它们与某种挑战传统观念学的刻板直线性的思想和艺术的活力一起脉动。王弼那一代人(首先是他本人)的努力,使得哲学成为一种学术的事业;对此最恰当的词莫过于“论”。②

然而,这里有一个悖论。难道王弼以及其他正始时代的哲学家在不用常常意在证明经典的“论”的时候,使用的不正是对经典著作的注释形

① 王弼,《周易略例》,载楼宇烈,《王弼集校释》,页591。

② 一般将“论”理解为名词“论文”或动词“讨论”。二者都暗示了一种不属于它的意义的一部分的开放性。它的核心意义在法律术语中有最恰当的表现,在那里,它的意思是“将某种行为纳入既有的法律下并给出评判”。刘勰曰:“原夫论之为体,所以辨正然否”,《文心雕龙义证》,页696。

式吗?[①] 然而,在王弼的著作中,经典(包括《老子》)并没有固有的权威。它们的权威源于这一事实:它们都在或隐或显地处理那唯一的哲学问题——万物之“所以”的诸特征;而且它们的洞见,无论是公开阐述的还是隐含的,都可以由以注释和论为形式的推论性哲学证明为可论证的真。以这种方式,它们证实了这些文本是由圣人(或仅次于圣人的贤者)撰写的这一传说。《老子》、《论语》和《周易》的共同的哲学焦点以及三者的特殊洞见,已经迷失于各种哲学流派有失审慎的探求中,这些学派甚至缺乏对没有偏见的开放性的向往。

因此,向推论性哲学的革命性转向就作为这一诉求出现:重新发现传世的神圣文本中最为重要同时又被最深地遗忘了的东西。这一诉求在被归给选定的“经典”文本的作者的身份中、在王弼对作为解释性而非探索性文体的注释和论的从属形式的选择中、在他对这两种文体的实际使用中(用它们来发现长期以来通过琐碎化、神密化、宗派化和去语境化而被从哲学记述中删除的句子后面隐藏的哲学论辩和逻辑)变得明确起来。因此,选定的文本(这一选择的确出自王弼的嗜好)就获得了新的权威和生命力,但其中的共识已经在根本上改变了。它们不再能声称包含所有重要原则和洞见的先天的权威,也不再能让读者承担服从和理解其真理的负担。它们的新权威与传承下来的权威不同,是由某种条件赋予的。这一权威与它们逐句的说服能力关联在一起。

这样,王弼的论和注释就要完成两项工作:它们阐明或澄清文本隐含或道出的东西,然后呈示它的哲学逻辑和真理。这具有双重效果:证明它们的哲学观点以及将它们重新纳入有资格拥有源自从前圣哲的权威的哲学文本当中。对它们的可信度的检审的结果是,它们的权威在实际上被动摇了,但又在某个更高的层次上重建起来。孔子作为圣人出现,他之所以拥有圣人的名号,不是由于他的学生对老师的尊重,而是由

---

① 可能是受到佛教“经”、“论”区分的影响,指出“论”是“述经叙理”,《文心雕龙义证》,页665。

于他的哲学活动表明他是“体无”者;老子是作为仅次于他的人出现的。

万物之“所以”不会向经验性探寻呈现自身,因此,不能以传统的语言工具来讨论。由于述作这些文本的圣哲意识到了语言的局限性,所以,这些文本转向各种间接的文字和结构的表达形式,以超越直接的道说扩展语言的能力。因此,它们是难以理解的。由于它们的探究对象的不可捉摸以及它们的语言方式的(有意识的)间接性,它们的对象及意义会被遗忘就没什么奇怪的了。

王弼本人对这些文本的解读的结论是:它们的作者是作为罕见的世界事件的圣人(或准圣人)。因此,他们的文本不只是某个过往时代的珍藏的遗产,而是稀有的、精微的而且被忽忘了的宝藏。事实上,只有穿越这些文本的语言迷宫,才可以获得它们的作者所达到的对“所以”的独到洞见。解开这些文本的意义成了通达那唯一重要的哲学问题的唯一通道。对《周易》、《老子》和《论语》的严肃而精审的文本分析就成了新的推论性哲学唯一可能的媒介。这一新的推论性哲学的学术开放精神,在王弼的语言学上的开放性以及文本分析的精审中找到了直接的表达。

王弼的立场

王弼并没有让自己局限于在注释中一行行地追随文本,他还撰写了对《周易》和《老子》的结构分析。他所注释的三个文本都有一个彼此之间无甚关联的独立短章间的松散结构。它们不是系统的阐释。在《周易略例》和《老子微旨略例》中,王弼随意地引用相应的文本,并将这些引文插入到着眼于其沉默结构的潜文本的系统阐述中,但即使单个的注释也穿破了环绕着每一意义单位的围墙。正如前面呈示的那样,这些注释从所涉文本(它们含蓄提及或明确引用的其他文本)中为某种解读的可能性寻获分析的策略和标准。在这一过程中,这些注释在所涉文本的不同部分以及王弼注释过的不同文本间建立起了一个厚实的哲学、隐喻和术语关联的网络。这些关联在给定的文本内部创生并唤起了某种文本同一性，这一同一性又在王弼的《略例》(对作为整体的文本统一的哲学意义的结构分析和阐述)写作中找到了它最极端的表达。这些关联还创生出这些文本之间的哲学同一性，它使得王弼得以发现它们相同的主题和立场。①

这一结果不是自然而然的，而是特定的分析策略的产物。对于我们来说，了解这些策略是至关重要的，因为它们在某种构建《老子》的行为中呈显了王弼，并告诉我们他本人的、与《老子》不同的步调。

为了行文的方便，我将以对《老子微旨略例》的引言性文句的详尽分析开始，以之来展开将在后面得到验证的第一组假设：

夫

物之所以生，	功之所以成，
必生乎无形，	由乎无名。

无形无名者，万物之宗也。

不温不凉，	不宫不商。
	听之不可得而闻，
视之不可得而彰，	
体之不可得而知，	
	味之不可得而尝。

故

其为物也则混成，	
为象也则无形，	
	为音也则希声，
	为味也则无呈。

故能为品物之宗主，包通

① 参见本书第一编第四章。

天地，靡使不经也。[1][2]

这一3世纪最重要的哲学论文的令人震惊的开头值得认真审视。

首先，王弼的分析的入手处不是某一文本的“必然”特征，而是物质性的物和非物质性的功的“所以”的“必然”特征。换言之，他对《老子》的分析的入手处是关于万物及其“所以”之间关系的逻辑必然性的假设。他断言，它们共同的“所以”必然缺失所有具体的特性，即形和名。通过将这一无形无名的“所以”同《老子》中的“万物之宗”等同起来，他断言这一分析的“必然”结论已经包含在《老子》中了。《老子》没有限制自己论及这一“宗”和“主”；在这一假设的证明中，王弼又一次在《老子》中辨识出强制性的论断，即“所以”是感官无法达到的这一发现。《周易略例》的开头重复了这一结构，并强化了我们的论辩。我们假定《老子》在王弼那里的权威，基于《老子》对万物之“所以”的必然特征的深入理解。

其次，“所以”与万物的关系处于王弼哲学探究的核心。万物的特征(即形和名)是感官和直接认识可以达到的，而“所以”的特征则不能，王弼从万物的可证实的结构推论出万物之“所以”的特征必定是怎样的。因此，他的方法是归纳的。他不是从假设的最高范畴如太极、道或阴阳演绎出万物的结构和变化。他不是以《老子》、《庄子》或《文子》的方式简单地道说和阐明，而不进一步证明他的洞见。而且他没有将《老子》的文句当做拥有这样不可置疑的权威的文本：注释者的工作被贬降为或是阐明它们的意义，如《文子》、《韩非子》和《淮南子》所做的那样，或是将它们转译为对道徒行为的命令性指南，如想尔注那样。

第三，王弼使用了逻辑必然性的概念，在第一句话中用“必”这个词表达出来。在上引文段之后，王弼检讨了相反的例子。如果“所以”具有特殊性会怎样？“若温也则不能凉矣，宫也则不能商矣”。因此，“必”的

---

① 《老子微旨例略》，1.1。

② 译者按：此文的译文前面已经引证过，另请参考本书第二编对《老子微旨略例》的翻译。

对立面是“不能”。《周易略例》的开头重复了这一概念。

夫象者，何也？统论一卦之体，明其所由之主者也。

夫众不能治众，治众者，至寡者也；	夫动不能制动，制天下之动者，贞夫一者也。①

故

众之所以得咸存者，主必致一也。	动之所以得咸运者，原必无二也。②

在哲学上，这一逻辑必然性的观念将读者的理性建立在与作者平等的地位上。作者不能引证经典中的先例或孔子的话作为他的论述的真理性的合法证明，而是把他的论辩呈交给某个有较高教养的、无虔敬态度且老到审慎的隐含读者的理性的审视。如果作者能证明他的命题，读者就会被说服；反之，则不会。在此过程中，读者也处于压力之下。他必须乐于抛开任何此前形成的观念，只要这里提出的论辩具有逻辑的说服力。在对“所以”的共同追寻中，在文本与读者之间的哲学对话中，声称遵循任何传统、学派或权威都是不合法的。

逻辑必然性这一重型武器不是王弼的日常分析工具。它只是在一个关键的时刻被引入的。“所以”的特征只有通过以可感知的存在者为基础的归纳才能发现。为了让这一归纳从推测的任意性或直接启示的需求中摆脱出来，此种“尽管它不能在其自身得到证实，但在可证实的材料的基础上可以确定它‘必’是如此”的逻辑推论工具被引入进来；结论是通过对相反的那种“如果是与推论的假设相反的情况，那么它就‘不能’如此”的验证来证实的。王弼的归纳是由证明的逻辑方法引导的。

在社会学上，这反映了作为一种思想上的盲从力量的师法和家法的

---

① 见《周易引得》，《系辞》下；楼宇烈，《王弼集校释》，页556。

②《王弼集校释》，页591。

消亡。正如卢盛江指出的那样[①]，这一消亡开始于2世纪初大型私家学院（常有超过千名学生）为太学而产生的竞争。学者们在没有老师指导的情况下对出自不同传统的文本的阅读为课程带来极大的多样性。到了2世纪末，马融不仅阅读并评注了所有经典，而且阅读"百家"之书，并评注了《老子》。汉代的终结引生了已经越来越弱的教育权威的终结。王弼本人就公开地与那些思想倾向由其学派渊源预先决定的士人争论。在一种彻底的廓清中，他在《老子微旨略例》中斥责了所有的思想流派，因为它们都受缚于预设的观念，结果它们也都错失了《老子》的主旨。[②]对于个人的批评也不是没有。王肃就是典型的例子。作为郑玄的学生，他转而反对他的老师，并撰写了一本专门批评郑氏的错误看法的著述。[③]王弼追随着王肃的足迹；但王肃批评的是郑玄的具体解释，而王弼则是讽刺郑玄的基本立场以及他解读《周易》的方法。[④] 这一不虔敬引起的公众的震撼在刘义庆《幽明录》中传下的一则故事中仍能感受到，在此故事里，郑玄的鬼魂被年轻的王弼的不虔敬所激怒，闯进他的书房抱怨他。结果，王弼第二天就死了，这是解释引致危险的例子。[⑤]

然而，在正始时代著名的士人中间，向优越的论辩倾服是恰当的态度。我们在前面曾描述过何晏在王弼面前优雅的退让。[⑥]

在思想上，这表明了批判精神的增强，这一趋向在王充（27—97年）、王符（约76—156年）和仲长统（179—220年）等人的著作中可以找到极好的文献支持，他们依据可能性、一贯性的标准来检验思想观点，并依据道德标准检验社会实践。在所有例证中，日益成长的、不虔敬的"合理主

① 卢盛江，"汉魏学风的演变与玄学的产生"，《南开文学研究》，1987年，页92。另见金春峰，《汉代思想史》，北京：中国社会科学出版社，1987年，页559。

②《老子微旨例略》，2.45；参见本书第二编。

③ 关于王肃的《圣证论》，参见《三国志》，页419。

④ 参见王弼，《周易略例》"明象"，载楼宇烈，《王弼集校释》，页609；其中王弼斥责的是郑玄的解释。

⑤ 刘义庆，《幽明录》，北京：文化艺术出版社，1988年，页114。参见本书第一编第一章。

⑥ 参见本书第一编第一章。

义"(加贺荣治)①或"义理学"(王葆玹)②,与对学究气的、传统的观点的讽刺一道流行起来。的确,在这一立场中有某种傲慢和轻率(这在当时已经引起注意),但它对哲学做了有益的事情。尽管王弼延续的是始于几代之前的理性批判的传统,但这位《老子微旨略例》的作者走得更远。在对万物之"所以"的无成见的追寻中,他赋予读者某种核心的作用。王弼平等地与怀疑的、不信赖的读者论辩,用他的富于说服力的逻辑征服了他们;而且由于他注释并撰写结构分析的文本,由于他的努力的焦点,他得以免于理性的肤浅。

第四,在王弼手中的《老子》(或《周易》)与他的注释之间没有线性的关系。我们前面已经提到了两点:跨越《老子》各章边界的种种关联的展开,以及关于各独立文本的写作(即《周易略例》和《老子微旨略例》),尽管大量引用《老子》和《周易》,但王弼本人在写作中设定了自己的论辩步调。对上引《老子微旨略例》的引言中此类引文的分析,将显明王弼建立他自己的步调的方式。

在《老子微旨略例》中,王弼的第一个命题最终将"所以"的无形无名与《老子》的"万物之宗"等同起来。这一指涉宣称《老子》已经包含了第一个命题中所问问题的答案。然而,《老子》中没有将"万物之宗"与"无形无名"关联起来的论述。第一个命题是一个恰当的例子。《老子》4.1为:"道冲而用之又不盈,渊兮似万物之宗。""万物之宗"是"道"的一个含糊的、暂时性的名号,与王弼"必"的严谨逻辑相去甚远。《老子》明确主张"道"的"无名"。《老子》第32章首句曰"道常无名"。《老子》41.15又说"道隐无名"。因此,"所以"的两个特征之一[无名]就明确出现于《老子》,但《老子》中并不包含"道无形无名"这样直接的陈述。对于无形,王弼引《老子》41.14以为支持:"大象无形"。这一论述出现在一系列内容

① 加贺荣治,"中國の合理主義に關する一考察——魏晉における天人合一觀を中心として",漢文教室56:1—9、57:1—10(1961)。

②《正始玄学》,页277。

相似的平行句子(如“大音希声”)的最后,随后是总结性的陈述:“道隐无名,夫唯道善贷且善成。”(译为:“道隐藏而且无名。[然而],事实上,只有道善于给予、善于成就。”)王弼对此句注释道:

> 凡此诸大,皆是道之所成也。在象则为大象,而大象无形。

这样,“大象”成了道的另一个名称,它的属性可以转加于道。在“无形”这一理论范畴下,王弼还融摄了许多《老子》中表现模糊性的用词。①

总之,王弼主张这些“大”的东西超越了大与小的对立,它们绝对的“大”实际上就是道本身;而且在这一绝对的“大”中,它们是不可测度的;就大象来说,它是“无形”的。他的隐含的论辩(主张对“所以”的无形无名的归纳可以在《老子》的论述中找到)的证据出自三个地方(第4、第32和第41章),其中一例只是通过王弼将大象等同于道才建立起来的。这一过程中没有明显的阐释暴力,王弼谨慎地驻足于合理性的范围内。而且,在王弼的论辩的语境里,《老子》的个别要素被赋予了王弼《老子》文本表面缺失的系统分析的氛围。我们假设王弼重新安排了《老子》(及其他文本)的分散要素,将其纳入到一个系统论辩的整体当中。我们将用紧接在第一个命题之后的段落,来检验这一假设。

王弼在此主张,万物之“所以”不能有任何特殊属性。因此,能够察知特殊属性的感官将无从附着。在他的论述中,这些感官被分入一个二元的结构:以“视”和“体”察知物的形,以“听”和“味”察知功或事的名。为了证明《老子》中已经包含了这一洞见,王弼从三个不同的分章中引用了《老子》的四个陈述。应该注意的是:这里王弼或《老子》究竟是在正面谈及某物的“有形”,还是否定性地谈及某物的“无形”,这无关宏旨,只要他们在说及“形”就够了。其中没有一个呈显出王弼在其中引用它们的那一系统。《老子》35.3:“道之出言,淡兮其无味也,视之不足见,听之不足闻,用之不可既。”(译为:“关于道的言辞淡而无味,看它,它没什么值

① 王弼《老子》21.3,25.2和55.6注。另见本书第一编第五章。

得看的；听它，它也没什么值得听的；而运用它，又不可能穷尽它。”）在这一段落中，有三种而非四种感官——味、视和听；最后一项“用”不指任何感官，它表明此处的文本无意于系统地罗列所有感官。

在《老子》14.1 中，给出了另一个不可能知觉道的感官知觉的系列，这一次包括了视、听和体（搏）。在《老子》41.14—15，以与听相关的“大音”和与视相关的“大象”给出了一个对子。最后这一对子极好地应和王弼的二元结构。王弼将一系列甚至在风格上不相配合的单个的《老子》文句安排进一个统一的、系统的二元序列。在这一同一化过程中，骈体的严格规则甚至迫使他放弃了逐字引文，而重新加以表述。他在《老子微旨略例》中谈及“所以”的“无呈”（即“无味”）时，为了应和“混成”、“无形”、“希声”这三个双字的名称，放弃了《老子》35.3“道之出言，淡兮其无味”中的“淡”。这里需要的是关于道固有的淡而无味的双字陈述；由于没有找到这一表达，王弼补足了这一结构。还有其他的段落有相同的情况。[①] 在此我们看到一种动力在发挥作用：由于对《老子》的洞见的极度关注，王弼对于将其中分散的思想火花纳入一种高度结构化的、论辩充分的模式并无不安。在文本处理的层面上，这一做法反映了一种重要的转向，即朝向一种系统哲学的转向。

存在者的二元结构组织

物与功：其特征及其感知

王弼的关注点不在于考察万物的全貌，勾画它们的分类、关系和变化过程。而且，由于他的探究对象是本身玄奥难知的万物之“所以”，他在这一探究中只能通过对可知的存在者的固有规律和结构的目标明确的分析来展开。《老子微旨略例》和《周易略例》的开头又一次为我们提

---

① 《老子微旨略例》；参见本书第二编。

供了关键的证据。在研究王弼之前的某些思想发展之前，我们将首先呈示他本人的思考的内在逻辑。

在《老子微旨略例》的开头，万物出现在两个类别，即“物”和“功”之中。前者指物理性的对象，如“四象”或“五物”(可能是指五谷)①，其中也包括生物和物质财富。② “功”通常被称作“事”③，这个词也用于政府事务，在这里是指人类世界中非物质存在者的类别，如行动、过程或社会声望。处理君臣、父子、夫妇、昆弟之间关系的“五教”，就属于这类“事”。在其中一段里，王弼使用了“万物万事”这一更老的词汇。④

由于这两个范畴共同构成了“万物”，它们常常像上面那样以链体结构出现。在王弼对《老子》1.1 的注释中，它们表现在“指事造形”这一句中。在《老子》5.4 注中，物与事又一次作为存在的整体出现。在《老子》29.4 注中，《老子》本文中单个的“物”字被扩展为“物事”。王弼还以物/事这一对子作为《老子》47.1 注的开始：“事有宗而物有主”。从《老子注》和《老子微旨略例》中，我们看到万物被分为两个子类别，其特性分别由“形”和“名”来界定。

《周易略例》的开头重复了这一论辩结构，但用词上有所变化。在那里，王弼谈到的是“众”和“动”而非“物”和“事”。“众”不能控制“众”，本身处于运动的东西不能控制他者的众多运动。控制“众”的必然是“一”；控制“动”的必然是“静”。在此，无形无名的“万物之宗”与“物”“事”之间的关系在“一”与“众”、“静”与“动”的关系中再次出现。在《老子》16.2 注

① 《老子微旨略例》，1.34。其中，“天生五物”，强调物与天的联系；“圣行五教”，强调事与圣人的联系。参见本书第二编。

② 在《老子》10.2 注中，“物全而性得”这一表达中的“物”主要是人类。10.6 注中“物化”也同样。而 13.6 注“无物可以损其身”，则指人和动物。24.1 注中指人类。第 24 章最后一句中的“物”，似乎只是指“他人”。

③ 在《老子》17.7“功成事遂”中所用的这两个词几乎同义，尽管“功”在绝大多数先秦的用法中是指成功的事。

④ 《老子》38.2 注；参见本书第二编。这些词的意义依赖于它们在等级中的位置。因此，这一对子中的“万物”只是《老子微旨略例》开头包有“事”和“物”的“万物”的子部分。

中，王弼使用了另一对万物的子类别，即“有”和“动”，分别指物质性的存在者以及运动。

王弼对待《周易》显然与《老子》不同。《周易》被读作圣人有意识建构的一种象征的结构[①]，它的特征可以当做现实的范畴来用。王弼的论述与《周易》这一象征结构直接相联。《易》卦有六爻，但其中的一爻往往决定了整体的倾向，这一爻在各爻的爻辞之前的彖辞中得到了描述。王弼关于“一”与“众”的论述断言：《周易》一爻控制众爻的结构实际上是关于一与众关系的隐含的哲学论述。“动”指《系辞》中提到的“六爻之动”，它处理的是变化。这些“动”有某种圣人可以观察到的“会通”。[②]

王弼对这一二元结构的建构有大量的呼应，在这方面，没有分割《周易》和《老子》的边界。[③] 尽管术语上有所变化，在达到一种清晰界定的术语系统的企图下，王弼将各种语言材料内聚到这些二元范畴中。

为什么物和事构成了整体分划于其中的两个范畴？王弼将这一分划立基于它们根本不同的特性之上。物由形来界定，事由名来界定。王弼在《老子》38.2注的结尾写道：

---

①《周易》，《系辞》上。

②《周易》，《系辞》上。应该注意的是，在王弼自己的解读中，以某一爻为主的在六十四卦中只有二十三处，一旦文本的基础看上去不同，他不会强加这一论断；参见王晓毅，《中国文化的清流》，页193。

③《老子》26.1“重为轻根，静为躁君”，王弼对此注曰：“凡物，轻不能载重，小不能镇大，不行者使行，不动者制动”。同样，王弼对“恒卦”第六爻注曰，“静为躁君，安为动主”，见楼宇烈，《王弼集校释》，页380。在对《老子》47.1“不出户，以知天下；不窥牖，以知天道”，王弼注曰：“事有宗而物有主”，将《老子》的多样的术语系统化约为标准的术语。这一陈述在49.5注中以相反的术语重现：“物有其宗，事有其主”。王弼自己也在其他场合自觉地运用这个词。在不同的地方，术语还是有细微的变化。在4.1注中，他说：“形虽大，不能累其体；事虽殷，不能充其量”。这里是形与事而非形与名并置。在《老子》6.1中，“谷神”被描述为玄牝。王弼将二者读作彼此丰富的象征性表达。他将“谷神”解释为“谷中央无谷者也”；“谷以之成而不见其形”，因此它是“玄”或不可见的。“牝”这个词引出了谷的社会地位——处卑。“处卑而不可得名”。在《老子》38.2注中，王弼指出理想的统治者，“用不以形，御不以名”。在前面的句子对中，王弼引入了后面两句所指的“万事”和“万物”的概念。相同的对子在同一注释中被进一步重复。

名则所有分，	形则有所止。
虽极其大，必有不周；	虽盛其美，必有患忧。[①]

译为：

	那么，对名而言，会 有让其特殊化的东西；
对形而言，会有限制 它的东西。即使穷尽 其大，也有东西不能 包纳；	
	名虽然美到极端，必 会有忧患之处。

我们必须从它们使用的上下文来推断这些词的意义。

这两个词都是大的范畴。形包括象，名包括声。[②] 正如我们将要看到的，事和物是很古老的对子，形和声也同样。后者的根本区别基于它们不同的认知模式。王弼将形与视和体关联起来，将名与听和味关联起来，名与味的关联是由于《老子》"道之出言，淡兮无味"的陈述。形是可见的和物质性的，名是可以听、可以道说的。由此，我们得到了如下存在者自身的组织、它们的特性以及对其感知的模式：

存在者	物	事
特性	形	名
感觉	视、体	听、味

上述结构安排反映了《老子微旨略例》开头的论辩的链体风格论述的修辞安排。这一安排包含另一命题：物和事两边的内在结构是严格平

① 王弼《老子》38.2 注。
② 参见《老子微旨略例》1.8,8,15,18,20,23,26,29 和 32 章，其中的"名"被指为"声"。

行的，尽管它们在根本上是相对的。它们结构的平行基于它们的共同要素，即它们都具有特殊属性。王弼在《老子微旨略例》中写道："形必有所分，声必有所属。"这一特性使得它们可以被认知。在这一平行的基础上，可以对它们共同奠基其上的无形无名的"所以"作出陈述。通过内裂式的注释技巧，王弼将《老子》中的大量书面语词合并为单一的"无形无名"，它成为王弼《老子注》中道的标准名称。①

在中国哲学发展的语境中，《老子微旨略例》开头的这一系统是全新的发明。它是以这一能力为标志的：在可验证标准的基础上组织哲学概念，在平行的串系中关联存在者、它们可辨识的特征以及特定的认知工具——所有这些都极为简约地从属于发现"所以"的必然特征这一最终目标。只要在王弼运思其中的哲学思考语境中解读它们，那么在王弼所致力的这一边界领域中，他的革新的分析力量就变得更加明显。我下面将转向对这一语境的概括，当然是在与上述问题相关的范围内。

物与事的前史

王弼并没有创造这里使用的语词对中的任何一者，只是最早将它们整合进一个逻辑一贯的系统。将存在者领域分为物和事两大类不是某种特定哲学家工作的结果，而是出自语言本身的沉默秩序。② 物/事这一语词对似乎已经单独进入日常话语，如"万物"、"万事（或百事）"以及相当多数字性（百姓、百兽）或成对的语词（天地），它们都指示一个给定的整体。

---

①《老子》1.2，14.5 注；关于圣人对这一模式的仿效，参见 55.1 注。

② 戴密微，"Langue et literature chinoises"，*Annuaire du College de France* 47：152（1947），重刊于，*Choix d'Etudes Sinologiques*（1920—1970），页 50；其中最早提到了将存在者分为事与物的模式。尽管我总体上同意他的翻译，但我没有看到《礼记》中出现过这个对子。

“万物”和“万事”是这一组词语的相对较早的成员。[①] 尽管没有在西周的金文中找到，也没有被列入 Schuessler 英文版的《西周汉语辞典》，“万物”一词却频繁地出现于《庄子》、《管子》、《彖辞》、《序卦》、《老子》以及其他有哲学抱负的文本中。“万事”可以在《墨子》、《管子》和《礼记》中找到。“万事”也以“百事”这一形式出现，这显然是受到了《逸周书》、《左传》和《周礼》中的百官的影响，它在《墨子》中偶然出现过一次。[②] 这一词汇常作为其他具有相同秩序的数字词的系列之一，这表明它包含所有的事，但只是存在者的一部分。在《管子》和《荀子》中“事物”(意为属于事与物两个类别的东西)一词也偶有出现，这个词汇在现代汉语和日语中仍然存在。在这些用法里，事和物不是以上面呈示的方式用作论辩性和结构性的修辞手段。

这些陈述没有给出究竟什么算作万事和万物的明确解释。然而，百事具有各种政府事务的传统意义；而经常用在万物上的生育术语，如“生”，保留了“物”实际上通常指生物的记忆。例如，《老子》5.1 描述了天地对待万物的态度，与圣人对待百姓的态度相同。这似乎表明了自然与社会相对的观念，以万物指各种生物(关注的是它们的自然和生理存在)，而百姓则指与社会生活相关的品类。在类似的语脉里，《序卦》说：“有天地然后万物生焉，盈天地之间者唯万物”。因此，万物/万事这一对子就创始于两种相关的事类(生物和政府事务)在其中被关注的治理视角，并且发展为一个更抽象的万物概念，最终达到王弼在《老子微旨略例》中所用的那种完全抽象的意义——在那里，它指所有存在者，无论是

---

① Christoph Harbsmeier 指出“万物”中的“物”是指“物类”，而非“物”。因此，万物不是指无尽多样的个体事物或存在，而是指事物或存在者的总类。《系辞》上为这一命题提供了证据：“二篇之策，万有一千五百二十，当万物之数也”。显然，《系辞》不是假定个体事物的总数是11520，而是说它们有这么多的类。

②《逸周书逐字索引》，香港：商务印书馆，1992，29/13/2；对于《左传》，参见《春秋经传引得》，台北：正文，1966 年，170/文 18/9，384/昭 13/5；对于《周礼》，参见《周礼逐字索引》，香港：商务印书馆，1.28/11/8。对于《墨子》，参见《墨子引得》，43/27/37。

由形还是由名界定的。

《文子》是我可以找到的将万物和百事并置于平行的句子中、共同指示存在者整体的最早著作；它们由此成为一套现实的二元结构的部分，其他的语词还有阴阳和天地。《文子》写道："万物之总皆阅一孔，百事之根皆出一门。"这类陈述的平行结构的深层观念是，两个平行系列共同构成一个整体。在这种意义上，此句中的事和物就指存在者整体的两"半"。在这一句的解释中，《文子》写道："万物不得不生，百事不得不成。"而且再一次用这一对子加以总结："万物有所生而[真人]独如其根，百事有所出而[真人]独守其门。"①

在类似的意义上，《文子》在描述圣人如何优游于道之后写道："如此，则万物之化无不偶，百事之变无不应也。"②

《淮南子》使用了《文子》中的许多句子，但加入它自己的一句，其中也使用了平行结构，而且这一陈述明确提到了两部分的共同结构及其统一的根基。③ 包含许多先秦资料的《说苑·谈丛》收入了一句格言："万物得其本者生，百事得其道者成。"④这一对子也出现于马王堆文本的《道原》篇的开头。

从上述引文可知，万物和万事是处理它们统一根基的论辩性修辞手法的部分；拥有对这一世界结构的洞见的圣人或真人将持守这一根基，作为处理所有事物的方法。这两个词不是出现于对每一组的特殊属性的详尽讨论的开头，而是在结尾出现的。

这一论辩性修辞手法的实际内容一部分是言语化的，另一部分则深

---

① 李定生、徐慧君，《文子要诠》，上海：复旦大学出版社，1988年，页42。令人愤慨的是，刘殿爵的《文子》版本，《文子逐字索引》，将最后一句中的"如"写作"知"，并在括号中加入"守"字作为修订。没有版本支持这一读法，而刘又没有标明这只是一种猜测。显然，这是从《淮南子逐字索引》中转来的读法，香港：商务印书馆，1992，1/4/25/。

② 李定生、徐慧君，《文子要诠》，页82。

③《淮南子逐字索引》，2.13.12。

④《说苑逐字索引》，16.36/126/1。

植于王弼的第一个命题的平行结构。言语化的形式为二者建立了一般性的规则。没有任何一个领域是随意安排的。在本质和附属的要素之间,物具有一种空间的等级;事则具有一种在其中展开的时间次序。由两个句子的平行带来的沉默的论述是,二者共同构成一个存在者的完整的整体,而且它们相对的结构在本质上是相类的,因此,有关两个部分及其根基以及这一根基与这些部分之间关系的论述是可能的。

在这一概念等级中,"万物"出现在两个不同的位置(首先是作为存在者的整体,其次作为这一整体的一部分)的尴尬处境,在《文子》的一种少见的用法以及《大学》的著名句子"物有本末、事有终始"中被消除了。[①] 在子类别中,数字被省略了,因此,"万物"仍可以继续发挥作为整体的作用。这一用法为王弼所采纳。

然而,王弼撰写了《老子》的注释。在《老子》中这一对子的基础何在？尽管"万物"一词出现于《老子》,但此处讨论的物/事这一对子却没有在文本表面出现过。然而,王弼在《老子》的许多标准句子中发现这一对子的基础网络。在《老子》第38章注中,王弼写道:

故苟得其为功之母,则

万物作焉而不辞也,　　　　万事存焉而不劳也。[②]

句子开头的"故"通常引出《老子》的引文,以证明《老子》包含王弼论断的结论的核心。然而,这里似乎只有涉及"万物"的引文。出于对称的要求,王弼添加了第二个句子。通过与万事的并置,这里的万物显然只是存在者的一部分,即前面描述过的物。按王弼对《老子》34.2的读法,"万物恃之而生而不辞,功成而不居",这意思是:

① 李定生、徐慧君,《文子要诠》,127.3。事物被用于存在者的两个主要范畴,在先秦文本如《管子》和《荀子》中均有出现。关于《大学》,参见《礼记逐字索引》,香港:商务印书馆,1992年,43.1/164/25。

② 参见本书第二编。

> 万物依赖于它[道]而得生，但它并没有任何辞令。事功都[经由它]才成就，但它却不居功。

这一部分不是以链体风格写成的，两个陈述之间的平行是相当薄弱的，包含“生而不辞”和结尾的“成而不居”；但“万物”和“功”之间没有形式上的偶对。基于这一薄弱的平行，王弼创造了一个与对“万物”的处理相似的涉及“万事”的句子。我们看到，在将智慧的洞见转译为一种系统的论辩的努力中，王弼不仅将出自《老子》不同地方的要素重新组合为一个统一的系统，而且在许多场合下不会被他本人的术语系统与《老子》的术语系统之间表面上的差异扰乱。在他本人的语言中，万物是所有存在者，可以细分为物和功。基于对《老子》的文风和内容的审慎解读，他在这一注释里，将引文中的《老子》语汇“功”同化为“万事”来匹配“万物”，这样，他就将自己的术语系统中的物和事分派给万物和万事。

而且，许多以链体风格写成的《老子》分章似乎都是由这一对子结构的。例如，在《老子》第44章中，名(社会声望)和货(物质财富)这两个概念被并置起来。在那里，它们被与另一对子——社会地位(名)和生理存在(身)关联在一起。后一对子也出现在《老子》7.2中，它讨论的是社会性的“先”和生理性的“存”。《老子》第3章通过“尚贤”和“贵难得之货”这一对子展开；第26章由圣人的“宴处超然”与“不离辎重”结构而成，一个再次重复事/物主题的对子。最后，事/物和形/名的二元结构在王弼对《老子》第1章前两句的解读中得到阐述。

事/物这一对子具有相当大的分析潜能。然而，在上面概括的用法中，它没有被转变成一个经明确界定的哲学语汇。无论是存在者的结构，还是它的特定标准，都没有得到讨论。为此，王弼转向了《系辞》中的一个论述，这一论述将无限多样的存在者的秩序归于圣人的创造，它是《周易略例》的开头论述的基础。《系辞》写道：

> 圣人有以见天下之赜，而拟诸其形容，象其物宜，是故谓之象。

> 圣人有以见天下之动，而观其会通，以得其典礼。系辞焉以断其吉凶，是故谓之爻。①

我们没有王弼的《系辞》注。第一句话"圣人有以见天下之赜"的"赜"字的读法并不明确。它的通常定义是"神秘的"。然而，这个词与"圣人有以见天下之动"的"动"字平行，而从进一步的上下文看，它在此一定是指有形的物的"众"多。在《周易略例》中，"动"和"众"就构成了一个对子："夫众不能治众，治众者，至寡者也。动不能制动，制动者，贞夫一者也。"②

《系辞》的段落是重要的。它将存在者的混乱众多以及关系和运动的复杂性看作一个哲学问题，将它的解决归给圣人。从存在者的令人眩目的多样性中发现它们的范畴和类别，通过《周易》的结构来表象它们，并设置了众/动这一基本对子，这是圣人的功绩。尽管事/物这一对子的关联没有出现于此。

因此，在存在者结构的层面上，王弼做了如下几个方面：

● 使用先秦政治话语中的共同语言对——万物/百事；

● 去除了它的数词特征，使之从属于单一的标目——万物，这个词最初指各种动物，在王弼那里被改造为指涉"所有存在者"的抽象概念；

● 将《系辞》中关于圣人对"赜"和"动"这两个领域的发现及象征性地表象与事/物这一对子关联起来："赜"[=众]与物相联，动与事相联；

● 根据他本人的《周易注》和《老子注》的文本分析证明了他的构造的合理性，它表明这一结构是《老子》的论辩和《周易》的文本组织的基础。

总之，前面给出的结构的上半部分将早期文本中的多样化和难以系统化的语言惯习综合进一个逻辑一贯的、论辩性的结构。王弼似乎是最

---

①《周易》，《系辞》上。

② 王弼，《周易略例》，见《王弼集校释》，页591。

早明确地建立了"万物:物/事"这一模式,并将《老子》以及其他文本中传下的术语系统转译进这一模式中的人。

圣人平平道出的东西,在王弼那里又一次成为一个详细阐述的论辩性结构。在《庄子·渔父篇》中,正是孔子这样说道:

且道者万物之所由也。

庶物失之者死,得之者生;　　为事逆之则败,顺之则成。①

这里我们找到了(似乎是第一次)被安置在恰当的等级中的所有核心要素。Graham 将此篇算作公元前 3 世纪末的《庄子》篇章中的一篇。②

在王弼的系统中,物是由它们的形界定的,而事则由名来界定。形名这一对子早在王弼之前就已经明确建立起来了。它以两种不同的意义出现,二者都为王弼所用。第一种,"名"是用来描述"形"的。第二种,"形"指社会身份的外在物质性显现,如服饰;而"名"则指与这一社会身份相关的"声望"。③ 二者建立起社会差异。它们被用于社会而非自然的讨论。王弼这里的用法源出于第二种意义的变体。在他的用法中,这两个词浓厚的社会性语境被极大地去除了,它们成为用于两种存在者类别的属性的抽象范畴。王弼由此在他的二元结构中插入了继承来的另一对语词。由于他的兴趣仍在于政治哲学,他在去除形/名的社会性语境时不是十分彻底,因为在他的哲学发现的转译中,本来源于它的特殊形式的抽象范畴在应用于社会时,它的社会性语境还会再一次浮现。

最后一步,王弼将存在者的属性与感觉和认知的工具关联起来。他好像也是首次建立这一关联的人。在这一试图达到一种系统的二元组织的尝试中的努力乃至思想暴力,可以在两点上感受到。传统的五官,由于是奇数,在这里没有位置。王弼轻易地将"嗅"觉从这一列表中除

① 《庄子引得》,Cambridge:Harvard University Press,1956,88/31/49。

② Graham,*Chuang-tzu*,London:Allen & Unwin,1981,页 28。

③ 这种用法在《庄子·天道》和《韩非子》(7/2/2 和 8/3/19)中找到。

去，因为《老子》没有提到它；它在一种二元结构中是多余的，而且它无法感受两种主要的特性。另一方面，“味”在相当不同的意义上被保留下来。它“味”的是“言”或“名”的特性，以及道之言的“淡”而无味。它被描述为一种积极的语言认知工具，与“听”作为消极的语言认知工具相联、相对——在体/视这一对子中重复了这一并列关系。

王弼由此为现实、现实的特性以及感知它们的工具提出了一种同质的二元结构。这一现实的核心要素是存在者的类别的特性。尽管常常用于这一特性的“分”这个词具有某人在社会中的恰当位置的社会性意义，它暗示了一个秩序化的结构，但存在者种类的特性本身却并不必然暗示秩序。随机性和混乱可能在存在者相互作用的整个过程中起统治作用——作为它们实现其规定性行动的结果。王弼看到了并讨论了这一问题。

万物的秩序

《老子》关注的不是描述存在者特性的范畴。在总共37处中的20处，“万物”一词指的都是一般意义上的存在者（经常带有一个隐含的人格化焦点），而且讨论的是它们的“所以”。① 单独的“物”字只在极罕见的情况下是单数的（指某个存在者），在许多情况下，是以“某些东西”或“其他较低阶层的人”的意义出现的。这表明在《老子》中，“万物”已经是一个有其自身意义（以及这一意义的衍生义）的复合名词，相对独立于单个的“物”字。②

然而，万物不但是道经由中介所“生”的（《老子》42.1），而且各有其

① 在《老子》第76章中万物与“草木”并置，暗示出它指的是动物。在《老子》34.2中，“万物”是被“衣被”的，这表明它指的是人类。在34.1和37.3中，“万物”“自宾”或“自化”，表明它指的也是人类。在《老子》5.1和5.2中，天对它们的做法与圣人对百姓的做法并列，表明它们属于自然而非社会。在《老子》64.8中，万物与众人的并列有相同的意义。在其他语脉中，“万物”一词似乎指事物的整体，如在《老子》第42章，其中道生一、一生二、二生三、三生万物。有时王弼也用“物”指人类，如《老子》50.2注曰：“故物苟不以求离其本，不以欲渝其真，虽入军而不可害”。

② “物”这个词也用作含糊的“东西”或“定义的对象”，如《老子》21.2“道之为物”，或25.1“有物混成”。但也依不同的语脉有各种其他意义出现。

固有的自性和特性,《老子》称之为“万物之自然”。对于“万物之自然”,圣人可以“辅”之,而“不敢为”。[①] 在没有特殊指涉的情况下,这一“自然”在道之上的等级里出现(《老子》第23、第25章)。

王弼立基于《老子》第64章关于万物之自然的表达,为所有存在者赋予了某种特性。这一特性不是个别地出于每一存在者,而是依据它们所属的类和属;这就是“万物”是指“万类”而非个别存在者的整体的原因。万物的预定的特性不是随意的(最终导致“熵增”和混沌),而是处于一种前定的秩序中。《老子》本身没有明确展开这一思想,但它的“无为”可以带来治理的假设,可以读作基于万物预定特性的统合的内在自发秩序的指证。王弼在对《老子》5.1的新颖注释中,将这一思想发展为一种令人想起莱布尼兹的预定和谐论的结构。

《老子》5.1这样写道:

> 天地不仁,以万物为刍狗。

译为:

> 天地并不仁慈。对它们而言万物仿若草和狗。

王弼注曰:

> 天地任自然,无为无造,万物自相治理,故不仁也。……天地不为兽生刍,而兽食刍;不为人生狗,而人食狗。无为于万物,而万物各适其所用,则莫不赡矣。若惠由己树,未足任也。

译为:

天地让[万物]自然运
作。它们

---

① 《老子》17.6曰:“功成事遂,而百姓皆曰我自然”(译为:[如果以这种方式百姓]功成事遂,百姓都说“我自发地就是这样”)。这里,“自然”一词不是名词。其中的“然”字是动词性的。这正是王弼的理解。

没有干涉

没有创造，

[其结果是]，万物的自发秩序和相互治理。这就是[《老子》说]“天地不仁”的原因。仁慈的人必定要

创造、发起，

有所同情和干涉。

如果[天地]创造发起，存在者就会[因外来的强迫]失去其真[性]。

如果[天地]有所同情和干涉，存在者[因恩与为必然是偏]就无法以其完整性存在。存在者不能以其完整性存在，[天地]就不能完整地照料[所有事物]。

天地不为牛创造草，而牛[却]吃草。它们不为人创造狗，而人吃狗。由于它们不干预万物，万物皆各适其用，没有不得到供养的。如果[天地]让恩

惠由自己[发起]，它们
就无法让[事物的自
然]发挥作用。

存在者特有的属性是由它们的“性”决定的。王弼在这一万物预定预适的特性的概念中聚拢了许多语汇，如“性”、“常性”、“真”、“情”、“致”或“自然”。当他说“万物以自然为性”时(《老子》29.3注)，他明确将万物之“性”等同为《老子》的最高概念，即“自然”。①

通过对许多语汇的聚拢，王弼不仅在从事与《老子》的对话。“性”、“真”、“情”等词甚至没有在《老子》中出现，或者，即使出现了，也不具有上述意义。

在先秦哲学中，“性”这个词主要用于上天赋予的与可见的形相对的不可见的人“性”，但在《文子》中，它已经作为五行之一的水的“性”质了——“欲清”。② “真”在《庄子》中作为一个名词出现，它的意义是可以通达道的本真的人性，在《文子》的句子中(如“夫人道者，全性保真”)，它以相似的意义出现。③ “情”间或被用为与《彖辞》和《系辞》以及其他谈及天地之情或圣人之情的文本段落中其他“情”字的用法同义的词。④

这一“性”不是由与它自身的关系界定的，而是在一种功能性的、与其他存在者相互作用的方式中得到界定，上引王弼文句中的“用”字就用在这一方面。如果存在者的本“性”，它们预定的、相互作用的特征，不受到干扰，就会“各适其所用”；而通过这一“所用”，万物都会得到赡养。其结果是一个能动的、互动的、预定的秩序。它不是由专断的规则强加的，

① 对于“性”，参见《老子》10.2，10.9，17.5，21.5，27.2，27.4，29.2，32.2，36.1，41.5 和45.6的注释；对于“性命”(等同于“性”)，参见 12.1 注；对于“情”，参见《论语》4.15 注和《老子》29.3，49.5 注；对于“真”，参见《老子》3.4，4.1，5.1，10.1，17.5，21.4，22.5，23.3，45.6 和 65.5 的注释；另见 32.2 注中的“真性”，29.2 注中的“常性”和 47.3 注中的“物之致”。

②《文子逐字索引》，香港：商务印书馆，1992，1/3/11，12/60/17。

③《庄子引得》，4/2/18，16/6/22，44/17/53，87/31/32；《文子逐字索引》，2/6/27，9/45/2，2/9/2。

④《周易引得》，20/31 彖，20/32 彖，28/45 彖，21/34 彖，45/系下 1。

反而会因干预而被扰乱。因此，存在者的本“性”不是它们琐碎的特性，而是由道或自然来保障的整体秩序的部分。在对《老子》第51章的注释中，王弼将“德”读作同音的“得”字。存在者所“得”的东西，是“亭”、“毒”的结果。王弼将“亭”解释为“品其形”，“毒”解释为“成其质”，但我没有在他的著述中发现对这一问题的进一步思考。

因此，王弼断言存在者间的相互作用具有某种固有的非随机性，类似于莱布尼兹单子论中描述的那种前定和谐。它不是通过斗争或妥协产生的，而编码在存在者本“性”的功能性关系的形式中；这一秩序不是与个别的存在者，而是与它们所属的类联系在一起的。王弼看到了包含在《老子》自然概念中、并被圣人有意编码为《周易》卦象结构的这一洞见；《周易》的卦象以一与众的关系以及各爻之间有序的因而可预见的关系为基础。在《周易略例·明象》中，王弼写道：

物无妄，然必由其理。

统之有宗

会之有元，

故[如《系辞》所说]

繁而不乱，众而不惑。①

王弼在此引入了“理”这一名词。它被具体化为“其理”，即意味着每

① 王弼，《周易略例》，见《王弼集校释》，页591。它对《系辞》的指涉不易确认。它所指涉的《系辞》文本为：“言天下之至赜而不可恶，言天下之至动而不可乱”。韩康伯的注释开首曰：“易之为书，不可远也”。以此，《系辞》文本中的两个“不可”就成了对读者的劝告，而“恶”和“乱”的宾语成了《周易》这本书。王弼的解读与此不同。从“不乱”这一措辞看，它显然指的是《系辞》的这一段落。这意味着“不乱”的主语是“动”。由此，“繁而不乱”是“至动而不可乱”的再造句，“众而不惑”是“至赜而不可恶”的再造句；之所以是“惑”字，则或是王弼的《系辞》文本本来作“恶”，或是它是王弼对“恶”的解释。楼宇烈将“物无妄然必由其理”标点为“物无妄然，必由其理”（《王弼集校释》，页591）；而四部备要本则写作“物无妄，然必由其理”。“妄然”这个词似乎没有证据，在任何辞书或索引中都没有列出。而“无妄”则有很好的支持，同时还是《周易》的卦名。王弼以该卦的第五爻（即君爻）来解读此卦的总体意义：“威刚方正，私欲不行，何可以妄”？我的译文即基于此。

种存在者有其自身的秩序化原则。这些描述了它们与其他存在者的功能性的相互作用、它们特定的非随机性的方面。这些个别的“理”构成一种秩序化的整体，有其共同的“大致”(《老子》47.1注)或“会”(《论语》4.15注)，完整建立起来的前定和谐被称为“至理”(《老子》42.2注、《老子微旨略例》)、“大治”(《老子》58.7注)或“治之极”(《老子》63.1注)。这一秩序的关键概念是“自”这个词，如《老子》5.1注中的“万物自相治理”。只要这一秩序不被干扰，依循其本性而且没有特别的希冀或欲望的存在者会“自”发地适应这一终极秩序，这一秩序拒绝有计划的或故意的秩序。[①] 王弼对《老子》2.2的注释写道：“自然已足，为则败也。”王弼又一次将《老子》或一般哲学话语中的许多词聚拢进这一秩序概念中，比如“治”、“济”、“和”、“安”、“均”和“平”。

莱布尼兹的单子生活在一种没有任何东西可以干扰它们的前定和谐中。王弼的万物却不是这样。它们的秩序本来就是不稳定的，这一秩序奠基于其上的存在者的“性”永远处于迷失或被破坏的危险中。关于人类世界，这一危险是由经验证明的，而且已经得到了恰当的讨论。在先秦哲学的论述中我们发现这一真性必须被“保”持，才可以得“全”；但也可能“失”或“败”。这个时代有一个共有的假设，天的秩序一般说来是由规律性标画的，对此，通常被提及的四季的更迭和万类有序的再生是看得见的证明。然而，即使在孔子对这两个现象的援引中(《论语·阳货》)，它们的秩序也是由于天不通过命令而让它们展开和再生的特定方式，而不是由于它们本身的特性以及与其他事物的相互作用的铁律。《老子》在许多分章中都与这一假设一致：其中指出天如何处理万物，以之作为圣人自觉仿效的模式；这预设了对自然的稳定秩序作为社会的不

---

① 王弼广泛地运用了“自”这个概念。参见“万物自宾”(10.1注)、“物自宾而处自安”(10.6注)、“物自济”(10.9注)、“六亲自和，国家自治”(18.3注)、“物自归之”(28.1注)、“物性自得之”(29.2注)、“物自宾而道自得”(32.1注)和“天地相合则甘露不求而自降”(32.2注)。同样，这在《老子》中是有根据的，参见第32,37和57章。

稳定秩序的范型的认识。

发现这一看似稳定的“自然”秩序的能动的、相互作用的性格，是《老子》的哲学功绩；王弼看到了这一发现，并发展了它。《老子》5.3 的本文及王弼注如下：

> 本文：天地之间，其犹橐籥乎？虚而不掘，动而愈出。
>
> 注释：橐籥之中空洞，无情无为，故虚而不得穷屈，动而不可竭尽也。天地之中，荡然任自然，故不可得而穷，犹若橐籥也。①②

《老子》的这一陈述将天地之间的空间比作橐籥，强调它的空虚和不可穷尽。王弼是在我们将在下面讨论的第 39 章的上下文中解释它的，并在这一陈述中看到了一个哲学发现的轮廓。我们有一个可观察的现象：“籥”可以奏出不同的音调；“橐”让自己适合不同的容积。是什么使得它们像这样既作为“一”又包含和产生“多”？“籥”没有它自己的“情感”，没有偏爱；“橐”不根据它自己的喜好来产生鼓风作用。正是这一特定的、具体的偏好和欲望的缺失，使得它们能产生不同的声调和容积。在接下来的注释中，王弼更明确地阐明了这一点：“橐籥而守中，则无穷尽。弃己任物，则莫不理。若橐籥有意于为声也，则不足以供吹者之求也。”使橐籥能够产生出如此多样的声音和容积的，正是它们对任何声音和容积的无所偏私；与它们产生的特殊性相比，它们本身是无特殊性的。很明显，橐籥只能以这种方式运作，如果它们特定的无特殊性不是它们的构造中固有的，它们也就不可能这样运作。王弼在陶匠身上重复了同一类型的论辩。只能既不是任何一种陶器，也不固定于任何一种陶器的陶匠，才能制造出各种各样的陶制器皿。③

《老子》第 39 章以一种令人惊异的顺序设想了如果天、地、神、谷和

---

① 参见本书第二编。

② 译者按：此处引文的详尽译文，请参见本书第二编第四章。

③《老子》第 38 章，参见本书第二编。

王侯不能"用一",会发生什么。所有这些都是覆、载、影响、容纳或统治"众"的"一"。它们之所以能照料各种存在者,在于它(他)们不是这些存在者之一,而是"用一"者。如果不能"用一",随之而来的危机不仅在于其他存在者将失去天、地等的覆、载、照料,而且会给天、地等"用一"者带来灾难:天将"裂",地将"发",神将"歇",谷将"竭",王将"蹶"。天地覆载万物的看似稳定的秩序是一种持续的机动过程的结果,其中包括这些"大"的范畴以之作为它们与存在者的特性或特定的秩序原则之间相互作用的基础的"所以"。只有"用一"(王弼对"以一"的翻译),这些"大"的存在者才能照料和包容各种其他的存在者,与此同时,其自身也获得保全。

在《老子》中,这一分析线索直接由天至谷和王侯。在那些不得不"用一"与那些能够犯错的存在者(如王侯)之间没有分别。这一分别的缺失并非有欠周详的结果。它是便于这一群体(即王侯)的潜在读者接受的修辞手法,无论是在写作《老子》的时代,还是王弼生活的时代,这些王侯都在不断地犯错,因而可能需要忠告。谷则不同,它无需哲学家就可以做好自己的事。

万物中机动的、不稳定的秩序,不是仅靠万物皆是其所是就能维持的。这一主张是由稍晚的向秀和郭象在他们的《庄子注》中做出的,他们断言所有存在者都是"自尔"和"无主"的。[①] 向郭对王弼的挑战突出了王弼本人的分析的核心特性,即多样性的存在者中的秩序依赖于主宰性的"一"与这些存在者的关系。一/众的基本关系被复制在某个给定的一(如籥、陶人或某一卦象中起引导作用的爻)与在其笼罩下的特定的众之间的关系中。在王弼的术语中,这些特定的一在它们与相应的众的关系中使"用"了一本身。与那些假设的一者相反,王弼描述的唯一真正的危

① 这些新词汇的使用可以在郭象《庄子注》中找到。参见北原峰树,《庄子郭象注索引》,Hokyushu:Hokyushu Chugoku shoten,1990,页395。

机是针对社会领域，其中某个特定的一者——统治者要面对百姓或万物。如果统治者领会了一与众的基本关系，或者竟是一个圣人，那么他的地位就会得到保全，而社会的秩序将出现并盛行；否则，不仅他本人会颠“蹶”，而且万物的本性将失去和破坏，结果是它们的前定和谐被打破。用于否定性一面的词汇是“失”、“败”、“伤”、“害”；积极性的词汇“全”、“受”、“保”、“定”、“得”。①

我们在这里主要关注的是万物中的秩序的特定方面，并将进一步返回到王弼哲学中的政治科学方面。正如我们已经看到的那样，一与众的一般关系在一个一者与众者的逐级下降的等级中得到复现：从那些面对存在者整体的、只在一点上是特殊的“大”一（如天和地），到那些面对一个较小的存在者领域、其本身也具有更多特殊性的一者（如陶人和籥）。众的整体秩序依赖于一者对这一秩序的实现，依赖于一者不去干扰万物固有的秩序性。

下面我们将在“理”概念的历史的语境中读解王弼的存在者层次的秩序概念，这一秩序一直是在这一语境中得到讨论的。②

作为秩序性原则的“理”的观念，以“物无妄然、必由其理”这句话出现在《周易微旨略例》中。“理”这个词不见于《老子》，但却出现在《周易》的《系辞》、《说卦》和《文言》中，它们都共享一个有力的、哲学性的观点。③其中，它以其前哲学的意义在与“天文”相对的“地理”一词中出现④，它把“理”的意义固定为某种复杂现象（如地或某类存在者）的秩序性原则。在《系辞》第一部分的一个更为根本的陈述中，它被用来描述宇宙的一种更为抽象的结构原则，其中天地定位，动静有常，“方（＝事）以类聚，物以

① 关于“失”，参见《老子》5.1，17.5，26.5、39 和 49 注。关于“败”，参见《老子》2.2，29.2 注。关于“伤”，参见 12.1，35.1 和 51.4 注。关于“害”，参见 60.3 注。

② 戴密微在其关于中国哲学语汇的形成的讨论班中最早给出了关于“理”的概念的早期发展的梗概，“Langue et literature chinoises”，*Choix d'Etudes Sinologiques*，页 49。

③《周易引得》，台北：正文，1966 年。

④《周易》，《系辞》上。

群分”，日月运行，寒暑代序。这一秩序化了的宇宙在“天下”（即社会）中的有意识复现，在这里被称为“天下之理”。《礼记·乐记篇》提到“万物之理”[①]和“天理”，后者会因没有遵循正确的“道”而殄“灭”；还说：“礼也者，理之不可易者也”[②]。从上面引证的用法看，“理”明显不是一般的秩序概念，而是特定的存在者领域的秩序性原则。

《文子》是最先将“理”概念用于老子哲学的分析的，尽管这个词还没有发展为一种固定的概念。在其动词用法中，它在平行的位置上与“治”[③]一道出现，这表明二者有相同的意思。作为名词，它常与“节”字相合，比如：“圣人遵之不敢越也。以无应有，必究其理；以虚受实，必穷其节。”[④]

这里，凡是“有”都具有此种基于“道”的秩序性原则；否则，圣人将无法处理它。“理”还平行于事物的“分”（它们的特定身分和地位）和“资”（它们的特定品质）。[⑤]“理”与“道”的关联是在一个解释天文和地理这两个语汇的句子中引出的：“天道为文，地道为理，一为之和，时为之使，以在万物，命之曰道。”[⑥]这里，天和地的模式是它们的“道”的特殊显现。

在其他地方，《文子》将“理”用作一个与“道”同义的名词，或者竟出现在双字词“道理”（有时被读作“道之理”）中。[⑦]这指的是一种统治者必须领会和循顺的现实的客观结构，他不能依循他个人的趣味，强加他自己的意志。[⑧]

---

① 《礼记逐字索引》，香港：商务印书馆，1992。同样的地位也出现于《管子》：“礼者，因人之情，缘义之理，而为之节文者也。礼者谓有理也。理也者，明分以喻义之意也”，《管子校正》，《诸子集成》，上海：上海书店，1990年，页221。

② 《礼记逐字索引》。

③ 《文子逐字索引》，2/9/17，3.4/14/21，4/19/23和8/42/7。

④ 李定生、徐慧君，《文子要诠》，页72。

⑤ 关于“分”，参见《文子逐字索引》，4/23/21，5/26/25；关于“资”，参见《文子逐字索引》，3/13/16，8/41/15和8/43/1。

⑥ 李定生、徐慧君，《文子要诠》，页127。

⑦ 《文子逐字索引》，1/5/12，5/24/14。

⑧ 同上书，4/19/24，4/20/2，4/21/7，5/26/25，7/39/4，9/47/6，9/47/2和9/48/16。

总之,“理”在《文子》中被用作一个指称一、道、万有(天、地、天下、事、人情)等的结构性秩序的名词。当被用为动词时,它指的是在人类社会中这一结构性秩序的建立,因为在人类社会中,它不会自动实现。在李定生和徐慧君引用的一段对“理”概念的发展颇为重要的段落中[1],它说:“阴阳四时、金木水火土,同道而异理,万物同情而异形。”[2]这一段颇为混淆的语境,讨论的是圣人循顺,使万民各尽所能。“圣人立法以导民心,各使自然”。这个句子中的“理”指的是自然领域中对象和过程的构成类别。“道”对于所有存在者都是共同的,而四季或五行的特殊秩序原则却是不同的。这一段似乎在说,万物都以“道”为根基但在外部表现上却又不同这一事实,反映了在它们的构成要素中“道”和“理”的并置。[3]“道理”或“道之理”的表达表明这一结构性秩序可以由“道”赋予,但这一思想只是在《韩非子》讨论《老子》的篇章中才被发展出来。李定生和徐慧君有说服力地指出,《文子》标志着“理”概念的发展中从《老子》到《韩非子》之间的一种重要环节。[4]

《韩非子》讨论“道”(就其无特殊性和常而言)与“理”(就其有特殊性而且涉及时间中的变化而言)的关系。在一个大胆的段落中,他主张“道”在与万物的相互作用中的非恒常性,主张“道”为它们提供了秩序性结构,并在对“象”字起源(同时意味着“大象”和“形象”)的精妙解释中概述了“道”的认知。文本如下:

> 道者,万物之所然也,万理之所稽也。理者,成物之文也;道者,万物之所以成也。故曰:“道,理之者也。”物有理不可以相薄。物有理不可以相薄,故理之为物,之制万物各异理。万物各异理而道尽

① 李定生、徐慧君,“论《文子》”,《文子要诠》,页20。

② 同上书,页148。

③ 同上书,页20。作者的论辩是以此方向展开的,而且指出了此处的道是“一般原则”,理是“特殊原则”,但他们只是通过改变这一句的部分语序来达到这一意义的。

④ 这一评价依据的是李定生、徐慧君的论辩,《文子要诠》,页22。

稽万物之理，故不得不化。不得不化，故无常操。无常操，是以死生气禀焉，万智斟酌焉，万事废兴焉。天得之以高，地得之以藏，维斗得之以成其威。……道与尧舜俱智，与接舆俱狂，与桀纣俱灭，与汤武俱昌。以为近乎，游于四极；以为远乎，常在吾侧；以为暗乎，其光昭昭；以为明乎，其物冥冥。而功成天地，和化雷霆，宇内之物，恃之以成。凡道之情，不制不形，柔弱随时，与理相应，万物得之以死，得之以生；万事得之以败，得之以成。道譬诸若水，溺者多饮之即死，渴者适饮之即生；譬之若剑戟，愚人以行忿则祸生，圣人以诛暴则福成。故得之以死，得之以生，得之以败，得之以成。

人希见生象也，而得死象之骨，案其图以想其生也。故诸人之所以意想者，皆谓之象也。今道虽不可得闻见，圣人执其见功以处见其形。故曰［《老子》第 14 章］："无状之状，无物之象"。[①]

"道"在所有的秩序性结构中显示自身。由于万物都有其秩序性结构，没有任何事物与"道"割裂，甚至死或桀纣这样的邪恶君王也不能。可见的秩序性结构是不可见的"道"的骨骼，通过"案其图"，通过"执其见功"，即通过可以被察识和推知的，圣人"处见其形"，尽管"道"的实际形状是不可见的。"道之情"并不主动地干预万物，而是使自己循顺它们的"理"。因此，在其秩序性结构中，在生死、成败、长短中，都有"道"的存在。"道"在万物的秩序中显示自身。

那么，"理"给出的"道"之形的证明是什么呢？《韩非子》接下来写道：

① 陈奇猷，《韩非子集释》，北京：中华书局，1962 年，页 365。他在"道尽"与"稽万物"之间断句，似乎打断了论述。刘殿爵，"Taoist Metaphysics in the Chieh Lao and Plato's Theory of Forms"，载 Chow Tse-tsung，*Wen-lin：Studies in the Chinese Humanities*，页 104；其中讨论了这一段落。他也没有在上面那句话中间断句。另见 W. K. Liao，*The Complete Works of Han Fei Tzu*，London：Probsthain，1939，页 191。大象的故事之前的段落指涉《老子》哪一段，并不清楚。这个故事以出自《老子》第 14 章的一则引文结尾，由于《韩非子》似乎是一次讨论一章，很可能两个片断都属于这一章。

> 凡理者，方圆短长粗靡坚脆之分也。故理定而后物可得道也。故定理有存亡，有死生，有盛衰。夫物之一存一亡，乍死乍生，初盛而后衰者，不可谓常。唯夫与天地之剖判也俱生，至天地之消散也不死不衰者谓常。而常者无攸易，无定理。无定理非在于常，是以不可道也。

圣人静观“常”的玄和虚，用其“周行”，“强字之曰道”，只有这样，它才是可以讨论的。因此[《老子》]说：“道之可道，非常道也。”

“理”这个词描述的是事物的结构性特征。就其形体而言，它们可以被界定为白或黑、小或大。某种“理”不是一个单个对象而是一个类别的特性；这也就意味着它不是某个事物的特殊性，而是某个事物类别的共同特征。《韩非子》通过一系列反义词来表达这些特征，如“短长、小大、方圆、坚脆、轻重、白黑”。[①] 然而，包含在所有事物中的过程(如兴废、死生)是时间的牺牲品，不是恒常的，不能包括在“理”这个语汇之下。《韩非子》说“定理有存有亡，有死生有盛衰”，但这些过程不算在这些结构(定理)之中。这些“理”是显现的。圣人知道在“道”中没有可界定的秩序性结构，知道“道”的虚玄，但考虑到它“周行”的事实——即“道”通过“理”并在“理”中成为可感的，他使用的“道”路这一象征，道路是“周行”、无所不在的。现在谈论道是可能的了，因为谈论“道”就是谈论它所达之所(即“理”)。

《韩非子》的议论给出了谈及带来秩序性结构的“道”的路径，就像通过死象之骨骼推断生象的特征那样。《韩非子》的兴趣在于“理”，因为它们成为“法”的范型，在他的政治理论中，“法”是在社会中设立的强制性秩序结构，这也是在《黄帝四经》的《经法》中展开的一个特征。在解释了“天之所以为物命”的“七法”之后，《经法》接着说道：

> 物各合于道者谓之理，理之所在谓之顺。物有不合于道者，谓

---

① 陈奇猷，《韩非子集释》，页377。

之失理，失理之所在谓之逆。①

一旦明确了“理”是“道”带来的，关注点就可以转向“理”了。《黄帝四经》和《韩非子》都关注于发展出加强对道的服从（以服从邦国统治为形式）的各种方法。

然而，从哲学上讲，象的故事开启了以显现于万物中的可见类别作为思考和讨论这些秩序性结构之基础的可行路径的归纳方法。《韩非子》并没有更进一步关注这一方向。

王弼从传统中继承了“理”的观念。他接受了这一观念中存在者间关系的变动性和不稳定性，以及它与“道”本身的关联。他把“理”概念从不系统的、格言式的状态提升起来，但在此基础上，他又激烈地驳斥那些将这一概念当成强制服从由“道”本身建立起来的结构的国家干预之基础的做法。然而，他无疑是赞同以归纳和推论作为通达“道”的唯一可行路径的观念的。

因此，王弼声称要延续许多哲学家和文本（不仅是《老子》）已经从事过的探索，而且声称要将它们的洞见插入自己的著作。由于明确意识到了语言的局限性（他对此做了详尽论述），王弼并没有强加一个完全新的语汇（尽管有明显的标准化的努力），而是引入了一个所有语汇都在其中找到其共同的语境位置和定义的新的系统论辩结构。

一与众

存在者的两个领域是由特殊性规定的。“名则有所分，形则有所止”。王弼引入了唯一没有得到认真检讨的观念——万物之“所以”一定是一。这是到他那个时代为止所有思想者的共同假设，问题只是这个一是什么。它是天、气、太极，或道？它的特征是什么？在王弼之后的一

---

①《经法》，引自李定生、徐慧君，《文子要诠》，页20。

代，向秀和郭象质疑了这一基本假设，主张存在者都是“自尔”和“无主”的。

在王弼的视角里，问题在于这个一的“必然”特征是什么。一是所有不同存在者的一的前提是，它必定没有所有各类存在者的特殊性。“若温也，则不能凉矣；宫也，则不能商矣”。① 存在者的特征以温凉这样的对立面出现。作为二者根基的东西不能由任何一者来界定；否则它就不能成为另一者的基础。

在存在者的等级中，对应各种不同的多有不同的一。上面已经提到过橐、籥和陶人的例子。在这一等级的最高层次的，是那些面向存在者整体的范畴，如天，覆盖一切；地，承载一切。天（或天地）曾被从前的哲学家描述为万物的根基。《老子》已经通过引入作为“天地之先”的“道”，拒绝了这一观念。王弼为这一拒绝提供了论证。尽管天地面向存在者整体，它们仍由某一具体特征系缚：天能覆，而不能载；地能载，而不能覆。② 在《老子微旨略例》的一系列论述以及他的注释中，王弼依靠对《老子》的系统化、论辩性的阐释，精练了万物之一这个观念的所有具体性。《老子》41.13，41.14：

大音希声，大象无形。

这里的“大”意味着“绝对”，超越大和小的阈限。王弼将这些词读作“所以”的名号之一，即“道”。他对“大音”注释道：

[正如《老子》所说]：“听之不闻名曰希”。[大音]，不可得闻之音也。有声则有分，有分则不宫而商矣。[假如大音有]分则不能统众，故有声者，非大音也。

他以相同的方式处理了大象：

①《老子微旨略例》。

②《老子》4.1 王弼注曰：“地守其形，德不能过其载；天慊其象，德不能过其覆”。

有形则亦有分，有分者，不温则凉，不炎则寒。故象而形者，非大象。

《老子》为王弼提供了引向"所以"之非特殊性的丰富的、实质性的否定语汇。"道常无名"(32.1)、"无为"；道"隐无名"(41.15)；"道之出言，淡兮其无味也"(35.3)；一系列表达"道"的含混的象声词，如"惚恍"(14.3,21.2)，"窈冥"(21.4)，"混"(25.1)，"微"、"希"、"夷"(14.1)，以及谈及它的"常"、"氾"(34.1)和"生"(42.1,51.1)。王弼将所有这些表达都并入他系统的新语汇"无形无名"之中。①

"所以"的必然特征是所有具体特征的缺失，正是在这个意义上，王弼用了"无"这一最重要的哲学词汇。这一冷静的、分析性的构造，没有任何虚无主义或贬弃基本价值的色彩。《老子》中的不同语汇，诸如"道"、"常"、"始"、"母"、"本"、"一"、"宗"、"奥"以及王弼的语汇"至物"、"至真之极"等，被合并入"无"的概念，关于这一点，我们在前面已做过详细讨论。② 它们共享三个特征：没有任何特殊性；它们是存在者整体的"所以"的观念；存在者之为存在者正是由于"所以"的观念。作为以隐喻形式出现的"所以"之不同方面的启发式名号，它们突出不同的因素。

"道"这个语汇是某种"周行"的东西（亦即属于所有存在者的东西）的隐喻。在《老子》32.1 中界定的道之"常"，在王弼的解读中作为"无名"，被描述为《老子》37.1 中的"无为"；并被用于存在者的永恒本质，在王弼对《老子》16.6 及 55.4 的注释中，它是没有任何具体特征的。"始"这个词指的是某种发起宇宙的功能；"母"指的是存在者从"所以"那里得

---

① 《老子》已经通过内注开始了这种合并。在第 14 章开头关于"一"的一系列否定性词汇，诸如"微"、"希"、"夷"、"其上不皦，其下不昧，绳绳兮不可名，复归于无物"，是以阐释性陈述"无状之状，无物之象"结尾的。在此基础上，王弼将"微"、"希"和"夷"读作"无象"、"无声"和"无响"的表达。《老子》进而自我总结："是谓惚恍"，王弼对此注曰："不可得而定"。王弼在最后一句注的开头对这些词加以总结："无形无名者，万物之宗也"。在注释《老子》第 21,25,32 和 41 章时，他用了相同的方式。

② 参见本书第一编第五章。

到的持续的支撑;“根”既是末的源起,又给“末”以持续的支撑和营养。后面这两个隐喻都指向“子”或“末”对“母”或“根”的持续依赖,离开后者它们将饥饿和枯萎。

“一”作为“万”由以开始的基本单位,但它不被看作其他数字中的一个。作为与众相对的“一”,在其单纯性中是非特殊性的,因此既是所有数字回溯的焦点,又包含于所有数字。“宗”与“始”的概念与家族的隐喻相关,在家族中,许多当下的成员将他们的起源回溯至一个祖先,并将其作为共同的源头来纪念和尊崇。作为最严肃和分析性的名称,“无”最终成为王弼偏爱的语汇;它强调“所以”的无特征,以及与“有”的根本差别。因此,尽管“母”和“始”这些词可以被合理地并入“无”这个词,但因为它们强调不同的方面,所以仍保留了自己的分析价值。在其注释中,王弼进一步对这一隐喻和分析价值做了细致的分析。

王弼将这一“无”与某个同样重要的对等语汇“有”对置起来。王弼以相同的方式将《老子》中提到的各类存在者(如“物”、“功”或“事”)组合为一个完全抽象的概念——万物,在《老子》中,万物只是作为“物”的一个子范畴出现的;他进而时常以更为抽象的概念“有”来展开讨论。由于语言在精确描述万物之“所以”上的无力,将众多不同语汇化减为某个单一的严格概念将不会有任何收获,反而只会错失引出这些陈述和语汇中所包含的特定洞见(尽管是局部的)的机会。王弼用“称”的概念为如下理解铺平了道路:一方面,所有这些语汇和陈述谈及的都是相同的东西;另一方面,它们从不同的方向和语境“指向”这一同一者,因此描述的是它的不同方面。

我们将分三步来展开:首先,从王弼的著作中提炼出他本人关于处于与存在者关系之中的“所以”的讨论;其次,将这一记述纳入一种哲学的分析,在其中,汤用彤宇宙论/本体论的范式将得到检讨;第三,通过突出他本人的贡献,在历史的上下文中定位王弼的语言和论辩。

王弼将《老子》中众多关于“所以”的论述分组为两个主要方面,他分别用《老子》的语汇——“道”和“玄”来标识它们。这两个语汇都是“所以”的某个方面的“称”。在《老子微旨略例》中，王弼写道：

道也者，取乎万物之所由也；　　玄也者，取乎幽冥之所出也。①

王弼用这一朴素的定义，改变了话语的规则。无论“道”还是“玄”都有其漫长的历史，在此过程中，它们的意义范围变得非常丰富：从神秘直觉到饮食之道，从生命哲学到治理技术，无所不包。二者都是界定所有他者、但其本身却无法界定的范畴。对于“道”这个范畴，从公元前5世纪就是如此，而对于“玄”，则自扬雄《太玄经》以后才有这样的地位。在王弼的解读中，二者都没有固有的价值和权威，而只有在显明了它们包含有关于“所以”的洞见之后，才能获得这种价值和权威。他将二者界定为“取乎”“所以”的某个可展示的方面的启发性语汇。它们被剥去了神秘溢出的光环，减约为某个理性归纳的坚实核心。

在“所以”与存在者之间的关系中，有两个主要方面：首先，所有的存在者都基于这一“所以”；其次，这些存在者并不知道它们所依据的是什么。万物的根基不像某个单独的事物那样显现，而是回避认知的，因此，尽管作为所有存在者的基础，它仍处于幽冥之中，因为它没有任何可以作为认知对象的特征。

道

《老子》用诸如“生”、“成”、“始”、“母”、“宗”、“汜”和“周行”等词来描述“所以”的“道”这个方面(Dao-aspect)。它仍是一个“称”，因为相互排斥的陈述可以同时对它有效。②

除了“汜”和“周行”这两个关涉道照料所有存在者的能力的词以外，

---

①《老子微旨略例》，2.22。

②《老子微旨略例》，2.1 和 5.14。

其他语词都意指一种时间中的生成关系，其中道是最初的发生因(causa efficiens)，创造和产生存在者。总之，至少在隐喻上，这一语言是宇宙论的。然而，《老子》1.2 中区分了“始”和“母”这两种功能。王弼将前者读作“无名，万物之始”，并注释道：“未形无名之时，则为万物之始。”这显然指的是传统的宇宙论功能。后者被读作“有名，万物之母”，并注曰：“及其有形有名之时，则长之育之亭之毒之，为其母也。”王弼通过在他对该文本的注释前后添加一般性陈述，给出某种一般性的架构：前面是“凡有皆始于无”，后面是“言道以无形无名始成万物”。王弼因此将“始”和“母”这两方面形式化为新的对子——“始”和“成”。①

作为《老子》的思考也沿着同一路径的证据，王弼在他对《老子》1.2 的注释中引证了出自《老子》51.3 中的一段话，其中描述了存在者被发“始”，就从道那里获得了“德/得”，亦即从道那里得到生长、养育、品定、成就、保护和遮覆(长、育、亭、毒、盖、覆)。在这一方面，道与存在者的关系不是某种瞬间的成因，而是某种持续的维护。这第二个方面为这一论辩开启了道路：道总是持恒地作为存在者的基础与存在者一起在场，尽管“母”的隐喻有育养存在者的意味，并且仍是“宗”的生成论上的近亲。《老子》1.2 和 51.4 这两处的注释表明王弼要建构一种合理的解读并不容易。的确，《老子》52.1 所说的“天下有始，可以为天下母”，在实际上将“始”和“母”关联在同一标目下。在此基础上，王弼为《老子》1.2 中涉及“始”和“母”的句子设立了实际的主语——道，尽管在措辞和语法上，这一结论都不是必然的。在《老子微旨略例》中，王弼明确指出《老子》为了讨论存在者与“所以”的本体论关系，使用了万物之“始”的宇宙论语言。“论太始之原以明自然之性”。② 因此，他的注释试图将这一隐喻性语言

① “始/成”与“生/成”不同。后者指物理性的存在者和事功这类的过程。然而，在《老子》51.1，51.4 和 34.2 的基础上，“生”这个词被用作同时与“始”和“成”相联的词；如《老子》34.2 注中说：“万物皆由道而生”。关于这个词在特定语境中的意义，我们必须考虑它的对立面以及它在概念等级中的位置。

② 《老子微旨略例》，2.44。

的某些部分转译为一种新的形式化的哲学术语。

在将“始”和“成”紧密地关联于道以后，王弼在“所以”与存在者的关系中插入了一个被赋予新义的旧词——“由”。这个词在《老子》中没有出现过，王弼很可能是从《庄子·渔父》中孔子的影响不大的陈述中提取出这个词的：

且道者，万物之所由也。①

这一表达看起来与王弼的表述相当接近。然而，这里仍有一个显著的区别。《庄子·渔父》篇随后的陈述如下：“庶物失之者死，得之者生。为事逆之则败，顺之则成。故道之所在，圣人尊之。”只有在存在者“得”道或“顺”道时，道才是万物的根基；道给万物的是生和成的基础，而非它们的生存的基础。

在《论语》中，孔子也在某种及物的意义上对道使用了“由”这样的词(意思是“用”)。“谁能出不由户，何莫由斯道”。② 王弼从孔子那里提取了这个词，然后将它插入他自己的论辩逻辑。

在《老子》中，王弼发现了一些描述一种与生/成关系不同的道与万物关系的论述。最重要的词是“门”；“门”显然并不创生，尽管事物也可以从中出现。在对《老子》6.1 和 10.5 的注释中，存在者从中发散出来的“门”被转“译”为“由”。在《老子》34.2 注中，王弼以“万物皆由道而生”来转译“万物恃之而生”，而不是说道生万物。

在对《老子》10.7 和 10.8 的注释中，王弼非常明确地突出了《老子》中创生和养育之类表述只有隐喻的性格。对于 10.7 的“生之”，王弼注释道：“不塞其原也”；而对于 10.8 的“畜之”，则注曰：“不禁其性也”。他以同样干脆的陈述作为《老子》10.9 注的开头：“不塞其原，则物自生，何功之有？不禁其性，则物自济，何为之恃？”在《老子微旨略例》中，王弼以

① 《庄子引得》，88/31/49。
② 《论语引得》，台北：正文，1966，10/6/17；另见 14/8/9。

道为主语引用了相同的段落。[1] 尽管王弼仍在使用始/成这一对子，他的新术语“由”实际上反映了他对这一问题的思考。

将“由”引入《老子》生成论语汇之中，为这些语汇的意义带来了变化。《老子》51.1 说：“道生之”，而王弼在对《老子》34.2 的注释中却说：“万物皆由道而生”；《老子》25.1 说：“有物混成”，王弼将这一“成”字转译为“万物由之以成”。这是一个重要的改变。道在这些句子里不再是发生因，而是成为存在者的开始和完成之所以可能的条件。在对《老子》51.2 的一种精致、简洁的表达中，王弼将作为可能性的条件的道与作为存在者具体特征的德（得）之间的关系固定下来：“道者，物之所由也；德者，物之所得也。由之乃得。”在对 51.1 的注释中，王弼将许多描述存在者从道中“得”到的东西的语汇化约为单一的“由”字：“凡物之所以生，功之所以成，皆有所由。有所由焉，则莫不由乎道也。”（译为：一般说来，物之所以创生，功业之所以成就，都有其根基。由于它们都有某种东西作为根基，也就没有任何事物不是根据于道的了。）

我们由此有了两类关系的分划。存在者相互安排它们的开始和完成，但其根基是“由”，或者用现代的话说，这一开始和完成的可能性的条件是存在者的“所以”。王弼同样为“由”与《老子》中的“生”之间的这一区分找到了证据。《老子》40.3 曰：

> 天下之物生于有，有生于无。

王弼注曰：

> 天下之物皆以有为生，有之所始，以无为本。

在这里，通常的生的过程发生在有（存在者）的领域，但发始存在者的“本”却是无。王弼通过去除隐含在“生”的重复中的表面对称加深了

---

[1] 《老子微旨略例》，5.7。另见本书第二编。

二者之间的区别，具体做法是在对前半句的解释中保持原句中的“生”字，然后将后半句“有生于无”转译为相当复杂的“有之所始，以无为本”，这一转译与“由”的概念相呼应。

由于王弼选择被赋予了哲学新义的“由”字作为描述“所以”与存在者之间关系的核心词汇，王弼又一次选取了文化上最少被指责、分析上最严谨的词汇，在他的使用中，这个词汇不卷入某种原因性或生成性的关系。① 王弼表明，他将《老子》中生成和养育的语汇读作这样的隐喻：以时间中的生物关系来描述水平于时间轴的结构性关系，他看到的后一种关系在《老子》的其他段落（特别是在对“德”的描述）中被指出。

“所以”的道这个方面只是因为不在某种特殊的创生行为中特殊化自身，才能成为存在者的根基。作为存在者的秩序化生存的可能性的条件，它们特定的运作展开的只是它们本性中已经存在的东西。它以这种方式“无为而无不为”。额外的干预实际上只会扰乱和毁坏从存在者本性发出的自治的过程。因此尽管的确是一“治[掌控]”众，但它通过不将自身局限于任何特定的掌控行为，它才最充分地实施了掌控。

如果万物实际上在其前定和谐中演进，那么，作为一种逻辑结构，这个“一”的构造的必要性何在呢？存在者的秩序化生存只有在它们依循自己本性的情况下才是可能的。王弼在《老子》29.3注中写道：“万物以自然为性”。然而，这一“自然”是“一”。存在者的秩序性生存不是通过话者生存的竞争或妥协来实现的；换言之，这一秩序性生存不是通过存在者之间的相互作用、而是通过集体“反[回向关联]”于显现于存在者中

① “由”在早期的字典和注释中被界定为“自”和“从”。阮元，《经籍纂诂》，页366。对王弼而言更为重要的是动词性的过渡用法，在前面对《论语》的引证（“谁能出不由户，何莫由斯道”）中可以找到文献的支持。然而，在《论语》中，“由道”是人类的一种自觉行动。这种用法也出现在《老子》51.2注中。王弼既用了它的直接过渡形式，也用了它的“所”结构。例如，《老子》14.2注：“欲言无邪，而物由之以成”。另见《老子》21.4，21.6，25.1，25.5，34.2，37.1，38.1和51.1注。“所”结构的例子见于《老子》51.2注：“道者，物之所由也”。另见《老子》6.1，25.6，34.2和34.3注。

作为它们本性的“所以”来实现的。如果我们回想相反的例证，这一论辩会变得更为清楚。在人类社会，百姓或天下的秩序性生存的失去显然是一种真实的可能和经常性的现实。这是由于人类界域内“一”与“众”关系的扰乱；其结果是，人们被“去本性化”(Denatured)了，而随着他们本性的破坏，固有的和谐和秩序也破坏了。宇宙秩序的建立是一与众之间未经扰动的、成功的动态过程的结果，而王弼则试图发现统治这一关系的规则。

“一”作为“众”的基础的一般关系在由同一规则统治下的特殊关系中得到重复。在王弼的解读中，这一规则被表达在《老子》25.12 中，它描述的是“四大”，即道、天、地和王(王成为“四大”之一的前提是他具有圣人的品质)。在一个上升的序列中，它们相互仿效：“人法地，地法天，天法道，道法自然。”王弼认为，只有通过对上一层范畴乃至最高范畴的仿效，这些范畴才能存在：“地不违天，乃得全载，法天也。”

这里的关键词是“全”。只有通过效法“一”的功能性作用，才能“全”载万物。在最高的层面，即道以自然为范型的层面，达至了真正的原则——存在者最终都以之为范型，因为“自然”不是别的，就是万物自己的本性。由此，道“法自然者，在方而法方，在圆而法圆，于自然无所违也”。它不会在方上强加圆，或者相反。这意味着，凡此诸大只有在不因偏好而特殊化自身的情况下才能包纳所有存在者。《老子》5.1“天地不仁，以万物为刍狗”本身就是一个悖论。难道天地不遮覆承载万物吗？难道它们不是仁的典范吗？在对这一论述的精详的注释中，王弼描述了由天地之无所偏私维持的存在者间的前定秩序：

> 天地任自然，无为无造，万物自相治理，故不仁也。仁者必造立施化，有恩有为。造立施化，则物失其真。有恩有为，则物不具存。物不具存，则不足以备哉。天地不为兽生刍，而兽食刍；不为人生狗，而人食狗。无为于万物，而万物各适其所用，则莫不赡矣。若惠

由已树,未足任也。①

被人食和被兽食是狗和草本性中所具有的,因此,它们在这一过程中没有被毁坏,反而在给事物的一般秩序带来利益的过程中完成它们的本性。在《老子》20.1 注中,王弼写道:“夫燕雀有匹,鸠鸽有仇,寒乡之民,必知旃裘。自然已足,益之则忧。故续凫之足,何异截鹤之胫?”

在《老子》第 5 章注释的结尾,王弼引用来比拟天地运作存在者的方式的橐籥,之所以能“无穷”地产生各种声调和节距,正是因为它们“弃己任物,则莫不理”,“若橐籥有意于为声也,则不足以供吹者之求也”。

这种自我放弃不仅是这“四大”照料所有存在者的先决条件,而且是维持它们作为众之一的角色的先决条件。对于《老子》7.1“天地所以能长且久者,以其不自生”,王弼注释道:“自生则与物争,不自生则物归也。”如果天地等“四大”与其他存在者竞争,它们就成了众中之一,或者是与众相对的一,而非众之一;而它们在不可定义的“四大”中的生存将受到危及。这一假设的危险的唤起旨在突出这一事实:只有以“一”为范型,“四大”才能发挥它们的作用并保存其自身。

在对《老子》39.1 的注释中,王弼进一步发展了这一思想:

> 一,数之始而物之极也。各是一物[即下面将提到的天、地、神等],所以为主也。物各得此一以成,既成而舍一以居成,居成则失其母,故皆裂发歇竭蹶也。

译为:

> 一是数的开端,物的极致。在[下面提到的天、地、神等]每一个案中,这些[大]的存在者都是由一掌控的。这些存在者中的每一个都是通过获得一而成就的,但[如果]一经成就,就舍弃一而居于其成就的形式中,其结果是失其母,这就是[文本说]裂、发、歇、竭、蹶

① 译者按:此处引文的详尽译文,参见本书第二编第四章。

的原因。

这里提到的所有范畴(即天、地、神、谷和侯王)都是面对众的一。只有不居处于它们的完成状态,而是在它们与其他存在者的关系中运用统治一与众关系的原则,才能做到这一点。在王弼《老子》本中,第39章使用了这样的表达:"天得一以清,地得一以宁",等等。这一系列结束于"其致之一也"。《老子》随后描述了如果天地等不能发挥它们清宁的本性将会发生什么:"天无以清将恐裂"。在这种情况下,它不仅不能遮覆存在者,而且还将危及它的尊高和久长。这证实了我们前面对《老子》第7章注释的解读的合理性。正如我们将要看到的那样,通过这些《老子》论述中以对"一"的"得"和"以"出现的东西,王弼系统化了"以无为用"的观念。

除了真正的王侯以外,《老子》第39章中讨论的"四大"都是传统的宇宙论范畴。王弼关注的主要不是它们的特殊性,而是将它们解读为是在用读者熟悉的语言对哲学原则所做的说明:"取天地之外,以明形骸之内。"(《老子微旨略例》)。① 天、地等处于特殊性等级的顶端;它们是仅有一种特征的面对存在者整体的"一"。然而,正如《老子》本身的橐籥比喻所表明的,它们与众的关系只是一/众关系的普遍原则在某种较高层次的运用。这种一与众的关系也包含在《老子》第11章讨论的辐和毂的关系中。这些"一"要成为它们的"众"的基础,要保持自身为这些"众"的"一",而又不与这些"众"相冲突并破坏它们固有的秩序,需要满足一个条件:只有"以"无,即"用"或取"法"它们自身中的无的方面,才能充分发挥它们作为一的功能;并且只有运用与它们的众的特性相关的无,才能显明它们的可用性。在这种意义上,特殊的一与众的关系只是些中间的层面,其中重复了作为绝对的"一"的无与作为绝对的"众"的万物之间基本的结构关系。

---

①《老子微旨略例》,4.24;参见本书第二编。

王弼的讨论并没有止步于此。他承接了在一般性语汇中表达存在者与无之间关系的挑战。由于他的论辩是他的哲学和语言学勇气的极好的说明，而且同时还提出了对现代读者的严峻挑战，我将比较详细地检讨相关的文本。

《老子》第11章是一个值得深入探究的例子。在前面，我曾讨论过不同注家解读《老子》第11章的策略。[①] 这一章给出了三个例子，即辐/毂、埴/器、牖/室，我这里只用第一个。在王弼本中，《老子》11.1读作：

> 三十辐共一毂，当其无，有车之用。

王弼注曰：

> 毂所以能统三十辐者，无也。以其无，能受物之故，故能以寡统众也。[②]

毂是辐条聚拢以形成轮子的点。毂没有辐的特性，所以能"以其无"来统合所有的辐。这一注释中的"用"字，说的不是毂"运用"无，而是已经被归于毂之无的现存车子的"用"。这三个例子在《老子》中被总结为：

> 有之以为利，无之以为用。

王弼注曰：

> 木、埴、壁所以成三者，而皆以无为用也。言有之所以为利，皆赖无以为用也。

在这些极其简洁的表达中(它们推进到了一个没有指南的境域)，读者可以看到王弼在竭力挣扎于语言和某种仍在形成过程中的思想的精确表达。上面提到的所有三项(轮、器和室)都是由它们的功能、由它们的"利"来规定的。车的功能或利是可以转运四方，而器和室的功能或用

---

① 参见本书第一编第四章。

② 译者按：此处引文的详尽译文，参见本书第二编第四章。

则是容纳和遮盖各种各样的东西。它们是某个功能秩序的部分，它们在其中有其特定的位置。王弼的问题是：究竟是什么将一堆木头或泥土转化为这一功能性秩序中的部分。车的实体方面是它是由木头做成的，器是由泥土、室是由灰泥做成的。但这些东西本身并不能使任何东西发挥作用。“有”要能发挥作用，只有通过它的对立面——无。泥土和灰泥通过其中的空虚（亦即其中非泥土和灰泥的部分）成为有用的器和室。木制的辐条要成为有用的车，只有通过持承它们的毂的空虚，即通过毂的非辐条的品质。只有这一否定性的对立面，它们的无，使得它们成为某个结构性或功能性秩序的部分。实际上，它们中间的虚空与构成它们的材料的具体性之间的关系，正是一与众之间的关系。它们的虚空不是它们特有的，而是一般性的无的特殊部分。《老子》这一章中关于有和无的一般表述以“故”开头，这表明车、室和器是对某个整体结构的说明。因此，当王弼在其注释的其他部分提醒读者回想起此章，是有其道理的。

对于这一问题的另一详尽讨论出现在《老子》第 38 章注的开头（如果我们忽略只在范应元的文本中传下一个注释片断的话）。[①] 王弼以一个理论性的导言来注释第一句“上德不德，是以有德”：

> 德者，得也。常得而无丧，利而无害，故以德为名焉。[②]
>
> 何以得德？由乎道也。何以尽德？以无为用。以无为用，则莫不载也。故物，无焉，则无物不经；有焉，则不足以全其生。是以天地虽广，以无为心；圣王虽大，以虚为主。[③]

这一段以这一论述结尾：上德之人将像天地和圣王那样行动，不因

---

① 参见本书第二编。

② 我并不确信我理解了这一论述。在这样的场合下，常常通过同音的双关语为两个同音字在意义上的关联提供某种原因论的解释。这里的情况也是如此，但“故以德为名焉”这一论断还是不清楚。我觉得这里讨论的是字阶（Word Class）的变化。但在王弼的时代，还没有这样的概念。“得”作为一个动词，必然是一个事件，而它作为事件的特征就是暂时的，非恒久的。“德”是一个名词，王弼明确指出它是“常”。它因此表示“常得”。

③ 译者按：此处引文的详细译文，参见本书第二编第四章。

对他所得之德的特殊运用降低他的德的整全。

王弼又一次有意识地在这一讨论中使用了一般性的语汇，如“物”、“无”、“有”，以达成一般性的论述。天地和圣王的例子只是把他的论证推到了极端。即使是广大的天地和圣王，如果不能“以无为心”、“以虚为主”，也将失去它（他）们对众的掌控以及它（他）们自身的整全。存在者所得之德是由道的持恒供给、由它在某个结构性秩序的语境中的功能和“利”来规定的。在这一结构性秩序中，如果草被牛食、狗被人食，是有利而无害的。德（从道中得来的特殊能力）只有在“以无为用”的情况下才能充分地实现（“尽”）。较小的存在者如轮、器和室的例子在《老子》第 11 章已经给出了。这里的例子都属于“四大”；即使它们的功能也要以无为根基。

在对《老子》40.1“反者道之动”的注释中，王弼进一步将论辩深化了：

> 高以下为基，贵以贱为本，有以无为用。此其反也。

译为：

> [正如《老子》39.4 所说]，“贵以贱为本，高以下为基”，[总之]存在者将无当做[使它们]有用的东西，这就意味着以其“否定性对立面”的方式行动。

我们将在后面的上下文中回到这些句子的实际结论。王弼的注释是以《老子》的文本同一性的假说为基础的。《老子》第 11 章讨论的不是车、器和室，而是存在者与无的关系的基础。在一种相当不同的隐喻模式中，究竟是什么使得统治者被尊崇于高位的问题产生了。在《老子》第 39 章中，究竟是什么使得天清地宁的问题以相同的方式被提出。在不同的场合有不同的回答：对于圣王，他之所以被尊崇依赖的是自处于“卑”“贱”；而对于天地的清宁，则是由“一”所致。在所有这些例子中，共同的指向是否定性的对立面。只有“以”处于其核心的“空”和“虚”，轮、器和室才是有用的和功能性的。只有“以”处于其核心的“无”或“一”，天地才能成其清宁。

在《老子微旨略例》中，王弼找到了这一关系的最基本、最明确的表达：

凡

物之所以存，乃反其形；　　功之所以克，乃反其名。

王弼在政治领域的运用来说明这一点：

> 夫存者不以存为存，以其不忘亡也；安者不以安为安，其不忘危也。故[如《系辞》所说]保其存者亡，不忘亡者存；安其位者危，不忘危者安。①

事实上，在对《老子》39.3“天无以清将恐裂”的注释中已有相同的论述：

> 用一以致清耳，非用清以清也。守一则清不失，用清则恐裂也。

译为：

> 天用一来成就清，不是用清来成就清。只要它持守住一，清就不会失去。如果[为了得到清]而用[其内在之]清，就有撕裂的危险。

在一个秩序性结构中的存在者功能的基础，是作为绝对否定性一极的“无”。只有通过它，存在者特殊的具体性才是功能性的。正如我已经表明的那样，存在者在这一结构性秩序中的位置和功能，归因于王弼界定为“自然”的存在者的本性。至此，可以看出两条论辩线索讨论的是同一问题；被描述为存在者“本性”的、使存在者成为某个秩序性结构的部

① 译者按：此处引文的详细译文，参见本书第二编第四章。

分的东西，实际上被编码于作为其功能性基础的“无”的概念之中。就自然是“无”而言，它是某个结构性秩序中的存在者功能的基础。

最后，我们将来研究用返（反）、复和归等词来描述的这一关系的动力学。王弼用动静和语默的关系为例来说明这些对立面的运动特征。动起于静，语起于默，二者都“复归”于原初的静和默的状态。由于动和语是多样化的，而静和默则被规定为此种多样性的缺失，因此二者的关系就是一与众、无与特殊性的关系。从其否定性一极（即静和默）发散出来的动和语的多样性与“复归”到静和默之间的关系，被王弼用一般性的语汇描述为众与动受“制”于一与静。在《老子》26.1“静为躁君”的注释中，王弼写道：“凡物……不行者使行，不动者制动。”正如我们前面看到的，静和默不是在同一个层面上面对动和语。它们是由动和语的多样性的缺失标画的。显然，它们的掌控不是通过任何特定的干预来施行的。动和语极其自然地复归于作为其核心的静和默。在王弼的构造中，《周易》“复卦”的“复，其见天地之心”说的正是这一“复”的动力过程。王弼注曰：

> 复者，反本之谓也。天地以本为心者也。凡动息则静，静非对动者也；语息则默，默非对语者也。然则天地虽大，富有万物，雷动风行，运化万作，寂然至无是其本矣。故“动息地中”①，乃天地之心见也。若其以有为心，则异类未获具存矣。

因此，自然给思想提供了一种宏伟视野的哲学景观。当“动息地中”，即雷“息”于地中，至冬至之时，“天地之心见也”。这一“心”就是无，亦即所有雷和电的具体性的缺失，它只有在这一具体性消失于它的静和否定性一极时，才成为可见的。这一“心”本身使得天地“富有”万物，并成为万物能在其中秩序地运转的框架。

---

① 这是指构成“复卦”的两个卦象。下面的卦象是“震”，卦辞界定为“雷”。上面的卦象是“坤”，卦辞界定为“地”。复卦的象辞描述了隐含的意象——“雷在地中复”。

捕捉"天地之心"的一线闪光何以如此之难？首先，因为它是无。动和语这两个例子在其具体性消失的过程中提供了"天地之心"的一线闪光。其次，由于"所以"与存在者之间的关系是可能性的条件与现实性之间的关系，这一动力关系编码于贯穿于所有时间的结构，但又不依时间轴展开。动和语的例子的独特性在于它们将这一结构性的运动展开为时间轴上的可见的"复归"运动，在此，两个相联的要素(默和语、静和动或更一般地说，无和存在者)暂时被分开，又在特性的消失以及由此而来的无的"可见"中结合起来。由此，充满存在者和变化的天地"以无为心"，就可以理解和想象了；如果它们的内"心"是由特殊性标画的，那么这些存在者和变化将不能"具存"。

在《老子》第 16 章中，王弼发现了"复卦"的一个近似文段，这进一步证明他头脑中《老子》与《周易》之间的密切关联。《老子》这一段落的王弼本可以单独引证：

> 致虚，极也。守静，笃也，万物并作，吾以观其复。凡物芸芸，各复归于其根。

这一文本描述了在这里被称为"观"的"吾"的认识过程。存在者的"根"隐藏于它们纷纭的多样性中。"观"甚至不是要观察它们的根，而是观察它们向根的"复归"；而这一"观"的唯一方式是通过一种精神的过程。这在于在精神上从存在者的实和动扩展至它们最终必要复归的"虚极"和"静笃"。王弼又一次给出了动/静和物/虚的例子：

> 以虚静观其反复。凡有起于虚，动起于静。故万物虽并动作，卒复归于虚静，是物之极笃也。

因此，在某种可观察的过程中，思想对不可捉摸的"所以"的启发式追寻就有了某些可以依循的东西。这些过程并不必然是在时间中的过程，如动返于静、语返于默那样。《老子》1.3 和 1.4 又一次用了"以观"这一表达，来说明"可以用某种东西来观察""所以"的特征：

故常无欲，以观其妙。	常有欲，以观其徼。

王弼注曰：

妙者，微之极也。万物始于微而后成，始于无而后生。故常无欲，空虚其怀，可以观其始物之妙。	徼，归终也。凡有之为利，必以无为用。欲之所本，适道而后济。故常有欲，可以观其终物之徼也。①

王弼将“妙”和“徼”这两个词（二者都有“神妙”的意思）与前一句话“无名，万物之始；有名，万物之母”中的“始”和“母”联系起来，而“始”和“母”又被形式化为“始”和“成”。以这种方式，“常有欲”可以让“所以”的某个特征被察知这一令人困扰的想法，与《老子》的其他论述协调起来。②存在者“有欲”的时候（从《老子》34.2 注中“天下常无欲之时”的表达看，很明显，主语是天下，而非观察的主体），因此就是它们展开其特性、而非“复归”根基的时候。王弼将“徼”定义为“归终”，显然承续了“复”的语词系统。由此，在精神上追随存在者回到它们形成之前以及复归之后的时间，以一种启发式追寻方式观察“所以”的特征就有了可依循的东西。

因此，可以由存在者领域内的特定过程和关系来推论“无”与存在者的基本关系。但在绝大多数情况下，这一关系都不在时间中展开。其中一个例子是《老子》26.1 的“重为轻根”，此外还有《老子》第 39 章列举的天、地、神和谷等。因此，王弼在注释《老子》16.4 的第二句“各复归于其根”时，通过将“复归”译为结构性的“反”，将此句解释为“各反其所始也”。《老子》第 16 章接下来一句“归根曰静”引入第三个表述复返的词——“归”。通过“归”，存在者最终“得性命之常”，即通过这一复归，它

① 译者按：上述引文的详细译文，参见本书第二编第四章。

② 与王弼《老子》其他地方的“欲”字的用法相反，这里的“欲”字不具有毁灭性的意义。这里“欲”指出自存在者本性的预置的、互动的动力机制。

们完成了在结构性秩序中的作用。

然而，众向一的复归以及随之而来的利益，端在于一的自身作用的发挥。对于《老子》7.1“天地所以能长且久者，以其不自生”，王弼注曰：“自生则与物争，不自生则物归也”。这样，与王弼将“生”的语词系统转为结构性的“由”一样，在时间轴上运作的“复”的语词系统，就被转化为一种本体论关系。实际上，二者说的是同一动力过程；在对《老子》34.2和34.3的注释中，王弼在我们通常看到“由”的位置上使用了“归”。“万物皆归之以生”这一表述与前一句注释中的“万物皆由道而生”完全匹合。这两个词的区别主要是，“归”的术语系统使这一结构性关系的动力过程更为明显，它强调的是这一过程的可见性；而且作为一种警示，如果“归”的过程没有发生，“所以”与存在者之间关系的危机将随之而来。“归”这个词也被用为政治术语。存在者与天地的关系是实际的和自发的，并非对任何一方的决定的产生。我们在下一章将会看到它的原则是如何被转译为自觉的治理策略的。

总之，存在者的结构性秩序依赖于它们对具有“无性”的“所以”的复归，王弼用另一个赋予了新义的旧词“为功之母”来称谓它。①

上述讨论可总结如下：

● 王弼将《老子》中的宇宙论话语解读为“所以”与存在者之间结构性关系的隐喻。

● 存在者由之是其所是的“自然”或“常”，是它们的特殊性的否定性对立面；在最抽象和一般的意义上，它是“无”。

● 它被描述为自然(That-which-is-of-itself-what-it-is)。

● 通过“复归”这一否定性的对立面，存在者从某种结构性的、整体的秩序中获得了作为“利”的可能性之条件的“用”。对于诸如道、天、地

① 这个词重新出现于《老子微旨略例》6.77。参见本书第二编《老子》第38章注的结尾以及39.3注中。

和王这样的存在者(它们作为一者面对存在者的整体),是如此;对于其他存在者,也同样如此。

● 存在者中的某些过程,如出于静的动之始以及动的复归于静,使得无与存在者之间的结构性关系可以在时间的序列中成为可见的。在动息于静或语息于默的过程中,无成为可见和可察知的。这些过程可以用作整个关系的证据和说明。因此,对于探索和追寻的心灵而言,"所以"会在某个瞬间在存在者领域中"畅""至"自身,从而可以把握住它的特征。

玄

"玄"是一个名词。它描述的是"所以"的不可辨识的特征。"所以"的玄(它的不可辨识性)非但不应激起对人类认知之无能的叹息和对宇宙之神秘的恼怒,而应视为"所以"的必然的、组建性的特征,这在哲学上是令人惊奇的。道和玄共同构成了一个悖论,这一悖论出现在《老子》21.3 和 1.2 王弼注中:"万物以始以成而不知其所以然,玄之又玄也。"又《老子》34.2 注:"万物皆由道而生,既生而不知其所由"。又《老子》51.5 注:"有德而不知其主也,出乎幽冥,故谓之玄德也。"它将思想推到了这样的位置:必须同时肯定"所以"的存在和它的不存在。王弼在《老子》4.1注中写道:"存而不有,没而不无,有无莫测。"在《老子》6.1 注中,他说:"欲言存邪,则不见其形;欲言亡邪,万物以之生。"在所有这些场合,他解释了《老子》对道的描述所使用的含混的语言。

王弼在《老子》34.3 中找到了这一思想的明确证据:"万物归之而不知主,可名于大矣。"这句话是《老子》51.5 注的论述的直接范型。《老子》的关键词"玄德"是这一思想的隐含证据。王弼将这个词解读为上述悖论的一个缩节的形式——"由玄而得的德",因为存在者通过道获得它们的存在,但自己又不知从何而来,因而是出自"玄"的。在《老子》关于本体论悖论的陈述中，这两个要素被关联起来：这些论述中有一种自我解释，界定了其他分章中使用的概念，特别是《老子》第 10 章中“玄德”的定义。在《老子微旨略例》中，王弼将此承接到他对“所以”的两个主要方面道和玄的平行论述中：

故涉之乎无物而不由，	求之乎无妙而不出，
则称之曰道；	则谓之曰玄。
	妙出乎玄，
众出乎道。	
故生之畜之，不禁不塞，	生而不有，为而不恃，
通物之性，道之谓也；	长而不宰，有德而无主，
	玄之德也。

这一段在本体论的探究中详尽讨论了启发式过程。最终的称谓出自哲学性的“我”的“涉求”，是由提问的特定性界定的答案，而非由其固有特性界定的某个对象的定义。王弼这里解释了《老子》第 10、第 34 和第 51 章中的表述，其中将道对存在者的“生”和“畜”并置起来。在对《老子》1.5 中“玄”的注释中，王弼写道：

> 玄者，冥也，默然无有也，始母之所出也。不可得而名，故不可言同名曰玄，而言谓之玄者，取于不可得而谓之然也。谓之然，则不可定乎一玄，若定乎一玄而已，则是名，则失之远矣。[1]

“所以”的“不可得而名”源于它必然的非特殊性，因此是“所以”的一个组建性的方面。应该记住的是，不是“所以”的道之生的方面，而“所以”的建构性的玄在魏晋时代被看作王弼之侪的主要发现。这使得他们的学说被称为“玄学”，亦即对“所以”的玄的方面的学术探究。

尽管王弼对玄的组建性概念的探究在总体上是极其周详充分的，其

① 译者按：上述引文的详细译文，参见本书第二编第四章。

中还是留下了一些令人迷惑的段落。例如，他在上面引用的《老子微旨略例》的段落中提到“妙出乎玄”。王弼这里用的不是他自己的语言，而是《老子》第1章的术语：“两者同出而异名，同谓之玄，玄之又玄，众妙之门。”(译为：二者出于同一[根源]，而各有不同的名称。[我]将它们的共同[根源]指称为玄，玄而又玄，是众和妙之门。)《老子》的这一论述的意思是：道在其中作为存在者基础的两种形式——始和成，都源于同一个道，而道在始成万物之时仍是全然“玄”默的。而在《旨略》这里，“妙”指的是具体存在者的不可见的起源或萌生。王弼本人的语言处于与某种已经预先解释的《老子》语言的复杂互动之中。

另一段落更为复杂。对于《老子》34.3，王弼为解释相互排斥的性质“大”和“小”同时用于道而写道：“万物皆归之以生，而力使不知其所由，此不为小。”(译为：尽管万物的每一个都复归于它而被创生，但导致它们的那个力并不让它们知道它的根基，这不是“小”。)如果文本可靠，那么“力”这个概念似乎完全是不必要的；这个句子仍是一个挑战。

在其对“所以”的关注中，王弼显然是在探寻存在者的基础。他通过将《老子》中用生成性术语讨论道与存在者关系的段落当做可以被转译为结构性语言的哲学性隐喻，有意识地打破了宇宙论的探寻路线。他对“所以”的两个不可分割的方面(既是存在者可能性的条件——“由”又是“玄”)的发现和逻辑推演，标志着中国哲学史上的一个重大突破。

汤用彤注意到了这一发明，这显然是正确的。而且他认为王弼哲学是“本体论”的观点，也是有道理的，以西方哲学的术语看，王弼的确是在讨论本体论区分。然而，上面对王弼哲学的一个方面的分析，指出了这一定义的某些不足。对于某个在西方哲学术语中成长起来的读者而言，本体论可能有助于给出某种一般性的思想，但王弼的思想步调是颇为不同的。

我们已经从他思想内部的某个必须被称为边缘点的视角，即万物的二元结构，来审视王弼的哲学，而且我们已经通过与现有学术偏好中盛行的某种哲学史发展的欧洲模式的趋同，追索到了某个中心——在其与存在者的关系中“所以”的特征。然而，在王弼本人的思想路程中，对“所以”的探究也许只是某个不同的探寻（它更多考虑的是政治科学）的功能性、整合性的部分。如果确是如此，王弼哲学标志着向本体论转化的观点，也许会在很大程度上失去它在理解王弼本人的哲学思考中的重要性，尽管它在某种沿袭西方路线的中国哲学史写作中仍是重要的。

第三章　王弼的政治哲学

人类社会不断面临的危机

在前一章中我们讨论了王弼对看似静态的“无”与“有”关系中的动力过程的发现。由此，自然秩序就不是由特殊的存在者之间的相互作用，而是由存在者与它们否定性的“所以”之间动态的相互作用维系的。在《老子》第39章注中，王弼通过强调即使是天地的运作如果不“用一”也会“裂”和“发”，突出了这一点。与这一假想的危机不同，人类社会引出了真正的危机。在四大之中“王”的地位是由其在《老子》第25章中被算在最后这一点来证明的。只是在某种特定的条件下，王才有列入四大的资格。然而，事实上，王弼并没有在他的注释中真的强调作为最高的人类存在的王与四大中其他三者的区别。根据《老子》25.9，只有四种存在者有资格列为“大”，这显然是因为它们作为一者对万物的整体的作用。

道大，天大，地大，王亦大。

这一文本以“亦”字提供了这种可能：标明其他三者与王之间的差

异，以及自然与社会之间的差异。《老子》接下来一句为："域中有四大，而王处其一焉。"对于《老子》的隐含读者而言，似乎其他三者应该处于这一"域"中是毫无争议的；新的论点是王在其中也占有一席之地。王弼对"王亦大"注释道：

> 天地之性，人为贵，而王是人之主也。虽不职大，亦复为大，与三匹，故曰王亦大也。

译为：

> [正如孔子在《孝经》中所说]："天地之性人为贵"，而王是人类的君主。尽管[王]不是地位性地大，他"也"是大，而与其他三者相配。这就是[文本]说"王亦大"的原因。

这里"虽不职大"的意义以及最后一部分的标点并不清楚。① 然而，有一点是明确的。王弼关注的不是在其他三者与王之间做出某种根本的区分。这意味着什么呢？

一与众之间的关系并不必然是共同得利的一种关系。如果天以一来运作，那么它将清，而且能遮覆万物。如果不能如此，天本身将崩裂，而万物也将失去遮覆。对于其他诸大也同样如此。作为处在与众的关系中的一，如果行动恰当，它们对自身和万物的影响将都是有利的；但如果相反，将是极端灾难性的，那样它们会在一与众的关系中引起否定性的相互作用，将给双方带来破坏。

因此，王作为无数人众的君主，属于诸大之一。他是否像《老子》第39章所说的那样"用一"，将对人类命运产生巨大影响：如果用一，将带来社会的太平，否则将引生一与众之间毁灭性的争斗。作为人类的君主，无论追随怎样的行动过程，王必定会有这样的影响。与任何对统治者自

---

① 波多野太郎，《老子王注校正》，A—3，第15号(1953年)，页26，他依据陶鸿庆的说法，将文本改作"亦复与三大为匹"，这意味着他将此读作一个句子。我也是这样做的。其他学者，如楼宇烈和岛邦男在"亦复为大"和"与三匹"之间断句，我觉得王弼的论辩不太会像这样呆板。

动的正统性和积极作用的廉价的、哲学性的论断不同，将王列入四大使他担负了带给人类最大灾难的潜在可能性（因为王是众人之上的一）。

在王弼的著作中没有任何迹象表明他认为日食或地震的现象是天地未能“复归于无”、因而将崩裂和动摇的标志。他对宇宙的理解似乎受控于实际的规律性和秩序的观念，如他常常引为例证的四季代序。他由此拒绝了汉代关于统治者对自然秩序的扰乱（天道失常）的知识，支持某种严格的哲学分析。

对“所以”的忽视和忘却有什么哲学上的原因，还是只是君主道德水准败坏的偶然结果？后者在班固的《古今人表》中有充分的文献支持：随着时间的由古至今，有资格列入“圣人”“仁人”和“智人”等级的越来越少，而九个人物等级中较低等级的人却越来越多。在对《老子》39.1“昔之得一者”的注释中，王弼讨论了这个问题：

> 昔，始也。一，数之始而物之极也。各是一物，所以为主也。物各得此一以成，既成而舍一以居成，居成则失其母，故皆裂发竭蹶也。①

译为：

> “昔”即是“始”的意思。一是数的开端，物的极致。在［下面提到的天、地、神等］每一个案中，这些［大］的存在者都是由一掌控的。这些存在者中的每一个都是通过获得一而成就的，但［如果］一经成就，就舍弃一而居于其成就的形式中，其结果是失其母，这就是［文本说］裂、发、竭、蹶的原因。

如果我理解得没错的话，王弼对这一句话的解读是相当难以理解的。其结果是，抄写者难以理解他的注释，因此“各是一物，所以为主也”这句话有不同的传本，绝大多数版本都是“各是一物之生，所以为主也”。

① 参见本书第二编。

然而，更为重要的问题是最后一部分的语法和逻辑关联，在这里，我们将其联结为一个单独的句子。在标明这类假设性的句子“如果它们不 x，那么 y 就会发生”时，王弼做得并不十分清楚。在当下这一个案里，句子在形式上像是一种常规的指标：“既成而舍一以居成，居成则失其母（即‘一’），故皆裂发竭蹶也。”但这不是事情的正常路径。这里的存在者指的是所有属于“一者”范畴的存在者，它们通过自身的无来包容、遮覆或管理众物。它们在《老子》中被用作“所以”与万物关系的说明。[①] 正如王弼在《老子》39.3 注中详细阐发的，为了具有这一对众的影响，它们必须“用一”。除了侯王以外（他们只是可以或应该这样做），其他数者都是盲目的；这是它们的本性。事实上，在王弼看来，天并不会“裂”，地不会“发”，谷也不会“竭”。然而，侯王却可能颠“蹶”。从这一实际信息看，这一句话的语法必须重新考虑：整个句子必须被读作一个假设句。

对于天、地、神、谷等是假设的状况，到了侯王那里就成了真实的可能性。但他们为什么会“舍一”而“居成”，结果“失其母”呢？“守母”可以使他们将天下维持在结构性秩序之下。这一论辩以各种语汇贯穿于王弼的《老子注》。对于人类社会，王弼谈到“舍本以逐末也（《老子》52.2 注）、“舍本而攻末”（《老子微旨略例》6.29）、“舍之而不由”（《老子》53.2 注）、“弃其所载，舍其所生”（《老子》38.2 注）。并追问，“以一为主，一何可舍？”

在人类社会，问题不只是统治者。与自然的预定和谐相反，人们有一种打破分派给他们的位置的自发倾向。“大道甚夷而民好径”（译为：“大道如此平坦，而百姓好走捷径”，53.2），王弼注曰：

> 言大道荡然正平，而民犹尚舍之而不由，好从邪径，况复施为以塞大道之中乎？故由：大道甚夷而民好径。

① 关于“天地”，参见《老子》第 5，16 和 25 章；关于“谷”，参见《老子》6.1，15.3，28.5 和 41.6；关于“神”，参见《老子》第 25 章。

译为：

> 这说的是：大道广大平正，而百姓仍然拒绝遵从。他们宁愿追随邪僻曲径。何况［我］又有所施为，阻塞大道的中央呢！这就是［文本］说“大道甚夷而民好径”的原因。

“民”的好从邪径的自发倾向是王弼常常提到的。“民”之心“邪”(65.3注)；有“爱欲”(《略例》6.22)；乐于“争”和“盗”(3.1)；可能被“迷”(52.7注)和“乱”(3.1)。换言之，在百姓中没有可以通过去除统治者的制度来复原的自发秩序。这种自发地向邪恶和混乱流荡的看法，既源于荀子对人性的严肃的哲学观点，同样也出自汉末的社会动荡。如果统治者不想用哲学上错误的方法(如上面提到的“施”和“为”)加深这一动荡，他就必须有意识地抵消它。与自然领域(王弼和《老子》用作为一的天地和作为众的万物来指称的)相反，“天下”(即人类社会)的秩序是由统治者自觉地将一与众的一般法则运用到百姓身上而有目的地产生出来的人造物。

历史事实中的社会现实无论对于老子还是王弼，都不是由道而生的秩序的出现、而是它的破坏的结果标志的。这一破坏是沿着一与众之间的辩证关系的法则进行的。尽管这一破坏被不断地重演和特殊化，它并不是晚近才开始的。王弼本《老子》58.6说：“民之迷也，其日固已久矣。”王弼对此注曰：“言民之迷惑失道，固久矣。”随后是一个各种版本都传载的句子(然而许多学者都宣称这句话有文本淆乱之处)：“不可便正善治以责”(译为：不能简单地说以正和善的［方式］来治理)。据我的理解，它指的是这一事实：所有通过正和善的治理，已经成为将民众带回“旧”的迷惑、并在此过程中巩固甚至加深了这一迷惑的尝试。它是由民众“好径”而非好“道”的自发倾向滋生的。

“舍弃”秩序的根基的主角是统治者，而且也只有他能够将社会带回根基。王弼的哲学关注的焦点和他的哲学规划最终的言说对象不是“民”，而是统治者。由于不知道一与众之间关系的法则，统治者试图在民众中通过强硬的治理行为建立起秩序，而在此过程中，他恰恰有组织地破坏了他想要建立的秩序(《旨略》)。

危机的原因

这一对“本”根的忘却(这一忘却出自“民”之好径的可悲倾向与侯王理解一与众之间动力过程的同样可悲的无能)的可能性的条件是什么呢？侯王“舍弃”如“所以”这样重要的东西而“居成”是如何可能的呢？这一“舍弃”实际导致并极大地加深了社会领域的变动无常，因此是争竞和混乱的根源。

我认为，原因在于“所以”固有的“玄”。存在者的“所以”并不显现为一个单独的存在者。它超越所有感官，也超越语言。总之，正如王弼指出的那样，万物“以始以成，而不知其所以然”(21.3注)。“所以”这一固有的、必然的“玄”——与具体存在者的压倒性的、可识知的显现相反，是这一“舍弃”的根由。对“所以”与存在者之间关系的认识和理解进而产生了与人类思想的自发假设截然相反的结果，从而导向与那些被假设为正常的、合理的和有效的行为正好相反的行动过程。在《老子微旨略例》6.68关于对立面的辩证关系的讨论中，王弼突兀地引用了“古人”的慨叹：“甚矣，何物之难悟也”。这一成语为人类心灵记录了这一哲学统系的某个部分。王弼不得不付出巨大的努力，来重新发现他觉得是《老子》、《论语》和《周易》的隐秘哲学的东西。事实上，只有某些罕见的哲学性注释者的努力，才能使这些文本中“所以”的奇怪印迹和指标保持为可见的，尽管绝大多数其他注释者并没有看到它们。因此，万物之“所以”被忘却和“舍弃”是正常的、意料之中的事。

然而，由于这一舍弃在社会现实中的结果，注释家/哲学家(在这些注释和论文中没有他们个人的出现)的任务就变得尤为重要了。只有通过他们，“所以”的路标才能被重新发现和解码。更糟的是，王弼看到绝大多数此前的注释者与其说在解决这一“舍弃”的问题，毋宁是作为这一问题的部分，从而唯一的出路也在实际上被阻断了。在这一论断中，我们可以感觉到王弼年轻的傲慢，以及对自己的哲学发现的骄傲。

王弼关于《老子》、《周易》和《论语》的写作都指向这一破坏秩序的持续过程。在这一过程的分析中，王弼是作为一个分析某个政治过程的动力学关系的政治哲学家出现的。在他本人的著作中，这一分析的重要性是由他对“邪之兴”和“淫之起”的动力过程的讨论突显出来的(《旨略》)。王弼显然是感到了上述经典文本中给出的指标的不充分，这要求他撰写出一种更为系统的讨论。

社会破坏的过程是由本来可以带来社会秩序的统治者发动的。《老子》75.1曰：

民之饥者，以其上食
税之多也，是以饥。

民之难治者，以其上
之有为也，是以难治。

民之轻死者，以其上求
生生之厚也，是以轻死。
夫唯无以生为贵者，是
贤于贵生也。

王弼的注释将这些特殊性的论述一般化为一个政治理论的法则，根据这一法则，民众的道德品质以及社会秩序的状况完全依赖于统治者的行为，因为它将深化民众的自然倾向：

言民之所以僻，治之所以乱，皆由上，不由其下也。民从上也。[1]

在对《周易》“观”卦的第五爻(阳爻)“观我生，观民也”的注释中，王弼写道：

上之化下，犹风之靡草，故观民之俗以察己(之)[道]。百姓有

---

① 同样的段落可以在《老子》72.1注中找到。另57.5注：“上之所欲，民从之速也”。

罪，在予一人。①

译为：

君主转化在下者，就像风吹弯野草。因此，[我，统治者]通过检讨自己来考察百姓的风俗，百姓有罪责，归在我一己身上。

这些论述比经典文本更深入了一步，尽管王弼可能有理由声称他阐发的政治理论隐含在这些论述当中。

统治者行为中有两个方面尤其有害于社会并动摇他本人的地位——他对生活乐趣的态度和他对政治权力的操作。《老子》第72章描述了这一过程：

民不畏威，则大威将至矣。

无狎，其所居； 无厌，其所生。

译为：

当人民不畏惧[统治者]
的权威时，那么大威就
将来到。[只有]

不轻率，会使[统治者]
安居。

压制，会使[统治者]
保住身命。

王弼注曰：

清静无为谓之居， 谦后不盈谓之生。
离其清静，行其躁欲； 弃其谦后，任其威权。
则物扰
而民僻。
威不能复制民，
民不能堪其威，
则上下大溃矣，天诛将至。

① 楼宇烈，《王弼集校释》，北京：中华书局，1980年，页317。

故曰：民不畏威，则大威将至。

无狎，其所居；　　无厌，其所生，

言威力不可任也。

译为：

做到"清"、"静"和"无为"称为"居"。　　保持"谦"、"后"和"不盈"叫做"生"。

如果[统治者]

离开清和静而施行其躁欲，　　放弃他的"谦"和"后"而运用他的权威和权力，

那样一来，　　其他事物就会扰乱

而且百姓会变得邪僻。

一旦　　他的权威不[再]能控制人民，

而且[一旦]

人民不[再]能承受他的权威，

上下都会陷入极大的混乱：天[对统治者]的诛罚就将来到。因此[文本]说："民不畏威，则大威将至"！

"无狎，其所居"，　　"无厌，其所生"，

这样说的意思是不应该运用权威的力量。

因此，这里的逻辑是：由于统治者"行其躁欲"、"任其威权"，将会"上下大溃"，而对于他本人，则"天诛将至"。

《老子》57.1讨论的是政治权力的操作。它一开始就将“以正治国”、“以奇用兵”的统治者与“以无事取天下”的统治者并置起来。王弼在注释中指出，前一种统治者将“立辟以攻末”，而非“崇本”以根除动乱的根源（“息末”）。《老子》本文接下来追问道：“吾何以知其然哉？以此。”它随后阐发了主题背后的逻辑：治理行为的结果与它的意图相反。统治者“多忌讳”，“欲以止贫”，其结果却是“民弥贫”；“多利器”，“欲以强国”，其结果是“国愈昏”弱；在统治者的影响下，“民多智慧”，其结果是“邪事起”。统治者想要消除贫穷、强大国家、增进民智的良好意图，最终却引发了“邪事滋起”的结果。

正如王弼指出的那样，统治者由“正”来“息邪”的努力带来的却是意外的结果。而被总结在“法物滋章”（译为：“[统治者]陈示的美丽的东西越多”）这一表达中的他的良好意图的结果，只会是“盗贼多有”。反过来，又只能以奇诡的军事策略来面对这些状况。因此，“以正治国”的统治者将最终导致军事镇压的运用。王弼试图将此章读作对哲学上缺乏引导的良好意图在政治上导致灾难性后果的否定辩证法的结构严谨的描述。在对此章的解读中，我们甚至不需要对朝廷的靡费的公开批评。良好意图足以毁灭国家和王位。

至此，我们已经看到了对社会堕落的阶段的描述，但表明这一过程的必然性的特定逻辑却没有得到阐发。《老子》第58章可以用作开头。它用列举这一逆反或否定的辩证过程的进一步要素的方式，开启了正确与错误的治理方式的另一种对置。《老子》58.2曰：“其政察察，其民缺缺”（译为：“其治理力求监察的[统治者]，将看到他的百姓的分裂”），王弼注曰：

> 立刑名、明赏罚，以检奸伪，故曰：“其政察察”也。殊类分析，民怀争竞，故曰：“其民缺缺”。

译为：

他建立刑名、颁布奖惩来控制奸伪，故曰“其政察察”。[百姓]的不同类别被分别割裂，[以致]百姓关切于竞争。这就是[文本]说“其民缺缺”的原因。

以这种方式，“祸兮福之所倚，福兮祸之所伏”。

魏明帝时期曾致力于发展法典和规范——主要不是为了控制“民”众，而是为了回应东汉以来形成的世家大族的挑战。尽管我们没有这方面的资料，但从王弼的回应看，政府监察一定是这一系统的相当主要的部分。[①] 王弼一再谈及这一监察的灾难性后果。这些段落也指出了这些否定性的结果由以发生的特定过程。《老子》65.3 曰：

故以智治国，国之贼也。

王弼注曰：

以智术动民，邪心既动，复以巧术防民之伪。民知其术，随防而避之，思惟密巧，奸伪益滋。

译为：

如果[统治者]以智力和邪术的方式诱动百姓，他们的邪心将被触动。如果他再以巧诈来防禁百姓的欺伪，百姓知道他的巧诈，由此而阻碍和规避。[统治者的]狡诈越多，百姓的奸伪越甚。

又，《老子》18.2 曰：

智慧出，焉有大伪。

译为：

一旦智慧出现于[统治者的行动]，[在他的臣属中]就会有巨大的欺骗。

王弼注曰：

---

① 参见拙文，“Lebensstil und Drogen im chinesischen Mittelalter”，*T'oung Pao* LIX：94(1973)。

行术用明，以察奸伪，趣睹形见，物知避之，故智慧出则大伪生也。

译为：

如果他施行诡计，运用他的智慧，来探察[百姓的]奸和伪，其结果是，其他人知道如何规避他。这就是[文本]说“智慧出则大伪生”的原因。

一旦统治者在特定的行动和技术（如法律和秘密监察）中特殊化自身，他的行动和技术就成为可察识的，因而也是可以规避的，百姓巧伪滋甚的结果是扭曲和背离对所分派的角色的服从。

《老子》第3章和第64章在相反的过程中描述了同一逻辑。《老子》3.1曰：

不尚贤，使民不争；　　不贵难道之货，
　　　　　　　　　　　使民不为盗。

不见可欲，
使民心不乱。

“民”众有“争”和“盗”等为“乱”的自发倾向，必须被诱导（“使”）才能不流于这一方向。王弼的注释详细阐发了在统治者的行为与这一行为在百姓中产生的结果之间运作的逻辑，指出《老子》中的这一考察包含了处理社会等级中上与下、统治者与百姓之间辩证关系的政治理论：

唯能是任，尚也曷为？唯用是施，贵之曷为？尚贤显名，荣过其任，下奔而竞，效能相射；贵货过用，贪者竞趣，穿窬探箧，没命而盗。故可欲不见，则心无所乱也。

译为：

只有能力承担这一　　只能用于这一[具体]用途
[具体]职任的人，推　　的东西，为什么要格外重

奖他的目的何在？

视它呢？

如果在推奖贤者尊显荣名时，称赞超过了他们的职任，那些在下位者，就会急于争竞，与[那些被推奖的人]比较能力，相互超越。

如果对货物的重视超过了它们的用途，贪者将竞相趋向于它们，他们将[像孔子在《论语》17.10中所说的那样]“穿窬探箧”，不顾性命地抢夺。

这就是，[本文说]：不陈示可欲，则民心不扰乱的原因。

王弼没有对这一段做极端的解读。在他的解读中，这一段落并不是直接反对“任能”和使用“难得之货”，而是反对对它们的过度赞赏。此类出自社会阶梯顶端的人的赞赏，将为其余的人设立标准。结果将导致所有人都试图脱离他们预先分派的位置，争得尊荣和富贵，最终是争斗贪盗，简言之，民心乱矣。《老子》64.7使得教训更为明晰深刻。对于“是以圣人欲不欲，不贵难得之货”，王弼注曰：“好欲虽微，争尚为之兴；难得之货虽细，贪盗为之起也。”这一争尚采取的特定形式是“讼”。王弼由此从《老子》中细绎出了统治者与被统治者之间运作的盲目的、惩罚性的一与众的辩证关系（涵盖政治、社会和道德等方方面面），这一辩证关系的运作独立于特定统治者的意图和道德状况。

此处描述的否定性辩证过程不仅使政府本来良好的意图造成了一个社会冲突、道德败坏、政府镇压以及秘密监察肆虐的社会，而且最终会颠覆统治者本人。《老子》第49章对于这一讨论是关键性的。王弼对《老子》49.5注释曰：

又何为劳一身之聪明，以察百姓之情哉？夫以明察物，物亦竞以明应之;以不信察物,物亦竟以其不信应之。夫天下之心不必同,其所应不敢异,则莫肯用其情矣。甚矣,害之大也,莫大于用其明矣。夫在智则人与之讼,在力则人与之争。智不出于人而立乎讼地,则穷矣;力不出于人,而立乎争地,则危矣。

译为:

而且,[统治者]发挥
一己的智力来探察百姓
的情感,其目的何在
呢? 事实上,如果

以自己的见识来伺察
他人,他人也将竞相
以其见识来回应。

以自己的不信任来伺
察他人,他人也将竞
相以不信来回应。

实际上,天下[人民]
之心不必与[统治者]
同一,而他们对[统治
者]的回应却不敢不
同[因为我的控制网络
的无孔不入],这就意
味着没人愿意用其[本
身]自然的情感。的确
是呵! 对事物的危害,
莫过于[统治者]运用其
智力! 事实上,[正如
《淮南子》所说][统治
者]

"在智则人与之讼",
由于[我自己的智力]并

"在力则人与之争"。
由于[我自己]力量并

未超越于[众]人之上，	未超越于[众]人之上，
而又处身于诉讼之地，	而又处身于纷争之地，
我将会失落。	我就危险了。

整个论辩被表述在关于圣人如果用智会发生什么的假设性反思中。它由暗指孔子的一个论述得到了强化："听讼吾犹人也，必也使无讼乎。"王弼并没有停步于此。他给出了当统治者不是作为众之一而是作为众之中的一时，不可避免的社会灾难的生动描述：

> 未有能使人无用其智力乎己者也？如此，则己以一敌人，而人以千万敌己也。若乃多其法网，烦其刑罚，塞其径路，攻其幽宅，则万物失其自然，百姓丧其手足，[总之，如《庄子》所说]："鸟乱于上，鱼乱于下。"

在这一段落中，王弼自己的思考程式对《老子》本文的压制尤为明显。在其他场合王弼会细致地引出任何细微的证据来表明他只是在阐发《老子》的哲学暗示，这是仅有的几处他插入了一段与本文没有显见关联的大段重要论述的场合之一。《老子》的确反对用"智"和"圣"，但没有任何分析的技术会导向王弼在这一注释中描绘的可怕图景。这也是仅有的几处引及《老子》、《周易》和《论语》以外的文本(在这里是《庄子》和《淮南子》)作为确证的分章之一。

这一段落以《庄子》关于宇宙(而非仅止于社会)的混乱的引文结尾。从这一部分的论辩中，可以明显看出《老子注》的言说对象是统治者。最大的危险不是一般的社会动乱，而是统治者的失位丧身。《老子》第49章的注释是一个威吓性的概述：告诉统治者由错误观念引导的策略会给他本人带来怎样的结果。幸运的是，作为预定秩序的破坏根由的统治者，同时也是这一秩序的重建和保持的主要工具。

王弼显然觉得这一社会灾难的起源和动力过程没有被《老子》等文本完全涵盖。对于他的政治哲学而言，这是一个重要的主题；在对这一主题的讨论中，他已经达到了注释所能做到的东西的极限——它假设所有重要的主题已经以某种确定但神秘的方式被涵括在本文当中了。上面引用的段落是这一点的明确标志；在《老子微旨略例》中，除了对《老子》的分析外，他插入了一篇在形式上标明为他本人的哲学贡献的短论。

王弼用一句话总结了《老子》的政治理论。它概述了"息末"(即平息并给世间的事务带来秩序)的方法。针对对《老子》的哲学探索的这一终极目标的众多误解，王弼撰写了这一独立的短论。它以"尝试论之"开头，这成为后世注家引入此类插入性短论的常用表达。在这一论述之前，王弼在《旨略》第4段极其精确和均衡地概括了人类世界中的否定性辩证法的一般原则，这一原则与自发的前哲学领会所设想的完全相反。在论述的结构和语言中，仍带有了不起的重要哲学发现所独有的紧张和兴奋：

> 凡物之所以存，乃反其形；功之所以克，乃反其名。

译为：

[一般说来]，

物之所以持存， 是它们的形的否定 性对立面。	功业之所以成就， 是它们的名的否定 性对立面。

王弼进而将这一一般规则运用到统治者地位的特性上：

> 夫存者不以存为存，以其不忘亡也；安者不以安为安，以其不忘危也。故保其存者亡，不忘亡者存；安其位者危，不忘危者安。善力举秋毫，善听闻雷霆，此道之与形反也。①

① 参见《老子微旨略例》4.1。见本书第二编。

译为：

事实上，

持存的人不以
他的持存为[原因]，
而是因为他不忘掉
灭亡的[危险]。

安全的人不以他
的安全为[原因]，而
是由于他不忘掉危险。

这就是[《系辞》说]，

“保其存者亡”，
“不忘亡者存”；

“安其位者危”，
“不忘危者安”的原因。

善用力者
[限制自己]只举
最轻的秋毫，

善于听者[限制]
自己只去听雷霆之
声。

这就是道与形
之间的否定性
对立。

中国哲学，自孔子、老子和庄子的时代起，已经擅长并乐于在现实结构中发现悖论（与常识的预设相反）：它将表明可见的对象、过程或结构对其对立面（通常是否定性的对立面）的依赖。《老子》2.1列举了这些发现。它甚至声称：“天下皆知美之为美，斯恶已；皆知善之为善，斯不善已。”《老子》进而构建了对立（而非否定性对立）的一般规则：“故有无相生，难易相成，长短相较。”正是在对这一现实结构的模仿中，圣王形成了他自己的策略：“是以圣人居无为之事，行不言之教。”通过他未标明但常常是逐字的引文，王弼认可了这些发现，但他超越了简单的悖论，建立了一与众之间的关系是一种否定性对立而非简单的对立的哲学上论证充分的理论。他在上面的引文中记述了这些早期的发现，而且细致地选择了那些能说明否定性对立的文字。他本人将推论并表述一般的哲学法则，进而表明孔子和老子是如何在他们没有逻辑推论的论述中立基于这一法则的。

上引段落的最后一句所建立的一般法则，不仅适用于统治者维持其身、位、存、安，而且也适用于如果不领会这一法则所引生的社会灾难的爆发。在《旨略》这一部分的短论中，王弼以预期的悖论开头：

> 夫邪之兴也，岂邪者之所为乎？ 淫之所起也，岂淫者之所造乎？

整段短论构成对《老子》第19章“绝圣弃智，民利百倍”这一悖论的讨论。根据这一章，统治者将抛弃所有一直以来的政治理论视为最有效的治理手段，如圣、智、仁、义、巧、利。事实上，这些手段一向是出于良好的意图而被使用的。如果统治者不能去除其“好欲之美”，上面阐发出来的一般法则将沿着它毁灭性的辩证过程运作：

> 虽极聪明以察之，竭智虑以攻之，巧愈思精，伪愈多变，攻之弥深，避之弥勤，则乃智愚相欺，六亲相疑，朴散真离，事有其奸。盖舍本以攻末，虽极圣智，愈致斯灾，况术之下此者乎！

译为：

[统治者]

即使竭尽他的智慧
来监察百姓，

虽然竭尽心虑来
攻击他们，

但

监察的技艺越精巧
百姓伪诈的技巧就越精湛，

他对他们攻击得
越激烈，百姓归避他的
努力就越强。

这样一来，就会智
愚相互欺骗，六亲相互
猜疑，大朴亏散，离[其]
真性，在所有的事务上，
都存在奸诈。一旦“舍

本攻末”，即使穷尽圣
智，也只会带来更深的
灾难，何况用那些比这
还低下的技艺呢！

王弼随后承续了《老子》第19章的三个要素。统治者“竭圣智以治巧伪”，结果是“察则巧伪深矣”。“兴仁义以敦薄俗”，结果却引生了对名利的追求，从而导致父子、兄弟的猜疑。统治者“多巧利以兴事用”，结果却鼓励了贪盗。总之（王弼又一次引用《系辞》中孔子的论述），“有其治而乃乱，保其安而乃危”。统治者创造社会秩序的努力是社会混乱的根由。

对此类干预派治理的影响的一般表述，只能在《老子注》而非《旨略》的现存各部分中发现。相应的一般语汇是“为”，其结果是存在者之自然的“败”和“伪”。[①] 存在者有其“常性”，“而造为之，故必败也”；有其“往来”，“而执之故必失矣”。[②] 在《老子》17.5注中，王弼使用了一个医学的隐喻：“御体失性，则疾病生；辅物失真，则疵衅作。”在《老子》16.6注中，王弼描述了整个过程：

> 常之为物，不偏不彰，无皦昧之状，温凉之象，故曰：知常曰明也。知此复，乃能包通万物，无所不容，失此以往，则邪入乎分，则物离其分，故曰：不知常则妄作，凶也！

译为：

> 恒常的[本质]既不偏颇也不彰显；它没有明亮或黑暗的外观，也没有温或凉的特征。因此[文本]说“知常曰明”。知道这一恒常，[统治者]就能周普地通贯万物，无所不容。一旦他失去了这一[知

---

① 《老子》2.2，2.3曰：“是以圣人居无为之事，行不言之教”。王弼对前一句注曰：“自然已足，为则败也”。对后一句注曰：“智慧自备，为则伪也”。

② 王弼《老子》29.3注。

识],邪恶就会渗入[事物]的本分,结果使事物偏离它们[禀赋的]地位。这就是[文本]说"不知常则妄作凶"的原因!

存在者中"常"的特定用词是"分"。一旦治理行为未能考虑万物的常性,就会"邪入乎分",从而破坏它们在秩序中的安排。

正如我们在本章的开头看到的那样,动力过程是极其具体的。本质的特征是统治者的公共角色。如果他的"爱欲"公然昭示于外,他的财富和权力的展示将加深他已经处于社会等级的最高层的事实。他的爱和欲以这种方式为百姓设立了标准,一旦人人都开始贪求财富和权力,他将成为众之中的一,他将独自面对作为竞争者和敌方的万众。统治者这一错误做法的最精致的象征性表达是作为一种沉默的文本出现的。《周易》诸卦的第五爻通常代表统治者的阳位。正如王弼指出的那样,如果阳爻出现在这一强势的爻位,其结果大都是不利的。因此,作为一种编码的政治哲学文本,《周易》就指出了一个处于强位的人,如果炫示他的强力或权势,必然会有怎样可怕的结果。①

因此,处于持续的社会灾难的核心的,就既不是百姓自发的"好径",也不是某些统治者由其所处地位滋养的淫欲,而是对一与众的动力关系的哲学性误解。统治者对自己的地位和角色的恰当理解的必要性得到了空前的强调。王弼本人的哲学事业的重要性也得到了同样的强调,它承诺了一种全新的通向社会秩序的道路。

王弼没有考虑政治结构的其他可能。统治者与社会被辩证地锁结起来,但二者又是明确区分的范畴。这里没有由核心的名义性首脑调控的社会的概念,也没有完全由国家运行以致并入国家的社会的概念。以单一的统治者为代表的国家与由众多的百姓操持的社会是不同的存在者,永恒地锁结在一种命运性的辩证关系中,这一辩证关系盲目地运作

① 王弼在许多卦里都将第五爻的阳爻读作居统治地位的人处于危险中,或者其行为极为有害。相反,这个位置上的阴爻一般被视为体现了对政治辩证法的恰当理解。

着，独立于每一方特定的身份、状况或理解。单一的统治者生存于众多的民众之上，这跟一与众的基本关系相对应，其实也就是"所以"与万物的关系在生活中的映像。在这种意义上，单一统治者的制度具有哲学必然性的地位。对单一统治者的必然性的论述或对质疑这一制度的合法性的辩护，表明在王弼生活的文化环境中，没有此类王弼不得不加以回应的讨论。这里的哲学问题是单一的统治者应该如何行动。

即使是指导方针错误的统治者的行动，也是由对立面的使用决定的。他们用监察来对付巧伪，用刑罚来对付贪盗。正如王弼在《老子》第57章注中描述的那样，这些做法将引向更严苛也更具反作用的干预。在一与众的动力关系中，这些行动正好产生了他们想要阻止的动荡。这些统治者没有领会到一是通过它的否定性对立面而非简单的对立面（如一人与众人的战斗）来掌控众的。这一领会是可以得到的，但只能从圣人和《老子》留下的模糊的路标中得到。这正是王弼的事业的重要性之所在。他设法使这些路标再次成为可读的，并由此为实际的政治哲学建立可理解的本体论基础。

王弼并不是针对那些行为不当的统治者简单地称扬理想的统治者，如"荡荡乎民无能名焉"的帝尧。在《老子》中，王弼发现一个逐级降低的治理原则的完整序列，它提供了比圣人与愚人的简单对立远为复杂的格栅。这一序列的原动力实际上就是一与众被锁结在其中的那种辩证关系。

在公元前4—前3世纪历史思考的语境中，许多著者都曾描述过由三皇五帝降至春秋五霸这一政治的渐次败坏。《老子》承续了这一讨论（如第17、第18和第38章），而王弼并不是将它们解读为仅仅是命名和描述这一败坏的阶段的努力，而是旨在呈示历史的这一下降路程的逻辑。《老子》这些分章的语言是一种时间的语言。在《老子》第17章中有一个以"其次"来列举的帝王等级的序列，这一描述与第18章"大道废，焉有仁义"相合，并且与《老子》第38章"失道而后德，失德而后仁"有同样的时间概念。这些陈述反映了一种占主流地位的历史悲观主义：认为早期的世代是黄金时代，由这一黄金时代持续堕落，直到今天。

这一悲观主义还在《汉书》之《古今人表》中找到了它的表达，它真实地表明上古时代的帝王都是圣人或最高等级的贤人，而随着时代的由古及今，九品名册中充斥了等级越来越低的人；而到《古今人表》编成的时代，距离最后一个孤独的圣人——孔子也已过了几百年。这一看法在哲学上与当时占主流的以道或气为开端的宇宙论相呼应。《老子》以及孔子的言语、行动和表现中的哲学结论，将哲学的权威赋予了这一乌托邦式的开端。在那个时候，大道流行，《老子》15.1 和 65.1 以“古之善为道者”作为与道一致的生活的权威；孔子甚至认为他本人比老子还要“好古”。

王弼将所有这些时间次序解读为逻辑次序的隐喻。最明显的是他对《老子》14.4 和 14.5 的处理，本文为：

> 执古之道，可以御今之有。以知古始，是谓道纪。

遗憾的是，我们在《文子》、《韩非子》或《淮南子》中没有找到关于这一文本在公元前 3—前 2 世纪如何解读的证据。[①] 王弼注曰：

> 无形无名者，万物之宗也。虽今古不同，时移俗易，故莫不由乎此以成其治者也。故可执古之道，以御今之有。上古虽远，其道存焉，故虽在今，可以知古始也。

由于在王弼看来，道不是属于宇宙的和社会的过去的某种东西，而是贯穿所有时间的万物的所以然，“古之道”承担了新的意义。事实上，

---

① 对于“能知古始”的解读，有不同的文本传统。奇怪的是，通行本王弼《老子》都作“能”字，而从注释可知王弼《老子》本显然作“以”；通行本河上公《老子》都作“以”字，而河上公注却显然读作“能”字。在两个文本族间，文本发展的倾向正相反。河上公注直接将“能知古始”句与最后一句“是谓道纪”关联起来，写道：“人能知上古本始有一，是谓道之纲纪”；因此，河上公将此句理解为：“人们能辨识最古的开端，这一开端被称为道的原则”。

道无论在古代还是当前都是在场的，因此，尽管它是一个时代和习俗都不同的过往时期的道，它在今天仍然有效。对于王弼而言，这句话强调的不是对古代事物的尊重，而是政治哲学洞见的超时间性。他通过将“以知古始”中含糊的“以”字扩展为一个充分展开的论辩“故虽在今可以……”，显明了这一点。这个句子被王弼以与《老子》“执古之道”句对称的方式扩展开来了。这一建立在《老子》文本中最微细的迹象的做法，将整个《老子》的论辩从对“古之道”在今天的持续有效性的怀乡式诉求转变为对“所以”的永远同一的显现的洞见。由此注释推论，《老子》文本不得不以特定的括号来补足：

> 执古之道，[圣王]有了可以御今之有的东西；[尽管生活于现在]，[圣王]可以用[今天的现实]来认识古始，[我]将此称为道的持续。

为强调这只是一个可能，而非现实，王弼在他对两个句子的注释中都加上了“可”字。我们已经在王弼对《老子》第47章的分析中看到了自然和社会两个领域是依据相同的哲学原则来运作的，这些哲学原则可以不“出户窥牖”就能领会。王弼现在又增加了道是永恒在场的“所以”这一洞见，因此，今天的现实是与上古的治理方式一样好的理解上古的手段。事实上，《老子》47.1注直接提到了“执古之道，可以御今之有”，他在《老子》21.6中找到这种解读的合理性的确证：“自古及今，其名不去”。它证实《老子》想到了“所以”的持恒在场。在《老子微旨略例》中，王弼以尽可能清晰的形式复述了它的观点：

> 故古今通，终始同：执古可以御今，证今可以知古始；此所谓常者也。①

在王弼的著作中，没有对古代智慧的乡愁的痕迹。他的确注释了孔

① 《老子微旨略例》1.45。参见本书第二编。

子对尧的论述，但无论在何处，他自己的语言中也没有一个大道流行的真实历史时代与一个惨淡的当下的对立。

我们回到在王弼的《老子》分析中从治理技术的可能的历史次序到逻辑次序的转化。王弼的《老子》第17章中提到次序是："大上，下知有之"；其次，"亲而誉之"；其次，"畏之"；其次，"侮之"。在注释中，王弼将这一逐次下降的次序与特定的治理技术关联起来。"大人""居无为之事，行不言之教"；其次，"不能以无为居事，不言为教，立善施化，使下得亲而誉之"；其次，"不能复以恩仁令物，而赖威权也"；其次，"不能法以正齐民"，"而以智治国"，即监察，"下知避之，其令不从"(《老子》65.3将最后这类治理者描述为"国之贼")。每一个阶段都以多样的方式得到了界定：通过百姓的态度，通过对这一态度如何产生的通俗解释，通过以"不能"句式用其他语词对治理技术的重述。这一次序如下：

等级	民众的反应	治理技术	重述
1.	知有之	无为、不言	无为、不言
2.	亲而誉之	立善施化	恩仁
3.	畏之	赖威权	法正
4.	侮之	以智治国	(智)

最后的治理技术标志着混沌的开始，因为从那时起，社会关系将以欺骗和暴力为基础。

王弼《老子》18.1和18.2简单地列举了这些转变中的第一和最后一个阶段：

大道废，焉有仁义。

在注释中，王弼通过将"废"转换为"失"，将抽象的文本"大道废，焉有仁义"人格化了：

失无为之事，更以施慧立善，道进物也。

《老子》下一句为：

智慧出，焉有大伪。

王弼注曰：

行术用明，以察奸伪，趣睹形见，物知避之，故智慧出则大伪生也。

将不同的论辩结构纳入我们的表格中，这里的序列是：

等级	民众的反应	治理技术	重述
1.		大道	无为
2.		仁义	施慧 立善
4.	物知避之	智慧	行术 用明

很明显，这一章处理的三组范畴中都有某些与王弼本《老子》第17章使用的那些定义一致的核心概念。

在王弼《老子》第38章中，我们可以看到更详细的治理策略的等级。在长度上，王弼对这一章的注释超过了所有其他分章。根据王弼的解读，《老子》这里首先在“上德”与“下德”之间做了根本的区分。前者可以直接当做《老子》17.1中“无为而无不为”的“大[人]”。那些“下德”是“有为”的，当然是在不同的复杂层次上。这一“下德”群体中有三个层次：“上仁”、“上义”和“上礼”。最后一者带来“忠信之薄而乱之首”的结果，因为“上礼为之而莫之应，则攘臂而扔之”。接下来“前识”的治理技术，“前识”在此被解读为一种监察措施，它是“道之华、愚之首”。在班固的《古今人表》中，“愚人”列在九级的最底层，桀纣等“乱君”被收入这一范畴。[1] 王弼的注释在某些细节上列出了这些不同范畴的特定治理特征。我们将再次列表如下：

---

① 《汉书》，北京：中华书局，1964年，20：863。

等级	治理技术	重述
上德 1	无为	唯道是用
下德 a2	仁,为之而无以为	博施仁爱
下德 b3	义,为之而有以为	忿枉祐直
下德 c4	礼,攘臂而扔之	尚好修敬,不对之间忿怒生
愚 5	前识	虽竭圣智而民愈害

通过对比,我们看到的又是与前面两章相同的等级。总的数字虽然不是完全一致,但在治理技术的核心概念上却是相合的。最上层的是无为,其次是仁和义,后者在第 18 章中与仁结合在一起,在第 17 章则被界定为通过“法正”来治理。礼只在第 38 章被提到,而最后一个等级被共同界定为通过监察来治理。

王弼在这一排列中标明了两个根本性的断裂:首先,在最高等级与其他等级之间;其次,在所有由“得”之于道的“德”来界定的治理技术与出自奴役的监察式治理技术之间。这一等级与隐含于孔子在《论语·雍也》关于“中人以上”和“中人以下”的论述中的三分等级相合。这一等级也出现在《论语·季氏》中:最高的是“生而知之”,其次是“学而知之”和“困而学之”,最下是“困而不学”。这一基本的三分也隐含于班固的九级分类中。

一旦失去了依循最高的治理策略的能力,余下的便落入了一个堕落的漩涡,每一种治理技术产生出来的问题,将迫使下一更低的治理技术的运用。这一从某一中等的技术向下一更低等技术的发展,王弼在第 17 和 18 章的注释也谈到了。在《老子》第 38 章的注释中,他的描述是最为详尽的。我们下面将以由仁到义的转变为例。这是王弼将《老子》从一种哲学陈述的文本转变为哲学论辩的文本的范例:

故有弘普博施仁爱之者,而爱之无所偏私,故“上仁为之而无以为也”;爱不能兼,则有抑抗正直义理之者,忿枉祐直,助彼攻此,物

> 事而有以心为矣，故“上义为之而有以为也”。
>
> 直不能笃，则有游饰修文而礼敬之者……①

译为：

> 因此将有人以弘普博施之仁来爱护[其他事物]，而这种爱没有偏私或个人利益，这就是[文本]说“上仁为之而无以为”的原因。
>
> 由于爱不能周普，因此将有人以正直之义抑[某些人]、抗[某些人]来治理[其他事物]，憎恶邪曲之人、护卫正直之士，支持后者攻击前者，有目的的干涉事物。这就是[文本]说“上义为之而有以为”的原因。
>
> [用义的]正直不能笃厚，因此将有人以游饰修文之礼来让[其他事物]敬畏。

事情一旦开始堕落，就会依固有的逻辑进一步堕落。“仁”尽管是尽可能扩展其仁爱制度的最好意图，仍然是特殊的，因而一定会爱某种东西胜过别的东西。它将“爱不能兼”，因此，正如《老子》5.1所说：“天地不仁”，因为，正如王弼注所指出的，天地是无所偏私的。作为偏私的结果，为朝廷恩赏的竞争就会发生，因此需要“义”来设定标准。在这一层次，甚至无偏的意图（在“无以为”的“仁”的做法中仍然存在）都消失了。义的治理技术将“忿枉祐直”，因此是“有以为”。王弼又一次援引了《老子》及其他权威文本中的材料。对于仁，援引的是《老子》第5章；对于义，是第18和19章，以及第17章中的对应部分；对于“前识”，他援引了对于作为一种治理技术的用“智”的批评，只有礼没有直接的参证资料。

王弼在《老子》第38章注中明确指出，导致这一下坡路的根本问题仍是统治者对一与众的辩证关系的误解。② 他在注中指出：“仁则伪焉，义则竞焉，礼则争焉”。通过否定性对立的原则，仁的效果的出现不能通

① 王弼《老子》第38章注；参见本书第二编。

② 同上。

过对仁的运用出现，用王弼的话说，即："故仁德之厚，非用仁之所能也"。[①]

尽管这是一种表明他的哲学假设会将统治者引领向何处的有力的修辞，但它同时也呈示了实际治理选择的更为复杂的图景，而非黑白分明地非对即错。它容许我们衡量某种治理技巧与最理想状况以及如果下降过程延续下去将会面对的危险之间的距离。由此也容许我们对文本和注释的隐含接受者做更为复杂的分析。他们不是被简单地收入毫无希望的"无道"的类别，其中的绝大多数仍处于"下德"的层次，以"所以"这一秩序提供者越来越少的部分来治理国家。事实上，他们着手建立的社会秩序的程度是与他们的"德"的层次成正比的。随着作为主要治理手段的礼的建立，以道为根据的万物的"信"变得最为薄弱。它们的本性被扭曲到了这种程度：他们不再服从分派给他们的位置，而这正是"乱之始"。随着"前识"的建立，道完全成了"华"，没有留下任何"实"质性的东西。正如《老子》第 38 章结尾所呈示的，"华"是与"实"相对的。《老子》这里谈到的是大人，大人"处其实不居其华"。[②]

王弼政治哲学的起点不是一种在某个将来可能败坏、因而加以维持的稳定的社会秩序。相反，它是一个人类的世界：它的统治者已经"舍弃"了它的"所以"；他与他的国家一道，是他所无法理解的动态结构关系的无情逻辑的玩物；在他目标错误的行动的助长下，正冲向他个人以及社会的丧亡。它是一种通过不断地克服它的努力来持续自身的危机。社会的秩序不是必须维持，而是必须复原的。对某种乌托邦梦想的简单唤醒，不会带来什么；必须找到具体"返"回的道路。这些道路的关键指征只能在一与众的辩证关系中寻找。下面，我们将致力于此。

① 王弼《老子》第 38 章注；参见本书第二编。

② 同上。

运作复归：圣人

效法原则

在自然领域，一与众以及无与万物未被扰动的相互作用的结果是秩序。因为无是存在者的可能性的条件："无为于万物，万物各适其所用，则莫不赡矣"。[①] "莫不赡"描述的是作为万物复反其"自然"或一的结果的前定和谐的秩序成就，这里的"自然"其实就是万物的类的本性的一般形式。

通过为万物的具体特性提供一般的否定性对立面并以这种方式成为万物的"所以"，一成为众之一。"无为"的"为"被有意识地理解为"干预"，因为任何特定的行为都会建立一系列反行为，存在者间由此出现分别，它使得"所以"的"莫不赡"变得不再可能。以这样的方式，这一特定的行为将诱使有利和无利的双方出离它们在前定和谐中的位置，在这种意义上，它是一种"干预"。另一方面，"所以"对于万物的重要性是源始的，它是万物"由之""以生以成"的无。在这种意义上，它的无为是它为所有万物提供根基的条件。

同样的法则对于社会也适用，只是在那里，秩序的建立是一种有意识的行动。王弼本《老子》30.1/2 说："以道佐人主，不以兵强于天下。其事好还"（译为："[只]以道的方式来辅佐君主的人，不以军队的方式在天下强加暴力的[统治]。在他的处理中，他[更]乐于竞相归还"），王弼注曰："有道者务欲还反无为"（译为："[但如《老子》第 31 章中提到的]'有道者'则努力要[全天下]复归于[一]，复归于他自己就在实践的无为"）。

人类领域在秩序上是不依照法令的。它的变动无常以及不断地流

---

① 王弼《老子》5.1 注。

入混乱源于这一事实：它的秩序不是自发的，而是必须通过统治者对一与众关系的普遍法则的正确理解和自觉运用才能建立起来的。统治者总是一，但并不总是像天、地和道那样由“大”来界定的。作为一，无论他做什么，都在一与众的动力关系中运作，但只要他不是“大”，他试图创立秩序的努力就成为导致社会动荡和他个人丧身的动源。原因是他必有偏私（在现实世界中就意味着建立宗派、任用亲戚以及挟私报复），因此会背离他在其中起关键作用的预定和谐。只有效法天、地等能自发地发挥一的正确作用的“大一”，统治者才能成为使存在者“物全而性得”的“大”。[①] 只有在那时，他才不只是王，而且是圣王。

我们的分析将分两步进行。首先，我们将在前面勾画出的无休止的社会危机与一个其统治者自觉效法一与众的一般法则的社会典范之间进行比较；接下来，我们将把这一典范重新置入现实世界，并考察王弼的政治哲学的实用性。

这一效法（“法”，在《周易》和《论语》中以“则天”来指称）只在《老子》第 25 章中被明确提到，但它构成许多其他分章的中枢。例如，在第 5 章中的前两句为：“天地不仁，以万物为刍狗；圣人不仁，以百姓为刍狗”。王弼在对第 2 句的注释中解释了天地与圣人的并置：“圣人与天地合其德，以百姓比刍狗也”。这里有两个效法原则的标准形式。

第一种采取的形式为“自发的‘大一’做 **X**（天、地和道等），是以圣人做 x1”，x1 是对 x 的效法和派生。圣人的“则天”或“与天地合其德”，是通过联结天地和圣人两个部分的“是以”来表达的。这一结构出现在《老子》第 2、第 5（无“是以”）、第 7、第 66、第 77 和第 81（无“是以”）章。

第二种采取的是某种否定性对立的运作形式，以“是以圣人……”这样的表达结尾。这种形式出现在《老子》第 3、第 12、第 22、第 26、第 28（无“是以”）、第 29、第 47、第 57、第 58、第 63、第 64、第 71（无“是以”）、第

---

① 王弼《老子》10.2 注。参见本书第二编。

72、第73和第79章。在许多分章中，王弼都直接或间接地插入圣王作为缺省的主语。有些章节，如第23章，有这样的修辞结构，但绝大多数没有。比如，第3、第8、第10、第15、第22章。它们被与这一结构之外明确涉及圣人的分章，如第49、第60、第70和第78章合并在一起。在王弼的《老子》解读中，与圣人相关的分章构成了所有分章的大部分，尽管圣人一词在《老子》本文中只出现在十章中：这不仅是王弼的解读策略的标示，而且也是在他的思想中圣人的重要性的标示。

王弼将《老子》读作一个分析性的而非规定性的文本，尽管他的哲学分析最终将转借给它们关于处理政治的恰当方式的一系列规定性和规范性陈述。在他的解读中，“是以”后面出现的，不是在描述圣人应该如何行为。相反，“是以”后面出现的陈述，被认为是已知的。在王弼的解读中，文本的矛头指向的是解释圣人这样做的原因。它提供了圣人的态度和行为所追随的一般原则。

那么，圣人在他作为单一的统治者的社会角色中如何效法无呢？在公元243年前后的一段重要陈述中，王弼声称圣人“体无”。[①] 这指的是孔子。在《老子》第38章注中，王弼写道(这段文字颇多窜乱)：

夫大之极也，其唯道乎？自此以往，岂足尊哉！故虽德盛业大，富有万物，犹各有其德，而未能自周也。故天不能为载，地不能为覆，人不能为赡，虽贵以无为用，不能全无以为体也。不能全无以为体，则失其为大矣。[②]

译为：

事实上，只有道是至大者。自此以下，哪里值得尊崇呢？因此，即使[如《系辞》关于大人/圣人所说]“德盛业大”，“富有万物”，也仍是各得其所得，而不能[跟道一样]周普(《老子》15.3)。因此，能[遮

① 参见本书第一编第三章。

② 王弼《老子》第38章注；参见本书第二编。

覆万物]的天不能载物;[能负载万物]的地不能覆物,[能治理万物的]人不能供养万物。尽管[它们]极其重视以无作为有用性的[根基],它们不能完全"化为无"并以无作为它们[自己的]的本质。由于它们不能完全"化为无"并以无作为它们[自己的]本质,它们将失去它们的大[在道大这一意义上的绝对的大]。

王弼在这里在道(在这里被等同为无,并且不能约减为它在《旨略》中具有的特定的启发性意义)与天、地、人(圣王)之间做了区分。后三者在《老子》第25章的意义上是"大",但道是"大之极也"。它们之所以为"大"在于它们是与万物的整全相对的一。它们与道的区别在于它们依据单一特征的特殊性。我们知道天和地的特征,但不知道圣人的局限性特征。天能覆而不能载,地能载而不能覆,但没有明显与"赡"相对应的。唯一合理的选择是圣人不能"生成"万物。

那么,"赡"意味着什么呢?根据各种《老子》的陈述,圣王据说是长于领会的,他"明"于自己作为一的角色的基础。这使他能够以天供给万物的方式给万物提供秩序。王弼在《老子》4.1注中写道:"故人虽知万物治也,治而不以二仪之道,则不能赡也"。因此,圣王能够在对天地为自然领域提供秩序的方式的效法中为社会带来治理,但他的能力仍有局限——不能创"生"万物。(令人好奇的是,终有一死没有被视为圣人的可能的特殊性和局限性因素)。然而,因为这一特殊性,三者(天、地和圣王)中没有一个在实质上能与无完全等同。总之,圣王所能达到的极致就是在治理百姓时效法无。

在这一语境中,《论语释疑》中的一个段落变得格外重要。《论语·述而》曰:"志于道,据于德,依于仁,游于艺。"至迟从皇侃(梁代)开始,这句话已被读为一个规定性陈述,它的意义正如 Waley 的英译:"你应全心于道,让自己由它的力量来支撑,依靠仁善,在艺术中寻找消遣。"[1]何晏

[1] 参见 Waley, *The Analects of Confucius*, London: Allen & Unwin, 1938年,页123。

不是以这种方式来读解的(他的注释正是王弼回应的对象)。对于何晏，重点在于“志”、“据”、“依”和“游”这几个词的区别。例如，对于第二句，他注释道：“据，杖也。德有成形，故可据。”从这一注释可以推知，他将整个段落理解为：“虽然人[只能]志慕于道，[但却可以]据杖于德，[可以]依倚于仁，[可以]游泛于艺。”第一句话的解读是从何晏将“志”注解为“慕”推论出来的。注释曰：“道不可体，故志之而已。”很可能何晏将这一文本读作以隐含的“吾”道说孔子自己，它将迫使我们这样来翻译：“对于道我[只能]志慕，[但]我可以据杖于德，依倚于仁，游泛于艺。”王弼赞同这一注释的基本导向，但与何晏不同的是，他给出了道何以不能“体”的原因。他对第一句的注释为：

> 道者，无之称也，无不通也，无不由也。况之曰道寂然无体，不可为象，是道不可体，故但志慕而已。①

译为：

> 道是无的称号。没有它不通达的东西，也没有东西不以它为根据。而且，据说道是空虚，没有实体的，要想拟像它是不可能的，这意味着道不可以被具像。这就是为什么只能“志慕”的原因。

由于没有进一步的证据，我只能假设王弼将这一段读作孔子关于自身的陈述。在道的这一提升了的意义中(意指无)，这一陈述显然不是某些一般的行为规则，而是与王弼对孔子的看法相当一致的。严格说来，圣人是不能“体现”无(如王弼在与裴徽的讨论中声称的那样)的，但他当然试图效法无的特征。他“志于道”。这把他置入了与天地相同的范畴，同时也使他肩负起将无的绝对“无性”(negation)转译入人类事务的相对混乱中的重任。

《老子》32.1可以当做一个起点：

---

① 王弼，《论语释疑》，见楼宇烈，《王弼集校释》，页624。

道常无名，朴虽小，天下莫能臣也。侯王若能守，万物将自宾。

译为：

道之常是无名性。尽管朴可能是小的，天下却没有人能使之臣服。如果侯王能保持它，万物将自愿地如客人般服从[他们]。

王弼注曰：

道，无形不系，常不可名，以无名为常，故曰：道常无名也。朴之为物，以无为心也，亦无名，故将得道，莫若守朴。夫智者可以能臣也，勇者可以武使也，巧者可以事役也，力者可以重任也。朴之为物，愦然不偏，近于无有，故曰：莫能臣也。抱朴无为，不以物累其真，不以欲害其神，则物自宾而道自得矣。

译为：

道没有形状和系缚。[它的]常无法命名；[因此]以无名性为它的常。这就是[《老子》说]"道常无名"的原因。朴这东西是以无为心的。[它]也是无名的。因此，如果[统治者]想要获得道，就没有比保持素朴更好的方式了。事实上，智者可以因为他的能力而受到役使，勇者可以因为他的孔武有力而被起用，巧者可以为事务所累，有力者可以为载重所任。[然而]，朴这东西含混无偏，近乎没有[任何特殊的方面]。这就是[文本]说"莫能臣"的原因。如果[侯王]能[像《老子》19.1中所说的那样]"抱朴"无为，他们将不会因[具体的]事物而使真性被束缚，因欲望而使他们的精神受到伤害；而其他"事物"将自动地"宾服"，而道也会自动地实现。

《老子》本文中第一句"道常无名"与第二句"朴虽小"之间的论辩性关联并不明显。王弼通过论断"朴""以无为心"，给出了这一关联。由于"朴"被标画为所有特殊装饰的否定性对立面，它也不能超出这一否定性描述来加以定义，因此复现了道的核心特征——无名。所有有特定能力的人，对于某种特定的目的来说都是有用的，因此"可以能臣，可以武使”。抱朴之人，则“愦然不偏，近于无有”，几乎没有任何特殊的方面。抱朴是可以被假设为统治者最近似地效法道的不可定义性的一种政治姿态。然而，它不能完全等同于无，只是近似而已。从最后一句看，它很明显指的是一种政治姿态或策略。如果侯王持守素朴，不放纵自己对宫室和姬妾的欲望和野心，百姓甚至会自远从之。通过这一解读，这一文本就不是在告诉侯王要做一个更好的人，也不是给他们道德上的告诫；而是劝告他们在自己的公共行为中要效法道的否定性特征。

王弼的注释将这一文本解释为一个有哲学根基的关于政治策略的论述。他的注释将这一文本插入到《老子》第25章的上下文，在那一章，《老子》用一般性的语汇论述了“四大”的效法原则。“侯王若能守之”的“若能”，标志着道、天、地与侯王之间的差别，它阐明后者可以而且应该依循这一效法原则，但他们常常做不到这一点。

我们将更详尽地研究这一在人类世界的环境里对绝对的无的效法和转译。首先，我们将分析王弼从《老子》文段中发展出他自己的论辩的某些方式；第二步，我们将考察他在《老子微旨略例》中如何总结核心的特征；最后，我们将试着在我们再思考和“转译”他的哲学的框架中界定这些特征。

《老子》23.3为：

> 故从事于道者，道者同于道。

译为：

> 因此，如果[圣人]要[依据]道来管理[所有]事务，他将使那些[实践]道的人等同于道。

王弼注曰：

> 从事，谓举动从事于道者也。道以无形无为成济万物，故从事于道者，以无为为居，不言为教，绵绵若存，而物得其真。

译为：

> “从事”是指在[其]行动中“依据道来管理所有事务的人”。道通过其无形无为来成就和规范万物。这就是[正如《老子》2.2和2.3就圣人所言]“从事”于道的人，以“无为”为“居”，“不言”为“教”，[像《老子》6.1 中的“天地根”那样]“绵绵若存”，万物因而得其真质的原因。

王弼将圣人解读为这一段落的隐含主语，这可以由他对《老子》2.2和2.3的引用得到证明——那两句话的主语是圣人。根据王弼，圣人之“从事于道”，意味着将道的特征转译入人类行动的一种特殊方式。这里描述的道有两个特征：无形和无为。它通过这两者来“成济万物”。[①] 通过使其他存在者，即百姓“得其真[性]”，圣人效法了道的作用。这一依据道来处理事物的结果是“物得其真”。在这一章的上下文中，这意味着实践道的人等同于道；实践“得”的人等同于“得”；实践“失”的人与“失”同其本质。所有这一切作为圣人依据道来处理事物的结果，以一种自我调整的方式发生。

给天下带来秩序与破坏性的行为之间决定性的分野是对常的认识。读者应该记得：根据《老子》16.3，圣人对常的认识是对万物所“复”归的“虚”“静”的“观”的结果。[②]我们已经来到了本章的关节点。正如我们将要看到的，从对常的认识这一步开始，所有东西都随之而来。

常不是一个神秘的概念，而是无的另一个称谓。《老子》16.6 注曰：

---

① 圣人如何仿效道的这些特征还不十分清楚。有关圣人提到了三条，而非关于道的两条。由于“以无为为居”和“不言为教”总是一道出现，它们可能构成单一的一条，尽管这将割裂句子的平行关系。因此，我假设二者是圣人仿效道的两个特征的方式。圣人的“绵绵若存”是引自《老子》6.1 关于“天地之根”的论述；在那里，它被注释为：它不表现它的形，但所有存在者都以它为根基。正是圣人的不可捉摸，才使得百姓可以得其真性。

②《老子》第 16 章第 1 句颇多争议，而且注文可能有残坏。这带来了现代学者的不同的标点和不同的修订，比如楼宇烈和岛邦男。究竟是圣人“带来”虚无并使百姓守静，还是圣人本身达到虚极并守静，还并不清楚。然而，对于恒常者的察知是以它在存在者的动力过程中留下的痕迹为依据的。

“常之为物,不偏不彰,无皎昧之状,温凉之象。”[1]总之,它难以辨识。因此,圣人仍试图在精神上通过跟随万物复返于“虚”“静”,得以察知“所以”之“明”。

对万物永恒的“所以”的领会,意味着万物核心的、否定性的对立面得到了把握。天地有覆载万物之能,圣王有“知”万物之“常”因此“包通万物”之能。“容”这一德使他有资格与第25章的其他诸大等同起来。他关注于万物公共的否定性对立面,因此能包容万物;万物的具体特征对于他来说没有意义。与无或常本身一样,他因此是“公”,与其他人的“私”相反。“公”使他有资格处于社会的“一”——王的地位。作为无偏地包容天下的王,他与天“合德”;就像天本身效法道那样(而道又基于它的无),他能“体道大通”。由于道是常,有道之王便长“久”——“没身不殆”,正如王弼在第16章注结尾的一个精妙的隐喻中解释的(它表明无之常这一抽象概念向人类生活的特殊性的转译)那样,这是因为:

> 无之为物,水火不能害,金石不能残。用之于心,则虎兕无所投其爪角,兵戈无所容其锋刃,何危殆之有乎?

这一生动的说明的意义当然是:由于他由哲学引导的无私,他将没有敌对者。这一结尾标示着圣王成就的高度,即他个人身和位的保全。它引入了一个对读者的承诺:如果统治者“不知常、妄作”,将会有前面部分引用过的出自第49章的段落里说及的危险。

根据上面对《老子》23.3以及第16章的研究,可以得出如下结果:

无	圣人
无为	以无为为居,不言为教
无形	绵绵若存
不偏	公平

---

① 同样的界定见于《老子微旨略例》,1.17。参见本书第二编。

常	久
无名	朴
以无为心	以虚为主
天长……以其不自生	后其身而身先
地久……以其不自生	外其身而身存
天地所以能长且久者,以其不自生	身先身存,不以其无私邪?(第7章)
江海为百谷王,以其善下之也(第66章)	欲上民,必以其言下之
天之道,损有余以补不足(第77章)	不欲见贤
天之道利而不害	为而不争

否定性对立面的政策

对于何时需要圣人的行动、需要一种基于哲学洞见的政治哲学,有一种时间结构、一系列条件存在吗?《老子》中的一些陈述似乎暗示了从前某些有秩序的时代;《老子》1.2谈及了一个还没有名的时代,它同时也是"常无欲"的时代。然而,对这些段落的深入考察表明,它们谈及的是对"所以"的认知,而非宇宙论的认识。

王弼本《老子》第28章的宗旨不是描述特定的历史条件,而是圣人与天下之间的结构关系。万物的多样性在这个结构之中,永恒地需要"复归于婴儿","复归于无极","复归于朴"。它们在任何时代都既没有婴儿的无知,也不根植于"无极"的道,同样也不是无特殊性的朴。作为特定的历史性存在者,它们在任何时候都是特殊性的。在一个极为中肯的注释中,王弼以下面这样的方式解释了"朴散则为器"这句话:

> 朴,真也。真散则百行出,殊类生,若器也。

译为:

> “朴”即是“真”。真一旦分散，各种行为的风格就会出现，不同的类别也会诞育。这些就像器物一般。

对于这一事件，并没有给出具体的年代。它不是作为一个要由某个具体的统治者负责的历史灾难出现的。“百行”和“殊类”的存在是一个由具体万物构成的世界的存在，但没有任何世界不是由具体事物构成的。有未散的朴或真这一本体论的“在先”的观念，是一种逻辑的结构，而非历史的现实。“散”标志着时间的开始，而非时间中的一个事件。

王弼在《老子》第1章中为“真”和“真散”这两个时刻找到模型。《老子》1.2区分出了两个时刻，即“无名，万物之始”和“有名，万物之母”。《老子》中，它的所指并不明确，因为《老子》1.1同时讨论了“道”和“名”；这使得何者为下一句(1.2)的主语，变得相当含糊。王弼注这样开头：“凡有皆始于无”。由此，他将第一句的隐含对象判定为“无”；从而也将其判定为这里讨论的第二句的主语。对于这两个时刻(即始和母)，“无”都是核心。王弼用“始”和“成”将这两个时刻形式化了。他对《老子》1.2的注释继续写道：

> 未形无名之时，则为万物之始。及其有形有名之时，则长之育之亭之毒之，为其母也。

译为：

> [道]在无名无形之时为万物之始。待有形有名之时，[根据《老子》51.3]，道“让[万物]生长、发育、确定、完成”；[总之]，为其母。

整个论辩的焦点是对道的认识，而非描画道与万物关系中的两个时刻。这两个时刻的存在似乎是无需进一步证明的共享性知识。

《老子》1.3和1.4沿识辨无这一焦点继续展开论述：

> 故常无欲，以观其妙；常有欲，以观其徼。

译为：

> 因此，在[万物][尚]无欲时，人们可以藉之察识[终极原则]之精妙。在[万物]一直有欲时，人们可以藉之[终极原则]之界限。

认知无的通道在每一种状况下都是敞开的。在王弼的解读中，这两个时刻不是在一种线性的时间结构中连续的，而是"观"察"所以"的不同道路。他的注释将"徼"的意义固定为"妙"的对立一极。妙是事物开端时的精微，在事物的非具体化的简朴中它是可以察知的。"徼，归终也"，一个事物从使它们出离所分有的位置的"有欲"状态复归的点。由此，在无欲的素朴和万物将从有欲状态复归其中的素朴之间，就有了一个循环或钟摆式的过程。因此，无是"微之极"，"万物始于微而后成，始于无而后生"(1.3 注)；无同时又是"终物之徼"(1.4 注)。在这一构造中，时间不是以一个线性轴来衡量，而是依据距离万物之"所以"的远近来衡量的。

但在《老子》中仍有"所以"与万物之间关系的一种历史性的叙述。但为了确保被理解为只是一种老子讨论结构和动力关系的糟糕的言说方式，王弼在他对《老子》1.4 中的"徼"的注释中使用了一种新奇的手法。在将"徼"注解为"归终"之后，他进而说道：

> 凡有之为利，必以无为用。欲之所本，适道而后济。

译为：

> 一般说来，事物之可以利用，是从无得来的。欲望的满足，是适应道的结果。

通过"凡"字，他宣示了一个超出特定语境的原则性论述。这一论述指涉的是《老子》第 11 章的最后一句："故有之以为利，无之以为用。"陶器与它内部的空的关系(在第 11 章用来说明这一原则)，不是历史的，而是结构性的关系。王弼由此将"始"和"终"这样笨拙的历史性叙述解读为把捉无与万物之间本质的结构性的、亦即本体论的动力关系和辩证关系的尝试。

这一迂回是由有关王弼政治理论的性格的研究引发的。他是在面对自己时代的问题——致力于发展出一种政治理论来解决这些问题，还是分析秩序的来源和特性的哲学问题，进而在既定的历史条件下找寻它的特定显现？从王弼对第1章的解读发展出来的论辩看，他可能在依循第二条路线——分析统治者与社会之间的结构关系以及这一关系在既定的历史时代的显现；当然，这并不排斥对这一分析在他自己时代的应用的关注，尽管不能将王弼的政治理论化约为这样的关注。

在本体论里的一/无/道，在“政治学”（如果在这里可以用这个词的话）领域里有其对应者，即一/圣人/王。两者的区别在于道作为所有事实的否定性对立面是它们的可能性的条件，而统治者只有在作为“志于道”的圣人时，才能在社会中充分发挥相似的作用。这一“明”的缺失的灾难性结果，在前面已经描述过了。

我们现在回到第28章。在“朴散则为器”之后，《老子》进而指出：“圣人用之则为官长”。王弼对此注曰：

> 圣人因其分散，故为之立官长，以善为师，不善为资，移风易俗，复归于一也。

译为：

> 为了回应[全天下的百姓]的职分已经分散这一事实，圣人有目的地为他们建立了官长。“以善为师”，以“不善为资”[如《老子》27.6、27.7所说]，改变他们的习惯，更易他们的风俗，是让他们回复于一的方法。

这一论述将“无为”理论的领会中一个相当令人惊异的因素视为理所当然，即圣人通过设立官长承担了国家的治理。它的焦点是这一事实：圣人不会强加粗糙的纪律尺度，而是“因其分散”来使百姓“复归于一”。王弼的这一读解在此章的最后一句话中找到了根据：“大制无割”。

在《老子微旨略例》6.29中，“朴散”和“真离”标志着统治者通过干预来破坏预定和谐的可怕过程的后果。[①] 在这一秩序中,既有“智愚”,也有被设想为相互信任的“六亲”。后者被当做像《老子》第5章的刍和狗那样自然的“分”。统治者的这一干预并没有被描画为暂时的或者甚至是例外的,而是开“明”心智的正常过程的结果。圣人统治的并不是什么原初的乐园,而是一个一向已处于“殊类分析”、“民怀争竞”(正如《老子》58.2注所说)状态下的政体。与第1章一样,对于无与万物的关系,我们就有了一个将历史性叙述写为哲学性框架的政体结构。在统治者与百姓关系的基本架构(一与众)内,我们就有了由这一辩证关系中统治者一边的哲学领会的水准铭刻的历史时段,以及随之而来的有益或有害的结果。

因此,圣人在社会中的行为的一般目的就是复原万物与它们的“本”、“始”、“母”和“所以”的关联。所用的语汇由“复”、“反”、“归”以及这些词的各种组合构成。万物与无的“自然”的、逻辑的关系,在社会领域成了自觉的构造。如我们在58.10中看到的那样,“复”被解读为“使复”,为此提供了证明。不是百姓自动地“复”归于一,而是圣人“使”之“复”归。

尽管使百姓复归的努力主要必然由“明”智的统治者本人来做,但正如我们已经看到的,这些努力中也包括设立管理机构。《老子》32.3曰:

> 始制有名,名亦既有,夫亦将知止,知止所以不殆。

译为:

> 作为社会治理的开端,[圣人将]有名。一旦有了这些名,[圣人]又知道[如何]为[随后的发展]设定终止点。[只有]了解[如何]设定终止点,才会使[我]摆脱危险。

王弼注曰:

---

① 《老子微旨略例》,6.29。参见本书第二编。

始制,谓朴散始为官长之时也。始制官长,不可不立名分以定尊卑,故始制有名也。过此以往,将争锥刀之末。故曰名亦既有,夫亦将知止也。遂任名以号物,则失治之母也,故知止所以不殆也。

译为:

“始制”指的是[《老子》28.6提到的]“朴散”及[圣人——《老子》28.7中的“大制”]“立官长”之时。始制官长,不可能不设立名号和等级来确定尊卑。这就是[文本说]“始制有名”的原因。超过这一限度,将会出现[《左传》提到的]“争锥刀之末”的情况。这就是[文本说]“名亦既有,夫亦将知止”的原因。用会来标记事物的结果是导致“治之母”的失去。这就是[文本说]“知止所以不殆”的原因。

圣人的事业是复原,他首先设立官职——包括建立界定社会等级的“名”。他以此来顺“应”(“因”)不同事物的“分”的散裂以及不同道德水准的表现。超出这一认识事实的初始阶段,发展出超出这一阶段所必需的名,将意味着社会冲突的恶化。因此,圣人致力于阻“止”这种发展,致力于使万物“复归”于一。

建立官长的目的在于“移风易俗”,这是圣人使他们“复归于一”的方式。他的活动的方式的对立面是对能和智的偏爱。对于《老子》3.1“不尚贤,使民不争”,王弼注曰:

唯能是任,尚也曷为?……尚贤显名,荣过其任,下奔而竞,效能相射。

如果那些有能力的人被用在整个复归的设计中,就会“百姓皆注其耳目焉”,或者,用王弼注的话说,“各用聪明”(《老子》49.4注)。如此,则“能大则大,资贵则贵”(49.5注)。他们不会被格外地尊崇,而是“皆使和而无欲,如婴儿也”(同上)。在这一阶段,圣人将使“善人”为“不善人之师”,“不善人”为“善人之资”,而“不贵其师,不爱其资”(27.6、27.7)。

圣人与愚暗的统治者的起点是相同的。二者面对的都是这样的社会状况：万物已经散离其分有的位置。二者有共同的意图——使他们的属民复归其所。二者都运作于同一结构性辩证关系（即一与众的辩证关系）中。因此，二者都是有序或无序所依赖的关键，并且都被赋予了建立社会秩序的主观愿望和动机。在哲学上，处于君位的恶棍是反常的，比那些有着善良意图的统治者更少趣味；后者通过运用常识性的赏善罚恶，通过建立监察设施保护自己，给社会带来了灾难。

圣人通过不-用这些他有权用、而且“理应”用的手段来运作。这一突出的、极其特殊的无为的结果，被描述在《老子》49.5注的结尾部分：

> 无所察焉，百姓何避？无所求焉，百姓何应？无避无应，则莫不用其情矣。人无为舍其所能，而为其所不能；舍其所长，而为其所短。

译为：

[我]没有什么可伺察的，	[我]没有什么要欲求的，
百姓何须躲避？	百姓何须酬答？

由于[百姓]

不[以智力]躲避，	不[以不信]酬答我，

他们中间没有人不用其[自然的]情感。没有人会放弃他所能做的，而去做他所不能做的；放弃他所擅长的，而去做他不擅长的。

在关于人民的阶层有其特定的地位和能力这一看法上，王弼是传统的。他在《老子》49.5注的开始援引了《系辞》的权威：“天地设位，圣人成能，人谋鬼谋，百姓与能”（译为：“天地设立[存在者]的位置，[作为]圣人[我]成就[它们的]功能[，使之各得其所]。[在所有的行动中]，我与其他人商量，与精灵商量，我赋予百姓以各种德能”）。万物的禀赋是天地以某种并不清楚的方式决定的。最重要的是不同的人在社会中找到恰当的位置、从而在社会的秩序中得到满足。

显然，在这一系统里，不同的能仍是作为不同的“分”的部分。它们不是被看作与“复归于一”相冲突的，而是看作“情”的部分。通过这一不同类型人的分化的无为用法，圣人力图全无例外地照料万物。在《老子》中，有这一论辩极好的根据。《老子》27.5说：“圣人常善救人，而无弃人”，王弼在注释中将它直接与64.9的一般表达关联起来：“辅万物之自然而不敢为也”。圣人这一将所有社会成员（在有些表达中，甚至是所有事物）安置进他的自治秩序的能力，即真正地成为众之一的能力，将他与天、地和道纳入同一范畴。按王弼注中的话，作为“明”者，通过“知常”，“乃能包通万物，无所不容”。

王弼从《老子》中细绎出了使它作为有哲学根基的理论来运作的那些要素，这一理论以“官长”各司其职来运作国家机器，让有不同技能和资质的人各尽所能来使社会运转。这一分化不是社会秩序的强制建立，而是与《老子》5.1中描述的自然结构相应的；王弼将那句话解读为是在暗示“万物各适其所用，则莫不赡矣”。尽管接受了社会和国家的实际状况作为圣人努力的起点，事实仍是这一人类世界的群体和阶层始终入于“舍本”和忘却“所以”的过程或危机中，因此“物丧其真”——出离它们在预定秩序中的位置，为地位和财富竞争。这一沦丧以及随之而来的对竞争的关注的病征是《老子》中以“过”、“甚”、“奢”、“泰”等词指称的对本分的逾越。王弼将这一僭越与《老子》中百姓的迷惑的观念关联起来。《老子》58.6以极其激进的陈述宣称“民之迷也，其日固已久矣”；这句话同样是以历史叙述的语言指称结构性原则。因此，王弼这样来注释圣人“去甚、去奢、去泰”（《老子》29.4）：

> 除其所以迷，去其所以惑，故心不乱而物性自得之也。

译为：

> 他[只是]除去那些可能导致它们迷惑的东西。[在他的引领下他们][跟《老子》3.1中圣人指导下的百姓一样]"心不乱"，存在者的本性也就自然地实现了。

这里的两个核心概念惑和迷的对象在《老子》2.3注中得到了界定，前者指"荣利"，后者指"美进"。它们不只是偶然的不幸。

因此，圣人的本体论筹划中的主要行动是在其自身"寡"欲和"去"欲，从而"静"民欲——"常使民无知无欲"(《老子》3.4)。

由于圣王从事于他特定的无为，社会将在一种由此种形式的治理启动的自治过程中照料其成员在品质上的差异和道德上的不确定。王弼在《老子》第36章注以及现存的《论语》8.19注中描述了这一过程。《老子》36.1为：

> 将欲翕之，必固张之；将欲弱之，必固强之；将欲废之，必固兴之；将欲夺之，必固与之，是谓微明。

译为：

> 想要让它们压缩，一定要扩张它们；想要让它们削弱，一定要使它们强大；想要让它们废顿，一定要兴盛它们；想要从它们那里夺取，一定要先给予它们，我称此为"[对于]微[之]明"。

这里，治理性的无为被发展为治理性的反行为——做与所期望的相反的事情，并因此帮助社会更清楚地看到它自身的问题，并进而解决它们。王弼注曰：

> 将欲除强梁、去暴乱，当以此四者。因物之性，令其自戮，不假刑为大，以除强物也，故曰微明也。
>
> 足其张，令之足而又求其张，则众所翕也。翕其张之不足而攻其求张者，愈益而已反危。

译为：

[依据《老子》42.3 的"不得其死"]如果[统治者]想要除去强梁暴乱，因该以上述这四种方式。因顺事物的本性，让它们自我毁灭，而不是借助于刑罚的扩大来除掉强暴之物。这就是[文本]说"微明"的原因。

如果[强暴者]的扩张已经满足，[有微明的统治者]又促使他们渴求超过这一满足[程度]的扩张，他们将为[嫉妒其权力的]众人所压缩；[相反]，如果[统治者]压缩那些在此扩张中[已经]不足的人，而[以刑罚的方式]攻击那些渴求扩张的人，那么他越是这样做，越会给自己带来危险。

圣人以此方式支撑了社会的自治机能，并避免了陷入成为众中之一的地位。下一部分又详尽阐述了反向过程的否定性结果。《老子》36.2曰：

柔之胜刚，弱之胜强，鱼不可脱于渊，国之利器不可以示人。

译为：

[这就是]柔弱之胜刚强。鱼不能脱离深渊，对国家有利的工具不能用来向百姓示威。

王弼注曰：

利器，利国之器也。唯因物之性，不假刑以理物；器不可睹，而物各得其所，则国之利器也。示人者，任刑也。刑以利国，则失矣。鱼脱于渊，则必见失矣。利国器而立刑以示人，亦必失也。

译为：

"利器"是有利于国家的器物。如果[统治者]只是顺应事物的本性，而不借助刑罚来管理事物，那样一来，[治理]之器就不可能被察识，但事物仍然各得其所，这才是[真正的]"国之利器"。"示人"

的意思是应用惩罚的意思。如果惩罚用于国家之利，就会带来失败。如果鱼脱离渊泉，必定会死，[而如果不自显，无人看得到它，它就会安全]。同样，[作为]有利于国家的器具，如果[统治者]设立刑罚来宣示于百姓，将不可避免地失败。

在他对《论语·泰伯》中孔子对尧的治理的赞誉中，圣人治下持续的社会自治过程得到了更为明确的阐述。对于孔子的论述“大哉！尧之为君也。巍巍乎唯天为大，唯尧则之。荡荡乎民无能名焉”，王弼注曰：

若夫大爱无私，惠将安在？至美无偏，名将何生？则天成化，道同自然，不私其子而君其臣。凶者自罚，善者自功，功成而不立，誉罚加而不任其刑，百姓日用而不知其所以然，夫又何可名也。①

译为：

由于[尧]没有私欲地爱[所有人]，哪儿会有什么[特别的]恩惠呢？由于至高的美没有任何片面性，哪儿会有什么[特别的]名声呢？因此，他效法天并成就[百姓的]的变化，他的道符合万物的自然。不偏私他[自己]的儿子，而是让他的臣子[即舜]成为君主。[结果]，邪恶者自我惩罚，为善者自动得到功业。[但]，当功业形成，并不是[尧]建立了他们的名声；虽然应用了惩罚，并不是[尧]施加了判决。[这样一来，如《系辞》所说]：“百姓日用而不知”其所以然，又怎么可以命名他呢？

事实上，圣王的无为启动了事物中的自治过程，其中邪恶得到应有的惩罚，善良得到应有的奖赏。隐含在第一段引文中的社会动力学指出：邪恶在民众中会激起足够的愤怒，而善良则会激起足够的爱戴，由那些其本性有资格作为师长的人引导，民众会做出正确的处理，无需统治者的直接干涉。这将以《老子》第5章中描述的同一方式运作：在那里，

① 王弼，《论语释疑》，见楼宇烈，《王弼集校释》，页626。

天地之不仁，保障了牛食草和人食狗的自治秩序。

人类领域以“自然”为基的事物的特性，与自然领域中事物的不同，很大程度在于其有道德的特性。在上面的例子中，这是以“凶”和“善”等词表达的，但王弼在自然的基础上，重构了整套传统形式的正面行为，如孝、仁、忠、恕（对于汉儒来说，它们与血缘、人性或天命有关）。[①] 与儒家的态度相反（他们以编码于“名”中的社会地位为工具，将行为标准强加给百姓），“名”在王弼的思想中是派生性的，而且这些形式的行为是从圣王引发的自然中直接流出的。正如我们在《老子》第38章的分析中看到的，甚至常常被批评的“礼”的概念，作为不同阶层的人之间交往的恰当模式，也被保持为最低形式的“有为”之治，用礼只是“乱之首”，还不是乱的成分。王弼在其《论语》8.8注中，将它纳入“有为政之次序”。[②] 因此，圣王统治的结果就不是否弃这些儒家的行为形式，而是在不经统治者的积极行为强化的状况下，它们的自然流行。

正如刘泽华在他关于王弼的政治哲学的精彩论文中指出的，王弼并不接受事物的固有本性与外在的社会规范和控制之间的截然分划，如《庄子》以及其他许多与儒家和法家有关的文本呈现的那种分划。正好相反，他直接从自然的观念中推演出社会规范的机制。[③] 在“本”和“末”两个领域间看似不可避免的截然二分，以及随之而来的道家与名教的截然二分，由此被一个将本体论和政治学建立在同一基础上的哲学系统所克服。

圣人以特定的无为操作代替赏、罚和监督行为，是其筹划得以成功的一个条件，但它本身是并不充分的。这是因为任何给定的历史状况已经被标画为民众的迷惑，以及统治者为约束随此迷惑而来的混乱反而使

---

① 对于《论语》“有子曰：其为人也孝悌”一段，王弼注曰：“自然亲爱为孝，推爱及物为仁也”。在这一注释中，孝是自然直接发出的，而仁则依赖于孝。

② 王弼，《论语释疑》，见楼宇烈，《王弼集校释》，页625。

③ 刘泽华，“王弼名教出自然的政治哲学和温和的君主专制思想”，《南开学报》4：22—31（1993）。

混乱加剧的种种努力。因此，要求圣人做的不是维持状况，而是使百姓“复归”于一。圣人必须做些事情，看起来这似乎与反复提到的“无为”相冲突。

作为公共行动的圣化政治

王弼又一次从一与众之间否定性对立面的一般法则中推演出了圣人建立社会秩序的策略。这一一般法则出现在《老子微旨略例》4.1 中：“凡物之所以存，乃反其形；功之所以克，乃反其名”。依考证这样严格的做法，王弼是从《老子》讨论一与众关系的各种陈述中细绎出这一一般法则的；在这种意义上，这一法则可以声称它只是以更抽象的形式重述编码于《老子》中的洞见，从而获得其权威。然而，与《老子》本身一样，王弼主要关注的是这一法则在人类社会的可能应用。在一边是天地、一边是侯王的两个平行论辩串的工整并置中，这一点清晰可见。这两个论辩串紧接在上面引用的一般法则之后：

> 夫存者不以存为存，以其不忘亡也；安者不以安为安，以其不忘危也。故保其存者亡，不忘亡者存；安其位者危，不忘危者安。善力举秋毫，善听闻雷霆，此道之与形反也。

事物由以得到保全的，必然是它们没有任何特性的否定性对立面。结果，讨论道的语言述及的只是具体特征与行动的缺席。对于“功”也同样。为了支持下面的陈述，王弼在《老子》本身没有找到明确的根据，因此，他转而依据《系辞》中的圣人陈述。它们构成了一个从分析模式向规范模式的重要转变。从“保其存者亡，不忘亡者存；安其位者危，不忘危者安”这句话可知，统治者要想保全生命和地位，就不能安居于强制性的监察机构和安全措施的舒适中，而是要完全不忘他的生命和地位的危险。根据对立法则，他的生命和地位是由拒绝和放弃那些常识视为恰当的手段来保障的。王弼还是以《老子》为证：

安者实安，而曰非安之所安；存者实存，而曰非存之所存；
侯王实尊，而曰非尊之所尊；天地实大，而曰非大之所能；
圣功实存，而曰绝圣之所立；仁德实著，而曰弃仁之所存。

译为：

安全的人的确是安全的，但[《老子》说]，他的安全出于他拒绝将安全当做[给定的]。

持存的人的确是持存的，但他的持存出于他拒绝将持存当做[给定的]。

侯王的确被尊崇，但[他们的地位]出自[他们]对尊崇的拒绝。

天地的确广大，但它们的广大是由拒绝[为]大达到的。

[统治者]圣智的功业的确存在，但它们是由"绝圣"建立的。

仁的功德的确彰著，但它是由"弃仁"来维续的。

否定性对立的动力过程是从《老子》中众多悖论性陈述中细绎出来的，这些陈述中没有一个具有像我们开始时引用的那则一般表述中所包含的那种抽象定义。《老子》的悖论被隐含地指涉为王弼本人的表述与《老子》的议论相容的证明。其中包括对《老子》39.4"故贵以贱为本，高以下为基"、42.1"人之所恶，唯孤寡不穀，而王侯以自称也"和19.1"绝圣弃智，民利百倍，绝仁弃义，民复孝慈"的指涉。

这些以及与此相似的句子的共同的、常常未被提到的主语是统治者或天、地和道等其他诸大。这些句子只有归属于这些“大一”,才可理解,因为只有它们的行动会给“众”带来影响。只是在这些环围下,《老子》的句子才展开了它们悖论性、哲学性的潜能。在最一般的层面,道通过“无为”“生成”万物,而且只有通过“无为”才能做到这一点。在人类社会,否定性对立面的法则的自觉应用,需要某种有意识的、公共的策略。在这一思想路线上,圣人不是作为极其罕见的世界性历史事件,而是作为某个掌握了这一法则并自觉运用这一法则的人而出现的。以此方式,他成为可以通过效法原则被效法的理想统治者。《老子》通过圣人形象来讨论这一理想统治者,王弼则在《老子微旨略例》中根据哲学洞见和政治策略来讨论他,而没有明确提及圣人。他由此将《老子》的哲学洞见同圣人作为人类命定的“生知”的救世主的观念分离开来,同时提供了一种有哲学根基的政治理论,这一政治理论的应用将使得实际的历史角色与已往被归给古代圣人的那些东西(即给社会带来秩序并保全个人的生命和地位)相称。

道与万物的相互作用的自觉运用会采取什么形式呢?“绝”“弃”那些被常识视为保障统治者身位及社会秩序的手段意味着什么呢?显然,统治者的下台与实际上的“孤寡不穀”,毫无疑问就等同于道放弃其作为万物源起和支撑的角色。解决办法是统治者仍然在位,但又自觉以那种使自己成为众之一而非众中之一的方式筹划自身。在这一探索中,王弼在《老子》中找到具体的依据并不多。发展出一种可以被应用并转译为实际政策的、出自《老子》的政治理论,必须视为王弼主要的思想贡献之一。

正如我们已经看到的,使民众乐于通过曲“径”满足自己欲望的可悲倾向实现的主要因素是统治者纵欲任权的榜样作用。这将开启一个效法和争竞的过程,它将破坏事物的前定和谐,并最终导致统治者本身的陷落以及社会混乱的到来。哲学上有正确指导的否定性对立法则的运用,因此会提出:“善力举秋毫,善听闻雷霆”。因此,拥有统治者的地位并给它带来充分利益的正确的辩证关系要求统治者同时满足两个条件：保有他作为社会中最高、最有力形象的身份和地位，与此同时在与民众的关系中保持完全的“无”。

王弼通过将统治者的制度性位置与这一角色的公共表演分划开来，为这一悖论找到了解决。在王弼看来，这一分离预示在《周易》的安排中，对于许多卦象，每一爻都是双重界定的：首先是制度性的位，其次是占据这一位置的单个的爻。大多数卦象的第五爻都被读为君爻。爻位是由阴阳来界定的，第五爻是阳位。然而，占据这一阳位的既可以是一画的阳爻，也可以是两画的阴爻。因此，《周易》里既有阳爻居于阳位的情况，也有阴爻居于阳位的情况。这样，就可以有“弱”主处于“强”位或“强”主处于“强”位这两种可能。这一位的性格与人的性格的分离被承续在王弼对统治者的地位与他在这一地位上的态度和行为之间关系的分析中。它突出了圣王与处于统治者地位但不理解决定一与众关系的法则的人之间的区别。

统治者借以将民众最终也将他个人引向毁灭的否定性动力过程，不是通过统治者个人的性格或情感，而是通过他作为一个统治者的行为来运作的。由于这些行动的对象是社会，它们在本质上是公共行动。已处于强势地位的统治者，公开地作为强者行动；已具有独裁权力的统治者公开地、积极地运用他的权力；已拥有天下的统治者奢泰过度：所有这些情况里，都是超出他的地位所赋予的绝对潜能之外的公共的、特殊的行为，这些行为将他化减为特殊的存在者，阻止他达到只有通过正确对待他的地位才能达到的成就。

因此，我们讨论的是不-用政府权力和特权的公开演示。统治者在他全权的地位上的公共姿态和行动将决定民众的反应。确定由缺少正确指导的统治者启动的否定性动力过程是很容易的，但要确定使事物复归于一的“无为”和“不言之教”的公共行动，就颇为困难了。

《老子》提供了一些线索。在最一般的表达中，圣人“为无为，则无不治矣”(《老子》3.6)。同一章还提到了这一“为无为”的两种否定性的形式：

> 不尚贤，使民不争；不贵难行之货，使民不为盗。不见可欲，使民心不乱。

译为：

[作为统治者]

不用荣耀推奖贤者	不过度欣赏难得的货物
来使百姓不争竞，	来使百姓不作强盗。

[总之，作为统治者]不陈示
可欲之物，使百姓之心不流
于混乱。

在此，无为通过统治者无所不在的权力成了显见的、公共的无为。在预期中，统治者通过“尚贤”来吸引有才智的人，以珍稀物品展示他的庄严，总之，为百姓的渴求设立标准。与这些预期中的公共行动相反，上面描述的统治者的行为成为显见的、公共的无为。作为预期中行动的特有的不作为，作为无为的演示，它们显然是公共的行动，但没有将统治者降低到某一特定的姿态和行动上。这一模式遍布于《老子》关于圣人之治的论述中。

在语法上，《老子》一再强调这些看似无行动的行动性格。圣人“居”“无为之事”，“行”“不言之教”(2.2)。他“后其身”，而“身先”；“外其身”，而“身存”(7.2)。然而，《老子》已经指出：这一无行动和反行动的程式是不充分的，因为在这样的方式下，民无所依据和归属。这一论辩是在《老子》19.1中做出的：

> 绝圣弃智，民利百倍；绝仁弃义，民复孝慈；绝巧弃利，盗贼无有。此三者以为文而未足，故令之有所属：见素抱朴，少私寡欲。

译为：

如果[统治者]绝圣弃智，那么百姓会得到百倍的利益。

如果[统治者]绝仁弃义，那么百姓就会复归孝慈。

如果[统治者]绝巧弃利，就不会再有盗贼。

这三者作为陈述仍不充分。

因此为了让[他的臣民]有所依循，

它将显示质素，怀抱纯朴，

通过减少他的私利达到寡欲。

这里又一次强调了圣人行动的公共性。除了不用那些预期的特殊治理手段外，他还演示了一种积极的、公共性的不行动的行动。这里用的词，“见素”、“抱朴”、“少私”、“寡欲”，与上面描述的不行动共享同一程式，但它们给出了与这一本体论程式一致的对公共政治行动的更具体的指引。

认为无为的政策包含的只是一种否定性的程式——与治理学说（如与其他各“家”有关的那些学说）的行为主义立场相反，是一种普遍的误解。事实上，我认为无为的理论为能动的、积极的策略提供了指南。可以指出它在汉初以来的中央和地方治理中反复地、成功地运用，作为这一论辩的合理性的证据。①

在依据政治哲学来解读《老子》的传统中，无为是实践以一统众、以君御民的规则的学说。王弼本《老子》第28章的开头写道：

知其雄，守其雌，为天下谿。

译为：

知道作为[天下]之雄的人，他[必须]保持为雌，将成为全天下的溪谷。

为“雌”意指保持低姿态、不采取主动，由此“为无为”。圣人为“雄”、

① 参见司修武，《黄老学说与汉初政治平议》，台北：学生书局，1992年。

为天下之主的前提是他在“雄”的地位中保持作为天下之“雌”的姿态。这句话不是对人类普遍的劝告,而是只针对那些处在统治天下的地位的人;只有在这一状况下,这句话的逻辑才是有操作性的。王弼对此句的解读是以许多类似的陈述为证的,他在下面的注释中含蓄地提到了一些:

> 雄,先之属;雌,后之属也。知为天下之先者,必后也。[正如《老子》7.2 所说]是以圣人后其身而身先也。谿不求物,而物自归之。

译为:

> 雄,属于先的类别;雌,属于后的类别。知道如何作天下之先的人,必持身于后。因此[如《老子》7.2 所说],圣人“后其身而身先”。“谷”不渴求其他事物,而其他事物自愿服从于它。

《老子》此句将两个比喻,雄和雌的关系与谷和溪流的关系关联起来。雌处于低位的想象使得圣人成为天下的谷,正如溪流将自然地流入低谷,天下也自然会将自己置于他仁厚的统治之下。在王弼本《老子》的81 章中至少有 56 章讨论了处于统治地位与映现否定性对立面的形象之间的辩证关系(第 2、3、5、7、8、9、10、12、13、15、16、17、18、19、21、22、23、24、26、28、29、30、32、35、36、37、38、39、40、41、42、43、48、49、52、53、56、57、58、59、61、62、63、64、65、66、67、68、70、72、73、75、76、77、78 和 81 章)。在许多分章中,它模拟道或天地与万物的关系;但也有单独讨论它的分章,如第 4、6、11、21、25、34 和 51 章。在这一解读中,它绝对是《老子》主导性的课题。

绝大多数上面提到的分章都没有明确以统治者为主语,尽管常常提到圣人。然而,具体语境表明王弼以统治者为讨论的一般主语是有根据的。《老子》文本提到的主语的行动以及行动的对象,透露出统治者是主角,即使在那些没有明确提到他的地方。只有他的行为会影响万物

(2.3、8.1、16.2、32.1 和 37.3)；影响“天下”(22.6、28.1、29、30、35.1、39.2、48.4、56.10、60.2、63.2、67.4 和 78.2)；影响全体“民”众(3.4、10.4、19.1、53.2、57.5、58.1、65.1、66.1、75.1 和 80.3)；影响他“人”(12.1、27.5、68.4)；影响百姓((5.2、17.6、49.1)；影响“国”家(10.4、18.3、59.5、65.4)。他“身先”(7.2)，可以“寄天下”(13.6)，或“取天下”(57.1)。

无为的治理学说只有在一与众的法定的辩证关系的条件下，才是可操作的。无为的政策只有出自事实上可以做任何事而且他本身有权这样做的人的行为，才是有效的。因此，无为是统治者的这些权力的强调的、公开的不-用。

在注释中，王弼明确了这些不行动和否定的行动是在人类世界效法道所采取的形式。在《老子》32.1 注中，他写道：

> 朴之为物，以无为心也，亦无名。故将得道，莫若守朴。

译为：

> 朴这东西是以无为心的。[它]也是无名的。因此，如果[统治者]想要获得道，就没有比保持素朴更好的方式了。

在《老子》37.3 注中，朴的行动是与统治者的“为主”相对的、在对道的效法中建立社会秩序的积极政策。

文本 1	道常无为，
注释 1	顺自然也。
文本 2	而无不为。
注释 2	万物无不由之以始以成也。
文本 3	侯王若能守，万物将自化，化而欲作，吾将镇之以无名之朴。
注释 3	化而欲作，作欲成也。吾将镇之以无名之朴，不为主也。

文本 4　　夫亦将无欲。

注释 4　　无欲竞也。

文本 5　　无欲以静，天下将自正。（以上为第 37 章文本和注释）

由于民众中欲望的自发增长，并没有一种静态的秩序。使民复归于一，是统治者以持续的展示素朴为基础的恒久努力。通过他公开的不行动，以显现深玄的"所以"，从而让民众以适合它们命定的分的方式复归于它，是统治者的哲学和政治责任。

现存《老子微旨略例》的残篇含有一个关于"邪兴淫起"以及止息它们的方式的独立论述。这一论述是极具论战性的，驳斥自汉初黄老思想让位于更具干预性的、中央集权的政策（这一政策为曹魏政权承继）以来一直居主导地位的治理学说。① 这些辩驳超越了对众多统治者的无能的廉价批评。以真正哲学的风格，它们是从正好相反的前提（即统治者"圣"和"智"的至极）出发的，而且考察的是这些品质的应用可能带来的结果。王弼在《老子微旨略例》中写道：

> 夫素朴之道不著，而好欲之美不隐，虽极聪明以察之，竭智虑以攻之，巧愈思精，伪愈多变，攻之弥深，避之弥勤，则乃智愚相欺，六亲相疑，朴散真离，事有其奸。盖舍本而攻末，虽极圣智，愈致斯灾，况术之下此者乎！

社会秩序的破坏——"邪兴淫起"，不是邪淫所致，而是有着最高品质和动机的统治者对抗的结果。如果是品质更低于此的统治者，事情会糟到何种程度呢？存在者秩序的复原和维持的策略是从否定性对立

① 近来，Hans van Ess 主张，早期黄老思想主要是司马迁的宗派构造，而非历史事实；参见 van Ess，"The Meaning of Huang-Lao in *Shiji and Hanshu*"，*Etudes Chinoises*12：2：162—177（1993 年秋）。然而，似乎有证据表明：西汉王朝在战乱之后建立起了一套倾向于更少中央集权也更易操作的政策的模式，曹魏重复了这一模式，而且至少到宋代它仍有相当影响。

法则的同一逻辑发展出来的，这一逻辑在此被转为实际的政治运用。与统治者“竭智虑以攻巧伪”、“兴仁义以敦薄俗”和“多巧利以兴事用”相反，王弼让他的理想统治者“见质素以静民欲”、“抱朴以全笃实”和“寡私欲以息华竞”。在这种意义上，绝对否定性的行动——“绝司察，潜聪明”、“去劝进，剪华誉”、“弃巧用，贱宝货”，成了最有效的治理工具。只有通过否定性对立的辩证法，才能“绝圣而后圣功全，弃仁而后仁德厚”。[①]

随着这一转向，最初作为对“所以”(具有作为万物的可能性的条件和深玄不可测度的双重性格)的极其精粹的文字学和哲学探寻的论辩，已发展为一种有哲学引导的社会机制的政治学分析和一套可行的政策。以当下的实际语汇，这些全权的统治者的政策主要包括：

- 解除国家的监察和安全措施；
- 减约作为诉讼基础的法律和法令；
- 放弃特别提拔和鼓励有特殊才智的人的政策；
- 不格外施惠于个人；
- 展现质素和朴啬；
- 在邻国面前保持谦卑，尽可能将武力减至最低。

这些政策有保障的结果正是积极有为的统治者实际使用的政策所想要达到的成就。在民众各有其分位并保守这一分位的一般框架内，可保障的特定结果将是：

- 增加统治者地位和个人的安全；
- 讼争所造成的分裂被降低；
- 廷臣间的竞争和阴谋被减少；
- 随朝廷有选择的恩赏而来的妒忌和分裂将被避免；
- 呼应统治者的奢泰的竞争以及随之而来的民众的贫困将被消除；

---

① 《老子微旨略例》6.72。参见本书第二编。

- 与邻近小国之间代价甚大的战争将得到避免,它们将主动臣属于大国。

王弼的哲学探索的政治运用不是无关紧要的,而是这一探索的动力。王弼对俭约的追求是容易看到的。他的哲学紧密关注一与众的关系,以及它对统治者与其臣属之间关系的重要性。他没有迂回到其他哲学领域,而是始终抓住这一核心主题,因为他的最终兴趣在于一种有哲学根基的政治科学。他自己对《老子》思想的总结既表明了他的关注所在,又表明了他向某个真正的统治者证明自己洞见的可用性的热情。《老子微旨略例》包含两个这样的总结。尽管它们到处包含《老子》的语言,它们实际上提出了王弼自己对《老子》哲学的关键点的表述。这两个总结的第一个是:

> 故其大归也,论太始之源以明自然之性,演幽冥之极以定惑罔之迷。
>
> - 因而不为;
> - 顺而不施;
> - 崇本以息末;
> - 守母以存子;
> - 贱夫巧术;
> - 为在未有;
> - 无责于人,必求诸己;
>
> 此其大要也。①

译为:

> 因此,[《老子》]的根本宗旨在于论述太始的源头以阐明自然之性;推演玄奥的极致来固定怀疑欺罔的迷局。因应,而不作为;顺适,而不发起;尊崇根本以便让其枝末休息;守护其母以便保存其子

①《老子微旨略例》2.44。参见本书第二编。

孙；不看重[作为控制百姓的手段的治理]技艺；在[对于统治者的生命和地位的]危机还未出现时，对它们采取行动；不要求别人，而是要求自己；这些是《老子》的要旨。

最后，王弼宣称《老子》的整个教说可以“一言以蔽之”，如孔子对《诗经》所宣称的那样。但，与孔子对《诗经》的总结相反(绝大多数注释都将这一总结读作直接的道德劝戒——思无邪)，王弼对《老子》的总结是作为否定性对立法则的高度凝缩的悖论出现的：

崇本息末而已矣。①

译为：

尊崇本根以止息枝末——不过如此而已！

这一最为简洁的总结明确了在王弼的解读中《老子》哲学的根本政治目的——息末。“末”这个词描述的是所有从根中生长出来的东西，如树的干和枝。它们源起于根，并从根得到持续的滋养；但在实际上，它们是指可见的世界，这一可见世界的规范是治理的目的。王弼的整个分析的和哲学的事业，以及他对《老子》的解读，仍系于给世界带来安平和秩序这一最终目的。而他在这方面的主要发现就是否定性对立的法则。这一发现凝缩并理论化了对政治体的动力过程的种种考察，这些考察可以在流传至今的各种资源中找到，其范围从关于政治诡计的谚语传说(如三十六计)②到结构主义的政治权力分析。③

《老子》有着多样的、并行的存在.从作为关于道德完善、延长生命乃至性行为的详尽规范的道的言说(《想尔》)，到一部关于身体和国家的维续的论文(河上公)；从一种恐怖主义的国家的哲学基础——通过高压政治震慑民众(《韩非子》)，到一个在战争的野蛮之后试图复原文明行为的

① 《老子微旨略例》6.1。参见本书第二编。

② H. von Senger, *Strategeme*.

③ Luhmann, *Macht* (Stuttgart: Enke, 1975 年)。

政府的哲学基础(黄老思想)。它一直在拥有更新的存在:从作为关于军事策略的论文(唐兰),到由偶尔的“故”和“是以”连接的格言的汇集(木材英一);从一部由印度人写成的书(Mair),到一部由某个后来到印度创建了佛教的人写成的书(《老子化胡经》)。

那么,王弼的《老子》是什么呢?这是一部其隐含读者是统治者的书。以理想化的(圣人)或真实的形式,他直接或通过王弼的注释出现于《老子》的大部分分章。它是一部讨论统治者与天下之间关系的书。这是一种双重的关系。统治者有其作为众之一的制度位置。这赋予他对众的掌控,即决定、照料所有事物的权威。这一权威出自他的制度位置,被法典化为他的权力的社会特权——在理论上是无限的。从这一权威中,并不必然推出他实际上必须决定和照料所有事物。他在这一的制度角色中实际上应该怎样行为,是各种政治哲学家之间众说纷纭的问题。王弼的《老子》(以及《周易》)建议统治者考察一与众、道或无与万物之间的基本动力过程,以领会这一关系的法则,并构划一个由效法并在人类世界中转译“一”、使之成为众之一(它们的“所以”)的方式构成的行为过程。

因此,王弼的《老子》之所以讨论存在与存在者、一与众、无与万物关系的本体论问题,仅仅因为要想抽象出这些政治法则,必然要讨论这些问题。这些法则可以而且将被转译为统治者的一种成功的行为过程。王弼的《老子》是以分析性本体论为基础的规范性政治哲学。在总结《老子》的实质时,王弼没有谈到无、道或圣人。他的总结的语法形式是规范性而非分析性的。

王弼的哲学:一种意识形态?

从任何给定的历史角色都在某一特定的历史领域中活动并以这种或那种方式回应它这一事实,推断他的思想贡献不过是一种辩护、攻击、合法化或质疑他的时代的某种政策、宗派、旨趣或现象的努力，这种做法已经成为时尚。这一时尚一方面得到了在社会主义世界此类著作的大量生产的鼓舞——在那里，甚至相当深奥的研究廉价地附庸于时代的政策要求，也已经成为颇为寻常的事了；另一方面，许多思想研究仍在延续深植于过去的此类附庸的记录。从立场的自我旨趣出发，可以推知思想的诚实和论证的可信的缺失。

在我看来，问题不在于哲学家、艺术家或其他知识分子是否与他们的周遭世界相互作用；这是当然的。问题在于他们的贡献能否被化约为简单的、合法化的意识形态——尽管有种种令人不快的方面，如草率的、不可靠的论辩，循环的逻辑，不可证伪性，选择性以及思想良知败坏的死角（思想的结果已事先确定）。

王弼完全清楚他与周遭的思想和政治生活的关系。他批评各家对《老子》和《周易》的误解，认为这一误解导致了哲学上的无知和毁灭性的政策的旋涡。他批评曹魏的政策手段：它的监察系统、高压的国家干预、与吴蜀两国不断的交兵，并断言他们将自败，而他们维持朝廷稳定的良好意图事实上正在以极其危险的方式动摇它。他与执政曹爽“论道”，即以区区20上下的年纪想要做哲学和政治的顾问，这让他受到了嘲笑。[①]

与此同时，我们可以追问：王弼的论辩为谁服务呢？王弼出自后汉以来新兴的世家大族之一。他的家世的地位，使得他的祖父拒绝与大将军何进（皇后的兄长）通婚，因为何氏出身屠户。在荆州学宫收留过许多学者的汉宗亲刘表，也曾想与高平王氏有姻亲的关系。当王弼尚未及冠之时访谒何晏（何晏是何进的孙子，曹操的养子，除在正始年间主掌选举以外，他还轻易地成为那个时代最为优雅的人）时，何晏是如此的慌乱，以致当他冲出门时，鞋子都穿反了。

---

① 参见本书第一编第一章。

曹魏的统治集团是由地方新贵(如曹氏,他们通过汉末的战乱获得职权)与后汉以来的大族(其中最杰出的有司马氏)之间的联盟构成的。地方新贵中的许多人没有在此前数十年中发挥重要的军事作用,但随着曹魏时期相对和平的局面的恢复以及经济的部分繁荣,他们的命运改变了。到230年代末,他们的后代开始谋求在都城有更大的政治影响,并在治理学说的发展上有所表达。在这一年轻的群体中,有后汉的豪族的后裔,也有曹魏宗室的年轻成员。针对这些努力,魏明帝颁布了禁锢那些明确属于这一思想和政治潮流的人的严诏,被禁锢的人中有何晏和夏侯玄这样的名士。

随着公元239年魏明帝的亡故,以及与司马懿同为执政的曹爽的就职,这一集团开始着手掌控曹魏的权柄,以及一项雄心勃勃的改革计划。这一努力在公元249年司马懿的政变以及对与曹魏集团有关的士人的连续诛戮中结束。最终,司马氏与旧的豪族共同建立了晋王朝,曹魏集团的高官被殄灭了。这一发展的结果之一是,正始时代的改革在晋代撰成的史著(如《三国志》)基本没有记载,它们的具体内容已难以揣想。然而,毫无疑问的是,对中央集权和镇压性机制的减轻,是豪族的需要之一。在对汉初黄老思潮的分析中,学者们已经指出:这些政策实际上有利于已经从属于汉代的中央政权的地方贵族的相对独立。与此同时,这一思潮也反对针对匈奴的进犯性军事立场。以基本相同的方式,我们也可以主张王弼的哲学事业并未忽忘王弼本人所属的群体的利益,他所提倡的减少政府干预和军事行动,是与他的社会身份的渴望颇为一致的。

与此同时,通过指涉王弼哲学的历史环围,并没有解释什么。王弼哲学的历史重要性远远超出它的特殊的环境。杀戮了大量王弼与之过从甚密的人(如何晏)的司马氏,不但统辖了这样一个朝代:其中,正始时代的哲学家被视为孔子以来的最高成就,而且,开始于正始时代的改革似乎也仍在延续。[1] 作为一种有哲学根基的治理学说，它阐发了一种对此后数个世纪仍颇为重要也颇有影响的政府操作风格，尤其是在文明而非战乱成为时代主流的那些时代。这的确也是正始时代的变革纲领——“兴文明”。

① 王晓毅，《中国文化的清流——正始之音》，北京：中国社会科学出版社，1991 年，页 54。书中指出 249 年针对何晏、曹爽的政变，是由试图阻止改革的铁杆保守派和司马懿身边的军事领袖领导的。最终，尽管他们击溃并屠杀了改革者，但他们仍被迫延续改革者的政策，因为这些政策是应合时代需要的。此书对正始名士对精神自由的热爱的理想化，受到了刘泽华的批评。

参 考 文 献

Assmann, Aleida, ed., *Weisheit. Archeäologie der literarischen Kommunikation* Ⅲ, Miinchen: Fink Verlag, 1991.

Balazs, Etienne, and Yves Hervouet, eds., *A Sung Bibliogrphy* (Bibliogrphie der Sung), Hong Kong: Chinese University Press ,1978.

班固,《汉书》,北京:中华书局,1964。

Barnard, Noel, "The Nature of the Ch'in 'Reform of the Script' as Reflected in Archaeological Documents Excavated under Conditions of Control", 载 D. T. Roy and Tsuen-hsuin Tsien, eds. *Ancient China: Studies in Early Civilization*, Hong Kong: Chinese University Press, 1978,181—214。

Bauer, Wolfgang (Bao Wugang 鲍吾刚)编, *Renwuzhiyinde* (人物志引得), San Francisco: Chinese Materials Center, 1974.

北京大学哲学系中国哲学史教研室编,《中国哲学史教学资料选辑》,北京:中华书局,1981—1982。

Benn Charles, "Taoism As Ideology in Reign of Emperor Hsüan-taung (712—755)", University of Michigan 博士论文,1977。

Bokenkamp, Stephen, *Early Daoist Scriptures*, Berkeley: University of California Press, 1997.

Boltz Judith, *A Survey of Taoist Literature, Tenth to Seventeenth Century, China Research Monograph* 32, Berkeley: University of California Press, 1987.

Boltz William G., "The Lao TzuText that Wang Pi and Ho-shang Kung Never Saw", *Bulletin of the School of Oriental and African Studies* 48:5(1985): 493—501.

——,“The Religious and Philisophical Significance of the ‘Hsiang Erh’ Lao-Tzu in the Light of the Ma-Wang-Tui Silk Manuscripts”, *Bulletin of the School of Oriental and African Studies* 48:5(1982):95—117.

——,“Textual Criticism and the Ma-Wang-Tui Lao-Tzu”, HJAS 44: 1 (1984): 185—224.

Bumbacher, Stephan P. *The Fragments of the Daoxue zhuan*, Frankfurt/M: Peter Lang, 2000.

曹丕,《典论论文》,载张溥,《三曹集》, 177—79。

Chan, Alan K. L., *Two Visions of the Way: A Study of the Wang Pi and Ho-shang Kung Commen- teries on the Lao-tzu*, Albany: State University of New York Press, 1991.

Chan, Wing-tsit(陈荣捷), *The Way of Lao-Tzu*, Indianapolis and New York: Bobbs-Merrill, 1963.

Chang, Chung-yue, “The Metaphysics of Wang pi”, Uiniversity of Pennsylvania 博士论文, 1979。

——,“Wang Pi on the Mind” *Journal of Chinese Philosophy* 9(1982):77—105.

晁公武,《郡斋读书志校证》,孙猛编,上海古籍版社,1990年。

晁贻端编,《晁氏丛书》, Liuan: Daixuelou, 1826—1832。

晁说之,“鄜畤记”,载《集唐字老子道德经注》,页1。

——,《嵩山景迂生集》,载晁贻端编,《晁氏丛书》。

——,《嵩山文集》,载四部丛刊,上海:商务印书馆。

——,“题写老子后”,载《嵩山景迂生集》,卷18,页7下—8上。

——,“王弼道德真经记”,载《道德真经集注》附录。

陈德昭,《老子思想对汉初政治的影响》,台北: Daqian wenhua Press, 1981。

陈鼓应,《老庄新论》,香港:中华书局,1991年。

——,“论‘繫辞’传是齐下道家之作——五论‘易传’非儒家典籍”,载《道家文化研究》2:355—65 (1992)。

——,“‘彖传’与老庄”,《老庄新论》,页277—93。

——,“‘易传·繫辞’所受老子思想的影响——兼论‘易传’非道家典籍乃道家系统之作”,载《老庄新论》,页294—313。最初发表于《哲学研究》1:34—42, 52 (1989)。

——,“‘易传·繫辞’所受庄子思想的影响”,《老庄新论》,页314—30。

——,“‘易传’与楚学齐学”,《老庄新论》,页331—46。《道家哲学研究》1:143—56 (1992)。

陈来,“魏晋玄学的‘有’‘无’范畴新探”,载《哲学研究》9:51—57 (1986)。

陈景元,《道德真经藏室纂微篇》,载《正统道藏》。

陈奇猷,《韩非子集释》,北京:中华书局,1962 年。

Ch'en Ch'i-yün(陈启云),"A Confucian Magnate's Idea of Political Violence: Hsün Shuang's (128—190 A.D.) Interpretation of the Book of Changes", *T'oung Pao 54* (1968):73—115.

陈世骧,"'想尔'老子道德经敦煌残卷论证",载《清华汉学研究》1:2(1957):41—62。

陈寿,《三国志》,北京:中华书局, 1973。

——,《三国志》,百衲本,台北:商务印书馆,1967 年。

——,《三国志》,(武英本,1739),《二十五史》,上海古籍出版社, 1991。

陈振孙,《直斋书录解题》,上海古籍出版社,1987。

程荣编,《汉魏丛书》,上海:商务印书馆,1925。

Cherniak, Susan, "Book Culture and Textual Transmission in Sung China." HJAS54: 1 (1994):5—125.

Chow Tse-tsung 编, *Wen-lin*, *Studies in the Chinese Humanities*. Vol. 2., Madison: Department of East Asian Languages and Literature of the University of Wisconsin and NTT Chinese Language Research Center, Institute of Chinese Studies, the Chinese University of Hong Kong, Hong Kong, 1989.

《春秋经传引得》,台北:正文, 1966 年重印。

《春秋繁露逐字索引》,刘殿爵编,香港:商务印书馆,1994 年。

《春秋左传正义》,载阮元《十三经注疏》。

Cleary, Thomas, *Further Teachings of Lao-tzu: Understanding the Mysteries. A Translation of the Taoist Classic Wen-tzu*, Boslon: Shambhala, 1991.

《丛书集成初编》,王云五编,上海:商务印书馆,1936。

Coureur, Séraphin, '*Li Ki*,' *ou mémoires sur les bienséances et les cérémonies. Texte Chinois avec une double traductiaon en Français et en Lantin*. 2. vols, Repr. Paris: Belles Lettres, 1950.

《大戴礼记》,载《四部丛刊》,上海:商务印书馆,1929—1934 年。

《道德正经注疏》(误归入顾欢名下),载《正统道藏》,亦收入《嘉业堂丛书》(1919)。

《道德真经注》(收有王弼注),载《正统道藏》。

Demiéville, Paul M.(戴密微), *Choix d'études Sinologiques* (1921—1970), Leiden: E. J. Brill, 1973.

——, "Notes additionelles sur les éditions imprimées du Canon Bouddhique", 收入 Paul Pelliot, *Les Débuts de l'Imprimerie en Chine*, Paris: Maisonneuve, 1953, 121—38.

——, "Langue et littérature chinoises. Résumé des cours de 1946—1947", *Annuaire du Collège de France* 47 (1947): 151—57. Repr. under the title "Le vocabulaire philosophique chinois, I; T chouang-tseu, ch. Ⅱ", 收入 *Choix d'études Si-*

nologiques(1921—1970),49—55。
丁冠之,"论稽康的哲学思想",载《哲学研究》4:63—68 (1980)。
——,"阮籍",收入方立天和于首奎《中国古代著名哲学家评传续编》,页 91—132。
董思靖,《道德真经集解》,载《正统道藏》。
董仲舒,《春秋繁露》,载《四部丛刊》,1929—1934 年。
杜光庭,《道德真经广圣义》,载《正统道藏》。
杜国庠,《两汉今古文学之争》,载《杜光庠文集》,北京:人民出版社,1977 年,页 299—318。
Dull, Jack L.,"A Historical Introduction to the Apocryphal (Ch'an Wei) Texts of the Han Dynasty", University of Washington 博士论文, 1966。
Dubs, Homer H., "The Date and Circumstances of the Philosopher Lao-Dz",JAOS 61 (1941):215—21。
——,"The Identification of the Lao-Dz", JAOS 62 (1942):300—304.
杜预,《春秋经传集解》,上海古籍出版社,1988 年。
——,"春秋序",载阮元编,《十三经注疏》下,页 1703—09。
Duyvendak,Jan J. L.(戴闻达),"The Dreams of the Emperor Hsuan Tsung.",载 *India Antiqua*,Kern Institute 编,102—08,Leiden:E.J. Brill,1947.
Edgren,Soren,"Southern Song Printing at Hangzhou", *Bulletin of Museum of Far Eastern Antiquities* 61(1989):1—212.
《二十二子》,浙江书局,1875,上海古籍出版社 1986 重印。
Ebrey, Patricia., *The Aristocratic Families of Early Imperial China: A Case Study of the Po-ling Ts'ui Family*, Cambridge: Cambridge University Press, 1978.
Erkes, Eduard 译, *Ho-shang-kung's Commentary on the Lao-tse*. Ascona: Artibus Asiae, 1950.
二十五史刊行委员会编,《二十五史补编》,北京:中华书局。
法琳,《辩正论》,vol.52,Taishō,T.2110,489—550。主要部分亦见于释道宣《广弘明集》,载 *Taishō Shinshū Daizōkyō*, Tōkyō 1928—1934,册 52,T. 2103,卷 13,页 175—187。
范晔,《后汉书》,北京:中华书局,1965 年。
范应元,《老子道德经古本集注》,载《续古逸丛书》,扬州:江苏广陵古籍出版社,1994 年。亦见严灵峰编,《无求备斋老子集成》,台北:艺文出版社,1965。
方立天,"汉代经学与魏晋玄学——论我国前期封建社会中官方哲学的演变",载《哲学研究》3:48—59 (1980)。
方立天、于首奎编,《中国古代著名哲学家评传续编》,济南:齐鲁书社,1982 年。
房玄龄,《晋书》,北京:中华书局,1974 年。
冯友兰,"魏晋玄学贵无论关于有无的理论",载《北京大学学报》(哲学社会科学版)

1:11—18(1986)。
——,《中国哲学史》,上海:商务印书馆,1934 年。
冯增铨、姜宏周、陆学艺:“何晏”,载方立天、于首奎编《中国古代著名哲学家评传续编》,页 49—91。
Franke, Otto., *Studien zur Geschichte des konfuzianischen Dogmas und der chinesischen Staatsreligion: Das Problem des Tschun-ts'iu und Tung Tschung-schu's T'schun-ts'iu fan lu*, Abhandlungen aus dem Gebiei der Auslandskunde, Band 1. Hamburg: L. Friederichsen & Co., 1920.
Finsterbusch, Kaete, *Verzeichnis und Motivindex der Han-Darstellungen*. 2vols, Wiesbaden: Harassowitz, 1966.
《佛祖统记》,T.1035。
Frege, Gottlob, *Funktion*, *Begriff*, *Bedeutung*. 5 *logische Studien*, Gottingen: Vandenhoek & Ruprecht, 1975.
付举有、陈松长编,《马王堆汉墓文物》,长沙:湖南出版社,1992 年。
傅奕,《道德经古本》,载《正统道藏》。
高亨,“史记老子传笺注”,载罗根泽编,《古史辨》,香港:Taiping Press, 1962 重印。
高明,《帛书老子校注》,北京:中华书局,1996 年。
《管子校正》,载《诸子集成》,上海书店,1990 年。
葛洪,《抱朴子》,载《诸子集成》,上海书店,1990 年。
Gentz, Joachim,“Ritus und Praxis: Die *Chunqiu Exegese des Gongyang zhuan* von ihren Anfängen bis Dong Zhongshu”,University of Heidelberg 博士论文, 1998 年。
Graham,Angus C., *Chuang-tsu: The Seven Inner Chapters and Other Writings from the Book Chuang-tzu*, London: Allen&Unwin, 1981.
——, *Later Mohist Logic, Ethics, andScience*, HongKong: Chinese University Press, 1978.
Graham, Angus C.,“‘Being’ in Western Philosophy Compared wilh Shih/Fei and Yu/Wu in Chinese Philosophy”, *Asia Major*, n.s. 7:79—112 (1959).
——,The Book of Lieh-tzu, London: John Murray, 1960.
——,Chuang-tzu, *The Seven Inner Chapters and Other Writings from the Book Chuang-tzu*, London: Allen & Unwin, 1981.
顾颉刚,“从吕氏春秋推测老子成书年代”,载罗根泽编,《古史辨》,香港: Taiping Press, 1962 年,页 462—520。
——,《汉代学术史略》,上海: Asia Books, 1936。
顾炎武,《日知录》,黄汝成注,上海古籍出版社,1985 年。
《管子校正》,载《诸子集成》,上海书店,1990 年。

《关尹子》，载《四部备要》，北京：中华书局。

《广弘明集》，释道宣编，载 *Taishō shishū Daizōkyō*，vol.52，T.2103，97—361。

郭沫若，“老聃关尹环渊”，载罗根泽编，《古史辨》，Hong Kong: Taiping Press, 1962。

郭象，《南华真经注》，载《续古逸丛书》，北京：中华书局，1994 年。

郭忠恕，《汉简》，李零和刘新光编，北京：中华书局，1983 年。

蜂屋邦夫，“言不尽意论と言尽意论” *Toyō bunka kenkyuūshō kiyō* 86：105—51 (1981)。

Harbsmeier，Christopher，*Language and Logic*，载 *Science and Civilization in China*，卷Ⅶ.1，Joseph Needham 编，Cambridge：Cambridge University Press，1998。

波多野太郎，《老子王注校正》，横滨市立大学纪要，Series A—2，No. 8 (1952)；Series A—3，No. 15 (1953)；Series A—8，Nd. 27 (1954)。

——，《老子王注校正续补》，载福井博士颂寿纪念论文集刊行会编，《福井博士颂寿纪念东洋文化论集》，Tokyō：Waseda University Press，1969。

——，“王注老子の复原” *shūkyō*（东方宗教） 7:77—78 (1955)。

河北省文物研究所定州汉简整理小组，“定州西汉中山怀王墓竹简〈文子〉的整理和意义”，载《文物》12 (1995)：38—40。

——，“定州西汉中山怀王墓竹简〈文子〉释文”，载《文物》12 (1995)：27—34。

——，“定州西汉中山怀王墓竹简〈文子〉校勘记”，载《文物》12 (1995)：35—37，40。

贺昌群，《魏晋清谈思想初论》，上海：商务印书馆，1946 年。

何启民，《魏晋思想与谈风》，台北，1967，收入《中国学术研究丛书》12，台北：台北学生书局，1984 年。

何邵，《王弼别传》，引自裴松之《三国志注》。

何晏编，《论语集解》，载《四部备要》，北京：中华书局。

Henricks，Robert G.，“Exammining the Chapter Divisions in the Lao -Tzu”，*Bulletin of the School of Oriental and African Studies* XLV：3(1982)：501—24.

——，“Examining the Ma-Wang-Tui Silk Texts of the Lao-Tzu，with Special Note of Their Differences from the Wang Pi Text”，*T'oung Pao* LXV：4—5(1979)：166—98.

——，“A Note on the Question of Chapter Divisions in the Ma-Wang-Tui Manuscripts of the Lao-Tzu”，*Early China* 4(1978—1979)：49—51.

河上公，《道德真经注》，参见 E. Erkes 译，*Ho-shang-kung's Commentary on the Lao-tse*。

北原峰树编，《老子王弼注索引》，Hokyushū：Hokyushū Chūgoku shōten，1987。

Hightower，James，Robert，*Han shih wai chuan*：*Han Ying's Illustrations of the Didactic Applications of the Book of Songs*，Cambridge：Harvard University Press，1952.

Holzman, Donald, *La vie et lapensée de Hi K'ang* (223—62 *Ap. J.-C.*), Leiden: E. J. Brill, 1957。

侯外庐编,《中国思想通史》,北京:人民出版社,1957。

侯康,《补后汉书艺文志》,载《二十五史补编》。

《淮南子》,载《四部备要》,北京:中华书局。

《淮南子逐字索引》,刘殿爵编,香港:商务印书馆,1992 年。

黄侃,《论语义解艺疏》,载《图书集成初编》,上海:商务印书馆,1937。

《黄帝内经素问》,北京:人民卫生出版社,1978 年。

黄焯,《经典释文汇校》,北京:中华书局,1980 年。

黄宗羲,《(增补)宋元学案》,载《四部备要》,北京:中华书局。

慧琳,《一切经音义》,载 *Taishō Shinshū Daizōkyō*,卷 54, T. 2128, Tōkyō 1929—1934。

惠达,《肇论疏》,载《续藏经》,卷 150,台北:Hsin-wen-feng ,1976,833—96。

Hurvitz, Leon,"A Recent Japanese Study of Lao-tzu: Kimura Eiichi(木村英一)'s Rōshi no shin-kenkyū(老子の新研究)", *Monumenta Serica* 2(1961):311—67.

石田公道,"中国に于ける注释书の发达",*Hokkaidō musashi joshi tenki dagaku kiyō* 北海道武藏女子短期大学纪要,4:1—73(1971)。

纪昀,"老子道德经提要",卷 1055,载文渊阁《四库全书》,台北:台湾商务印书馆。

焦竑,《国史经籍志》,载粤雅堂丛书,台北:Hualian,1965。

焦循,《孟子正义》,载《诸子集成》,上海书店,1990。

贾谊,《新书》,载《四部备要》,北京:中华书局。

姜书阁,《骈文史论》,北京:人民文学出版社,1986 年。

荆门市博物馆编,《郭店楚墓竹简》,北京:文物出版社,1998 年。

金春峰,《汉代思想史》,北京:中国社会科学出版社,1987 年。

加贺荣治,《中国古典解释史·魏晋篇》,Tokyo:KeisoPress,1964 年。

——,"中国の合理主义に关する一考察——魏晋における天人合一观を中心として",汉文教室 56:1—9(1961);part Ⅱ: Kambun kyōshitsu 57:1—10(1961)。

——,"魏晋玄学の推移とその实相(一)",人文论究 18:1—43(1958);part Ⅱ:19:29—77(1959)。

——,"魏晋に于ける古典解释のかたら——王弼の'周易注'にっいて",人文论究 8:1—33(1953)。

——,"魏晋に于ける古典解释のかたら——杜预の'春秋经传集解'にっいて",part Ⅰ:Jimbun ronkyū13:15—34(1955);part Ⅱ:Jimbun ronkyū 14:24—74(1955);part Ⅲ:Jimbun ronkyū15:32—58 (1955) (Part Ⅰ and Ⅱ with subtitle"To Yo no 'Shunjū kaishaku' ni tsuite"杜预の'春秋解释'にっいて)。

——,"王弼より韩康伯へ——王弼の'周易注'にっいて(续)",Jimbun ronky ū 9:

22—35(1953)。

——,"尚书孔氏传の态度",北海道学艺大学纪要'学艺',3.1:28—38(1951)。

Kandel,Barbara,*Taiping jing. The Origin and Transmission of the "Scripture on General Welfare": The History of an Unofficial Text*,Hamburg:Gesellschaft für die Natur-und Völkerunde Ostasiens,Mitteilungen No.75,1979.

——,*Wen tzu:Ein Beitrag zur Problematik und zum Verständnis eines taoistischen Textes*. Berne:Lang,1974.

Karlgren, Bernhard, *The Poetical Parts in Lao-tsi*. Goteborg, Sweden: Elanders boktryckeri, 1932.

Kennedy George,"Interpretationof the Ch'un-ch'iu",JAOS62:40—48(1942).

木村英一,"A New Study on Lao-tzu",*Philosophical Studies of Japan* I (1959):85—104。

——,《慧远研究》,Kyoto: Sobunsha 1960, 1962。

——,《老子の新研究》,Tokyo: Sobunsha, 1959。

《老子道德经》,文渊阁《四库全书》版,台北:台湾商务,1982—1999, 卷 1055。

Lau,D.C.(刘殿爵),*Chinese Classics*,*Tao Te Ching*,Hong Kong:Chinese University Press,1982.

Legge,James,*The Chinese Classics*:*Chun Tsew withTso Chuen*,Hong Kong :Hong Kong University Press,1960.

——,*The Chinese Classics*:*The Works of Mencius*,Hong Kong :Hong Kong University Press,1960.

刘充升,"《道德真经取善集》序",载李霖,《道德真经取善集》。

李定生,"文子论道",*Fudan xuebao* (*Shehui kexue ban*) 3 (1984):80—85; pt. 2: 4 (1984):41—48。

李定生、徐慧君编,《文子要诠》,上海:复旦大学出版社,1988 年。

李昉等编,《文苑英华》,北京:中华书局,1982 年。

李霖,《道德真经取善集》,载《正统道藏》。

李零,《中国方术考》,北京:人民中国出版社,1993。

李翘,《老子古注》,Fenxiaoguan Press,1929。

李善,《文选李善注》,收入《四部备要》。

李约,《道德真经注》,载《正统道藏》。

黎庶昌,《古逸丛书》,扬州:江苏广陵古籍出版社,1990。

——"刻古逸丛书序",载《古逸丛书》。

梁迥,"后序",载《道德真经集注》,《正统道藏》。

Liao,Wen-kuei,*The Compiete Works of Han Fei Tzu. A Classic of Chinese Legalism*, London:Probsthain,1939.

Lin Paul J., *A Translation of Lao Tzu's Tao Te Ching and Wang Pi's Commentary*, *Michigan Papers in Chinese Studies* No. 30, Ann Arbor: Center for Chinese Studies, University of Michigan, 1977.
刘宝楠,《论语正义》,收入《诸子集成》,北京:中华书局,1954 年。
刘大彬,《茅山志》,收入《正统道藏》。
刘大杰,《魏晋思想论》,昆明:中华书局,1939。
刘培桂,"汉画像石中的孔子和老子",载山东孔子学会编,《鲁文化与儒学》,济南:山东友谊出版社,1996。
刘国钧,"老子王弼注校记",载《图书馆学集刊》8:1(1934):91—116。
刘汝霖,《汉晋学术编年》,北京:中华书局,1987 年。
刘邵,《人物志》,W. Bauer(Bao Wugang 鲍吾刚)编,《人物志引得》,San Francisco: Chinese Materials Center,1974。
刘惟永,《道德真经集义》,载《正统道藏》。
——,《道德真经集义大旨》。
刘勰,《文心雕龙》,载《四部备要》,上海:中华书局,1930 年。
——,《文心雕龙义证》,詹锳注,上海古籍出版社,1989 年。
刘孝标,《世说新语注》,北京:中华书局。
刘昫,《旧唐书》,北京:中华书局。
刘义庆,《世说新语》,上海古籍出版社,1982 年。
《六臣注文选》,载《四部丛刊》,北京:中华书局。
楼宇烈,《王弼集校释》,北京:中华书局,1980。
卢盛江,"汉魏学风的演变与产生",南开大学中文系南开文学研究编委会编,《南开文学研究》,1987。
吕友仁编,《潜研堂集》,上海古籍出版社,1989 年。
陆德明,《经典释文》,上海古籍出版社,1985 年。
——,《老子道德经音义》,载《经典释文》。
陆希声,《道德真经传》,载《正统道藏》。
罗民胜,"试论王弼玄学对名教的批判",《中国哲学史研究》1 (1987):73—75。
《论语引得》, Harvard-Yenching Institute Sinological Index Series, Taipei: Ch'engwen,1966。
"老子想尔注续论",载《福井博士颂寿记念东洋思想论集》,福井博士颂寿记念论文集刊行会编,1960,1115—71。
《论语注疏》,载阮元,《十三经注疏》, In Shishan jing zhushu, edited by Ruan Yuan,
Lynn, Richard J. 译, *The Classic of Chinese*: *A New Translation of the Tao-te-ching of Taozi As Interpreted by Wang Bi*, New York: Columbia University Press, 1999.

马端临,《文献通考》,载《四部丛刊》,北京:中华书局。

马国翰编,《玉函山房辑佚书》,1884。

马叙伦,《老子校诂》,北京:中华书局,1974 年。

马宗霍,《中国经学史》,上海:商务印书馆,1937 年。

《毛诗正义》,载阮元编,《十三经注疏》。

Mather, Richard, "K'ou Ch'ien-chih and the Taoist Theocracy at the Northern Wei Court(425—451)",载 *Facets of Taoism*, H. Welch and A. Seidel 编, New Haven: Yale University Press, 102—122.

——译, *Shih-shuo Hsin-yu. A New Account of Tales of the World*, Minneapolis: Minnesota University Press, 1976。

马王堆汉墓帛书整理小组,"老子甲本乙本傅奕本对照表",载《马王堆汉墓帛书老子》,北京:文物出版社,1976。

——,《马王堆汉墓帛书》,北京:文物出版社,1974, Vol. 1 and 2。

——,《马王堆汉墓帛书老子》,北京:文物出版社,1976。

——,"马王堆汉墓出土老子释文",《文物》11(1974):8—20。

牟宗三,《才性与玄理》,台北:学生书局,1985。

蒙文通,"严君平道德指归论佚文",载《图书集刊》6 (1948):26—37。

《孟子引得》, Harvard-Yenching Institute Sinological Index Series, 台北: Ch'engwen, 1966。

《墨子引得》, Harvard-Yenching Institute Sinological Index Series, Tōkyō: Tōyō bunko, 1961。

麦谷邦夫,"'老子想尔注'について", Tōhō gakuhō 57 (March 1985):75—107。

中村圭尔,《六朝制度研究》, Tōkyō: Kazama Shōbō, 1982。

Nylan, Michael 译, *The Canon of Supreme Mystery by Yang Hsiung*, Albany: State University of New York Press, 1993。

欧阳修、宋祁,《新唐书》,北京:中华书局,1975 年。

人渊忍尔,"五斗米道の校注について", *Tōyō Gakuhō* 49.3 (1966):40—68。

庞朴,"说'无'",载《中国文化与中国哲学》,深圳:东方出版社,1986 年。

裴松之,《三国志注》,北京:中华书局,1962 年。

Pelliot, Paul, *Les Débuts de l'Imprimerie en Chine*, Paris: Adrien-Maisonneuve, 1953。

彭浩,《郭店楚简〈老子〉校读》,武汉:湖北人民出版社,2000 年。

彭耜,《道德真经集注》,载《正统道藏》。

——,《道德真经集注释文》,载《正统道藏》。

——,《道德真经集注杂说》,载《正统道藏》。

Peterson, Willard J., "Making Connections: 'Commentary on the Attached Verbalizations' of the Book of Change", *Harvard Journal of Asiatic Studies* 42:

1(1982):67—116.

Poon, Ming-sun, "Books and Publishing in Sung China(960—1279)", University of Chicago 博士论文,1979 年。

Pokora, Timoteus, *Hsin-lun* (*New Treatise*) *and Other Writings by Huan Tan* (43 *B.C.*—28*A.D.*), Michigan Papers in Chinese Studies No. 20, Ann Arbor: Center for Chinese Studies, The University of Michigan, 1975.

钱曾,《读书敏求记》,载《丛书集成初编》,In Congshu jicheng chubian, vol. 0049.

强思齐,《道德真经玄德纂疏》,载《正统道藏》。

钱穆,"记魏晋玄学三宗",载《庄老通辨》,台北:东大图书公司,1991 年。

Queen, Sarah, *From Chronicle to Canon: The Hermeneutics of the Springand Autumn, according to Tung Chung-shu*, New York: Cambridge University Press, 1996.

屈万里,《汉石经周易残字集证》,《中央研究院历史语言研究所专刊》,台北:中央研究院历史语言研究所,1961。

饶宗颐,《老子想尔注校证》,上海古籍出版社,1991 年。

——,"吴建衡二年索纨写本道德经残卷(兼论河上公本源流)",J*ournal of Oriental Studies* 2:1(1955):1—71。

Roth, Harold D., *The Textual History of the Huai-nan tzu*, Ann Arbor: Association for Asian Studies Monograph 46, 1992.

阮元编,《十三经注疏》,北京:中华书局,1987 年。

Rump, Ariane, in coll. with Wing-tsit Chan 译, *Commentary on the "Lao-tzu" by Wang Pi*, Monographs of the Society for Asian and Comparative Philosophy, No.6, Honolulu: University Press of Hawaii, 1979.

Rickett, W. Allyn, *Kuan-tzu. A Rrpository of Early Chinese Thought*, Vol.1, Hong Kong: Hong Kong University Press, 1965.

Röllicke, Hermann-Josef, *Die Fährte des Herzens. Die Lehre vom Herzensbestreben* (*zhi*) *im Grossen Vorwort zum Shijing*, Berlin: Reimer, 1992.

Schipper, Kristofer M., *Concordance du Tao-tsang: Titre des ouvrages. Publications de l'école Française d'Extrême-Orient CII*, Paris: éole Franêaise d'Extrême-Orient, 1975.

Schlegel, Gustave, *La loi du parallelism en style chinois, demonstrée par la préface du Si-yu-ki, la traduction de cette préface par feu Stanislaus Julien défendue contre la nouvelle traduction du Père A. Gueluy*, Leiden: E. J. Brill, 1896.

——, "Le Stèle funéraire du Teghin Giogh et ses Copistes et traducteurs chinois, russes et allemands", *Journal de la Société Finno-Ougrienne* 8(1892):30.

Seidel, Anna K., *La Divinisation du Lao Tsru dans le Taoisme des Han. Publications de l'école Française d'Extrême Orient LXXI*, Paris: école Française d'Extrême Orient, 1969.

——,"The Image of the Perfect Ruler in Early Taoist Messianism: Lao-Tzu and Li Hung", *History of Religions* 9:2—3(1969/1970):216—47.

《尚书大传逐字索引》,D. C. Lau(刘殿爵),Hong Kong:Commercial Press,1994。

《尚书》,阮元编,《十三经注疏》。

《胜论广训》,1850。

《胜论广训直解》,安徽,1876。

《胜论像解》,江苏,1903。

《说苑逐字索引》,Hong Kong:Commercial Press,1992。

释法琳,《辩正论》,vol. 52. Taishō Shinshū Daizōkyō,T. 2110,及《广弘明集》。

释慧远,《沙门不敬王者论》,载《弘明集》。

Shih, Vincent Y. C., *The Literary Mind and the Carving of Dragons*, New York: Columbia University Press, 1959.

司马迁,《史记》,北京:中华书局。

Soymié, Michel ,"L'entrevue de Confucius et de Hiang T'o", *Journal Asiatique* 242.3—4 (1954):311—92.

Som, Tjan Tjoe(曾珠森), *Po Hu Tung*(白虎通). *The Comprehensive Discussions in the White Tiger Hall: A Contribution to the History of Classical Studies in the Han Perio*. 2 vols,Leiden: E. J. Brill, 1949—1952.

岛邦男,《老子校正》,Tokyo:Kyukoshōin,1973。

Strauss,Leo,*Thoughts onn Machiavelli*. *Glencoe*,Ill, Free Press,1959.

Strickmann,Michael,"The Longest Taoist Scripture", *History of Religions*17:3—4 (1978):331—354.

司修武,"黄老学说与汉初政治平议",台北:学生书局,1992。

苏舆,《春秋繁露义证》,北京:中华书局,1992。

孙星衍,"文子序",载《问字堂集》,卷4。.

——,《问字堂集》,载 Dainange congshu,收于《百部丛书集成》,台北:艺文,1971年。

孙圹,《王弼注老子》,载严灵峰编,《无求备斋老子集成》。

《太平御览》,台北:Xinxing Press, 1959。

竹治贞夫,《楚辞索引》, Kyōto: Chubun Press, 1979 。

云泷龟太郎,《史记会注考证》,台北: Yinwen yinshuguan。

谭戒甫,"二老研究",载《古史辨》(1938):473—515。

唐玄宗,"道德真经疏外传",《道德真经疏》,载《正统道藏》。

唐长孺,《魏晋南北朝史论丛》北京:三联书店,1978年。

唐敬杲,《新文化辞书》,上海:商务印书馆,1931年。

唐君毅,《中国哲学原论》,台北:学生书局,1986。

汤一介,《魏晋南北朝时期的道教》,西安:陕西师范大学出版社,1988年。

汤用彤,《理学、佛学、玄学》,北京:北京大学出版社;

——,《汉魏两晋南北朝佛教史》,北京:中华书局,1955。

——,《汤用彤学术论文集》,北京:中华书局,1983年。

——,《魏晋玄学论稿》,北京:人民出版社,1957。

汤用彤、任继愈,《魏晋玄学中的社会政治思想略论》,上海:上海人民出版社,1956年。

陶鸿庆,"读老子札记",载《陶鸿庆〈老子〉王弼注刊误补正》,严灵峰编,《无求备斋老子集成》。

武内义雄,《老子原始》,Tōkyō: Shimize Kobundō, 1926, Repr., Tōkyō: Kobundō,1967。

东条一堂,《老子王注标识》,载严灵峰编,《无求备斋老子集成》。

《通玄真经注》,默希子注,载《正统道藏》。

《通玄真经缵义》,《正统道藏》。

脱脱,《宋史》,北京:中华书局,1977年。

Twitchett, Denis, *Printing and Publishing in Medieval China*, New York: F. Beil,1983.

宇佐美灊水,《老子道德真经王注老子道德经》,载《无求备斋老子集成》。

Van der Loon,Piet., *Taoist Books in the Liabraries of the Sung Period*, Oxford Oriental Institute, Monograph 7, London: Ithaca Press, 1984.

Wagner, Rudolf G., *The Craft of a Chinese Commentator: Wang Bi on the Laozi*, Albany: State University of New York Press, 2000.

Wagner, Rudolf G., *A Chinese Reading of the Daode jing. Wang Bi's Commentary on the Laozi. With Critical Text and Translation*, Albany: State University of New York Press, 2001.

——, "Ban Gu and the End of History", Unpublished manuscript, 1995.

——,"被遗忘的微指——王弼的《老子》解释学",《学人》10:313—44(1996)。

——, *The Contemporary Chinese Historical Drama: Four Studies*, Berkeley: University of Califarnia Press, 1990.

——, "DieUnhandlichkeit des Konfuzius", in A. Assmann 编, *Weisheit. Archä* Ⅲ *ologie der literarischen Kommunikation* Ⅲ, 455—464.

——, "Ein chinesisches Plädoyer gegen die autonome Person(A Chinese Plea against the Notion of the Autonomous Person)", in M. Wellker 编, *Die Autonome Person*,即出。

——, "Exploring the Common Ground: Buddhist Commentaries on the Taoist Classic Laozi", in Glenn Most 编, *Comentaries-Kommentare*, Göttingen: Vandenhoeck & Ruprecht, 1999, 95— 120.

——, "Lebensstil und Drogenim chinesischen Mittelalter", *T'oung Pao* LIX: 79—178(1973).

——, "Twice Removed from the Truth: Fragment Collection in 18th and 19th Century China", in G. Most 编, *Aporemata 1: Collecting Fragments——Fragmente Sammeln*, Göttingen: Vandenhoeck & Ruprecht, 1997, 34—52.

——, *Language, Ontology, and Political Philosophy in China: Wang Bi's Scholarly Exploration of the Dark* (*Xuanxue*), Albany: State University of New York Pess, 2003.

——, "Lebensstil und Drogen im chinesischen Mittelalter", *T'oung Pao* 59(1973): 79—178.

——, "The Impact of Conception of Rhetoric and Style upon the Formation of Early Laozi Editions: Evidence from Guodian, Mawangdui, and the Wang Bi Laozi", *Transactions of the International Conference of Eastern Studies* No. XLIV(1999): 32—56.

——, "The Wang Bi Recension of the Laozi", *Early China* 14(1989): 27—54.

——, "Wang Bi: 'The Structure of the Laozi's Subtle Pointers' (Laozi weizhi lilüe)", *T'oung Pao* LXXII(1986): 92—129.

Wallace, Edwin, comp, *Outlines of the Philosophy of Aristotle Cambridge*, Cambridge University Press, 1908.

Wallacker, Benjamin E., "Han Confucianism and Confuciue in Han", in D. Roy, Tsuen-hsuin Tsien (eds), *Ancient China: Studies in Early Civilization*, Hong Kong: Hong Kong University Press, 1978, 215—28.

——, "The *Spring and Autumn Annals* As a Source of Law in Han China", *Journal of Chinese Studies* 2:1:59—72 (1985).

Wagner, Lothar, "Art As an Instrument for Political Legitimation during the Tang: The Small Script and The Legitimation Seal", *Oriens Extremus* 40:2(1997).

——, "Die Unhandlichkeit des Konfuzius", In *Weisheit. Archäologie der literarischen Kommunikation Ⅲ*, edited by A. Assmann, 455—64. Munich: Fink Verlag, 1991.

——, "Die Fragen Hui-yüan's an Kumarajiva", University of Munich 博士论文, 1969 年。

——, "Exploring the Common Ground: Buddhist Commentaries on the Taoist Classic Laozi." In *Commentaries-Kommentare*, edited by Glenn Most, Göttingen: Vandenhoeck & Ruprecht, 1999, 95—120.

Waley, Arthur, *The Analects of Confucius*, London: Allen & Unwin, 1938.

王葆玹,“试论郭店楚简各篇的撰作时代及其背景——兼论郭店及包山楚墓的时代问题”,载《哲学研究》20(1989):366—90。

——,“‘五行大义’所引王弼‘周易大演论’佚文考试”,载《哲学研究》8(1983):67—74。

——,“怎样认识王弼的本体论”,载《文史哲》3(1985):17—19。

——,《正始玄学》,济南:齐鲁书社。

王德有,《老子旨归全译》,成都:巴蜀书社,1992。

王淮,“王弼之老学”,台湾大学硕士论文,1975 年。

王念孙,《读书杂志》,上海:商务,1933 年。

王雱,《道德真经集注》,载《正统道藏》。

王溥,《唐会要》,北京:中华书局,1990 年。

王启湘,《周秦名家三子校诠》,北京:古籍出版社,1957。

王晓毅,《中国文化的清流——正始之音》,北京:中国社会科学出版社,1991 年。

——,《王弼评传》,南京:南京大学出版社,1996 年。

王卡编,《老子道德经河上公章句》,北京:中华书局,1993 年。

王钦若等编,《册府元龟》,北京:中华书局,1960 年。

王维诚,“魏王弼撰老子指略佚文之发见”,《北京大学国学集刊》7:3(1951):367—376。

王先谦,《荀子集解》,北京:中华书局,1988 年。

王应麟,《玉海》,台北:Hualin Press,1964。

王重民,《老子考》,北京:Zhonghua shuguan xiehui,1927。

Watson, Burton, *The Complete Works of Chuang Tzu*, New York and London: Columbia University Press, 1968.

魏源,《老子本义》,载《诸子集成》,上海书店,1986 年。

魏征,《隋书》,北京:中华书局,1973。

Welch, H. & A. Seidel 编, *Facets of Taoism*, New Haven, Conn: Yale University Press, 1979。

嵇康,《嵇康集校注》,北京:人民文学出版社,1962。

夏竦,《古文四声韵》,北京:中华书局,1983 年。

萧子显,《南齐书》,北京:中华书局,1972 年。

《孝经注疏》,载《四部备要》,北京:中华书局。

谢守灏,《混元圣记》,载《正统道藏》。

邢璹,“周易略例注”,载《汉魏丛书》,程荣编,上海:商务印书馆,1975。

熊克,“克伏诵”,《道德真经注》,载《正统道藏》。

徐大椿,《道德经注》,载《徐灵胎先生遗书》。

徐坚,《初学记》,北京:中华书局,1972年。
许抗生,"何王玄学管见",载《文史哲》3:31—32(1985)。
——,《帛书老子主事与研究》(增订本),杭州:浙江人民出版社,1982年。
——,"论魏晋道家与玄学的关系",载《中国哲学史研究》3:26—31(1986)。
——,"论魏晋时候的诸子百家学",载《中国哲学史研究》3:31—42(1982)。
许抗生、李中华、陈战国、那薇,《魏晋玄学史》,西安:陕西师范大学出版社,1989年。
严可均编,《全上古三代秦汉三国六朝文》,北京:中华书局,1985年。
严灵峰,《老庄研究》,台北:中华书局,1966年。
——,《无求备斋老子集成》,台北:艺文,1965。
颜师古,《玄言新记明老部》,P2462,Paris:Bibliothèque Nationale。
杨伯峻,《列子集释》,北京:中华书局,1985年。
杨树达,《(增补)老子古义》,上海:中华书局,1936年。
扬雄,《法言注》,北京,中华书局,1992。
——《太玄经》,载《四部备要》,上海:中华书局,1930。
姚振宗,《三国艺文志》,《二十五史补编》2:3189—3300。
Yates, Robin, *Five Lost Classics: Tao, Huanglao and Yinyang in Han China*, New York: Ballantine, 1997。
尹恭弘,《骈文》,北京:人民文学出版社,1994。
应劭,《风俗通义》,载《四部丛刊》,上海:商务印书馆,1929—1934。
吉川忠夫,"郑玄の学塾",载 Kyōtō daigaku Jimbun kagaku kenkyūjō 编, *Chūgoku kizoku shakai sei no kenkyu*, 页 321—59。
余嘉锡,《世说新语笺疏》,上海古籍出版社,1993。
——,《余嘉锡论学杂著》,北京:中华书局,1963。
俞正燮,《癸巳存稿》,《丛书集成》,台北:艺文,1971年。
余英时,"汉晋之际时新自觉与新思潮",载《新亚学报》41(1959):25—144。
姚鼐,《老子章义》,台北:GuangwenPress,1975。
姚氏学,《补三国艺文志》,《适园丛书》,上海,1913—16。
《逸周书逐句索引》,香港:商务印书馆,1992。
山崎先生退官纪念会编,《山崎先生退官纪念东洋史学》,Tōkyō: Yamazaki sensei taikan kinenkai, 1967。
余敦康,《何晏王弼玄学新探》,济南:齐鲁书社,1991年。
袁济喜,"有无之辨与自然雕饰之争——魏晋南北朝两种审美情趣的玄学根源",载《学术研究》1:105—09(1986)。
——,《六朝美学》,北京:北京大学出版社,1989年。
张君房,《云笈七签》,载《正统道藏》。
张君相,《老子集解》,在《正统道藏》被误归入顾欢名下。

张溥,《三曹集》,长沙:岳麓书社,1992 年。

赵希弁,《昭德先生郡斋读书后志》,载《四部丛刊》,北京:中华书局。

赵学士(秉文)《道德真经集解》,载《正统道藏》。

郑成海,《老子河上公注斠理》,台北:中华书局,1971 年。

郑樵,《通志略》,载《四部备要》,北京:中华书局。

郑玄,《孝经注疏》。

——,《周礼注疏》,载阮元编,《十三经注疏》。

《正统道藏》,台北:艺文,1963 年。

中国科学院哲学研究所、中国哲学史组、北京大学哲学史教研室编,《中国历代哲学文选》“两汉隋唐编”,北京:中华书局,1963 年。

《中庸》,载阮元编,《十三经注疏》。

周中孚,《郑堂读书记》,北京:商务印书馆,1959 年。

《周易王韩注》,载《四部备要》,北京:中华书局。

《周易引得》,Harvard-Yenching Institute Sinological Index Series No. 10,Repr,台北:Ch'eng- wen,1966。

庄(严)尊,《道德真经指归》,载《正统道藏》。

《庄子引得》,Harvard-Yenching Institute Sinological Index Series Supplement No. 20,Cambridge:Harvard University Press,1956。

译 后 记

《王弼〈老子注〉研究》[1]是德国当代著名汉学家 Rudolf G. Wagner 教授的相关系列著作的翻译合集。依据原系列的次序，本书共分为三编：第一编讨论的是王弼《老子注》的注释技艺及解释原则；第二编的内容是对王弼《老子》本、《老子注》及《老子微旨略例》的文本重构和翻译；第三编则在上述研究的基础上，深入探讨了王弼的语言哲学、本体论和政治哲学。

在这部以解释学为方法论基础的著作中，解释学的理论探讨非但没有如近年来众多以解释学为借口的研究那样走向粗率荒疏，反而成了更自觉地接受文本约束的驱动力。以王弼在解释《老子》时留下的方法论暗示为指南来解释和阐发王弼的《老子注》，成了 Wagner 的指导性原则。正是在这一原则的引领下，王弼《老子注》才第一次被真正当做一个注释文本、而非仅仅借用注释的形式来表达注释者自己思想的哲学文本来加以研究。由于 Wagner 认为通行本王弼《老子注》中的《老子》本文已经为河上公《老子》本叠置、覆盖，重构王弼的《老子本》就成了一个既

---

① Rudolf G. Wagner, *The Craft of a Chinese Commentator*: *Wang Bi on the Laozi*, Albany: State University of New York Press, 2000; *A Chinese Reading of the Daodejing*: *Wang Bi's Commentary on the Laozi with Critical Text and Translation*, Albany: State University of New York Press, 2003; *Language*, *Ontology*, *And Political Philosophy in China*, Albany: State University of New York Press, 2003.

必要又迫切的课题。这也最终促成了本书第二编的批判性文本的出现。而对王弼《老子》本及注释的翻译，则充分体现了第一编中展示出的王弼的注释技艺。经过结构性转写的译文，根据的是王弼注对《老子》各章的内在结构的把握；而插入大量原来的文本中所没有的成分，则符合王弼尽可能减低文本多义性的诉求。Wagner 在这里提供给读者的是我所见过的最大胆同时也是最明确的译文。我们当然可以不赞同他在一些细节上的处理方式，但在对中国古代文本的现代翻译中，含混多义往往是比错误更致命的缺陷。而 Wagner 对王弼《老子注》中的哲学思想的阐发，则从另一个侧面告诉汉语世界的读者：那种桎梏了我们的哲学想象的哲学理解，已经在何种程度上败坏了我们的哲学品味，并阻塞了通往更具汉语性的哲学视野的道路。

关于本书的翻译，有两点需要特别指出的地方：

一、由于 Wagner 对王弼《老子》本及《老子注》往往有颇为独到的理解(这些理解都包含在本书第二编的译文中)，所以在翻译中直接将他所引用的资料译回原文，往往无法准确地把握论述的脉络。但在具体的译介中，如果过多地使用他的译文，则无法兼顾文字的可读性和行文的顺畅性。所以，我在翻译的时候，能够直接引用的地方还是尽可能引用原文。对于那些必须了解 Wagner 的独到见解的地方，则或是在原文后面附上译文，或是以译注的方式指出参考本书第二编中的相应译文的必要；

二、由于原书文本重构和翻译部分的注释系统太过繁复，因此，在翻译中，我将所有的注释统一归入脚注，以便翻检。

本书作者 Rudolf G. Wagner 教授对这一译稿做了通篇校读。当然，这并不意味着我有了可以推卸责任的借口。我愿意诚恳地接受对译稿的任何指摘和批评。

杨立华

2006 年 6 月 6 日于北京

“海外中国研究丛书”书目

1. 中国的现代化 [美]吉尔伯特·罗兹曼 主编 国家社会科学基金“比较现代化”课题组 译 沈宗美 校
2. 寻求富强:严复与西方 [美]本杰明·史华兹 著 叶凤美 译
3. 中国现代思想中的唯科学主义(1900—1950) [美]郭颖颐 著 雷颐 译
4. 台湾:走向工业化社会 [美]吴元黎 著
5. 中国思想传统的现代诠释 余英时 著
6. 胡适与中国的文艺复兴:中国革命中的自由主义,1917—1937 [美]格里德 著 鲁奇 译
7. 德国思想家论中国 [德]夏瑞春 编 陈爱政 等译
8. 摆脱困境:新儒学与中国政治文化的演进 [美]墨子刻 著 颜世安 高华 黄东兰 译
9. 儒家思想新论:创造性转换的自我 [美]杜维明 著 曹幼华 单丁 译 周文彰 等校
10. 洪业:清朝开国史 [美]魏斐德 著 陈苏镇 薄小莹 包伟民 陈晓燕 牛朴 谭天星 译 阎步克 等校
11. 走向21世纪:中国经济的现状、问题和前景 [美]D.H. 帕金斯 著 陈志标 编译
12. 中国:传统与变革 [美]费正清 赖肖尔 主编 陈仲丹 潘兴明 庞朝阳 译 吴世民 张子清 洪邮生 校
13. 中华帝国的法律 [美]D. 布朗 C. 莫里斯 著 朱勇 译 梁治平 校
14. 梁启超与中国思想的过渡(1890—1907) [美]张灏 著 崔志海 葛夫平 译
15. 儒教与道教 [德]马克斯·韦伯 著 洪天富 译
16. 中国政治 [美]詹姆斯·R. 汤森 布兰特利·沃马克 著 顾速 董方 译
17. 文化、权力与国家:1900—1942年的华北农村 [美]杜赞奇 著 王福明 译
18. 义和团运动的起源 [美]周锡瑞 著 张俊义 王栋 译
19. 在传统与现代性之间:王韬与晚清革命 [美]柯文 著 雷颐 罗检秋 译
20. 最后的儒家:梁漱溟与中国现代化的两难 [美]艾恺 著 王宗昱 冀建中 译
21. 蒙元入侵前夜的中国日常生活 [法]谢和耐 著 刘东 译
22. 东亚之锋 [美]小R. 霍夫亨兹 K.E. 柯德尔 著 黎鸣 译
23. 中国社会史 [法]谢和耐 著 黄建华 黄迅余 译
24. 从理学到朴学:中华帝国晚期思想与社会变化面面观 [美]艾尔曼 著 赵刚 译
25. 孔子哲学思微 [美]郝大维 安乐哲 著 蒋弋为 李志林 译
26. 北美中国古典文学研究名家十年文选乐黛云 陈珏 编选
27. 东亚文明:五个阶段的对话 [美]狄百瑞 著 何兆武 何冰 译
28. 五四运动:现代中国的思想革命 [美]周策纵 著 周子平 等译
29. 近代中国与新世界:康有为变法与大同思想研究 [美]萧公权 著 汪荣祖 译
30. 功利主义儒家:陈亮对朱熹的挑战 [美]田浩 著 姜长苏 译
31. 莱布尼兹和儒学 [美]孟德卫 著 张学智 译
32. 佛教征服中国:佛教在中国中古早期的传播与适应 [荷兰]许理和 著 李四龙 裴勇 等译
33. 新政革命与日本:中国,1898—1912 [美]任达 著 李仲贤 译
34. 经学、政治和宗族:中华帝国晚期常州今文学派研究 [美]艾尔曼 著 赵刚 译
35. 中国制度史研究 [美]杨联陞 著 彭刚 程钢 译

36. 汉代农业:早期中国农业经济的形成 [美]许倬云 著 程农 张鸣 译 邓正来 校
37. 转变的中国:历史变迁与欧洲经验的局限 [美]王国斌 著 李伯重 连玲玲 译
38. 欧洲中国古典文学研究名家十年文选乐黛云 陈珏 龚刚 编选
39. 中国农民经济:河北和山东的农民发展,1890—1949 [美]马若孟 史建云 译
40. 汉哲学思维的文化探源 [美]郝大维 安乐哲 著 施忠连 译
41. 近代中国之种族观念 [英]冯客 著 杨立华 译
42. 血路:革命中国中的沈定一(玄庐)传奇 [美]萧邦奇 著 周武彪 译
43. 历史三调:作为事件、经历和神话的义和团 [美]柯文 著 杜继东 译
44. 斯文:唐宋思想的转型 [美]包弼德 刘宁 译
45. 宋代江南经济史研究 [日]斯波义信 著 方健 何忠礼 译
46. 一个中国村庄:山东台头 杨懋春 著 张雄 沈炜 秦美珠 译
47. 现实主义的限制:革命时代的中国小说 [美]安敏成 著 姜涛 译
48. 上海罢工:中国工人政治研究 [美]裴宜理 著 刘平 译
49. 中国转向内在:两宋之际的文化转向 [美]刘子健 著 赵冬梅 译
50. 孔子:即凡而圣 [美]赫伯特·芬格莱特 著 彭国翔 张华 译
51. 18世纪中国的官僚制度与荒政 [法]魏丕信 著 徐建青 译
52. 他山的石头记:宇文所安自选集 [美]宇文所安 著 田晓菲 编译
53. 危险的愉悦:20世纪上海的娼妓问题与现代性 [美]贺萧 著 韩敏中 盛宁 译
54. 中国食物 [美]尤金·N. 安德森 著 马孆 刘东 译 刘东 审校
55. 大分流:欧洲、中国及现代世界经济的发展 [美]彭慕兰 著 史建云 译
56. 古代中国的思想世界 [美]本杰明·史华兹 著 程钢 译 刘东 校
57. 内闱:宋代的婚姻和妇女生活 [美]伊沛霞 著 胡志宏 译
58. 中国北方村落的社会性别与权力 [加]朱爱岚 著 胡玉坤 译
59. 先贤的民主:杜威、孔子与中国民主之希望 [美]郝大维 安乐哲 著 何刚强 译
60. 向往心灵转化的庄子:内篇分析 [美]爱莲心 著 周炽成 译
61. 中国人的幸福观 [德]鲍吾刚 著 严蓓雯 韩雪临 吴德祖 译
62. 闺塾师:明末清初江南的才女文化 [美]高彦颐 著 李志生 译
63. 缀珍录:十八世纪及其前后的中国妇女 [美]曼素恩 著 定宜庄 颜宜葳 译
64. 革命与历史:中国马克思主义历史学的起源,1919—1937 [美]德里克 著 翁贺凯 译
65. 竞争的话语:明清小说中的正统性、本真性及所生成之意义 [美]艾梅兰 著 罗琳 译
66. 中国妇女与农村发展:云南禄村六十年的变迁 [加]宝森 著 胡玉坤 译
67. 中国近代思维的挫折 [日]岛田虔次 著 甘万萍 译
68. 中国的亚洲内陆边疆 [美]拉铁摩尔 著 唐晓峰 译
69. 为权力祈祷:佛教与晚明中国士绅社会的形成 [加]卜正民 著 张华 译
70. 天潢贵胄:宋代宗室史 [美]贾志扬 著 赵冬梅 译
71. 儒家之道:中国哲学之探讨 [美]倪德卫 著 [美]万白安 编 周炽成 译
72. 都市里的农家女:性别、流动与社会变迁 [澳]杰华 著 吴小英 译
73. 另类的现代性:改革开放时代中国性别化的渴望 [美]罗丽莎 著 黄新 译
74. 近代中国的知识分子与文明 [日]佐藤慎一 著 刘岳兵 译
75. 繁盛之阴:中国医学史中的性(960—1665) [美]费侠莉 著 甄橙 主译 吴朝霞 主校
76. 中国大众宗教 [美]韦思谛 编 陈仲丹 译
77. 中国诗画语言研究 [法]程抱一 著 涂卫群 译
78. 中国的思维世界 [日]沟口雄三 小岛毅 著 孙歌 等译

79. 德国与中华民国 [美]柯伟林 著 陈谦平 陈红民 武菁 申晓云 译 钱乘旦 校
80. 中国近代经济史研究:清末海关财政与通商口岸市场圈 [日]滨下武志 著 高淑娟 孙彬 译
81. 回应革命与改革:皖北李村的社会变迁与延续韩敏 著 陆益龙 徐新玉 译
82. 中国现代文学与电影中的城市:空间、时间与性别构形 [美]张英进 著 秦立彦 译
83. 现代的诱惑:书写半殖民地中国的现代主义(1917—1937) [美]史书美 著 何恬 译
84. 开放的帝国:1600 年前的中国历史 [美]芮乐伟·韩森 著 梁侃 邹劲风 译
85. 改良与革命:辛亥革命在两湖 [美]周锡瑞 著 杨慎之 译
86. 章学诚的生平及其思想 [美]倪德卫 著 杨立华 译
87. 卫生的现代性:中国通商口岸卫生与疾病的含义 [美]罗芙芸 著 向磊 译
88. 道与庶道:宋代以来的道教、民间信仰和神灵模式 [美]韩明士 著 皮庆生 译
89. 间谍王:戴笠与中国特工 [美]魏斐德 著 梁禾 译
90. 中国的女性与性相:1949 年以来的性别话语 [英]艾华 著 施施 译
91. 近代中国的犯罪、惩罚与监狱 [荷]冯客 著 徐有威 等译 潘兴明 校
92. 帝国的隐喻:中国民间宗教 [英]王斯福 著 赵旭东 译
93. 王弼《老子注》研究 [德]瓦格纳 著 杨立华 译
94. 寻求正义:1905—1906 年的抵制美货运动 [美]王冠华 著 刘甜甜 译
95. 传统中国日常生活中的协商:中古契约研究 [美]韩森 著 鲁西奇 译
96. 从民族国家拯救历史:民族主义话语与中国现代史研究 [美]杜赞奇 著 王宪明 高继美 李海燕 李点 译
97. 欧几里得在中国:汉译《几何原本》的源流与影响 [荷]安国风 著 纪志刚 郑诚 郑方磊 译
98. 十八世纪中国社会 [美]韩书瑞 罗友枝 著 陈仲丹 译
99. 中国与达尔文 [美]浦嘉珉 著 钟永强 译
100. 私人领域的变形:唐宋诗词中的园林与玩好 [美]杨晓山 著 文韬 译
101. 理解农民中国:社会科学哲学的案例研究 [美]李丹 著 张天虹 张洪云 张胜波 译
102. 山东叛乱:1774 年的王伦起义 [美]韩书瑞 著 刘平 唐雁超 译
103. 毁灭的种子:战争与革命中的国民党中国(1937—1949) [美]易劳逸 著 王建朗 王贤知 贾维 译
104. 缠足:"金莲崇拜"盛极而衰的演变 [美]高彦颐 著 苗延威 译
105. 饕餮之欲:当代中国的食与色 [美]冯珠娣 著 郭乙瑶 马磊 江素侠 译
106. 翻译的传说:中国新女性的形成(1898—1918) 胡缨 著 龙瑜宬 彭珊珊 译
107. 中国的经济革命:二十世纪的乡村工业 [日]顾琳 著 王玉茹 张玮 李进霞 译
108. 礼物、关系学与国家:中国人际关系与主体性建构 杨美慧 著 赵旭东 孙珉 译 张跃宏 译校
109. 朱熹的思维世界 [美]田浩 著
110. 皇帝和祖宗:华南的国家与宗族 [英]科大卫 著 卜永坚 译
111. 明清时代东亚海域的文化交流 [日]松浦章 著 郑洁西 等译
112. 中国美学问题 [美]苏源熙 著 卞东波 译 张强强 朱霞欢 校
113. 清代内河水运史研究 [日]松浦章 著 董科 译
114. 大萧条时期的中国:市场、国家与世界经济 [日]城山智子 著 孟凡礼 尚国敏 译 唐磊 校
115. 美国的中国形象(1931—1949) [美] T. 克里斯托弗·杰斯普森 著 姜智芹 译
116. 技术与性别:晚期帝制中国的权力经纬 [英]白馥兰 著 江湄 邓京力 译

117. 中国善书研究 [日]酒井忠夫 著 刘岳兵 何英莺 孙雪梅 译
118. 千年末世之乱:1813 年八卦教起义 [美]韩书瑞 著 陈仲丹 译
119. 西学东渐与中国事情 [日]增田涉 著 由其民 周启乾 译
120. 六朝精神史研究 [日]吉川忠夫 著 王启发 译
121. 矢志不渝:明清时期的贞女现象 [美]卢苇菁 著 秦立彦 译
122. 明代乡村纠纷与秩序:以徽州文书为中心 [日]中岛乐章 著 郭万平 高飞 译
123. 中华帝国晚期的欲望与小说叙述 [美]黄卫总 著 张蕴爽 译
124. 虎、米、丝、泥:帝制晚期华南的环境与经济 [美]马立博 著 王玉茹 关永强 译
125. 一江黑水:中国未来的环境挑战 [美]易明 著 姜智芹 译
126.《诗经》原意研究 [日]家井真 著 陆越 译
127. 施剑翘复仇案:民国时期公众同情的兴起与影响 [美]林郁沁 著 陈湘静 译
128. 华北的暴力和恐慌:义和团运动前夕基督教传播和社会冲突 [德]狄德满 著 崔华杰 译
129. 铁泪图:19 世纪中国对于饥馑的文化反应 [美]艾志端 著 曹曦 译
130. 饶家驹安全区:战时上海的难民 [美]阮玛霞 著 白华山 译
131. 危险的边疆:游牧帝国与中国 [美]巴菲尔德 著 袁剑 译
132. 工程国家:民国时期(1927—1937)的淮河治理及国家建设 [美]戴维·艾伦·佩兹 著 姜智芹 译
133. 历史宝筏:过去、西方与中国妇女问题 [美]季家珍 著 杨可 译
134. 姐妹们与陌生人:上海棉纱厂女工,1919—1949 [美]韩起澜 著 韩慈 译
135. 银线:19 世纪的世界与中国 林满红 著 詹庆华 林满红 译
136. 寻求中国民主 [澳]冯兆基 著 刘悦斌 徐硙 译
137. 墨梅 [美]毕嘉珍 著 陆敏珍 译
138. 清代上海沙船航运业史研究 [日]松浦章 著 杨蕾 王亦诤 董科 译
139. 男性特质论:中国的社会与性别 [澳]雷金庆 著 [澳]刘婷 译
140. 重读中国女性生命故事 游鉴明 胡缨 季家珍 主编
141. 跨太平洋位移:20 世纪美国文学中的民族志、翻译和文本间旅行 黄运特 著 陈倩 译
142. 认知诸形式:反思人类精神的统一性与多样性 [英]G. E. R. 劳埃德 著 池志培 译
143. 中国乡村的基督教:1860—1900 江西省的冲突与适应 [美]史维东 著 吴薇 译
144. 假想的"满大人":同情、现代性与中国疼痛 [美]韩瑞 著 袁剑 译
145. 中国的捐纳制度与社会 伍跃 著
146. 文书行政的汉帝国 [日]富谷至 著 刘恒武 孔李波 译
147. 城市里的陌生人:中国流动人口的空间、权力与社会网络的重构 [美]张骊 著 袁长庚 译
148. 性别、政治与民主:近代中国的妇女参政 [澳]李木兰 著 方小平 译
149. 近代日本的中国认识 [日]野村浩一 著 张学锋 译
150. 狮龙共舞:一个英国人笔下的威海卫与中国传统文化 [英]庄士敦 著 刘本森 译 威海市博物馆 郭大松 校
151. 人物、角色与心灵:《牡丹亭》与《桃花扇》中的身份认同 [美]吕立亭 著 白华山 译
152. 中国社会中的宗教与仪式 [美]武雅士 著 彭泽安 邵铁峰 译 郭潇威 校
153. 自贡商人:近代早期中国的企业家 [美]曾小萍 著 董建中 译
154. 大象的退却:一部中国环境史 [英]伊懋可 著 梅雪芹 毛利霞 王玉山 译
155. 明代江南土地制度研究 [日]森正夫 著 伍跃 张学锋 等译 范金民 夏维中 审校
156. 儒学与女性 [美]罗莎莉 著 丁佳伟 曹秀娟 译

157. 行善的艺术:晚明中国的慈善事业　[美]韩德林 著　吴士勇 王桐 史桢豪 译
158. 近代中国的渔业战争和环境变化　[美]穆盛博 著　胡文亮 译
159. 权力关系:宋代中国的家族、地位与国家　[美]柏文莉 著　刘云军 译
160. 权力源自地位:北京大学、知识分子与中国政治文化,1898—1929　[美]魏定熙 著　张蒙 译
161. 工开万物:17 世纪中国的知识与技术　[德]薛凤 著　吴秀杰 白岚玲 译
162. 忠贞不贰:辽代的越境之举　[英]史怀梅 著　曹流 译
163. 内藤湖南:政治与汉学(1866—1934)　[美]傅佛果 著　陶德民 何英莺 译
164. 他者中的华人:中国近现代移民史　[美]孔飞力 著　李明欢 译　黄鸣奋 校
165. 古代中国的动物与灵异　[英]胡司德 著　蓝旭 译
166. 两访中国茶乡　[英]罗伯特·福琼 著　敖雪岗 译
167. 缔造选本:《花间集》的文化语境与诗学实践　[美]田安 著　马强才 译
168. 扬州评话探讨　[丹麦]易德波 著　米锋 易德波 译　李今芸 校译
169.《左传》的书写与解读　李惠仪 著　文韬 许明德 译
170. 以竹为生:一个四川手工造纸村的 20 世纪社会史　[德]艾约博 著　韩巍 译　吴秀杰 校
171. 东方之旅:1579—1724 耶稣会传教团在中国　[美]柏理安 著　毛瑞方 译
172. "地域社会"视野下的明清史研究:以江南和福建为中心　[日]森正夫 著　于志嘉 马一虹 黄东兰 阿风 等译
173. 技术、性别、历史:重新审视帝制中国的大转型　[英]白馥兰 著　吴秀杰 白岚玲 译
174. 中国小说戏曲史　[日]狩野直喜 张真 译
175. 历史上的黑暗一页:英国外交文件与英美海军档案中的南京大屠杀　[美]陆束屏 编著/翻译
176. 罗马与中国:比较视野下的古代世界帝国　[奥]沃尔特·施德尔 主编　李平 译
177. 矛与盾的共存:明清时期江西社会研究　[韩]吴金成 著　崔荣根 译 薛戈 校译
178. 唯一的希望:在中国独生子女政策下成年　[美]冯文 著　常姝 译
179. 国之枭雄:曹操传　[澳]张磊夫 著　方笑天 译
180. 汉帝国的日常生活　[英]鲁惟一 著　刘洁 余霄 译
181. 大分流之外:中国和欧洲经济变迁的政治　[美]王国斌 罗森塔尔 著　周琳 译　王国斌 张萌 审校
182. 中正之笔:颜真卿书法与宋代文人政治　[美]倪雅梅 著　杨简茹 译　祝帅 校译
183. 江南三角洲市镇研究　[日]森正夫 编 丁韵 胡婧 等译　范金民 审校
184. 忍辱负重的使命:美国外交官记载的南京大屠杀与劫后的社会状况　[美]陆束屏 编著/翻译
185. 修仙:古代中国的修行与社会记忆　[美]康儒博 著　顾漩 译
186. 烧钱:中国人生活世界中的物质精神　[美]柏桦 著　袁剑 刘玺鸿 译
187. 话语的长城:文化中国历险记　[美]苏源熙 著　盛珂 译
188. 诸葛武侯　[日]内藤湖南 著　张真 译
189. 盟友背信:一战中的中国　[英]吴芳思 克里斯托弗·阿南德尔 著　张宇扬 译
190. 亚里士多德在中国:语言、范畴和翻译　[英]罗伯特·沃迪 著　韩小强 译
191. 马背上的朝廷:巡幸与清朝统治的建构,1680—1785　[美]张勉治 著　董建中 译
192. 申不害:公元前四世纪中国的政治哲学家　[美]顾立雅 著　马腾 译
193. 晋武帝司马炎　[日]福原启郎 著　陆帅 译
194. 唐人如何吟诗:带你走进汉语音韵学　[日]大岛正二 著　柳悦 译

195. 古代中国的宇宙论　[日]浅野裕一 著　吴昊阳 译
196. 中国思想的道家之论:一种哲学解释　[美]陈汉生 著　周景松 谢尔逊 等译　张丰乾 校译
197. 诗歌之力:袁枚女弟子屈秉筠(1767—1810)　[加]孟留喜 著　吴夏平 译
198. 中国逻辑的发现　[德]顾有信 著　陈志伟 译
199. 高丽时代宋商往来研究　[韩]李镇汉 著　李廷青 戴琳剑 译　楼正豪 校
200. 中国近世财政史研究　[日]岩井茂树 著　付勇 译　范金民 审校
201. 北京的人力车夫:1920年代的市民与政治　[美]史谦德 著　周书垚 袁剑 译　周育民 校
202. 魏晋政治社会史研究　[日]福原启郎 著　陆帅 刘萃峰 张紫毫 译
203. 宋帝国的危机与维系:信息、领土与人际网络　[比利时]魏希德 著　刘云军 译
204. 行善的艺术:晚明中国的慈善事业(新译本)　[美]韩德玲 著　曹晔 译